Fondements et étapes du processus de recherche

Méthodes quantitatives et qualitatives

Marie-Fabienne Fortin • Johanne Gagnon

Conception et rédaction des outils pédagogiques en ligne

Hélène Fournier
Sciences de l'éducation, Université du Québec à Trois-Rivières

Johanne Gagnon
Sciences infirmières, Université Laval

Martin Lauzier
Relations industrielles, Université du Québec en Outaouais

Martine Poirier
Sciences de l'éducation, Université du Québec à Rimouski

D1546943

Achetez en ligne ou en librairie
En tout temps, simple et rapide!
www.cheneliere.ca

CHENELIÈRE
ÉDUCATION

Fondements et étapes du processus de recherche
Méthodes quantitatives et qualitatives, 3e édition

Marie-Fabienne Fortin et Johanne Gagnon

© 2016 **TC Média Livres Inc.**
© 2010, 2006 Chenelière Éducation inc.

Conception éditoriale : Dominique Hovington
Édition : Johanne O'Grady
Coordination : Olivier Rolko
Révision linguistique : Anne-Marie Trudel
Correction d'épreuves : Jean Boilard
Conception graphique originale : Interscript
Adaptation de la conception graphique originale : Anik Lachance
Conception de la couverture : Eykel Design

Source iconographique

Couverture : Cynthia Bond, *Indian Summer*, 2013.

L'achat en ligne est réservé aux résidants du Canada.

**Catalogage avant publication
de Bibliothèque et Archives nationales du Québec
et Bibliothèque et Archives Canada**

Fortin, Marie-Fabienne

   Fondements et étapes du processus de recherche

   3e édition.

   Comprend des références bibliographiques et un index.

   ISBN 978-2-7650-5006-3

   1. Recherche quantitative.   2. Recherche – Méthodologie.
3. Recherche – Méthodologie – Problèmes et exercices.   4. Recherche
qualitative.   I. Gagnon, Johanne, 1957-   .   II. Titre.

Q180.A1F582 2015   001.4'2   C2015-941355-9

5800, rue Saint-Denis, bureau 900
Montréal (Québec) H2S 3L5 Canada
Téléphone : 514 273-1066
Télécopieur : 514 276-0324 ou 1 800 814-0324
info@cheneliere.ca

ISBN 978-2-7650-5006-3

Dépôt légal : 1er trimestre 2016
Bibliothèque et Archives nationales du Québec
Bibliothèque et Archives Canada

Imprimé au Canada

4 5 6 7 8 M 24 23 22 21 20

Gouvernement du Québec – Programme de crédit d'impôt pour l'édition de livres – Gestion SODEC.

Ce projet est financé en partie par le gouvernement du Canada

AVANT-PROPOS

La recherche demeure une force majeure pour l'avancement des connaissances et l'amélioration de la pratique fondée sur des données probantes dans diverses disciplines. Cette troisième édition de *Fondements et étapes du processus de recherche : méthodes quantitatives et qualitatives* poursuit l'objectif de continuer à offrir une démarche pédagogique visant à faciliter l'apprentissage de la recherche auprès de l'étudiant et à le sensibiliser à son importance pour l'approfondissement des connaissances et la compréhension des phénomènes liés à sa discipline. L'étudiant est ainsi amené à examiner les publications de recherche de façon critique et à déterminer dans quelle mesure les résultats peuvent trouver des applications dans son champ d'intérêt. Le livre adopte un point de vue multidisciplinaire et fournit de nombreux exemples actualisés puisés dans les écrits consacrés aux sciences infirmières et dans d'autres domaines.

L'ouvrage est une introduction aux principales caractéristiques de la méthode de recherche scientifique utilisée dans les diverses disciplines appliquées. Au fil des chapitres, la présentation des caractéristiques de cette méthode est faite en étroite correspondance avec les phases du processus de recherche, dont les étapes concourent à la réalisation concrète d'une étude. L'objectif est de démontrer aux étudiants la pertinence de la méthode scientifique pour appréhender la recherche et explorer des phénomènes associés à divers champs de pratique.

Cette nouvelle édition reprend la structure générale de la précédente, mais le contenu de tous les chapitres a été remanié à la lumière de suggestions faites notamment par plusieurs professeurs de différentes universités. Les contenus de même nature de certains chapitres ont été regroupés afin d'assurer une meilleure cohésion. Le chapitre traitant des enjeux en éthique a été revu de façon substantielle pour prendre en compte la nouvelle version des principes directeurs de l'énoncé de politique des trois conseils (EPTC2). Un nouveau chapitre a été créé pour personnaliser la phase empirique, à savoir la collecte et l'organisation des données. Le concept de la pratique fondée sur les données probantes fait également l'objet d'un chapitre. Enfin, une large place a été accordée à l'intégration des méthodes quantitatives et qualitatives et à l'importance accordée aux données probantes.

La troisième édition est écrite et organisée de manière à faciliter la lecture, la compréhension et l'implantation du processus de recherche. Parmi les points forts à souligner, mentionnons :

- un style d'écriture concis soutenu tout au long des chapitres ;
- la recherche d'un équilibre dans la couverture des méthodes quantitatives et qualitatives ;
- la reconnaissance du concept de la pratique fondée sur des données probantes comme facteur d'amélioration des soins de qualité ;
- une démarche par étapes associée à la conception du problème de recherche et à sa formulation ;
- de multiples exemples tirés des plus récentes publications de recherche dans le but d'illustrer les principaux points de contenu couverts ;

- des références et des sites Web offrant un étalage d'informations importantes pour la conduite d'études et l'application des résultats de recherche dans la pratique ;
- une perspective multidisciplinaire soutenant une démarche et des techniques utilisées dans d'autres champs de pratique pour réaliser la recherche ;
- la présence, à la fin de chaque chapitre, d'exercices de révision ;
- des cartes conceptuelles expliquant les phases de la recherche ainsi qu'une banque d'articles multidisciplinaires accompagnés de schémas de concepts disponibles pour les professeurs sur la plateforme numérique de Chenelière Éducation.

L'ouvrage, constitué de 23 chapitres, est organisé selon cinq phases distinctes précédées d'une introduction. Les trois premiers chapitres servent d'introduction générale : le chapitre 1 expose les principes fondamentaux et les buts qui sous-tendent la recherche et souligne l'importance de celle-ci pour les disciplines dans le cadre de la pratique fondée sur des données probantes. Le chapitre 2 discute des deux principaux paradigmes qui sous-tendent les méthodes de recherche quantitatives et qualitatives, le postpositivisme et l'interprétativisme. Enfin, le chapitre 3 définit les concepts de base en recherche et décrit les phases et les étapes du processus de recherche.

Les cinq phases du processus de recherche sont les suivantes : conceptuelle, méthodologique, empirique, analytique et de diffusion ; chacune d'elle est assortie d'un certain nombre d'étapes. La phase conceptuelle convie l'étudiant à jongler avec les idées et à les documenter dans le cadre d'un sujet de recherche pour déboucher sur une conception claire et précise du problème de recherche. Concentrée sur la documentation du sujet d'étude, cette phase comporte cinq chapitres (4 à 8) couvrant autant d'étapes correspondantes, à savoir : le choix du sujet de recherche et de l'énoncé de la question préliminaire (4) ; la recension des écrits liée à la recherche documentaire et à la lecture critique des publications (5) ; le cadre conceptuel ou théorique dans lequel s'inscrit le problème (6) ; la formulation du problème de recherche guidée par un ensemble d'éléments (7) ; et l'énoncé du but de la recherche, de ses questions ou hypothèses (8). Cette phase sert d'appui à la phase méthodologique.

La phase méthodologique décrit l'ensemble des moyens susceptibles de répondre aux questions de recherche ou de vérifier des hypothèses. Le chercheur passe de la définition du problème de recherche à sa planification et à son opérationnalisation, au moyen d'activités qui précisent comment le problème sera intégré à l'étude. Cette phase contient huit chapitres ou étapes à réaliser : les enjeux en éthique de la recherche (9) ; une introduction au devis de recherche (10) ; les devis de recherche qualitative (11) ; les devis de recherche quantitative (12) ; les méthodes mixtes de recherche (13) ; l'échantillonnage (14) ; les principes sous-jacents à la mesure des concepts (15) ; et les méthodes de collecte des données (16).

La phase empirique a trait aux activités se rapportant à la collecte des données sur le terrain à l'aide des instruments choisis à l'étape précédente et à l'organisation des données en fonction des analyses qualitatives ou quantitatives utilisées. Cette phase ne comporte qu'un seul chapitre (17) portant essentiellement sur la collecte et l'organisation des données. Il s'agit d'une étape cruciale dans le processus de recherche puisqu'elle met en application tout ce qui a été conceptualisé et planifié au cours des étapes précédentes.

La phase analytique met l'accent sur l'analyse des données qualitatives et quantitatives et sur l'interprétation des résultats. Les procédures analytiques distinctes ont été décrites pour chacune des approches qualitatives. Cette phase comporte quatre chapitres : l'analyse des données qualitatives (18) ; l'analyse statistique descriptive (19) ; l'analyse statistique inférentielle (20) ; et la présentation et l'interprétation des résultats (21).

La phase de diffusion, objet de l'avant-dernier chapitre (22), porte sur la communication des résultats de recherche qui s'effectue par des présentations orales, des affiches ou des publications. Cela ouvre la voie à l'intégration éventuelle des données probantes dans la pratique. Le dernier chapitre (23) a été remanié pour mettre l'accent sur l'intégration de données probantes dans la pratique professionnelle.

Cette troisième édition est un ouvrage incontournable pour l'enseignement de la recherche et le développement d'une pensée critique. Elle constitue aussi une source de référence pour les diplômés, les professeurs et les professionnels de divers champs disciplinaires engagés dans des activités de recherche. L'ouvrage est constamment appelé à progresser au rythme des avancées en recherche dans les différentes disciplines.

REMERCIEMENTS

Écrire la troisième édition de cet ouvrage a permis d'examiner et de réviser le contenu de l'édition précédente à la lumière de données provenant de diverses sources : collègues, étudiants, écrits, directives. Tout ouvrage de ce type requiert la synthèse des idées, des écrits et des ressources. La présente édition s'est enrichie des suggestions et des points de vue d'un groupe d'évaluateurs formés de professeurs ayant utilisé l'édition précédente. Nous désirons les remercier et reconnaitre leur contribution à la révision de ce texte. Nos remerciements s'adressent aussi au réviseur scientifique, Nicolas Forest, qui a revu les notions statistiques présentées dans les chapitres 19 et 20. Nous désirons exprimer toute notre reconnaissance à l'équipe éditoriale de Chenelière Éducation : Dominique Hovington, éditrice-conceptrice, pour son soutien, sa compétence et son professionnalisme et l'éditrice Johanne O'Grady, qui a su mener à bien l'opération avec beaucoup de doigté, de compétence et une disponibilité de tous les instants. Nous désirons remercier également Olivier Rolko, chargé de projet, Anne-Marie Trudel, réviseure linguistique, ainsi que Jean Boilard, correcteur d'épreuves.

Marie-Fabienne Fortin, Ph. D.
Johanne Gagnon, inf., Ph. D.

Particularités de l'ouvrage

Ouverture de phase

En ouverture de chacune des phases, un schéma illustre le processus de recherche. Une courte introduction précise la façon dont les chapitres s'enchainent.

Ouverture de chapitre

Un plan détaillé présente la structure du chapitre. Les objectifs d'apprentissage indiquent les connaissances et les habiletés que le contenu du chapitre permet d'acquérir.

PHASE 1

La phase conceptuelle : la documentation du sujet d'étude

La phase conceptuelle comporte plusieurs étapes : poser le sujet d'étude et énoncer la question ; effectuer une recension des écrits basés sur des recherches empiriques et théoriques ; élaborer un cadre de recherche ; formuler le problème et le but de la recherche, les questions ou les hypothèses associées. La phase conceptuelle renvoie à une façon ordonnée de formuler des idées et de documenter celles qui concernent un sujet précis pour en arriver à une conception claire du problème soulevé. Cette phase sert d'appui à la planification de la recherche, qui fait l'objet de la phase méthodologique.

1 PHASE CONCEPTUELLE	2 PHASE MÉTHODOLOGIQUE	3 PHASE EMPIRIQUE	4 PHASE ANALYTIQUE	5 PHASE DE DIFFUSION
• Choisir le sujet d'étude • Recenser les écrits et en faire la lecture critique • Élaborer le cadre de recherche • Formuler le problème • Énoncer le but, les questions et les hypothèses	• Prendre en compte les enjeux éthiques • Choisir un devis de recherche • Sélectionner les participants • Apprécier la qualité de la mesure des concepts • Préciser les méthodes de collecte des données	• Recueillir les données sur le terrain et les organiser pour l'analyse	• Analyser les données • Présenter et interpréter les résultats	• Communiquer les résultats • Intégrer les données probantes dans la pratique professionnelle

---

CHAPITRE 9

Les enjeux en éthique de la recherche

Objectifs d'apprentissage

Après avoir étudié ce chapitre, vous serez en mesure :

- de connaitre la responsabilité éthique du chercheur ;
- de décrire les principes directeurs éthiques qui s'appliquent aux sujets humains ;
- de présenter deux éléments essentiels du consentement libre et éclairé ;
- de déterminer les populations considérées comme vulnérables ;
- de définir le rôle des comités d'éthique en recherche ;
- de discuter des principes éthiques dans la recherche.

Introduction

Chaque chapitre s'ouvre sur une introduction qui présente les concepts qui seront abordés.

L'étape qui suit celle de la présentation des devis de recherche consiste à préciser la population auprès de laquelle les données seront recueillies. Bien que la phase conceptuelle ait employé certaines notions relatives à la population et au choix des participants à une étude, il s'agit maintenant d'extraire un échantillon de la population visée par la recherche. En effet, une étude comprend rarement tous les membres d'une population donnée, et un échantillon représentatif suffit à fournir des renseignements sur les caractéristiques de la population. Il existe plusieurs techniques d'échantillonnage parmi les méthodes probabilistes et non probabilistes ; le chercheur choisit celle qui s'adapte le mieux au but de l'étude et aux contraintes susceptibles de survenir dans le processus de recrutement des sujets. L'objectif est de pouvoir généraliser les résultats aux personnes non incluses dans l'étude, mais qui possèdent des caractéristiques semblables à celles des participants. Ce chapitre présente les principaux concepts liés à l'échantillonnage, les méthodes et les techniques d'échantillonnage, le recrutement des participants ainsi que les facteurs à considérer pour estimer la taille de l'échantillon dans les études quantitatives et qualitatives.

14.1 Les concepts liés à l'échantillonnage

Échantillonnage
Processus au cours duquel on sélectionne un groupe de personnes ou une portion de la population pour représenter la population cible.

L'**échantillonnage** est le processus par lequel on obtient un échantillon à partir de la population. Comme il s'agit de tirer des conclusions précises sur celle-ci à partir d'un groupe plus restreint de personnes, il est essentiel de choisir soigneusement l'échantillon afin qu'il reflète le plus fidèlement possible la population cible. Pour se familiariser avec ce processus, il convient de considérer les principaux concepts qui jouent un rôle de premier plan dans l'échantillonnage : 1) la population ; 2) les critères de sélection ; 3) l'échantillon ; 4) la représentativité de l'échantillon ; et 5) le biais d'échantillonnage.

14.1.1 La population

Population
Ensemble des éléments (personnes, objets, spécimens) qui présentent des caractéristiques communes.

La première étape du processus d'échantillonnage consiste à préciser la population à l'étude. La **population** désigne le groupe formé par tous les éléments (personnes, objets, spécimens) à propos desquels on souhaite obtenir de l'information. Ce que l'on vise à obtenir, c'est une population dont tous les éléments comportent autant que possible les mêmes caractéristiques. Par exemple, si l'étude porte sur les effets d'interventions thérapeutiques sur la qualité de vie des personnes atteintes du sida, la population qui intéresse le chercheur serait constituée de toutes les personnes qui en sont atteintes dans le monde. Toutefois, il n'est pas raisonnable de vouloir tester à l'échelle mondiale chaque personne atteinte ; c'est pourquoi on a recours à l'échantillon pour représenter la population. Le travail auprès de groupes plus restreints est souvent plus économique et potentiellement plus exact que s'il s'effectue auprès de grands groupes, en raison d'un meilleur contrôle. L'échantillonnage suppose une définition claire de la population prise en considération et des éléments qui la composent. L'élément est l'unité de base de la population auprès de laquelle l'information est recueillie ; il s'agit généralement d'une personne, mais cela peut aussi être un groupe, une organisation, une école, une ville. La population est alors constituée d'un ensemble de personnes, d'écoles, de villes, etc.

> L'échantillonnage suppose une définition claire de la population prise en considération et des éléments qui la composent.

Termes clés

Les termes clés en caractères gras et en couleur sont définis en marge du texte et dans le glossaire.

Notions importantes

Les notions importantes sont reprises en exergue.

Tableaux, encadrés, exemples et figures

Les nombreux tableaux, encadrés, exemples et figures apportent des éléments d'information complémentaire, proposent des synthèses et facilitent la compréhension de certains aspects particuliers de la matière.

TABLEAU 12.5 | Un résumé des caractéristiques des devis expérimentaux

Type	Description	Facteurs de validité et...
Devis avant-après avec groupe témoin R < O_1 X O_2 / O_3 O_4	Deux groupes de sujets sont randomisés : l'un reçoit l'intervention et l'autre non. Les prises de mesures auprès des sujets sont faites avant et après l'intervention.	La plupart des obstacles à la ... sont contrôlés par la randomi... mesures avant-après. La vali... peut être affaible par la poss... interaction entre les mesures...
Devis après seulement avec groupe témoin R < X O_1 / O_2	Deux groupes de sujets sont randomisés comme dans le devis précédent. Les mesures des variables dépendantes sont prises uniquement après le traitement ou l'intervention.	Même sans prétest, la plupa... à la validité interne sont con... randomisation et le groupe t... externe est accrue par le co... l'interaction entre la mesure...
Devis factoriel R < A_1B_1 O / A_1B_2 O / A_2B_1 O / A_2B_2 O	Au moins deux variables indépendantes (facteurs) sont utilisées auprès de sujets répartis aléatoirement selon diverses combinaisons des niveaux des deux variables.	La plupart des obstacles à la ... sont contrôlés. L'absence d'... qu'il n'y a pas d'interaction ... et l'intervention, renforçant ... externe.
Devis en blocs aléatoires	Une variable indépendante est stratifiée pour créer des blocs homogènes de sujets répartis aléatoirement selon les niveaux de la variable indépendante active.	La généralisation des résultats dépend de la définition des blocs.

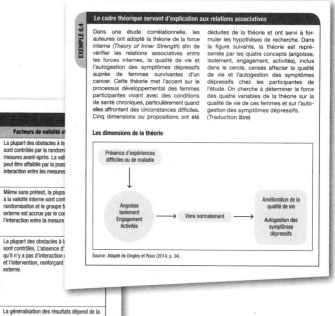

EXEMPLE 6.4 — Le cadre théorique servant d'explication aux relations associatives

Dans une étude corrélationnelle, les auteures ont adopté la théorie de la force interne (*Theory of Inner Strength*) afin de vérifier les relations associatives entre les forces internes, la qualité de vie et l'autogestion des symptômes dépressifs auprès de femmes survivantes d'un cancer. Cette théorie met l'accent sur le processus développemental des femmes participantes vivant avec des conditions de santé chroniques, particulièrement quand elles affrontent des circonstances difficiles. Cinq dimensions ou propositions ont été déduites de la théorie et ont servi à formuler les hypothèses de recherche. Dans la figure suivante, la théorie est représentée par les quatre concepts (angoisse, isolement, engagement, activités), inclus dans le cercle, censés affecter la qualité de vie et l'autogestion des symptômes dépressifs chez les participantes de l'étude. On cherche à déterminer la force des quatre variables de la théorie sur la qualité de vie de ces femmes et sur l'autogestion des symptômes dépressifs. (Traduction libre)

Les dimensions de la théorie

Source : Adapté de Dingley et Roux (2014, p. 34).

Points saillants

7.1	De la question de recherche à la formulation du problème	• La question de recherche sert de base à la formulation du problème de recherche. Elle varie selon qu'il s'agit d'explorer un phénomène ou de décrire des facteurs, d'examiner des relations d'association ou de prédire des relations de causalité.
7.2	Le type de questions en rapport avec la formulation du problème	• Les questions peuvent être qualitatives ou quantitatives. Les questions qualitatives peuvent être exploratoires, descriptives et parfois explicatives, et varient en fonction des études utilisées. Les questions quantitatives sont descriptives, relationnelles (exploratoires ou explicatives) et prédictives causales.
7.3	Qu'est-ce que formuler un problème de recherche ?	• Il s'agit de définir le phénomène à étudier en faisant s'enchaîner les arguments de façon logique et en se basant sur les écrits et les faits relatifs à la situation problématique. • On présente le sujet d'étude, on explique son importance, on résume les données issues de faits et les théories existant dans le domaine, puis on propose une solution. • Dans la formulation du problème d'une recherche qualitative, on décrit d'abord le point central d'investigation, puis on le justifie dans le contexte de l'étude.
7.4	La rédaction du problème de recherche	• Les éléments constitutifs du problème sont traités selon le plan de rédaction dans l'introduction, l'état de la question (le développement) et la conclusion. • Ces éléments sont l'exposé du sujet, la présentation des données du problème, la justification du point de vue empirique et théorique et la solution proposée.

Mots clés

Argumentation	Formulation du problème	Question descriptive	Recherche qualitative
Contexte empirique	Intégration	Question explicative	Recherche quantitative
Contexte théorique	Problème de recherche	Question exploratoire	Rédaction
Éléments du problème	Question de recherche	Question prédictive	Résultat escompté

Exercices de révision

1. Nommez dans l'ordre les cinq éléments entrant dans la formulation d'un problème de recherche.
2. Qu'est-ce que formuler un problème de recherche ?

Liste des références

Les références citées dans la rubrique « Exemple » ou dans les citations peuvent ne pas figurer dans cette liste.

Creswell, J.W. (2007). *Qualitative inquiry and research design: Choosing among five approaches* (2ᵉ éd.). Thousand Oaks, CA : Sage Publications.

Munhall, P.L. (2012). *Nursing research: A qualitative perspective* (5ᵉ éd.). Sudbury, MA : Jones & Bartlett.

Ouellet, M.J. (2007). *Garçons présentant des comportements perturbateurs : trajectoires développementales et facteurs associés* (Thèse de doctorat inédite). Université de Montréal, Québec, Canada.

Punch, K.F. (2005). *Introduction to social research: Quantitative and qualitative approaches* (2ᵉ éd.). Thousand Oaks, CA : Sage Publications.

Speziale, H.J. et Carpenter, D.R. (2007). *Qualitative research in nursing: Advancing the humanistic imperative* (4ᵉ éd.). Philadelphie, PA : Lippincott Williams & Wilkins.

Toussaint, N. et Ducasse, G. (1996). *Apprendre à argumenter : initiation à l'argumentation rationnelle écrite*. Québec, Québec : Le Griffon d'argile.

Wolf, Z.R. (2007). Ethnography: The method. Dans P.L. Munhall (dir.), *Nursing research: A qualitative perspective* (4ᵉ éd.) (p. 293-319). Sudbury, MA : Jones & Bartlett.

Points saillants et Mots clés

À la fin de chaque chapitre, les points saillants résument, par section, les notions importantes qui ont été abordées.
Les mots clés en facilitent l'étude.

Exercices de révision

Les exercices de révision, en fin de chapitre, permettent de faire le point sur la compréhension de la matière.

Liste des références

Les références complètes des écrits cités dans le chapitre sont fournies à la fin de chacun d'eux.

Corrigé des exercices de révision

Le corrigé des exercices, placé à la fin de l'ouvrage, donne les réponses aux exercices de révision de fin de chapitre.

Corrigé des exercices de révision

Chapitre 1
Une introduction à la recherche : démarche et fondements

1. La recherche scientifique se différencie des autres méthodes d'acquisition de connaissances de deux façons principales : c'est la méthode la plus rigoureuse et la plus acceptable, puisqu'il s'agit d'une démarche rationnelle ; de plus, son orientation peut être modifiée en cours de route.

2. a) 3   c) 2   e) 5   g) 6
    b) 4   d) 1   f) 8   h) 7

3. La théorie s'inscrit dans la recherche en suggérant des questions à examiner ou en proposant des réponses à des questions. La recherche génère ou vérifie des théories dans la réalité. Ainsi, l'étroite connexion entre la recherche et la théorie est telle que l'élaboration de la théorie repose sur la recherche et que celle-ci, en retour, repose sur la théorie. La pratique est à la fois l'objet de la recherche et le lieu d'accomplissement des activités de terrain.

4. a) La découverte permet de générer des idées sur des phénomènes ou de comprendre un phénomène vécu selon le point de vue des personnes.
    b) La description consiste à déterminer la nature et les caractéristiques des phénomènes et parfois à reconnaître certains types d'interrelations.
    c) L'explication consiste à rendre compte des relations entre des phénomènes et à déterminer pourquoi un fait donné s'est produit.
    d) La prédiction et le contrôle consistent à évaluer la probabilité qu'un résultat anticipé se produise dans une situation contrôlée.

Chapitre 2
Les paradigmes sous-jacents aux méthodes quantitatives et qualitatives

1. Les deux paradigmes ou courants de pensée qui jouent un rôle prédominant dans le développement des connaissances sont le postpositivisme et l'interprétatif.
   Ces deux paradigmes correspondent

Chapitre 3
Les concepts clés et les étapes du processus de recherche

1. La définition de ces termes se trouve dans le glossaire : cadre de recherche, concept, construit, définition opérationnelle, phénomène, théorie, variable, variable dépendante, variable indépendante.

2. La phase conceptuelle comprend cinq étapes : 1) le choix du sujet de recherche et l'énoncé de la question préliminaire ; 2) la recension des écrits et la lecture critique ; 3) l'élaboration du cadre de recherche ; 4) la formulation du problème de recherche ; 5) l'énoncé du but, des questions de recherche et des hypothèses. Cette phase sert à documenter le sujet d'étude, à formuler le problème de recherche ainsi qu'à préciser le but, les questions de recherche ou les hypothèses.

3. Le processus de recherche qualitative se caractérise par une démarche plus souple où les activités se déroulent de façon itérative. Ses principales caractéristiques sont les suivantes : la recension des écrits se fait souvent avant, pendant et après la collecte des données ; la taille de l'échantillon n'est jamais fixée d'avance ; la collecte et l'analyse des données se font simultanément.

Chapitre 4
Le choix du sujet de recherche et l'énoncé de la question

1. Les principales sources de sujets d'étude sont les suivantes : l'expérience professionnelle, l'observation, les écrits sur la recherche, les enjeux sociaux, les théories existantes et les priorités des organismes de recherche ou des organismes professionnels.

2. Une question de recherche est un énoncé clair et non équivoque qui précise les concepts clés et la population cible et qui suggère une investigation empirique.

3.

Glossaire

Un glossaire complet regroupe les mots définis en marge du texte courant.

Glossaire

Ampleur de l'effet : Expression statistique qui indique l'amplitude de la relation entre deux variables ou l'amplitude de la différence entre deux groupes par rapport à un attribut donné.

Amplitude de classe : Largeur de l'intervalle délimité par une classe fermée. Elle correspond à la différence entre la borne supérieure et la borne inférieure de la classe.

Analyse de contenu : Technique d'analyse qualitative utilisée pour traiter les données textuelles.

Analyse de la variance (ANOVA) : Test statistique paramétrique destiné à déterminer les différences entre trois groupes ou plus en comparant la variation intragroupe avec la variation intergroupes.

Analyse de régression : Technique statistique servant à caractériser le modèle de relation entre la ou les variables indépendantes et la variable dépendante, toutes deux quantitatives.

Analyse des données qualitatives : Processus qui consiste à organiser et à interpréter les données narratives en vue de découvrir des thèmes, des catégories et des modèles de référence.

Analyse secondaire : Type d'étude utilisant les données recueillies

Catalogue de bibliothèque : Liste descriptive de tous les documents que contient une bibliothèque.

Catégorie : Regroupement de codes apparentés.

Catégorie centrale : Phénomène central qui intègre toutes les catégories dans l'étude de théorisation enracinée.

Causalité : Relation de cause à effet entre des variables indépendantes et des variables dépendantes.

Centile (C) : Mesure de position qui indique le rang d'un score en précisant le pourcentage de cas dont le score est inférieur.

CINAHL : Base de données qui répertorie des périodiques traitant des sciences infirmières et des sciences connexes de la santé.

Classification Q : Technique analytique utilisée pour catégoriser des attitudes ou des jugements personnels à l'aide d'un processus de comparaison par classement.

Codage : Procédé qui consiste à convertir en nombre ou en symboles l'information incluse dans un instrument de collecte des données afin d'en faciliter le traitement.

Index

L'index simplifie le repérage des concepts présentés dans l'ouvrage.

Index

Sur la plateforme numérique (i+)

Des cartes conceptuelles expliquant les phases de la recherche ainsi qu'une banque d'articles multidisciplinaires accompagnés de schémas de concepts sont disponibles en ligne pour le professeur.

Table des matières

UNE INTRODUCTION À LA RECHERCHE

PHASE 1   La phase conceptuelle : la documentation du sujet d'étude

CHAPITRE 4   Le choix du sujet de recherche et l'énoncé de la question

CHAPITRE 5   La recension des écrits : de la recherche documentaire à la lecture critique

CHAPITRE 11 Les devis de recherche qualitative

CHAPITRE 12 Les devis de recherche quantitative

PHASE 4 La phase analytique : l'analyse des données et l'interprétation des résultats

CHAPITRE 18 L'analyse des données qualitatives

CHAPITRE 19 L'analyse statistique descriptive

Une introduction à la recherche

Les trois premiers chapitres présentent l'ensemble du processus de recherche. Le premier chapitre propose une définition de la recherche scientifique, en souligne l'importance pour les disciplines, établit ses liens avec d'autres activités intellectuelles, discute des fondements qui guident sa conduite et lui assigne divers buts en fonction de l'état des connaissances. Le deuxième chapitre discute des deux principaux paradigmes qui sous-tendent les méthodes quantitatives et qualitatives, le postpositivisme et l'interprétatif. Le troisième chapitre explique le processus de recherche à l'aide de la description de ses différentes phases et étapes menant à la réalisation de l'étude.

1
PHASE CONCEPTUELLE

- Choisir le sujet d'étude
- Recenser les écrits et en faire la lecture critique
- Élaborer le cadre de recherche
- Formuler le problème
- Énoncer le but, les questions et les hypothèses

2
PHASE MÉTHODOLOGIQUE

- Prendre en compte les enjeux éthiques
- Choisir un devis de recherche
- Sélectionner les participants
- Apprécier la qualité de la mesure des concepts
- Préciser les méthodes de collecte des données

3
PHASE EMPIRIQUE

- Recueillir les données sur le terrain et les organiser pour l'analyse

4
PHASE ANALYTIQUE

- Analyser les données
- Présenter et interpréter les résultats

5
PHASE DE DIFFUSION

- Communiquer les résultats
- Intégrer les données probantes dans la pratique professionnelle

CHAPITRE 1

Une introduction à la recherche : démarche et fondements

Objectifs d'apprentissage

Après avoir étudié ce chapitre, vous serez en mesure :

- de définir la recherche scientifique ;
- d'apprécier l'importance de la recherche pour les disciplines dans le contexte de la pratique fondée sur des données probantes ;
- de discuter des principaux éléments intellectuels qui sous-tendent la recherche scientifique ;
- de dégager les principes fondamentaux qui guident la conduite de la recherche ;
- de distinguer les divers buts de la recherche en rapport avec les niveaux de connaissance ;
- de nommer les différentes formes que peut prendre la recherche.

e premier chapitre donne accès au monde de la recherche, celui de l'acquisition des connaissances scientifiques. Tout d'abord, la définition de la recherche adoptée dans cet ouvrage souligne l'importance qu'elle revêt pour l'avancement des disciplines dans le contexte de la pratique fondée sur des données probantes et oriente la démarche à suivre pour comprendre et réaliser un travail de recherche. La figure 1.1 présente un schéma d'introduction où la recherche s'inscrit dans un processus d'acquisition des connaissances. Ce processus s'appuie à la fois sur un ensemble d'activités intellectuelles et de principes fondamentaux qui sous-tendent sa démarche et concourent à son application au monde empirique. Les formes de la recherche sont soulignées, et elles présentent les divers buts de recherche, lesquels font ressortir des niveaux dans la façon d'acquérir des connaissances et s'appuient sur divers paradigmes pour orienter la recherche vers des méthodes d'investigation quantitative et qualitative.

1.1 À propos de la recherche scientifique

La recherche scientifique est une démarche d'acquisition de connaissances qui utilise diverses méthodes de recherches quantitatives et qualitatives pour trouver des éléments de réponses à des questions déterminées que l'on souhaite approfondir. Elle consiste à décrire, expliquer, prédire et contrôler des phénomènes. La recherche n'est pas séparée d'autres activités d'ordre intellectuel, puisqu'elle s'inscrit dans un ensemble d'éléments (philosophie, théorie, champ de pratique, processus de la pensée abstraite, connaissance et science) sur lesquels elle fonde sa démarche, et elle applique ses résultats au monde empirique. La recherche est aussi guidée par des principes fondamentaux qui dictent sa conduite et assurent la liaison entre la conceptualisation et les méthodes empiriques servant à la réaliser. Ces principes, qui renforcent les étapes du processus de recherche, comprennent l'énoncé de questions pertinentes, l'établissement de liens entre la théorie et la recherche, l'utilisation de méthodes appropriées, l'enchaînement logique des opérations menant à une meilleure compréhension, la répétition des études, la généralisabilité et, enfin, la communication et la critique.

Dans la mesure où les disciplines visent à progresser, la recherche leur sert de véhicule privilégié d'acquisition de connaissances. La recherche n'est pas liée à une discipline en particulier; elle est universelle et partagée par un grand nombre de disciplines et de professions dans leur quête de connaissances. Toutefois, la recherche revêt un caractère distinct du fait qu'elle délimite les questions à approfondir sur des phénomènes qui sont spécifiques à chaque discipline. De plus, chacune d'entre elles aborde les problèmes de son domaine en utilisant des procédés et des techniques qui lui sont plus ou moins propres. Les phénomènes d'intérêt étudiés par les diverses disciplines peuvent inclure une gamme variée de problèmes représentant des tendances contemporaines, qu'ils soient d'ordre physique, social, psychologique, éducatif, administratif, ou se rapportant à la santé publique, aux soins infirmiers ou à un autre domaine.

> La recherche n'est pas liée à une discipline en particulier; elle est universelle et partagée par un grand nombre de disciplines et de professions dans leur quête de connaissances.

L'apprentissage de la recherche favorise non seulement la participation à des activités intellectuelles, mais aussi à la formulation de questions et à l'évaluation critique de publications savantes, et ce, afin de tirer avantage des résultats qui pourront par la suite servir à améliorer la pratique clinique ou professionnelle. Cet ouvrage met l'accent sur les principes et les activités qui fondent la recherche empirique, c'est-à-dire la recherche qui vise l'acquisition et le développement de nouvelles connaissances par un processus méthodique de collecte et d'analyse de données empiriques menant à des conclusions décisives pour la théorie et la pratique. Les deux approches traditionnelles permettant d'acquérir des connaissances fondées sur la recherche sont la méthode quantitative, particulièrement portée sur l'objectivité et la capacité à généraliser les résultats, et la méthode qualitative, qui touche davantage à la subjectivité et à l'expérience des personnes dans une visée compréhensive. Ces deux approches de recherche ne se distinguent pas seulement par leur façon de présenter les données, mais aussi par certains traits dominants qui seront abordés dans le deuxième chapitre.

1.1.1 Une définition de la recherche scientifique

Bien que les définitions fournies dans de nombreux ouvrages méthodologiques traitant du sujet diffèrent souvent entre elles, toutes s'accordent cependant pour caractériser la **recherche scientifique** de démarche logique ou de processus rationnel visant l'acquisition de connaissances. La définition de la recherche utilisée dans cet ouvrage s'inspire de celle de Seaman (1987).

Recherche scientifique
Démarche systématique d'acquisition de connaissances qui repose sur la collecte de données empiriques en vue de décrire, d'expliquer, de prédire ou de contrôler des phénomènes.

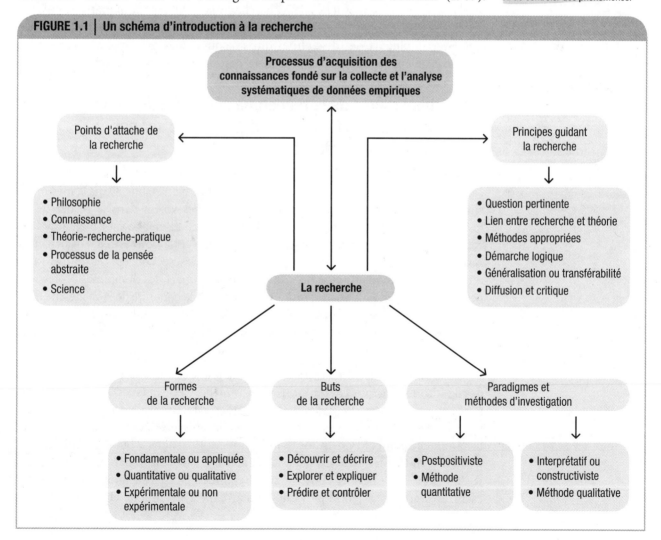

FIGURE 1.1 | Un schéma d'introduction à la recherche

Processus d'acquisition des connaissances fondé sur la collecte et l'analyse systématiques de données empiriques

Points d'attache de la recherche
- Philosophie
- Connaissance
- Théorie-recherche-pratique
- Processus de la pensée abstraite
- Science

Principes guidant la recherche
- Question pertinente
- Lien entre recherche et théorie
- Méthodes appropriées
- Démarche logique
- Généralisation ou transférabilité
- Diffusion et critique

La recherche

Formes de la recherche
- Fondamentale ou appliquée
- Quantitative ou qualitative
- Expérimentale ou non expérimentale

Buts de la recherche
- Découvrir et décrire
- Explorer et expliquer
- Prédire et contrôler

Paradigmes et méthodes d'investigation
- Postpositiviste
- Méthode quantitative
- Interprétatif ou constructiviste
- Méthode qualitative

La recherche est un processus d'acquisition de connaissances fondé sur la collecte et l'analyse systématiques de données empiriques en vue de décrire, d'expliquer, de prédire et de contrôler des phénomènes. Un processus d'acquisition de connaissances est une démarche rationnelle, un ensemble ordonné d'opérations intellectuelles visant l'aboutissement à un résultat ou du moins à une meilleure compréhension des phénomènes étudiés. Cette définition a l'avantage de présenter divers objectifs de recherche correspondant à des niveaux se rapportant aux connaissances dont on dispose sur un sujet donné. Dans une recherche qualitative, on cherche à comprendre ou à découvrir le sens ou la signification d'un phénomène et à le décrire. Dans la recherche quantitative, la description détermine la nature et les caractéristiques des phénomènes et suggère parfois certains types de relations possibles entre ceux-ci. À un niveau plus élevé, l'explication rend compte des relations entre des phénomènes et met en lumière leur raison d'être. La prédiction et le contrôle servent à évaluer la probabilité qu'un évènement se produise dans une situation particulière à la suite d'une intervention ou d'un traitement. Les buts déterminent les diverses façons d'appréhender la recherche permettant au chercheur de la planifier en fonction des connaissances qui existent sur un sujet ou sur un phénomène donné.

Par son caractère général, cette définition semble conciliable à bien des égards avec la diversité des approches de recherches quantitatives et qualitatives, puisque celles-ci partagent des préoccupations communes. Elle est également compatible avec la plupart des disciplines qui s'inspirent des principes fondamentaux pour le développement des connaissances dans leur champ d'intérêt.

1.2 L'importance de la recherche pour les disciplines dans le contexte de la pratique fondée sur des données probantes

L'importance de la recherche pour le développement des connaissances dans les disciplines didactiques et professionnelles est une réalité bien établie. Dans la mesure où elles veulent assurer leur avancement, les disciplines voient dans la recherche un moyen privilégié d'acquisition de connaissances. Une discipline est un champ d'investigation qui se définit par une perspective unique, une façon distincte de percevoir les phénomènes ; elle tend à utiliser ses propres théories, ses concepts et ses méthodes d'investigation (McEwen et Wills, 2007). Dans la plupart des disciplines professionnelles, la recherche est liée à la pratique. L'objectif de la conduite de la recherche dans une discipline repose sur la création d'un corps de connaissances bien établies pour améliorer sa pratique. Cela se traduit par l'utilisation de résultats de recherche fondés sur des résultats scientifiques plutôt que sur d'autres sources non validées.

Ainsi, l'importance de la recherche dans la pratique s'inscrit dans la perspective de son intégration dans la pratique professionnelle. Cette perspective a donné naissance au mouvement de l'*evidence based-practice,* couramment traduit par « pratique fondée sur des données probantes ». Ce concept a été développé par le médecin britannique Archibald Cochrane dans les années 1970 dans le but de normaliser les pratiques médicales. Au Canada, le concept a été défini par Sackett, Straus, Richardson, Rosenberg et Haynes (2000) comme étant l'utilisation judicieuse des meilleures preuves scientifiques intégrées à l'expertise clinique et aux préférences individuelles dans la prise en charge personnalisée de chaque individu. Dans ce contexte, les professionnels de la santé et des disciplines connexes sont appelés à intégrer de plus en plus leur pratique dans un cadre d'action fondé sur des données probantes (Couturier et Carrier, 2003).

La Fondation canadienne de la recherche sur les services de santé (FCRSS) (2005) considère les données probantes, aussi appelées preuves scientifiques, selon deux points de vue: scientifique et informel. Le point de vue scientifique sur les données probantes est déterminé par la recherche fondée sur des critères méthodologiques et constitue le produit de la connaissance empirique élaborée à partir d'une synthèse des meilleurs résultats de recherche. Le point de vue informel a trait à l'expertise en fonction de la pertinence clinique. La connaissance et les habiletés du professionnel à prodiguer des soins constituent l'expertise clinique (Grove, Burns et Gray, 2013). Un aspect important qui découle de cette perspective est l'acquisition d'habiletés dans la recherche d'information et dans l'évaluation critique d'articles de recherche pertinents aux problèmes soulevés dans la pratique clinique ou professionnelle.

La recherche est importante pour le développement des disciplines et la reconnaissance du champ d'action des professions. Elle fournit l'occasion de démontrer la valeur des services professionnels offerts à la population et permet de fournir des données probantes pour mieux éclairer les décisions et améliorer ainsi la pratique. Une partie importante du rôle des professionnels de la santé ou du domaine psychosocial et de l'éducation comprend l'utilisation de données probantes fondées sur la recherche pour justifier le soin proposé ou la solution requise. Le fait de reconnaitre la plus-value d'une pratique fondée sur des données probantes rehausse la crédibilité des professionnels du fait qu'ils évaluent scientifiquement l'efficacité de leurs actions ou interventions (Stommel et Wills, 2004). Ceux qui travaillent dans les domaines de la santé, des services communautaires ou sociaux agissent de manière responsable quand ils fondent leurs décisions sur de l'information reconnue scientifiquement. L'élaboration d'une base de connaissances distinctes qui maximise l'efficacité d'une pratique professionnelle est l'objectif ultime d'une profession. À cet égard, les chercheurs, dans leur domaine respectif, reconnaissent le besoin de documenter et de vérifier les éléments de cette pratique au moyen d'une analyse critique rigoureuse, d'une connaissance approfondie des étapes de la recherche et d'une capacité à interpréter les résultats dans le contexte de leur application. Les données probantes sont synthétisées dans les revues systématiques, les métaanalyses et les métasynthèses (*voir le chapitre 23*).

Il faut cependant reconnaitre qu'il existe encore aujourd'hui un fossé entre le monde de la recherche et celui de la pratique professionnelle. C'est pourquoi l'apprentissage de la recherche doit être associé à la pratique afin que le professionnel, à la fin de ses études, puisse se servir de ses connaissances pour définir des problèmes particuliers relevant de son domaine, les documenter et appliquer la solution fondée sur les meilleurs résultats connus. C'est grâce à la recherche que les connaissances s'accumulent et que les disciplines peuvent se constituer un champ de connaissances particulières et élaborer ou vérifier des théories.

Une des caractéristiques majeures d'une profession est de s'appuyer sur des connaissances établies, sous-jacentes à sa pratique. L'intérêt qui se manifeste dans une discipline à l'égard de l'activité de recherche dépend grandement de l'envergure de la formation que les professionnels ont reçue. Cet intérêt varie selon leur capacité à reconnaitre les bénéfices qui résultent de l'application des données de recherche probantes dans la pratique et leur besoin de jeter un regard critique sur certains problèmes liés à leur discipline. La pratique fondée sur des données probantes reconnait que la recherche n'est jamais absolue et que les professionnels de la santé, dont les infirmières, doivent compter non seulement sur leur propre expérience, mais aussi sur celle de leurs collègues, des personnes malades et de leur famille au moment de déterminer une intervention.

1.3 Les principaux points d'attache qui sous-tendent la recherche

La recherche menée dans les diverses disciplines s'appuie sur un ensemble d'éléments qui sous-tendent sa démarche et assurent la liaison entre la conceptualisation, les méthodes qui permettent de réaliser la recherche et l'application des retombées dans la pratique clinique ou professionnelle. La recherche n'est donc pas séparée des autres activités intellectuelles, puisqu'elle prend en compte l'ensemble des éléments qui contribuent à la rendre applicable au monde empirique (Fortin, Taggart et Kérouac, 1988; Grove et collab., 2013). Les principaux éléments auxquels la recherche se rattache sont la philosophie, la théorie et la pratique, les processus de la pensée abstraite, la connaissance et la science. La figure 1.2 décrit brièvement les principaux éléments de la recherche et indique leurs relations réciproques. Chacun de ces éléments est brièvement exposé ci-après.

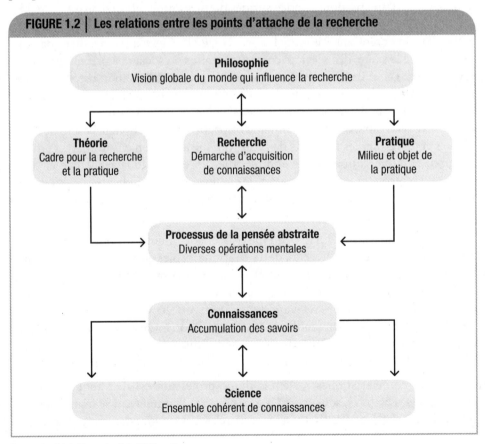

FIGURE 1.2 | Les relations entre les points d'attache de la recherche

Philosophie
Vision globale du monde qui influence la recherche

Théorie
Cadre pour la recherche et la pratique

Recherche
Démarche d'acquisition de connaissances

Pratique
Milieu et objet de la pratique

Processus de la pensée abstraite
Diverses opérations mentales

Connaissances
Accumulation des savoirs

Science
Ensemble cohérent de connaissances

Source: Inspiré de Grove et collab. (2013, p. 2).

1.3.1 La philosophie

La **philosophie** s'intéresse à la nature de l'être, au sens et au but de la vie, à la théorie et aux limites de la connaissance. Elle fournit une explication globale du monde qui s'exprime par les croyances, les valeurs et les attitudes relatives à la nature de l'être humain et à sa réalité. Existe-t-il une seule réalité ou celle-ci diffère-t-elle selon chaque personne? Dans la figure 1.2, la philosophie est l'élément le plus abstrait des points d'attache de la recherche, mais elle suppose des liens directs avec les autres éléments pour inclure le plus concret, celui de la pratique (Grove et collab., 2013). La philosophie joue aussi un rôle majeur dans l'élaboration de la théorie. Elle fait appel aux postulats, aux croyances et aux perspectives qui orientent la recherche et la pratique dans une discipline donnée.

Dans le langage courant, le terme «philosophie» caractérise un système de pensée ou de croyances. La philosophie vise à répondre à des questions métaphysiques telles que: «Qu'est-ce la connaissance?» Dans le contexte d'une discipline, la philosophie renvoie aux valeurs et aux croyances véhiculées par ses membres en ce qu'elle fournit une vision au moyen de laquelle s'expriment les questions ontologiques (nature de la réalité), épistémologiques (connaissances) et axiologiques (valeurs centrales) sur les postulats, les concepts, les propositions et les actions d'une discipline (Meleis, 2007). Les positions philosophiques d'une discipline professionnelle influencent grandement l'orientation de la recherche menée par les chercheurs et les types de questions posées, mais aussi l'utilisation des connaissances dans la pratique.

1.3.2 La théorie, la recherche et la pratique

La théorie, la recherche et la pratique sont des entités intimement liées les unes aux autres. La théorie s'inscrit dans le processus de recherche en suggérant de possibles questions à examiner ou en proposant des réponses particulières à des questions. Elle suppose l'utilisation des approches inductive et déductive propres à la démarche de recherche, puisque celle-ci sert à construire des théories ou à vérifier des théories existantes. Les théories sont généralement descriptives, explicatives ou prédictives. Dans le même ordre d'idée, les types de recherche qui génèrent ou qui vérifient la théorie sont respectivement descriptifs, explicatifs ou prédictifs. Constituée d'un ensemble de concepts solidaires et de leurs relations réciproques, la théorie présente une vision d'un phénomène. Par exemple, l'explication de la relation mère-enfant fait l'objet d'une théorie. Celle-ci est constituée de plusieurs concepts généraux associés entre eux par un ensemble de définitions et de propositions qui expliquent le phénomène de l'attachement mère-enfant. Les théories revêtent diverses fonctions selon qu'elles servent à décrire, à expliquer ou à prédire des segments de la réalité.

théorie
↳ hypothèse

La recherche dépend de la théorie du fait que celle-ci apporte une signification aux concepts dans une situation donnée. La recherche qui vise à produire la théorie consiste à déceler la présence d'un phénomène, à découvrir ses caractéristiques et à en préciser les interrelations. La recherche dont l'objectif est de vérifier la théorie tend à démontrer, à l'aide d'hypothèses tirées de la théorie, que cette dernière possède une évidence empirique. Ainsi, l'étroite connexion entre la recherche et la théorie est telle que l'élaboration de la théorie repose sur la recherche et que celle-ci, en retour, se fonde sur la théorie (Fawcett et

Downs, 1992). La recherche se sert de la théorie pour proposer un cadre de référence permettant de relier les résultats obtenus en vue de constituer un corps de connaissances organisé et cohérent, plutôt qu'une collection de faits isolés. Les résultats issus de la recherche constituent souvent le point de départ à l'élaboration d'une théorie, laquelle permettra d'expliquer les résultats et de démontrer leur utilité dans la pratique.

Pratique
Milieu où s'effectuent les soins et l'objet de la recherche.

La **pratique** possède aussi une relation de réciprocité avec la recherche et la théorie. La pratique dans une discipline appliquée est à la fois l'objet de la recherche et le lieu où s'accomplissent les activités de terrain (*voir la figure 1.2*). De la pratique émanent des théories, lesquelles auront besoin d'être vérifiées de façon empirique avant d'être validées à nouveau dans la pratique (Meleis, 2007). Plusieurs éléments du processus de recherche prennent racine dans la pratique, comme les idées à l'origine des problèmes de recherche, les instruments utilisés pour mesurer des aspects de la réalité ainsi que la collecte des données (Grove et collab., 2013). En fait, la recherche établit un pont entre la discipline comme champ de connaissances, la théorie comme champ d'organisation des connaissances et la pratique professionnelle comme champ d'application. La recherche permet entre autres de vérifier la théorie ou de la générer, et cette union entre théorie et recherche fournit une base à la pratique.

> La recherche établit un pont entre la discipline comme champ de connaissances, la théorie comme champ d'organisation des connaissances et la pratique professionnelle comme champ d'application.

1.3.3 Les processus de la pensée abstraite

Processus de la pensée abstraite
Processus ordonné de faits ou de phénomènes répondant à un certain schème à partir duquel les idées se forment dans l'esprit.

Les **processus de la pensée abstraite** comportent diverses opérations mentales qui permettent de catégoriser les choses selon leur similitude, de connaître, de comprendre, de juger et de raisonner. Il s'agit d'un processus ordonné de faits ou de phénomènes répondant à un certain schème à partir duquel les idées se forment dans l'esprit. Dans le schéma de la figure 1.2, le processus de la pensée constitue, avec les autres éléments, un aspect déterminant de la recherche scientifique. La pensée abstraite se distingue de la pensée concrète en ce que cette dernière se fonde sur des expériences réelles. La pensée abstraite est sollicitée pour tout ce qui se rapporte à la formulation d'idées, sans application ou référence à un cas particulier. Elle désigne l'aptitude à manipuler des concepts dans le cadre de raisonnements. Dans le processus de recherche, la pensée abstraite est essentielle à l'essor de la théorie et de la recherche : elle permet de formuler des propositions pour en déduire des hypothèses, de trouver les moyens de les vérifier et de raisonner sur les résultats obtenus. La pensée abstraite s'applique également à la résolution de problèmes dans des situations cliniques (Grove et collab., 2013) ainsi qu'à l'analyse et à la synthèse. Guidée par un cadre philosophique, la pensée abstraite permet à la science et à la théorie de se fondre dans un ensemble de connaissances susceptibles d'être appliquées dans la pratique professionnelle.

1.3.4 La connaissance

De façon générale, la connaissance renvoie à l'information acquise de diverses façons. Elle peut être scientifique ou provenir d'autres sources que la recherche. Comme indiqué au début de ce chapitre, la recherche scientifique est la méthode la plus rigoureuse et la plus acceptable pour trouver des réponses à des questions soulevées puisqu'elle repose sur une démarche systématique. La connaissance issue d'autres sources que la recherche n'est pas toujours fiable, mais elle contribue néanmoins à accroitre le savoir théorique et empirique d'une discipline donnée. Dans la plupart des disciplines, la connaissance a été acquise au cours de l'histoire par diverses sources telles que la tradition, l'autorité, l'intuition, les tâtonnements, l'expérience professionnelle et le raisonnement logique, sources brièvement décrites ci-après.

La tradition

La **tradition** représente un ensemble de coutumes fondées sur des croyances et des tendances passées qui fournissent une façon d'acquérir des connaissances. Ces connaissances issues de la tradition sont considérées, dans bon nombre de cas, comme aussi vraies aujourd'hui qu'elles l'étaient dans le passé (Laville et Dionne, 1996). La tradition, c'est aussi l'habitude de croire en une chose que l'on a toujours considérée comme étant vraie sans nécessairement remettre en question le savoir qui en découle. Les connaissances acquises par la tradition représentent souvent d'irremplaçables formes de savoir, et chaque génération n'a pas à les apprendre de nouveau. Plusieurs réponses peuvent être obtenues par l'intermédiaire de la tradition. Par exemple, l'acuponcture est pratiquée en Chine depuis plus de 2000 ans sans être remise en question aujourd'hui (Batavia, 2001). Bien que la tradition présente certains avantages, elle peut néanmoins faire obstacle au progrès de la connaissance lorsqu'elle s'appuie sur des rituels ou qu'elle perpétue une idée, même en présence de données fiables qui ne vont pas dans le même sens. C'est le cas du cliché voulant qu'une personne ne puisse apprendre de nouvelles habitudes au-delà d'un certain âge malgré des résultats ayant démontré le contraire (O'Hara et collab., 2007). Bien des coutumes et des façons traditionnelles de faire sont maintenues sans preuves élaborées pour les justifier. Le savoir transmis par la tradition ne repose souvent sur aucune donnée fiable. La tradition comme méthode d'acquisition de connaissances doit être évaluée de façon critique à la lumière d'autres données fournies par la recherche scientifique.

Tradition
Ensemble de coutumes basées sur les croyances et les tendances passées.

L'autorité

L'**autorité** est un moyen d'acquisition de connaissances qui fait appel soit à des personnes ayant une compétence reconnue dans un domaine en particulier, soit à d'autres sources d'informations. Selon cette méthode, une personne peut chercher à obtenir des réponses en ayant recours à des figures d'autorité reconnues pour leur compétence dans un domaine précis. Ces figures d'autorité sont souvent la courroie de transmission de la tradition. Il peut s'agir de personnes détenant l'autorité, mais d'autres formes de pouvoir sont aussi possibles ; ainsi, une information trouvée dans des livres ou dans Internet peut influencer l'opinion ou le comportement de certaines personnes (Gravetter et Forzana, 2012). Les chercheurs qui publient des articles ou ceux qui enseignent une matière donnée sont souvent reconnus par leurs étudiants comme étant des spécialistes de leur domaine. La méthode d'autorité, comme source de savoir, peut jouer un rôle important dans l'acquisition de connaissances, et l'information qui en découle peut générer de nouvelles idées.

Autorité
Moyen d'acquisition de connaissances qui fait appel à des personnes ayant une compétence reconnue dans un domaine en particulier.

La méthode d'autorité peut constituer un excellent départ pour certaines questions, car elle établit une façon rapide d'avoir des réponses. L'obtention de connaissances par l'entremise de figures d'autorité peut représenter des avantages, mais ces sources ne sont pas infaillibles. C'est particulièrement le cas si la compétence de ces figures d'autorité repose uniquement sur leur expérience personnelle et qu'elle n'a pas fait l'objet de vérification ni de contestation. Les réponses d'un expert peuvent représenter une opinion personnelle plutôt qu'une information exacte. Souvent, les réponses obtenues d'un expert sont tenues pour acquises et ne sont pas remises en question parce qu'elles semblent évidentes. Cette acceptation peut signifier que l'exactitude des sources n'est pas recherchée, et il peut en résulter une fausse information. Dans tous les cas, les sources d'informations obtenues par l'autorité doivent être évaluées pour confirmer leur exactitude.

L'intuition

Intuition
Mode de connaissance immédiate qui permet d'acquérir une certitude sans recourir au raisonnement.

L'**intuition** est une perception spontanée, une forme de connaissance immédiate qui, à l'inverse de la démarche rationnelle fondant l'explication d'un évènement sur la réflexion, ne se fonde pas sur des données objectives ni empiriques. L'intuition est généralement considérée comme une source de connaissances non scientifiques du fait qu'elle ne peut être corroborée sur la base d'un raisonnement ou de faits observables; néanmoins, elle peut s'avérer utile dans bien des situations. Par exemple, en recherche, l'intuition peut servir entre autres à cerner un problème et à choisir des concepts appropriés pour l'étudier. Dans la pratique, ce mode de connaissance peut s'avérer utile dans certaines situations cliniques où l'expérience apparait comme un facteur d'influence dans l'utilisation et l'application de l'intuition (McCutcheon et Pincombe, 2001). Comme il n'existe pas de mécanisme pour différencier le vrai du faux, l'intuition peut induire en erreur toute personne qui y mettrait toute sa confiance. Même si l'intuition peut constituer une source de connaissances valables et suffire parfois à la conduite de la vie pratique, elle manque néanmoins de crédibilité dans le cadre de l'activité scientifique.

Les tâtonnements

Tâtonnement
Action de réaliser une tâche avec hésitation et au moyen d'essais renouvelés.

Les **tâtonnements** sont un mode de connaissance qui procède par hésitations ou par gestes successifs avant de trouver la solution désirée. L'apprentissage par tâtonnements constitue une solution naturelle lorsqu'une situation est confuse et que les données qui permettraient de résoudre un problème sont incertaines. Il ne fait aucun doute que plusieurs de nos apprentissages relèvent d'essais et d'erreurs. Toutefois, le fait de multiplier les essais en vue d'atteindre un objectif ou de déterminer le type d'action qu'il convient d'exécuter, particulièrement lorsqu'il faut intervenir rapidement, ne constitue pas en soi un moyen des plus efficaces d'acquérir des connaissances.

L'expérience professionnelle

Expérience professionnelle
Forme de connaissance ou pratique acquise au contact de la réalité ou d'une longue pratique professionnelle.

Posséder de l'**expérience professionnelle**, c'est avoir vécu des situations particulières d'apprentissage dans son domaine. Ce mode de connaissance relève d'un point de vue empirique voulant que toute connaissance s'acquière par les sens. Plusieurs faits ou réponses peuvent être obtenus en observant le monde environnant. Un grand nombre de connaissances s'acquièrent dans l'exercice d'une profession par l'expérience et les observations personnelles, particulièrement dans des situations qui requièrent une intervention auprès d'autrui. L'expérience professionnelle conduit à reconnaitre des tendances ou des modes de réponses qui laissent présager des réactions déterminées et suggèrent des façons d'intervenir. On assimile les coutumes, les croyances et les traditions des personnes de l'entourage.

Acquérir des connaissances grâce à nos observations et à la pratique représente un savoir empirique qui nous fait découvrir comment les choses fonctionnent et comment nous pouvons les prévoir ou les maitriser. Toutefois, le savoir empirique est limité et entraine parfois des erreurs et des conclusions fautives. Avec le temps, nos actions et nos croyances peuvent devenir spontanées et sacrosaintes. C'est pourquoi, pour être transmissible, le savoir empirique doit être vérifié par la recherche.

Le raisonnement logique

Le raisonnement logique, comme moyen d'acquérir des connaissances, met à contribution à la fois l'expérience personnelle et professionnelle, les facultés intellectuelles et les processus de la pensée abstraite. Il s'agit d'une opération discursive qui consiste en un enchainement d'idées ou de jugements selon des principes déterminés afin d'en arriver à une conclusion. Le raisonnement procède par analyse en examinant chaque élément d'un ensemble, afin de comprendre et de proposer une explication plausible des phénomènes. Les deux principaux modes de raisonnement sont le raisonnement inductif et le raisonnement déductif.

Le **raisonnement inductif** est un raisonnement qui consiste à aller du particulier au général. Il s'agit d'un processus qui conduit à des généralisations à partir d'une série d'observations particulières. C'est par l'observation de plusieurs faits particuliers ou d'exemples (situations cliniques, sociales, éducatives) que les chercheurs découvrent des régularités ou des constantes qu'ils traduisent sous forme de théories ou d'énoncés généraux. Par exemple, prenons l'énoncé suivant : chaque fois que je consomme de l'alcool, j'ai la migraine. J'en conclus que l'alcool me donne la migraine. Le raisonnement inductif a toutefois ses limites puisqu'il ne conduit pas nécessairement à une certitude et qu'il existe toujours une probabilité d'erreur. L'énoncé renvoie à quelque chose qui peut se produire, mais qui ne se réalisera pas nécessairement. C'est en quelque sorte une forme de raisonnement probabiliste. La qualité de la connaissance qui ressort du raisonnement inductif repose sur la représentativité des observations particulières utilisées à l'appui des généralisations (Portney et Watkins, 2009). Plus grand est le nombre d'associations entre les cas particuliers observés, plus élevée est la probabilité que la conclusion soit vraisemblable. Dans cet exemple sur la consommation d'alcool, la généralisation avancée n'est pas nécessairement vraie si l'on omet de prendre en compte d'autres données telles que l'âge, l'état de santé, le nombre de cas, le type et la quantité d'alcool consommé.

Raisonnement inductif
Raisonnement qui consiste à aller du particulier au général.

Le **raisonnement déductif** suit une logique contraire en partant d'une proposition générale pour en déduire des prédictions sur des cas particuliers. Il permet de tirer des conclusions à partir d'un ensemble de propositions, appelées « prémisses ». À partir d'un exemple, Portney et Watkins (2009) stipulent que le risque de chutes chez les personnes âgées relève d'un manque de stabilité posturale ; de cette condition, il est possible de prédire que l'exercice serait une intervention efficace pour réduire les chutes.

Raisonnement déductif
Raisonnement qui consiste à aller du général au particulier.

Première prémisse : Le manque de stabilité posturale prédispose aux chutes.

Deuxième prémisse : L'exercice améliore la stabilité posturale.

Conclusion : L'exercice réduira le risque de chutes.

Le raisonnement déductif fournit une hypothèse vérifiable. Il s'agirait ici de vérifier si un programme d'exercices à l'intention des personnes ayant une stabilité affaiblie aurait un effet sur la diminution du nombre de chutes. Les chercheurs se servent du raisonnement déductif en partant de principes connus ou de généralisations pour en déduire des assertions particulières pertinentes à la question à l'étude. Le raisonnement déductif a aussi ses limites, car son utilité repose sur la véracité des prémisses. Dans certaines situations, les propositions théoriques sur lesquelles s'appuie l'étude peuvent être faussées ou non suffisamment étoffées, ce qui compromet la validité des résultats (Portney et Watkins, 2009).

Même si le processus du raisonnement logique présente des limites, il n'en demeure pas moins que les deux types de raisonnement, inductif et déductif, sont des composantes essentielles de la démarche scientifique. Celle-ci emploie le raisonnement inductif pour élaborer des théories et des généralisations valables fondées sur des énoncés valides. Elle a recours au raisonnement déductif de façon systématique pour vérifier des théories de façon empirique, comme dans un système hypothéticodéductif.

1.3.5 La science

Science
Ensemble de connaissances établies de manière critique et organisées de façon systématique tendant à l'explication de phénomènes étudiés.

Le terme «**science**» peut comporter plusieurs sens, c'est-à-dire qu'il peut désigner une discipline, un savoir particulier ou un champ de la science. Toute science vise à construire un corps de connaissances théoriques organisées où se trouvent définies les relations entre les faits, les principes, les lois et les théories. Les buts de la science consistent à découvrir des régularités au moyen de la description, de l'explication, de la prédiction et du développement de théories (White et McBurney, 2012). La science est en quelque sorte un réservoir de connaissances provenant d'observations et de vérifications. Dans le contexte du modèle des points d'attache de la recherche présentés dans la figure 1.2, la science est considérée comme un système d'acquisition de connaissances qui suppose à la fois l'emploi conjugué de la pensée rationnelle, de l'observation empirique rigoureuse et de l'expérimentation pour décrire et expliquer des phénomènes naturels. Elle est constituée de résultats de recherche et de théories vérifiées afin de donner aux connaissances une valeur universelle. En ce sens, la science est une activité publique. Elle peut être à la fois un résultat, une découverte ou un processus au cours duquel diverses conceptions sont examinées. Cette façon d'appréhender la science est conciliable avec les approches quantitative et qualitative de la recherche. C'est grâce au développement des connaissances provenant de la recherche que la science demeure en constante progression.

Ainsi, la recherche, pour être scientifique, ne saurait être résolue uniquement par la tradition, l'autorité, l'intuition, les tâtonnements, l'expérience professionnelle ou le raisonnement logique. La recherche s'appuie sur des faits réels, une documentation rigoureuse et des méthodes appropriées menant à l'obtention de données probantes susceptibles d'être généralisés.

1.4 Les principes fondamentaux qui guident la recherche

Quelles que soient la discipline concernée ou les méthodes de recherche utilisées, il existe certains principes fondamentaux qui doivent guider la recherche scientifique. C'est ce qui se dégage du rapport d'un comité états-unien chargé par le

National Research Council (Shavelson et Towne, 2002) d'établir des principes scientifiques pour guider la recherche en éducation. Le rapport stipule que la recherche scientifique, qu'elle soit menée en éducation ou dans d'autres champs d'études (physique, anthropologie, biologie moléculaire, économie, psychologie, sciences infirmières, etc.), est un processus continu de raisonnement au centre duquel s'effectue l'interaction entre les méthodes, les théories et les résultats. La recherche dans les disciplines appliquées repose sur sa relation avec la pratique. Pour produire des retombées significatives, les connaissances issues d'une discipline donnée doivent être fondées sur la recherche.

> Pour produire des retombées significatives, les connaissances issues d'une discipline donnée doivent être fondées sur la recherche.

Six principes directeurs sont à la base de toute recherche scientifique. Il s'agit d'un ensemble de normes mises de l'avant par une communauté de chercheurs afin de mieux comprendre ce qui peut être considéré comme étant scientifique et de grande qualité. Ces principes renforcent les étapes du processus de recherche adopté dans cet ouvrage parce qu'ils répondent à la fois à la méthode quantitative et à la méthode qualitative et servent à guider la conduite de la recherche. Ces principes scientifiques sont résumés dans le tableau 1.1.

TABLEAU 1.1	Les principes fondamentaux qui sous-tendent la recherche
Principes	**Description**
L'énoncé d'une question pertinente susceptible d'être examinée de façon empirique	• Les questions sont énoncées afin de combler l'écart entre les connaissances existantes ou de découvrir de nouvelles connaissances. • La question permet de comprendre et de décrire des phénomènes, de chercher des causes à des phénomènes ou encore de vérifier des hypothèses. • La pertinence de la question est établie sur la base de recherches antérieures, de théories ou de préoccupations actuelles.
L'établissement du lien entre la recherche et la théorie	• Toute recherche scientifique est liée de façon implicite ou explicite à des bases théoriques ou conceptuelles qui expliquent des phénomènes donnés. • La recherche peut être abordée de façon abstraite à partir d'une théorie ou d'un cadre conceptuel ou de façon concrète à partir d'observations qui conduisent à la théorie.
L'utilisation de méthodes appropriées pour répondre à la question	• Dans la conduite de la recherche, une méthode est jugée appropriée et efficace si elle s'ajuste à la question. • Le lien entre la question de recherche et la méthode doit être clairement établi et justifié.
Une démarche de raisonnement logique conduisant à des conclusions, à des explications et à une meilleure compréhension	• Une démarche logique rigoureuse se reconnait par le lien explicite avec les observations empiriques, la théorie ou le cadre conceptuel sous-jacent à la question de recherche. • Qu'elle soit de nature quantitative ou qualitative, la recherche se base sur le même raisonnement logique, inductif et déductif. • Ce raisonnement est soutenu par des énoncés clairs, sur la façon dont on arrive à une compréhension sur la nature des liens qui existent entre les données et le cadre théorique.
La répétition d'études menant à la généralisation ou au caractère transférable	• La répétition d'études consiste à reprendre l'étude dans plus d'un milieu et de vérifier si l'on obtient des conclusions similaires. • La généralisation ou la transférabilité permet de se servir des résultats d'une étude pour connaitre d'autres populations.
La dissémination de la recherche et l'ouverture à l'examen critique	• Pour que la recherche contribue à élargir le champ des connaissances, les résultats doivent être largement diffusés pour être compris, débattus et éventuellement connus des utilisateurs. • Les résultats sont généralement publiés dans des revues scientifiques et professionnelles et soumis à l'examen par les pairs.

Il convient de mentionner qu'ils ne sauraient s'appliquer dans toute leur étendue dans une même étude. Selon les types d'études, surtout celles des approches paradigmatiques, l'adhésion à ces principes pourra varier dans leur application.

1.5 Les buts de la recherche et les niveaux de connaissance

La recherche poursuit différents buts selon qu'il s'agit de découvrir et de décrire des phénomènes et leurs caractéristiques ou d'en comprendre le sens, d'explorer les relations entre les phénomènes et de les expliquer pour en saisir les mécanismes d'action ou enfin d'utiliser ces connaissances pour prédire et contrôler des aspects de la réalité. Ces divers buts présupposent des niveaux d'atteinte qui diffèrent selon l'étendue des connaissances accumulées dans un domaine particulier. Disposé selon un ordre hiérarchique, chaque niveau présuppose des connaissances acquises à un niveau précédent. La notion de hiérarchie dans la manière d'acquérir et de transmettre le savoir dépend de l'étendue des connaissances que l'on possède sur un phénomène. Certaines recherches visent la découverte ou l'exploration lorsque le phénomène à l'étude est peu connu, soit que les connaissances que l'on possède sont rares ou inexistantes, soit que le phénomène est encore mal élucidé. Au fur et à mesure que les connaissances s'accumulent sur un phénomène et sur ces caractéristiques, il devient possible d'explorer leurs relations réciproques et de les vérifier empiriquement dans une recherche quantitative. La recherche qui vise à vérifier des relations est dite explicative, non seulement parce qu'elle permet d'étudier les diverses relations entre les phénomènes et leurs caractéristiques, mais surtout parce que des explications peuvent être tirées de ces relations sur la base de théories appropriées. Lorsqu'un phénomène s'explique de façon plausible, il est alors possible de le prédire, d'en connaitre les causes ou les influences et, dans certaines circonstances, de le contrôler et de le modifier. À chaque but de recherche correspondent des types de questions particulières qui orientent le chercheur vers les méthodes quantitatives ou qualitatives les plus appropriées pour réaliser son étude.

1.5.1 La découverte et la description dans la recherche qualitative

Découverte
Moyen de générer des idées sur le phénomène vécu ou de comprendre celui-ci à partir de la signification donnée par les personnes.

Dans la recherche qualitative, la **découverte**, ou exploration, amène le chercheur à découvrir ce que les personnes pensent dans un contexte particulier, comment elles agissent et pourquoi elles le font ainsi. L'accent est mis sur les acteurs et non sur les variables, à la différence de la recherche quantitative. La recherche qualitative est particulièrement importante lorsqu'il s'agit de générer des idées portant sur des phénomènes peu connus ou quand il faut comprendre un phénomène vécu selon le point de vue des personnes qui en ont fait l'expérience. Par la suite, le chercheur est en mesure de procéder à la description de ses découvertes.

Description
Détermination de la nature des phénomènes et des caractéristiques liées aux concepts et aux populations.

La **description** consiste à dresser un portrait de ce qui est arrivé ou a été découvert, ou encore à exprimer comment les évènements se sont déroulés (Punch, 2005). La description ne relève pas de relations entre des concepts ; elle caractérise plutôt des phénomènes particuliers. Dans une recherche descriptive qualitative, le chercheur peut partir de l'observation d'un phénomène dans son milieu naturel et utiliser la description dans un contexte interprétatif pour en faire ressortir les dimensions et l'importance. Par exemple, comment la population, les organisations, les familles ont-elles réagi à la suite de la catastrophe ferroviaire survenue à Lac-Mégantic au Québec en juillet 2013 ? Certaines études qualitatives mettent l'accent sur la description directe d'un groupe, d'une culture ou d'une communauté, comme dans l'approche ethnographique. D'autres ont pour but de décrire des significations expérientielles, comme dans l'approche phénoménologique, ou elles ont pour objectif de générer la théorie de façon systématique à partir des données recueillies sur le terrain, comme dans l'approche de théorisation enracinée. La recherche qualitative va au-delà de la description puisqu'elle a une visée compréhensive des phénomènes qu'elle tend à interpréter. La compréhension peut porter sur l'analyse globale des phénomènes complexes en tenant compte de leur évolution et en cherchant à saisir leurs finalités.

> Dans une recherche descriptive qualitative, le chercheur peut partir de l'observation d'un phénomène dans son milieu naturel et utiliser la description dans un contexte interprétatif pour en faire ressortir les dimensions et l'importance.

1.5.2 La description dans la recherche quantitative

Dans une recherche descriptive quantitative, le chercheur observe, dénombre, délimite et souvent classifie de nouvelles informations en vue de dresser un portrait clair et précis d'un phénomène à l'étude. Parfois, la stratégie descriptive sert à définir avec précision le ou les concepts ou les caractéristiques d'une population ou encore à produire des statistiques sur des éléments de mesure de la population, comme la prévalence et l'incidence de phénomènes. La description envisagée sous l'angle d'un premier niveau de recherche ou de connaissance constitue la base sur laquelle viendra se greffer l'explication.

1.5.3 L'exploration et l'explication

À ce stade-ci, on considère deux niveaux d'opération selon le degré d'avancement des connaissances, à savoir l'exploration et l'explication de relations entre des concepts.

L'exploration de relations dans les recherches quantitatives dépasse le simple fait de rendre compte de l'ensemble d'un phénomène ou de ses déterminants, car elle examine les relations possibles entre les concepts ou les facteurs pouvant être associés à un phénomène donné. Pour explorer les relations entre des concepts ou leurs caractéristiques, il s'agit d'entreprendre une étude dite descriptive corrélationnelle. Les questions peuvent être amorcées ainsi: «Quels sont les facteurs associés?», «Quelles sont les relations?» ou «Existe-t-il des relations?» La réponse que l'on obtiendra à la question de recherche ne saurait être qu'une explication partielle des relations possibles entre les phénomènes ou les facteurs puisqu'à ce stade, on décrit les relations qui se dégagent de la situation de recherche sans pour autant en connaitre la raison d'être ou la vraisemblance.

L'**explication de relations** détermine la raison d'être des relations entre des variables. Elle découle, dans les recherches quantitatives, de la vérification empirique de relations qui existent entre des variables ou leurs caractéristiques et précise le sens et la force de ces relations à l'aide de tests statistiques. Alors que l'exploration de relations permet de connaitre l'existence de relations entre deux variables ou plus, l'explication proprement dite va plus loin, puisqu'elle cherche à comprendre et à vérifier la nature des relations qui existent entre les variables et pourquoi il en est ainsi. En d'autres termes, on vise ici à comprendre comment et pourquoi un concept particulier est associé à un autre concept. L'explication de relations entre des concepts est liée à la théorie. Après avoir sélectionné des relations particulières entre des phénomènes ou des variables, le chercheur les vérifie empiriquement à l'aide d'une étude corrélationnelle prédictive afin de savoir si une variable

> **Explication de relations**
> Type d'étude qui détermine la raison d'être des relations entre des concepts ou la raison pour laquelle un phénomène évolue d'une certaine façon.

en influence une autre. L'explication d'une relation ou d'un phénomène s'appuie habituellement sur la théorie ou sur des résultats de recherche décisifs. Par exemple, la théorie de l'efficacité personnelle perçue (Bandura, 1997) pourrait expliquer le comportement qu'adopte une personne dans une situation particulière. La théorie est un ensemble ordonné de propositions et de définitions destinées à expliquer la manière dont les phénomènes se lient les uns aux autres. L'explication des résultats obtenus après une vérification de relations entre des concepts suppose que ceux-ci vont ou non à l'encontre de la théorie sur laquelle s'appuient les hypothèses de l'étude. Ainsi, à partir d'une théorie ou de résultats de recherche, on fait des prédictions sur des relations d'associations entre des phénomènes, qui rendent l'explication plus crédible si elles sont confirmées par les résultats. Lorsque le chercheur est en mesure d'expliquer une relation ou un phénomène quelconque, cela signifie qu'il peut non seulement décrire cette relation ou ce phénomène, mais qu'il lui est possible d'en prévoir les conséquences et d'intervenir ultérieurement.

Une prédiction peut être avancée si le chercheur connait d'avance des informations qu'il peut utiliser pour déterminer ce qui se produira à un certain moment. Mais cette prédiction d'association se différencie de la prédiction causale du niveau suivant de la recherche (prédiction et contrôle), en ce sens qu'aucune intervention n'entre en jeu. Ainsi, il est nécessaire de décrire chacun des concepts, d'explorer l'existence de relations entre ceux-ci et de les vérifier afin d'être en mesure d'expliquer la raison d'être des relations existantes.

1.5.4 La prédiction et le contrôle

Prédiction et contrôle
Entité surtout liée à l'expérimentation dont le but est de vérifier des relations de causalité entre les variables dépendantes et indépendantes.

La **prédiction** et le **contrôle** forment une entité qui représente le pivot des études d'intervention. Cette entité se situe au stade le plus avancé de la recherche dans la mesure où les connaissances acquises permettent de prédire l'occurrence d'une relation causale entre deux évènements ou concepts, l'un étant antérieur à l'autre. Alors qu'au stade précédent, des prédictions sont faites sur des relations d'associations, à ce niveau-ci de la prédiction et du contrôle, il s'agit de relations de cause à effet inscrites la plupart du temps dans une étude de type expérimental à partir de laquelle s'exerce un contrôle. L'intervention X produira-t-elle l'effet désiré? La prédiction et le contrôle supposent habituellement l'établissement de conditions préalables, comme au cours d'une expérimentation, où l'on prédit un résultat donné. Le contrôle consiste à faire varier les conditions de l'expérimentation dans une situation de recherche en vue de produire un résultat déterminé. Si les conditions peuvent être observées, alors le résultat le sera aussi.

Les prédictions causales sont nécessaires pour connaitre l'efficacité d'une intervention ou d'un traitement quelconque (programme de prévention, régime thérapeutique) appliqué à des groupes de sujets et dont les résultats pourraient être positifs d'un point de vue social ou physiologique. Elles sont aussi utiles pour vérifier l'exposition à des facteurs de risque dans les études analytiques. La plupart des recherches portant sur des aspects psychosociaux, du comportement, de l'éducation ou de la santé visent une amélioration des conditions existantes. Les prédictions causales sont issues d'hypothèses formulées et vérifiées de manière à déterminer si les résultats obtenus sont réels, c'est-à-dire s'ils confirment les hypothèses.

Comme il en a été question plus tôt, les buts de la recherche sont de découvrir, de décrire, d'expliquer, de prédire et de contrôler des phénomènes. Or, ces objectifs correspondent à des niveaux dans le processus d'acquisition de connaissances et se réalisent au moyen de divers types d'études ou devis de recherche distincts. Le devis de recherche correspond au plan général qui dicte la conduite d'une étude, ce dont il sera question plus loin dans cet ouvrage.

1.6 Les formes générales de la recherche

Le but ultime de la recherche est l'acquisition de connaissances. Cela peut se faire sous diverses formes et, par conséquent, nécessiter des approches particulières pour appréhender la recherche. Selon ses objectifs, celle-ci peut prendre une forme plus fondamentale ou appliquée, utiliser une méthode quantitative ou qualitative, ou encore se tourner vers une démarche de type expérimental. Toutefois, ces catégories ne sont pas mutuellement exclusives, c'est-à-dire qu'une recherche appliquée peut être quantitative et non expérimentale.

1.6.1 La recherche fondamentale et la recherche appliquée

La recherche fondamentale et la recherche appliquée se distinguent par le but poursuivi. La **recherche** est dite **fondamentale** lorsque la démarche est entreprise principalement en vue de produire de nouvelles connaissances, indépendamment des perspectives d'application immédiate dans des situations concrètes. Il peut s'agir également de la recherche théorique qui vise le développement de théories ou de modèles. La **recherche** est dite **appliquée** lorsqu'elle consiste à trouver des solutions à des problèmes pratiques et que la connaissance peut être immédiatement axée sur l'action ou la prise de décision (p. ex. déterminer l'efficacité d'une intervention auprès de personnes en prenant en considération une application communautaire, clinique ou sociale). L'objet de la recherche appliquée est plus précis, plus limité et plus concret que celui de la recherche fondamentale. La recherche appliquée est généralement menée dans un milieu naturel, contrairement à la recherche biomédicale, habituellement réalisée en laboratoire. Les deux formes de recherche contribuent à la connaissance et sont importantes pour toute discipline.

Recherche fondamentale et recherche appliquée
Recherches qui se différencient par leur but : celui de la recherche fondamentale est l'élargissement du savoir et celui de la recherche appliquée, la découverte de la solution à un problème pratique immédiat.

L'objet de la recherche appliquée est plus précis, plus limité et plus concret que celui de la recherche fondamentale.

1.6.2 La recherche quantitative et la recherche qualitative

La recherche quantitative et la recherche qualitative se différencient entre autres sur la base de la méthode en produisant soit des données numériques ou des informations qui peuvent être converties en chiffres dans la recherche quantitative, soit des données narratives dans la recherche qualitative. Les recherches quantitatives et qualitatives ont leurs caractéristiques particulières basées sur divers objectifs et leurs paradigmes sous-jacents. L'information produite par la recherche quantitative peut être évaluée à l'aide d'instruments normalisés. Cette approche consiste en un processus formel, objectif et systématique qui vise à décrire ou à vérifier des relations, des différences et des liens de causalité entre des variables. Elle conduit à formuler une question d'intérêt et à recenser les écrits pour déterminer ce qui a été fait, afin de choisir ou d'élaborer un cadre conceptuel ou une structure opérationnelle pouvant soutenir les concepts sur lesquels s'appuie l'étude. La recherche quantitative peut vérifier la théorie selon

Démarche hypothéticodéductive
Vérification des hypothèses pour en déduire des conséquences observables (résultats attendus) permettant d'en déterminer la véracité.

une **démarche hypothéticodéductive**, laquelle consiste à vérifier des hypothèses pour en déduire les conséquences. Quant à la forme qualitative de la recherche, elle est plus subjective et met l'accent sur les questions qui peuvent difficilement être obtenues par les méthodologies quantitatives. Par ses techniques spécifiques de collecte de données, comme l'entrevue non dirigée ou l'observation participante, elle s'avère particulièrement utile pour comprendre les perceptions et les sentiments des personnes. Sa démarche inductive dérive d'une analyse minutieuse de situations individuelles et évolue vers une structure conceptuelle ou des énoncés généraux pour expliquer le phénomène en cause.

1.6.3 La recherche expérimentale et la recherche non expérimentale

Selon un tout autre point de vue, la recherche peut prendre une forme expérimentale ou non expérimentale. Si le chercheur agit sur le sujet de l'étude de quelque façon que ce soit, la recherche est dite expérimentale, et elle se réalise uniquement dans un paradigme quantitatif. Dans les autres cas, elle est non expérimentale. La **recherche expérimentale** vise à vérifier des relations de cause à effet entre des variables indépendantes et dépendantes. C'est une méthode objective, systématique et contrôlée qui examine la causalité entre des variables particulières en vue de prédire et de contrôler des évènements. La **recherche non expérimentale** est utilisée pour découvrir des phénomènes lorsqu'elle se situe dans un paradigme qualitatif ou pour décrire des évènements ou des situations, explorer et vérifier des relations d'associations entre des concepts dans un paradigme quantitatif. Il existe de nombreux types d'études ou de devis expérimentaux et non expérimentaux qui seront abordés plus loin de façon détaillée.

Recherche expérimentale
Étude dans laquelle le chercheur vise à vérifier des relations de cause à effet entre des variables indépendantes et dépendantes.

Recherche non expérimentale
Étude dans laquelle le chercheur décrit des évènements, explore et vérifie des relations associatives.

Points saillants

1.1	**À propos de la recherche scientifique**	• La recherche scientifique est une démarche d'acquisition de connaissances qui utilise diverses méthodes de recherches quantitatives et qualitatives pour trouver des réponses à des questions déterminées que l'on souhaite approfondir. • La recherche vise à décrire, expliquer et prédire des phénomènes.
1.2	**L'importance de la recherche pour les disciplines dans le contexte de la pratique fondée sur des données probantes**	• La recherche est importante pour le développement de connaissances dans les disciplines didactiques et professionnelles. Elle s'inscrit dans la perspective de la pratique fondée sur des données probantes selon laquelle les meilleures données actuelles de la recherche contribuent à la prise de décision clinique.
1.3	**Les principaux points d'attache qui sous-tendent la recherche**	• La recherche menée dans les diverses disciplines s'appuie sur un ensemble d'activités intellectuelles qui sous-tendent sa démarche et la rendent applicable au monde empirique. Ces éléments sont la philosophie, la théorie, la recherche et la pratique clinique ou professionnelle, les processus de la pensée abstraite, la connaissance et ses principales sources d'acquisition et la science.
1.4	**Les principes fondamentaux qui guident la recherche**	• Quelles que soient la discipline concernée ou les méthodes utilisées, certains principes fondamentaux servent à guider la recherche. Ces principes sont l'énoncé d'une question pertinente, l'établissement du lien recherche-théorie, des méthodes appropriées à la question, une démarche de raisonnement logique, la répétition d'études menant à la généralisation ou au caractère transférable et, enfin, la dissémination et l'ouverture à la critique.
1.5	**Les buts de la recherche et les niveaux de connaissance**	• La recherche poursuit divers buts selon qu'il s'agit d'explorer et de décrire les phénomènes et leurs caractéristiques, d'étudier les relations entre les phénomènes et d'expliquer ceux-ci pour en comprendre les mécanismes d'action ou d'utiliser ces connaissances pour prédire et contrôler des aspects de la réalité. Ces buts présupposent des niveaux d'atteinte qui diffèrent selon l'étendue des connaissances dans un domaine particulier.
1.6	**Les formes générales de la recherche**	• La recherche peut prendre diverses formes : fondamentale ou appliquée, quantitative ou qualitative, expérimentale ou non expérimentale.

Mots clés

Connaissance	Pratique professionnelle	Recherche appliquée	Recherche quantitative
Description	Prédiction et contrôle	Recherche expérimentale	Recherche scientifique
Explication	Principes fondamentaux	Recherche fondamentale	Science
Philosophie	Processus de la pensée	Recherche qualitative	Théorie

Exercices de révision

La recherche scientifique est une démarche particulière d'acquisition de connaissances. Les exercices suggérés dans ce chapitre ont pour but d'aider à mieux comprendre la nature de la recherche et les rapports qui existent entre celle-ci et d'autres activités intellectuelles.

1. Qu'est-ce qui différencie la recherche scientifique des autres méthodes d'acquisition de connaissances?

2. Associez chacun des éléments de la connaissance (a à h) à sa définition dans la liste des définitions (1 à 8).

   a) Science
   b) Intuition
   c) Raisonnement inductif
   d) Recherche
   e) Pensée concrète
   f) Philosophie
   g) Raisonnement déductif
   h) Pensée abstraite

   Définitions

   1) Processus systématique de collecte de données empiriques visant à décrire, à expliquer, à prédire et à contrôler des phénomènes.

   2) Type de raisonnement dont le point de départ est l'observation de phénomènes particuliers et qui mène à la formulation d'une vérité générale.

   3) Organisation rationnelle des résultats de la recherche et des théories vérifiées à l'intérieur d'un champ de connaissance déterminé.

   4) Connaissance d'un phénomène sans le recours au raisonnement logique.

   5) Pensée orientée vers les faits observables ou perceptibles par les sens.

   6) Type de raisonnement par lequel on passe d'une proposition générale à une hypothèse sur un cas particulier.

   7) Pensée orientée vers l'élaboration d'une idée sans tenir compte de l'application directe à un cas particulier.

   8) Énoncé de croyances et de valeurs à propos de la nature de l'être humain et de sa réalité.

3. La théorie, la recherche et la pratique sont des entités intimement reliées. Expliquez cette affirmation.

4. La connaissance acquise par la recherche est essentielle à l'établissement d'une base scientifique pour la description, l'explication, la prédiction et le contrôle. Donnez une brève définition des mots ou des groupes de mots suivants.

   a) Découverte
   b) Description
   c) Explication
   d) Prédiction et contrôle

Liste des références

Les références citées dans la rubrique «Exemple» ou dans les citations peuvent ne pas figurer dans cette liste.

Bandura, A. (1997). *Self-efficacy: The exercise of control*. New York, NY: W.-H. Freeman.

Batavia, M. (2001). *Clinical research for health professionals: A user-friendly guide*. Boston, MA: Butterworth Heinemann.

Couturier, Y. et Carrier, S. (2003). Pratiques fondées sur les données probantes en travail social: un débat émergent. *Nouvelles pratiques sociales, 16*(2), 68-79.

Fawcett, J. et Downs, F.S. (1992). *The relationship of theory and research* (2e éd.). Philadelphia, PA: F.A. Davis.

Fondation canadienne de la recherche sur les services de santé (FCRSS) (2005). *Conceptualiser et regrouper les données probantes pour guider le système de santé: rapport final*. Repéré à www.fcass-cfhi.ca/Migrated/PDF/insightAction/evidence_f.pdf

Fortin, M.-F., Taggart, M.-E. et Kérouac, S. (1988). *Introduction à la recherche*. Montréal, Québec: Décarie Éditeur.

Gravetter, F.J. et Forzana, L.-A.B. (2012). *Research methods for the behavioral sciences* (4e éd.). Belmont, CA: Wadsworth.

Grove, S.K., Burns, N. et Gray, J.R. (2013). *The practice of nursing research: Appraisal, synthesis and generation of evidence* (7e éd.). Saint-Louis, MO: Saunders Elsevier.

Laville, C. et Dionne, J. (1996). *La construction des savoirs: manuel de méthodologie en sciences humaines*. Montréal, Québec: Chenelière/McGraw-Hill.

McCutcheon, H.H. et Pincombe, J. (2001). Intuition: An important tool in the practice of nursing. *Journal of Advanced Nursing, 35*(3), 342-348.

McEwen, M. et Wills, E.M. (2007). *Theoretical basis for nursing* (2e éd.). Philadelphie, PA: Lippincott Williams & Wilkins.

Meleis, A. (2007). *Theoretical nursing: Development and progress* (4e éd.). Philadelphie, PA: Lippincott Williams & Wilkins.

O'Hara, R. et collab. (2007). Long-term effects of mnemonic training in community-dwelling older adults. *Journal of Psychiatric Research, 41*(7), 585-590. doi: 10.1016/j.jpsychires.2006.04.010

Portney, G. et Watkins, M.P. (2009). *Foundations of clinical research: Applications and practice* (3ᵉ éd.). Upper Saddle River, NJ : Pearson Prentice Hall.

Punch, K.F. (2005). *Introduction to social research: Quantitative and qualitative approaches* (2ᵉ éd.). Thousand Oaks, CA : Sage Publications.

Sackett, D.L., Straus, S.E., Richardson, W.S., Rosenberg, W. et Haynes, R.B. (2000). *Evidence-based medicine: How to practice and teach EBM* (2ᵉ éd.). Édimbourg, R.-U. : Churchill Livingstone.

Seaman, C.H.C. (1987). *Research methods: Principles, practice and theory for nursing* (3ᵉ éd.). Norwalk, CT : Appleton & Lange.

Shavelson, R.J. et Towne, L. (dir.) (2002). *Scientific research in education. Committee on Scientific Principles for Education Research.* Center for Education. Division of Behavioral and Social Sciences and Education. Washington, DC : National Research Council/National Academy Press.

Stommel, M. et Wills, C.E. (2004). *Clinical research: Concepts and principles for advanced practice nurses.* Philadelphie, PA : Lippincott Williams & Wilkins.

White, T.L. et McBurney, D.H. (2012). *Research methods* (9ᵉ éd.). Belmont, CA : Cengage Learning.

CHAPITRE 2

Les paradigmes sous-jacents aux méthodes quantitatives et qualitatives

Objectifs d'apprentissage

Après avoir étudié ce chapitre, vous serez
en mesure :

- de décrire les principales caractéristiques
  du paradigme d'orientation postpositiviste ;
- de décrire les principales caractéristiques
  du paradigme d'orientation interprétatif ;
- de contraster la nature des recherches
  quantitatives et qualitatives ;
- de connaitre les types de recherche associés
  aux méthodes quantitatives ;
- de connaitre les types de recherche associés
  aux méthodes qualitatives.

Toute recherche se fonde sur des croyances et sur des postulats philosophiques qui orientent la démarche du chercheur et lui procurent un point de vue particulier sur le monde. Cette vision du monde, ou paradigme, détermine les buts à atteindre et la façon d'appréhender les phénomènes. Dans cette perspective, mais aussi selon le niveau actuel des connaissances dans le domaine étudié, certains chercheurs opteront pour la recherche quantitative, certains choisiront la recherche qualitative, tandis que d'autres favoriseront une combinaison des deux méthodes de recherche. Ces divers paradigmes contribuent chacun à leur manière au développement des connaissances dans les différentes disciplines qui s'en inspirent. Ce chapitre aborde le concept de paradigme, souligne certaines divergences entre les paradigmes postpositiviste et interprétatif, résume la nature des deux paradigmes et indique les méthodes de recherche qui leur sont associées.

2.1 Quelques notions du concept de paradigme

Le concept de **paradigme** désigne un ensemble de postulats, concepts et valeurs dominants partagés par les membres d'une communauté scientifique à une époque donnée (Chalmers, 1982). Le concept peut aussi servir à distinguer différentes écoles de pensée pour souligner leur divergence quant aux postulats sur lesquels elles s'appuient. Ces écoles de pensée ont, à leur manière, une vision différente du monde. Toute méthode de recherche ne saurait être totalement comprise sans que l'on prête attention aux postulats philosophiques qui sous-tendent le choix d'une méthodologie de recherche particulière. Les termes « quantitatif » et « qualitatif » sont souvent utilisés pour décrire deux visions différentes du monde ou paradigmes de recherche. Cette utilisation n'est pas vraiment appropriée, puisque la différence majeure entre les deux approches de recherche ne réside pas tant dans le type de collecte des données que dans les postulats fondamentaux qui établissent la position de recherche. L'usage du terme « paradigme » pour décrire une façon de concevoir le monde relève du philosophe de la science Thomas Kuhn (1970) qui propose, dans son ouvrage *The structure of scientific revolutions* (*La structure des révolutions scientifiques*, 1983), une nouvelle conception du développement de la science et reconnaît différentes interprétations du terme « paradigme ». Selon Guba et Lincoln (1994), le paradigme est un ensemble de croyances fondamentales, de valeurs et de postulats qui guident le chercheur non seulement dans ses choix méthodologiques, mais qui lui permettent aussi de s'appuyer sur des aspects ontologiques et épistémologiques de sa recherche. D'autres auteurs (McEwen et Wills, 2007 ; Meleis, 2007) conçoivent le paradigme comme un cadre de référence qui renferme, outre les valeurs, les concepts et les postulats précités, des croyances et des principes qui façonnent la manière dont une discipline interprète sa réalité. Ainsi, le paradigme n'est pas un simple énoncé, mais un modèle de référence fondamental sur lequel s'appuient les chercheurs d'une discipline donnée pour orienter la recherche selon leur orientation philosophique.

Paradigme
Conception du monde, système de représentation de valeurs et de normes qui impriment une direction particulière à la pensée et à l'action.

> Le paradigme n'est pas un simple énoncé, mais un modèle de référence fondamental sur lequel s'appuient les chercheurs d'une discipline donnée pour orienter la recherche selon leur orientation philosophique.

Les croyances de base qui définissent les paradigmes de recherche peuvent être liées à trois questions philosophiques fondamentales : les questions ontologiques, épistémologiques et méthodologiques (Guba et Lincoln, 2005). La question ontologique s'intéresse à la nature et à l'existence ou non d'une réalité objective : quelle est la nature des phénomènes à l'étude ? La question épistémologique se rapporte à l'étude de la connaissance : qu'est-ce que la connaissance et comment s'acquiert-elle ? Comment cette connaissance est-elle élaborée pour justifier son caractère valable ? Enfin, la question méthodologique concerne l'étude des méthodes et des techniques utilisées pour développer les connaissances. Les postulats ontologiques influencent la façon dont les chercheurs voient le monde et ce qu'ils considèrent comme étant la réalité. Ces postulats contribuent à former les croyances épistémologiques par rapport à la façon d'acquérir les connaissances et de comprendre la réalité (Bisman, 2010). Il en découle que les postulats ontologiques et épistémologiques ont une incidence sur le choix d'une méthodologie particulière de recherche.

Les questions philosophiques sont fondamentales puisque la position philosophique adoptée par le chercheur influence le choix de la méthode et les types de recherche privilégiés, le genre de questions à poser et les stratégies à utiliser au cours du processus de recherche. Ces différentes positions constituent en quelque sorte un ensemble qui contribue à former le paradigme, la perspective ou encore la vision du monde (Coe, 2012).

2.2 Des divergences paradigmatiques sur la nature de la recherche

Il existe plusieurs paradigmes de recherche discutés dans les écrits, entre autres dans les travaux de Gavard-Perret, Gottelan, Haon et Jolibert (2012), de Creswell (2007), ainsi que de Guba et Lincoln (1994). Selon Hammersley (2007), la recherche peut être classifiée de diverses façons, incluant la typologie du paradigme : quantitatif/positiviste ; qualitatif/interprétativiste/constructiviste. Les ouvrages sur le sujet n'utilisent pas nécessairement la même terminologie pour désigner les différents paradigmes, particulièrement en ce qui a trait à la recherche qualitative. Toutefois, il semble se dégager un certain consensus sur deux courants les plus souvent cités : le paradigme postpositiviste et le paradigme interprétatif/constructiviste. Selon Riverin-Simard, Spain et Michaud (1997), le constructivisme fait partie, avec la théorie critique, du paradigme interprétatif. Ainsi, le paradigme interprétatif serait plus général pour inclure d'autres approches qualitatives qui partagent un intérêt commun, celui de la signification qu'accordent les acteurs aux actions auxquelles ils participent. Les deux paradigmes retenus dans cet ouvrage, le postpositivisme et l'interprétatif (appelé aussi « interprétativisme »), comportent des prémisses philosophiques différentes, des objectifs ainsi que des racines épistémologiques qui doivent être comprises, respectées et maintenues pour assurer des retombées crédibles (Morse, 1991).

Le tableau 2.1, inspiré de Coe (2012), présente quelques positions divergentes selon les paradigmes postpositiviste et interprétatif. Cela ne signifie pas qu'un paradigme prévaut sur l'autre, mais que les paradigmes inspirent des façons particulières d'appréhender les phénomènes. Dans ce tableau, chaque colonne représente une dimension ou un aspect des différences qui émanent des deux visions sur la nature de la recherche. Les énoncés de la colonne de gauche représentent le paradigme positiviste/postpositiviste et la recherche quantitative tandis que les énoncés de la colonne de droite représentent le paradigme interprétatif/constructiviste et la recherche qualitative. Les deux paradigmes seront brièvement décrits par la suite.

En dépit de ces divergences et du fait que la recherche qualitative est souvent présentée en opposition à la recherche quantitative, plusieurs auteurs soutiennent que l'une et l'autre méthode peuvent se côtoyer à l'intérieur d'un même paradigme, ce qui fait ressortir leur complémentarité (Tashakkori et Teddlie, 2010).

TABLEAU 2.1	Les divergences sur la nature de la recherche	
Recherche quantitative Paradigme positiviste/postpositiviste	**Recherche qualitative** Paradigme interprétatif/constructiviste
• Le monde et les phénomènes sont réels, et ils existent indépendamment des perceptions humaines.	• Les phénomènes sociaux sont perçus d'une façon particulière ; ils ne sont pas indépendants de la réalité. • La réalité est changeante.
• Il existe une vérité et une connaissance objective sur le monde.	• Toute connaissance est subjective et socialement construite.
• Il est possible de trouver des lois universelles et des connaissances qui peuvent être généralisées.	• Les contextes individuels et sociaux sont uniques : la généralisation n'est pas envisagée.
• La recherche vise à découvrir des explications générales sur les phénomènes et à faire des prédictions.	• La recherche vise à comprendre les cas et les situations individuelles : l'accent est mis sur la signification fournie par les différents acteurs.
• Les formes de connaissances et de faits objectifs issues de la recherche sont indépendantes des valeurs et des croyances du chercheur.	• Comprendre les valeurs et les croyances des chercheurs est crucial pour saisir leur démarche.
• Les relations de pouvoir ne sont pas pertinentes en regard de la vérité.	• Le pouvoir et le manque de pouvoir sont centraux à la compréhension des phénomènes sociaux. • Un des buts de la recherche est l'émancipation et la transformation de ces phénomènes.
• Les buts de la recherche consistent à élaborer et à vérifier des hypothèses. • Les hypothèses doivent être clairement formulées avant d'en établir la démarche de vérification.	• La recherche est inductive. • Les hypothèses et la théorie émergent du processus ; elles sont vérifiées de façon critique. • Les chercheurs évitent d'énoncer des postulats avant la collecte des données.
• Le comportement humain est prévisible, étant soumis aux principes selon lesquels les évènements ont des causes.	• Les êtres humains sont des participants actifs de la recherche ; ils interagissent avec leur environnement, construisent des situations en apportant leurs propres significations.
• Les phénomènes peuvent être compris par l'analyse de leurs composantes (réductionniste).	• Les phénomènes sociaux sont plus que la somme de leurs parties et peuvent être compris seulement d'une manière holistique.
• Les lois causales déterminent le comportement humain et peuvent être découvertes par l'expérimentation.	• La complexité, le degré d'interaction, la particularité de la situation et la dépendance contextuelle des phénomènes font obstacle à l'utilité du concept de cause.
• Pour être utilisés en recherche, les construits sont opérationnalisés. • Plusieurs construits peuvent être quantifiés et traités comme des propriétés de la mesure. • La fidélité et la validité de ces mesures sont des caractéristiques essentielles.	• Plusieurs construits ne peuvent être quantifiés convenablement que par une riche description qualitative qui peut saisir leur essence. • Les représentations des phénomènes doivent être authentiques et basées sur l'étude du milieu naturel.
• La généralisation à plus grande échelle des échantillons observés est justifiée en termes de la représentativité statistique et de l'échantillonnage probabiliste.	• Les cas observés peuvent servir de base à la généralisation de la théorie et à la compréhension, même si le nombre de cas est petit, ces cas étant choisis selon certaines caractéristiques.

Source : D'après Coe (2012, p. 7. Traduction libre).

2.2.1 Les paradigmes positiviste et postpositiviste

Dans la plupart des disciplines, le paradigme dominant qui a guidé les premières méthodes de recherche a été le positivisme. Celui-ci est fondé sur la philosophie empirique, dont l'origine remonte, entre autres, au philosophe Auguste Comte. Les idées du positivisme sont enracinées dans une réalité objective que le chercheur doit découvrir, une optique qui appuie l'idée selon laquelle la cause et l'effet peuvent expliquer tout phénomène. Les postulats sous-jacents au courant positiviste énoncent qu'il existe une réalité sociale qui peut être étudiée de la même manière que la réalité physique en divisant les phénomènes complexes en des entités plus petites. Les positivistes soutiennent que toute chose peut être perçue par les sens et que la réalité existe indépendamment des perceptions humaines ; qu'il existe une méthode pour qu'aucun parti pris n'infiltre la réalité sociale ; et qu'il est possible de fournir des explications de nature causale (Gall, Gall et Borg, 2007 ; Mertens, 2005).

Postpositivisme
Vision de la science qui, contrairement au positivisme, reconnaît que toutes les observations sont faillibles et susceptibles d'erreurs.

Le positivisme a été discrédité au siècle dernier à cause de ses faiblesses et de ses intransigeances, notamment vis-à-vis de la recherche sociale. Les vues de la science ont évolué et ont mené à une forme modifiée, le **postpositivisme**, qui rejette les aspects dogmatiques du positivisme en adoptant un point de vue plus modéré. La vision postpositiviste de la science suppose qu'il existe une réalité objective indépendante de l'observation humaine, mais que cette réalité ne peut être connue qu'imparfaitement. L'objectivité n'est pas la caractéristique d'une personne, mais un phénomène social inhérent (Trochim, 2006). Pour les postpositivistes, l'erreur existe, et les résultats sont considérés comme probables et peuvent être réfutés. Étant donné les limites humaines, cela signifie que l'objectivité n'est plus envisagée comme atteignable de façon absolue, mais qu'elle se fonde sur des probabilités. Le postpositivisme s'appuie sur une multitude de méthodes afin d'appréhender la réalité le mieux possible (Denzin et Lincoln, 2000). Dans un paradigme postpositiviste, on fait appel au raisonnement déductif, c'est-à-dire qui va du général vers le particulier, lequel conduit le chercheur à formuler des hypothèses en vue de prédire et de contrôler des phénomènes. Tout est mis en œuvre pour minimiser ce qui pourrait porter atteinte à la validité des résultats. Bien que la validité des théories puisse être renforcée, celles-ci ne peuvent être prouvées malgré les efforts constants de la recherche pour les réfuter (Reichardt et Rallis, 1994). Cette façon contemporaine d'envisager la réalité est propre au courant postpositiviste, qui a aujourd'hui largement remplacé le positivisme (Trochim et Donnelly, 2006).

2.2.2 Le paradigme interprétatif

Paradigme interprétatif
Paradigme qui se fonde sur le postulat que la réalité est socialement construite à partir de perceptions individuelles susceptibles de changer avec le temps.

Le **paradigme interprétatif**, à la différence du paradigme postpositiviste, rejette la notion qu'il existe une seule réalité pouvant être connue. La position interprétativiste part du principe que la réalité sociale est multiple et qu'elle se construit à partir de perceptions individuelles susceptibles de changer avec le temps. Ce qui existe relève de la perception (McEwen et Wills, 2007). Ces constructions prennent la forme d'interprétations de la réalité issues de significations attribuées à un contexte particulier, celui-ci étant considéré comme faisant partie intégrante des significations construites par les personnes (Gall et collab., 2007). L'un des buts de la recherche qualitative interprétative est de comprendre la signification que les personnes accordent à leur propre vie et à leurs expériences et en quoi consiste la connaissance sous-jacente aux multiples constructions sociales (Anadón, 2006).

La connaissance est vue à travers la subjectivité. Ce que l'on connait n'est pas une réalité en soi, mais la représentation qu'on se fait des phénomènes perçus. Sous l'angle de la relation entre le chercheur et la personne qui participe à la recherche, un processus d'interaction et d'influence mutuelle s'enclenche. Ainsi, le chercheur optera pour un mode de collecte de données plus personnel favorisant l'interrelation. En vertu du paradigme interprétatif, la réalité est explorée telle qu'elle est perçue. Les croyances rattachées à ce paradigme tiennent compte de la globalité des êtres humains, notamment de leur expérience de vie et du contexte dans lequel se tissent des liens avec l'environnement. Dans un paradigme interprétatif, le chercheur fait appel au raisonnement inductif, c'est-à-dire qu'il passe du particulier au général. Il observe des phénomènes et les interprète dans un contexte particulier. Les questions de recherche, la stratégie et le type de données à recueillir évoluent de façon constante.

2.3 Les paradigmes et les méthodes de recherche

Il a été démontré plus tôt que certains postulats concernant la nature de la réalité (ontologie) et de la connaissance (épistémologie) s'harmonisent davantage avec un paradigme plutôt qu'avec un autre et que les paradigmes sont généralement associés à des méthodes de recherche distinctes. Comme l'indique le tableau 2.1, à la page 27, des divergences caractérisent chacun des deux paradigmes, postpositiviste et interprétatif, lesquels engendrent des façons différentes d'aborder l'étude des phénomènes, soit par la recherche quantitative, soit par la recherche qualitative. Selon le paradigme de recherche et le niveau actuel des connaissances, le chercheur dirigera sa recherche vers la méthode qui convient le mieux à sa position paradigmatique et à son orientation personnelle. En choisissant une stratégie de recherche, le chercheur s'inscrit dans un paradigme de recherche donné selon sa vision du monde ou ses questions de recherche. Les méthodes de recherche supposent à la fois une démarche rationnelle et un ensemble de techniques ou de moyens permettant de recueillir et d'analyser des données pour répondre à la question de recherche. Dans certains travaux de recherche quantitatifs, il y aura lieu de décrire, d'explorer ou de vérifier les relations des phénomènes entre eux, de les prédire ou de les contrôler et d'employer des méthodes de collecte de données structurées (p. ex. des questionnaires). Dans les travaux de recherche qualitatifs, il faudra fournir une description et une explication théorique des phénomènes et recourir à des méthodes de collecte de données non structurées (p. ex. des entrevues, des observations).

> Selon le paradigme de recherche et le niveau actuel des connaissances, le chercheur dirigera sa recherche vers la méthode qui convient le mieux à sa position paradigmatique et à son orientation personnelle.

2.3.1 Les principales caractéristiques de la recherche quantitative

Traditionnellement, la **recherche quantitative** est associée à la méthode scientifique du fait qu'elle possède certaines caractéristiques telles que le contrôle, l'empirisme et la généralisation. De façon générale, la recherche quantitative a surtout été fondée sur le paradigme positiviste/postpositiviste. La situation en recherche qualitative est différente en ce qu'elle repose sur des paradigmes et des positions philosophiques variés. La recherche quantitative fait appel à la déduction, aux règles de la logique et à la mesure. L'accent est mis sur les résultats et sur les conclusions d'une étude. Elle est fondée sur l'observation de faits, d'évènements et de phénomènes objectifs et elle comporte un processus ordonné et systématique

Recherche quantitative
Recherche qui met l'accent sur la description, l'explication, la prédiction et le contrôle et qui repose sur la mesure de phénomènes et l'analyse de données numériques.

de collecte de données observables et vérifiables. Le chercheur suit une démarche rationnelle qui l'amène à suivre une série d'étapes, allant de la définition d'un problème de recherche à la mesure des variables, à leur analyse et à l'interprétation des résultats. La recension des écrits est systématique, et, tout comme le cadre de recherche, il en est question dès le début de l'étude afin de donner à celle-ci une orientation précise.

Comme il a été précisé précédemment, les buts de la recherche quantitative sont d'établir des faits, de les décrire, de mettre en évidence des associations entre les variables, de prévoir des relations de cause à effet ou de vérifier des théories ou des propositions théoriques. À cette fin, la recherche quantitative dispose de divers devis structurés et parfois contrôlés pour atteindre ses buts. Le choix du devis de recherche quantitative varie selon qu'il s'agit de décrire un phénomène, d'examiner des associations entre des variables ou des différences entre des groupes ou encore d'évaluer les effets d'une intervention. Les participants auprès de qui porte l'étude sont sélectionnés en fonction de critères précis. On détermine à l'avance le nombre de personnes que comprendra l'échantillon ; celui-ci doit être de préférence représentatif de la population cible. Pour déterminer la taille de l'échantillon, le chercheur a recours à des règles méthodologiques ou à des procédés statistiques. Les variables sont présélectionnées et définies ; les données sont recueillies, quantifiées et analysées de façon statistique. Le filtrage des variables étrangères revêt une grande importance en recherche quantitative, en particulier dans les études expérimentales, car les résultats doivent être le plus objectifs possible. Les hypothèses s'appuient sur des théories vérifiées empiriquement. La confirmation des hypothèses renforce les propositions théoriques qui ont guidé la recherche.

En outre, la recherche quantitative s'appuie sur la croyance voulant que les êtres humains soient composés de dimensions mesurables. Ainsi, les dimensions physiologiques, psychologiques et sociales peuvent être mesurées et contrôlées en faisant le plus possible abstraction de la situation dans laquelle se trouvent les participants à l'étude. Ces dimensions sont rendues mesurables par des valeurs numériques, appliquées pour exprimer des quantités. Les résultats de la recherche quantitative prennent la forme de données numériques présentées dans des tableaux et des figures ; leur interprétation dépend du cadre théorique ou conceptuel défini antérieurement. L'objectivité, la systématisation, la prédiction, le contrôle et la généralisabilité sont des caractéristiques distinctives de la recherche quantitative.

La recherche quantitative vise à obtenir des résultats susceptibles d'être exploités sur le plan pratique et à apporter des améliorations dans des situations concrètes. C'est le cas, par exemple, des études dont l'objet est de vérifier l'efficacité des soins auprès de personnes aux prises avec des problèmes de santé. Certains reprochent à la recherche quantitative issue du paradigme postpositiviste de proposer une vision mitigée de la réalité humaine.

2.3.2 Les principales caractéristique de la recherche qualitative

Recherche qualitative
Recherche qui met l'accent sur la compréhension et qui repose sur l'interprétation des phénomènes à partir des significations fournies par les participants.

La **recherche qualitative** est plutôt liée aux sciences humaines et sociales. Son utilisation dans l'investigation du comportement humain est fréquemment associée à l'anthropologie culturelle ou sociale et à la sociologie (Dempsey et Dempsey, 2000). Dans la recherche qualitative, le chercheur étudie les participants dans leur milieu naturel et essaie de donner un sens ou d'interpréter les phénomènes en se fondant sur les significations que leur apportent ces derniers (Denzin et Lincoln, 2000). La recherche qualitative sert à comprendre le sens de la réalité sociale dans laquelle s'inscrit l'action ; elle fait usage du raisonnement inductif et vise une compréhension élargie des phénomènes. Le chercheur observe, décrit, interprète et apprécie le milieu et le phénomène tels qu'ils existent, mais il ne les mesure ni ne les contrôle. La recherche qualitative tend à faire ressortir la signification que le phénomène étudié revêt pour les personnes. Elle ne définit pas d'emblée un cadre théorique ou conceptuel, contrairement à la recherche quantitative, dont l'objectif est de vérifier la théorie. Cependant, la théorie se développe, s'enracine dans les données et se raffine au fur et à mesure que la recherche progresse.

La recherche qualitative est de nature descriptive et compréhensive. La façon de procéder dans ce type de recherche n'est pas systématique. En effet, le déroulement des activités s'effectue dans une certaine flexibilité. Ainsi, on procède plusieurs fois à reconstituer l'échantillon, à collecter des données, à les analyser et à les interpréter. Contrairement à ce qui se produit dans une recherche quantitative, le nombre de participants à une étude qualitative n'est pas décidé à l'avance, car la taille de l'échantillon dépend des données recueillies. On s'appuie souvent sur le principe de saturation empirique pour déterminer le nombre de participants : la saturation survient quand les thèmes et les catégories deviennent répétitifs et que la collecte des données n'apporte plus d'informations suffisamment nouvelles ou différentes. Le chercheur entre en contact avec des personnes qui ont vécu le phénomène étudié ou il examine des documents écrits ou audiovisuels. La personne attitrée à la recherche prend part à la collecte des données sur le terrain avec les outils dont elle dispose, par exemple l'entrevue et l'observation non structurée ou semi-structurée, les documents imprimés et les notes de terrain. Les discussions et les observations sont peu structurées, ce qui permet aux participants d'exprimer librement leurs croyances et leurs sentiments et de décrire spontanément leurs comportements. Le chercheur doit s'assurer que les données ou les résultats de l'étude reflètent bien les expériences et les points de vue de ceux qui y participent. Tous les aspects humains sont pris en compte dans l'examen de la signification de l'expérience vécue. On fait appel à la fois à l'analyse et à l'interprétation pour aider les participants à formuler des questions.

> Contrairement à ce qui se produit dans une recherche quantitative, le nombre de participants à une étude qualitative n'est pas décidé à l'avance, car la taille de l'échantillon dépend des données recueillies.

Le chercheur découvre progressivement des thèmes et des catégories qui lui permettent de décrire le phénomène étudié. Les notions de crédibilité et d'authenticité des données sont mises au premier plan. Pour vérifier la crédibilité de ses interprétations, le chercheur présente aux participants des interprétations préliminaires et leur demande si celles-ci semblent correspondre à leurs expériences. Il peut faire appel à des experts pour vérifier ces interprétations ou il peut utiliser la triangulation, une stratégie de mise en comparaison de données obtenues à l'aide de deux sources ou plus en vue d'accroître la fidélité des données et des conclusions dans une recherche qualitative (Reidy et Mercier, 1996). Les résultats sont présentés sous forme narrative et contiennent des extraits d'entrevue ou de conversation. Ces extraits servent à appuyer les interprétations ou les thèses avancées au cours de la recherche. Les reproches faits à la recherche qualitative sont, entre autres, le caractère subjectif de la méthode, le petit nombre de participants et l'utilité relative des conclusions.

2.4   Les études associées aux méthodes de recherche

L'approche empirique qui caractérise la recherche, qu'elle soit quantitative ou qualitative, s'appuie sur l'expérience de terrain pour recueillir les types d'information permettant de générer les connaissances. Les données empiriques peuvent être numériques ou narratives, selon le paradigme et la stratégie de recherche utilisés. Les sous-sections suivantes fournissent un aperçu des principaux types de recherches associés aux méthodes quantitatives et qualitatives (*voir le tableau 2.2*).

2.4.1 Les types de recherches quantitatives

La recherche quantitative privilégie une vision objective du monde. Le point central est de recueillir des faits. Ainsi, le chercheur quantifie les observations en utilisant des nombres pour obtenir des mesures précises qui seront par la suite analysées au moyen de tests statistiques.

La recherche descriptive quantitative

La **recherche descriptive quantitative** vise à découvrir de nouvelles connaissances, à décrire des phénomènes existants, à déterminer la fréquence d'apparition d'un phénomène dans une population donnée (incidence, prévalence) ou à catégoriser l'information. Ce type d'étude est utilisé quand le niveau de connaissances sur un sujet donné est peu documenté. Pour recueillir des données auprès des participants à une étude descriptive, on a recours à l'observation, à l'entrevue structurée et parfois semi-structurée ou encore au questionnaire. Le but principal de l'étude descriptive est de définir les caractéristiques d'une population et d'en tracer un portrait général.

La recherche corrélationnelle

La recherche corrélationnelle vise à explorer et à vérifier des relations entre des variables. La **recherche descriptive corrélationnelle** s'appuie sur les résultats d'études descriptives et vise à explorer et à décrire des relations d'association entre les variables. Selon les connaissances dont on dispose sur le sujet de recherche, on s'attardera d'abord à découvrir quels sont les concepts en jeu et à explorer leurs relations réciproques dans une étude descriptive corrélationnelle. À cette fin, le chercheur mesure les concepts et utilise des analyses statistiques descriptives de corrélation pour déterminer l'existence de ces relations. Des hypothèses peuvent être générées. Dans une **recherche corrélationnelle prédictive**, on vérifie, à l'aide d'hypothèses d'associations, des relations précises entre des variables sélectionnées. Ainsi, il est possible de fournir des explications sur la nature de ces relations, c'est-à-dire la force ou le degré ainsi que le type, selon qu'il s'agit d'une relation positive ou négative entre les variables étudiées. La recherche corrélationnelle prédictive inclut aussi la vérification de modèle théorique. Ce type de recherche consiste à vérifier la validité d'un modèle causal hypothétique. Pour ce faire, le chercheur effectue des analyses sur les relations de cause à effet entre trois variables ou plus ayant déjà fait l'objet d'études antérieures. Ces études visent à déterminer les variables qui influent le plus sur le phénomène à l'étude.

La recherche expérimentale

La recherche expérimentale correspond à un type d'études qui vise à examiner la relation de causalité entre des variables en vue de prédire et de contrôler des phénomènes. Elle présente les caractéristiques suivantes: une intervention ou un

---

Recherche descriptive quantitative
Recherche qui vise à fournir un portrait détaillé des caractéristiques de personnes, d'évènements ou de populations.

Recherche descriptive corrélationnelle
Recherche qui vise à explorer des relations entre des variables.

Recherche corrélationnelle prédictive
Recherche qui vise à vérifier, à l'aide d'hypothèses d'associations, des relations précises entre des variables sélectionnées.

traitement, un groupe témoin et la répartition aléatoire des participants dans les groupes, expérimental et témoin. Cependant, dans le cadre d'une recherche en milieu clinique, il est souvent difficile, voire impossible, d'obtenir un groupe témoin ou d'effectuer une répartition aléatoire. On a alors recours à l'étude quasi expérimentale.

La recherche quasi expérimentale

La **recherche quasi expérimentale** diffère de la recherche expérimentale proprement dite par le degré de contrôle qu'exerce le chercheur. C'est un devis d'intervention auquel il manque la répartition aléatoire des sujets pour faire partie du traitement, ou dans lequel n'y a pas véritablement de groupe témoin, ou encore lorsque ces deux éléments sont absents. Il faut noter que le comportement humain, particulièrement dans les milieux cliniques, rend souvent impossible la répartition aléatoire des sujets ou le contrôle des variables liées aux sujets ou aux milieux.

Recherche quasi expérimentale
Recherche qui ne répond pas à toutes les exigences du devis expérimental du fait qu'il manque le groupe témoin, ou la répartition aléatoire, ou les deux.

TABLEAU 2.2	La classification des méthodes de recherche
Types de recherches	**Méthodes de recherche**
Recherches quantitatives	• Recherche descriptive quantitative • Recherche corrélationnelle • Recherche expérimentale • Recherche quasi expérimentale
Recherches qualitatives	• Recherche phénoménologique • Recherche ethnographique • Recherche de théorisation enracinée • Étude de cas • Recherche descriptive qualitative

2.4.2 Les types de recherches qualitatives

La phénoménologie, l'ethnographie, la théorisation enracinée, la recherche historique, l'interaction symbolique, la théorie critique, la recherche féministe et la recherche participative sont considérées comme des études qualitatives distinctes. Par leur questionnement, ces études qualitatives visent le même but : savoir rendre compte de l'expérience humaine dans un milieu naturel. Elles peuvent toutefois différer entre elles sur les plans du style d'écriture, de l'orientation philosophique, de la précision du but et des méthodes de collecte et d'analyse des données (Morse, 1991). L'accent est mis sur les descriptions verbales qui expliquent les comportements humains. Seront traitées dans cet ouvrage les recherches phénoménologiques, ethnographiques et de théorisation enracinée ainsi que l'étude de cas et la recherche descriptive qualitative.

La recherche phénoménologique

La **recherche phénoménologique** vise à comprendre un phénomène, à en saisir l'essence du point de vue des personnes qui en font ou en ont fait l'expérience. La phénoménologie a été fondée par Husserl (1859-1938) et a surtout été utilisée par les philosophes existentialistes (Marcel, 1889-1973 ; Merleau-Ponty, 1908-1961). Il s'agit à la fois d'une doctrine philosophique et d'une méthode de recherche. Dans la perspective philosophique, la personne forme un tout avec son environnement, elle a un monde et une réalité qui lui sont propres. Elle ne peut donc être comprise

Recherche phénoménologique
Recherche qui étudie la signification d'expériences telles qu'elles sont vécues par les personnes.

qu'en situation contextuelle. Le but est de décrire l'expérience telle qu'elle est vécue et rapportée par des personnes touchées par un phénomène précis. Les données sont habituellement recueillies à l'aide d'entrevues ou d'observations non structurées. Ces entrevues sont enregistrées et transcrites intégralement. Partant de la perspective de sa théorie en sciences infirmières, *The human becoming school of thought: A perspective for nurses and other health professionals,* Parse (1998) a élaboré une façon de recueillir et d'analyser des données — la méthode Parse. Cette méthode s'inscrit dans le courant d'une phénoménologie herméneutique dans laquelle les expériences décrites par les participants sont interprétées à la lumière de sa théorie (Fawcett et Garity, 2009).

La recherche ethnographique

La **recherche ethnographique** est une démarche systématique visant à observer sur le terrain le genre de vie associé à une culture ou à une sous-culture d'un groupe, ainsi qu'à le décrire et à l'analyser. L'ethnographie se rattache à l'anthropologie. Elle cherche à comprendre un groupe humain, ses croyances, de même que sa façon de vivre et de s'adapter aux changements. Elle permet de définir les normes et les idéaux d'un groupe culturel donné. Les données sont recueillies à l'aide d'entrevues non structurées et d'observations participantes et non participantes. L'analyse permet d'attribuer aux données recueillies une signification déterminée. Le groupe est invité à se prononcer sur la validité de l'interprétation qui est présentée de ses mœurs et de ses coutumes. De l'ethnographie, Leninger (2006) a adapté, pour les sciences infirmières, une méthodologie, *The ethnonursing research methodology,* dans laquelle elle décrit une façon d'étudier les croyances en matière de santé, les valeurs et les styles de vie de différentes cultures dans le contexte de sa théorie de la diversité et de l'universalité des soins culturels (Fawcett et Garity, 2009).

La recherche de théorisation enracinée

La **recherche de théorisation enracinée** est aussi une démarche inductive qui a pour objet l'élaboration de théories enracinées dans des phénomènes sociaux pour lesquels il existe peu d'études approfondies (Laperrière, 1997). Elle est une création des sciences sociales et relève surtout de l'interaction symbolique, une théorie professée par l'anthropologue Margaret Mead. Les défenseurs les plus connus de la théorisation enracinée sont Glaser et Strauss (1967). D'un point de vue philosophique, la personne peut être considérée comme étant une réalité multiple et complexe qui vit dans un monde social formé d'objets concrets et abstraits. C'est la signification attribuée à ces derniers qui fait que les personnes diffèrent entre elles et ont une réalité propre. L'objectif est de parvenir à formuler une théorie explicative des phénomènes sociaux. Les données sont recueillies à l'aide d'une combinaison d'entrevues non structurées, d'observations participantes et non participantes et d'enregistrements. Les données sont transcrites intégralement, puis codées et classées.

L'étude de cas

L'**étude de cas** examine une seule entité (étude de cas simple) dans le contexte d'une situation de la vie réelle. Cette entité peut être notamment une personne, une famille, une communauté, une organisation. Ce type d'étude permet de comprendre un problème en utilisant un cas comme exemple. Certains auteurs considèrent l'étude de cas comme une approche appartenant à la recherche qualitative, au même titre que les autres approches (Creswell, 2007 ; Denzin et Lincoln, 2005). Dans cette perspective, l'étude de cas s'inscrit dans un paradigme qualitatif où, selon Creswell (2007), le chercheur explore un ou plusieurs cas (étude de cas multiples) sur une période de temps au moyen d'une collecte de données approfondie auprès de multiples sources d'information et où il fait une description du ou des cas et des thèmes utilisés. Ce type de recherche est approprié quand on dispose de peu de données sur l'évènement ou le phénomène à l'étude (Yin, 2003).

La recherche descriptive qualitative

La **recherche descriptive qualitative** est utilisée pour caractériser certains aspects d'une expérience ou d'un évènement sans se référer à une méthodologie qualitative distincte, comme la phénoménologie ou la théorisation enracinée. Dans une approche inductive, ces études utilisent diverses techniques qualitatives visant à décrire un phénomène souvent peu connu et tentent d'en faciliter la compréhension. La façon de nommer ce type d'étude a fait l'objet de discussions dans les écrits (Sandelowski, 2000 ; 2010). Pour cette auteure, le courant naturaliste ou interprétativiste sert de fondement théorique aux études descriptives qualitatives. La description qualitative ne repose pas seulement sur la connaissance qu'elle engendre, mais elle sert aussi de véhicule pour présenter des méthodes qui n'entrent pas nécessairement dans une classification (Sandelowski, 2010).

Recherche descriptive qualitative
Type de recherche servant à décrire des phénomènes sans se référer à une méthodologie qualitative particulière.

Points saillants

2.1 Quelques notions du concept de paradigme

- La conduite de la recherche est guidée par des postulats philosophiques qui supposent une certaine façon d'appréhender les phénomènes. Il est question de paradigme de recherche, d'une conception du monde qui imprime une direction particulière à la pensée et à l'action.
- Le paradigme désigne l'ensemble de croyances, de valeurs et de postulats qui guident le chercheur dans ses choix méthodologiques.

2.2 Des divergences paradigmatiques sur la nature de la recherche

- Deux paradigmes sont dominants : le paradigme postpositiviste et le paradigme interprétatif.
- La vision postpositiviste de la science suppose qu'il existe une réalité objective indépendante de l'observation humaine, mais que cette réalité ne peut être connue qu'imparfaitement.
- Le paradigme interprétatif, à la différence du paradigme postpositiviste, rejette la notion selon laquelle il existe une seule réalité susceptible d'être connue. La réalité sociale est multiple et se construit à partir de perspectives individuelles qui peuvent changer avec le temps.
- Il existe des divergences entre les paradigmes postpositiviste et interprétatif sur la nature de la recherche en regard des dimensions ontologiques, épistémologiques et méthodologiques.
- Un troisième paradigme se dégage des deux précédents : c'est le paradigme mixte ou pragmatiste qui résulte de la combinaison des paradigmes postpositiviste et interprétatif.

2.3 Les paradigmes et les méthodes de recherche

- Les paradigmes postpositiviste et interprétatif sont associés à des méthodes de recherche distinctes. Le chercheur dirige sa recherche vers la méthode qui convient le mieux à son orientation.
- Traditionnellement, la recherche quantitative est associée à la recherche scientifique en raison de certaines caractéristiques communes telles que le contrôle, l'empirisme et la généralisation. La recherche quantitative vise à établir des faits, à les décrire, à mettre en évidence des relations entre les variables, à prédire des relations de cause à effet ou à vérifier des propositions théoriques.
- La recherche qualitative est plutôt associée aux sciences humaines et sociales. On y étudie les phénomènes dans leur milieu naturel et on les interprète en se fondant sur les significations que les participants leur attribuent.

2.4 Les études associées aux méthodes de recherche

- Les principaux types de recherches associés à la méthode de recherche quantitative sont la recherche descriptive quantitative, la recherche corrélationnelle, la recherche expérimentale et la recherche quasi expérimentale.
- Les principaux types de recherches associés à la méthode de recherche qualitative sont la recherche ethnographique, la recherche phénoménologique, la recherche de théorisation enracinée, l'étude de cas et la recherche descriptive qualitative.

Mots clés

Étude de cas
Paradigme
Paradigme interprétatif

Paradigme postpositiviste
Recherche de théorisation enracinée

Recherche ethnographique
Recherche phénoméno-logique

Recherche qualitative
Recherche quantitative
Triangulation

Exercices de révision

1. Quels sont les deux paradigmes qui jouent un rôle prédominant dans le développement des connaissances? À quelles méthodes d'investigation correspondent-ils?

2. Énumérez les principales caractéristiques qui distinguent les paradigmes postpositiviste et interprétatif.

Liste des références

Les références citées dans la rubrique «Exemple» ou dans les citations peuvent ne pas figurer dans cette liste.

Anadón, M. (2006). La recherche dite «qualitative»: de la dynamique de son évolution aux acquis indéniables et aux questionnements présents. *Recherches qualitatives, 26*(1), 5-31. Repéré à www.recherche-qualitative.qc.ca/revue/les-collections/edition-reguliere/

Bisman, J. (2010). Postpositivism and accounting research: A (personal) primer on critical realism. *Australian Accounting Business and Finance Journal, 4*(4), 3-25. Repéré à ro.uow.edu.au/aabfj/vol4/iss4/2

Chalmers, A. (1982). *What is this thing called science?* Queensland, Australie: University of Minnesota Press.

Coe, R.J. (2012). The nature of educational research. Dans J. Arthur, M. Waring, R.J. Coe et L.V. Hedges (dir.). *Research methods & methodologies in education.* Los Angeles, CA: Sage Publications.

Creswell, J.W. (2007). *Qualitative inquiry & research design: Choosing among five approaches.* Thousand Oaks, CA: Sage Publications.

Dempsey, P.A. et Dempsey, A.D. (2000). *Using nursing research: Process, critical evaluation and utilization* (5e éd.). Philadelphie, PA: Lippincott Williams & Wilkins.

Denzin, N.K. et Lincoln, Y.S. (2000). The discipline and practice of qualitative research. Dans N.K. Denzin et Y.S. Lincoln (dir.). *Handbook of qualitative research* (2e éd.) (p. 1-28). Thousand Oaks, CA: Sage Publications.

Denzin, N.K. et Lincoln, Y.S. (2005). *Sage handbook of qualitative research* (3e éd.). Thousand Oaks, CA: Sage Publications.

Fawcett, J. et Garity, J. (2009). *Evaluating research for evidence-based nursing practice.* Philadelphie, PA: F.A. Davis Company.

Gall, M.D., Gall, J.P. et Borg, W.R. (2007). *Educational research: An introduction* (8e éd.). Boston, MA: Allyn & Bacon.

Gavard-Perret, M.L., Gottelan, D., Haon, C. et Jolibert, A. (2012). *Méthodologie de la recherche en sciences de gestion* (2e éd.). Montreuil-sous-Bois, France: Pearson France.

Glaser, B.G. et Strauss, A.L. (1967). *The discovery of grounded theory.* Chicago, IL: Adline.

Guba, E.G. et Lincoln, Y.S. (1994). Competing paradigms in qualitative research. Dans N. Denzin et Y.S. Lincoln (dir.). *Handbook of qualitative research.* Thousand Oaks, CA: Sage Publications.

Guba, E.G. et Lincoln, Y.S. (2005). Paradigmatic controversies, contradiction and emerging confluences. Dans N. Denzin et Y.S. Lincoln (dir.). *Sage handbook of qualitative research* (3e éd.). Thousand Oaks, CA: Sage Publications.

Hammersley, M. (2007). *Methodological paradigms in educational research.* Londres, Angleterre: Teaching and Learning Research Programme (TLRP). Repéré à www.tlrp.org/capacity/rm/wt/hammersley

Kuhn, T.H. (1970). *The structure of scientific revolutions* (2e éd.). Chicago, IL: University Press.

Kuhn, T.H. (1983). *La structure des révolutions scientifiques.* Paris, France: Flammarion.

Laperrière, A. (1997). La théorisation ancrée (*grounded theory*): démarche analytique et comparaison avec d'autres approches apparentées. Dans J. Poupart et collab. (dir.). *La recherche qualitative: enjeux épistémologiques et méthodologiques* (p. 309-332). Montréal, Québec: Gaëtan Morin.

Leninger, M.M. (2006). Ethnonursing research method and enablers. Dans M.M. Leninger et M.R. McFarland (dir.). *Culture care diversity and universality: A worldwide nursing theory* (2e éd.) (p. 43-82). Boston, MA: Jones and Bartlett.

McEwen, M. et Wills, E.M. (2007). *Theoretical basis for nursing* (2e éd.). Philadelphie, PA: Lippincott Williams & Wilkins.

Meleis, A. (2007). *Theoretical nursing: Development and progress* (4e éd.). Philadelphie, PA: Lippincott Williams & Wilkins.

Mertens, D.M. (2005). *Research and evaluation in education and psychology: Integrative, diversity with quantitative, and mixed methods* (2e éd.). Thousand Oaks, CA: Sage Publications.

Morse, J.M. (1991). *Qualitative nursing research: A contemporary dialogue.* Newbury Park, CA: Sage Publications.

Parse, R.R. (1998). *The human becoming school of thought: A perspective for nurses and other health professionals.* Thousand Oaks, CA: Sage Publications.

Reichardt, C.S. et Rallis, S.F. (1994). *The quantitative-qualitative debate: New perspectives.* San Francisco, CA: Jossey-Bass.

Reidy, M. et Mercier, L. (1996). La triangulation. Dans M.-F. Fortin. *Le processus de la recherche: de la conception à la réalisation* (p. 317-324). Montréal, Québec: Décarie Éditeur.

Riverin-Simard, D., Spain, A. et Michaud, C. (1997). Positions paradigmatiques et recherches sur le développement vocationnel adulte. *Cahiers de la recherche en éducation, 4*(1), 59-91.

Sandelowski, M. (2000). Whatever happened to qualitative description? *Research in Nursing & Health, 23,* 334-340.

Sandelowski, M. (2010). What's in a name? Qualitative description revisited. *Research in Nursing & Health, 33,* 77-84.

Tashakkori, A. et Teddlie, C. (2010). *Sage handbook of mixed methods in social & behavioral research* (2e éd.). Thousand Oaks, CA: Sage Publications.

Trochim, W.M. (2006). *The research methods knowledge base* (2e éd.). Repéré à www.socialresearchmethods.net

Trochim, W. et Donnelly, J.P. (2006). *The research methods knowledge base* (3e éd.). Mason, OH: Atomic Dog Publishing.

Yin, R. (2003). *Case study research* (3e éd.). Thousand Oaks, CA: Sage Publications.

CHAPITRE 3

Les concepts clés et les étapes du processus de recherche

Objectifs d'apprentissage

Après avoir étudié ce chapitre, vous serez en mesure :

- de définir les concepts clés en recherche ;
- de décrire chacune des phases du processus de recherche ;
- de discuter chacune des étapes du processus de recherche.

P lusieurs termes fondamentaux ont été définis, dans le chapitre précédent, au moment de la présentation des principaux paradigmes de recherche et des méthodes d'investigation qui leur sont associées. Comme on a pu le constater, la recherche a son propre langage et comporte des termes avec lesquels il est important de se familiariser pour mieux comprendre son processus. En plus de fournir une vue d'ensemble des principaux termes et concepts clés utilisés dans la recherche et de les définir, ce chapitre décrit les étapes de la recherche, comme elles se présentent au chercheur dans la conduite de son travail. Le processus de recherche proposé s'harmonise avec les recherches quantitatives et qualitatives en ce qu'il permet au chercheur de suivre les étapes de façon séquentielle dans la recherche quantitative ou de franchir les étapes de façon itérative dans la recherche qualitative; il emprunte alors simultanément aux phases méthodologique et empirique les activités qui lui permettent de réaliser son objectif.

3.1 Les termes et les concepts clés en recherche

La recherche comporte son propre langage et utilise un vocabulaire qui est générale-ment admis dans la communauté scientifique. Certains termes s'appliquent indifféremment aux méthodes de recherches quantitatives et qualitatives, alors que d'autres sont propres à l'une ou l'autre des méthodes. Plusieurs termes se rap-portent à des concepts courants en recherche: phénomène, concept, construit et variable, théorie, modèle et cadres de recherche théorique et conceptuel, défini-tions conceptuelle et opérationnelle. Certains d'entre eux sont brièvement décrits ci-après, afin de permettre de mieux en comprendre l'emploi précis et le sens dans les publications scientifiques. D'autres termes qui se rapportent plus spécialement aux autres phases de la recherche seront définis au fur et à mesure.

3.1.1 Le phénomène

Le **phénomène** représente un aspect particulier de la réalité qui peut être perçu par les sens ou expérimenté. Dans le langage courant, un phénomène désigne sur-tout les éléments qui entourent un fait empirique quelconque, une expérience observable. Inscrits à l'intérieur d'une discipline, les phénomènes en reflètent la spécificité (Meleis, 2007). Dans la recherche qualitative, ce terme remplace fré-quemment celui de «concept».

Phénomène
Évènement, situation particulière ou processus quelconque susceptibles de faire l'objet d'une recherche.

3.1.2 Le concept, le construit et la variable

Les termes «concept», «construit» et «variable» sont les pierres angulaires de la recherche. Ils se rapportent à la même entité, mais ont une signification particu-lière selon le moment où ils interviennent dans une étude. Le terme «**concept**» est une abstraction, une image mentale que l'on se fait de la réalité; il fournit un résumé d'un ensemble d'observations ou de caractères distinctifs. Certains concepts sont concrets (table, livre), d'autres, abstraits (estime de soi, motivation). Un concept peut se traduire par un mot (empathie, deuil), par deux mots (rôle maternel, soutien social) ou par une locution (comportements de prévention de la santé), et il représente des comportements ou des caractéristiques observables dans la réalité. Les concepts sont les éléments de base du langage et servent à transmettre les pensées, les idées et les notions abstraites. Par exemple, le concept de douleur est la représentation abstraite de cette réalité. Les **construits** sont des concepts

Concept
Abstraction, image mentale que l'on se fait de la réalité.

Construit
Abstraction élaborée (construite) par le chercheur dans un but précis, pour répondre à une réalité empirique.

hautement abstraits qui ont des significations générales. Ils découlent générale-ment d'une théorie et ne transmettent pas d'emblée une image mentale assez précise pour être observée. Les construits représentent des comportements non observables (motivation, aptitude). Une théorie fournit une explication des phéno-mènes en spécifiant un ensemble de construits. Le construit est un terme expressé-ment conçu par le chercheur dans un but scientifique précis (Kerlinger, 1973). La signification d'un construit dépend de la théorie à laquelle le chercheur fait référence. L'anxiété et la solitude sont des exemples de construits issus de théories.

Variable
Caractéristique ou propriété qui peut prendre diverses valeurs.

Les **variables** sont l'expression quantitative d'un concept ou d'un construit. Quand les concepts sont utilisés dans une étude quantitative, ils prennent le nom de « variables », et des valeurs numériques leur sont attribuées. Les variables sont les unités de base de la recherche quantitative. Elles représentent des qualités, des pro-priétés ou des caractéristiques qui expriment un construit. Elles sont associées aux construits par des définitions opérationnelles qui précisent la manière dont elles seront mesurées. Par exemple, dans une recherche, des variables comme l'âge, le poids et le niveau de scolarité peuvent correspondre à différentes valeurs numériques. Des variables plus abstraites, comme l'anxiété ou l'espoir, peuvent aussi exprimer des quan-tités lorsqu'on leur attribue des valeurs numériques au moyen de cotes ou de degrés sur une échelle de mesure. Les variables forment la substance des questions de recherche et des hypothèses. Il existe plusieurs types de variables, selon le rôle qu'elles remplissent dans une recherche quantitative : dépendante, indépendante, attribut et étrangère.

Variable dépendante
Variable censée dépendre d'une autre variable (variable indépen-dante) ou être causée par celle-ci.

La **variable dépendante** est celle qui est censée dépendre d'une autre variable (la variable indépendante) ou être causée par celle-ci. Une relation de cause à effet entre une variable indépendante et une variable dépendante se produit quand les modifications apportées à la variable indépendante tendent à être source de chan-gements pour la variable dépendante. La variable dépendante, qui est l'effet attendu, est souvent appelée « variable critère » ou « variable effet » ; elle constitue le résultat prédit par le chercheur. Ainsi, la variable dépendante peut être un résultat obtenu à un test quelconque, un comportement inhabituel ou une amélioration de l'état de santé d'une personne.

Variable indépendante
Variable qui peut expliquer la variable dépendante ; elle peut aussi influer sur cette dernière.

La **variable indépendante** est une variable qui devrait expliquer les variables dépendantes ou être la cause d'un changement de celles-ci. La variable indépen-dante est appelée « variable expérimentale » parce qu'elle est considérée comme la cause de l'effet produit sur la variable dépendante. Une variable indépendante peut varier selon l'application par le chercheur de conditions (p. ex. la manipulation) qui définissent la variable. Selon différentes études disciplinaires, une variable indé-pendante peut être une méthode particulière d'apprentissage, une intervention thérapeutique ou encore une période d'exposition à une condition particulière. L'exemple 3.1 présente deux variables dépendantes et une variable indépendante.

EXEMPLE 3.1

Les variables indépendante et dépendante d'une recherche expérimentale

Question de recherche : Quels sont les effets cumulatifs (sur cinq jours) d'un mas-sage thérapeutique sur l'activité et les comportements liés au stress chez des nouveau-nés prématurés hospitalisés ?

Variable indépendante : Le massage thé-rapeutique (intervention).

Variables dépendantes : L'activité et les comportements liés au stress.

Source : Hernandez-Reif, Diego et Field (2007).

Dans les recherches non expérimentales, il n'existe pas véritablement de variable indépendante ou dépendante. Cependant, dans certaines études corrélationnelles, la variable qui tient lieu de variable indépendante est appelée « variable prédictive », et la variable dépendante, qui est la variable prédite, se nomme « variable expliquée ». L'exemple 3.2 présente des variables prédictives et une variable expliquée.

Les variable prédictive et expliquée

Question de recherche: Dans quelle mesure les symptômes dépressifs, le taux de satisfaction corporelle et l'activité physique permettent-ils de prédire les attitudes alimentaires d'un groupe d'adolescents inscrits à des cours traitant de la santé ou à des cours d'éducation physique?

Variables prédictives: Les symptômes dépressifs, la satisfaction corporelle et l'activité physique.

Variable expliquée: Les attitudes alimentaires.

Source: Downs, DiNallo, Savage et Davidson (2007).

La **variable attribut**, dite aussi « variable démographique », est une caractéristique préexistante qui est mesurée chez les participants d'une étude et utilisée pour décrire l'échantillon. Les caractéristiques ou les attributs examinés dans une recherche sont constitués de données telles que l'âge, le genre, la situation familiale, le statut socioéconomique, le revenu, l'ethnicité, etc.

> **Variable attribut**
> Variable qui est une caractéristique propre aux participants à une recherche.

La variable étrangère est une variable qui risque de confondre la relation entre la variable indépendante et la variable dépendante; pour cette raison, elle doit être contrôlée soit par le devis, soit par les analyses statistiques. Contrairement aux variables dépendantes, indépendantes et attributs, cette classe de variables peut se trouver en grand nombre dans une même étude. On l'appelle souvent, et à juste titre, « variable parasite » du fait qu'elle interfère dans le déroulement de l'étude et donne une fausse image des relations entre les variables indépendantes et dépendantes. Les variables étrangères qui ne sont pas précisées avant le début de l'étude et qui, par conséquent, ne sont pas contrôlées sont appelées « variables confondantes ». Toutefois, ces variables confondantes peuvent parfois être neutralisées pour les empêcher de compromettre la signification de l'étude, soit par la mesure et le contrôle statistique.

3.1.3 La théorie, le modèle et le cadre de recherche

Une théorie est une explication abstraite des relations qui unissent des faits, des concepts et des propositions. Les théories peuvent servir à guider la recherche et à organiser les connaissances. Elles permettent entre autres de situer l'étude dans un contexte qui fournit une perspective particulière pour décrire, expliquer ou prédire des relations entre des variables. Par exemple, la théorie de Maslow (1970) peut être utilisée dans une recherche pour comprendre la motivation sous-jacente à certains comportements humains. La théorie joue un rôle dans les deux méthodes de recherche, quantitative et qualitative.

De façon générale, un **modèle** est une représentation abstraite d'un phénomène donné. Dans le domaine scientifique, il constitue un ensemble organisé de concepts et de ses interrelations; il s'agit d'un modèle conceptuel. Un modèle conceptuel est constitué d'un ensemble de concepts abstraits et de propositions générales destinés à exprimer des postulats et à décrire ou à caractériser des phénomènes pertinents

> **Modèle**
> Ensemble organisé d'idées et de concepts se rapportant à un phénomène particulier.

à une discipline. L'utilité du modèle conceptuel réside dans le fait qu'il apporte une perspective particulière, une orientation pour l'étude des concepts se rattachant à une discipline donnée. Les modèles conceptuels associés à une discipline expriment une façon de concevoir la réalité; par conséquent, ils peuvent fournir un cadre de raisonnement logique propre à justifier un problème de recherche.

Le **cadre de recherche** est la représentation sous une forme graphique ou narrative des principaux concepts et de leurs relations présumées. Il peut être conceptuel ou théorique, selon l'étendue des concepts et de leurs relations. Le cadre conceptuel consiste en une brève explication d'un ensemble de concepts et de sous-concepts reliés entre eux et réunis en raison de rapports qu'ils présentent avec le problème de recherche. Le cadre théorique est une brève explication des relations qui existent entre les concepts clés d'une étude s'appuyant sur une théorie ou entre ceux d'une partie de celle-ci. Les cadres conceptuels ou théoriques sont couramment utilisés en recherche quantitative où ils servent de base à l'énoncé de questions particulières ou à la formulation d'hypothèses. En recherche qualitative, leur utilisation est différente, étant donné le caractère plus flexible de cette dernière qui vise parfois à élaborer une théorisation.

3.1.4 Les définitions conceptuelle et opérationnelle

Dans une étude, les concepts ou les construits doivent être clairement définis et explicités quant à leur signification dans le contexte de la théorie ou des écrits théoriques. Ils se définissent de deux façons: conceptuelle et opérationnelle.

Une **définition conceptuelle** correspond à la signification abstraite et théorique d'un construit ou d'un concept que l'on a tiré d'une théorie ou d'énoncés théoriques. La signification découle du rôle joué par le construit et de ses relations avec les autres construits. Définis de façon conceptuelle, les construits représentent des énoncés descriptifs qui font référence aux phénomènes étudiés. C'est à partir de la définition conceptuelle que le chercheur peut opérationnaliser le construit en vue de le rendre observable et mesurable. Dans les recherches qualitatives, les définitions conceptuelles des phénomènes clés doivent refléter la signification que les participants accordent aux concepts étudiés (Polit et Beck, 2012).

Une **définition opérationnelle** est la définition d'une variable indiquant comment celle-ci sera mesurée dans une recherche quantitative. Elle précise de manière concrète les opérations à effectuer ou les comportements à observer pour mesurer la variable, ou elle nomme l'instrument qui servira de mesure pour la variable. À titre d'exemple, une définition opérationnelle indiquant le nom de l'instrument de mesure pourrait être le niveau de stress évalué par l'échelle Holmes-Rahe. Certaines variables sont faciles à définir et à mesurer (poids, taille); d'autres, par contre, sont difficiles à mesurer en raison de leur nature plus abstraite (estime de soi, efficacité personnelle perçue). L'exemple 3.3 présente les définitions conceptuelle et opérationnelle des variables d'une recherche.

3.2 Le processus de recherche: phases et étapes

Le processus de recherche est une démarche rationnelle qui requiert la compréhension d'un langage unique et qui suppose la mise en place rigoureuse d'une série d'étapes. Il constitue une manière de progresser par une série d'opérations

Des définitions conceptuelle et opérationnelle d'une recherche

Question de recherche: Quels sont les effets cumulatifs d'un massage thérapeutique sur l'activité et les comportements liés au stress chez des nouveau-nés prématurés hospitalisés?

Définition conceptuelle: Le stress quotidien dû à l'hospitalisation et aux procédures médicales provoque chez les nouveau-nés prématurés des réponses physiologiques et comportementales désorganisées.

Définition opérationnelle: Le stress comprend un ensemble de comportements observables chez le nouveau-né tels que des cris, des grimaces, des bâillements, des éternuements, des mouvements saccadés des bras et des jambes, des sursauts et des doigts rouges brulants.

L'activité est définie par le mouvement observé des membres, du torse ou par tout autre mouvement corporel.

Source: Hernandez-Rief et collab. (2007).

intellectuelles permettant d'atteindre un but, celui d'acquérir des connaissances dans un domaine d'étude. Les phases de la recherche qualitative sont similaires à celles de la recherche quantitative, sauf que les étapes de chaque phase s'enchevêtrent et ne sont pas nécessairement suivies selon un ordre établi. La recherche qualitative s'inscrit plutôt dans un processus interactif impliquant un va-et-vient continu entre les différentes étapes (Maxwell, 2005).

Dans cet ouvrage, le processus de recherche a été réparti en cinq phases: conceptuelle, méthodologique, empirique, analytique et de diffusion, chacune comportant une suite d'étapes correspondantes. Bien que les étapes de la recherche soient présentées de façon séquentielle dans la figure 3.1, à la page suivante, il convient de préciser qu'elles sont en interrelation et qu'elles se chevauchent parfois pour mieux définir chacune des phases dans l'ensemble de la recherche. Il importe avant tout que l'apprenti chercheur soit capable de concevoir et de documenter un problème de recherche (phase conceptuelle), d'élaborer un plan qui justifie les techniques et les moyens mis en œuvre pour obtenir l'information désirée (phase méthodologique), de recueillir systématiquement des données auprès des participants et d'organiser celles-ci (phase empirique), d'analyser les données et d'en interpréter les résultats (phase analytique) et de rendre les résultats accessibles à d'autres chercheurs (phase de diffusion).

3.2.1 La phase conceptuelle: conception et documentation du sujet d'étude

La phase conceptuelle est celle qui consiste à formuler des idées, à les documenter, à élaborer et à manier des concepts, à recueillir de la documentation, à définir et à intégrer tous les éléments d'un problème. C'est au cours de la conceptualisation que prennent forme les relations conceptuelles, la découverte de rapports entre certains concepts et la conception claire que le chercheur se fait du problème à l'étude. La phase conceptuelle commence par le choix d'un sujet de recherche. Celui-ci peut provenir d'une observation particulière, d'écrits, d'une préoccupation clinique, sociale ou professionnelle, d'un concept ou encore d'une théorie. Une question pertinente se rattache au sujet d'étude; elle servira à orienter la recherche vers les méthodes quantitatives ou qualitatives les plus appropriées pour obtenir des réponses. Cerner le sujet est souvent la tâche la plus ardue du processus de recherche.

Pour arriver à énoncer clairement une question de recherche, il faut consulter des travaux antérieurs et des articles pertinents. Cette démarche permet de connaitre l'état de la situation et de se renseigner sur les principales théories ou les principaux modèles qui ont cours dans le domaine. L'examen de la documentation théorique et empirique permet de situer le sujet de recherche dans le contexte des connaissances actuelles et, ainsi, de mieux cerner la question qui devra orienter la recension systématique des écrits. De plus, il est parfois nécessaire ou pertinent de valider sur le terrain ce que l'on a appris. L'information recueillie conduit progressivement à accumuler des éléments pour formuler le problème de recherche et souvent à convenir d'un cadre de recherche. La phase conceptuelle se termine par l'énoncé du but, des questions de recherche ou des hypothèses. Cette phase revêt une grande importance, car elle fournit une orientation qui dicte le plan à suivre pour réaliser la recherche. La consultation des écrits, dans la recherche qualitative, peut être faite avant, pendant ou à la fin de l'étude, et parfois même simultanément à la collecte des données. L'insertion d'un cadre conceptuel peut être pertinente ou nécessaire au début, ou ce cadre peur être élaboré au cours de la recherche, ce qui fournit des éléments pour la reformulation du problème.

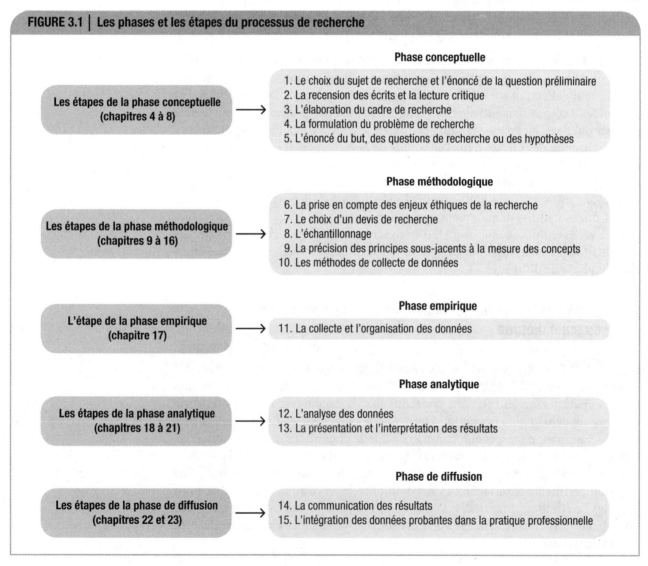

FIGURE 3.1 | Les phases et les étapes du processus de recherche

Phase conceptuelle

Les étapes de la phase conceptuelle (chapitres 4 à 8)
1. Le choix du sujet de recherche et l'énoncé de la question préliminaire
2. La recension des écrits et la lecture critique
3. L'élaboration du cadre de recherche
4. La formulation du problème de recherche
5. L'énoncé du but, des questions de recherche ou des hypothèses

Phase méthodologique

Les étapes de la phase méthodologique (chapitres 9 à 16)
6. La prise en compte des enjeux éthiques de la recherche
7. Le choix d'un devis de recherche
8. L'échantillonnage
9. La précision des principes sous-jacents à la mesure des concepts
10. Les méthodes de collecte de données

Phase empirique

L'étape de la phase empirique (chapitre 17)
11. La collecte et l'organisation des données

Phase analytique

Les étapes de la phase analytique (chapitres 18 à 21)
12. L'analyse des données
13. La présentation et l'interprétation des résultats

Phase de diffusion

Les étapes de la phase de diffusion (chapitres 22 et 23)
14. La communication des résultats
15. L'intégration des données probantes dans la pratique professionnelle

Les étapes de la phase conceptuelle

La phase conceptuelle comprend les cinq premières étapes du processus de recherche : 1) le choix du sujet de recherche et l'énoncé de la question préliminaire ; 2) la recension des écrits et la lecture critique ; 3) l'élaboration du cadre de recherche ; 4) la formulation du problème de recherche ; 5) l'énoncé du but, des questions de recherche ou des hypothèses.

Première étape : le choix du sujet de recherche et l'énoncé de la question préliminaire La recherche s'amorce par le choix d'un sujet auquel on associe une question, dite « préliminaire », parce qu'elle devra être précisée au fur et à mesure que l'on prendra connaissance des sources d'information sur le sujet. Le chercheur choisit un sujet (*voir le chapitre 4*) relatif à un problème général qui nécessite une investigation empirique et l'énonce sous la forme d'une question, plus susceptible d'exprimer ce qu'il cherche à savoir. Le sujet de recherche peut se rapporter à des préoccupations humaines, cliniques, sociales, éducatives ou théoriques vis-à-vis d'une population particulière ; il s'intéresse à des comportements, à des observations, à des concepts ou à des théories. Pour délimiter la question de recherche, le chercheur procède d'abord à une recension initiale des écrits, ce qui lui permet de connaitre divers points de vue sur le sujet et de modifier en conséquence la question de recherche. Quand on choisit un sujet de recherche, on le fait en fonction d'une population définie de manière à ce que l'objet de la recherche puisse être traité de façon empirique. On s'interroge sur la pertinence et sur la signification de la question relatives à la discipline concernée, sur la portée que cette question est susceptible d'avoir sur le plan théorique ou pratique et sur ses implications éthiques. Une fois que la question a été associée au sujet choisi, on précise ce qu'il s'agit de connaitre pour être en mesure d'apporter des éléments de réponse.

> Pour délimiter la question de recherche, le chercheur procède d'abord à une recension initiale des écrits, ce qui lui permet de connaitre divers points de vue sur le sujet.

Deuxième étape : la recension des écrits et la lecture critique La deuxième étape du processus de recherche consiste à faire l'inventaire des publications, principalement des ouvrages et des articles qui portent sur le sujet (*voir le chapitre 5*). La recension des écrits qui soutiennent des approches théoriques ou empiriques permet de déterminer avec précision le niveau actuel des connaissances sur le sujet que l'on a l'intention de traiter. D'une recension préliminaire des écrits, on procède ensuite à une recension plus exhaustive. La recension initiale est un premier exercice de lecture qui consiste à consulter les banques informatisées des bibliothèques pour repérer les documents pertinents et les ouvrages de référence qui se rapportent directement au sujet de recherche. Cette recension préliminaire devrait aider le chercheur à préciser encore plus la question de recherche. Par la suite, il s'agit de faire une lecture critique de l'information que l'on compte utiliser dans sa recherche. La recension des écrits permet aussi de déterminer les concepts ou la théorie qui serviront à élaborer le cadre de recherche.

Dans une étude qualitative, la recension des écrits se fait généralement à mesure que l'étude progresse et varie selon l'orientation de celle-ci. Le sujet d'étude ou le phénomène se fonde non seulement sur des publications, mais surtout sur le contexte, selon les données recueillies sur le terrain et leur analyse. Ainsi, la recension des écrits peut être effectuée à la fin d'une recherche qualitative, après l'analyse des données. Toutefois, le moment précis de procéder à cette étape ne fait actuellement pas l'unanimité chez les personnes qui effectuent de la recherche qualitative.

Troisième étape : l'élaboration du cadre de recherche Au cours de la troisième étape, le chercheur détermine le cadre de recherche (*voir le chapitre 6*) et établit les assises conceptuelles ou théoriques de l'étude. Le cadre de recherche offre une structure aux divers éléments de l'étude. Les principaux termes qui caractérisent le cadre de recherche sont les concepts ou les construits, les énoncés de relation, les modèles conceptuels et les théories. Le cadre de recherche peut être constitué d'une théorie ou d'une partie de celle-ci, d'un ensemble de théories ou de concepts solidaires et regroupés en vertu de leur pertinence vis-à-vis du sujet d'étude. Il définit la perspective sous laquelle le problème sera examiné et situe l'étude dans un contexte qui lui donnera une signification particulière.

Le cadre de recherche peut être conceptuel ou théorique, selon la nature des concepts en jeu. Il est conceptuel s'il provient de la combinaison de concepts ayant trait à la synthèse des publications pertinentes ou aux observations cliniques. Il est théorique s'il découle d'une ou de plusieurs théories ou encore de propositions qui expliquent les relations entre les concepts. Le cadre de recherche, qu'il soit conceptuel ou théorique, place le problème dans une perspective définie, oriente l'énoncé des questions de recherche ou des hypothèses et sert de base à l'analyse des données et à l'interprétation des résultats. Il donne en quelque sorte une direction à la recherche et permet de relier, au terme de l'étude, les résultats obtenus aux acquis de la discipline en cause.

Le cadre théorique ou conceptuel est utilisé de façon particulière dans la recherche qualitative, puisque le but n'est pas de vérifier des hypothèses. Chaque type d'étude qualitative est guidé par une position philosophique distincte qui oriente les questions à poser. Par exemple, dans la théorisation enracinée, la théorie est définie à la fin de l'étude en tant que résultat de recherche. Dans une étude ethnographique, la perspective théorique est décrite au début et en détermine la forme. On utilise souvent l'expression « toile de fond » pour désigner le contexte de l'étude qui vise à construire une conceptualisation ou à trouver une explication du phénomène à l'étude.

Quatrième étape : la formulation du problème de recherche La formulation du problème de recherche (*voir le chapitre 7*) consiste à faire la synthèse de l'information recueillie sur le sujet. En se basant sur une progression logique de faits, d'observations et de raisonnements relatifs à l'étude à entreprendre, le chercheur approfondit la nature du problème. De façon méthodique, le chercheur intègre un ensemble d'éléments qui situe le sujet de sa recherche dans un contexte particulier ; il résume les données factuelles, les écrits empiriques et théoriques sur le sujet, justifie le cadre conceptuel ou théorique choisi et décrit enfin comment il procèdera pour répondre à la question de recherche. La formulation du problème constitue une des étapes clés du processus de recherche et se situe au cœur de la phase conceptuelle.

> En se basant sur une progression logique de faits, d'observations et de raisonnements relatifs à l'étude à entreprendre, le chercheur approfondit la nature du problème.

Dans la recherche qualitative, la formulation du problème débute souvent par l'exploration d'un phénomène peu connu ou peu étudié sur le plan de la signification, de la compréhension et de l'interprétation. Il est assez habituel à l'étape exploratoire de partir d'une question générale de recherche qui est documentée par les activités de collecte des données et reformulée à mesure que s'ajoutent de nouvelles informations. Un ensemble de notions philosophiques tient lieu de schème fondamental, lequel fournit des perspectives au chercheur pour la poursuite de son étude. Ces différentes perspectives orientent les questions de recherche et déterminent la conduite de celle-ci.

Cinquième étape : l'énoncé du but, des questions de recherche ou des hypothèses

Une fois le problème de recherche formulé, il s'agit de définir clairement le but (*voir le chapitre 8*) de la recherche et de déterminer les mesures à prendre pour réaliser l'étude. Bien que le but, les questions de recherche et les hypothèses s'énoncent différemment, ils mènent nécessairement à la compréhension de la raison d'être de l'étude. Le but vient en premier lieu, car il appartient à un ordre plus général ; les questions ou les hypothèses qui en découlent sont plus précises.

> Bien que le but, les questions de recherche et les hypothèses s'énoncent différemment, ils mènent nécessairement à la compréhension de la raison d'être de l'étude.

Le but est un énoncé qui précise la direction que l'on entend donner à la recherche. À la suite de la formulation du problème, la définition du but conduit à préciser les concepts à étudier, la population à cibler et l'information à obtenir. L'énoncé du but amène le chercheur à considérer le niveau des connaissances dont il dispose sur le sujet selon que la recherche vise à découvrir et à décrire un phénomène (étude qualitative), un concept ou les caractéristiques d'une population (étude descriptive quantitative), à explorer ou à vérifier des relations d'association entre des variables (étude corrélationnelle) ou à vérifier des relations de causalité entre des variables indépendantes et dépendantes (étude expérimentale). La recherche utilise des verbes d'action qui reflètent l'état des connaissances. Ainsi, l'étude quantitative s'attardera à décrire, à vérifier ou à expliquer des relations, à prédire des relations causales entre des variables ou à déceler des différences entre les groupes. Selon l'état des connaissances, des questions de recherche ou des hypothèses seront formulées.

Dans la recherche qualitative, l'énoncé du but est formulé à l'aide de verbes d'action, tels explorer, décrire, comprendre, élaborer, examiner ou découvrir. Les mots ou les expressions suggèrent la stratégie d'investigation à utiliser dans la collecte et l'analyse des données et permettent d'envisager le type d'approche à réaliser, soit la phénoménologie, l'ethnographie, la théorisation enracinée, l'étude de cas ou l'étude descriptive qualitative.

Les questions de recherche sont des interrogations précises, écrites au présent et qui comprennent le ou les concepts à l'étude de même que la population visée. Parfois, des objectifs sont utilisés à la place des questions. Quelle que soit la forme employée, les questions ou les objectifs indiquent clairement la direction que l'on entend prendre pour décrire des phénomènes ou des concepts, comme dans les études descriptives, ou pour explorer des relations entre des concepts, comme dans les études descriptives corrélationnelles.

De façon générale, dans la recherche qualitative, on énonce une question centrale et des sous-questions. La question centrale s'énonce sous forme de question ouverte associée au type de recherche approprié. Ainsi, les questions liées à la phénoménologie mettent l'accent sur la compréhension des phénomènes et de l'expérience vécue. Les questions d'ordre ethnographique insistent sur la culture et sur les aspects symboliques du comportement. Les questions relatives à la théorisation enracinée soulignent la compréhension des processus sociaux et la façon dont les personnes se comportent dans différents types de situations (Punch, 2005). Les questions se rapportant à l'étude de cas mettent en relief la description des expériences des participants (Creswell, 2007).

Des hypothèses sont formulées si la question a trait à la vérification de relations entre des variables. Les hypothèses sont des prédictions énonçant une relation existante entre des variables (études corrélationnelles) ou une différence entre les groupes (études expérimentales) et qui se vérifient de façon empirique. Elles sont émises après que le cadre théorique a été fixé et suppose que les connaissances que l'on possède sur le sujet sont plus étendues qu'elles ne l'étaient au moment d'énoncer la question de recherche préliminaire. Comme la question de recherche, l'hypothèse inclut la population cible et les variables.

3.2.2 La phase méthodologique : planification de la recherche

La phase méthodologique consiste à définir les moyens pour réaliser la recherche et ainsi obtenir des réponses aux questions de recherche ou vérifier les hypothèses. Le devis sert à déterminer la manière de procéder pour réaliser la recherche. La nature du devis varie suivant que l'étude vise à décrire un phénomène, à explorer ou à vérifier l'existence d'associations entre des variables ou de différences entre les groupes. Après avoir établi la manière de procéder, le chercheur définit la population à l'étude, détermine la taille de l'échantillon et précise les méthodes de collecte des données et les moyens à prendre pour assurer la fidélité et de la validité des instruments de mesure. En outre, il arrête un plan d'analyse statistique des données assez précis pour déterminer exactement les analyses à prévoir. Les décisions prises durant la phase méthodologique déterminent le déroulement de l'étude.

> Le devis sert à déterminer la manière de procéder pour réaliser la recherche.

La planification de la recherche qualitative ne suit pas une démarche aussi ordonnée que celle de la recherche quantitative puisque la plupart des activités sont menées simultanément et peuvent être répétées plusieurs fois au cours des étapes de collecte et d'analyse des données.

Les étapes de la phase méthodologique

La phase méthodologique comprend les cinq étapes suivantes : 6) la prise en compte des enjeux éthiques de la recherche ; 7) le choix d'un devis de recherche ; 8) l'échantillonnage ; 9) la précision des principes sous-jacents à la mesure des concepts ; 10) les méthodes de collecte des données.

Sixième étape : la prise en compte des enjeux éthiques de la recherche Lorsqu'une recherche porte sur des êtres humains, il faut prendre toutes les précautions possibles pour assurer le droit au respect des participants (*voir le chapitre 9*). Le chercheur doit mettre au point un formulaire de consentement qui décrit en quoi consiste la recherche et fournir tout autre renseignement pertinent au participant. Tous les participants doivent être informés des aspects suivants : le but de l'étude, leur rôle comme participants, la possibilité de tout inconfort, la confidentialité et l'utilisation des données, ainsi que leur droit de refuser de participer à l'étude ou de s'en retirer sans préjudice. Il faut également obtenir l'autorisation du comité d'éthique de l'établissement où sera menée l'étude.

Septième étape : le choix d'un devis de recherche Le **devis** est un plan logique tracé par le chercheur en vue d'établir une manière de procéder susceptible de mener à la réalisation des objectifs, c'est-à-dire trouver des réponses aux questions de recherche ou vérifier des hypothèses (*voir les chapitres 10 à 13*). Le devis varie suivant le but, les questions de recherche ou les hypothèses, et son établissement se fait simultanément au choix de la méthode devant servir à conduire la recherche. Un devis est expérimental ou non expérimental. Il peut être quantitatif, ce qui signifie que des données numériques seront recueillies et soumises à l'analyse statistique ; il peut être qualitatif, ce qui veut dire que des données nominales seront recueillies et soumises à l'analyse de contenu. Un devis comporte soit des questions de recherche (p. ex. les devis qualitatifs, les devis descriptifs et les devis descriptifs corrélationnels), soit des hypothèses (p. ex. les devis corrélationnels et les devis expérimentaux). Certaines notions associées au contrôle se rapportent notamment à des types de devis expérimentaux ; citons le biais, la manipulation, la causalité, la probabilité, la validité interne et la validité externe (*voir le chapitre 10*).

Devis
Plan logique tracé par le chercheur en vue d'établir une manière de procéder susceptible de mener à la réalisation des objectifs.

Huitième étape : l'échantillonnage

La question à l'étude ayant été documentée et associée à un devis, on est maintenant en mesure de définir la population auprès de laquelle des informations seront recueillies (*voir le chapitre 14*). La population visée par la recherche, appelée « population cible », consiste en un ensemble de personnes ou d'éléments possédant des caractéristiques semblables et qui sont définies par des critères de sélection choisis pour une étude donnée. Supposons qu'un chercheur veuille étudier l'efficacité de diverses interventions visant à améliorer la fidélité au régime thérapeutique de sujets ayant le diabète ; la population cible serait toutes les personnes atteintes de diabète dans le monde. Comme il est à toutes fins utiles impossible d'étudier une population en entier, le chercheur délimite, à partir de la population qui lui est accessible, un sous-groupe appelé « échantillon », qu'il obtient par un processus d'échantillonnage. L'échantillon fait l'objet de la recherche et sert souvent de groupe de référence pour estimer les caractéristiques de la population en général. Il existe plusieurs méthodes d'échantillonnage pour recruter les sujets qui composeront l'échantillon, et la méthode adoptée dépendra du devis de recherche.

Le choix des personnes qui participent à une étude qualitative se fait en fonction de leur appartenance à une culture, à un processus social ou à un phénomène d'intérêt. Par exemple, le chercheur qui s'intéresse à la culture d'adolescentes anorexiques recrutera des jeunes filles qui ont adopté un comportement anorexique pour mieux comprendre la culture dont elles sont issues. Le nombre de participants n'est pas décidé à l'avance, mais est déterminé par la saturation des données ou lorsque la situation n'apporte plus d'information nouvelle.

Neuvième étape : la précision des principes sous-jacents à la mesure des concepts Cette étape consiste à déterminer la manière de mesurer les concepts contenus dans les questions de recherche ou les hypothèses et d'en apprécier la qualité (*voir le chapitre 15*). Elle correspond au processus d'opérationnalisation des concepts, lequel comporte une série d'opérations menant à la conversion de ces derniers en indicateurs observables. Les indicateurs correspondent à des expressions quantifiables et mesurables des concepts et sont souvent représentés par des échelles de mesure. Les définitions conceptuelles faisant partie du cadre de recherche servent de guide aux définitions opérationnelles des concepts. Afin de disposer d'instruments de mesure fiables et de qualité, des aspects liés aux concepts de fidélité et de validité sont pris en considération dans la description des caractéristiques des instruments de mesure. Cette étape tient également compte de la validation d'outils de mesure importés qui nécessitent une traduction. Quatre échelles ou niveaux de mesure peuvent servir à évaluer les variables: l'échelle nominale, l'échelle ordinale, l'échelle d'intervalle et l'échelle de proportion. La nature des méthodes de collecte des données, dans la recherche qualitative (entrevues, observations), ne conduit pas à l'utilisation d'instruments normalisés pour leur évaluation.

> Quatre échelles ou niveaux de mesure peuvent servir à évaluer les variables: l'échelle nominale, l'échelle ordinale, l'échelle d'intervalle et l'échelle de proportion.

Dixième étape: les méthodes de collecte des données Comme la recherche porte sur une variété de phénomènes, elle nécessite l'emploi de diverses méthodes de collecte des données (*voir le chapitre 16*). Leur choix dépend des variables étudiées et de leur opérationnalisation. Les principales méthodes de collecte des données comprennent l'observation, l'entrevue, le questionnaire et les échelles de mesure. Le chercheur doit prévoir, autant que possible, les problèmes que pourrait susciter le processus de collecte des données. Il précise à cette étape la manière dont les données seront recueillies, ainsi que les démarches à effectuer en vue d'obtenir les autorisations requises pour réaliser l'étude sur le terrain. Le chercheur élabore le plan d'analyse des données et détermine les analyses statistiques descriptives et inférentielles qui serviront à traiter les données. L'aide d'un statisticien peut être utile dans l'établissement d'un plan d'analyse.

Le devis qualitatif suppose l'utilisation de méthodes non structurées pour recueillir les données, lesquelles seront retranscrites sous forme narrative. L'analyse de contenu des données vise à définir les thèmes, les relations entre les concepts et, dans certains cas, l'élaboration de la théorie. La recherche qualitative explore une expérience de vie, une culture ou une situation en profondeur.

3.2.3 La phase empirique: collecte et organisation des données

La phase empirique est celle de la réalisation de la recherche. Le plan élaboré à la phase méthodologique est mis en application. La nature des données détermine le choix des techniques d'analyse, selon qu'il s'agit de décrire des caractéristiques ou des relations entre des variables ou de vérifier des hypothèses. Dans la recherche qualitative, la collecte des données n'est pas nécessairement prédéterminée ou effectuée à un moment précis. Les données proviennent d'observations et d'entrevues non structurées, d'enregistrements ou de publications existantes. Les données recueillies sous forme d'enregistrements audios devront être transcrites. La flexibilité des méthodes de collecte et d'analyse des données favorise la découverte de nouveaux phénomènes ou l'approfondissement de phénomènes connus.

L'étape de la phase empirique

La phase empirique comporte l'étape 11, à savoir la collecte et l'organisation des données.

Onzième étape : la collecte et l'organisation des données Les données sont les éléments d'information recueillis auprès des participants (*voir le chapitre 17*). Cette étape peut nécessiter beaucoup de temps, selon l'importance de l'étude et les problèmes susceptibles de survenir sur le terrain. En outre, on s'assure que les personnes désignées pour recueillir les données sont suffisamment formées et qu'elles en protègeront la confidentialité. Le choix de la méthode de collecte des données dépend des questions de recherche ou des hypothèses et du devis. La plupart des recherches utilisent plus d'une méthode de collecte des données.

Une fois les données recueillies, il faut les organiser en vue de l'analyse qualitative ou quantitative. La première étape consiste à examiner les données brutes et à vérifier leur exactitude pour la codification nominale ou numérique. Les données numériques sont généralement insérées dans des tableaux ou des graphiques prévus à cette fin. Si des questionnaires ont été utilisés au cours de l'étape précédente, il convient de vérifier s'ils ont été remplis correctement. Quel que soit le mode de traitement des données, un plan d'analyse doit être soigneusement établi au préalable.

3.2.4 La phase analytique : analyse des données et interprétation des résultats

Selon la nature des données, l'analyse emploiera des techniques statistiques descriptives pour présenter l'échantillon et les différentes variables et des analyses statistiques inférentielles pour vérifier des hypothèses. Dans le cas de données qualitatives, l'analyse de contenu permettra de résumer les données. Certains projets utilisent des méthodes mixtes, qui incluent certains aspects des méthodes de recherches quantitatives et qualitatives. Une fois les résultats de recherche présentés, il s'agit de les interpréter en se rapportant au cadre conceptuel ou théorique et de tirer des conclusions sur les résultats obtenus, ce qui complète le cycle de la recherche.

Les étapes de la phase analytique

La phase analytique comporte les étapes suivantes : 12) l'analyse des données ; 13) la présentation et l'interprétation des résultats.

Douzième étape : l'analyse des données Dans l'analyse qualitative, les données empiriques ne sont pas constituées de chiffres, mais d'éléments verbaux (*voir le chapitre 18*). Elles sont recueillies à l'aide d'observations, d'entretiens non dirigés ou semi-dirigés, d'extraits de documents ou d'enregistrements. L'analyse commence dès la première collecte de données, et elle continue par la suite. Le chercheur examine les propos du verbatim, les organise et tente d'en pénétrer la signification. Les thèmes et les catégories qui permettent de décrire le phénomène se dégagent progressivement. Au moment de leur traitement, les données qualitatives sont résumées sous forme narrative d'après l'information recueillie auprès des participants et l'interprétation que le chercheur en fait.

> Le chercheur examine les propos du verbatim, les organise et tente d'en pénétrer la signification.

Des analyses statistiques descriptives et inférentielles pourront être utilisées en fonction du type d'étude quantitative. Les statistiques descriptives servent à résumer les données par des mesures de tendance centrale et de dispersion et à caractériser l'échantillon (*voir le chapitre 19*). Les statistiques inférentielles visent à déterminer la valeur des paramètres d'une population et à vérifier les hypothèses ; elles sont appropriées aux études corrélationnelles et expérimentales (*voir le chapitre 20*).

Treizième étape : la présentation et l'interprétation des résultats Une fois les données quantitatives analysées, les résultats sont présentés sous forme de figures et de tableaux accompagnés d'un court texte explicatif (*voir le chapitre 21*). On interprète les résultats en s'appuyant sur des travaux antérieurs et sur le cadre de recherche théorique ou conceptuel à partir des questions de recherche ou des hypothèses formulées. Dans l'interprétation, qui tente de faire ressortir la signification des résultats, on indique si ces derniers confirment ou non les hypothèses. Si les résultats corroborent les hypothèses, le cadre théorique s'en trouve renforcé. Les résultats sont comparés avec ceux d'études antérieures ayant utilisé des variables analogues. Il convient parfois d'indiquer les effets que les résultats sont susceptibles de produire dans la pratique et, aussi, de discuter des limites, de tirer des conclusions et d'émettre des recommandations pour les recherches futures.

Le mode d'analyse et d'interprétation des données qualitatives varie selon le type d'approche utilisé. Dans la recherche phénoménologique, l'analyse a pour but de mettre en évidence les énoncés significatifs et de dégager des unités de sens ainsi que l'essence de l'expérience vécue (Moustakas, 1994). En ce qui concerne la recherche ethnographique, l'analyse et l'interprétation portent sur la description du milieu ou des personnes et sur la recherche de thèmes (Wolcott, 1994). Dans la théorisation enracinée, selon Strauss et Corbin (1998), l'analyse se distingue du fait qu'elle comporte des étapes systématiques au cours desquelles le chercheur dégage des catégories conceptuelles (codification ouverte), établit des relations nominales entre les catégories pour former un cadre théorique (codification axiale) et explique ainsi un récit à partir de l'intégration des données (codification sélective). Quand il s'agit d'une étude de cas, l'analyse sert à faire une description détaillée d'un cas et de son contexte et à chercher des modèles de correspondance entre des catégories (Creswell, 2007).

3.2.5 La phase de diffusion : communication des résultats et intégration des données probantes dans la pratique professionnelle

La communication des résultats de recherche est une tâche dont le chercheur doit s'acquitter au terme de son étude. Le but de la communication des résultats est de partager les connaissances acquises avec d'autres personnes. Quelle que soit leur signification, les résultats seront peu utiles à la discipline et à la communauté scientifique s'ils ne sont pas transmis à d'autres spécialistes ou à d'éventuels utilisateurs. La diffusion des résultats et l'échange des connaissances sont solidaires : ils ont trait à l'utilisation optimale de la recherche et à la prise de décision éclairée dans la pratique. La rédaction du rapport de recherche constitue la dernière étape du processus. Les résultats y sont présentés sous forme narrative. En plus de décrire le sujet d'étude, le rapport de recherche qualitative contient des extraits d'entrevues ou de conversations qui servent à appuyer les interprétations ou les thèses du chercheur.

> Quelle que soit leur signification, les résultats seront peu utiles à la discipline et à la communauté scientifique s'ils ne sont pas transmis à d'autres spécialistes ou à d'éventuels utilisateurs.

Les étapes de la phase de diffusion

La phase de diffusion comporte les deux étapes suivantes : 14) la communication des résultats ; 15) l'intégration des données probantes dans la pratique professionnelle.

Quatorzième étape : la communication des résultats Les résultats peuvent être communiqués de différentes façons par les chercheurs, entre autres par des publications dans des revues scientifiques ou professionnelles, au cours de conférences à l'occasion de colloques ou de congrès scientifiques nationaux et internationaux, par des affiches qui résument les points essentiels de la recherche (*voir le chapitre 22*).

Quinzième étape : l'intégration des données probantes dans la pratique professionnelle À la communication des résultats de recherche succède leur intégration dans la pratique. Le concept d'*evidence based-practice,* traduit par «pratique fondée sur des résultats probants», va au-delà de la simple utilisation des travaux de recherche en ce qu'il intègre, en plus d'études rigoureuses, d'autres sources d'information. Dans le domaine de la santé, ces sources sont les caractéristiques et les préférences des personnes concernées par les soins, l'expertise des professionnels et les ressources disponibles. En s'appuyant sur des données probantes, les professionnels sont appelés à actualiser leur pratique et à affiner leurs prises de décision quant à la qualité des soins offerts. Des stratégies sont proposées pour trouver les meilleurs résultats ayant démontré leur efficacité dans la pratique, et des modèles d'application des connaissances dans les soins de santé sont mis de l'avant afin de guider les professionnels dans leur démarche (*voir le chapitre 23*).

Points saillants

3.1	**Les termes et les concepts clés en recherche**	• Il est nécessaire de connaitre et d'utiliser le langage scientifique lorsqu'on s'engage dans un processus de recherche, notamment les termes propres aux méthodes qualitatives et quantitatives.
3.2	**Le processus de recherche: phases et étapes**	• Le processus de recherche est une démarche rationnelle, une manière de progresser en suivant une série d'étapes ou d'opérations intellectuelles qui permettent d'atteindre un but.

• Les étapes de la recherche qualitative ne sont pas aussi systématiques que celles de la recherche quantitative, et elles se chevauchent.

• Le processus de recherche comporte cinq phases: conceptuelle, méthodologique, empirique, analytique et de diffusion.

• La phase conceptuelle introduit le sujet d'étude, point de départ de la recherche que l'on doit documenter par de l'information théorique et empirique tirée des publications scientifiques sur le sujet de manière à se renseigner sur l'état des connaissances. La phase conceptuelle se termine par l'énoncé du but, des questions de recherche et des hypothèses.

• La phase méthodologique sert à déterminer les types de devis, les méthodes d'échantillonnage, les principes qui sous-tendent la mesure des concepts, les méthodes de collecte et d'analyse des données.

• La phase empirique consiste en la collecte des données sur le terrain et leur organisation en vue des analyses quantitatives et qualitatives.

• La phase analytique caractérise la réalisation de diverses analyses visant à répondre aux questions de recherche ou à vérifier les hypothèses.

• La phase de diffusion a trait à la communication des résultats de recherche, sous forme de publication ou de participation à des congrès scientifiques, ainsi qu'à l'intégration des données probantes dans la pratique professionnelle.

Mots clés

Cadre de recherche	Modèle conceptuel	Phase méthodologique	Variable étrangère
Concept	Phase analytique	Phénomène	Variable indépendante
Construit	Phase conceptuelle	Variable	
Définition conceptuelle	Phase de diffusion	Variable attribut	
Définition opérationnelle	Phase empirique	Variable dépendante	

Exercices de révision

1. Définissez les termes suivants.
   a) Phénomène
   b) Concept
   c) Construit
   d) Théorie
   e) Définition opérationnelle
   f) Variable
   g) Variable indépendante
   h) Variable dépendante
   i) Cadre de recherche

2. Quelles sont les étapes du processus de recherche correspondant à la phase conceptuelle et quels sont leurs buts?

3. Qu'est-ce qui caractérise le processus de recherche qualitative?

Liste des références

Les références citées dans la rubrique «Exemple» ou dans les citations peuvent ne pas figurer dans cette liste.

Creswell, J.W. (2007). *Qualitative inquiry and research design: Choosing among five approaches* (3ᵉ éd.). Thousand Oaks, CA : Sage Publications.

Downs, D.S., DiNallo, J.M., Savage, J.S. et Davidson, K.K. (2007). Determinants of eating attitudes among overweight and non-overweight adolescents. *Journal of Adolescent Health, 41*(2), 138-145.

Hernandez-Reif, M., Diego, M. et Field, T. (2007). Preterm infants show reduced stress behaviors and activity after 5 days of massage therapy. *Infant Behavior and Development, 30*(4), 557-561.

Kerlinger, F.N. (1973). *Foundations of behavioural research* (2ᵉ éd.). New York, NY : Holt, Rinehart & Winston.

Maslow, A.H. (1970). *Motivation and personality* (2ᵉ éd.). Londres, Angleterre : Harper & Row.

Maxwell, J.A. (2005). *Qualitative research design: An interactive approach* (2ᵉ éd.). Thousand Oaks, CA : Sage Publications.

Meleis, A. (2007). *Theoretical nursing: Development and progress* (4ᵉ éd.). Philadelphie, PA : Lippincott Williams & Wilkins.

Moustakas, C. (1994). *Phenomenological research methods.* Thousand Oaks, CA : Sage Publications.

Polit, D. et Beck, C.T. (2012). *Nursing research: Generating and assessing evidence for nursing practice* (9ᵉ éd.). Philadelphie, PA : Wolters Kluwer/Lippincott Williams & Wilkins.

Punch, K.F. (2005). *Introduction to social research: Quantitative and qualitative approaches* (2ᵉ éd.). Thousand Oaks, CA : Sage Publications.

Strauss, A. et Corbin, J. (1998). *Basics of qualitative research: Grounded theory procedures and techniques* (2ᵉ éd.). Thousand Oaks, CA : Sage Publications.

Wolcott, H.T. (1994). *Transforming qualitative data: Description, analysis, and interpretation.* Thousand Oaks, CA : Sage Publications.

PHASE 1

La phase conceptuelle : la documentation du sujet d'étude

La phase conceptuelle comporte plusieurs étapes : poser le sujet d'étude et énoncer la question ; effectuer une recension des écrits basés sur des recherches empiriques et théoriques ; élaborer un cadre de recherche ; formuler le problème et le but de la recherche, les questions ou les hypothèses associées. La phase conceptuelle renvoie à une façon ordonnée de formuler des idées et de documenter celles qui concernent un sujet précis pour en arriver à une conception claire du problème soulevé. Cette phase sert d'appui à la planification de la recherche, qui fait l'objet de la phase méthodologique.

1 PHASE CONCEPTUELLE

- Choisir le sujet d'étude
- Recenser les écrits et en faire la lecture critique
- Élaborer le cadre de recherche
- Formuler le problème
- Énoncer le but, les questions et les hypothèses

2 PHASE MÉTHODOLOGIQUE

- Prendre en compte les enjeux éthiques
- Choisir un devis de recherche
- Sélectionner les participants
- Apprécier la qualité de la mesure des concepts
- Préciser les méthodes de collecte des données

3 PHASE EMPIRIQUE

- Recueillir les données sur le terrain et les organiser pour l'analyse

4 PHASE ANALYTIQUE

- Analyser les données
- Présenter et interpréter les résultats

5 PHASE DE DIFFUSION

- Communiquer les résultats
- Intégrer les données probantes dans la pratique professionnelle

CHAPITRE 4

Le choix du sujet de recherche et l'énoncé de la question

Objectifs d'apprentissage

Après avoir étudié ce chapitre, vous serez en mesure :

- de choisir un sujet de recherche ;
- d'énoncer une question préliminaire qui se rapporte au sujet de recherche ;
- de préciser la population cible ;
- de définir les concepts en jeu ;
- de reconnaitre les niveaux de recherche relatifs aux types de questions ;
- de différencier une question de recherche quantitative d'une question de recherche qualitative.

outé recherche a pour but de trouver des réponses ou des éléments de réponse à des questions significatives concernant un sujet qui suscite la curiosité, un malaise ou des interrogations, et qui appelle une explication ou, du moins, une meilleure compréhension du phénomène à l'étude. Le chercheur commence par énoncer une question préliminaire et s'attarde ensuite à la préciser afin de parvenir à trouver l'orientation que devra prendre sa recherche. C'est le point de départ de la phase conceptuelle qui conduit à recenser les écrits, à élaborer un cadre de recherche, à formuler le problème et à énoncer le but, les questions ou les hypothèses (*voir la figure 4.1*). Ce chapitre traite de la première étape de la phase conceptuelle, celle qui consiste à choisir un sujet de recherche et à lui associer une question préliminaire, de nature quantitative ou qualitative, qui permettra de préciser l'angle sous lequel l'étude sera menée auprès d'une population. La manière de poser la question a une incidence sur le choix de la méthode et du type de recherche à entreprendre.

4.1 Le choix du sujet ou du problème de recherche

Le choix du sujet de recherche est une des étapes les plus importantes du processus, car il ne saurait y avoir de recherche sans l'existence, au départ, d'un problème à résoudre ou d'une question à laquelle répondre. Un sujet de recherche ou un problème émane d'une préoccupation ou d'une lacune dans nos connaissances à propos d'un sujet d'intérêt ou d'un phénomène donné. Quand on veut entreprendre une recherche, on commence par trouver un sujet lié à son champ disciplinaire. Ce sujet est habituellement associé à des préoccupations pratiques ou théoriques qui éveillent la curiosité et suscitent des élucidations ou des modifications. Ainsi, on peut s'inquiéter du taux élevé de suicide chez les jeunes et vouloir l'expliquer par la recherche et contribuer ainsi à trouver une solution ou, du moins, à fournir plus d'informations sur le sujet. On associe d'abord, au sujet sur lequel porte la recherche, une question préliminaire, appelée à se préciser à mesure que l'on prendra connaissance de ce qui a été publié dans le domaine (*voir le chapitre 5*). En énonçant une question à laquelle la recherche tentera de répondre, on précise par le fait même l'orientation adoptée pour formuler le problème de recherche. Un problème de recherche est en substance une question significative pour laquelle il n'existe actuellement aucune réponse valable ou pleinement satisfaisante.

> Quand on veut entreprendre une recherche, on commence par trouver un sujet lié à son champ disciplinaire.

Comment trouve-t-on un sujet ou un problème de recherche? Un sujet de recherche s'impose rarement d'emblée. Il prend forme consécutivement à une réflexion, à des observations cliniques ou professionnelles, aux connaissances et à l'expérience acquises, et il sollicite la créativité. L'apprenti chercheur devra retenir le sujet de recherche avec lequel il se sent le plus à l'aise, en fonction de sa formation, de l'accessibilité à la documentation, d'une éventuelle collaboration ou de sa disponibilité. Un bon sujet devrait s'inscrire dans un champ d'études bien connu de l'étudiant ou du chercheur et susciter une question pertinente à ce champ disciplinaire. À mesure que le sujet prend forme, les éléments du problème se dessinent, et les concepts à étudier auprès d'une population se précisent.

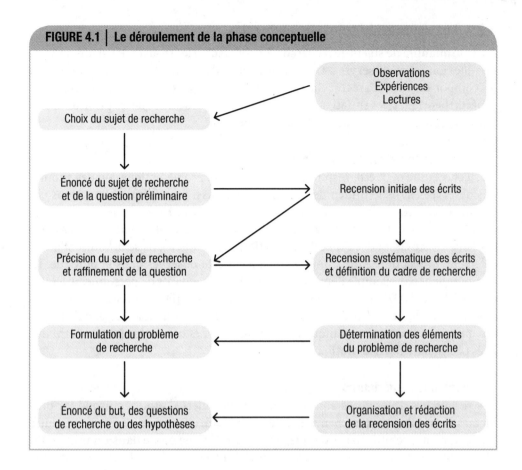

FIGURE 4.1 | Le déroulement de la phase conceptuelle

Observations
Expériences
Lectures

Choix du sujet de recherche

Énoncé du sujet de recherche
et de la question préliminaire → Recension initiale des écrits

Précision du sujet de recherche
et raffinement de la question → Recension systématique des écrits
et définition du cadre de recherche

Formulation du problème
de recherche ← Détermination des éléments
du problème de recherche

Énoncé du but, des questions
de recherche ou des hypothèses ← Organisation et rédaction
de la recension des écrits

4.2 L'exploration du sujet de recherche

Le **sujet de recherche** est un aspect particulier d'un champ d'études; il suscite l'intérêt et incite le chercheur à entreprendre une recherche en vue d'accroitre ses connaissances. Le sujet de recherche renferme au moins un concept clé et concerne habituellement une population particulière. Il peut provenir de diverses sources.

Sujet de recherche
Aspect particulier d'un domaine de connaissances que l'on se propose d'examiner. Il peut provenir de diverses sources et concerner des attitudes, des comportements, des croyances, des incidences, des problèmes cliniques, des observations, des concepts, etc.

On choisit généralement un sujet de recherche qui a des liens avec sa discipline ou sa profession. En effet, le sujet est souvent issu de préoccupations cliniques, profession-nelles, sociales, éducatives, psychologiques ou d'ordre théorique. Parfois, les questions ou les problèmes sont découverts à l'occasion de simples observations, d'expériences personnelles ou sont suggérés par la lecture de travaux de recherche. Un chercheur peut également s'intéresser à des sujets d'actualité dans son domaine. Ainsi, s'il œuvre dans le domaine psychosocial, un chercheur peut se pencher sur la toxicomanie chez les membres de gangs de rue. En criminologie, l'intérêt peut porter sur les politiques en matière de sanctions pénales et délimiter le sujet d'étude, comme celui des récidives des jeunes délinquants qui ont commis des vols qualifiés. En éducation, il peut s'agir d'expliquer le faible taux de réussite scolaire ou le décrochage. En sciences infirmières, il peut être pertinent d'explorer le sujet des avortements thérapeu-tiques à répétition chez des adolescentes. Ces disciplines permettent également l'examen des concepts et des théories. Ce sont là des exemples de sujets de recherche ayant trait à différentes préoccupa-tions disciplinaires ou à des questions de recherche s'y rapportant.

On choisit généralement un sujet de recherche qui a des liens avec sa discipline ou sa profession.

4.2.1 Les sources de sujets de recherche

Il existe quantité de sujets de recherche. Encore faut-il les trouver. Plusieurs sources de réflexion peuvent servir à trouver des sujets de recherche : les observations et les comportements, les recherches antérieures, les enjeux sociaux, les concepts, les aspects théoriques, les situations pratiques ou cliniques ainsi que les priorités fixées par des groupes scientifiques ou professionnels.

Les observations et les comportements

Le sujet d'étude peut être inspiré par des situations problématiques ou des anomalies observées dans le milieu de travail. Il peut aussi provenir d'observations cliniques effectuées pendant l'exercice d'une pratique professionnelle, lesquelles conduisent souvent à reconnaitre l'existence de situations plus générales. Les comportements suscitent des types d'observations particuliers ; ils se produisent généralement en réaction à un stimulus et peuvent être observés dans la pratique. Ils comprennent par exemple l'épuisement des proches aidants de personnes atteintes de la maladie d'Alzheimer, le développement social d'enfants autistes ou encore la réaction à la douleur. La recherche peut accroitre les connaissances que l'on a sur ces questions à caractère clinique ou professionnel, et ces acquis peuvent être utilisés par la suite dans la pratique.

Les recherches antérieures

Les recherches antérieures sont des sources de sujets d'étude, puisque les problèmes dont elles traitent peuvent être approfondis ou examinés sous un autre angle. Il peut être utile, par exemple, de reproduire une étude dans un milieu différent, auprès d'autres populations ou avec d'autres variables. Dans sa recension des écrits, le chercheur peut découvrir que les résultats divergent d'une étude à l'autre et que le problème en cause conserve toute son actualité. Les publications de recherche concluent souvent par des recommandations visant de futures études sur le sujet traité. De même, les conférences scientifiques et les présentations par affiche peuvent inspirer des idées de recherche.

> Il peut être utile de reproduire une étude dans un milieu différent, auprès d'autres populations ou avec d'autres variables.

Les enjeux sociaux

Les enjeux sociaux tels que la violence familiale, le taux de suicide, l'intimidation en milieux scolaires, le placement des personnes âgées en établissement peuvent constituer autant de sujets de recherche. De même, on peut s'intéresser à l'incidence d'un état de santé particulier dans une population et vouloir en étudier les facteurs associés.

Les aspects théoriques

De façon plus abstraite, le sujet d'étude peut suggérer la définition adéquate d'un concept ou de sa signification ; il peut concerner l'explication d'un phénomène ou la vérification d'une théorie. Il s'agit de tester non pas la théorie dans son ensemble, mais une partie de cette dernière. Habituellement, la vérification se limite à une proposition qui établit une relation entre des concepts. Considérons, par exemple, la théorie de Bandura (1986) sur l'efficacité personnelle perçue, qui explique la relation entre les connaissances et l'action. Selon cette théorie, l'idée qu'a une personne de sa capacité à exécuter une action détermine sa manière de penser, sa volonté et son comportement. Cet énoncé théorique peut être appliqué à une situation concrète, entre autres auprès de sujets en réadaptation physique, ou avec des fumeurs désirant mettre fin à l'usage de la cigarette. Parfois, des idées provenant de théories et de résultats de recherche divers sont combinées pour constituer un modèle dont la vérification pourra faire l'objet d'une recherche, comme le modèle des croyances en matière de santé de Becker (1974) ou la théorie de l'être en devenir de Parse (1999). Ainsi, les concepts, les théories et les modèles théoriques peuvent servir de base à l'énoncé d'une question de recherche.

> Les concepts, les théories et les modèles théoriques peuvent servir de base à l'énoncé d'une question de recherche.

Les situations pratiques ou cliniques

Les sujets de recherche viennent souvent du besoin de résoudre un problème pratique, comme une difficulté technique (p. ex. des pratiques de soins inadéquates). Le chercheur suppose qu'il existe des pratiques non adéquates qui nécessitent une amélioration. Il peut s'agir de l'élaboration et de l'implantation d'un programme quelconque et de l'évaluation de son efficacité dans le cadre d'une étude. Le sujet peut aussi concerner un problème clinique important en matière de fréquence, de gravité ou de risque pour la personne malade.

Les priorités

Certaines questions de recherche peuvent s'inscrire dans le mouvement de la pratique fondée sur des données probantes. Les organismes de subvention, les associations professionnelles et certains établissements de santé déterminent des priorités relatives aux domaines où il conviendrait d'approfondir la recherche. Le chercheur peut se baser sur ces priorités pour définir un sujet de recherche. Étant donné la diversité des courants de pensée qui circulent dans les diverses disciplines, bon nombre de chercheurs explorent les mêmes phénomènes de façon différente, ce qui suscite d'autres questions et de nouvelles recherches.

4.3   Le raffinement du sujet de recherche

Le simple choix d'un sujet de recherche ne permet pas nécessairement de procéder immédiatement à son investigation. En effet, une préoccupation générale ou un problème peuvent être flous au départ et doivent être retravaillés et circonscrits afin de préciser les concepts clés et la population cible qui seront étudiés. La principale stratégie consiste à interroger le sujet d'étude en rapport avec la recension des écrits.

4.3.1 L'interrogation du sujet d'étude

Pour cerner plus étroitement un problème potentiel et déterminer l'angle sous lequel il sera abordé, le chercheur interroge le sujet d'étude en se posant un certain nombre de questions. Supposons qu'il veuille étudier le problème de la consommation d'alcool chez les adolescents du secondaire. Comme il s'agit d'un sujet trop vaste pour entreprendre la recherche, il convient de considérer différents angles d'étude. Le chercheur peut en effet se demander ce qui peut inciter certains adolescents fréquentant l'école secondaire à consommer de grandes quantités de boissons alcoolisées. Afin de circonscrire le sujet, il peut choisir d'étudier,

> Pour cerner plus étroitement un problème potentiel et déterminer l'angle sous lequel il sera abordé, le chercheur interroge le sujet d'étude.

entre autres, un angle de recherche précis — pédagogique, psychologique ou social — et de soulever certaines questions afin de mieux préciser son sujet.

- Questions que soulève l'angle pédagogique :
  « Quelles sont les conséquences de la consommation d'alcool sur le rendement scolaire ? » ; « Les élèves qui consomment de l'alcool s'ennuient-ils à l'école et préféreraient-ils bénéficier d'autres approches pédagogiques ? » ; « L'environnement scolaire est-il propice à l'apprentissage ? » ; « Ces élèves éprouvent-ils des difficultés intellectuelles à l'égard de l'apprentissage ? »

- Questions que soulève l'angle psychologique :
  « Comment les jeunes qui consomment de grandes quantités de boissons alcoolisées se perçoivent-ils ? » ; « Quel est leur degré d'estime de soi ? » ; « Souffrent-ils d'un sentiment d'échec ? » ; « Sont-ils agressifs envers les autres élèves ? »

- Questions que soulève l'angle social :
  « Ces jeunes appartiennent-ils à des groupes ? » ; « Sont-ils isolés ? » ; « Quels sont les facteurs annonciateurs de ce phénomène ? » ; « Vivent-ils dans un environnement propice à la consommation d'alcool ? » ; « Craignent-ils la compétition ? »

D'autres angles peuvent également être envisagés pour étudier ce sujet : familial, scolaire, communautaire, etc. Après avoir précisé l'angle d'étude du sujet de recherche, il convient de procéder à une revue initiale des écrits pour découvrir ce qui est connu sur le sujet et déterminer l'écart entre les niveaux de connaissance (*voir le chapitre 5*). On procède alors à une recherche documentaire pour préciser les références bibliographiques pertinentes à la documentation du sujet. Ainsi, un mouvement de va-et-vient entre les écrits et le sujet permet de bien cerner celui-ci.

4.3.2 La définition de la population cible

Au cours du processus de raffinement du sujet de recherche, il est nécessaire de définir la population auprès de laquelle l'information sera recueillie. La population en général est un groupe de personnes ou d'éléments qui présentent des caractéristiques communes. La population étudiée, appelée « population cible », est celle qui satisfait aux critères de sélection établis d'avance et qui pourrait éventuellement servir à faire des généralisations. Comme il est rarement possible d'étudier la totalité de la population cible, on utilise la population accessible, c'est-à-dire celle qui est limitée à un lieu, une région, une ville, une école, un centre hospitalier, etc. La définition de la population cible (*voir le chapitre 14*) permet de cerner le sujet de recherche en indiquant clairement auprès de qui les données seront recueillies.

4.3.3 La précision des concepts clés

Le raffinement du sujet de recherche suppose aussi la définition des concepts en jeu. Le concept est un élément essentiel de toute recherche, puisque c'est le concept que l'on étudie et non la population elle-même. Certains concepts se rapportent à

> Le concept est un élément essentiel de toute recherche, puisque c'est le concept que l'on étudie et non la population elle-même.

des objets concrets (téléphone, voiture), tandis que d'autres sont abstraits et ne désignent rien de perceptible par les sens, comme c'est le cas de la plupart des concepts utilisés en recherche (anxiété, estime de soi, adaptation). Pour étudier les concepts abstraits, il est nécessaire de les décomposer en des faits observables qui tiennent lieu d'indicateurs (*voir le chapitre 16*). Utiliser des concepts précis facilite grandement la recherche documentaire sur un sujet. La précision des concepts s'affine au moyen du repérage dans les thésaurus de synonymes ou de mots clés qui facilitent la recherche documentaire, que celle-ci soit informatisée ou non, en donnant accès à des articles pertinents sur un sujet de recherche.

Les concepts étudiés proviennent en général de la discipline d'intérêt ou sont empruntés à des disciplines connexes. Au cours de l'évolution des disciplines, des concepts qui leur sont propres ont été élaborés et servent à construire des modèles et des théories. Ces concepts indiquent leur identité et orientent les sujets de recherche (Laville et Dionne, 1996). Ainsi, on peut attribuer les concepts de rôle, de norme sociale, de classe et de culture à la sociologie ; les concepts de comportement, d'adaptation, d'attitude et de motivation sont surtout associés à la psychologie ; les concepts de délinquance, de politique en matière de sanction criminelle relèvent de la criminologie ; les concepts d'apprentissage, de savoir et d'évaluation concernent l'éducation ; les concepts de soin, de santé, de personne et d'environnement, qui constituent le métaparadigme infirmier, sont propres aux sciences infirmières. Bien qu'ils soulèvent des questions, ces différents concepts guident la façon d'envisager la recherche dans une discipline.

4.4   Du sujet de recherche à la question

Du sujet de recherche découle ce qu'on appelle la question de recherche. Celle-ci est l'expression précise et opératoire du sujet de recherche. Une fois celui-ci choisi, la population ciblée et les concepts précisés, il convient d'adjoindre au sujet une **question de recherche**. La question constitue une partie essentielle de la recherche et détermine non seulement l'angle sous lequel le problème sera envisagé, mais aussi le type d'étude et les données qu'il s'agira de recueillir et d'analyser. Par exemple, au sujet du traitement de la question de recherche, le chercheur s'interroge et détermine, selon l'état des connaissances, s'il faut explorer les concepts et les décrire — comme dans une recherche descriptive —, ou définir leurs relations mutuelles — comme dans l'étude corrélationnelle —, ou encore prédire et vérifier des différences entre les groupes — comme dans l'étude expérimentale. Par ce genre de questions, il fait appel à son imagination et à sa capacité de raisonnement afin d'orienter sa démarche. À ce stade, la question est dite préliminaire, car le chercheur peut la modifier au cours du processus de documentation.

Question de recherche
Énoncé particulier qui demande une réponse pour résoudre un problème de recherche.

Toute question ne donne pas nécessairement lieu à une recherche. Certaines questions sont déjà résolues. D'autres touchent à des opinions, et il est possible d'y répondre autrement que par la recherche. Par exemple, lorsqu'on se demande « Qu'est-ce que je dois faire ? », on se pose une question personnelle qui ne nécessite pas d'entreprendre un processus de recherche pour y répondre. Les questions philosophiques, d'ordre moral ou éthique ou qui traitent de valeurs ou d'opinions conviennent peu à la recherche quantitative (p. ex. « L'euthanasie est-elle préférable à l'acharnement thérapeutique ? »). Les observations objectives sont impuissantes à élucider ce genre de questions, car la réponse est une affaire d'opinion, et les diverses idées que l'on peut formuler relèvent de l'appréciation personnelle et pourraient faire l'objet d'une dissertation. Il serait alors possible de s'interroger sur les attitudes des personnes à l'égard de thèmes comme l'euthanasie ou l'acharnement thérapeutique. Cependant, les questions plus subjectives peuvent faire l'objet d'une recherche qualitative, l'accent étant mis dans ce

> Les questions de recherche supposent une démarche scientifique susceptible de générer des connaissances qui pourront éventuellement être généralisables ou transférables.

paradigme sur la manière dont les personnes perçoivent et donnent un sens à leurs expériences. Les questions de recherche supposent une démarche scientifique susceptible de générer des connaissances qui pourront éventuellement être généralisables ou transférables. Les questions pour lesquelles des réponses peuvent être obtenues au moyen d'observations sur le terrain sont appelées « questions empiriques ».

4.4.1 L'énoncé d'une question préliminaire

La question de recherche délimite un sujet d'étude, précise la population et les concepts clés et comporte un pronom interrogatif qui tient lieu de pivot (Brink et Wood, 2001). Le sujet d'étude est l'aspect précis du problème ; le pivot est l'interrogation qui reflète le paradigme, et il se rapporte à un niveau de recherche déterminé, correspondant à l'étendue des connaissances que l'on possède sur le sujet. Il s'agit d'une interrogation simple portant sur le quoi, le comment et le pourquoi : « Quel est… ? » ; « Comment est perçu… ? » ; « Existe-t-il… ? » ; « Quelles sont les caractéristiques ? » ; « Quels sont les facteurs ? » ; « Quelles sont les relations ? » ; « Quelle est l'influence ? » ; « Quelle est l'efficacité ? » ; « Pourquoi tel évènement se produit-il ? » Ces questions appellent des réponses différentes. Ainsi, avant d'entreprendre une recension des écrits pour connaitre l'état actuel des connaissances sur le sujet à l'étude, le chercheur précise l'orientation qu'il veut donner à sa recherche en posant une question préliminaire selon le type d'interrogation qui convient à sa démarche.

Que la méthode de recherche soit quantitative ou qualitative, l'étude s'amorce toujours par une question. Cependant, sa structure diffère selon l'orientation donnée. La question de recherche quantitative précise s'il s'agit de décrire des concepts, d'examiner des relations entre des concepts ou encore de prédire ces relations. La question de recherche qualitative est plus générale et concerne l'exploration d'un processus ou d'un phénomène en vue de découvrir, de chercher à comprendre ou d'évaluer des expériences. On peut définir la question de recherche comme suit : énoncé clair et non équivoque, écrit au présent, qui précise les concepts clés (ou variables) et la population cible et qui suggère une investigation empirique. La question peut être quantitative ou qualitative. Le point central de la **question de recherche quantitative** est, selon le cas, la description des concepts ou l'exploration et la vérification des relations entre les concepts et la prédiction de l'effet d'une variable sur une autre. Une **question de recherche qualitative** est une question générale ouverte qui peut être subdivisée en sous-questions. Une question relative à l'expérience qui renvoie à la signification de ce qui est perçu ou qui aborde la façon dont une personne ou un groupe de personnes vit une expérience ou perçoit un phénomène particulier est une question de recherche qualitative.

Question de recherche quantitative
Énoncé interrogatif déterminant les concepts clés et la population cible qui feront l'objet d'une investigation empirique.

Question de recherche qualitative
Énoncé interrogatif explorant une expérience, un phénomène ou un processus qui fera l'objet d'une investigation empirique auprès d'un groupe de participants.

4.5 Les types de recherche et les questions pivots

La manière de poser la question détermine la méthode à utiliser. Une question de recherche peut être descriptive, explicative, prédictive et de contrôle. De plus, les buts et les niveaux de recherche que constituent la description, l'explication, la prédiction et le contrôle renseignent le chercheur sur l'étendue des connaissances actuelles sur un sujet donné. Les questions pivots peuvent se rattacher à chacun de ces niveaux, comme le montrent les paragraphes suivants.

4.5.1 La recherche descriptive

Au niveau descriptif, les questions pivots cherchent des réponses à la question « Qu'est-ce que c'est ? » (ou le quoi) : « Quelles sont les caractéristiques ? » ; « Quelle est la situation ? » ; « Quelle est la signification ? » Elles entrainent soit la découverte de phénomènes humains dans le cadre d'une recherche qualitative, soit la description de concepts, de facteurs ou de populations dans une recherche quantitative.

Ainsi, deux paradigmes différents se côtoient au niveau descriptif, et chacun exige une méthodologie particulière (*voir le chapitre 2*). La recherche qualitative est liée au paradigme interprétatif qui incite le chercheur à comprendre d'abord la perspective du participant. Elle vise à décrire la nature complexe des êtres humains et la manière dont ils perçoivent leur propre expérience dans un contexte social déterminé. Par contre, la recherche quantitative est liée au paradigme postpositiviste, lequel permet de supposer que l'expérience humaine est soumise aux relations logiques plus ou moins contrôlées entre des concepts mesurables. Il peut donc y avoir deux façons d'interroger les phénomènes, qui conduisent à des méthodologies différentes, selon que l'on s'attarde :

- à la découverte ou à l'exploration d'un phénomène, d'un processus ou d'un évènement ;
- à la description de concepts, de facteurs, de caractéristiques ou de populations.

Dans les deux cas, les connaissances que l'on possède sur le phénomène sont faibles ou inexistantes, ou ce dernier est encore mal élucidé. Il s'agit donc de résoudre le quoi (« Qu'est-ce que c'est ? ») en utilisant une méthodologie quantitative ou qualitative.

La description d'un phénomène, d'un processus ou d'un évènement

Lorsqu'il s'agit de décrire un phénomène humain du point de vue des personnes qui le vivent, on emploie une méthode qualitative, car on veut connaitre la signification qu'elles attribuent aux phénomènes vécus. Les questions ont un caractère général et commencent par les questions pivots suivantes : « Que ? » ; « Qu'est-ce ? » ; « Quel ? » ; « Comment ? » Par exemple : « Que signifie pour vous le fait de vivre avec une douleur chronique ? » ; « Quelle est l'expérience de la dépersonnalisation perçue par des personnes au cours des interactions avec des professionnels de la santé ? » À ce stade, la question peut contenir un phénomène ou plus. Le but est de comprendre l'expérience humaine telle qu'elle est vécue et rapportée par les participants. L'approche est subjective et vise à connaitre la signification personnelle d'un phénomène. Les auteurs Cecil, Thompson, Parahoo et McCaughan (2013) ont exploré, dans une étude descriptive qualitative, l'adaptation des proches aidants auprès de personnes survivantes d'un accident vasculaire cérébral. Le but consistait à explorer le *caring*, à examiner les stratégies adaptatives de ces personnes et à reconnaitre les facteurs qui influent sur leur vie. Plusieurs questions découlant du but ont été énoncées ; en voici trois exemples (en traduction libre) :

> Lorsqu'il s'agit de décrire un phénomène humain du point de vue des personnes qui le vivent, on emploie une méthode qualitative.

- Parlez-moi de ce qui est arrivé quand votre conjoint a eu un accident vasculaire cérébral.

- Quels étaient vos principaux besoins quand vous êtes devenue proche aidante?

- Quelle serait votre plus grande préoccupation concernant votre rôle comme aidante?

La description de concepts, de facteurs, de caractéristiques ou de populations

La recherche descriptive quantitative fournit un portrait des facteurs ou des caractéristiques étudiés auprès d'une population en particulier. La recherche descriptive offre différentes possibilités au chercheur telles que 1) décrire ce qui existe: «Quelles sont les caractéristiques des gangs de rue?»; 2) déterminer la fréquence avec laquelle telle situation se produit: «Quelle est l'incidence de l'asthme chez les enfants?»; 3) catégoriser l'information: «Quelles sont les différentes techniques de soin?» La description textuelle des caractéristiques ou des facteurs s'accompagne généralement de valeurs numériques relatives à la fréquence, au pourcentage ou à toute autre analyse statistique descriptive, comme les mesures de tendance centrale ou de dispersion (*voir le chapitre 18*). Les résultats de la catégorisation peuvent être présentés sous la forme nominale. Ces études sont généralement conduites quand il existe peu de connaissances sur le sujet d'étude, et elles fournissent la base pour la conduite d'autres types d'études. La recherche descriptive présente des devis descriptifs qui varient en niveaux de complexité selon le nombre de variables à étudier. Certains devis peuvent contenir deux variables alors que d'autres en comportent plusieurs. Ces notions seront discutées dans le chapitre 12, qui traite des devis de recherche quantitative.

> La recherche descriptive quantitative fournit un portrait des facteurs ou des caractéristiques étudiés auprès d'une population en particulier.

La question suivante est tirée d'une étude descriptive quantitative menée par Strand et Lindgren (2010) sur les attitudes et les connaissances des infirmières au sujet de la prévention de lésions de pression chez des personnes admises dans quatre unités de soins intensifs, ainsi que des barrières que les infirmières perçoivent à cet égard. Les variables (attitudes, connaissances et barrières perçues) peuvent faire l'objet d'autant de questions ou être incluses dans une question générale comme celle-ci:

- Quelles sont les attitudes et les connaissances des infirmières au sujet de la prévention des lésions de pression chez des personnes admises dans quatre unités de soins intensifs, ainsi que les barrières que les infirmières perçoivent à cet égard? (Traduction libre)

Comme la description permet d'acquérir des connaissances sur les concepts ou les variables et la population, on peut par la suite (et selon le but de l'étude) chercher à établir des liens entre ces concepts. On passe ainsi du niveau descriptif au niveau explicatif ou corrélationnel.

4.5.2 La recherche explicative

Deux types d'opérations sont possibles au niveau explicatif ou corrélationnel: l'exploration de relations entre les concepts et la vérification de relations entre les concepts ou les variables. Dans les deux cas, on se trouve en présence de plus d'un concept, le sujet de recherche est mieux connu, et les relations entre les concepts sont examinées et documentées.

L'exploration de relations entre les concepts

Dans l'exploration de relations, il s'agit de mettre les concepts en relation et de les ordonner. Le chercheur se pose les questions suivantes : « Qu'est-ce qui se passe dans cette situation ? » ; « Quels sont les concepts associés ? » Ici, des aspects théoriques peuvent aider à déterminer la façon dont les concepts sont liés entre eux. La description des relations demeure toutefois le but de l'étude. La recherche est descriptive corrélationnelle lorsque plusieurs concepts sont mesurés à un moment donné et que l'on tente de découvrir lesquels sont reliés. Elle pourrait engendrer la question suivante : « Quels sont les facteurs liés à la consommation d'alcool chez les adolescents ? »

> Dans l'exploration de relations, il s'agit de mettre les concepts en relation et de les ordonner.

Ainsi, la recherche descriptive corrélationnelle rend compte de la situation avec plus de précision que dans l'étude descriptive simple. En effet, comme elle sous-tend en général plus de deux concepts, il est possible d'établir des relations entre eux. Les observations sont habituellement plus structurées et les questions, plus précises. Des analyses statistiques descriptives peuvent être menées pour déterminer l'existence de liens entre les concepts. DeKeyser Ganz et Berkovitz (2012) ont décrit les dilemmes éthiques, le degré de détresse morale et la qualité des soins perçus par des infirmières. Par la suite, les auteurs ont cherché à savoir s'il y avait des relations entre ces concepts, comme le montre l'énoncé de la question descriptive corrélationnelle suivante :

• Quelles sont les relations entre les perceptions des dilemmes éthiques, de la détresse morale et de la qualité des soins infirmiers chez des infirmières travaillant dans des unités de soins chirurgicaux d'un centre hospitalier ? (Traduction libre)

La vérification de relations entre les concepts ou les variables

Dans la vérification de relations, il s'agit de déterminer l'influence d'une variable sur une autre variable ou plus. Les variables agissent ou se modifient en même temps, mais il n'y a ni contrôle ni modification de l'environnement. Un cadre théorique guide le chercheur dans l'association des variables entre elles. La vérification des relations fait suite à la description des relations entre les variables, et elle est effectuée lorsqu'il est permis de croire, sur la base de l'état des connaissances, que ces variables sont liées entre elles. Dans ce cas, on présume que les relations entre les variables à l'étude ont déjà été décrites et définies. En vue de prédire et d'expliquer une ou plusieurs associations entre des variables, le chercheur pose une question pivot, par exemple : « Quelle est l'influence ? » ; « Qu'arrivera-t-il si ? » ; « Pourquoi ? » L'association entre les variables suppose que celles-ci fluctuent ensemble, mais pas nécessairement dans le même sens, puisque l'une peut croitre et l'autre, décroitre. Ainsi, dans un cas où l'on constate que plus la douleur est intense, plus il y a de détresse émotionnelle, on conclurait que les variables évoluent dans le même sens. À l'opposé, si l'on constate que plus le degré d'incertitude est élevé chez les blessés médullaires, moins il y a d'espoir, on conclurait que les variables évoluent en sens contraire. Certaines études corrélationnelles visent à prédire des comportements. Rankin (2013) s'est appuyée sur des études antérieures ayant démontré l'existence de relations entre certaines variables pour vérifier l'hypothèse d'une relation d'association prédictive entre l'intelligence émotionnelle, la performance de la pratique clinique, la performance scolaire et la rétention des

> Dans la vérification de relations, il s'agit de déterminer l'influence d'une variable sur une autre variable.

connaissances. Bien entendu, cette question serait traduite en hypothèse aux fins de vérification empirique, mais posons la question suivante:

- Quelle est l'influence de l'intelligence émotionnelle sur la performance clinique, la performance scolaire et la rétention des connaissances par les étudiants en sciences infirmières? (Traduction libre)

À ce niveau d'avancement des connaissances, la recherche est corrélationnelle prédictive et comporte plus de contrôle des variables que la recherche descriptive corrélationnelle. Les corrélations peuvent être positives, c'est-à-dire que les concepts varient en même temps et dans le même sens, ou négatives, à savoir que les concepts varient ensemble, mais en sens opposés. Les observations sont structurées, et des hypothèses sont formulées relativement au cadre théorique. L'étude corrélationnelle a pour but d'expliquer et parfois de prédire une situation ou un fait, mais elle ne comporte pas de manipulation de variables. L'**explication** consiste à déterminer les raisons pour lesquelles certaines variables sont associées entre elles. Quant à la prédiction, elle consiste à conjecturer que telle variable produira un effet donné. Ainsi, il est possible de prédire que des personnes exposées à de multiples stresseurs et ne bénéficiant d'aucun soutien social verront leur santé s'altérer progressivement.

4.5.3 La recherche prédictive et de contrôle

Les questions causales cherchent à comparer différentes variables d'un phénomène afin de déceler des causes (ou le pourquoi). Il s'agit, à ce niveau, de prédire l'effet d'une variable sur d'autres variables dans un environnement contrôlé. Contrairement aux questions précédentes (corrélationnelles prédictives), qui comportaient la prédiction de relations d'association, les questions pivots ci-après comprennent la prédiction de relations causales entre des variables dépendantes et indépendantes: «Quels sont les effets?»; «Quelle est l'efficacité?» Une variable indépendante expérimentale (X) est manipulée, c'est-à-dire qu'une condition extérieure (p. ex. une intervention) est introduite dans une situation de recherche et exerce un effet sur une autre variable, appelée «variable dépendante (Y)». En s'appuyant sur des théories ou un cadre théorique et sur les études déjà publiées, il est possible de prédire l'effet qu'aura le traitement ou l'intervention sur une variable relative à une population, comme dans les recherches de type expérimental. Nadeau, Normandeau et Massé (2012) ont évalué l'efficacité d'un programme de consultation individuelle auprès d'enseignants du primaire qui ont un enfant atteint d'un trouble du déficit de l'attention avec ou sans hyperactivité (TDAH) dans leur classe. On a constitué des paires enfant-enseignant. La question de causalité serait celle-ci:

- Quelle est l'efficacité d'un programme de consultation individuelle auprès d'enseignants du primaire ayant un enfant atteint de TDAH dans leur classe sur le rendement scolaire de cet enfant?

La question de recherche ci-dessus est énoncée à titre indicatif seulement, puisque la recherche expérimentale commande plutôt le recours à l'hypothèse pour prédire un changement touchant la variable dépendante.

Le contrôle est surtout présent dans une recherche expérimentale. Pour vérifier l'effet d'une intervention quelconque (variable indépendante) sur une variable dépendante, on utilise un groupe de contrôle, aussi appelé «groupe témoin», ainsi que divers procédés visant à réduire au minimum l'influence des variables étrangères. Au niveau de la prédiction et du contrôle, au moins une variable est manipulée, et il y a formulation d'hypothèses.

4.6 Vers la question finale et le type de recherche

La question préliminaire est énoncée à partir des observations et de l'expérience personnelle du chercheur lorsqu'il ne connait pas encore ce qui a été écrit sur le sujet de recherche. Elle oriente le travail de recherche vers la documentation appropriée, qui servira à déterminer l'état actuel des connaissances. Quant à la question finale, elle est énoncée à la suite d'une recension des écrits. Celle-ci permet en effet de connaitre l'état des connaissances sur le sujet et d'adapter l'énoncé de la question selon le niveau de recherche approprié. Les concepts étant souvent mal définis, l'aller-retour entre les publications et la question permettra de préciser cette dernière. Le degré de spécialisation ou de complexité de la question indique le type de recherche à mener pour obtenir de l'information. À ce stade, on établit le pont entre les connaissances qui existent sur le sujet et la démarche empirique à entreprendre. Le tableau 4.1 résume la typologie des questions pivots relatives à l'état des connaissances et les types d'études qui en découle.

> La question préliminaire est énoncée à partir des observations et de l'expérience personnelle du chercheur. Quant à la question finale, elle est énoncée à la suite d'une recension des écrits.

TABLEAU 4.1 | Les buts et les méthodes de recherche selon la typologie des questions

Niveau/Questions	But/État des connaissances	Types d'études
Descriptif		
Exploration des phénomènes. Quel est? Que? Qui? Quelle est la nature, la signification?	Explorer, découvrir, comprendre. Domaine peu exploré ou peu compris. Signification de l'expérience. Théorisation d'un phénomène.	Études qualitatives
Description de concepts ou de populations. Quelles sont les caractéristiques? Quelle est la prévalence?	Nommer, classifier, décrire. Domaine peu exploré ou ayant une faible base théorique ou conceptuelle.	Études descriptives quantitatives Enquêtes descriptives
Explicatif		
Exploration de relations entre des concepts ou variables. Quelle est la relation? Quels sont les facteurs associés? Quel est le processus suivi?	Déterminer et décrire les relations. Existence de publications sur le sujet choisi. Définition des concepts. Cadre conceptuel ou théorique.	Études descriptives corrélationnelles Études à visée temporelle
Vérification de relations entre des variables. Quelle est l'influence? Quelle est la théorie qui explique les relations? Pourquoi? Quelle est la contribution?	Expliquer la force et le sens des relations. Vérifier des propositions théoriques. Existence de publications qui laissent supposer qu'une association existe entre des variables. Théorie et modèle.	Études corrélationnelles prédictives et de vérification de modèle Études de cohorte et cas témoins
Prédictif et de contrôle		
Prédiction de relations entre des variables ou de différences entre les groupes. Quels sont les effets sur? Quelles sont les différences entre les groupes? Qu'arrivera-t-il si? Quelle est l'efficacité?	Prédire une relation causale. Établir la différence entre les groupes. Existence de nombreuses publications sur le sujet. Théorie, cadre théorique, modèle théorique.	Études expérimentales, quasi expérimentales

4.7 Les caractéristiques d'une bonne question

Avant d'entreprendre une recherche, il faut être convaincu de l'importance que revêt la question qu'on se pose, non seulement pour le progrès des connaissances dans une discipline ou un domaine donné et les possibilités d'application qu'elle comporte, mais aussi pour l'ensemble de la communauté. De façon générale, la question préliminaire doit permettre de déterminer si le sujet mérite d'être exploré. Il faut donc que la question soit significative, liée à des bases théoriques ou conceptuelles et que la recherche qui en découle soit faisable.

4.7.1 Une question significative

Un des principes directeurs qui guident la recherche scientifique consiste à poser une question pertinente, significative pour la discipline concernée et pouvant faire l'objet d'une investigation empirique. Une question sera significative si elle vise à résoudre des problèmes de recherche, à combler une lacune dans les connaissances actuelles, à comprendre et à décrire des phénomènes, à clarifier des relations entre des variables, à attribuer des causes à des phénomènes, à vérifier des hypothèses ou encore à permettre une application pratique. L'investigation empirique signifie qu'il est possible d'obtenir des réponses au moyen d'observations sur le terrain. Avant de commencer à recenser les écrits, on doit être en mesure de démontrer que

> La question doit établir l'importance du problème qu'elle traduit et la pertinence de la solution.

le sujet choisi mérite d'être exploré. La question doit établir l'importance du problème qu'elle traduit et la pertinence de la solution, qu'il s'agisse de répondre à des préoccupations actuelles, de contribuer à l'avancement des connaissances ou d'anticiper les interventions dont les incidences peuvent être théoriques ou pratiques.

4.7.2 Une question reliant recherche et théorie

La recherche et la théorie sont intimement reliées, puisque la recherche vise à développer et à vérifier la théorie. Une théorie peut servir à décrire des concepts, à expliquer des relations entre des concepts ou à prédire les effets d'une variable sur d'autres variables. Elle détermine les variables pertinentes pour l'explication d'un phénomène et suggère la nature des relations entre des variables. Comme toute question de recherche comprend un ou plusieurs concepts clés, la recherche est liée de façon implicite ou explicite à des bases théoriques ou conceptuelles qui servent à en guider les étapes. La question de recherche suppose également un certain degré d'abstraction ou de théorie, puisqu'elle exige des observations et des explications.

4.7.3 Une question assurant la faisabilité de la recherche

La faisabilité d'une recherche dépend notamment de l'accessibilité à un nombre suffisant de participants, de leur consentement à prendre part à l'étude, des délais de réalisation de celle-ci, ainsi que des ressources financières, du matériel et des locaux disponibles. De plus, le chercheur doit s'assurer de la collaboration d'autres intervenants et obtenir l'autorisation d'un comité d'éthique de la recherche avant d'entreprendre toute activité sur le terrain.

Points saillants

4.1	**Le choix du sujet ou du problème de recherche**	• Le choix d'un sujet d'étude ou d'un problème de recherche constitue la première étape du processus de recherche. Le sujet de recherche est un aspect particulier d'un domaine de connaissances qui suscite l'intérêt et incite le chercheur à entreprendre une recherche.
4.2	**L'exploration du sujet de recherche**	• Le sujet de recherche est un aspect particulier d'un champ d'études et peut provenir de diverses sources : observations, comportements, publications, enjeux sociaux, aspects théoriques, situations pratiques ou cliniques. • Le sujet d'étude se rapporte habituellement à une population déterminée et auprès de laquelle on recueille de l'information ; il peut contenir un ou plusieurs concepts.
4.3	**Le raffinement du sujet de recherche**	• Une fois que le sujet de recherche est choisi et que la population et les concepts sont définis, il convient de s'interroger : faut-il explorer les concepts, les décrire, les définir et prédire leurs relations mutuelles ou vérifier les relations ?
4.4	**Du sujet de recherche à la question**	• Du sujet de recherche découle une question ; il s'agit d'un énoncé clair et non équivoque qui précise les concepts clés, détermine la population cible et suggère une investigation empirique. La question peut être quantitative ou qualitative.
4.5	**Les types de recherche et les questions pivots**	• La question de recherche correspond à des niveaux, selon qu'il s'agit de découvrir et de comprendre des phénomènes (étude qualitative), de décrire des facteurs (étude descriptive), d'explorer et de prédire des relations entre des concepts (étude corrélationnelle) ou encore de vérifier des relations causales (étude expérimentale). • Les questions pivots peuvent se rattacher à chacun de ces niveaux.
4.6	**Vers la question finale et le type de recherche**	• La question préliminaire est énoncée à partir des observations personnelles du chercheur quand il ne connait pas ce qui a été écrit sur le sujet. Pour que la question de recherche devienne finale, il faut recenser les écrits et la formuler selon le niveau de recherche approprié.
4.7	**Les caractéristiques d'une bonne question**	• La question de recherche est significative si elle contribue à explorer et à décrire des phénomènes, à clarifier des relations entre des variables, à vérifier des hypothèses ou à permettre des applications pratiques.

Mots clés

Concept	Niveau explicatif	Problème de recherche	Question significative
Niveau de recherche	Niveau prédictif	Question finale	Raffinement du sujet
Niveau descriptif	Population cible	Question pivot	Vérification de relations

Exercices de révision

Toute recherche est issue d'un problème réel. Par conséquent, faire une recherche, c'est essayer de découvrir une solution, une réponse à une question. Pour pouvoir traiter un problème de recherche, il faut au préalable trouver un sujet, poser une question appropriée, recenser les écrits et formuler le problème. Les exercices qui suivent vous aideront à mieux comprendre ce qu'est un problème de recherche et à énoncer une question qui correspond à un niveau de recherche particulier.

1. Quelles sont les principales sources de sujets d'étude?

2. Qu'est-ce qu'une question de recherche?

3. Considérez les niveaux de recherche suivants et indiquez à quelle(s) question(s) de recherche ils correspondent dans la liste numérotée (de 1 à 8).
   a) Exploration et description des phénomènes
   b) Description de facteurs
   c) Exploration de relations entre les facteurs
   d) Vérification de relations entre des variables
   e) Vérification de relations causales entre des variables dépendantes et indépendantes

Questions de recherche

1) Quels sont les effets d'une technique de relaxation sur la douleur postopératoire?

2) Quelles sont les caractéristiques des couples qui suivent des cours prénataux?

3) Quels sont les facteurs personnels associés à la prise en charge par les personnes diabétiques de leurs traitements?

4) Quelle est l'influence de la consommation d'aspirines par la femme enceinte sur la manifestation du syndrome de Reye chez l'enfant?

5) Quels sont les effets d'un programme de répit sur le moral des proches aidants de personnes atteintes de troubles mentaux?

6) Quels sont les effets d'un enseignement systématique sur l'assiduité des personnes cardiaques à leur programme de réadaptation?

7) Existe-t-il une relation entre le caractère monotone du travail répétitif et le risque d'accident de travail chez les ouvriers du secteur industriel?

8) Quelle est la signification de la douleur chez des malades chroniques?

Liste des références

Les références citées dans la rubrique «Exemple» ou dans les citations peuvent ne pas figurer dans cette liste.

Bandura, A. (1986). *Social learning theory.* Englewood Cliffs, NJ : Prentice-Hall.

Becker, M.H. (1974). The health belief model. *Health Education Monographs, 12,* 409-419.

Brink, P.J. et Wood, J.J. (2001). *Basic steps in planning nursing research: From question to proposal* (5ᵉ éd.). Sudbury, MA : Jones & Bartlett.

Cecil, R., Thompson, K., Parahoo, K. et McCaughan, E. (2013). Towards an understanding of the lives of families affected by stroke: A qualitative study of home carers. *Journal of Advanced Nursing, 69*(8), 1761-1770.

DeKeyser Ganz, F. et Berkovitz, K. (2012). Surgical nurses' perceptions of ethical dilemmas, moral distress and quality of care. *Journal of Advanced Nursing, 68*(7), 1516-1525.

Laville, C. et Dionne, J. (1996). *La construction des savoirs : manuel de méthodologie en sciences humaines.* Montréal, Québec : Chenelière/ McGraw-Hill.

Nadeau, M.F., Normandeau, S. et Massé, L. (2012). Efficacité d'un programme de consultation pour les enseignants du primaire visant à favoriser l'inclusion scolaire des enfants ayant un TDAH. *Canadian Journal of Behavioural Science, 44*(2), 146-157.

Parse, R.R. (1999). *Illuminations: The human becoming theory in practice and research.* Sudbury, MA : Jones & Bartlett.

Rankin, B. (2013). Emotional intelligence: Enhancing values-bases practice and compassionate care in nursing. *Journal of Advanced Nursing, 69*(12), 2717-2725.

Strand, T. et Lindgren, M. (2010). Knowledge, attitudes and barriers towards prevention of pressure ulcers in intensive care units: A descriptive cross-sectional study. *Intensive and Critical Care Nursing, 26*(6), 335-342.

CHAPITRE 5

La recension des écrits : de la recherche documentaire à la lecture critique

Objectifs d'apprentissage

Après avoir étudié ce chapitre, vous serez en mesure :

- de définir et d'énoncer les principaux buts de la recension des écrits ;
- d'établir la distinction entre les sources primaires et les sources secondaires ;
- de repérer les ressources susceptibles de servir à la recherche documentaire ;
- de fixer les étapes de réalisation d'une recherche documentaire informatisée ;
- de repérer les bases de données informatisées ;
- de faire la lecture critique des publications de recherche et d'évaluer leur pertinence ;
- d'organiser et de rédiger une recension des écrits ;
- de faire la critique d'une recension des écrits.

Plan du chapitre

À près avoir précisé son sujet de recherche et énoncé la question préliminaire, le chercheur doit déterminer si la question a déjà été traitée dans les travaux de recherche publiés. Pour ce faire, il procède à une recension des écrits, c'est-à-dire qu'il inventorie ce qui a été publié jusqu'à maintenant sur le sujet de manière à en établir l'état des connaissances. Avant de déterminer la question de recherche finale, il est nécessaire de prendre en compte les connaissances acquises sur le sujet que l'on se propose d'étudier. Le fait de considérer ce qui a déjà été écrit amène le chercheur à délimiter le problème et à préciser les concepts en jeu. Le présent chapitre a pour but de définir ce qu'est une recension des écrits et d'en montrer l'utilité et les moyens de la réaliser. À cet égard, la démarche de recherche documentaire proposée dans cet ouvrage devrait permettre de familiariser le lecteur avec les outils de la recherche documentaire, de le renseigner sur la façon de trouver le matériel publié se rapportant à son sujet d'étude, d'en faire une lecture critique, d'analyser et de synthétiser l'information en vue de rédiger une recension des écrits.

5.1 La recension des écrits

La question de recherche qui s'inscrit dans l'état actuel des connaissances sur le sujet d'étude suppose au préalable une recension des travaux de recherche déjà publiés. La recension des écrits est particulièrement importante, non seulement pour bien définir le problème dans l'ensemble du processus de recherche, mais également pour se faire une idée précise de ce qui a été écrit jusqu'à maintenant sur le sujet et de la contribution éventuelle du chercheur à l'avancement des connaissances. De ce fait, la recension des écrits constitue une partie intégrante du processus de recherche et apporte une contribution essentielle à chacune des étapes opérationnelles de celle-ci. Cette recension comprend un certain nombre d'activités qui sont explicitées dans ce chapitre.

5.1.1 Une démarche en trois étapes

On peut considérer la recension des écrits comme une démarche qui comprend trois étapes : 1) l'accès aux sources documentaires pertinentes au sujet d'étude ; 2) le traitement de l'information ou la recension des écrits proprement dite ; et 3) la rédaction d'un texte sur les écrits recensés.

Dans la démarche à suivre pour rechercher les écrits pertinents à son sujet d'étude, on fait appel à une série d'étapes (*voir la figure 5.1, à la page 79*) au cours desquelles on précise la question de recherche au moyen de la consultation des sources documentaires, particulièrement par l'utilisation des bases de données bibliographiques, et l'on repère les sources de données appropriées. Par la suite, on procède au traitement de l'information, qui consiste à faire la lecture critique des écrits sélectionnés, d'en évaluer la qualité et la pertinence et de regrouper les idées en vue de rédiger la recension des écrits. La rédaction des écrits recensés est l'aboutissement de l'ensemble de la démarche qui consiste à intégrer dans un texte toute l'information qui se rapporte au sujet d'étude. Ces étapes de la recension des écrits sont reliées de sorte qu'il n'existe pas de réelle démarcation entre chacune des activités (Ridley, 2012). Mais qu'est-ce qu'une recension des écrits et quels en sont les buts relatifs au sujet d'étude ?

5.1.2 Qu'est-ce qu'une recension des écrits ?

Faire la **recension des écrits** consiste à relever, dans les publications de recherche, les principales sources théoriques et empiriques qui rendent compte de ce qui est connu et inconnu sur un sujet de recherche en particulier. On examine ces publications pour tirer avantage de tout ce qui se rapporte à la question de recherche et, le cas échéant, pour déterminer les méthodes utilisées et apprécier à la fois les liens établis entre les concepts, les résultats et les conclusions. L'examen fouillé de ces publications permet d'obtenir l'information nécessaire à la formulation du problème de recherche et guide le choix d'une méthode pour réaliser la recherche. Les écrits scientifiques que l'on se propose de recenser dans le cadre de sa recherche sont constitués de sources écrites sur le sujet. Ces écrits proviennent entre autres de monographies, d'encyclopédies, de périodiques scientifiques, de livres, de thèses et du Web.

Recension des écrits
Liste des principales sources théoriques et empiriques des publications de recherche qui rendent compte de ce qui est connu et inconnu sur un sujet de recherche en particulier.

5.1.3 Les buts de la recension des écrits

La plupart des rapports de recherche (article, dissertation, monographie, thèse, mémoire) commencent par situer le problème dans le contexte des écrits existants afin de fournir une compréhension de l'état actuel des connaissances sur le sujet de recherche. La recension des écrits sert plusieurs buts, dont les suivants.

- Établir l'état de la question. Une recension des écrits permet de placer l'étude dans le contexte des connaissances actuelles, de rendre compte de ce qui est connu et de ce qui reste à découvrir sur le sujet et de déterminer le type de recherche pouvant contribuer le plus au savoir existant.

- Délimiter et définir le problème. La prise de connaissance des travaux antérieurs concernant le problème de recherche ou les sujets connexes que l'on se propose d'étudier et la réflexion sur le contenu de ces renseignements permettent de mieux préciser la question de recherche et de faire le point sur le problème à l'étude. C'est aussi l'occasion d'évaluer les bases conceptuelles ou théoriques existant dans le domaine.

- Saisir la portée des concepts en jeu. La recension des écrits permet de reconnaitre les concepts en jeu, les relations qui les unissent et les méthodes employées pour les étudier. Elle contribue également à préciser la théorie qui explique le mieux les faits observés, à discerner les concepts qui s'y rapportent et à établir les relations entre les concepts.

- Fournir des idées sur les méthodes et les mesures. En recensant les publications, on découvre les méthodes employées dans les recherches antérieures en vue d'accroitre les connaissances sur le sujet. L'analyse des différents instruments de mesure, l'échantillonnage et les procédures suivies peuvent favoriser l'élaboration d'un devis plus approprié et d'une meilleure méthodologie.

- Apprécier les résultats et les recommandations. Prendre connaissance des résultats de recherche et des recommandations permet de circonscrire la recherche à entreprendre. Plusieurs rapports de recherche se concluent par une discussion sur les problèmes que soulève leur étude et établissent des recommandations pour des recherches futures. Il convient d'examiner ces recommandations, car elles donnent un aperçu des efforts déployés par le chercheur pour étudier un problème donné.

5.1.4 La nature de la recension des écrits

Quel que soit le paradigme adopté par le chercheur, les buts de la recension des écrits et la démarche suivie pour accéder à la documentation sont assez similaires dans les recherches quantitatives et qualitatives. Toutefois, quelques différences sont soulignées ci-après.

Dans les recherches qualitatives, la recension des écrits peut s'effectuer de diverses façons. Elle peut être utilisée pour expliquer les bases théoriques d'une étude, pour guider la formulation de la question de recherche et le choix de la population ou encore pour ouvrir de nouvelles perspectives. Elle se fait souvent en fonction du type d'étude ; ainsi, les chercheurs qui appliquent la méthode phénoménologique procèdent à la recension des écrits la plupart du temps après avoir recueilli des informations et réalisé des analyses qualitatives afin d'éviter que les publications ne les influencent. Par contre, dans la méthode ethnographique, la recension des écrits a pour objet d'aider à comprendre les concepts à l'étude dans une culture donnée et, de ce fait, elle nécessite d'être menée au début de la recherche. Dans la méthode de théorisation enracinée, une recension des écrits complète n'est pas souhaitable, car elle risque d'influer sur ce que l'on cherche à atteindre, soit l'élaboration d'un ensemble de construits et de relations ainsi qu'une théorie non influencée par les recherches antérieures (Johnson et Christensen, 2010). De façon générale, la recension des écrits dans la recherche qualitative se poursuit durant la collecte et l'analyse des données, puisque les questions évoluent à mesure que la recherche progresse. En procédant ainsi, le chercheur peut mieux comprendre ce qu'il est en train d'observer.

Dans les recherches quantitatives, la recension des écrits s'effectue au début du processus de recherche et sert à souligner l'écart qui existe entre ce qui est connu et ce qui reste à découvrir sur un sujet d'étude afin d'établir l'état de la question par rapport à celui-ci (Grove, Burns et Gray, 2013). Supposons, par exemple, que l'on veuille vérifier dans quelle mesure les symptômes dépressifs influent sur les attitudes alimentaires des adolescents qui présentent un surpoids. Avant de commencer à planifier l'étude, on doit d'abord se familiariser avec l'information disponible sur les thèmes concernant les symptômes dépressifs, les attitudes et le comportement alimentaire des adolescents. À la suite de la recension des écrits, le chercheur constate, par exemple, qu'il n'a pas été question, dans les écrits consultés, des adolescents qui, bien que présentant un surpoids, n'affichent pas de symptômes dépressifs. Cette information manquante peut l'amener à repenser son sujet de recherche et à l'orienter vers de nouvelles pistes.

5.2 Les sources d'information

Avant d'être en mesure d'entreprendre la démarche de la recherche documentaire proprement dite, on doit d'abord cerner les sources d'informations pertinentes à son sujet d'étude, déterminer le type d'information à inclure, connaitre la forme des publications et considérer le temps alloué à la recension des écrits et l'étendue de celle-ci.

5.2.1 Les types d'information à consulter pour une recension des écrits

La recension des écrits porte sur toutes les sources se rapportant au sujet de recherche. Au moment d'entreprendre cette recension, le chercheur dispose d'une grande variété de documents et doit décider du type d'information à privilégier. Les sources bibliographiques qui donnent accès aux travaux scientifiques sont de deux ordres : l'information empirique et l'information théorique. Ces deux types d'information se retrouvent dans les sources primaires et les sources secondaires et se présentent sous diverses formes.

L'information empirique et l'information théorique

L'**information empirique** est sans contredit le type d'information le plus important à inclure dans une recension des écrits. Elle provient de publications se rapportant à des résultats de recherche. Les travaux de nature empirique sont publiés dans des revues scientifiques, des rapports méthodologiques, des mémoires et des thèses. Ils sont le résultat de l'observation en laboratoire et sur le terrain. L'information empirique permet de connaitre les résultats de recherche, de même que l'état actuel des connaissances sur le sujet ou dans un domaine donné ; il s'agit de sources primaires. L'**information théorique** est celle qui provient de publications traitant de concepts, de modèles, de théories et de cadres conceptuels. Les travaux de nature théorique sont publiés dans des livres ou des périodiques, en version imprimée ou électronique. La plupart des articles scientifiques offrent un résumé des fondements théoriques qui appuient la recherche, dans la section de l'introduction.

Information empirique
Information qui provient de publications se rapportant à des résultats de recherche.

Information théorique
Information qui provient de publications traitant de concepts, de modèles, de théories et de cadres conceptuels.

Les sources primaires et secondaires

Les publications contiennent des sources primaires et des sources secondaires. Une **source primaire**, ou source de première main, est rédigée par la personne qui a conçu et réalisé une recherche ou élaboré une théorie, selon qu'il s'agit d'une publication portant sur des recherches empiriques ou théoriques. Ce type de document original n'a donc pas encore été résumé par d'autres chercheurs. Il permet au lecteur de trouver l'information la plus complète qui soit et d'évaluer la qualité de la publication. On trouve les sources primaires dans des articles de périodiques, des rapports méthodologiques, des documents officiels, des mémoires et des thèses. Elles sont généralement disponibles en ligne. Une **source secondaire** est rédigée par une autre personne que l'auteur lui-même. Il s'agit d'une reformulation ou d'une réinterprétation des idées contenues dans un travail original. Les sources secondaires classifient et analysent les sources primaires et les regroupent en une seule publication. Ainsi, les résumés de recensions des écrits sont des sources secondaires. Celles-ci, parce qu'elles organisent et résument les connaissances sur un sujet à un moment donné, peuvent représenter un bon début de travail pour raffiner le problème et le traduire par une question de recherche plus précise. Toutefois, pour constituer une recension des écrits, les sources secondaires ne doivent pas être considérées comme des substituts aux sources primaires. En effet, elles fournissent parfois des renseignements erronés à propos d'autres études, et leur objectivité peut être mise en doute, puisqu'elles proposent des interprétations faites par d'autres personnes que l'auteur du travail original (Polit et Beck, 2012 ; Portney et Watkins, 2008). Les sources secondaires comprennent notamment les manuels d'histoire, les bibliographies annotées, les répertoires, les monographies de référence, les encyclopédies et les dictionnaires spécialisés, les revues systématiques.

Source primaire
Description d'une recherche originale rédigée par l'auteur lui-même.

Source secondaire
Texte interprété et rédigé par un autre chercheur que l'auteur d'un document original. Ce type de source synthétise, résume et commente ce dernier.

Les autres types d'information

L'information se rapportant à des données probantes est synthétisée dans des publications en utilisant diverses stratégies telles que la revue systématique, la métaanalyse, la métasynthèse et la revue intégrative des écrits. Ces types d'information seront revus plus en détail dans le chapitre 23.

Une revue systématique est une synthèse servant à regrouper des études qui présentent des méthodes appropriées pour examiner des questions de recherche précises (Davies et Logan, 2012).

Une métaanalyse est une approche qui consiste à rassembler les données issues d'études quantitatives comparables et à les soumettre de nouveau à des analyses statistiques. Elle permet d'estimer de façon précise l'ampleur de l'effet d'une intervention et de dégager les tendances qui se dessinent dans les études.

Une métasynthèse consiste à analyser des études qualitatives de façon critique et à synthétiser les résultats dans un nouveau cadre de référence. Elle a pour point de départ un problème déterminé.

Une revue intégrative des écrits est une analyse et une synthèse des études quantitatives et qualitatives portant sur des recherches théoriques et empiriques qui déterminent les connaissances actuelles sur un sujet donné.

5.2.2 La forme des publications de recherche

Les écrits sont disponibles sous différentes formes tels que les périodiques, les monographies, les mémoires de maitrise, les thèses de doctorat, les livres électroniques (*ebooks*). Les **périodiques scientifiques** représentent une source essentielle pour la documentation d'un sujet d'étude, puisque leur contenu se renouvèle constamment. Ils contiennent des articles de recherche, de synthèse, d'opinions, etc. Les articles de périodiques adoptent généralement une forme standard et abordent les principales étapes du processus de recherche: l'introduction, la méthode, les résultats et la discussion. Les **monographies** sont des livres ou des traités qui présentent des études exhaustives sur un sujet précis. Elles offrent une description écrite d'éléments particuliers d'un sujet donné. Les mémoires de maitrise et les thèses de doctorat sont des exposés écrits des résultats d'un travail de recherche faits en vue de satisfaire aux exigences pour l'obtention d'un diplôme. La thèse de doctorat doit apporter une contribution originale à l'avancement des connaissances. On trouve ces documents dans les bases de données telles que *ProQuest Dissertations and Theses Global* (search.proquest.com/pqdtglobal/index) et *Papyrus*, de l'Université de Montréal (papyrus.bib.umontreal.ca).

Il existe des livres électroniques sur des ouvrages savants (livres ou articles de recherche) que l'on peut consulter en les téléchargeant sur un outil informatique (téléphone intelligent, ordinateur, tablette, liseuse).

5.2.3 L'étendue de la recension des écrits et le temps qui y est alloué

L'étendue de la recension des écrits et le temps qui y est alloué peuvent varier en fonction du choix du sujet, des sources disponibles, du programme éducationnel et de l'expérience du chercheur. Si l'on veut réduire le temps consacré à la recension des écrits, il importe de bien préciser son sujet de recherche pour ainsi avoir accès plus rapidement à l'information désirée. L'étendue d'une recension des écrits, dans

Périodiques scientifiques
Revues dans lesquelles sont publiés des articles ayant fait l'objet d'une évaluation par les pairs.

Monographies
Livres ou traités qui présentent des études exhaustives sur un sujet précis.

un cours de cycle supérieur, sera plus approfondie que dans un cours de premier cycle universitaire. Les apprentis chercheurs sont souvent surpris de constater le nombre d'articles à considérer. En effet, ce nombre est difficile à évaluer, puisque cela dépend principalement de la nature de la question. Ainsi, dans le cas d'une question exploratoire ou descriptive, dont le sujet a suscité moins d'études, la quantité d'articles à examiner pourra ne pas être très élevée comparativement à ceux associés à des questions qui ont fait l'objet de plusieurs études.

5.3 La démarche dans la conduite de la recherche documentaire : les étapes à parcourir

Pour trouver la documentation et recenser les écrits sur un sujet d'étude, il faut procéder à une **recherche documentaire**, habituellement informatisée, qui donne accès à divers documents. La recension des écrits comporte deux volets : la recension initiale et la recension approfondie. La recension initiale permet de préciser la question de recherche en acquérant une base sommaire de connaissances qui aide à décider si l'on conservera ou non le sujet choisi. On commence par déterminer les sources d'information pertinentes à son sujet et à se familiariser avec les outils de repérage. La recension approfondie des écrits suppose une lecture critique de l'ensemble des publications sélectionnées. Que l'on soit étudiant ou chercheur, le but de la recherche documentaire est le même ; il consiste à élaborer une stratégie de recherche qui permet d'accéder à autant d'écrits pertinents pour documenter son sujet d'étude. Les grandes bibliothèques fournissent l'accès à de vastes bases de données électroniques couvrant un large spectre de publications nationales et internationales et accessibles aux utilisateurs. Pour conduire une recherche documentaire, il est suggéré de suivre une série d'étapes explicitées ci-après.

> **Recherche documentaire**
> Ensemble des étapes menant à l'obtention d'informations sur un sujet donné.

Comme le montrent les étapes résumées dans cette section et dans la figure 5.1, il y a lieu de préciser le sujet d'étude, de dégager les concepts et de trouver les termes de recherche correspondants. Par la suite, il s'agit de choisir et de repérer les sources de données appropriées ainsi que les bases de données permettant de trouver les sources primaires disponibles sur le sujet d'étude.

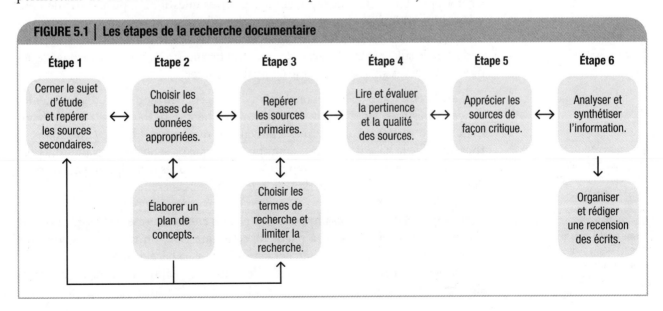

FIGURE 5.1 | Les étapes de la recherche documentaire

Étape 1	Étape 2	Étape 3	Étape 4	Étape 5	Étape 6
Cerner le sujet d'étude et repérer les sources secondaires.	Choisir les bases de données appropriées.	Repérer les sources primaires.	Lire et évaluer la pertinence et la qualité des sources.	Apprécier les sources de façon critique.	Analyser et synthétiser l'information.
	Élaborer un plan de concepts.	Choisir les termes de recherche et limiter la recherche.			Organiser et rédiger une recension des écrits.

Enfin, après avoir sélectionné les références, il convient d'en faire une lecture critique et d'en évaluer la qualité et la pertinence, d'analyser et de synthétiser l'information avant de rédiger une recension des écrits.

5.3.1 La définition du sujet de recherche et la précision de la question (étape 1)

Un sujet de recherche peut être exploité sous divers aspects. Tout d'abord, il importe de bien le cerner, de le préciser et d'en dégager toutes les facettes. À cette fin, on peut avoir recours à des sources secondaires telles que les bibliographies spécialisées, qui établissent ce qui a été écrit sur un sujet, et les encyclopédies, qui retracent l'origine de certains phénomènes sociaux et qui constituent donc un excellent point de départ. Une autre approche pour cibler les sources secondaires consiste à utiliser des index et des bases de données, dont la plupart fournissent des résumés de livres, de chapitres de livres, etc.

Cette étape permet au chercheur d'acquérir une base de connaissances qui l'aide à préciser la question de recherche en tenant compte des aspects qui ont été peu étudiés et leurs caractéristiques. Si le sujet est bien précisé, la question permettra de mettre en évidence ses divers aspects et ainsi d'orienter le choix des bases de données documentaires.

> Si le sujet est bien précisé, la question permettra de mettre en évidence ses divers aspects et ainsi d'orienter le choix des bases de données documentaires.

Le chercheur peut se poser certaines questions pour l'aider à cerner son sujet telles que : « Quels sont les groupes particuliers concernés par la question ? » ; « Qu'est-ce qui a été publié sur le sujet ? » ; « Les résultats de la recherche sont-ils reconnus ? » ; « Quels sont les principaux concepts étudiés et leurs caractéristiques ? » ; « Quelles relations ont été examinées ou vérifiées entre les concepts ? » ; « Quelles sont les théories utilisées ? » Par exemple, une chercheuse qui serait préoccupée par le taux élevé d'avortements thérapeutiques chez les adolescentes voudrait examiner les raisons qui motivent celles-ci à ne pas faire usage de la contraception. Elle pourrait découvrir, en procédant à une recherche initiale des publications, que ces raisons ont déjà été répertoriées et décider d'abandonner le sujet. Cependant, elle pourrait formuler d'autres questions appuyées par de nouvelles informations et réorienter sa recherche. Elle pourrait aussi découvrir que les informations sur la question sont lacunaires et décider de conserver son sujet de départ. Si le sujet est bien précisé, la question permettra de mettre en évidence ses divers aspects et ainsi d'orienter le choix des sources.

C'est à cette étape que s'élabore le plan de concepts qui consiste à déterminer les concepts pertinents qui décrivent le sujet de recherche, à dresser la liste des synonymes (mots clés) ou des termes équivalents recherchés (descripteurs) dans le **thésaurus** de la base de données approprié. Chaque base de données indexée possède son propre thésaurus qui fournit les mots clés ou les **descripteurs** correspondants aux concepts contenus dans la question de recherche. Supposons que l'on veuille documenter la question de recherche suivante : « La participation des personnes âgées à des activités physiques a-t-elle un effet sur leur état de santé ? » Pour élaborer le plan de concepts à partir de cette question, on utilisera les concepts significatifs de l'énoncé. On cherchera ensuite dans la base de données appropriée les termes de la recherche, c'est-à-dire les mots, les expressions ou les concepts significatifs tels que « personnes âgées », « activités physiques » et « état de santé ».

Thésaurus
Répertoire des mots et des expressions utilisés pour indexer des documents.

Descripteur
Terme retenu dans le thésaurus d'une base de données pour exprimer un sujet.

Pour interroger les bases de données, il faut traduire les termes en anglais. Après avoir sélectionné les mots clés appropriés, on les relie à l'aide d'opérateurs logiques (opérateurs booléens).

Les mots ou les expressions de recherche sont liés aux **opérateurs logiques** ET, OU, SAUF (AND, OR, NOT en anglais), lesquels permettent de lier les concepts entre eux et de préciser la recherche. Selon la logique booléenne, ET permet de repérer seulement les documents qui ont comme descripteurs les termes choisis (« activité physique ET état de santé ET personnes âgées »). L'opérateur logique OU élargit la recherche en repérant seulement les documents qui ont pour descripteur l'un ou l'autre des mots choisis (« activité physique OU exercice »). Les termes liés par OU sont généralement synonymes ou équivalents. L'opérateur SAUF permet d'exclure un terme de la recherche pour repérer les articles qui ont pour descripteur uniquement les termes qui précèdent cet opérateur (« activité physique SAUF natation »). Il limite donc la quantité de résultats. Pour mieux comprendre les étapes de la recherche documentaire et le fonctionnement de la structure logique, on peut consulter sur le Web les capsules de formation documentaire proposées par des bibliothèques postsecondaires[1].

Opérateurs logiques
Termes (ET, OU, SAUF ; AND, OR, NOT) qui servent à unir des mots clés dans un repérage documentaire.

5.3.2 Le choix des sources documentaires (étape 2)

Une fois précisés le sujet et l'angle sous lequel il sera abordé, on choisit les sources d'information et l'on détermine les types de documents à consulter. Selon la question de recherche, il est possible de consulter différents types de documents dans sa discipline ou dans des disciplines connexes. La première étape de la recherche documentaire précise que l'on peut consulter certaines sources secondaires, comme les bibliographies spécialisées et les encyclopédies, pour raffiner son problème de recherche. À cette étape-ci de la recension, il peut être indiqué de recourir à des monographies repérées dans le catalogue de bibliothèque, à des articles de périodiques répertoriés dans les bases de données bibliographiques, à des thèses ou à d'autres publications. Pour trouver des références à des livres qui traitent d'une théorie relative au sujet de recherche, il s'agit de lancer une recherche par mots clés ou par auteur dans le catalogue de bibliothèque. La consultation de bases de données se rapportant au sujet permettra d'obtenir des références à des articles de périodiques.

Plusieurs index peuvent être utilisés pour localiser les sources de recherche dans une discipline. Le choix d'un index détermine celui de la base de données (*voir le tableau 5.1, à la page 83*) et par conséquent des sources. Après avoir sélectionné la base de données appropriée, la recherche se fait à l'aide de mots clés ou de descripteurs dans le thésaurus. Celui-ci indique aussi les termes qui sont étroitement liés aux descripteurs et qui peuvent être utilisés pour élargir la recherche. Les mots clés ou les descripteurs associés à la question de recherche sur l'effet de la participation de personnes âgées à des activités physiques sur leur état de santé, énoncée à la première étape, sont les suivants : « activité physique », « personnes âgées », « état de santé ». Il est préférable de commencer la recherche par des termes précis et, le cas

....

1. www.infosphere.uqam.ca/boite-outils/capsules ; www.youtube.com/user/BibliothequesUdeM/videos.

échéant, de l'élargir en utilisant des termes apparentés. Pour repérer les sources d'information, il faut se familiariser avec les outils de repérage, dont les principaux sont les catalogues de bibliothèques, les bases de données bibliographiques, les outils de métarecherche et l'Internet.

Le catalogue de bibliothèque

Catalogue de bibliothèque
Liste descriptive de tous les documents que contient une bibliothèque.

Le **catalogue de bibliothèque** est la liste descriptive de tous les documents que contient une bibliothèque. C'est le meilleur outil pour repérer les monographies, les titres de périodiques, les publications gouvernementales, les mémoires et les thèses. D'utilisation facile, le catalogue comporte différents modes de classement pour le repérage de documents : par auteur, par titre, par sujet, par collection ou par éditeur. La recherche par auteur peut se faire par mots clés ou en parcourant l'index des auteurs. La recherche par titre peut se faire à l'aide de mots clés ou de l'index des titres. La recherche par sujet revêt un grand intérêt pour la recherche documentaire. Elle peut s'effectuer par mots clés, par descripteurs ou par vedettes-matières. Le menu d'accueil permet de choisir le mode de classement et la clé de recherche.

Les bases de données bibliographiques

Base de données
Système organisé permettant de repérer des références à des documents, le plus souvent des articles de périodiques.

Les **bases de données** sont des systèmes organisés qui donnent accès à une information ou à un contenu particulier. Les bases de données bibliographiques sont des index électroniques ou imprimés qui permettent de repérer des références à des documents, le plus souvent des articles de périodiques. Certaines bases de données sont assorties de répertoires analytiques (résumés). Dans certains cas, on y trouve le texte intégral des documents. L'interrogation dans les bases de données peut se faire selon un certain nombre de choix : auteur, titre, sujet, collection ou mot clé. À partir d'un menu, l'information demandée apparait immédiatement à l'écran et peut être imprimée. Dans chaque bibliothèque collégiale ou universitaire, il y a au moins un serveur (Ovid, EBSCOhost, ProQuest) qui permet l'accès aux bases de données et à un logiciel désigné à cette fin, d'utilisation conviviale. Par exemple, à l'Université de Montréal, le répertoire Maestro contient l'ensemble des bases de données de cet établissement.

Index de périodiques
Liste disponible dans des bases de données et qui constitue un guide efficace pour répertorier des revues scientifiques ou professionnelles.

Les **index de périodiques** sont des listes disponibles dans des bases de données, et ils constituent des guides efficaces pour répertorier des revues scientifiques ou professionnelles. Le tableau 5.1 fournit une description de quelques bases de données bibliographiques couramment utilisées. Chaque base de données indexée possède son propre thésaurus qui fournit les mots clés ou les descripteurs correspondants aux concepts contenus dans la question de recherche. On choisit au moins un mot clé pour chaque concept. La liste des synonymes facilite la recherche d'information portant sur le sujet d'étude. Par exemple, si la base de données choisie est CINAHL, on utilisera le thésaurus *CINAHL Subject Headings* ; pour interroger la base de données PsycINFO, la recherche par sujet se fera au moyen du thésaurus *Psychological Index Terms*. Les principales bases de données électroniques dans le domaine de la santé sont CINAHL (*Cumulative Index to Nursing and Allied Health Literature*) et MEDLINE.

TABLEAU 5.1 | Quelques bases de données bibliographiques

Nom de la base de données[1]	Description
CINAHL (*Cumulative Index to Nursing and Allied Health Literature*)	Recension d'articles de périodiques traitant des sciences.
MEDLINE	Base de données bibliographiques en sciences de la santé : médecine, sciences infirmières, santé publique, etc. Créée par le *U.S. National Library of Medecine*. Utilise les termes *du Medical Subject Headings* (MeSH).
Cochrane Database of Systematic Reviews	Base de données factuelles sur les effets des soins de santé. Fait partie de la Cochrane Library.
PubMed	Base de données en sciences biomédicales. Fournit des liens vers des références d'autres articles qui se rapprochent du sujet sélectionné. Donne un accès gratuit à MEDLINE.
PSYCHArticles	Base de données qui procure un accès à tous les périodiques de l'American Psychological Association (APA).
Academic Search Complete	Base de données multidisciplinaire qui donne accès à des périodiques en texte intégral.
ERIC (*Educational Resources Information Center*)	Index et résumés sur des sujets liés à l'éducation et à des domaines connexes.
Francis	Base de données multidisciplinaire et multilingue en sciences humaines et sociales. Créée par l'Institut de l'information scientifique et technique du Centre national de la recherche scientifique (Inist-CNRS)
Embase	Base de données médicales orientées vers la pharmacologie et la toxicologie.

1. Les bases de données sont classées selon leur ordre d'importance ou d'utilisation pour la discipline infirmière.

La base de données CINAHL CINAHL répertorie plus de 2 700 périodiques traitant des sciences infirmières et des sciences connexes de la santé. On y trouve divers types de publications parues depuis 1982, dont des articles de périodiques, des chapitres de livres, etc. CINAHL existe également sous forme d'index de périodiques (en version imprimée). Outre l'information bibliographique, on trouve sur CINAHL un grand nombre de résumés d'articles de périodiques. Il est possible d'accéder au texte complet de plus de 700 articles de périodiques.

CINAHL
Base de données qui répertorie des périodiques traitant des sciences infirmières et des sciences connexes de la santé.

La base de données CINAHL est indexée au moyen d'un thésaurus, le *CINALH Subject Headings*. Celui-ci renferme la liste des mots clés servant à décrire les sujets des documents trouvés dans la base données. La recherche se fait généralement par sujet à partir du thésaurus. Pour que la recherche dans cette base de données soit fructueuse, on doit faire usage des expressions ou des termes précis utilisés pour décrire les sujets. Ces mots clés se nomment « descripteurs du thésaurus », lequel regroupe l'ensemble des descripteurs. Ils sont qualifiés de contrôlés, parce qu'ils représentent toujours la même réalité. Une liste annotée alphabétique et une structure arborescente permettent de trouver les descripteurs. Pour lancer la recherche dans la base de données CINAHL, il suffit de saisir un descripteur qui reflète le sujet d'étude. Une fenêtre affichera la liste des descripteurs contenant le mot clé recherché.

La base de données MEDLINE MEDLINE est une base de données internationale en sciences de la santé. Elle intègre les titres contenus dans l'*Index Medicus* (IM), l'*International Nursing Index* (INI) et l'*Index to Dental Literature* (IDL). L'*Index Medicus* inclut des résumés d'articles publiés en sciences infirmières. On peut avoir accès à la

MEDLINE
Base de données internationales en science de la santé.

base de données MEDLINE par un serveur ou directement dans Internet par PubMed à l'adresse URL suivante : www.ncbi.nlm.nih.gov/pubmed. L'indexation est effectuée au moyen d'un thésaurus, le MeSH (*Medical Subject Headings*). La recherche sur MEDLINE se fait de la même façon que sur CINAHL : on cherche des descripteurs du thésaurus en utilisant la liste alphabétique annotée et la structure arborescente.

La métarecherche

La **métarecherche** donne la possibilité de trouver des documents dans plusieurs bases de données et catalogues en une seule requête. Les outils de métarecherche sont disponibles dans les grandes bibliothèques (p. ex. Maestro à l'Université de Montréal, Virtuose à l'Université du Québec à Montréal [UQAM]). À partir d'une interface unique, on peut faire des recherches dans plusieurs outils en même temps. Les résultats sont présentés en une seule liste.

L'Internet

On peut aussi utiliser Internet pour la recherche de documents, puisqu'il donne accès à des bases de données. Le Web est une des applications d'Internet, comme le sont le courrier électronique, la messagerie, etc. Le Web, aussi appelé « Toile », est un système hypermédia d'accès à l'information sous diverses formes (texte, son, graphique, image fixe ou animée) qui permet de consulter cette information à l'aide d'un fureteur (p. ex. Internet Explorer, Mozilla Firefox, Google Chrome). Le Web donne accès à une information variée et multiple : informations factuelles, références à des textes d'opinions ou d'analyses de documents sonores ou audiovisuels et documents gouvernementaux. La qualité de l'information étant inégale dans Internet, il faut être prudent dans l'utilisation des documents et évaluer les informations trouvées. Il est possible de repérer des catalogues de bibliothèque, des bases de données et de l'information provenant d'organismes gouvernementaux et internationaux. Les outils de recherche disponibles sur le Web sont les répertoires, les moteurs de recherche et les métamoteurs. Ils permettent de naviguer par sujet dans les listes des ressources. Chaque domaine ou catégorie est localisé à l'intérieur d'une hiérarchie de sujets. Les répertoires sont des catalogues de sites qui classent les ressources en catégories et en sous-catégories ; ils peuvent être généraux (*Academic Info*), régionaux ou spécialisés par sujet.

Les **moteurs de recherche** sont des logiciels qui permettent de consulter d'immenses bases de données constituées de robots qui balaient automatiquement le Web et qui saisissent l'information de chaque page visitée. Ils indexent en partie son contenu et enregistrent les données des pages consultées. La stratégie de recherche à adopter consiste à déterminer des concepts, à trouver des mots clés et à associer les concepts aux opérateurs logiques. Certains moteurs fournissent de l'information savante, comme Google Scholar, Scirius (*Scientific Information only*). Dans les références bibliographiques d'une publication, on indique l'adresse URL et la date de consultation du site, le cas échéant.

Les métamoteurs sont des logiciels qui permettent d'effectuer des recherches dans plusieurs outils en même temps (p. ex. un catalogue, une base de données), ce qui permet de trouver des documents dans plusieurs bases de données en faisant une seule requête. On peut consulter les modules de formation pour la recherche sur les métamoteurs, comme InfoSphère, un tutoriel conçu par l'UQAM ; il existe en version adaptée par la plupart des universités du Québec.

Métarecherche
Recherche qui permet de trouver des documents dans plusieurs bases de données en une seule requête.

Moteur de recherche
Logiciel qui permet de consulter d'immenses bases de données constituées de robots qui balaient automatiquement le Web et qui saisissent l'information de chaque page visitée.

5.3.3 Le repérage des sources de données appropriées (étape 3)

Localiser des documents sur un sujet est une démarche importante qui nécessite une connaissance des différents outils de repérage. La recherche de la documentation sur le sujet choisi se fait après avoir déterminé quelles bases de données utiliser. La plupart des bases de données fournissent des résumés d'articles dans lesquels on trouve les mots clés permettant de se faire une idée du contenu et de juger si l'information est liée au sujet d'étude. Si l'information s'avère pertinente, il convient de la sauvegarder d'une manière systématique selon le style qu'on prévoit utiliser dans la liste des références (p. ex. celui de l'APA). On peut aussi avoir recours à des logiciels de gestion des références bibliographiques tels que EndNote ou Zotero. Ces logiciels importent des références à partir des bases de données électroniques. Selon la stratégie de recherche par sujet, on choisit des mots clés et des expressions de recherche appropriés. Quels sont les termes les plus importants pour obtenir des références utiles à la conceptualisation du problème ? Dans le cas de la question traitant de l'effet de la participation à des activités physiques sur l'état de santé des personnes âgées, on utilisera la base de données CINAHL. Pour trouver des mots clés et des synonymes, on est amené à considérer les termes « activité physique », « personnes âgées », « état de santé », dont les termes recherchés en langue anglaise sont *physical activity or exercise, elderly or aged, health*. Puisque ce sujet comporte trois descripteurs, l'utilisation d'opérateurs logiques rend la recherche plus complexe.

La plupart des recherches doivent être organisées de manière à dégager un nombre raisonnable de références qui semblent étroitement liées au sujet ou au problème de recherche. La façon la plus courante de délimiter la recherche est d'utiliser l'opérateur logique ET. Celui-ci réduit le volume de résultats, le système se limitant aux entrées catégorisées par les descripteurs indiqués. Par exemple, une recherche effectuée à l'aide des descripteurs *physical activity* AND *health* fournira moins de références que si le descripteur est simplement *physical activity*. Si l'on ajoute un troisième descripteur, AND *aged or elderly,* le nombre de références sera encore plus réduit. Ainsi, les résultats obtenus dans l'ordre pour les trois descripteurs pris séparément donnent respectivement les résultats 45 018, 24 535 et 4 666 entrées. Lorsqu'ils sont combinés et qu'on applique comme limite les années de publication, on obtient 13 entrées ou références (recherche effectuée le 30 janvier 2014).

Le logiciel fournit des options pour restreindre ou élargir la recherche. Si la recherche produit moins de références, il est possible de la reprendre à l'aide de descripteurs apparentés. À l'inverse, l'opérateur OU permet d'élargir la recherche. Par exemple, avec les descripteurs combinant les opérateurs OU et ET, comme « activité physique OU exercice ET état de santé ET personnes âgées », on obtiendra une liste d'articles qui contiennent soit l'activité physique, soit l'exercice et les autres descripteurs (état de santé et personnes âgées). La consultation d'autres bases de données et index permettra d'élargir le processus.

Si le périodique convoité n'est pas disponible en ligne ou en bibliothèque, on peut avoir recours au prêt entre bibliothèques. Celles-ci constituent la principale ressource en matière de consultation des documents. La recension des écrits étant au cœur de la conceptualisation et de l'organisation systématique de toute recherche, il est essentiel de procéder de façon méthodique à la localisation des documents et à leur sauvegarde, pour en retirer le plus de bénéfices possible.

5.3.4 La lecture et l'évaluation de la qualité et de la pertinence des sources (étape 4)

Après avoir choisi et localisé l'information, il importe d'en faire la lecture approfondie. Celle-ci consiste en une lecture critique de l'ensemble des publications pertinentes existant sur un sujet. La stratégie de recherche peut conduire à la découverte d'un grand nombre de travaux scientifiques ou de publications sur le sujet d'étude. Il importe de considérer les travaux qui traitent de sujets analogues et qui ont été menés auprès de la même population, les travaux qui cernent les concepts en jeu et les relations qui les unissent, les travaux qui emploient des méthodes convenant à la question de recherche et ceux qui décrivent des modèles conceptuels ou théoriques susceptibles d'être appliqués dans l'étude que l'on s'apprête à entreprendre.

Une fois qu'on a obtenu un article donné, on procède par étapes: lecture du résumé; exploration du contenu, pour déterminer s'il convient bien au sujet et s'il répond à des critères de qualité; examen des sources, afin d'évaluer si l'information recueillie est crédible et apparait pertinente au regard du sujet de recherche. La qualité de l'information a trait à certaines caractéristiques telles que la fiabilité des sources, la réputation des auteurs (la renommée de l'auteur aide à juger de la fiabilité de l'information), l'actualité et l'exactitude de l'information. Dans certains cas, la fiabilité est déjà démontrée par l'évaluation des manuscrits qu'ont faite les éditeurs de maisons d'édition reconnues et le comité de pairs mandaté par la revue. Par ailleurs, l'information recueillie dans Internet incite davantage à faire preuve de vigilance et à s'interroger sur la fiabilité des documents trouvés. L'information est exacte si elle s'appuie sur des faits clairs et démontrés; elle est actuelle si elle présente des données à jour. Le choix des documents doit se faire non seulement en fonction de la qualité, mais aussi de la pertinence des sources. Celle-ci se vérifie lorsque l'information recueillie est appropriée au sujet de recherche. Ainsi, les documents répertoriés ne seront pas tous pertinents au sujet, et certains seront éliminés. Il arrive en effet que certains titres soient trompeurs et que des articles n'aient pas la rigueur souhaitée. Il faut alors faire le tri de cette documentation et ne conserver pour la rédaction que les études représentatives du problème de recherche.

Comprendre une publication de recherche, c'est être capable de dire de quoi il est question, de puiser des informations pertinentes à son sujet d'étude et de mettre en rapport les différentes sections. Pour faire une lecture efficace d'une publication, il est suggéré de recourir aux annotations dans les marges, de souligner les passages d'intérêt par des accolades ou de surligner l'information utile. La méthode la plus courante pour extraire et noter l'information consiste en la confection de fiches de lecture pour chaque publication et d'un plan de présentation détaillé des grandes sections d'un rapport de recherche. On peut aussi adopter la méthode des matrices. Cette méthode représente à la fois une structure et un processus de recension systématique des écrits. Elle permet de créer une structure pour consigner toutes les sources documentaires recensées (Garrard, 2011). Une matrice prend la forme d'un tableau rectangulaire dans lequel on dispose un certain nombre de rangées et de colonnes. Par exemple, dans les rangées, on peut inscrire les articles de périodiques et dans les colonnes, les thèmes utilisés pour résumer chacun des documents recensés, comme le montre l'exemple du tableau 5.2. On peut aussi inclure des aspects méthodologiques

> Comprendre une publication de recherche, c'est être capable de dire de quoi il est question, de puiser des informations pertinentes à son sujet d'étude et de mettre en rapport les différentes sections.

dans les colonnes tels que le type de variables, le nombre de participants, le type d'échantillonnage, les instruments de mesure, etc.

Faire une recension approfondie des écrits, c'est aussi prendre en compte les diverses études qui indiquent chacune à leur manière l'avancement des connaissances sur un sujet en particulier. Les recherches peuvent avoir pour but la découverte et la description de phénomènes, de concepts ou de populations, l'explication ou la prédiction de relations ou de différence entre les groupes. Ces recherches constituent des niveaux différents qui servent à déterminer l'état des connaissances sur un sujet. Il faut donc pouvoir établir si les concepts ont été explorés ou décrits, s'ils ont été mis en relation avec d'autres concepts ou s'ils ont été expliqués ou prédits.

TABLEAU 5.2	Exemple d'une matrice de recension			
Auteur, titre périodique	**Année**	**But de l'étude**	**Type de l'étude**
Rankin, B. Intelligence émotionnelle *Journal of Advanced Nursing*	2013	Vérifier la relation prédictive entre l'intelligence émotionnelle et la performance scolaire chez des étudiants au baccalauréat.	Étude prédictive corrélationnelle

5.3.5 L'appréciation de façon critique des publications de recherche (étape 5)

C'est par l'appréciation critique que l'on peut déterminer la valeur d'une source pour une étude en particulier. L'apprentissage de la recherche comporte la dimension critique d'études de manière à renforcer la compréhension de divers aspects d'une publication. Lorsqu'on critique une publication de recherche, on doit s'interroger sur la pertinence du problème de recherche pour sa discipline, sur la valeur de ses bases théoriques et empiriques, sur les enjeux éthiques, sur la méthode utilisée, sur la validité des résultats et sur la justesse des conclusions.

L'appréciation critique des publications

L'appréciation critique des publications de recherche comporte différents niveaux de réflexion et de raisonnement selon les connaissances et l'expérience du lecteur et selon les modes d'application : lecture critique, analyse critique ou amalgame des deux. La plupart des écrits sur le sujet ne séparent pas toujours les divers sens du mot « critique ». Par exemple, Fillastre et Colin (2001) distinguent « analyse critique » et « lecture critique » en tant que modes d'appréciation des travaux. Ils précisent que l'analyse critique d'articles relève d'experts qui, par exemple, sont chargés d'évaluer des articles soumis à des revues scientifiques. Selon eux, « [l']analyse critique est un travail qui exige une grande connaissance du sujet, de solides bases méthodologiques, une expérience clinique de longue date, une grande rigueur de raisonnement et un souci constant d'avoir un niveau de preuve suffisant » (p. 197). Les auteurs soutiennent qu'en raison de ces exigences, l'analyse critique convient peu à des étudiants de premier cycle universitaire. Ils préconisent plutôt la lecture critique, qui peut être intégrée très tôt à un programme de formation.

Il est hors propos de discuter dans ces pages de la critique faite par des personnes expertes dans le domaine et qui sont en mesure de fournir une analyse détaillée de chacune des étapes du processus de recherche. On n'attend pas de l'apprenti chercheur qu'il réalise une critique exhaustive avec autant de compétence que des personnes expérimentées. Il doit plutôt viser à choisir judicieusement les articles pertinents et de qualité pouvant documenter son sujet de recherche, de pouvoir dire pourquoi il a choisi tel article et comment il l'utilisera dans sa recherche. Même si la critique n'est pas exhaustive au début, elle permet néanmoins à l'apprenti chercheur de se faire une opinion sur l'état des publications de recherche, sur les étapes de réalisation des études, sur les interprétations qui se dégagent des résultats et sur les orientations à prendre dans la documentation de son projet de recherche personnel. Ce niveau de critique permet également de reconnaitre les travaux qui ont une valeur significative du point de vue des données probantes et de leurs possibilités d'application dans la pratique clinique.

La lecture critique

La lecture critique désigne ici l'habileté à comprendre le contenu d'un texte de recherche en exerçant son sens critique. Pour comprendre une publication de recherche, il faut être capable de saisir l'intention de l'auteur et la perspective selon laquelle il a orienté son étude. La lecture critique suppose donc l'examen de la manière dont l'étude a été conçue et réalisée ainsi que de l'interprétation qui a été donnée des résultats. En plus des éléments de compréhension, on trouvera dans la lecture critique des éléments d'analyse. L'analyse critique est plus exigeante ; elle consiste à décomposer un texte en ses éléments essentiels afin d'en saisir les liens logiques et de porter un jugement sur la valeur globale de l'étude en s'inspirant de critères explicites. Les forces et les faiblesses reconnues sont relevées pour chacune des étapes du processus de recherche.

> Pour comprendre une publication de recherche, il faut être capable de saisir l'intention de l'auteur et la perspective selon laquelle il a orienté son étude.

Les données probantes issues de la recherche sont les informations généralement obtenues par l'évaluation critique de publications scientifiques. La recension des écrits est le véhicule privilégié pour relever, dans les études pertinentes, l'information factuelle susceptible de mener à des prises de décisions éclairées pour la pratique clinique. Examiner les publications de manière critique demande une certaine habileté afin d'être en mesure d'évaluer quelles sont les meilleures recherches possible ou les meilleures informations disponibles à l'appui des interventions et des pratiques exemplaires pour les clientèles. Les meilleures informations possible, ou les preuves, peuvent provenir de diverses méthodes servant à recenser les écrits. À cet égard, Whittemore (2005) mentionne la recension intégrative, la métaanalyse et la métasynthèse qualitative.

La lecture critique, principalement associée au niveau de la compréhension d'un texte et à certains éléments d'analyse, semble convenir à l'apprenti chercheur. Elle requiert de sa part une capacité de pensée critique et de raisonnement ainsi qu'une connaissance suffisante du processus de recherche. La lecture critique, tout comme l'analyse critique, sollicite la capacité du lecteur de trouver des réponses aux questions qu'il se pose en examinant une publication scientifique. C'est la nature de l'interrogation qui détermine en quelque sorte le niveau de complexité de la critique et, par conséquent, le niveau d'habileté du lecteur pour réaliser la critique. À cet égard, ce chapitre suggère un certain nombre de questions ou de directives pouvant guider la critique des rapports de recherche. Mais avant, et afin de faciliter la lecture des articles, il convient de présenter le format des publications, incluant le contenu des grandes divisions.

> La lecture critique, tout comme l'analyse critique, sollicite la capacité du lecteur de trouver des réponses aux questions qu'il se pose en examinant une publication scientifique.

Le format des publications scientifiques

Les publications de recherche comprennent en général quatre grandes divisions apparentées aux principales phases du processus de recherche. À part le titre, le résumé et les références, on trouve l'introduction, la méthode, les résultats et la discussion. Chaque section comprend souvent des sous-sections. La liste qui suit présente les éléments essentiels qui constituent les articles de recherche.

- Le titre reflète le contenu de l'article. C'est souvent en se fondant sur le titre que le lecteur décidera de retenir ou non l'article pour documenter son sujet. Le titre indique souvent de quel type d'étude il est question.

- Le résumé fournit un aperçu global de la recherche et indique les points saillants des quatre divisions. Il comporte rarement plus de 200 mots et est placé après le nom des auteurs.

- L'introduction expose le problème à l'étude, le situe dans un contexte des connaissances empiriques et théoriques et en détermine l'issue par l'énoncé du but, des questions ou des hypothèses. Dans la recherche qualitative, on met en évidence le phénomène à l'étude et la perspective philosophique qui détermine la question de recherche.

- La méthode décrit la manière dont l'étude a été planifiée et conduite, précise en quoi consistent le devis, l'échantillonnage, les méthodes de collecte et d'analyse des données ainsi que les procédés suivis pour préserver les droits des participants pendant le déroulement de l'étude. Dans la recherche qualitative, l'accent porte sur la compréhension du phénomène. On décrit le milieu naturel, le rôle du chercheur, le processus de sélection des participants et l'on précise les modes de collecte des données ainsi que les techniques d'analyse qualitative pour dégager des tendances, des thèmes ou des significations.

- Les tableaux et les figures résument les résultats issus de l'application des méthodes de collecte des données et du traitement statistique auxquelles celles-ci ont été soumises. Dans la recherche qualitative, les résultats clarifient le phénomène à l'étude, résument l'information recueillie sur les croyances et les expériences des participants par des mots clés tels que catégories, thèmes et concepts. La présentation des résultats est narrative.

- La discussion rend compte des résultats relatifs au problème, au cadre de recherche et aux aspects de la méthode. Elle indique si les résultats répondent aux questions de recherche ou confirment les hypothèses. Les lacunes méthodologiques y sont précisées, et les résultats sont comparés à des travaux existants sur le sujet. La discussion dans la recherche qualitative clarifie dans un nouvel énoncé la nature du problème initial et décrit la façon dont les résultats et les analyses ont contribué à le reformuler. Elle permet de dégager l'incidence des résultats sur des recherches futures et de formuler des conclusions.

- Les références contiennent la liste des sources citées dans l'article et disposées selon un ordre de présentation.

Les guides pour la critique des publications scientifiques

Une fois qu'il a lu soigneusement la publication de recherche, le lecteur peut se référer aux questions guides énumérées dans les tableaux 5.3 et 5.4, aux pages suivantes, pour rédiger sa critique selon qu'il s'agit d'une étude quantitative ou qualitative. Ces directives fournissent un canevas servant à guider l'apprenti chercheur dans sa démarche d'appréciation critique des publications de recherche. La colonne de gauche présente les éléments d'évaluation qui caractérisent les principales étapes de la recherche à évaluer et renvoie aux divers encadrés sur la critique contenus dans l'ouvrage. La colonne de droite propose une série de questions qui se rapportent à une publication de recherche quantitative ou qualitative.

TABLEAU 5.3 | Un guide pour la critique d'une publication de recherche quantitative

Éléments d'évaluation (avec indication des encadrés correspondants)	Questions fondamentales à poser pour faire une critique des publications de recherche
TITRE	• Le titre précise-t-il clairement les concepts clés et la population à l'étude ?
RÉSUMÉ	• Le résumé synthétise-t-il clairement les grandes lignes de la recherche : problème, méthode, résultats et discussion ?
INTRODUCTION	
Énoncé du problème de recherche (*voir l'encadré 7.1, à la page 128*)	• Quel est le problème ou le sujet de l'étude ? Est-il clairement formulé ? • Le problème est-il justifié dans le contexte des connaissances actuelles ? • Le problème a-t-il une signification particulière pour la discipline concernée ?
Recension des écrits (*voir l'encadré 5.1, à la page 96*)	• Les travaux de recherche antérieurs sont-ils pertinents et rapportés de façon critique ? • La recension fournit-elle une synthèse de l'état de la question par rapport au problème de recherche ? • La recension s'appuie-t-elle principalement sur des sources primaires ?
Cadre de recherche (*voir l'encadré 6.1, à la page 115*)	• Les concepts clés sont-ils mis en évidence et définis sur le plan conceptuel ? • Le cadre théorique ou conceptuel est-il explicite ou incorporé à la recension des écrits ? Est-il lié au but de l'étude ? • L'absence d'un cadre de recherche est-elle justifiée ?
Questions de recherche ou hypothèses (*voir l'encadré 8.1, à la page 144*)	• Les questions de recherche ou les hypothèses sont-elles clairement énoncées, incluant les variables clés et la population à l'étude ? • Les questions de recherche ou les hypothèses reflètent-elles le contenu de la recension des écrits et découlent-elles logiquement du but ? • Les variables reflètent-elles les concepts précisés dans le cadre de recherche ?
MÉTHODE	
Considérations éthiques (*voir l'encadré 9.1, à la page 161*)	• Les moyens pris pour préserver les droits des participants sont-ils adéquats ? • L'étude a-t-elle été conçue de manière à minimiser les risques et à maximiser les bénéfices pour les participants ?
Population et échantillon (*voir l'encadré 14.3, à la page 279*)	• Quelle est la méthode d'échantillonnage utilisée pour choisir les participants à l'étude ? Est-elle appropriée à l'étude ? • La population visée est-elle définie de façon précise ? L'échantillon est-il décrit de façon suffisamment détaillée • Comment la taille de l'échantillon a-t-elle été déterminée ? Est-elle justifiée sur une base statistique ?
Devis de recherche (*voir les encadrés 12.1 et 13.1, aux pages 240 et 256*)	• Quel est le devis utilisé ? Permet-il d'atteindre le but de l'étude ? • Le devis fournit-il un moyen d'examiner toutes les questions de recherche ou les hypothèses ? • Le choix du devis permet-il de minimiser les obstacles à la validité interne et à la validité externe dans l'étude expérimentale ? • La méthode de recherche proposée est-elle appropriée à l'étude du problème posé ?

TABLEAU 5.3	Un guide pour la critique d'une publication de recherche quantitative (*suite*)
Éléments d'évaluation (avec indication des encadrés correspondants)	**Questions fondamentales à poser pour faire une critique des publications de recherche**
Mesure des variables et collecte des données (*voir les encadrés 15.1 et 16.1, aux pages 309 et 340*)	• Les variables sont-elles définies de façon opérationnelle ? • Les instruments de mesure sont-ils clairement décrits et appropriés (questionnaires, type d'échelles) ? • L'auteur indique-t-il si les instruments de mesure ont été créés pour les besoins de l'étude ou s'ils sont importés ? • La fidélité et la validité des outils de mesure sont-elles évaluées ? Les résultats sont-ils présentés ? Y a-t-il lieu d'améliorer la fidélité et la validité des mesures ?
Conduite de la recherche (*voir l'encadré 16.1, à la page 340*)	• Le processus de collecte des données est-il décrit clairement ? • Les données ont-elles été recueillies de manière à minimiser les biais en faisant appel à du personnel compétent ? • Si l'étude comporte une intervention (variable indépendante), celle-ci est-elle clairement décrite et appliquée de façon constante ?
Analyse des données (*voir les encadrés 19.1 et 20.1, aux pages 406 et 434*)	• Les méthodes d'analyse statistique utilisées sont-elles précisées pour répondre à chaque question ou pour vérifier chaque hypothèse ? • Les méthodes d'analyse statistique utilisées sont-elles appropriées au niveau de mesure des variables et à la comparaison entre les groupes ? • Les facteurs susceptibles d'influer sur les résultats sont-ils pris en considération dans les analyses ?
RÉSULTATS	
Présentation des résultats (*voir l'encadré 21.1, à la page 451*)	• Les résultats sont-ils adéquatement présentés à l'aide de tableaux et de figures ? • Quelles sont les informations présentées dans les tableaux et les figures ? • Les résultats sont-ils significatifs d'un point de vue statistique et clinique ?
DISCUSSION	
Interprétation des résultats (*voir l'encadré 21.1, à la page 451*)	• Les résultats sont-ils interprétés en fonction du cadre de recherche et pour chacune des questions ou des hypothèses ? • Les résultats concordent-ils avec les études antérieures menées sur le même sujet ? • L'interprétation et les conclusions sont-elles conformes aux résultats d'analyses ? • Les limites de l'étude ont-elles été établies ? • Les conclusions découlent-elles logiquement des résultats ? • Quelles sont les conséquences des résultats de l'étude pour la discipline ou la pratique clinique ? • L'auteur fait-il des recommandations pour les recherches futures ?

Plusieurs auteurs ont proposé des lignes directrices desquelles sont inspirées les questions guides du tableau 5.3, entre autres : Clissett (2008) ; Cohen et Crabtree (2008) ; Cronin, Ryan et Coughlan (2008) ; Davies et Logan (2012) ; Polit et Beck (2012).

La recherche qualitative s'appuie sur des bases philosophiques qui peuvent se distinguer de celles des recherches quantitatives ; elles poursuivent des buts qui caractérisent leurs visions et leurs méthodes d'investigation. Voilà pourquoi des questions sont présentées dans une grille critique distincte. La diversité des approches qualitatives permet d'envisager des questions assez générales. Pour la critique qui se rapporte spécialement à la recherche qualitative, on peut consulter les auteurs suivants : Boyd et Munhall (1993) pour la phénoménologie ; Fain (2004, chap. 13) pour l'ethnographie et la théorisation enracinée.

TABLEAU 5.4	Un guide pour la critique d'une publication de recherche qualitative	

Éléments d'évaluation (avec indication des encadrés correspondants)	Questions fondamentales à poser pour faire une critique des publications de recherche
TITRE	• Le titre précise-t-il de façon succincte les concepts clés et la population à l'étude ?
RÉSUMÉ	• Le résumé synthétise-t-il clairement les grandes lignes de la recherche : problème, méthode, résultats et discussion ?
INTRODUCTION	
Problème de recherche (*voir l'encadré, 7.1, à la page 128*)	• Quel est le but de l'étude ? Le phénomène à l'étude est-il clairement défini et placé en contexte ? • Le problème a-t-il une signification particulière pour la discipline concernée ? • Les postulats sous-jacents à l'étude sont-ils précisés ?
Recension des écrits (*voir l'encadré 5.1, à la page 96*)	• L'auteur présente-t-il l'état des connaissances actuelles sur le phénomène ou le problème à l'étude ?
Cadre de recherche (*voir l'encadré 6.1, à la page 115*)	• Les concepts sont-ils définis de façon conceptuelle ? • Un cadre conceptuel a-t-il été défini ? Si oui, est-il justifié et décrit de façon adéquate ? • Les bases philosophique et théorique ainsi que la méthode sous-jacente sont-elles explicitées et appropriées à l'étude ?
Questions de recherche (*voir l'encadré 8.1, à la page 144*)	• Les questions de recherche sont-elles clairement énoncées ? • Traitent-elles de l'expérience des participants, des croyances, des valeurs ou des perceptions ? • Les questions s'appuient-elles sur des bases philosophiques, sur la méthode de recherche sous-jacente ou sur un cadre conceptuel ou théorique ?
MÉTHODE	
Population, échantillon et milieu (*voir l'encadré 14.3, à la page 279*)	• La population à l'étude est-elle décrite de façon suffisamment détaillée ? • La méthode utilisée pour accéder au site ou pour recruter les participants est-elle appropriée ? • La méthode d'échantillonnage utilisée a-t-elle permis d'ajouter des renseignements significatifs et d'atteindre les objectifs ? • La saturation des données a-t-elle été atteinte ?
Devis de recherche (*voir l'encadré 11.1, à la page 203*)	• Quelle est l'approche utilisée pour l'étude ? • L'approche de recherche choisie est-elle conciliable avec les techniques de collecte des données ? • Y a-t-il eu suffisamment de temps passé sur le terrain et auprès des participants ? • La mise en œuvre du devis de recherche sur le terrain a-t-elle favorisé une compréhension progressive de la situation ?
Considérations éthiques (*voir l'encadré 9.1, page 161*)	• Les moyens pris pour préserver les droits des participants sont-ils adéquats ? • L'étude a-t-elle été conçue de manière à minimiser les risques et à maximiser les bénéfices pour les participants ?
Collecte des données (*voir l'encadré 16.1, à la page 340*)	• Les méthodes ou les techniques de collecte des données sont-elles appropriées et convenablement décrites ? • Les questions de recherche ont-elles été bien posées ou les observations du phénomène, bien ciblées ? • Les questions et les observations ont-elles été rigoureusement consignées par la suite ? • Les données recueillies étaient-elles suffisantes et bien étayées ?

TABLEAU 5.4	Un guide pour la critique d'une publication de recherche qualitative (*suite*)
Éléments d'évaluation (avec indication des encadrés correspondants)	**Questions fondamentales à poser pour faire une critique des publications de recherche**
Conduite de la recherche (*voir l'encadré 16.1, à la page 340*)	• Les méthodes et les techniques de collecte des données, ainsi que les procédés d'enregistrement, sont-ils bien décrits et appropriés ? • Les données ont-elles été recueillies de manière à minimiser les partis pris en faisant appel à du personnel compétent ?
Analyse des données (*voir l'encadré 18.1, à la page 379*)	• Le traitement et l'analyse des données qualitatives sont-ils décrits de façon suffisamment détaillée ? • La stratégie d'analyse utilisée convient-elle à la méthode de recherche et à la nature des données ? • Le résumé des résultats est-il compréhensible et met-il en évidence les extraits rapportés ? • Les thèmes font-ils ressortir adéquatement la signification des données ? • Quelles sont les stratégies utilisées pour rehausser la crédibilité des données ? Sont-elles convenables et suffisantes ?
RÉSULTATS	
Présentation des résultats (*voir l'encadré 21.1, à la page 451*)	• Les thèmes ou les modèles sont-ils logiquement associés entre eux afin de bien représenter le phénomène ? • Les figures, graphiques ou modèles résument-ils efficacement les conceptualisations ? • L'auteur a-t-il fait vérifier les données par les participants ou par des experts ?
DISCUSSION	
Interprétation des résultats (*voir l'encadré 21.1, à la page 451*)	• Les résultats sont-ils interprétés dans un cadre de recherche approprié ? • Les résultats sont-ils discutés à la lumière d'études antérieures ? • La question du caractère transférable des conclusions est-elle soulevée ?
Conséquences et recommandations (*voir l'encadré 21.1, à la page 451*)	• L'auteur a-t-il précisé les conséquences des résultats ? • Y a-t-il des recommandations qui suggèrent des applications pour la pratique et les recherches futures ? • Les données sont-elles suffisamment riches pour appuyer les conclusions ?

5.3.6 L'analyse et la synthèse des sources (étape 6)

Dans le contexte d'une recension des publications portant sur un sujet d'étude, l'analyse consiste à faire ressortir les points essentiels relevés dans chacune des sections d'une publication de recherche (introduction, méthode, résultats, discussion) et de les relier afin d'en déduire une interprétation de l'ensemble du texte. Cette étape a été partiellement franchie pendant la lecture critique, au cours de

> L'analyse consiste à faire ressortir les points essentiels relevés dans chacune des sections d'une publication de recherche.

laquelle les principaux éléments des sections ont été examinés et notés. L'étape suivante consiste à analyser l'ensemble des publications pertinentes, à les comparer et à chercher les tendances qui se dégagent, que ce soit sur le plan des perspectives conceptuelles ou théoriques ou encore de la méthode ou des résultats. Le lecteur doit non seulement rendre compte des points communs, mais il doit aussi faire ressortir les points divergents relevés dans les articles. La conception d'une matrice de recension, mentionnée précédemment à l'étape 4, pourrait être utile pour comparer les différentes sections et ainsi discerner plus facilement les ressemblances et les divergences.

Dans la synthèse, le lecteur regroupe les idées tirées de chaque article qui ont une pertinence au regard du sujet d'étude ou du thème général. Il paraphrase le contenu des diverses sources recensées, c'est-à-dire qu'il reformule dans ses propres mots les idées des auteurs de façon claire et concise en vue de faire ressortir l'état des connaissances sur le sujet (Pinch, 1995). Dans tous les cas, le résumé des publications doit permettre de réaliser une synthèse de l'ensemble des éléments relevés. C'est à partir de la synthèse des publications recensées que l'on est en mesure de rédiger la recension des écrits.

> Dans la synthèse, le lecteur regroupe les idées tirées de chaque article qui ont une pertinence au regard du sujet d'étude ou du thème général.

5.4 L'organisation et la rédaction de la recension des écrits

Dans l'organisation des publications de recherche recensées, il importe de savoir quel est l'état des connaissances concernant le sujet d'étude. Une fois que les publications se rapportant au sujet ont été lues, comprises, analysées et synthétisées, l'information doit être intégrée dans un texte final appelé «recension des écrits». Ce texte peut faire partie de l'introduction dans une publication de recherche. Rédiger une recension des écrits, c'est écrire un texte qui en résume plusieurs autres traitant du même sujet et établir les liens qu'ils ont en commun. Toutefois, avant de rédiger la recension des écrits, il faut établir un plan ou une structure, choisir le contenu et adopter un style approprié. Comme le soulignent à juste titre Tremblay et Perrier (2006): «On ne commence pas à écrire un texte sans en avoir une vision d'ensemble […].» (p. 69) De même, il faut être au fait des grandes lignes du contenu d'un paragraphe avant d'en amorcer la rédaction. On peut considérer trois sections principales dans une recension des écrits: 1) l'introduction, qui fournit les thèmes à traiter; 2) l'analyse ou le développement (corps du texte), qui comporte l'information théorique et l'information empirique; et 3) la conclusion, qui lie l'étude à l'état actuel des connaissances.

5.4.1 L'introduction

L'introduction présente le but de l'étude, indique les thèmes à traiter et rapporte les données qui se rattachent au problème de recherche. Cette section est généralement brève et vise à capter l'intérêt du lecteur.

5.4.2 L'analyse ou le corps du texte: l'information théorique et l'information empirique

Le développement, qui est la partie importante de la recension des écrits, présente les résultats de la recherche documentaire et discute de ceux-ci. On cherche à intégrer l'information retenue. L'information théorique comprend les concepts, les modèles, les théories ou les cadres conceptuels qui justifient le but de l'étude. On définit les concepts, établit les liens qui existent entre eux de manière à démontrer l'importance des assises théoriques dans le contexte de la recherche. L'information empirique regroupe la synthèse des publications portant sur des recherches empiriques. La recension des écrits peut être organisée de manière à grouper les études qui ont traité de sujets similaires. Les études peuvent être classées selon la date de publication. Celles qui sont indirectement liées au sujet peuvent faire l'objet d'un résumé. Si des résultats similaires se présentent dans plusieurs articles, il est suggéré de grouper ceux-ci et de résumer les résultats. Si l'étude a pour point de départ une préoccupation clinique ou sociale, on présentera la synthèse des études recensées en faisant ressortir les forces et les faiblesses de l'ensemble des connaissances avant d'établir des liens avec les aspects théoriques. Il convient de signaler les inconsistances dans les publications avec le plus d'objectivité possible. Les études sont souvent regroupées par thèmes ou par concepts. Des phrases ou des paragraphes de transition intercalés entre les études indiquent quelles sont leurs ressemblances ou leurs différences. Les travaux qui sont parvenus à des résultats similaires peuvent être groupés dans une phrase et résumés.

5.4.3 La conclusion

La recension des écrits se conclut habituellement par un résumé concis des résultats qui décrivent l'état actuel des connaissances, met en relief les textes étudiés les uns par rapport aux autres et les situe dans la problématique générale. Elle permet de relever les lacunes et d'indiquer brièvement la contribution de l'étude à l'avancement des connaissances dans le domaine. Dans certains cas, il peut être possible d'utiliser les thèmes développés pour construire un cadre conceptuel qui rend compte de l'étude (Cronin et collab., 2008).

5.4.4 Le style de la recension

La rédaction de la recension des écrits exige aussi des qualités de style. Comme la compréhension d'un texte dépend de la clarté de l'expression, l'écriture doit se distinguer par la précision dans le choix des mots et la concision dans la formulation des phrases. Celles-ci doivent être courtes et exprimer clairement une idée. Lorsqu'il s'agit de paraphraser les propos des auteurs, il faut le faire en respectant leurs idées. Par ailleurs, le ton d'un texte de nature scientifique doit conserver autant que possible une certaine objectivité. Cela signifie que l'on évite l'utilisation de la première personne du singulier pour favoriser la troisième personne du singulier ou la première personne du pluriel (Provost, Alain, Leroux et Lussier, 2010).

5.5   La critique d'une recension des écrits

L'examen critique de la recension des écrits dans un article ou un rapport de recherche consiste à apprécier sa valeur générale par rapport au problème de recherche. La recension des écrits suit généralement la formulation du problème et place celui-ci dans le contexte des connaissances actuelles, tout en indiquant les écarts importants pouvant exister entre les publications. Il peut être difficile de critiquer la section de la recension des écrits dans un article ou un rapport de recherche si l'on n'est pas au fait des travaux publiés sur le sujet. Toutefois, plusieurs aspects des travaux peuvent être évalués, même si l'on n'est pas un expert dans le domaine. L'encadré 5.1, à la page suivante, relève certains points à considérer dans l'examen critique d'une recension des écrits.

- La recension s'appuie-t-elle principalement sur des sources primaires ? Est-elle appropriée à l'approche utilisée ?
- La recension des écrits est-elle pertinente à l'étude ?
- Démontre-t-elle la complexité du phénomène et fournit-elle une justification ?
- Si une perspective théorique est utilisée, est-elle conforme aux orientations philosophiques et aux postulats d'une recherche qualitative ?

- Dans quelle mesure la recension des écrits est-elle liée au problème de recherche ?
- La recension relève-t-elle les similitudes et les contradictions entre les écrits ?
- Relève-t-elle les forces et les faiblesses des écrits antérieurs en soulevant les écarts existants ?
- L'organisation de la recension des écrits est-elle logique ?
- Se termine-t-elle par une synthèse de l'état actuel des connaissances sur le sujet ?

5.6 Un exemple de recension des écrits

Une des façons de se familiariser avec le style, le contenu et l'organisation d'une recension des écrits consiste à lire différentes recensions contenues dans les articles de recherche. On peut trouver des titres et des sous-titres dans une importante recension des écrits. L'exemple 5.1 est une recension des écrits tirée d'une recherche qualitative qui ne présente pas de sous-titres.

EXEMPLE 5.1

Un extrait de la recension des écrits d'une publication de recherche qualitative

Titre de l'étude : Sens et pratique de la grand-maternité : une étude par théorisation ancrée auprès de femmes ainées québécoises.

But de l'étude : analyser comment des femmes ainées conçoivent la grand-maternité.

Les données canadiennes révèlent qu'environ 75 % des personnes âgées de 65 ans et plus sont grands-parents, chacun [sic] ayant en moyenne 4,7 petits-enfants (Schillenberg et Turcotte, 2006 ; Rosenthal et Gladstone, 2000). En général, elles le deviennent tôt dans la cinquantaine. Ainsi, compte tenu de l'espérance de vie plus élevée pour les femmes et de l'importance de la famille pour elles, nous pourrions être portés à croire que la grand-maternité occupe une place déterminante dans leur trajectoire de vie et de vieillissement. Or, peu d'études récentes se sont intéressées à la perception des principales intéressées (Attias-Dunfut, 2009 ; Kempeneers et Dandurand, 2009 ; Roberto, Allen et Blieszner, 1999). Les travaux portant sur les représentations sociales dominantes nous renvoient à deux modèles stéréotypés et dichotomiques (Cohen, 2005 ; Gestin, 2002 ; Hummel, 1998). D'une part, il y a l'image de la «supermamie», femme moderne à l'agenda chargé ; active, jeune, en jeans et faisant du sport, elle ne vieillit pas ou presque (Gestin, 2002). D'autre part et presque à l'opposé, on retrouve l'archétype de la «grand-maman gâteau», la bonne vieille grand-mère aux cheveux gris ; plutôt oisive et dépendante, elle prépare des petits plats en attendant la visite de ses petits-enfants. Pourtant, les images des grands-mères autour de nous apparaissent beaucoup plus nuancées et plurielles. Les femmes ont d'ailleurs de multiples façons de se faire appeler par leurs petits-enfants. Mamie, mémé, Jeanne, grand-maman, nanny, mamouche,

mamie Louise, ou simplement grand-mère, sont autant d'appellations qui semblent correspondre à des conceptions et des pratiques diversifiées de la grand-maternité, parfois même à son rejet (Seaglen, 2001). Nous intéressant à la place et aux rôles des femmes ainées dans la société, nous avons mené une étude auprès de Québécoises ainées de 65 ans et plus ayant des caractéristiques sociodémographiques et des trajectoires familiales variées, pour savoir ce que signifie pour elles aujourd'hui être une femme âgée ou ainée et une grand-mère.

Notre étude est originale à plus d'un titre. Elle l'est tout d'abord par l'approche théorique favorisée, soit une perspective féministe constructiviste et intersectionnelle du vieillissement. En effet, en plus de considérer le vieillissement comme un phénomène construit socialement, cette approche reconnait que la conception et l'expérience du vieillissement sont conditionnées par le genre et les rapports sociaux de sexe (Russell, 2007 ; Langevin, 2002 ; Attias-Donfut, 2001), certes, mais aussi par d'autres facteurs tels le milieu socioéconomique, l'appartenance ethnoculturelle, l'orientation sexuelle, etc.

Notre étude est également originale en regard de la littérature sur les personnes âgées et la famille. En effet, les études se sont surtout intéressées au «fardeau» de la prise en charge des proches dépendants et au rôle d'«aidante naturelle» qu'occupent les femmes ainées auprès de leurs conjoints malades et dépendants. Plus rares sont les recherches qui, comme la nôtre, s'intéressent aux femmes ainées dans les multiples rôles qu'elles jouent dans la famille, notamment avec leurs descendants, c'est-à-dire leurs enfants, mais aussi leurs petits-enfants.

Source : Charpentier et Quéniart (2013, p. 46).

Points saillants

5.1 La recension des écrits

- Pour réaliser une recension des écrits, on considère trois étapes : 1) l'accès aux sources d'information scientifique ; 2) la recension des écrits proprement dite ; et 3) la rédaction d'un texte sur les écrits recensés.
- La recension des écrits consiste à faire l'inventaire et l'examen critique de l'ensemble des publications qui portent sur un sujet de recherche déterminé. Le chercheur examine, pour chacun des travaux recensés, les concepts qui sont développés, les liens avec la théorie, les méthodes utilisées, les résultats obtenus et les conclusions.
- Les principaux buts de la recension des écrits consistent à établir l'état de la question, à délimiter le problème, à saisir la portée des concepts en jeu, à fournir des idées sur les méthodes et à apprécier les résultats et les recommandations.

5.2 Les sources d'information

- Les travaux publiés peuvent être considérés soit comme des sources primaires, soit comme des sources secondaires, ou il peut s'agir d'autres types d'informations tels que les revues systématiques, les métaanalyses, les métasynthèses et les revues intégratives. Les sources primaires servent à documenter un projet de recherche, car elles renvoient aux textes, aux documents ou aux ouvrages originaux, alors que les sources secondaires sont des interprétations de ces derniers.

5.3 La démarche dans la conduite de la recherche documentaire : les étapes à parcourir

- La recherche documentaire suppose une démarche rationnelle dans l'exploration des sources bibliographiques. Elle comporte un certain nombre d'étapes : 1) la définition du sujet de recherche ; 2) le choix des sources documentaires ; 3) le repérage les sources primaires ; 4) la lecture et l'évaluation de la qualité et de la pertinence des sources ; 5) l'appréciation de façon critique des publications de recherche ; et 6) l'analyse et la synthèse des sources.
- La première étape dans la conduite d'une recherche documentaire consiste à bien cerner son sujet et à en dégager toutes les facettes. Les ressources secondaires peuvent être utiles.
- Les principaux outils de la recherche documentaire sont le catalogue de bibliothèque, les index de périodiques et les bases de données informatisées, les outils de la métarecherche et Internet.
- Les grandes bibliothèques sont munies d'un nombre imposant de bases de données permettant d'obtenir de l'information sur une multitude de travaux de recherche.
- Dans la recherche de documents, on considère les publications qui traitent de sujets analogues au sujet d'étude, qui définissent les concepts en jeu, qui utilisent des méthodologies convenant à la question de recherche ainsi que des modèles conceptuels ou théoriques pouvant être appliqués dans l'étude que l'on se propose de mener.
- Pour repérer les sources de données, on utilise les outils de repérage qui donnent accès à un grand nombre de documents.
- La lecture des documents doit se faire en fonction de l'évaluation de la qualité et de la pertinence des sources par rapport à son sujet.
- Savoir lire une publication de recherche est un impératif pour comprendre les étapes du processus suivies dans la recherche et pour en faire la critique.
- La critique comporte différents niveaux de réflexion et de raisonnement selon qu'il s'agit de faire une lecture critique, une analyse critique ou un amalgame des deux.
- La lecture critique relève davantage de la compréhension, alors que l'analyse critique suppose un examen des liens logiques entre les éléments des grandes sections du texte.
- La lecture critique et l'analyse critique font appel à la capacité de trouver des réponses aux questions que le chercheur se pose lorsqu'il examine une publication scientifique.
- Dans l'analyse des sources, on fait ressortir les points essentiels relevés dans chacune des sections d'une publication ; dans la synthèse, on regroupe les idées tirées de chaque article qui ont une pertinence au regard du sujet d'étude.

5.4	L'organisation et la rédaction de la recension des écrits	• Outre le titre, le résumé et les références, la publication de recherche comporte quatre sections : l'introduction, la méthode, les résultats et la conclusion. • L'organisation de l'information se concrétise dans un plan servant à préparer la rédaction de la recension des écrits. • Dans la rédaction de la recension des écrits, on considère trois sections principales : l'introduction, l'analyse ou le corps du sujet et la conclusion. • La rédaction doit être soignée (choix des mots, concision du style) ; on évitera de se contenter d'enfiler des citations ou des résumés et l'on relèvera les contradictions ainsi que les traits constants présents dans les travaux de recherche.

Mots clés

Base de données bibliographiques	Index de périodiques	Moteur de recherche	Recension des écrits
Bibliographie	Index imprimé	Opérateur logique (booléen)	Recherche documentaire
Catalogue de bibliothèque	Lecture critique		Rédaction
Compréhension	Métaanalyse	Outil de repérage	Source primaire
Descripteur	Métasynthèse	Plan de concepts	Source secondaire
Écrit empirique	Monographie	Publication scientifique	
Écrit théorique	Mot clé	Rapport de recherche	

Exercices de révision

La recension des écrits est une activité qui permet de connaitre l'état des connaissances sur un sujet déterminé. Elle donne lieu à une recherche documentaire et à une lecture critique des travaux de recherche se rapportant au sujet d'étude. Les exercices suivants permettront au lecteur de se familiariser avec les outils de la recherche documentaire ainsi qu'avec la stratégie à mettre en œuvre dans l'utilisation des bases de données.

1. Justifiez l'importance de faire une recension des écrits avant de formuler un problème de recherche en recherche quantitative.

2. Expliquez en quoi consistent les sources primaires et les sources secondaires.

3. Que contient le catalogue de bibliothèque ?

4. Nommez quelques index et répertoires analytiques d'articles.

5. Décrivez la marche à suivre dans la conduite de la recherche documentaire.

6. En quoi est-il plus avantageux de faire une recherche automatisée que d'utiliser des index imprimés ? Déterminez la lettre correspondant à votre choix.

    a) La recherche automatisée permet de trouver les sources facilement.

    b) Les articles complets peuvent toujours être ajoutés à la fin de la recherche.

    c) Les index imprimés ne sont pas toujours disponibles.

    d) Les termes de recherche peuvent être combinés.

7. Quelles sont les grandes sections d'un article de recherche et sur quoi portent-elles ?

8. À quoi sert la lecture critique ?

Liste des références

Les références citées dans la rubrique « Exemple » ou dans les citations peuvent ne pas figurer dans cette liste.

Le texte de l'exemple 5.1, à la page 96, est reproduit avec l'autorisation de Cambridge University Press. Copyright © 2013 Association canadienne de gérontologie.

Boyd, C. et Munhall, P. (1993). Qualitative research for proposals and reports. Dans P. Munhall et C. Boyd (dir). *Nursing research: A qualitative perspective* (2ᵉ éd.) (p. 424-445). New York, NY : National League for Nursing.

Charpentier, M. et Quéniart, A. (2013). Sens et pratiques de la grand-maternité : une étude par théorisation ancrée auprès de femmes ainées québécoises. *Canadian Journal on Aging/La Revue canadienne du vieillissement, 32*(1), 45-55.

Clissett, P. (2008). Evaluating qualitative research. *Journal of Orthopaedic Nursing, 12*(2), 99-105.

Cohen, D.J. et Grabtree, B.F. (2008). Evaluative criteria for qualitative research in health care: Controversies and recommendations. *Annals of Family Medicine, 6*(4), 331-339.

Cronin, P., Ryan, F. et Coughlan, M. (2008). Undertaking a literature review: A step-by-step approach. *British Journal of Nursing, 17*(1), 38-43.

Davies, B. et Logan, J. (2012). *Reading research: A user-friendly guide for health professionals* (5ᵉ éd.). Toronto, Ontario : Elsevier.

Fain, J.A. (2004). *Reading, understanding and applying nursing research: A text and workbook* (2ᵉ éd.). Philadelphie, PA : F.A. Davies.

Fillastre, J.P. et Colin, R. (2001). Analyse critique ou lecture critique des articles médicaux : quelle cible choisir pour l'enseignement et l'évaluation ? *Pédagogie médicale, 2*(4), 197-198.

Garrard, J. (2011). *Health sciences literature review made easy: The matrix method* (3ᵉ éd.). Sudbury, MA : Jones & Bartlett.

Grove, S.K., Burns, N. et Gray, J.R. (2013). *The practice of nursing research: Appraisal, synthesis and generation of evidence* (7ᵉ éd.). Saint-Louis, MO : Elsevier.

Johnson, B. et Christensen, L. (2010). *Educational research: Quantitative, qualitative and mixed approaches* (4ᵉ éd.). Boston, MA : Allyn & Bacon.

Pinch, W.J. (1995). Syntheses: Implementing a complex process. *Nurse Educator, 10*(1), 34-40.

Polit, D.F. et Beck, C.T. (2012). *Nursing research: Generating and assessing evidence for nursing practice* (9ᵉ éd.). Philadelphie, PA : Wolters Kluwer/Lippincott Williams & Wilkins.

Portney, L.G. et Watkins, M.P. (2008). *Foundations of clinical research: Applications to practice* (3ᵉ éd.). Upper Saddle River, NJ : Pearson/ Prentice-Hall.

Provost, M.A., Alain, M., Leroux, Y. et Lussier, Y. (2010). *Normes de présentation d'un travail de recherche* (4ᵉ éd.). Trois-Rivières, Québec : Les Éditions SMG.

Ridley, D. (2012). *The literature review: A step-by-step guide for students* (2ᵉ éd.). Thousands Oak, CA : Sage Publications.

Tremblay, R.R. et Perrier, Y. (2006). *Savoir plus : outils et méthodes de travail intellectuel.* Montréal, Québec : Chenelière/ McGraw-Hill.

Whittemore, R. (2005). Combining evidence in nursing research: Methods and implications. *Nursing Research, 54*(1), 56-62.

CHAPITRE 6

Le cadre de recherche

Objectifs d'apprentissage

Après avoir étudié ce chapitre, vous serez
en mesure :

- de connaitre la terminologie courante relative
  à la théorie et au cadre de recherche ;
- de faire la distinction entre les cadres conceptuel
  et théorique ;
- de décrire les processus de raisonnements
  inductif et déductif dans l'élaboration de
  la théorie ;
- de discuter de la vérification de la théorie ;
- de définir le rôle du cadre de recherche dans
  le processus de recherche ;
- de déterminer les éléments d'élaboration d'un
  cadre de recherche ;
- de réaliser un examen critique du cadre
  de recherche.

Plan du chapitre

Après avoir documenté la question de recherche préliminaire par une recension pertinente des écrits, il s'agit maintenant de préciser l'orientation de l'étude à entreprendre en définissant un cadre de recherche qui permet d'ordonner l'ensemble des concepts et des sous-concepts. Le cadre de recherche détermine l'orientation que prendront la description des concepts et l'explication ou la prédiction de leurs relations mutuelles. Ce cadre peut être théorique ou conceptuel. Il est théorique s'il s'appuie sur une théorie établie ou conceptuel s'il découle d'un modèle conceptuel ou s'il a pour base des concepts définis avec plus ou moins de précision. Ce chapitre a pour but de démontrer l'importance de la théorie dans la conduite de la recherche scientifique. Il donnera l'occasion de définir la théorie, d'exposer son étendue, ses composantes ainsi que ses méthodes de développement et de vérification. Il permettra par la suite de déterminer la structure des cadres théorique et conceptuel, de préciser leur utilité et leur intégration dans le processus de recherche. Le chapitre se termine par une brève description des éléments à considérer dans l'élaboration d'un cadre de recherche et de quelques questions relatives à l'examen critique de celui-ci.

6.1 Le cadre de recherche

La recherche n'est pas conduite dans le seul but de répondre à des questions ou de vérifier des hypothèses. Elle s'inscrit véritablement dans une démarche intellectuelle visant l'acquisition de connaissances et repose sur la théorie pour décrire, expliquer et prédire les manifestations des phénomènes. Afin de construire cette connaissance de manière efficace, le problème de recherche doit être inséré dans une structure théorique ou conceptuelle qui, tout en délimitant le sujet d'étude à une signification particulière, facilite l'analyse des données et l'interprétation des résultats. En plaçant le problème de recherche dans un contexte théorique ou conceptuel, on oriente le processus de recherche vers une méthode capable d'apporter des réponses dans un contexte précis (McEwen et Wills, 2014). C'est la théorie qui permet, par exemple, de spéculer sur les relations entre les concepts ou sur leur agencement.

Le cadre de recherche est une structure logique potentielle d'explications qui peut être issu de la théorie ou de résultats de recherche. Il comporte un certain nombre d'éléments : des postulats qui traduisent une certaine vision du monde et des concepts qui permettent de cerner les phénomènes à étudier. La recherche se fonde sur cette structure pour proposer une brève explication des concepts en jeu et de leurs relations mutuelles. Les relations postulées entre les différents concepts sont précisées par des énoncés de relations (ou propositions) susceptibles d'être vérifiés de façon empirique. Le cadre de recherche dans les études quantitatives sert de guide au développement de la recherche et offre aussi une perspective particulière des relations entre les concepts. Dans la plupart des études qualitatives, on ne trouve pas véritablement de cadre de recherche, mais plutôt une conceptualisation flexible qui permet de lier l'étude à d'autres recherches et idées concernant le sujet en question (Holloway et Wheeler, 2010). Puisque le cadre de recherche s'inscrit dans la démarche théorique, examinons d'abord une définition de la théorie et des notions qui s'y rapportent.

6.2 La théorie

La recherche, comme nous l'avons vu dans le premier chapitre, est un ensemble d'activités intellectuelles ayant pour but le développement des connaissances ; elle repose sur la théorie pour décrire et expliquer des relations entre des concepts ou pour prédire et contrôler des phénomènes. Il existe plusieurs définitions du terme « théorie » dans le cadre de la recherche selon différents auteurs.

6.2.1 Qu'est-ce que la théorie ?

Théorie
Généralisation abstraite qui présente une explication systématique d'un phénomène et de ses interrelations.

De façon générale, la **théorie** est une généralisation abstraite qui présente une explication systématique d'un phénomène et de ses interrelations. La théorie est aussi un ensemble d'idées, de notions, de définitions et d'énoncés de relations qui donnent une vision systématique d'un phénomène et qui précisent les relations particulières entre des concepts en vue d'expliquer et de prédire des phénomènes (Kerlinger, 1986). La théorie exige la présence d'au moins deux concepts pour qu'il y ait mise en relation. Les théories sont spéculatives, c'est-à-dire qu'elles ne sont pas des faits, mais des idées ou des façons de concevoir la réalité et qu'elles peuvent établir des relations entre les faits. Elles demeurent abstraites, puisqu'elles expriment une idée et qu'elles présentent les choses de façon générale. Toutefois, elles peuvent être vérifiées par la recherche et démontrer comment elles agissent dans une situation concrète. Prenons l'exemple du concept de la douleur, qui renferme une idée générale abstraite. Cependant, la personne qui subit une crise d'arthrite aigüe fait l'expérience concrète de la douleur ; une théorie sur la douleur peut servir à expliquer le phénomène physique et psychique que vit cette personne. En examinant la théorie de la douleur élaborée par Melzack et Wall (1989), on se rend compte qu'elle est constituée de concepts et de propositions qui établissent des relations entre les différentes composantes qui induisent la douleur. Les propositions conduisent à la formulation d'hypothèses vérifiables empiriquement.

> Les théories sont spéculatives, c'est-à-dire qu'elles ne sont pas des faits, mais des idées ou des façons de concevoir la réalité et qu'elles peuvent établir des relations entre les faits.

6.2.2 L'étendue de la théorie

Les théories peuvent se classifier selon différents niveaux de généralité du phénomène qui en fait l'objet. Par conséquent, elles peuvent différer par le degré d'abstraction des concepts qui la constituent et se définir en fonction de l'étendue des faits qu'elles visent à expliquer. L'étendue de la théorie inclut le degré de spécificité et de concrétisation de ses concepts et de ses énoncés de relations. Cette classification de la théorie utilise entre autres les termes suivants : la « métathéorie », pour préciser les bases philosophiques d'une discipline ; la « grande théorie », ou la « macrothéorie », pour décrire la vision des modèles conceptuels ; la « théorie à moyenne portée », en vue d'une utilisation comme cadre théorique pour la recherche (McEwen et Wills, 2014 ; Peterson et Bredow, 2013).

Macrothéorie
Théorie générale composée de concepts abstraits visant à expliquer ou à décrire de vastes aspects de l'expérience humaine ; elle peut incorporer d'autres théories.

Les **macrothéories** sont les plus complexes et les plus larges en étendue. Elles représentent des modèles ou des cadres conceptuels généraux qui définissent de vastes perspectives pour la recherche et la pratique dans une discipline donnée. Elles servent à décrire et à expliquer de larges segments de la réalité.

Les **théories à moyenne portée** (*middle range theory*) ont une étendue plus limitée, sont moins abstraites que les macrothéories et traitent de phénomènes particuliers. Ces théories comprennent un nombre restreint de concepts, ce qui les rend plus précises; à cause de ces caractéristiques, elles peuvent être éprouvées empiriquement (Meleis, 2012). Pour les vérifier, on a recours à la recherche corrélationnelle ou expérimentale. Des exemples de théories de moyenne portée sont présentés dans le tableau 6.1. La plupart d'entre elles ont fait l'objet d'applications au cours d'études récentes dans les domaines de la santé et des soins infirmiers (Peterson et Bredow, 2013).

D'autres auteurs classifient les théories en fonction de leur but. Les théories appartenant à cette catégorie peuvent être descriptives, explicatives ou prédictives (McEwen et Wills, 2014; Meleis, 2012). Par exemple, la théorie descriptive a une vision large des phénomènes. Selon Fawcett et Garity (2009), la **théorie descriptive** est empiriquement enracinée, et elle sert à décrire ou à classifier un phénomène, un évènement ou une situation en résumant les caractéristiques communes observées. Les mêmes auteures donnent l'exemple d'une théorie descriptive, la «théorie de l'empathie du système personnel» (*Theory of personal system empathy*), élaborée par Alligood et May (2000). Cette théorie est une description de ce que font les infirmières quand elles ressentent de l'empathie envers une personne. On l'emploie lorsqu'on sait peu de choses sur un phénomène en particulier. On la vérifie à l'occasion de recherches descriptives. Elle joue un rôle dans la recherche qualitative, en particulier dans les études de cas.

Théorie à moyenne portée
Théorie se situant à mi-chemin entre les théories abstraites et concrètes; elle est plus limitée en étendue et traite de phénomènes particuliers.

Théorie descriptive
Théorie empiriquement enracinée qui sert à décrire ou à classifier un phénomène, un évènement, une situation ou une relation en résumant les caractéristiques communes observées.

TABLEAU 6.1	Quelques exemples de théories à moyenne portée	
Modèle ou théorie	**Buts poursuivis**
Modèle des croyances en matière de santé (*Health belief model*) (Becker, 1976; Rosentock, 1990)	Explique les comportements en matière de santé (susceptibilité perçue à la maladie, gravité perçue, avantages perçus, barrières, actions possibles, efficacité personnelle perçue). Le modèle repose sur les perceptions individuelles par rapport à une menace à la santé et sur les moyens utilisés pour résoudre le problème.
Modèle de promotion de la santé dans les soins infirmiers (*Health promotion in nursing practice*) (Pender, Murdaugh et Parsons, 2014)	Fournit un cadre d'intégration des modèles et des théories pour guider les interventions en santé dans les milieux cliniques. Le modèle révisé fournit une mise à jour favorisant la compréhension et la construction de la science et de la pratique en matière de santé.
Théorie de l'incertitude devant la maladie (*The theory of uncertainty in illness*) (Mishel, 1988)	Explique le processus cognitif par lequel les personnes réagissent à la maladie et construisent la signification de ces évènements.
Théorie du stress et de l'adaptation (*Stress, coping, adaptation theory*) (Lazarus et Folkman, 1984)	Décrit comment une personne s'adapte aux situations stressantes. La perception qu'ont les personnes de leur santé physique et mentale est liée à l'évaluation qu'elles font du niveau de stress auquel elles sont soumises et à leur façon de s'y adapter.
Théorie de l'efficacité personnelle perçue (*Self-efficacy theory*) (Bandura, 1997)	Propose une explication des jugements que portent les personnes sur leur capacité à planifier des actions en vue de maitriser une situation et d'adopter avec succès les comportements attendus quand la situation se présente.
Théorie du *caring* (*Theory of caring*) (Swanson, 1991)	Propose une définition du *caring* et les catégories essentielles ou les processus qui caractérisent le *caring* tels que connaitre, être avec, rendre capable.
Théorie du confort (*Kolcaba's theory of comfort*) (Kolcaba, 2003)	Définit le confort dans le contexte de la pratique infirmière comme étant la satisfaction des besoins de base pour le soulagement, l'aisance ou la transcendance de situations de soins éprouvantes pouvant se produire.

6.2.3 Les composantes de la théorie

Les théories sont des structures qui incluent des composantes telles que des postulats, des concepts et des construits (et leurs définitions), des énoncés de relations. L'examen de ces composantes permet de mieux comprendre le rôle joué par la théorie dans le processus de recherche et dans la pratique.

Les postulats

Postulat
Énoncé considéré comme vrai, bien qu'il ne soit pas démontré scientifiquement.

Les **postulats** sont des énoncés considérés comme vrais, bien qu'ils ne soient pas démontrés scientifiquement. Ils forment les bases pour la définition des concepts et la délimitation des énoncés de relation. Les postulats fournissent le contexte pour élaborer une théorie. Ils sont reconnus par le chercheur comme des vérités et ils représentent des valeurs et des croyances (Meleis, 2012).

Les concepts et les construits

Un concept est une idée, une abstraction qui permet de classifier les phénomènes naturels et les observations empiriques. Il constitue la pierre angulaire de la théorie. Certains concepts peuvent être relativement concrets et observables, et il est possible de les distinguer des autres. Par exemple, un fauteuil est différent d'une chaise. Quand des valeurs peuvent être assignées aux concepts, ceux-ci deviennent des variables, et les relations qui en découlent peuvent être vérifiées. Pour être mesurées, les variables doivent être définies de façon opérationnelle, c'est-à-dire en tant que données observables telles que les activités ou les opérations nécessaires pour les mesurer. D'autres concepts sont moins tangibles et donc plus abstraits, et ne peuvent être observés directement à moins d'utiliser des indicateurs des concepts. On nomme « construits » les concepts clés d'une théorie qui représentent des comportements non observables. Les construits sont délibérément inventés par les chercheurs pour distinguer les variables abstraites qui ne peuvent être observées directement. Par exemple, le construit « résilience » ne peut être observé directement, mais il peut faire l'objet d'une inférence à partir d'indicateurs empiriques de la résilience tels que les comportements attribués à celle-ci (capacité à vivre, résistance aux pressions), notés sur une échelle de mesure ou à l'aide d'une autre méthode de collecte de données. Par contre, le concept concret « poids », exprimé en kilogrammes, peut être mesuré directement par la lecture des nombres sur un pèse-personne.

Les concepts revêtent une importance primordiale en recherche, puisqu'ils sont à la base du savoir scientifique et reflètent les variables qui seront éventuellement mesurées. Toute théorie doit définir ses construits avec précision, puisqu'ils représentent la signification à partir de laquelle les variables seront définies dans une recherche. Ainsi, ces définitions peuvent s'énoncer sur le plan abstrait au moyen de définitions conceptuelles et sur le plan empirique par l'opérationnalisation dans le cadre de la mesure.

Les énoncés de relations

Énoncé de relations
Proposition qui met en relation au moins deux variables ou deux phénomènes.

Les **énoncés de relations** sont des propositions qui mettent en relation au moins deux variables ou deux phénomènes. Les énoncés de relations peuvent être généraux ou spécifiques. Les énoncés généraux se situent à un haut niveau d'abstraction; ils font partie des modèles conceptuels. Les énoncés spécifiques sont moins abstraits et découlent des théories. Un énoncé de relations spécifique est déduit de la théorie

104 ■ Phase 1 - La phase conceptuelle : la documentation du sujet d'étude et doit être traduit sous la forme d'une hypothèse pour être vérifiée. L'hypothèse, qui se situe à un niveau plus concret, est un énoncé qui anticipe des relations entre des concepts et qui peut être vérifié par la recherche. Les théories sont toujours sujettes à des développements futurs et elles peuvent être révisées ou rejetées en l'absence d'appui empirique. Un énoncé de relations peut être un énoncé d'association ou de causalité. Un énoncé d'association exprime l'existence d'une corrélation entre des variables, comme dans l'affirmation suivante : l'espoir a une influence sur la guérison. Un énoncé de causalité prédit l'existence d'une relation de cause à effet entre des variables ; par exemple, un programme d'exercices améliore la capacité cardiovasculaire.

6.3 L'élaboration et la vérification de la théorie

La recherche peut avoir pour but d'édifier une théorie ou de la vérifier. L'élaboration d'une théorie et sa vérification sont deux processus distincts connus sous les noms d'induction et de déduction. Ces deux processus exigent le recours à des méthodes différentes de conduite de la recherche.

6.3.1 L'élaboration de la théorie

Dans l'**élaboration d'une théorie**, le processus repose sur l'emploi de la méthode inductive qui conduit à des conclusions générales à partir d'un ensemble d'observations particulières (*voir le chapitre 1*). Les théories ne sont pas découvertes : elles sont créées ou inventées. Il existe bien sûr des ensembles de faits observés dans chaque discipline, mais ils ne deviennent pas nécessairement des théories, à moins que quelqu'un se préoccupe d'examiner la pertinence de l'information observée pour lui donner un sens (Portney et Watkins, 2009). Dans l'élaboration de la théorie, il existe une approche différente du raisonnement inductif, cette fois en suivant un processus de raisonnement déductif. Ces deux cheminements sont représentés dans la figure 6.1 et brièvement explicités dans cette section.

Élaboration d'une théorie
Processus qui repose sur l'emploi de la méthode inductive et qui conduit à des conclusions générales à partir observations empiriques.

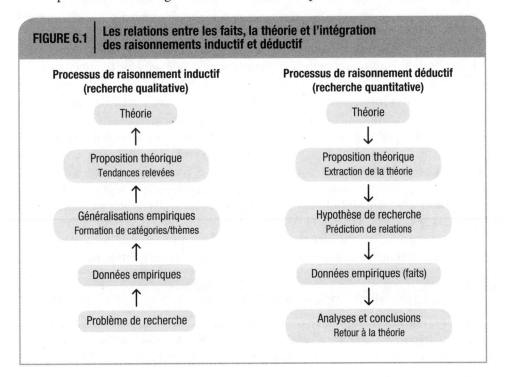

FIGURE 6.1 | Les relations entre les faits, la théorie et l'intégration des raisonnements inductif et déductif

Processus de raisonnement inductif (recherche qualitative)

Théorie
↑
Proposition théorique
Tendances relevées
↑
Généralisations empiriques
Formation de catégories/thèmes
↑
Données empiriques
↑
Problème de recherche

Processus de raisonnement déductif (recherche quantitative)

Théorie
↓
Proposition théorique
Extraction de la théorie
↓
Hypothèse de recherche
Prédiction de relations
↓
Données empiriques (faits)
↓
Analyses et conclusions
Retour à la théorie

Selon le processus de raisonnement inductif, les données sont recueillies à partir de situations réelles observées empiriquement (comportement, évènement) et, au cours de ses observations, le chercheur détermine les concepts qui sont liés à un phénomène précis et ceux qui ne le sont pas. Il tente par la suite d'énoncer des propositions et de fournir une explication générale du comportement ou de l'évènement observé. L'idée de départ de l'induction est que la répétition d'un évènement ou d'un comportement augmente la probabilité qu'il se reproduise. Ce processus suppose l'analyse et l'organisation des concepts, afin de dégager des tendances qui formeront la base des généralisations empiriques. Celles-ci servent à délimiter le domaine d'application d'une théorie fondée sur des données issues du terrain, comme c'est le cas dans la recherche de théorisation enracinée ; il s'agit d'une méthode de recherche qui permet l'élaboration d'une théorie générée à partir de données recueillies sur le terrain et analysées de façon systématique (Strauss et Corbin, 1994). Selon cette démarche, on part de l'observation de la réalité pour comprendre un phénomène et construire une théorie.

> Selon le processus de raisonnement inductif, les données sont recueillies à partir de situations réelles observées empiriquement.

L'exemple 6.1 présente un résumé d'une étude de théorisation enracinée menée par McLachlan et Justice (2009) et dans laquelle les résultats ont fourni les bases à l'élaboration d'une théorie.

EXEMPLE 6.1

Le résumé d'une étude de théorisation enracinée

Dans le cadre de leur étude de théorisation enracinée, les auteures ont mené des entrevues afin d'explorer les expériences et le processus d'adaptation utilisés par des étudiants internationaux durant leur séjour d'étude aux États-Unis. À mesure que les codes et les thèmes étaient reconnus durant la collecte des données et l'analyse, les chercheuses ont comparé et contrasté les nouvelles données à celles recueillies précédemment. Cette analyse des thèmes émergents, les modèles et les relations entre les catégories ont fourni les bases en vue de construire une théorie relative aux expériences des étudiants internationaux. (Traduction libre)

Selon le processus de raisonnement déductif, on part d'une explication générale (généralisation empirique) pour se diriger vers un évènement particulier. Pour élaborer une théorie selon cette approche, on formule une question de recherche en s'inspirant d'une théorie de portée générale ou d'une proposition hypothétique, puis on émet des hypothèses concernant un phénomène précis, et ces dernières sont soumises à la vérification empirique. La question posée est la suivante : si cette théorie est valide, à quel type de comportement ou d'évènement doit-on s'attendre ? Cette théorie, qualifiée d'hypothéticodéductive, se construit à partir d'une compréhension intuitive d'un phénomène, sans qu'elle soit nécessairement appuyée par des faits (Portney et Walkins, 2009). Si les hypothèses sont infirmées, de nouvelles hypothèses sont avancées en vue d'en déterminer la validité. Par contre, si celles-ci sont confirmées, elles servent de soutien empirique à la théorie.

> Selon le processus de raisonnement déductif, on part d'une explication générale (généralisation empirique) pour se diriger vers un évènement particulier.

6.3.2 La vérification empirique de la théorie

Vérification empirique de la théorie
Opération consistant à confronter aux faits une hypothèse déduite d'une théorie.

Dans la **vérification empirique de la théorie**, l'opération consiste à confronter aux faits une hypothèse déduite d'une théorie. La recherche visant à tester empiriquement une théorie existante est surtout associée à la recherche quantitative. Pour vérifier la validité d'une théorie, le chercheur extrait une ou des propositions de la théorie, qu'il traduit ou formule en hypothèses de recherche : à quoi doit-il s'attendre si la proposition théorique s'avère correcte après l'avoir confrontée à la réalité? Les hypothèses tentent de prédire des relations entre des concepts inclus dans la théorie. Dans une recherche, on vérifie surtout les propositions théoriques traduites en hypothèses, mais rarement la théorie dans son ensemble.

La vérification de la théorie ou du cadre théorique intervient quand le chercheur, au début de sa recherche, s'interroge sur le bienfondé de la théorie à expliquer ou à prédire des relations entre des variables. Le choix de la théorie doit être basé sur des concepts et des propositions qui s'harmonisent avec l'étude proposée, sans qu'il y ait de contradiction entre la théorie et les variables sélectionnées (Dempsey et Dempsey, 2000). On cherche à savoir, dans la vérification de la théorie, si une ou des propositions théoriques sont aptes à prédire les changements anticipés dans les variables étudiées. À l'issue de la recherche, les résultats devraient démontrer certains faits permettant de conclure à la confirmation ou non des hypothèses. Si les hypothèses sont appuyées, cela signifie que la théorie l'est également.

6.4 Le modèle conceptuel

Le modèle en général est une représentation graphique ou symbolique des phénomènes qui présente certaines perspectives ou des points de vue particuliers. Les modèles peuvent être conceptuels ou théoriques (quelque chose qui ne peut être observé), ou empiriques (quelque chose d'observable, par exemple un modèle d'avion). Dans certaines disciplines, comme en sciences infirmières, le **modèle conceptuel** est un terme fréquemment utilisé de façon interchangeable avec celui de «cadre conceptuel». C'est un ensemble de concepts interreliés qui représentent et transmettent symboliquement une image mentale d'un phénomène (McEwen et Wills, 2014). Les modèles conceptuels en sciences infirmières définissent les concepts et décrivent leurs relations avec le phénomène d'intérêt. Les concepts constituent la pierre angulaire du modèle conceptuel, comme de la théorie d'ailleurs, et permettent d'envisager la recherche sous une perspective particulière.

Modèle conceptuel
Ensemble de concepts liés entre eux qui représentent et transmettent symboliquement une image mentale d'un phénomène.

Les modèles conceptuels s'apparentent aux théories, mais ils sont plus abstraits et, de ce fait, ne constituent pas des théories véritables. C'est pourquoi, contrairement aux théories à moyenne portée, les modèles conceptuels ne peuvent être vérifiés par la recherche. Ce qu'il manque aux modèles conceptuels pour pouvoir être vérifiés empiriquement, c'est le système déductif de propositions qui postule des relations entre les concepts (Polit et Beck, 2012). Même si les modèles conceptuels ne peuvent être vérifiés empiriquement, ils fournissent une perspective générale pour l'étude des phénomènes d'intérêt dans une discipline donnée. D'ailleurs, la plupart des disciplines ont élaboré des modèles conceptuels, ou des démarches théoriques, en utilisant des concepts et un vocabulaire qui les distinguent de ceux d'autres disciplines.

> Même si les modèles conceptuels ne peuvent être vérifiés empiriquement, ils fournissent une perspective générale pour l'étude des phénomènes d'intérêt dans une discipline donnée.

En raison de leur caractère général, les modèles conceptuels fournissent de multiples possibilités pour la recherche et la pratique. Des théories susceptibles d'être soumises à une vérification peuvent être construites à partir de modèles conceptuels. C'est le cas notamment du modèle d'autosoins d'Orem (Orem, Taylor,

Renpenning et Eisenhander, 2003), qui explique comment les infirmières peuvent faciliter les autosoins chez une personne. De ce modèle découlent trois théories : la théorie des systèmes infirmiers, la théorie des déficits d'autosoins et la théorie des autosoins. Les modèles conceptuels sont constitués de concepts, de définitions et d'énoncés de relations, bien qu'ils soient exprimés de façon plus générale que dans les théories. Quelques exemples de modèles conceptuels en sciences infirmières sont présentés dans le tableau 6.2.

TABLEAU 6.2	Des exemples de modèles conceptuels ou macrothéories en sciences infirmières
Modèle conceptuel	**Buts poursuivis**
Modèle de l'adaptation de Roy (*The Roy adaptation model*) (Roy, 2009)	• Favoriser l'adaptation à l'environnement des personnes au moyen de quatre modes : physiologique, concept de soi, fonction de rôle, interdépendance. • Les soins infirmiers peuvent contribuer à favoriser cette adaptation.
Modèle de promotion de la santé de McGill (*McGill model*) (Allen, 1977 ; Gottlieb et Rowat, 1987)	• Soutenir la santé par un processus qui consiste à aider la personne et sa famille à atteindre leurs objectifs de santé. • Les interactions des infirmières avec les membres de la famille sont mises en valeur.
Modèle des autosoins (*Self care theory in nursing*) (Orem et collab., 2003)	• Décrire et expliquer les autosoins ; décrire et expliquer pourquoi les personnes peuvent être aidées par les soins infirmiers ; décrire et expliquer les relations. • Les autosoins renvoient à la prise en charge par les personnes de leur santé.
Science des êtres humains unitaires et irréductibles (*The science of unitary and irreducible human beings*) (Rogers, 1994)	• Expliquer la nature et la direction des interactions entre les êtres humains unitaires et irréductibles. • Les concepts d'énergie, d'ouverture, de modèle et de surdimension sont les pierres angulaires de la théorie.
Théorie de l'être en devenir (*Human becoming*) (Parse, 2008)	• Proposer un cadre de référence qui valorise le soin centré sur la personne et la famille. • Les thèmes de l'être en devenir sont le sens, la rythmicité et la transcendance.
Philosophie et science du *caring* (*Philosophy and science of caring*) (Watson, 2008)	• Décrire l'humain comme un champ d'énergie et expliquer la santé et la maladie comme des manifestations du modèle humain. • Les trois principaux concepts sont l'être humain, la santé et le soin infirmier.
Théorie de la diversité et de l'universalité des soins culturels (*Theory of culture care diversity and universality*) (Leininger, 1991)	• Découvrir, documenter, connaitre et expliquer l'interdépendance des soins et de la culture incluant les différences et les similarités entre les cultures exprimées par la langue, les croyances et les valeurs.

6.5   Le cadre de recherche : théorique ou conceptuel

Le cadre de recherche, comme discuté au début du chapitre, est une explication fondée sur des énoncés de relations issus de théories ou sur des écrits empiriques ; il concerne la façon dont les concepts de l'étude sont agencés ou liés entre eux et les raisons à l'appui de ces relations. Le cadre de recherche peut être théorique ou conceptuel, selon le niveau des connaissances atteint dans un domaine donné.

Cadre théorique
Brève explication fondée sur une ou plusieurs théories existantes se rapportant au problème de recherche.

Le **cadre théorique** est une brève explication fondée sur une ou plusieurs théories existantes se rapportant au problème de recherche. On choisit un cadre théorique lorsque le niveau des connaissances sur le sujet d'étude est suffisant pour permettre de dégager des propositions d'une théorie ou de résultats de recherche et de formuler des hypothèses au sujet des relations postulées entre les variables. Le choix de la théorie doit être approprié à la mesure des concepts afin de fournir une explication sur l'action des variables ou de proposer une explication en s'inspirant d'autres sources qui ont étudié les mêmes variables. Concrètement, le cadre théorique se construit par le choix de propositions qui, une fois formulées en hypothèses, peuvent être vérifiées de façon empirique. Le chercheur interprète les résultats en se reportant au contexte théorique de l'étude.

Le **cadre conceptuel** est une brève explication fondée sur l'agencement logique d'un ensemble de concepts et de sous-concepts liés entre eux et réunis en raison de leur affinité avec le problème de recherche. Il ne provient pas nécessairement d'un modèle conceptuel ou d'une théorie déterminée qui expliquerait les relations prévues entre des concepts; il est plutôt le résultat de l'agencement des concepts réalisé par le chercheur. De plus, il se fonde principalement sur des données empiriques. On agence les concepts et les sous-concepts de sorte qu'ils puissent être décrits et que leurs relations puissent être examinées. L'explication se fonde sur des écrits portant sur le domaine de connaissances auquel se rattache le sujet d'étude ou elle dérive de modèles conceptuels ou de données empiriques. Dans la conceptualisation du cadre conceptuel, les concepts et leurs relations sont organisés de manière à donner une orientation précise à la formulation du problème, aux questions de recherche et à l'interprétation des résultats. Le cadre conceptuel est moins défini que le cadre théorique, car il n'énonce pas de relations formelles entre les concepts. Il convient mieux que le cadre théorique lorsque les relations conceptuelles sont plus floues ou qu'elles ne sont pas établies solidement dans les travaux publiés. Il est souvent considéré au même titre que le modèle conceptuel.

Les résultats d'une étude doivent être associés au cadre de recherche. En liant les résultats concrets aux idées abstraites de la théorie ou aux énoncés proposés dans le cadre conceptuel, le chercheur contribue d'une certaine façon à l'accroissement des connaissances sur le sujet étudié.

> **Cadre conceptuel**
> Brève explication fondée sur l'agencement logique d'un ensemble de concepts et de sous-concepts liés entre eux et réunis en raison de leur affinité avec le problème de recherche.

6.5.1 Le choix d'un cadre de recherche approprié au type d'étude

Le cadre de recherche est choisi au regard du but de l'étude, selon qu'il s'agit d'explorer, de décrire, d'expliquer ou de prédire et de contrôler des phénomènes. L'utilisation d'un cadre de recherche par le chercheur est discutée ci-après en fonction des méthodes qualitatives et quantitatives.

Dans l'étude qualitative, la notion de cadre de recherche, telle qu'on l'entend pour l'étude quantitative, revêt un sens différent. Pour la recherche qualitative, en effet, il peut s'agir de générer une théorie plutôt que de la vérifier, comme dans l'étude de théorisation ancrée. C'est au cours de cette recherche que la théorie émerge progressivement à partir d'observations d'un phénomène (Polit et Beck, 2012). De façon générale, dans la recherche qualitative, un ensemble de notions philosophiques tient lieu de schème fondamental et fournit une perspective à l'étude. Cette perspective se manifeste dans le type de questions posées, d'observations effectuées et d'interprétation des données. Contrairement à ce qui est le cas dans la recherche quantitative, les propositions générales ne découlent pas, dans la recherche qualitative, d'une théorie, mais d'une connaissance intuitive du milieu étudié (Poupart et collab., 1997). On utilise souvent l'expression «toile de fond» pour désigner le contexte de l'étude qui vise à construire une conceptualisation ou à chercher un sens aux données.

> De façon générale, dans la recherche qualitative, un ensemble de notions philosophiques tient lieu de schème fondamental et fournit une perspective à l'étude.

Dans l'étude quantitative, l'utilisation d'un cadre conceptuel est quasi inévitable, car il reflète la théorie ou le modèle conceptuel qui sous-tend les concepts. Comme les études descriptives quantitatives ont pour but d'examiner des phénomènes, des concepts, des facteurs ou des caractéristiques, il arrive que l'on ne puisse trouver un système de concepts susceptibles de s'appliquer à l'étude en cours, parce que le sujet est peu connu ou n'a pas été vraiment étudié. Étant donné que toute question contient au moins un concept, il convient, dans la définition que l'on en donne, de tenir compte des autres éléments ou des sous-concepts du problème qui s'y rapportent. Le chercheur établit ainsi un réseau de concepts solidaires qui procurent un cadre logique à la recherche. Le réseau de concepts ainsi constitué sert à la conceptualisation du problème de recherche. L'exemple 6.2 fait état d'un résumé d'une étude descriptive quantitative menée par Douglas et ses collaborateurs (2013), dans laquelle on a utilisé un outil d'analyse des tâches pour l'élaboration d'une taxonomie.

EXEMPLE 6.2

Le cadre conceptuel d'une étude descriptive

Cette étude avait pour but d'observer, de quantifier et de comparer la durée et la fréquence des activités des infirmières travaillant dans des unités de pédiatrie de soins intensifs. Les auteurs ont utilisé l'outil «analyse des tâches comportementales» (*Behavioral Task Analysis*) comme guide pour faire les observations et les comparaisons entre les tâches dans quatre unités.

Ils ont ainsi obtenu une taxonomie du nom et des définitions de tâches ainsi que des catégories d'analyses. Cette approche s'est révélée efficace pour comprendre non seulement la nature des activités infirmières dans les unités de soins intensifs de pédiatrie, mais aussi la particularité de l'environnement de travail. (Traduction libre)

Dans l'exploration des relations entre des variables, le cadre de recherche est surtout conceptuel. Rappelons que les études descriptives corrélationnelles visent à clarifier les concepts et à explorer des relations entre ceux-ci. Comme la théorie demeure à l'état d'ébauche, on ne peut postuler l'existence de relations entre les concepts, même si ces derniers ont été bien définis. À l'aide d'un modèle conceptuel ou d'écrits sur les variables à étudier, le chercheur élabore une explication sommaire sur l'action qui pourrait se produire entre des concepts. L'exemple 6.3 est un résumé tiré de l'étude descriptive corrélationnelle menée par Vanderboom et Madigan (2008) dans laquelle on a utilisé un modèle conceptuel pour appuyer l'exploration de relations entre les variables.

EXEMPLE 6.3

Le cadre conceptuel d'une étude descriptive corrélationnelle

À l'aide d'un devis descriptif corrélationnel, les auteurs ont examiné les relations entre l'éloignement en milieu rural des résidents, l'utilisation des services de santé à domicile et les conséquences sur leur santé. Les questions de recherche étaient les suivantes.

1. Existe-t-il un lien direct entre le degré d'éloignement rural, les agences de santé et l'état fonctionnel des résidents, leur hospitalisation et les soins émergents?

2. Existe-t-il un lien entre le degré d'éloignement rural et l'utilisation des soins et des services de santé?

3. Existe-t-il un lien indirect entre le degré d'éloignement rural et les effets sur la santé des résidents en ce qui a trait à l'utilisation des services de soins à domicile?

Le modèle conceptuel utilisé pour guider la recherche est une adaptation du modèle *Outcomes model for health care research* (Holzemer, 1994). Selon les auteurs, le cadre de recherche a été utilisé pour étudier les besoins, les processus et les résultats associés à la qualité des soins de santé à domicile. Les résultats ne montrent pas de lien direct entre l'éloignement rural et la santé des résidents. (Traduction libre)

Dans la vérification de relations associatives entre des variables, il est essentiel que les études corrélationnelles soient pourvues d'un cadre théorique. En effet, les concepts en jeu ayant été solidement étayés dans les études antérieures, il s'agit maintenant de vérifier des relations associatives entre les variables et de les expliquer. La formulation d'hypothèses prend appui sur un cadre théorique, ce qui permet ensuite d'expliquer pourquoi les variables agissent les unes par rapport aux autres. Puisque ces études se fondent généralement sur les résultats d'études réalisées au niveau de recherche précédent, on sait déjà qu'il existe des relations entre les variables, mais on veut approfondir cette relation. La vérification de relations d'associations permet d'anticiper l'action de ces variables et d'en expliquer la direction et la force, comme le montre le résumé de l'exemple 6.4, tiré de l'étude de Dingley et Roux (2014).

> La vérification de relations d'associations permet d'anticiper l'action de ces variables et d'en expliquer la direction et la force.

EXEMPLE 6.4

Le cadre théorique servant d'explication aux relations associatives

Dans une étude corrélationnelle, les auteurs ont adopté la théorie de la force interne (*Theory of Inner Strength*) afin de vérifier les relations associatives entre les forces internes, la qualité de vie et l'autogestion des symptômes dépressifs auprès de femmes survivantes d'un cancer. Cette théorie met l'accent sur le processus développemental des femmes participantes vivant avec des conditions de santé chroniques, particulièrement quand elles affrontent des circonstances difficiles. Cinq dimensions ou propositions ont été déduites de la théorie et ont servi à formuler les hypothèses de recherche. Dans la figure suivante, la théorie est représentée par les quatre concepts (angoisse, isolement, engagement, activités), inclus dans le cercle, censés affecter la qualité de vie et l'autogestion des symptômes dépressifs chez les participantes de l'étude. On cherche à déterminer la force des quatre variables de la théorie sur la qualité de vie de ces femmes et sur l'autogestion des symptômes dépressifs. (Traduction libre)

Les dimensions de la théorie

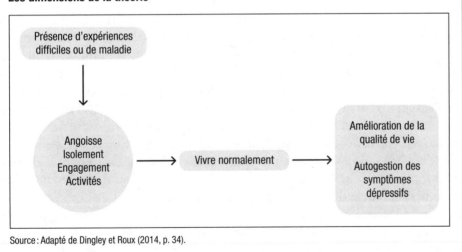

Source : Adapté de Dingley et Roux (2014, p. 34).

Dans la vérification de relations causales, on s'appuie sur un cadre théorique pour formuler des hypothèses et les vérifier empiriquement. Il s'agit d'appliquer une intervention (variable indépendante) à un groupe de participants dans une situation de recherche afin de vérifier son efficacité sur d'autres variables (variables dépendantes). En se basant sur une théorie, on fait la prédiction que l'intervention aura un effet. On doit pouvoir expliquer pourquoi la variable indépendante est présumée produire un certain effet (changement) sur la variable dépendante. L'exemple 6.5 présente un résumé d'une étude quasi expérimentale menée par Yi et Park (2012) visant à évaluer l'efficacité d'un programme d'éducation à la santé.

EXEMPLE 6.5

Le cadre théorique servant d'explication aux relations causales

Dans une étude quasi expérimentale, les auteurs ont évalué l'efficacité d'un programme d'éducation à la santé sur les connaissances, les habiletés, la performance et l'efficacité personnelle perçue auprès de femmes survivantes du cancer du sein. L'étude se base sur la théorie de l'efficacité personnelle perçue (Bandura, 1997), qui s'est avérée un guide utile pour expliquer le comportement de santé qu'adopte une personne dans une situation particulière et faciliter ainsi le changement de comportement. Parmi les quatre sources d'information visant à accroitre les perceptions de l'efficacité personnelle, les auteurs ont choisi l'*enacting attainment,* qui se traduit par «l'expérience directe», comme source d'information. Selon Bandura, la motivation à accomplir des tâches relatives à la réadaptation dépend de l'idée que la personne se fait de ses capacités. Ainsi, l'expérience directe peut se traduire, dans ce contexte, par la pratique de l'auto-examen des seins. Quatre hypothèses découlant de l'expérience directe ont été formulées. Les résultats ont été interprétés dans le contexte de la théorie et démontrent que les survivantes du cancer peuvent être une ressource importante dans la prévention et la détection précoce du cancer du sein dans le système de soins de santé. (Traduction libre)

6.5.2 L'intégration du cadre théorique ou conceptuel dans le processus de recherche

La phase de conceptualisation de la recherche permet de lier les étapes au cadre théorique ou conceptuel en situant celui-ci dans un contexte qui donne une signification particulière à la recherche et qui oriente toute la démarche. Le cadre de recherche, qu'il soit théorique ou conceptuel, s'intègre au processus de recherche et occupe une place de premier plan en jouant un rôle de guide pour chacune des phases de celle-ci. Ainsi, pendant la phase conceptuelle, le cadre de recherche est intégré à la formulation du problème au moyen d'un réseau de relations entre les divers concepts pertinents susceptibles d'influer sur la mesure des concepts et sur l'analyse des données. Dans la recension des écrits, l'intégration se fait par la définition des concepts inclus dans le cadre de recherche et des énoncés de relations en fonction des variables de l'étude. Les travaux publiés pertinents aux concepts et aux énoncés de relations sont résumés et décrits. L'énoncé du but, des questions de recherche ou des hypothèses découle du cadre théorique ou conceptuel et fait état des liens précis entre le problème, le cadre de recherche et la réalité à observer. Les concepts qui ont été retenus sont précisés, et leurs relations sont mises en évidence dans des énoncés visant à décrire les relations, à les expliquer ou à les prédire.

> Pendant la phase conceptuelle, le cadre de recherche est intégré à la formulation du problème au moyen d'un réseau de relations entre les divers concepts pertinents susceptibles d'influer sur la mesure des concepts et sur l'analyse des données.

Au cours de la phase méthodologique, la liaison entre le cadre de recherche et la méthode s'établit grâce aux définitions opérationnelles des variables présentes dans la théorie ou le modèle. Ce lien est particulièrement important dans les études visant à vérifier des hypothèses déduites des propositions théoriques, puisqu'il s'agit alors de confirmer ou d'infirmer les hypothèses issues de la théorie. Les instruments de mesure sont choisis en fonction de la nature des variables définies dans le cadre de recherche.

Pour ce qui est des phases empirique et analytique, les données sont recueillies au moyen d'instruments de mesure déterminés par les variables, et elles sont traitées à l'aide d'analyses statistiques descriptives et inférentielles. Les résultats sont par la suite interprétés en fonction du cadre de recherche et de travaux antérieurs. L'interprétation s'avère particulièrement importante, puisqu'il s'agit de discuter de la validité des propositions théoriques d'après les résultats obtenus des analyses.

6.6 Les éléments d'élaboration d'un cadre de recherche

L'élaboration d'un cadre de recherche théorique ou conceptuel nécessite un certain nombre d'actions: 1) choisir et définir les concepts dans le contexte de l'étude; 2) lier les concepts entre eux au moyen d'énoncés de relations ou agencer les concepts pertinents issus de la recension des écrits; et 3) représenter les rapports entre les énoncés de relations à l'aide d'un diagramme. Le cadre de recherche décrit ou analyse les concepts en vue de fournir une base de raisonnement pour l'étude à réaliser.

6.6.1 Le choix et la définition des concepts

Lorsqu'il s'agit de définir des concepts, il faut se rappeler que ces derniers sont choisis en fonction de leurs rapports avec le problème de recherche. Les concepts émergent du problème et servent de tremplin aux définitions des variables qui s'en dégagent, ce qui permet de mieux décrire ou examiner des relations. Chaque concept compris dans le cadre de recherche doit être défini de façon conceptuelle en s'appuyant sur les théories ou sur les définitions utilisées dans les travaux de recherche (Grove, Burns et Gray, 2013). Une définition théorique ou conceptuelle reflète la théorie ou le modèle adopté. S'il n'existe pas de théories ou de modèles conceptuels pouvant guider les définitions conceptuelles, le chercheur peut consulter des écrits sur le sujet à l'aide d'ouvrages ou d'articles traitant de l'élaboration d'échelles de mesure des concepts. La recension des écrits constitue un élément essentiel à la définition des concepts d'une étude puisqu'elle informe le chercheur sur la manière dont d'autres auteurs ont cerné et étudié un phénomène.

6.6.2 La liaison des concepts au moyen d'énoncés de relations

Dans l'élaboration d'un cadre conceptuel, tous les concepts doivent être liés par des énoncés de relations. Ceux-ci peuvent provenir de travaux théoriques ou être formulés par le chercheur en vue d'être examinés empiriquement. Ce type de démarche exige une brève explication des énoncés fondés sur des travaux théoriques et empiriques. Dans l'élaboration du cadre théorique, il s'agit d'extraire d'une théorie existante des propositions particulières en retenant uniquement la partie de la théorie qui traite de relations entre deux concepts ou plus. Ces propositions peuvent être représentées à l'aide d'un diagramme, lequel résume et intègre ce qui est connu sur un phénomène, parfois mieux qu'une longue explication.

6.6.3 L'illustration d'un diagramme

Lorsqu'on construit un diagramme, on met en rapport les concepts et les énoncés de relations. Il est important de tenir compte de la conceptualisation du problème qui sous-tend les concepts, les énoncés de relations entre les concepts et les aspects théoriques sous-jacents aux relations présumées. Le diagramme permet d'illustrer les concepts qui sont mis en relation ou ceux qui contribuent à l'explication du phénomène à l'étude. Des flèches servent à indiquer la direction de la relation entre les concepts. Chaque lien exprimé au moyen d'une flèche représente un énoncé de relation explicité dans le cadre de recherche. Dans l'élaboration d'un cadre de recherche, les concepts et les sous-concepts associés peuvent également être mis en évidence à l'aide d'une illustration. Le diagramme conceptuel représenté dans l'exemple 6.6 est une illustration de l'articulation des concepts et des énoncés de relations tirée de l'étude de Lu et Wykle (2007), résumée dans ce même exemple.

EXEMPLE 6.6

La mise en relations des variables dans un modèle hypothétique

Dans le modèle représenté ci-dessous, les auteurs ont exploré, dans un premier temps, les relations entre le stress des proches aidants d'un parent atteint de troubles neurocognitifs, leur capacité fonctionnelle et les comportements adoptés en raison de ce symptôme. Dans un deuxième temps, ils ont examiné la fonction médiatrice de la capacité fonctionnelle dans la relation entre le stress des proches aidants et les comportements d'autosoins adoptés en réponse à ce symptôme. Ce modèle, qui met en relation ces variables, suggère que le stress des proches aidants est théorisé afin d'influer sur le comportement en

matière d'autosoins et que cette relation agit partiellement sur leur capacité fonctionnelle. Selon les auteurs, la prise en charge d'une personne atteinte de troubles neurocognitifs crée des demandes qui perturbent la capacité fonctionnelle du proche aidant (autoévaluation de la santé, présence de symptômes, dépression et fonctionnement physique). La vérification du modèle montre que, dans l'ensemble (d'après la direction des flèches), il existe une relation positive entre une faible capacité fonctionnelle et un plus grand nombre de comportements en matière d'autosoins adoptés en réponse aux symptômes manifestés.

Un modèle hypothétique des relations entre le stress des proches aidants, la capacité fonctionnelle et le comportement en matière d'autosoins

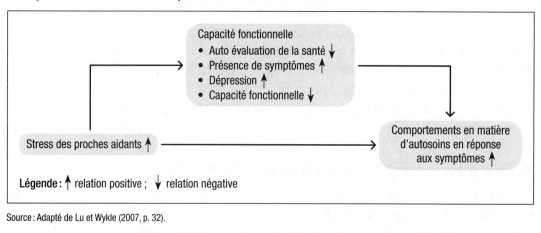

Source : Adapté de Lu et Wykle (2007, p. 32).

En résumé, dans l'élaboration du cadre de recherche, les concepts doivent être définis de façon claire, et leur définition doit s'appuyer sur une théorie ou sur un modèle déterminé. Tous les concepts contenus dans une étude doivent être liés entre eux afin qu'il soit possible, dans la suite de la recherche, d'examiner ou de vérifier leurs interrelations.

6.7 L'examen critique du cadre de recherche

Au cours de la lecture critique d'une publication de recherche, on doit pouvoir déterminer si l'on est en présence d'un cadre théorique, d'un cadre conceptuel bien établi ou d'un ensemble de concepts plus ou moins liés. Il arrive parfois qu'une section d'une publication s'intitule « cadre théorique » ou « cadre conceptuel », ou que le cadre soit incorporé sans titre dans l'introduction. L'absence d'un cadre de recherche propre à une discipline risque d'affaiblir une étude au regard de sa contribution potentielle à l'avancement des connaissances sur le sujet. L'examen peut porter sur la convenance du cadre vis-à-vis du problème de recherche. Il importe de se poser les questions suivantes : Comment le chercheur justifie-t-il son choix ? Les questions de recherche ou les hypothèses découlent-elles logiquement du cadre de recherche ? Dans la recherche qualitative, il s'avère parfois difficile de préciser les concepts au début, car le but peut être d'élaborer une théorie, laquelle devient l'issue de l'étude au lieu de son fondement. L'encadré 6.1 présente quelques éléments de critique du cadre de recherche.

ENCADRÉ 6.1 | Quelques questions guidant l'examen critique du cadre de recherche

1. L'étude définit-elle de façon explicite un cadre théorique ou conceptuel ? Si oui, ce cadre semble-t-il approprié au but de l'étude (soit de décrire des phénomènes ou des populations, d'expliquer ou de prédire des relations entre des variables) ?

2. Si l'étude est qualitative, peut-on déceler une philosophie sous-jacente qui oriente le chercheur vers un type d'étude en particulier ?

3. Le cadre de recherche adopté permet-il de mieux saisir le phénomène qui fait l'objet de l'étude ? Un autre cadre de recherche conviendrait-il davantage ?

4. Le cadre de recherche est-il suffisamment élaboré pour qu'il soit possible de comprendre la démarche suivie par l'auteur ?

5. Quels sont les concepts clés du cadre de recherche ? Sont-ils clairement définis dans le contexte de la théorie ?

6. Les définitions conceptuelles sont-elles clairement énoncées ?

7. Les questions de recherche ou les hypothèses découlent-elles logiquement du cadre conceptuel ou théorique ?

8. Les résultats de l'étude sont-ils présentés en relation avec le cadre de recherche et interprétés en référence à ce dernier ?

Points saillants

6.1   Le cadre de recherche

- La recherche s'inscrit dans une démarche intellectuelle visant l'acquisition de connaissance et repose sur la théorie pour décrire, expliquer, prédire et contrôler des phénomènes.
- Le cadre de recherche est l'expression théorique ou conceptuelle qui fournit une perspective à l'étude.

6.2   La théorie

- La théorie est constituée d'un ensemble de concepts, de définitions et d'énoncés de relations qui donne une vision systématique d'un phénomène et qui précise les relations particulières entre des variables en vue d'expliquer et de prédire des phénomènes.
- Les théories diffèrent les unes des autres selon l'étendue des faits qu'elles visent à expliquer et l'application que l'on peut en faire.
- Les composantes de la théorie incluent les postulats, les concepts, les définitions et des énoncés de relation.

6.3   L'élaboration et la vérification de la théorie

- L'élaboration d'une théorie et sa vérification sont deux processus distincts connus sous les noms d'induction et de déduction.
- Selon le processus inductif, les données sont recueillies à partir de situations réelles dans lesquelles sont déterminés les concepts liés à un phénomène d'où l'on énonce des propositions.
- Surtout associé à la recherche quantitative, le processus déductif consiste à confronter aux faits une hypothèse déduite d'une théorie, c'est-à-dire que les propositions sont extraites de la théorie.

6.4   Le modèle conceptuel

- Les concepts sont les éléments de base qui servent à exprimer des pensées, des idées et des notions abstraites.
- Tout comme les théories, les modèles comportent des concepts distincts, des définitions et des énoncés de relations.

6.5   Le cadre de recherche : théorique ou conceptuel

- Pour expliquer comment les relations anticipées entre les concepts se produisent, le chercheur extrait des propositions de la théorie. Cette démarche conduit à la conceptualisation d'un cadre de recherche. Celui-ci peut être théorique ou conceptuel.
- Le cadre théorique, fondé sur une ou plusieurs théories existantes, est une brève explication des relations entre les concepts contenus dans la théorie.
- Le cadre conceptuel est une explication fondée sur l'agencement logique d'un ensemble de concepts ou de sous-concepts liés entre eux et réunis en raison de leur affinité avec le problème de recherche.

6.6   Les éléments d'élaboration d'un cadre de recherche

- Les éléments qui entrent dans la structure du cadre de recherche sont les concepts, les énoncés de relations, les modèles conceptuels et les théories. Le cadre de recherche, qu'il soit théorique ou conceptuel, doit être bien structuré et intégré au problème de recherche et à l'ensemble du processus de la recherche. Il doit refléter l'état des connaissances ou les niveaux de recherche, selon qu'il s'agit de décrire, d'expliquer ou de prédire des phénomènes.
- Pour élaborer un cadre théorique ou conceptuel, il faut d'abord définir avec précision les concepts et préciser leurs relations mutuelles. Les diagrammes sont utiles pour visualiser les relations qui existent entre les concepts.

Mots clés

Cadre conceptuel

Cadre de recherche

Cadre théorique

Concept

Construit

Énoncé de relations (proposition)

Exploration de relations

Modèle conceptuel

Modèle théorique

Structure

Théorie

Théorie à moyenne portée

Théorie descriptive

Vérification de relations

Exercices de révision

1. Qu'est-ce qu'un cadre théorique et à quoi sert-il en recherche?

2. Qu'est-ce qu'un cadre conceptuel et à quoi sert-il en recherche?

3. Parmi les énoncés suivants, lequel correspond à la définition d'un concept? Déterminez la lettre qui correspond à la réponse choisie.

   a) Représentation graphique et symbolique d'une idée abstraite.

   b) Observation qui peut être vérifiée de façon empirique.

   c) Idée générale, abstraction provenant de la description de phénomènes.

4. Lequel des énoncés suivants correspond à une définition de la théorie? Déterminez la lettre qui correspond à la réponse choisie.

   a) Ensemble de concepts multidimensionnels liés entre eux qui permettent d'expliquer globalement des phénomènes.

   b) Ensemble d'idées générales et d'abstractions qui servent à décrire des faits ou des évènements.

   c) Ensemble de concepts étroitement liés entre eux qui forment des propositions servant à expliquer et à prédire des phénomènes.

   d) Ensemble de postulats, de principes philosophiques et méthodologiques qui favorisent le développement des connaissances.

Liste des références

Les références citées dans la rubrique «Exemple» ou dans les citations peuvent ne pas figurer dans cette liste.

Allen, M. (1977). Comparative theories of the expanded role in nursing and its implication for nursing practice: A working paper. *Nursing Paper, 9*(2), 38-45.

Alligood, M.R. et May, B.A. (2000). A nursing theory of personal system empathy: Interpreting a conceptualization of empathy in King's interaction systems. *Nursing Science Quarterly, 13*(3), 243-247.

Bandura, A. (1997). *Self-efficacy: The exercise of control.* New York, NY: W.H. Freeman.

Becker, M. (1976). *Health belief model and personal health behavior.* Thorofare, NJ: Freeman.

Dempsey, P.A. et Dempsey, A.D. (2000). *Using nursing research: Process, critical evaluation, and utilization* (5ᵉ éd.). Philadelphie, PA: Lippincott Williams & Wilkins.

Dingley, C. et Roux, G. (2014). The role of inner strength in quality of life and self-management in women survivors of cancer. *Research in Nursing & Health, 37*(1), 32-41.

Douglas, S. et collab. (2013). The work of adult and pediatric intensive care unit nurses. *Nursing Research, 62*(1), 50-58.

Fawcett, J. et Garity, J. (2009). *Evaluating research for evidence-based nursing practice.* Philadelphie, PA: F.A. Davis.

Gottlieb, L.N. et Rowat, K. (1987). The McGill model of nursing: A practice derived model. *Advances in Nursing Science, 9*(4), 51-61.

Grove, S.K., Burns, N. et Gray, J.R. (2013). *The practice of nursing research: Conduct, critique & utilization* (6ᵉ éd.). Saint-Louis, MO: Saunders Elsevier.

Holloway, I. et Wheeler, S. (2010). *Qualitative research in nursing and healthcare* (3ᵉ éd.). Oxford, R.-U.: Wiley-Blackwell.

Kerlinger, F.N. (1986). *Foundation of behavioral research* (3ᵉ éd.). New York, NY: Holt, Rinehart & Winston.

Kolcaba, K. (2003). *Comfort theory and practice: A vision for holistic health care and research.* New York, NY: Springer.

Lazarus, R.S. et Folkman, S. (1984). *Stress, appraisal and coping.* New York, NY: Springer.

Leininger, M. (1991). *Culture care diversity and universality: A theory of nursing.* New York, NY: National League for Nursing.

Lu, Y.F. et Wykle, M. (2007). Relationships between caregiver stress and self-care behaviors in response to symptoms. *Clinical Nursing Research, 16*(1), 29-43.

McEwen, M. et Wills, E.M. (2014). *Theoretical basis for nursing* (4ᵉ éd.). Philadelphie, PA : Lippincott Williams & Wilkins.

McLachlan, D.A. et Justice, J. (2009). A grounded theory of international student well-being. *The Journal of Theory Construction & Testing, 13*(1), 27-32.

Meleis, A.I. (2012). *Theoretical nursing: Development and progress* (5ᵉ éd.). Philadelphie, PA : Lippincott Williams & Wilkins.

Melzack, R. et Wall, P.D. (1989). *Le défi de la douleur* (3ᵉ éd.). Saint-Hyacinthe, Québec : Edisem.

Mishel, M.H. (1988). The theory of uncertainty in illness. *Image: Journal of Nursing Scholarship, 20*(4), 225-232.

Orem, D.E., Taylor, S.S., Renpenning, K.M. et Eisenhandler, S.A. (2003). *Selfcare theory in nursing: Selected papers of Dorothea Orem.* New York, NY : Springer Publishing Company.

Parse, R.R. (2008). *The human becoming theory in practice and research.* Sudbury, MA : Jones & Bartlett.

Pender, N.J., Murdaugh, C.L. et Parsons, M.A. (2014). *Health promotion in nursing practice* (7ᵉ éd.). Upper Saddle River, NJ : Prentice-Hall.

Peterson, S.J. et Bredow, T.S. (2013). *Middle range theories: Application to nursing research* (3ᵉ éd.). Philadelphie, PA : Lippincott Williams & Wilkins.

Polit, D.F. et Beck, C.T. (2012). *Nursing research: Generating and assessing evidence for nursing practice* (9ᵉ éd.). Philadelphie, PA : Wolters Kluwer/Lippincott Williams & Wilkins.

Portney, L.G. et Watkins, M.P. (2009). *Foundations of clinical research: Applications to practice* (3ᵉ éd.). Upper Saddle River, NJ : Pearson/Prentice-Hall.

Poupart, J. et collab. (1997). *La recherche qualitative : enjeux épistémologiques et méthodologiques.* Boucherville, Québec: Gaëtan Morin.

Rogers, M.E. (1994). Nursing science evolves. Dans Ṁ. Madrid et E.A.M. Barrett (dir.). *Rogers' scientific art of nursing practice* (p. 3-10). New York, NY : National League for Nursing Press.

Rosentock, I.M. (1990). The health belief model: Explaining health behavior through expectancies. Dans K. Glanz, F.M. Lewis et B.K. Rimer (dir.). *Health behavior and health education: Theory, research and practice* (p. 39-62). San Francisco, CA : Jossey-Bass.

Roy, C. (2009). *The Roy adaptation model* (3ᵉ éd.). Upper Saddle River, NJ : Pearson/Prentice-Hall.

Strauss, A.L. et Corbin, J. (1994). Grounded theory methodology: An overview. Dans N.K. Denzin et Y.S. Lincoln (dir.). *Handbook of qualitative research* (p. 500-515). Thousand Oaks, CA : Sage Publications.

Swanson, K.M. (1991). Empirical development of a middle-range theory of caring. *Nursing Research, 40*(3), 161-166.

Vanderboom, C.P. et Madigan, E. (2008). Relationships of rurality, home health care use, and outcomes. *Western Journal of Nursing Research, 30*(3), 365-378.

Watson, J. (2008). *The philosophy and science of caring.* Boulder, CO : University Press of Colorado.

Yi, M. et Park, E.Y. (2012). Effects of breast health education conducted by trained breast cancer survivors. *Journal of Advanced Nursing, 68*(5), 1100-1110.

CHAPITRE 7

La formulation du problème de recherche

Objectifs d'apprentissage

Après avoir étudié ce chapitre, vous serez en mesure :

- de considérer le type de questions dans la formulation du problème de recherche ;
- de définir les éléments du problème de recherche ;
- d'intégrer ces éléments dans la formulation d'un problème de recherche ;
- de vous familiariser avec le plan de rédaction ;
- de présenter une argumentation pertinente au problème de recherche ;
- d'évaluer le problème de façon critique.

Au moment de formuler le problème de recherche, plusieurs étapes ont déjà été franchies. L'intérêt que présente le sujet d'étude pour l'avancement des connaissances a été considéré, et la question de recherche a été précisée (*voir le chapitre 4*). Cette question sert maintenant d'appui à la formulation du problème, puisqu'elle a été documentée par une recension des écrits empiriques et théoriques (*voir les chapitres 5 et 6*). Il s'agit maintenant de circonscrire le problème de recherche et de le formuler à partir de la question qui reflète l'orientation à donner à l'étude. Ce chapitre décrit les rapports entre les types de questions de recherche et la formulation du problème. Il propose une démarche visant à dégager les éléments de celui-ci (préoccupation, données factuelles, contexte théorique ou conceptuel et solution) qui, coordonnés entre eux, guideront le chercheur dans la rédaction du problème de recherche. Les sections qui suivent définissent les différents éléments et montrent leur intégration progressive dans la formulation du problème.

7.1　De la question de recherche à la formulation du problème

La question de recherche guide la formulation du problème sur laquelle repose la suite du processus de recherche. C'est une étape cruciale qui se situe au cœur de la phase conceptuelle, où se précisent les décisions relatives à l'orientation et aux méthodes de recherche. Alors que le sujet se rapporte à l'étude d'un aspect particulier d'un domaine et que la question de recherche renvoie à l'orientation que l'on veut donner à l'étude, la formulation du problème a trait au regroupement et à l'analyse des différents éléments qui constituent le problème de recherche. En vue de formuler celui-ci, on s'interroge : « Quel est l'objet de l'étude et qu'est-ce qui le motive ? » ; « Quel est le groupe de personnes visé par l'étude ? » ; « Quels sont les concepts en jeu ? » ; « Quel est l'état de la question ? » ; « Quelle est la solution de recherche proposée ? »

　　Rappelons que la question de recherche a pour rôle de préciser les concepts clés et la population cible, ainsi que de suggérer une investigation empirique. Par leur libellé, les questions pivots peuvent refléter le choix d'un paradigme ou établir l'ampleur de la recherche en fonction de l'état d'avancement des connaissances sur un sujet donné. Comme c'était le cas pour l'énoncé de la question, la formulation du problème varie selon le but de l'étude : décrire un ou des concepts, des phénomènes ou une population, comme dans une étude descriptive quantitative ; expliquer des relations entre des concepts, comme dans les études corrélationnelles ; ou prédire et contrôler l'effet de certaines variables sur d'autres variables, comme dans les études expérimentales.

　　La question de recherche peut être qualitative et explorer un phénomène. Elle vise alors à le comprendre, à le décrire et parfois à générer une théorie. La formulation du problème pourra varier en fonction du devis de recherche qualitative utilisé : il peut s'agir de phénoménologie, d'ethnographie, de théorisation enracinée, d'étude de cas ou d'étude descriptive qualitative. Selon l'état des connaissances sur le sujet, il existe plusieurs types de questions de recherche, que celle-ci soit qualitative ou quantitative.

　　La figure 7.1 montre le déroulement des étapes de la phase conceptuelle menant à la formulation du problème de recherche. Il s'agit d'abord de déterminer un sujet d'étude, lequel peut provenir de différentes sources. Ensuite, après avoir consulté les publications pertinentes, on pose une question selon les connaissances disponibles sur le sujet. On peut enfin formuler le problème de recherche en tenant compte de l'ensemble des renseignements recueillis.

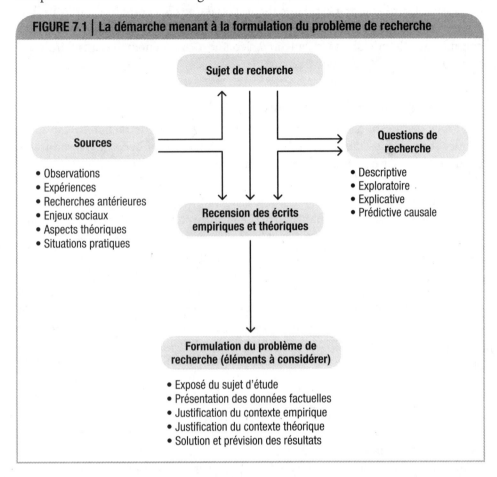

FIGURE 7.1 | La démarche menant à la formulation du problème de recherche

Sujet de recherche

Sources
- Observations
- Expériences
- Recherches antérieures
- Enjeux sociaux
- Aspects théoriques
- Situations pratiques

Questions de recherche
- Descriptive
- Exploratoire
- Explicative
- Prédictive causale

Recension des écrits empiriques et théoriques

Formulation du problème de recherche (éléments à considérer)
- Exposé du sujet d'étude
- Présentation des données factuelles
- Justification du contexte empirique
- Justification du contexte théorique
- Solution et prévision des résultats

7.2 Le type de questions en rapport avec la formulation du problème

La manière de poser le problème varie suivant le type de questions qui a été déterminé à partir de l'état des connaissances qui existent dans le domaine à l'étude.

7.2.1 Les questions se rapportant à la recherche qualitative

Dans la recherche qualitative, le type de questions ouvre la voie à différentes perspectives qui orientent généralement le chercheur vers des études particulières. Ainsi, certains termes tels que « décrire les expériences », « chercher à comprendre », « découvrir », « explorer » ou « expliquer » un processus sont associés à la recherche qualitative (Punch, 2005). La question de recherche peut être exploratoire et descriptive, elle peut parfois faire appel à l'explication et varier en fonction des études qualitatives utilisées. Par exemple, la question se rapportera à l'exploration, à la description et à la compréhension des expériences vécues par des personnes, comme dans l'étude phénoménologique ; elle cherchera à comprendre comment la langue d'origine influe sur les différences culturelles d'une population, à analyser et à interpréter les différents attributs de la culture, comme dans l'étude ethnographique ; dans la théorisation enracinée, l'accent sera plutôt mis sur l'explication des processus et sur l'élaboration d'une théorie ou d'une conceptualisation (Munhall, 2012) ; enfin, la question cherchera à décrire un cas ou une situation en particulier, comme dans l'étude de cas, ou encore à dépeindre un phénomène sans faire appel à une méthodologie qualitative particulière.

7.2.2 Les questions se rapportant à la recherche quantitative

Les types de questions dont la formulation du problème de recherche est documentée sont les questions descriptives, les questions relationnelles (exploratoires et explicatives) et les questions prédictives causales.

La question descriptive

La question est descriptive quantitative si elle porte sur l'étude des caractéristiques d'une population, sur la description et la définition de concepts ou sur la classification de phénomènes. « Quel est le degré d'estime de soi des adolescents ayant un handicap ? » est un exemple de question contenant un seul concept. Une question s'intéressant à plusieurs concepts pourrait être formulée ainsi : « Quelles sont les attitudes et les connaissances des infirmières en regard d'une situation clinique particulière ? » Ces études sont surtout entreprises lorsque les connaissances sur le sujet s'avèrent peu nombreuses ou qu'il s'agit d'un nouveau sujet. Dans la formulation du problème, le chercheur décrit simplement les caractéristiques qui ont été dégagées et fait ressortir leur importance. Les concepts en jeu peuvent donner lieu à l'élaboration d'un cadre conceptuel.

> Dans la formulation du problème, le chercheur décrit simplement les caractéristiques qui ont été dégagées et fait ressortir leur importance.

La question relationnelle

La question relationnelle se présente à deux niveaux : exploratoire et explicatif.

La question exploratoire La question est exploratoire si elle vise à étudier des relations entre des variables. L'exploration de relations consiste à examiner des facteurs ainsi que leurs interrelations possibles à l'aide de l'étude descriptive corrélationnelle. Voici des exemples de questions pivots pouvant caractériser ce type d'étude : « Existe-t-il une relation entre… ? » ; « Quels sont les facteurs associés à… ? » Dans la formulation du problème, le chercheur définit les concepts et envisage les relations qui peuvent les unir : « Quelles sont, chez les personnes diabétiques, les croyances en matière de santé associées à l'adaptation et à l'adhésion au régime thérapeutique ? » Comme la question comporte plusieurs concepts, il est nécessaire d'indiquer quelles sont les différentes croyances exprimées en matière de santé et d'élaborer un cadre conceptuel ou théorique permettant de mettre en rapport les concepts d'adaptation et d'adhésion.

> La question est exploratoire si elle vise à étudier des relations entre des variables.

La question explicative La question est explicative si elle sert à vérifier des relations associatives entre des variables et à expliquer pourquoi une variable en influence une autre, comme dans l'étude corrélationnelle. La question explicative comporte moins de concepts que la question exploratoire. En effet, le niveau précédent (l'exploration de relations) a déjà permis de déterminer les concepts dont il s'agit de mesurer l'influence par l'énoncé d'une question qui rendra possible leur explication: «Quelle est l'influence de...?»; «Quelle est la force de...?» La question suivante illustre un exemple fictif d'une étude corrélationnelle: «Quelle est l'influence de l'espoir de guérison sur le rétablissement des malades atteints de cancer?» En s'appuyant sur un cadre théorique, on postule des relations entre ces deux variables et l'on vérifie le degré d'influence qu'une variable exerce sur une autre.

> La question est explicative si elle sert à vérifier des relations associatives entre des variables et à expliquer pourquoi une variable en influence une autre.

La question prédictive causale

La question est prédictive causale si elle se rapporte à la prédiction et au contrôle de relations entre des variables indépendante et dépendante; elle fait appel à la conduite d'une étude expérimentale ou quasi expérimentale. On cherche alors à démontrer des différences entre des groupes. Voici des exemples de questions pivots: «Quels sont les effets de...?»; «Quelle est l'efficacité de...?» La question pourrait être formulée ainsi: «Quels sont les effets d'un programme d'automédication sur l'assiduité des personnes âgées à prendre leurs médicaments?» Cette question sous-entend la présence d'un groupe témoin pour comparer les résultats obtenus dans les deux groupes (expérimental et témoin). La formulation du problème de recherche dans ce type d'étude est plus complexe, car elle suppose que les connaissances acquises en matière de vérification théorique des relations sont suffisamment solides pour permettre de postuler qu'une variable indépendante déterminée a modifié la variable dépendante. On doit s'appuyer sur une théorie ou sur un modèle théorique pour expliquer et prédire l'effet anticipé de la variable indépendante sur la ou les variables dépendantes.

> La question est prédictive causale si elle se rapporte à la prédiction et au contrôle de relations entre des variables indépendante et dépendante.

7.3 Qu'est-ce que formuler un problème de recherche?

Formuler un problème de recherche, c'est définir le sujet, le phénomène ou le concept à l'étude au moyen d'une progression logique d'éléments, de relations, d'arguments et de faits. Il s'agit de présenter le sujet à l'étude (situation, préoccupation, concept), d'expliquer son importance, de résumer les données issues de faits, de préciser les aspects théoriques ayant cours dans le domaine et de suggérer une investigation empirique.

Dans la formulation du problème de recherche, il faut présenter des arguments, puisque l'on doit convaincre le lecteur que la manière proposée d'envisager le problème est pleinement justifiée. L'argumentation permet en effet de mettre en évidence les données et la pertinence du problème, de faire ressortir les conséquences pour les personnes concernées, de fournir des explications, de démontrer l'intérêt des faits observés, de mettre en évidence les relations existant entre des idées et des faits et de justifier la façon dont on aborde le problème de recherche. En argumentant, le chercheur s'efforce de persuader les lecteurs de l'importance de la recherche à réaliser en vue d'améliorer la situation à l'étude.

> Dans la formulation du problème de recherche, il faut présenter des arguments, puisque l'on doit convaincre le lecteur que la manière proposée d'envisager le problème est pleinement justifiée.

La façon de formuler le problème de recherche indique la direction pour la suite du processus. Elle varie en fonction de la posture épistémologique adoptée, soit le courant postpositiviste ou le courant interprétatif. Lorsque le problème est bien défini, les étapes subséquentes se déroulent aisément, en suivant une démarche cohérente. En ce sens, le point de départ dans la formulation du problème est déterminant, selon qu'on expose un sujet, un concept ou une théorie (cadre de recherche). Le sujet d'étude peut provenir d'une situation observée, qu'elle soit clinique, éducative, psychosociale ou autre. Par exemple, on peut vouloir étudier la qualité des interactions mère-enfant en milieu naturel et expérimental et en faire logiquement le point de départ de la définition du problème. Par contre, on peut aussi aborder la formulation du problème en s'intéressant à un concept ou à une proposition théorique, en l'occurrence le concept de l'attachement mère-enfant. Puisque la recherche requiert des observations autant que des explications, elle comporte toujours un certain degré d'abstraction.

> Le sujet d'étude peut provenir d'une situation observée, qu'elle soit clinique, éducative, psychosociale ou autre.

Aussi, la formulation du problème de recherche sera différente selon que le point de départ relève d'une situation concrète ou d'un concept ou d'une théorie. En partant d'une situation concrète, on expose d'emblée ce qui fait problème pour ensuite dégager les concepts de la situation et tenter des explications. Par contre, en partant d'un concept ou d'une théorie, on cherche à se rapprocher de la réalité en insérant le ou les concepts dans une situation concrète (p. ex. clinique ou pratique) pour être vérifiée. La formulation du problème aura des répercussions, entre autres, sur la façon de présenter les écrits et d'interpréter les résultats de la recherche. Prenons l'exemple d'une étude ayant pour point de départ un concept qui a été inséré dans une cadre conceptuel ou théorique pour étudier les trajectoires développementales et les facteurs associés chez des garçons manifestant des comportements perturbateurs. La citation suivante présente l'amorce du paragraphe d'introduction au problème de recherche (Ouellet, 2007, p. 3).

> Au cours de la dernière décennie, notre compréhension des processus développementaux inadaptés durant l'enfance a profité de l'intégration de la psychologie développementale et de la psychopathologie (Campbell, Shaw et Gilliom, 2000). Ce cadre conceptuel, appelé maintenant psychopathologie développementale, stipule qu'une partie importante de notre compréhension des trajectoires développementales maladaptives doit se construire en faisant ressortir les processus et les mécanismes qui contribuent à leur développement et à leur maintien (Chicchetti et Rogosh, 1999).

7.3.1 Les éléments servant à la formulation du problème

La formulation du problème de recherche nécessite la réunion d'un ensemble d'éléments qui, une fois coordonnés, donneront une vue claire du problème. Il importe donc de distinguer les éléments constitutifs du problème, celui-ci devant être considéré comme une entité complexe. Les éléments à prendre en considération sont les suivants:

1. l'exposé du sujet d'étude;

2. la présentation des données de la situation;

3. le contexte empirique;

4. le contexte théorique;

5. la solution proposée et les résultats escomptés.

Dans la **formulation du problème**, le chercheur présente son sujet à l'étude et définit les principales caractéristiques de la population visée. Il décrit les éléments du problème et les données issues de faits, dégage une argumentation qui se fonde sur l'information empirique et théorique recueillie et tente d'apporter une réponse à la question de recherche. La formulation du problème se réalise en suivant un plan de rédaction.

Formulation du problème
Démarche qui s'appuie sur un ensemble d'éléments servant à exposer le problème, à en déterminer les causes et les conséquences et à proposer une solution empirique à partir de ce qui est connu à ce sujet.

7.4 La rédaction du problème de recherche

La formulation du problème de recherche se rapporte à la succession logique des cinq éléments énumérés précédemment et des relations entre ces derniers et les écrits servant de référence. L'intégration des éléments suit une séquence itérative, de façon à faire s'enchainer les éléments et à les exprimer sous la forme d'une argumentation. Il convient de susciter l'intérêt du lecteur en lui permettant de saisir la pertinence de se poser la question à laquelle on cherche une réponse (Toussaint et Ducasse, 1996). Il y a également lieu de démontrer l'utilité d'une étude empirique pour contribuer à l'avancement des connaissances dans la discipline. Il s'agit de montrer, à l'aide d'une argumentation solide, que la question à examiner revêt une grande importance, qu'elle est pertinente et d'actualité.

Dans une recherche qualitative, on s'inspire aussi des éléments du problème et du plan de rédaction. On commence généralement par décrire le point central de l'investigation et l'on poursuit en le justifiant dans le contexte de l'étude. Les questions suivantes peuvent servir de point de départ à la formulation du problème : « Quel est le phénomène à l'étude ? » ; « Quel est l'évènement, quelle est la situation ou la question à explorer ? » ; « Dans quel contexte le phénomène se situe-t-il ? » ; « Quelle est sa signification ? » Il peut s'agir d'un concept, comme la souffrance, d'un évènement ou d'une situation, tel le suicide d'un ami, ou encore d'un aspect propre à une culture, telles les manières de vivre d'un groupe particulier. Quel que soit le concept, l'évènement ou la situation, il faut le décrire selon la perspective des personnes concernées. On devrait trouver explicités dans cette description les postulats philosophiques qui sous-tendent la méthode choisie et qui fournissent une perspective particulière à la recherche (Creswell, 2007 ; Speziale et Carpenter, 2007).

On devrait trouver explicités dans cette description les postulats philosophiques qui sous-tendent la méthode choisie et qui fournissent une perspective particulière à la recherche.

Dans la formulation du problème, les questions sont représentatives de l'approche qualitative utilisée. Ainsi, les questions ethnographiques cherchent à mettre l'accent sur la culture et sur les aspects symboliques du comportement devant être examinés, décrits, analysés et interprétés (Wolf, 2007). Les questions relatives à la théorisation enracinée incitent quant à elles à découvrir la théorie. Elles insistent sur la compréhension des processus sociaux et expliquent comment les personnes se comportent dans différentes situations (Punch, 2005). Les questions phénoménologiques conduisent le chercheur à décrire les expériences et mettent en relief la compréhension des phénomènes et des expériences humaines. Selon l'approche qualitative utilisée, il y aura lieu de recourir, à des degrés divers, aux écrits antérieurs pour documenter le problème ou aux données recueillies sur le terrain pour le reformuler. Le rôle de la théorie pourra aussi varier, selon qu'elle sert d'appui au problème ou qu'elle est générée au cours du processus de la recherche.

7.4.1 Le plan de rédaction

Avant de commencer à rédiger le problème de recherche, on procède au tri des idées extraites des publications recensées et on les ordonne afin d'élaborer le plan pour la rédaction du problème de recherche. Celui-ci comporte trois sections : l'introduction ; l'état de la question ou le développement ; et la conclusion. Chacun des éléments du problème s'enchaine logiquement dans la section appropriée. Ainsi, l'exposé du sujet de recherche fait partie de l'introduction. La présentation des données du problème et la justification des contextes empirique et théorique occupent une place désignée dans l'état de la question ou le développement. La conclusion résume les principaux points traités dans le texte, propose une solution au problème de recherche et envisage les résultats escomptés. L'introduction peut former un ou deux paragraphes. L'état de la question, ou développement, englobe de nombreux éléments et comporte plusieurs paragraphes. La conclusion peut se limiter à un seul paragraphe. Ces paragraphes représentent les principaux arguments à l'appui de l'idée avancée.

L'introduction

L'introduction, qui renferme le premier élément du problème, informe le lecteur du contenu de l'ensemble du texte. Elle situe le sujet de recherche dans son contexte, souligne son importance et précise les raisons qui en justifient l'étude. Elle expose le problème de recherche et les différentes sections du plan.

Premier élément : l'exposé du sujet d'étude On précise ici le problème à l'étude, son origine, les principaux faits observés et comment ils se présentent. On explique aussi la raison pour laquelle l'étude de ce problème s'avère importante. Le sujet d'étude est présenté dès le début en une ou deux phrases. Celles-ci sont déterminantes, car il importe de capter l'attention du lecteur et de le convaincre que le problème traité est important et qu'il mérite d'être examiné. Par exemple, si l'on veut étudier un problème relatif à la qualité de vie chez une population en particulier, il faut renseigner brièvement le lecteur sur les divers domaines associés à la qualité de vie et indiquer lesquels touchent particulièrement cette population. Par la suite, il convient de signaler les observations et les faits directement liés au problème et de préciser leurs rapports avec ce dernier. Il y a lieu aussi d'expliquer pourquoi cette question mérite d'être étudiée. Pour faciliter cette démarche, un certain nombre de questions relatives à la situation problématique peuvent être soulevées par le chercheur.

L'état de la question ou le développement

Le développement porte sur les trois éléments suivants : les données de la situation problématique, une synthèse des écrits recensés (contexte empirique) et le cadre théorique ou conceptuel (contexte théorique). On aménage des transitions entre les diverses sections ou sous-sections pour leur permettre de s'enchainer logiquement.

Deuxième élément : la présentation des données de la situation On indique les données du problème, les facteurs qui influent sur celui-ci, les personnes touchées par lui et les conséquences de ce problème sur ces personnes. On se rapporte à la description des données nécessaires à la compréhension des différents aspects du problème. Les données de la situation sont les facteurs qui influent sur celui-ci ; ils s'appuient sur les observations qui ont été faites et mettent en évidence la situation concrète en décrivant ce qui le compose (p. ex. les personnes, le milieu, le contexte, l'environnement, les politiques). En décrivant celui-ci, il convient de montrer les conséquences possibles de la situation actuelle, en évoquant la perspective inhérente à sa discipline, le cas échéant.

Troisième élément: le contexte empirique On présente ici ce qui a été écrit sur le sujet, les relations qui ont été explorées ou vérifiées et les résultats obtenus à l'issue de la recherche. Ce troisième élément situe le problème par rapport aux connaissances actuelles. On indique ce que d'autres chercheurs ont écrit à propos de celui-ci ou d'un problème analogue. Il convient de préciser en quoi le problème est actuel. La recension des écrits permet de documenter ce qui a été fait dans le passé et d'obtenir l'information à l'appui de ce que l'on cherche à démontrer. Il faut comparer les faits que l'on a personnellement observés avec ceux qui sont consignés dans les publications scientifiques. Les concordances et les divergences de vues entre les différents auteurs peuvent être relevées. La lecture de travaux antérieurs permet aussi de trouver des concepts ou des thèmes susceptibles d'être employés dans l'élaboration du cadre conceptuel ou théorique.

Quatrième élément: le contexte théorique On fait ici état de l'existence de théories ou de modèles qui peuvent expliquer l'émergence de ce problème et permettre de le résoudre; on examine aussi en quoi le cadre de recherche peut justifier la solution du problème. Ce quatrième élément sert à préciser et à justifier l'approche théorique ou conceptuelle devant décrire les différents concepts ainsi qu'à établir des relations entre les divers éléments du problème. On indique comment le cadre de recherche sera utilisé. Les modèles et les théories visent à fournir un ensemble intégré de concepts et de relations. Par conséquent, le chercheur est appelé à choisir ou à élaborer un cadre conceptuel ou théorique qui lui permettra de justifier son agencement des concepts et les rapports de ces derniers avec le problème. Supposons, par exemple, que l'objectif est d'étudier l'efficacité de la musique dans la diminution des problèmes liés au stress. Il conviendra d'abord de se renseigner sur les propriétés apaisantes de la musique ainsi que sur les divers problèmes que cause le stress. Cela donnera un bon aperçu de la réponse au stress de l'organisme et permettra de comprendre la théorie qui sert d'assise à l'étude. En effet, le cadre théorique ou conceptuel est un ensemble intégré de concepts solidaires ou de théories complémentaires servant à structurer la description, l'explication ou la prédiction d'un phénomène (*voir le chapitre 6*).

La conclusion

La conclusion résume les principales étapes suivies et présente la solution de recherche proposée pour étudier le problème. Elle donne un aperçu des réponses aux questions posées et laisse entrevoir, le cas échéant, la confirmation ou la réfutation éventuelle des hypothèses formulées.

Cinquième élément: la solution proposée et les résultats escomptés Dans cette section, le chercheur s'interroge sur l'étude à entreprendre pour améliorer la situation décrite, sur les actions à accomplir, sur les comportements ou les habitudes à modifier et sur les résultats possibles de la mise en œuvre de la solution proposée. Le dernier élément résume ce qui a été dit et propose au moins une solution en vue de combler l'écart entre la situation problématique et celle à laquelle on prévoit arriver à la fin de la recherche. On envisage les résultats positifs de la solution proposée. Celle-ci devrait prendre en compte l'état actuel des connaissances et répondre au but de l'étude, selon qu'on envisage de décrire des phénomènes, des facteurs ou de caractériser des concepts, d'explorer ou d'expliquer des relations d'association ou de prédire des relations de causalité entre des variables. On s'attarde à fournir au lecteur un aperçu global des résultats prévus. Connaitre le but permet ainsi de mieux comprendre le phénomène en cause.

Les cinq éléments proposés précédemment et leur intégration au problème de recherche ont pour but d'aider l'apprenti chercheur à formuler un problème de recherche clair, précis et conforme aux règles de composition d'un texte. En général, la formulation du problème n'exige pas un très long développement. En effet, la concision est de rigueur ; à cet égard, il convient de resserrer son texte et d'appuyer ses assertions sur des données crédibles. C'est à la suite de la formulation du problème de recherche qu'on est en mesure d'énoncer clairement le but de l'étude et les questions spécifiques ou les hypothèses qui en découlent directement. Ces notions sont explicitées dans le chapitre 8.

7.5 L'examen critique du problème de recherche

Très tôt dans l'introduction d'un article de recherche, le problème doit être posé relativement à une préoccupation dont la pertinence permet de persuader le lecteur de l'importance de l'étudier. Si le problème n'est pas énoncé clairement, il sera difficile d'apprécier la valeur du texte. Les principales questions qu'il y a lieu de soulever au cours de la lecture de l'énoncé d'un problème de recherche sont présentées dans l'encadré 7.1.

ENCADRÉ 7.1	Quelques questions guidant l'examen critique de la formulation d'un problème de recherche

1. Le problème est-il présenté clairement et exprimé de façon concise ? À quelle préoccupation s'intéresse-t-il ?

2. Le but de l'étude est-il clair (p. ex. comprendre l'expérience, découvrir un phénomène) ?

3. Le problème est-il situé dans le contexte des travaux empiriques et théoriques ?

4. La formulation du problème en aborde-t-elle la portée scientifique et pratique ?

5. Les concepts sont-ils nommés et clairement définis ?

6. La signification du problème est-elle prise en considération au regard de la discipline concernée ?

7. La population qui fait l'objet de l'étude est-elle bien définie ?

8. Si l'approche est qualitative, est-elle appropriée à l'étude de ce phénomène ?

Points saillants

7.1	**De la question de recherche à la formulation du problème**	• La question de recherche sert de base à la formulation du problème de recherche. Elle varie selon qu'il s'agit d'explorer un phénomène ou de décrire des facteurs, d'examiner des relations d'association ou de prédire des relations de causalité.
7.2	**Le type de questions en rapport avec la formulation du problème**	• Les questions peuvent être qualitatives ou quantitatives. Les questions qualitatives peuvent être exploratoires, descriptives et parfois explicatives, et varient en fonction des études utilisées. Les questions quantitatives sont descriptives, relationnelles (exploratoires ou explicatives) et prédictives causales.
7.3	**Qu'est-ce que formuler un problème de recherche?**	• Il s'agit de définir le phénomène à étudier en faisant s'enchaîner les arguments de façon logique et en se basant sur les écrits et les faits relatifs à la situation problématique.
		• On présente le sujet d'étude, on explique son importance, on résume les données issues de faits et les théories existant dans le domaine, puis on propose une solution.
		• Dans la formulation du problème d'une recherche qualitative, on décrit d'abord le point central d'investigation, puis on le justifie dans le contexte de l'étude.
7.4	**La rédaction du problème de recherche**	• Les éléments constitutifs du problème sont traités selon le plan de rédaction dans l'introduction, l'état de la question (le développement) et la conclusion.
		• Ces éléments sont l'exposé du sujet, la présentation des données du problème, la justification du point de vue empirique et théorique et la solution proposée.

Mots clés

Argumentation	Formulation du problème	Question descriptive	Recherche qualitative
Contexte empirique	Intégration	Question explicative	Recherche quantitative
Contexte théorique	Problème de recherche	Question exploratoire	Rédaction
Éléments du problème	Question de recherche	Question prédictive	Résultat escompté

Exercices de révision

1. Nommez dans l'ordre les cinq éléments entrant dans la formulation d'un problème de recherche.

2. Qu'est-ce que formuler un problème de recherche?

Liste des références

Les références citées dans la rubrique « Exemple » ou dans les citations peuvent ne pas figurer dans cette liste.

Creswell, J.W. (2007). *Qualitative inquiry and research design: Choosing among five approaches* (2ᵉ éd.). Thousand Oaks, CA : Sage Publications.

Munhall, P.L. (2012). *Nursing research: A qualitative* perspective (5ᵉ éd.). Sudbury, MA : Jones & Bartlett.

Ouellet, M.J. (2007). *Garçons présentant des comportements perturbateurs : trajectoires développementales et facteurs associés* (Thèse de doctorat inédite). Université de Montréal, Québec, Canada.

Punch, K.F. (2005). *Introduction to social research: Quantitative and qualitative approaches* (2ᵉ éd.). Thousand Oaks, CA : Sage Publications.

Speziale, H.J. et Carpenter, D.R. (2007). *Qualitative research in nursing: Advancing the humanistic imperative* (4ᵉ éd.). Philadelphie, PA : Lippincott Williams & Wilkins.

Toussaint, N. et Ducasse, G. (1996). *Apprendre à argumenter : initiation à l'argumentation rationnelle écrite.* Québec, Québec : Le Griffon d'argile.

Wolf, Z.R. (2007). Ethnography: The method. Dans P.L. Munhall (dir.). *Nursing research: A qualitative perspective* (4ᵉ éd.) (p. 293-319). Sudbury, MA : Jones & Bartlett.

CHAPITRE 8

L'énoncé du but de la recherche, des questions et des hypothèses

Objectifs d'apprentissage

Après avoir étudié ce chapitre, vous serez en mesure :

- de définir le but d'une recherche ;
- de préciser les questions de recherche ;
- de reconnaitre les études qui comportent des hypothèses ;
- de distinguer les différents types d'hypothèses ;
- de décrire les caractéristiques des hypothèses et leur fonction ;
- d'énoncer des questions de recherche et des hypothèses.

Ce chapitre présente le but de la recherche, les questions et les hypothèses, et il clôt en quelque sorte la phase conceptuelle. Le but indique s'il s'agit d'explorer un phénomène, de décrire des concepts ou les caractéristiques d'une population, d'examiner des relations entre des variables ou de dégager des différences entre des groupes. Les questions de recherche et les hypothèses servent à expliciter le but, à délimiter les concepts et leurs relations mutuelles, ainsi qu'à préciser la population auprès de laquelle l'étude sera menée. L'énoncé de ces trois notions (but, questions de recherche et hypothèses) est établi en fonction de l'orientation du problème de recherche, c'est-à-dire selon le niveau d'avancement des connaissances que l'on possède sur le sujet.

8.1 Le but de la recherche, les questions et les hypothèses

Le but de la recherche, les questions et les hypothèses découlent du problème de recherche et de son cadre théorique ou conceptuel et déterminent les étapes subséquentes du processus. Ces notions véhiculent la même idée, celle d'orienter la recherche vers la méthode appropriée pour obtenir l'information désirée. Elles relient la phase conceptuelle, dont ce chapitre est l'aboutissement, à la phase méthodologique, qui comporte la mise en œuvre de stratégies menant à la vérification empirique. À cette étape, le chercheur doit clairement exprimer le but ou l'objectif général de l'étude à entreprendre, expliciter les questions de recherche ou les objectifs précis ou formuler des hypothèses afin d'établir un lien avec le problème de recherche et le cadre théorique ou conceptuel.

8.1.1 Le but de la recherche

Après avoir formulé le problème de recherche et décidé de l'orientation à prendre pour réaliser celle-ci, le chercheur énonce le but ou l'objectif général de l'étude. L'**énoncé du but** de l'étude doit indiquer explicitement la finalité que poursuit le chercheur. Il précise les concepts clés, la population auprès de laquelle les données seront recueillies et le verbe d'action qui sert à orienter l'étude vers la méthode la plus appropriée à sa réalisation. L'énoncé du but varie selon le niveau des connaissances dans le domaine étudié; il indique s'il s'agit d'explorer et de décrire un phénomène ou les caractéristiques d'une population, d'expliquer et de prédire des associations entre des variables ou de différences entre des groupes.

Énoncé du but
Énoncé qui précise les concepts clés, la population cible et le verbe d'action approprié à l'orientation de l'étude.

Dans une publication de recherche, tout comme dans un mémoire de maitrise ou une thèse de doctorat, l'énoncé du but se place généralement à la fin de l'introduction (*voir le chapitre 5*). Dans la plupart des cas toutefois, le titre d'une publication de recherche donne un indice du but à atteindre. Le mot « objectif » remplace parfois les termes « but » ou « question de recherche ». C'est un énoncé affirmatif, alors que la question est formulée de façon interrogative. Une étude comporte habituellement un énoncé général sur l'intention d'orienter la recherche et quelques énoncés explicites. Ce qu'il importe de retenir à l'égard de l'énoncé, c'est que le but doit être rédigé clairement et traduit par des questions de recherche ou des objectifs.

8.1.2 Les verbes d'action qui président à l'énoncé du but

L'énoncé du but commence généralement par un verbe d'action qui indique l'orientation à donner à la recherche. Son emploi s'avère particulièrement important, car il renseigne immédiatement le lecteur sur le niveau de recherche ou de connaissances déjà disponibles sur le sujet. Dans la recherche quantitative, on emploie généralement des verbes d'action tels que décrire (p. ex. des phénomènes ou des facteurs), explorer, vérifier ou déterminer (p. ex. des relations associatives entre des variables), ainsi que prédire ou contrôler (p. ex. des relations causales entre des variables indépendantes et dépendantes). Dans la recherche qualitative, on retrouve des expressions ou des verbes d'action comme ceux-ci: chercher à comprendre, décrire l'expérience, découvrir un phénomène. Le verbe d'action qui préside à l'énoncé du but découle logiquement de la formulation du problème et de l'état d'avancement des connaissances sur le sujet. Il laisse de plus entrevoir les méthodes et les stratégies à utiliser pour la mise en œuvre de l'étude.

> Le verbe d'action qui préside à l'énoncé du but découle logiquement de la formulation du problème et de l'état d'avancement des connaissances sur le sujet.

Les verbes d'action dans la recherche qualitative

Dans la recherche qualitative, l'exploration et la description d'un phénomène sont consécutives à la formulation du problème de recherche en rapport avec l'accroissement des connaissances, à la compréhension de la conduite ou des sentiments des personnes ou à la définition des caractéristiques d'une culture. Les énoncés du but dans les études qualitatives contiennent généralement l'information de base sur le phénomène central exploré, sur les participants à l'étude et sur le milieu désigné. Ils transmettent l'idée d'un devis émergent et utilisent le langage de la recherche tel que: « Le but (ou l'objectif) de l'étude est de… » L'accent est mis sur un seul phénomène ou concept ou sur une idée unique. Le but peut être, entre autres, l'étude d'un concept (le handicap), d'un phénomène (la perte d'un être cher) ou d'un fait social ou culturel (les personnes sans abri). Les verbes d'action que l'on emploie peuvent différer d'une approche qualitative à une autre ; les plus courants sont les suivants: décrire, comprendre, explorer, développer, examiner la signification de, découvrir (Creswell, 2009). Les mots employés et les phrases utilisées sont écrits dans un langage neutre, c'est-à-dire non directionnel. Voici quelques exemples d'énoncés du but de différentes approches qualitatives.

- L'énoncé de but d'une étude ethnographique :
  Explorer les perceptions et les comportements culturels associés à une maternité sans risque chez les femmes vivant dans des villages au Soudan (Serizawa, Ito, Algaddal et Eltaybe, 2014. Traduction libre).

- L'énoncé de but d'une étude phénoménologique :
  « Conduire une recherche phénoménologique-herméneutique auprès d'adolescents âgés de 15 à 17 ans dans une visée de comprendre leur expérience vécue du stress-coping en milieu éducatif. » (Guimond-Plourde, 2013, p. 181)

- L'énoncé de but d'une étude de théorisation enracinée :
  Explorer et comprendre le processus de convalescence selon la perspective des personnes âgées et fournir de l'information sur les aspects physiques, psychologiques et sociaux susceptibles d'affecter leur convalescence (Grant, St John et Patterson, 2009. Traduction libre).

- L'énoncé de but d'une étude de cas:

  Explorer les expériences d'un groupe d'infirmières travaillant de nuit sur la nature des relations interpersonnelles qu'elles entretiennent avec d'autres professionnels et sur leur satisfaction au travail (Powell, 2013. Traduction libre).

- L'énoncé du but d'une étude descriptive qualitative:

  Explorer les perceptions des personnes atteintes du diabète sur leur expérience de vie avec le diabète et sur leur décision éventuelle d'entreprendre une dialyse (Yu et Tsai, 2013. Traduction libre).

Les verbes d'action dans la recherche quantitative

Les énoncés du but dans les études quantitatives diffèrent des termes utilisés dans les études qualitatives en ce qu'ils contiennent des variables, leurs relations réciproques ou encore des comparaisons entre des groupes, en plus d'inclure la population et le milieu désigné. Parfois, le but peut inclure le cadre conceptuel ou théorique à l'appui de l'étude. Le langage est directionnel. L'énoncé du but, dans une recherche quantitative, peut prendre l'une des trois formes générales suivantes: 1) le but est descriptif si l'on vise à caractériser des phénomènes ou des conditions existantes auprès d'une population en particulier; 2) le but est exploratoire ou explicatif selon qu'il s'agit d'explorer ou de vérifier des relations entre des variables; 3) le but est prédictif et de contrôle s'il s'agit d'établir une comparaison afin de vérifier une relation de cause à effet à l'aide d'un modèle expérimental. Ce type d'étude évalue des différences entre les groupes relativement à l'efficacité d'une intervention.

Le verbe «décrire» Le but de l'étude peut être descriptif s'il s'agit de caractériser les phénomènes, les concepts ou les conditions existantes d'une population particulière. Le verbe d'action «**décrire**» peut avoir trait à l'observation, à la classification d'un phénomène, à la fréquence d'apparition d'un phénomène dans une population ou aux facteurs relatifs à celui-ci. Il peut aussi convenir au rassemblement d'une documentation qui s'y rapporte ou de données recueillies sur le terrain. Son utilisation suppose qu'il existe peu de connaissances sur le sujet ou que ce dernier a été peu étudié. La description est quantitative selon la formulation du problème de recherche et le but visé. Voici un exemple d'énoncé de but tiré d'une étude descriptive.

Décrire
Action de rassembler une documentation et des données sur un phénomène ou sur une population.

- Énoncé de but d'une étude descriptive:

  Décrire les dilemmes éthiques, la détresse morale et la qualité des soins perçus par les infirmières travaillant dans des unités de soins chirurgicaux d'un centre hospitalier (DeKeyser Ganz et Berkovitz, 2012. Traduction libre).

Dans cet exemple, les expressions «dilemmes éthiques», «détresse morale» et «qualité des soins» sont des concepts qui représentent, par leur forme plurielle, plus d'une dimension. Il s'agira de déterminer quelles sont ces dimensions à l'aide de questionnaires ou d'entrevues menées auprès de la population visée, soit des infirmières d'unités de soins chirurgicaux. Le fait de vouloir déterminer les différentes facettes que peuvent comporter ces concepts indique que le niveau de connaissances sur le sujet est faible et qu'il y a lieu de l'approfondir. Dans un premier temps, les chercheurs ont simplement décrit les concepts. Dans un deuxième temps, ils ont cherché à explorer au cours de la même étude s'il y avait des relations entre ces trois concepts.

Explorer (des relations)
Action d'examiner la présence de relations entre des variables.

Le verbe « explorer » (des relations) L'exploration de relations est un type d'étude qui a pour but de déterminer l'existence de relations entre plusieurs variables, comme dans l'étude descriptive corrélationnelle. L'utilisation du verbe d'action « **explorer (des relations)** » suppose que le chercheur veut aller au-delà de la seule description de concepts, de facteurs ou de caractéristiques de populations déterminées. Comme il y a plusieurs concepts en jeu, il doit d'abord explorer l'existence de relations, c'est-à-dire examiner les divers aspects d'un phénomène ou les facteurs pouvant lui être associés. La conjonction « et » est souvent utilisée pour lier les variables entre elles. L'exemple suivant est tiré de l'étude mentionnée précédemment, qui vise à explorer des relations entre les variables, soit les perceptions par les infirmières des dilemmes éthiques, du degré de détresse morale et du niveau de qualité des soins (DeKeyser Ganz et Berkovitz, 2012). Les auteurs ont énoncé le but suivant.

- Énoncé de but d'une étude descriptive corrélationnelle :
  Déterminer s'il existe une relation entre les dilemmes éthiques perçus, le degré de détresse morale perçu et le niveau de qualité des soins perçu par les infirmières travaillant dans les unités de soins chirurgicaux d'un centre hospitalier (DeKeyser Ganz et Berkovitz, 2012. Traduction libre).

Les expressions « dilemmes éthiques perçus », « degré de détresse morale perçu » et « niveau de qualité des soins perçu » sont des variables. La décision d'explorer des relations entre ces trois variables repose sur des résultats précédents ayant démontré une connaissance suffisante de celles-ci pour conclure qu'elles peuvent être associées. À cette étape, il convient surtout d'énoncer des questions de recherche. Si des hypothèses sont formulées à titre exploratoire, elles doivent être générales et non directionnelles.

Vérifier
Action d'expliquer les relations d'associations entre des variables.

Le verbe « vérifier » La vérification de relations détermine comment les variables s'influencent mutuellement dans l'étude corrélationnelle, et elle explique leurs interrelations. On utilise l'étude corrélationnelle pour **vérifier** la nature des relations, c'est-à-dire le sens et la force de celles-ci. En somme, il s'agit de mesurer l'influence qu'une variable exerce sur au moins une autre variable et de déterminer dans quelle mesure cette influence explique ou contribue à la valeur que peut prendre l'autre variable. Le chercheur va au-delà de l'exploration des relations puisqu'il propose, en s'appuyant sur des propositions théoriques, de vérifier l'influence d'une variable sur une autre variable. Différentes expressions sont souvent utilisées dans les écrits pour signifier la vérification de relations : examiner des relations, déterminer l'influence sur, étudier le lien. L'énoncé du but suivant d'une étude corrélationnelle en est un exemple.

- Énoncé de but d'une étude corrélationnelle :
  « Étudier le lien entre la sécurité d'attachement à la petite enfance et les habiletés sociales de l'enfant au début du primaire en accordant une attention particulière aux éléments pouvant influencer la force des relations observées entre ces variables. » (Girard, Lemelin, Tarabulsy et Provost, 2013, p. 329)

Dans cette étude, les auteurs s'appuient sur la théorie de l'attachement pour vérifier la force des relations observées entre ces variables. En général, lorsqu'il n'y a pas d'intervention dans une étude, on n'utilise pas les termes « variable indépendante » et « variable dépendante ». La variable « sécurité d'attachement » pourrait être considérée dans cette étude comme la variable prédictive, et les « habiletés sociales dans un milieu scolaire », comme la variable prédite. Ainsi, après avoir établi les relations entre les variables, il y a lieu de vérifier la nature des relations existant entre certaines variables. Il arrive parfois que le chercheur explore et vérifie des relations dans une même étude.

Les verbes «prédire et contrôler» La prédiction et le contrôle supposent une comparaison entre des groupes lorsqu'il s'agit de définir des relations causales à l'aide d'un modèle expérimental. Les verbes **prédire et contrôler** consistent à vérifier des relations de cause à effet entre au moins une variable indépendante et une ou plusieurs variables dépendantes. La notion de comparaison est capitale à ce niveau de recherche, car il s'agit de démontrer si le groupe sur lequel s'exerce l'effet d'une variable indépendante (groupe expérimental) a vu certaines de ses caractéristiques se modifier davantage que le groupe qui n'a pas subi cet effet (groupe témoin). Les études dont le but est la prédiction et le contrôle des relations causales sont précédées de travaux de recherche qui caractérisent la nature des relations entre des variables et qui s'appuient sur la théorie, comme le montre l'énoncé du but suivant.

Prédire et contrôler
Actions d'établir des relations de cause à effet entre des variables dépendantes et indépendantes.

- Énoncé de but d'une étude quasi expérimentale :
  Évaluer l'efficacité d'un programme d'éducation à la santé sur les connaissances, les habiletés, la performance et l'efficacité personnelle perçue chez des personnes survivantes d'un cancer du sein (Yi et Young Park, 2012. Traduction libre).

Les expressions «variable indépendante» et «variable dépendante» sont utilisées dans les études de type expérimental, comme c'est le cas dans cet exemple. La situation de recherche comprend une intervention, soit un programme d'éducation dont l'effet est prédit sur quatre variables dépendantes (connaissances, habiletés, performance et efficacité personnelle perçue). Cette étude quasi expérimentale s'appuie sur la théorie de l'efficacité personnelle perçue pour vérifier des hypothèses sur les effets de l'intervention.

8.2 Les questions de recherche

Comme le but de la recherche est énoncé de façon générale, les questions viennent expliciter les différents aspects susceptibles d'être étudiés. Les questions de recherche découlent directement du but et indiquent clairement l'information que le chercheur veut obtenir auprès d'une population donnée. Les questions ont trait à l'exploration de phénomènes, à la description de concepts ou de populations ou à l'exploration de relations entre des variables. Les questions de recherche peuvent être de nature qualitative ou quantitative.

> Les questions de recherche découlent directement du but et indiquent clairement l'information que le chercheur veut obtenir auprès d'une population donnée.

8.2.1 Les questions de recherche qualitative

Les questions qui explorent, décrivent ou cherchent à comprendre un phénomène se rattachent à la recherche qualitative. La question centrale est une question générale qui demande une exploration du phénomène central ou du concept à l'étude. La question peut comporter des sous-questions qui délimitent et précisent le point fondamental de l'étude tout en laissant le questionnement ouvert. Ainsi, les sous-questions peuvent surgir à mesure que se réalisent les entrevues. On relie la question centrale à la stratégie qualitative qui sera utilisée, car les questions de recherche varient d'une étude à l'autre. Par exemple, les questions ethnographiques peuvent inclure des questions de «grand tour» (on vise à faire parler le répondant sur un sujet au moyen d'une question générale, mais sans lui poser de questions très précises), et des questions plus spécifiques portant sur la culture des groupes, sur leurs expériences ainsi que sur des éléments qui vérifient l'exactitude des données. Les questions phénoménologiques peuvent être énoncées de façon générale sans référence particulière aux écrits existants. Les questions relatives à la théorisation enracinée peuvent être dirigées vers un processus de développement d'une théorie. Dans l'étude de cas qualitative, les questions peuvent porter sur la description d'un cas et sur des thèmes émergents. Afin de transmettre l'idée d'un devis émergent, Creswell (2009) suggère d'énoncer les questions en faisant usage de ce type de termes: quoi, quel, que ou comment. Les exemples de questions de recherche suivantes sont déduits du but ou du texte des auteurs des ces études.

- Question de recherche d'une étude ethnographique:
  Quels sont les facteurs socioéconomiques, les valeurs religieuses et les croyances locales qui dépeignent les comportements perçus par les femmes du village par rapport au suivi de la maternité? (Serizawa et collab., 2014. Traduction libre)

- Question de recherche d'une étude phénoménologique herméneutique:
  Quelle est «[...] la compréhension de l'expérience vécue du point de vue des jeunes, à partir de leur façon de dire et de réagir vis-à-vis du stress-coping [...]»? (Guimond-Plourde, 2013, p. 184)

- Question de recherche d'une étude de théorisation enracinée:
  Quels sont les différents aspects de participation sociale (soins personnels, relations avec les autres, accès aux services sociaux et de santé) vécus par des femmes âgées atteintes du virus de l'immunodéficience humaine dans le contexte de l'élaboration d'un modèle théorique? (Siemon, Blenkhorn, Wilkins, O'Brien et Solomon, 2014. Traduction libre)

- Question de recherche d'une étude de cas:
  Selon une perspective symbolique interactionniste, comment des infirmières perçoivent-elles leurs expériences liées au travail de nuit? (Powell, 2013. Traduction libre)

- Questions de recherche descriptive qualitative:
  Quelles sont les perceptions des personnes qui vivent l'expérience de leur diabète et qui envisagent la décision d'entreprendre une dialyse? De façon plus spécifique: quelle a été votre expérience de vie depuis que vous avez le diabète? Quels sont vos sentiments en regard de la dialyse? (Yu et Tsai, 2012. Traduction libre)

8.2.2 Les questions de recherche quantitative

Dans les études quantitatives, les chercheurs emploient des questions de recherche ou des objectifs qui renvoient au but de l'étude et le précisent. L'utilisation de questions de recherche dans les études quantitatives est liée à un certain niveau de connaissances: leur emploi est approprié aux études descriptives et aux études descriptives corrélationnelles. Dans l'étude descriptive, on ne cherche pas de relations entre les concepts. On s'abstient donc, dans ces études, de formuler des hypothèses, car celles-ci s'appuient sur des propositions théoriques et anticipent des résultats de recherche probants.

Les questions descriptives

Ces questions concernent la description de concepts, de caractéristiques d'une population ou de fréquences d'apparition d'un phénomène. Comme elles découlent du but de l'étude, les questions de recherche couvrent tous les aspects qui doivent être étudiés ; elles prennent donc une forme plus détaillée à cette étape que la question préliminaire. Voici des exemples de questions descriptives tirés d'une étude descriptive simple mentionnée plus tôt dans ce chapitre.

- Questions de recherche d'étude descriptive :
  Quels sont les dilemmes éthiques perçus par les infirmières travaillant dans les unités chirurgicales d'un centre hospitalier ? Quel est le degré de détresse morale perçu par ces infirmières ? Quelle est la qualité des soins perçue par ces infirmières ? (DeKeyser Ganz et Berkovitz, 2012. Traduction libre).

Les questions exploratoires relationnelles

Les questions qui cherchent et décrivent des relations entre des variables concernent l'étude descriptive corrélationnelle ; elles peuvent comporter un certain nombre de sous-questions s'il y a plusieurs variables. L'exemple suivant illustre une question de recherche descriptive corrélationnelle.

- Question de recherche d'étude descriptive corrélationnelle :
  Quels sont les facteurs psychologiques intrapersonnels et interpersonnels associés à la qualité de la diète chez un échantillon d'adultes d'un centre de santé universitaire ? (Ferranti et collab., 2013. Traduction libre)

Ainsi, les questions de recherche servent à préciser tous les aspects traités dans l'étude descriptive ainsi que les relations détaillées dans le problème de recherche d'une étude descriptive corrélationnelle. On remarquera que dans chacune des questions de recherche se trouvent précisés les concepts clés et la population cible. Les questions qui vérifient des relations associatives et causales sont énoncées sous la forme d'hypothèses, en raison du niveau plus élevé de connaissances qu'elles supposent. Ces notions sont traitées ci-après.

8.3   Les hypothèses de recherche

Étroitement liée à la théorie, l'hypothèse de recherche est un énoncé qui postule des relations entre des variables. Une hypothèse n'est pas une réponse finale, mais plutôt une affirmation qui nécessite une vérification empirique. C'est une prédiction sur les relations entre deux variables ou plus. Tout comme la question de recherche, l'hypothèse inclut les concepts clés et la population cible dans sa formulation. On utilise les hypothèses dans les recherches quantitatives lorsque l'état des connaissances permet de s'appuyer sur des théories ou sur des données probantes pour prédire des relations entre des variables (p. ex. les études corrélationnelles et expérimentales). C'est par la vérification d'hypothèses que la vraisemblance d'une théorie peut être évaluée. Dans les études qualitatives, l'état des connaissances disponibles sur un sujet ne justifie pas la formulation d'hypothèses. D'ailleurs, les chercheurs en étude qualitative préfèrent être guidés par les points de vue des participants plutôt que de s'appuyer sur une idée préconçue (Polit et Beck, 2012).

8.3.1 La nature de l'hypothèse de recherche

L'hypothèse de recherche (H_1) est en quelque sorte l'aboutissement de la phase conceptuelle. Au cours de ce processus de raisonnement s'est construite la problématique de recherche documentée par les écrits basés sur des travaux empiriques et théoriques ; ces écrits ont justifié la nature explicative et prédictive de l'hypothèse.

La formulation d'une hypothèse suppose la vérification empirique de propositions issues de la théorie ou de résultats de recherche probants. C'est la théorie qui est concernée dans la vérification de l'hypothèse ; si la recherche confirme l'hypothèse, la théorie en sort crédible (Suter, 2006). Les hypothèses sont donc à la base de l'élargissement des connaissances quand il s'agit de réfuter une théorie ou de confirmer sa crédibilité. Une étude peut contenir une ou plusieurs hypothèses. Celles-ci influent sur le devis de recherche, sur les méthodes de collecte et d'analyse des données ainsi que sur l'interprétation des résultats.

L'hypothèse de recherche se formule généralement de façon concise, en une phrase, et elle reflète le modèle explicatif décrit par le cadre théorique sur lequel s'appuie toute la démarche de recherche. « L'hypothèse de recherche, mise en mots dans une phrase ou quelques phrases, est une déclaration affirmant une relation orientée entre VI [variable indépendante] et VD [variable dépendante], dans le contexte d'un modèle explicatif […] » (Laurencelle, 2005, p. 29). Les études corrélationnelles prédictives contiennent parfois les termes « variable indépendante » et « variable dépendante » pour exprimer respectivement ce qu'il est convenu d'appeler la variable prédictive et la variable expliquée ou prédite, celle-ci subissant l'influence de la première. Souvent exprimée dans sa forme usuelle pour indiquer une relation (si A, alors B), l'hypothèse émane du cadre théorique et est formulée à la fin de la phase conceptuelle. Elle s'intègre au devis de recherche comme une proposition théorique à vérifier. Sa fonction est de faire une prédiction au sujet de la relation entre des variables ou de différences entre les groupes.

8.3.2 Les types d'hypothèses

Les hypothèses de recherche présentent différents types de relations et peuvent comporter plus de deux variables selon la complexité de l'étude. Les hypothèses peuvent être classées en quatre catégories : non directionnelle ou directionnelle ; associative ou de causalité ; simple ou complexe ; de recherche ou nulle.

L'hypothèse non directionnelle et l'hypothèse directionnelle

Hypothèse non directionnelle
Hypothèse neutre qui n'énonce pas de direction de la relation entre des variables.

L'**hypothèse non directionnelle** est un énoncé qui postule l'existence d'une relation entre des variables, mais qui ne prédit pas la nature de cette relation. S'il est impossible d'établir la direction de la relation à partir d'écrits basés sur des recherches théoriques et empiriques, il devient difficile de donner une direction à l'hypothèse. En conséquence, on formule des hypothèses non directionnelles (c.-à-d. neutres) telle que la suivante :

- L'hypothèse non directionnelle :
  H_1 : « […] la qualité des comportements parentaux est influencée par la composition de la famille […] » (Côté, 2006, p. 13).

Hypothèse directionnelle
Hypothèse qui exprime la direction et la force d'une relation entre des variables.

L'**hypothèse directionnelle** est un énoncé qui précise la nature de la relation, c'est-à-dire la force et la direction entre deux variables ou plus. L'hypothèse directionnelle se caractérise par l'inclusion de termes tels que « positif », « négatif », « moins que », « plus que », « différent de » ou « de manière significative ». En voici un exemple :

- L'hypothèse directionnelle :
  H_1 : « […] les adolescentes ayant signalé le recours le plus fréquent à l'évitement comme stratégie d'adaptation présentent la plus grande fréquence de troubles de comportement intériorisés et extériorisés. » (Monette, Tourigny et Daigneault, 2008, p. 36)

Les hypothèses directionnelles sont fondées sur des propositions théoriques, sur des résultats de recherche et parfois sur des données cliniques. Plus une étude s'appuie sur des connaissances théoriques et empiriques solides, plus le chercheur est en mesure de donner une direction à la relation entre des variables. Dans une étude qui est dépourvue de soutien théorique et empirique, on peut opter pour une hypothèse non directionnelle. L'hypothèse directionnelle peut être associative ou de causalité, simple ou complexe.

L'hypothèse associative et l'hypothèse de causalité

Les relations dans les hypothèses peuvent être associatives ou de causalité. Une **relation associative** indique que les variables se produisent ou se modifient en même temps ; si une variable change, l'autre change aussi. Ce type de relation est propre à l'étude corrélationnelle. Par exemple, une étude conclut qu'il y a une relation associative entre le rendement scolaire d'un élève et l'estime de soi ; si le rendement scolaire change, il en va de même pour l'estime de soi. Dans cet exemple, la relation associative est non directionnelle puisque le type de relation ne se trouve pas précisé. Une relation associative directionnelle entre des variables est positive ou négative. Dans une association négative, quand une variable croît, l'autre décroît. Si les valeurs des variables augmentent en même temps, on obtient une association positive, comme l'illustre la figure 8.1.

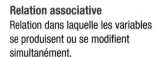

Relation associative
Relation dans laquelle les variables se produisent ou se modifient simultanément.

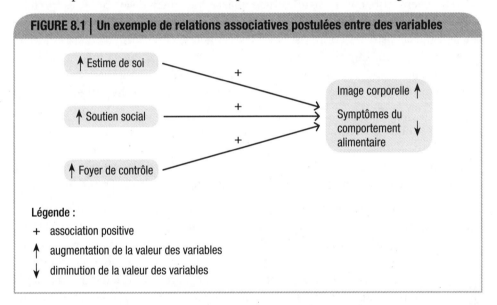

FIGURE 8.1 | Un exemple de relations associatives postulées entre des variables

Les auteurs d'une étude ont examiné les relations associatives entre les variables d'estime de soi, de soutien social, de foyer de contrôle interne, d'image corporelle et les symptômes du trouble du comportement alimentaire chez des adolescents ayant le diabète de type 1. Les hypothèses directionnelles suivantes ont été formulées (Kaminsky et Dewey, 2013. Traduction libre).

• H_1 : Les adolescents atteints de diabète de type 1 rapportent plus de symptômes du comportement alimentaire et une image corporelle moindre que les adolescents en bonne santé.

• H_2 : Une plus grande estime de soi, un soutien social élevé et un foyer de contrôle interne sont associés à une image corporelle plus positive et à moins de symptômes du comportement alimentaire.

Les résultats obtenus à la vérification des hypothèses sont les suivants.

- Aucune différence significative n'a été observée dans les symptômes du trouble du comportement alimentaire et l'image corporelle entre les adolescents ayant le diabète de type 1 et les adolescents de référence en santé.

- Les niveaux plus élevés de soutien social et le fait d'être de sexe masculin ont été associés à une image corporelle plus positive, à moins d'insatisfaction corporelle et à une faible volonté de mincir.

- Une plus grande estime de soi a été associée à une volonté accrue de mincir et à un niveau plus élevé d'insatisfaction corporelle.

L'hypothèse de causalité postule une relation de cause à effet entre deux variables ou plus, à savoir entre au moins une variable indépendante (X) et une ou plusieurs variables dépendantes (Y). La variable indépendante (intervention ou traitement) exerce un effet sur la variable dépendante, et celle-ci subit l'effet de la variable indépendante. Toutes les hypothèses causales sont directionnelles, et la forme qu'elles prennent ressemble à celle-ci: les sujets soumis à la variable indépendante X démontrent plus de changement dans la variable dépendante Y que les sujets du groupe témoin.

Deux chercheurs ont mené une étude quasi expérimentale avant-après (prétest-posttest) dans le but d'évaluer l'efficacité d'un programme d'éducation à la santé du sein portant sur les connaissances, les habiletés, la performance et l'efficacité personnelle perçue auprès de jeune femmes en santé. Basé sur la théorie de l'efficacité perçue, le programme avait pour but de mieux faire comprendre les comportements de santé et de faciliter le changement. Quatre hypothèses ont été formulées en rapport avec les quatre variables. Voici l'une de ces hypothèses.

- H_1: Les scores des femmes ayant bénéficié du programme d'éducation à la santé relatif aux connaissances sur le cancer du sein et l'autoexamen des seins seront significativement plus élevés à un mois et à trois mois que les scores des femmes n'ayant pas participé au programme (Yi et Young Park, 2012. Traduction libre).

La variable indépendante était le programme d'éducation à la santé du sein offert à de jeunes femmes en santé afin de vérifier son efficacité sur quatre variables dépendantes (connaissances, habiletés, performance et efficacité personnelle perçue). Les hypothèses ont été confirmées pour les quatre variables dépendantes un mois et trois mois suivant la participation au programme. Le diagramme de la figure 8.2, représente les relations de cause à effet entre la variable indépendante (VI) et les variables dépendantes (VD). Les flèches indiquent les relations causales entre les variables.

L'hypothèse simple et l'hypothèse complexe

L'**hypothèse simple** prédit une relation associative ou causale entre deux variables. L'hypothèse simple associative affirme que la variable X_1 est liée à la variable X_2 dans une population. L'hypothèse causale simple affirme que la variable indépendante X a un effet sur la variable dépendante Y. Dans une étude portant sur la relation entre la dissonance émotionnelle et la conciliation travail-famille, les auteurs ont formulé l'hypothèse associative simple suivante.

- H_1: La dissonance émotionnelle est reliée positivement à la tension travail-famille (Cheung et Tang, 2012. Traduction libre).

Hypothèse simple
Hypothèse qui prédit une relation associative ou causale entre deux variables.

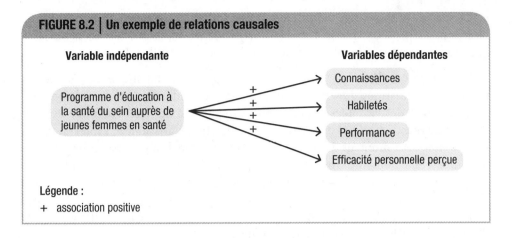

FIGURE 8.2 | Un exemple de relations causales

Variable indépendante

Programme d'éducation à la santé du sein auprès de jeunes femmes en santé

Variables dépendantes

Connaissances

Habiletés

Performance

Efficacité personnelle perçue

+ +
+
+

Légende :
+ association positive

Afin de déterminer si l'attachement des enfants de mères ayant participé aux interactions mère-enfant à la maison diffère de celui des enfants de mères ayant refusé d'y participer, les auteures postulent l'hypothèse causale simple suivante.

- H_1 : Il y a une différence statistiquement significative sur le plan de l'attachement entre le groupe d'enfants de mères ayant participé aux activités dyadiques à la maison et celui du groupe d'enfants de mères ayant refusé d'y participer (Dubois-Comtois et Moss, 2004).

L'hypothèse complexe, souvent appelée « multivariée », prédit une relation associative ou de causalité entre trois variables ou plus, indépendantes ou dépendantes. Les hypothèses causales complexes prédisent les effets d'une variable indépendante ou plus sur deux variables dépendantes ou plus, comme dans l'étude expérimentale conduite par Chien et Chan (2013) dans laquelle on a utilisé trois interventions (VI) et cinq variables (VD).

Dans un essai contrôlé, les auteurs ont évalué et comparé trois approches d'interventions familiales (groupe de soutien social, groupe psychoéducatif, groupe standard) auprès de personnes atteintes de schizophrénie sur le taux de réhospitalisation, la gravité des symptômes, le soutien social, l'utilisation des services, le fonctionnement psychosocial du sujet et de sa famille après 24 mois de suivi. Les auteurs ont formulé l'hypothèse globale suivante.

- H_1 : après 24 mois de suivi, on observe dans le groupe de soutien mutuel (groupe expérimental) une réduction significative plus importante de la gravité des symptômes et du taux de réhospitalisation, une amélioration du fonctionnement psychosocial de personne atteintes et de leurs familles, ainsi qu'une amélioration des perceptions du soutien social et de l'utilisation des services communautaires comparativement aux groupes qui ont suivi les programmes psychoéducatif et standard. (Traduction libre)

L'hypothèse de recherche (H_1) et l'hypothèse nulle (H_0)

L'**hypothèse de recherche** (H_1), ou contrehypothèse, est un énoncé qui prédit des relations anticipées entre deux variables ou plus. Elle est formulée au début de la recherche et figure à la suite de l'exposé du contexte théorique. Les hypothèses dont il a été question jusqu'ici sont toutes des hypothèses de recherche. Celles-ci peuvent être directionnelles ou non directionnelles, associatives ou causales, simples ou complexes. Les prédictions dans les hypothèses de recherche peuvent

Hypothèse de recherche (H_1)
Affirmation d'une relation anticipée entre deux variables et qui doit être démontrée par des résultats.

être issues de propositions théoriques ou de résultats de recherche. L'hypothèse de recherche (H_1) prédit que la variable indépendante aura un effet sur la variable dépendante, contrairement à ce qu'affirme l'hypothèse nulle (H_0).

L'**hypothèse nulle** (H_0), souvent appelée « hypothèse statistique », est basée sur un postulat statistique qui énonce qu'il n'y a pas de différences ni de relations statistiques entre des variables (Suter, 2006). L'hypothèse nulle est l'opposée de l'hypothèse de recherche. On l'utilise dans la vérification statistique et l'interprétation des résultats. Au moment de sa vérification statistique, l'hypothèse nulle n'est pas formulée ; elle demeure implicite. Une hypothèse nulle peut être simple ou complexe, associative ou causale. L'hypothèse nulle associative postule qu'il n'y a pas de relations entre les variables ; l'hypothèse nulle causale prédit qu'il n'y a pas d'effet de la variable indépendante sur la variable dépendante ou qu'il n'y a pas de différence entre les groupes de sujets étudiés.

Les principales formes d'hypothèses examinées précédemment sont résumées dans le tableau 8.1. Rappelons qu'une hypothèse n'est pas exclusive. Ainsi, une hypothèse associative directionnelle peut être à la fois simple ou complexe, et une hypothèse causale directionnelle peut aussi être simple ou complexe.

Hypothèse nulle (H_0)
Affirmation qu'il n'y a pas de différence ni de relations statistiques entre des variables.

TABLEAU 8.1	Les types d'hypothèses	
Hypothèse	**Nature des relations entre les variables**
Non directionnelle	La direction de la relation (positive ou négative/plus ou moins) entre les variables n'est pas précisée. On peut dire qu'il y a une relation.
Directionnelle	La direction de la relation entre les variables est précisée. Par exemple, il y a une relation positive.
Associative	Les valeurs des variables se modifient en même temps. Si une variable change, l'autre variable change aussi.
De causalité	La variable indépendante X a un effet sur la variable dépendante Y.
Simple	L'existence d'une relation associative est prédite entre deux variables ; l'existence d'une relation causale est prédite entre une variable indépendante et une variable dépendante.
Complexe	L'existence d'une relation associative est prédite entre deux variables ou plus : l'existence d'une relation causale est prédite entre deux ou plusieurs variables indépendantes ou dépendantes.
De recherche (H_1)	L'existence de relations est prédite entre des variables ou des différences sont prédites entre les groupes.
Nulle (H_0)	L'absence de relation entre les variables est prédite. On prédit qu'il n'y a pas d'effet de la variable indépendante sur la variable dépendante ou qu'il n'y a pas de différence entre les groupes.

Bien que les hypothèses jouent un rôle important dans les disciplines de recherche et qu'elles soient présentes dans plusieurs études, la recherche est souvent conduite en l'absence d'hypothèses. C'est particulièrement le cas dans les études descriptives, dont la nature et les caractéristiques des données ne sont pas suffisamment étayées pour s'appuyer sur des propositions théoriques ou sur des faits probants. Encore une fois, tout dépend de l'état des connaissances dont on dispose dans un domaine.

8.3.3 Les caractéristiques des hypothèses

Pour être utile, l'hypothèse de recherche doit remplir certaines conditions : elle doit être formulée clairement, s'avérer plausible et être vérifiable.

L'hypothèse est claire si elle est formulée au présent de l'indicatif et à la forme affirmative, si elle met en évidence les variables en jeu dans les relations prédites et si elle spécifie la population considérée. Pour que l'hypothèse directionnelle soit claire, il lui faut également préciser le sens de la prédiction à l'aide des termes « positif », « plus que », « moins que », « différent de » ou d'autres termes semblables. L'hypothèse est plausible dans la mesure où elle se rapporte au phénomène qu'elle a pour but d'examiner et qu'elle en permet une explication au moins provisoire en fonction d'un cadre théorique établi et de résultats de recherche.

L'hypothèse est vérifiable si la relation prédite peut être confirmée ou infirmée sur la base des données recueillies auprès des sujets et à l'issue des résultats d'analyses statistiques, de sorte qu'il soit possible de déterminer si l'hypothèse se confirme ou non. Pour être vérifiable, l'hypothèse doit inclure des variables qui peuvent être mesurées ou catégorisées par un procédé objectif quelconque.

8.3.4 La vérification des hypothèses

La **vérification des hypothèses** constitue le nœud central d'un grand nombre de recherches quantitatives. Une hypothèse est vérifiée à l'aide de tests statistiques, et les résultats ne sont jamais considérés comme absolus. Vérifier une hypothèse ne signifie pas la prouver, pas plus que les résultats ne démontrent sa validité. Comme l'hypothèse découle de la théorie, confirmer une hypothèse accroît la vraisemblance d'une théorie, mais n'atteste pas la validité de l'hypothèse, qui peut dépendre d'autres éléments, sans lien avec la théorie (Gingras et Côté, 2009). Lorsque les mêmes résultats sont obtenus de façon constante dans plusieurs recherches, il existe une plus grande probabilité que les conclusions soient plausibles. Pour vérifier une hypothèse à l'aide de tests statistiques, le chercheur la convertit en une hypothèse nulle, selon laquelle il prédit qu'il n'existe pas de relations entre les variables ou de différences entre les groupes de sujets. L'hypothèse nulle postule en effet l'absence de relations ou de différences. Par la vérification statistique des hypothèses, le chercheur confirme ou infirme la relation prévue entre les variables ou la différence anticipée entre les groupes.

> **Vérification des hypothèses**
> Démarche statistique qui permet de faire un choix entre deux hypothèses statistiques, l'hypothèse nulle et l'hypothèse de recherche.

Quand il soumet une hypothèse nulle à l'épreuve, c'est-à-dire quand il effectue un test de signification statistique pour déterminer si cette hypothèse peut être rejetée, le chercheur veut déterminer dans quelle mesure les résultats correspondent à ses prévisions. Le test de signification statistique permet de vérifier s'il existe une relation entre des variables à l'aide d'analyses statistiques de corrélation ou s'il y a une différence entre les groupes en utilisant par exemple des tests *t* ou des analyses de variance (*voir les chapitres 19 et 20*). Infirmer une hypothèse, c'est constater, après l'analyse des données, que la relation postulée est inexistante. Confirmer une hypothèse, c'est observer, au terme d'une vérification empirique, l'existence de la relation postulée. En d'autres termes, si l'hypothèse nulle est rejetée, cela signifie que l'hypothèse de recherche est vraie et que la validité de la proposition théorique se trouve par le fait même vérifiée de nouveau. Cependant, l'hypothèse qui est confirmée accroît la plausibilité de la théorie, mais ne la prouve

> Confirmer une hypothèse, c'est observer, au terme d'une vérification empirique, l'existence de la relation postulée.

toujours pas. Il faut donc se garder de conclure que les résultats d'une étude attestent la véracité d'une hypothèse ou d'une théorie. Les résultats obtenus à la suite de la vérification de l'hypothèse ne sont jamais considérés comme définitifs : ils infirment ou confirment simplement l'hypothèse.

Il est assez fréquent de repérer, à la lecture des résultats statistiques, des hypothèses qui n'ont pas été formulées dès le début. Après avoir examiné les résultats, le chercheur peut décider de soumettre d'autres hypothèses à des analyses statistiques additionnelles, par exemple afin de déterminer avec plus de précision l'efficacité d'une intervention auprès des groupes.

8.4 L'examen critique du but de la recherche, des questions et des hypothèses

Les énoncés du but, des questions de recherche et des hypothèses sont présentés avant la section de la méthode. Lorsque l'étude contient des questions de recherche ou des hypothèses, certains critères d'évaluation mentionnés dans l'encadré 8.1 peuvent s'appliquer. Le but doit être énoncé explicitement et indiquer l'orientation de la recherche proposée. Si l'étude comporte des questions de recherche plutôt que des hypothèses, le lecteur devra évaluer si elles sont appropriées et si elles précisent le sujet à l'étude. Quant aux hypothèses, elles devraient être concises, formulées de façon affirmative, au présent de l'indicatif, et indiquer la population et les variables à l'étude. Les hypothèses doivent refléter le problème de recherche et provenir du cadre théorique. Si ce dernier n'a pas été déterminé, la source des hypothèses doit être indiquée. Il convient alors de se demander si l'hypothèse est extraite de propositions théoriques, de résultats de recherche antérieurs ou d'expériences cliniques probantes. Chaque hypothèse doit être vérifiable empiriquement et ne contenir qu'une prédiction.

ENCADRÉ 8.1	Quelques questions guidant l'examen critique du but, des questions et des hypothèses

1. Le but indique-t-il quelles sont les variables clés et la population étudiée ?
2. Le but est-il logiquement lié au cadre théorique ou conceptuel ?
3. Le but décrit-il un phénomène, explique-t-il des relations entre des variables ou prédit-il des résultats ?
4. Les questions de recherche sont-elles explicites et découlent-elles directement du but de l'étude ?

5. Chaque hypothèse est-elle clairement formulée, au présent de l'indicatif, et précise-t-elle la population et les variables à l'étude ?
6. Les hypothèses découlent-elles logiquement du cadre théorique ?
7. Les hypothèses sont-elles associatives ou causales ?

Points saillants

8.1	**Le but de la recherche, les questions et les hypothèses**	• L'énoncé du but, des questions de recherche et des hypothèses relie le problème de recherche et les moyens concrets pour réaliser l'étude. • Le but est un énoncé qui précise les variables clés et la population cible et qui contient un verbe d'action donnant une orientation à la recherche. • Les variables sont des qualités, des propriétés ou des caractéristiques de personnes, d'objets ou de situations qui font l'objet d'une recherche.
8.2	**Les questions de recherche**	• Les questions de recherche s'énoncent au présent, comprennent une ou plusieurs variables et indiquent quelle est la population cible.
8.3	**Les hypothèses de recherche**	• L'hypothèse est un énoncé par lequel on prédit que des relations existent entre deux variables ou plus. Elle doit être formulée au présent de l'indicatif, à la forme affirmative et inclure les variables clés et la population étudiée. De plus, l'hypothèse doit être claire, plausible, vérifiable et reposer sur une base théorique ou sur des résultats de recherche. • On distingue quatre types d'hypothèses : non directionnelle ou directionnelle, associative ou de causalité, simple ou complexe, de recherche ou nulle (statistique). • La vérification des hypothèses se fait à l'aide de tests statistiques. Les résultats ne sont jamais considérés comme absolus ni définitifs. • Pour être vérifiable, l'hypothèse doit prendre la forme d'une hypothèse nulle, c'est-à-dire d'une hypothèse qui énonce qu'il n'existe pas de relations entre les variables ni de différences entre les groupes. L'hypothèse nulle est vérifiée de façon statistique. Si l'hypothèse nulle est infirmée, l'hypothèse de recherche devient alors acceptée. • Des analyses statistiques de corrélation sont effectuées pour déterminer la nature et la signification de la relation entre les variables associatives. S'il s'agit de vérifier une relation de causalité, il est possible d'utiliser notamment des tests t et des analyses de variance.

Mots clés

But	Hypothèse	Hypothèse directionnelle	Question de recherche
Décrire	Hypothèse associative	Hypothèse non directionnelle	Verbe d'action
Déterminer	Hypothèse complexe	Hypothèse nulle	Vérifier
Énoncé	Hypothèse de causalité	Hypothèse simple	
Explorer	Hypothèse de recherche	Prédire et contrôler	

Exercices de révision

1. Qu'est-ce qui différencie la question de recherche de l'hypothèse ?

2. Énoncez le but de l'étude à l'aide de la question suivante : « Existe-t-il des relations entre la dépression, le désespoir, la douleur et la spiritualité chez des adultes atteints de cancer à un stade avancé ? »

3. Nommez les principaux verbes d'action utilisés pour exprimer le but de l'étude dans une recherche quantitative.

4. Nommez les principaux verbes d'action utilisés pour exprimer le but de l'étude dans une recherche qualitative.

5. Pour chacune des définitions suivantes, trouvez le type d'hypothèse appropriée.

Définitions

a) Hypothèse qui énonce une relation associative entre deux variables.

b) Hypothèse qui postule qu'une relation associative existe entre trois variables, mais qui n'en précise pas la nature exacte.

c) Hypothèse qui énonce une relation entre deux variables et dans laquelle une variable dite « indépendante » a un effet sur une autre variable dite « dépendante ».

d) Hypothèse qui énonce qu'il n'y a pas de relation causale entre les deux variables étudiées.

e) Hypothèse qui prédit les relations associatives positives entre trois variables ou plus.

Hypothèses

1) D'association non directionnelle, simple
2) De causalité, directionnelle, simple
3) Complexe, associative, non directionnelle
4) Directionnelle, associative, complexe
5) Nulle, de causalité, simple

Liste des références

Les références citées dans la rubrique « Exemple » ou dans les citations peuvent ne pas figurer dans cette liste.

Cheung, D.Y-l. et Tang, C.S-K. (2012). The effect of emotional dissonance and emotional intelligence on work-family interference. *Canadian Journal of Behavioural Science/Revue canadienne des sciences du comportement, 44*(1), 50-58.

Chien, W.T. et Chan, S.W.C. (2013). The effectiveness of mutual support group intervention for Chinese families of people with schizophrenia: A randomised controlled trial with 24-month follow-up. *International Journal of Nursing Studies, 50*(10), 1326-1340.

Côté, C. (2006). *Comportements maternels chaleureux et agression physique des enfants : trajectoires de développement et prédicteurs* (Thèse de doctorat inédite). Université de Montréal, Québec, Canada.

Creswell, J.W. (2009). *Research design: Qualitative, quantitative, and mixed methods approaches* (3e éd.). Thousand Oaks, CA : Sage Publications.

DeKeyser Ganz, F. et Berkovitz, K. (2012). Surgical nurses' perceptions of ethical dilemmas, moral distress and quality of care. *Journal of Advanced Nursing, 68*(7), 1516-1525.

Dubois-Comtois, K. et Moss, E. (2004). Relation entre l'attachement et les interactions mère-enfant en milieu naturel et expérimental à l'âge scolaire. *Canadian Journal of Behavioural Science/Revue canadienne des sciences du comportement, 36*(4), 267-279.

Ferranti, E.P. et collab. (2013). Psychosocial factors associated with diet quality in a working adult population. *Research in Nursing & Health, 36*(3), 242-256.

Gingras, F.-P. et Côté, C. (2009). La théorie et le sens de la recherche. Dans B. Gauthier (dir.). *Recherche sociale : de la problématique à la collecte des données* (5e éd.) (p. 109-134). Québec, Québec : Presses de l'Université du Québec.

Girard, M.-E., Lemelin, J.-P., Tarabulsy, G.-M. et Provost, M.A. (2013). La sécurité d'attachement durant la deuxième année de vie en tant que facteur prédictif des habiletés sociales en milieu scolaire. *Canadian Journal of Behavioural Sciences/Revue canadienne des sciences du comportement, 45*(4), 329-340.

Grant, G., St John, W. et Patterson, E. (2009). Recovery from total hip replacement surgery: It's not just physical. *Qualitative Health Research, 19*(11), 1612-1620.

Guimond-Plourde, R. (2013). Une « randonnée » phénoménologique-herméneutique au cœur de l'expérience vécue du stress-coping chez des jeunes en santé. *Recherches qualitatives, 32*(1), 181-202.

Kaminsky, L.A. et Dewey, D. (2013). Psychological correlates of eating disorder symptoms and body image in adolescents with type 1 diabetes. *Canadian Journal of Diabetes, 37*(6), 408-414.

Laurencelle, L. (2005). *Abrégé sur les méthodes de recherche et la recherche expérimentale.* Québec, Québec : Presses de l'Université du Québec.

Monette, M.-C., Tourigny, M. et Daigneault, I. (2008). Facteurs associés aux problèmes de comportement intériorisés et extériorisés chez des adolescentes agressées sexuellement. *Canadian Journal of Behavioural Science/Revue canadienne des sciences du comportement, 40*(1), 31-41.

Polit, D.F. et Beck, C.T. (2012). *Nursing research: Generating and assessing evidence for nursing practice* (9e éd.). Philadelphie, PA : Wolters Kluwer/Lippincott Williams & Wilkins.

Powell, I. (2013). Can you see me? Experiences of nurses working night shift in Australian regional hospitals: A qualitative case study. *Journal of Advanced Nursing, 69*(10), 2172-2184.

Serizawa, A., Ito, K., Algaddal, A.H. et Eltaybe, R.A.M. (2014). Cultural perceptions and health behaviors related to sage motherhood among village women in Easter Sudan: Ethnographic study. *International Journal of Nursing Studies, 51*(4), 572-581.

Siemon, J.S., Blenkhorn, L., Wilkins, S., O'Brien, K.K. et Solomon, P.E. (2014). A grounded theory of social participation among older women living with HIV/Une théorie ancrée pour analyser la participation sociale chez les femmes âgées atteintes du VIH. *Canadian Journal of Occupational Therapy, 80*(4), 241-250.

Suter, W.N. (2006). *Introduction to educational research: A critical thinking approach.* Thousand Oaks, CA : Sage Publications.

Yi, M. et Young Park, E. (2012). Effects of breast health education conducted by trained breast cancer survivors. *Journal of Advanced Nursing, 68*(5), 1100-1110.

Yu, J.C. et Tsai, Y.F. (2013). From silence to storm-patient illness trajectory from diabetes diagnosis to haemodialysis in Taiwan: A qualitative study of patients' perspectives. *Journal of Advanced Nursing, 69*(9), 1943-1952.

La phase méthodologique : la planification des activités

La phase méthodologique comprend l'ensemble des moyens susceptibles de répondre aux questions de recherche ou de vérifier les hypothèses préalablement formulées. Le chercheur passe de la conception de la recherche à sa planification et à son opérationnalisation, au moyen d'opérations et de stratégies qui précisent comment le phénomène à l'étude sera intégré dans les étapes de cette phase. Ici, le chercheur porte son attention sur les enjeux éthiques de la recherche, sur les devis appropriés au but de celle-ci, sur la population et sur l'échantillon auprès duquel l'information sera recueillie, ainsi que sur les méthodes de collecte des données.

1 — PHASE CONCEPTUELLE

- Choisir le sujet d'étude
- Recenser les écrits et en faire la lecture critique
- Élaborer le cadre de recherche
- Formuler le problème
- Énoncer le but, les questions et les hypothèses

2 — PHASE MÉTHODOLOGIQUE

- Prendre en compte les enjeux éthiques
- Choisir un devis de recherche
- Sélectionner les participants
- Apprécier la qualité de la mesure des concepts
- Préciser les méthodes de collecte des données

3 — PHASE EMPIRIQUE

- Recueillir les données sur le terrain et les organiser pour l'analyse

4 — PHASE ANALYTIQUE

- Analyser les données
- Présenter et interpréter les résultats

5 — PHASE DE DIFFUSION

- Communiquer les résultats
- Intégrer les données probantes dans la pratique professionnelle

CHAPITRE **9**

Les enjeux en éthique de la recherche

Objectifs d'apprentissage

Après avoir étudié ce chapitre, vous serez en mesure :

- de connaitre la responsabilité éthique du chercheur ;
- de décrire les principes directeurs éthiques qui s'appliquent aux sujets humains ;
- de présenter deux éléments essentiels du consentement libre et éclairé ;
- de déterminer les populations considérées comme vulnérables ;
- de définir le rôle des comités d'éthique en recherche ;
- de discuter des principes éthiques dans la recherche.

Dans le domaine de la recherche, il est primordial de prendre en compte les responsabilités du chercheur à l'égard de la protection des droits de la personne. Avant d'entreprendre une étude, le chercheur doit s'interroger sur le bienfondé de sa recherche et sur les répercussions éventuelles de cette dernière sur la vie des participants. Ce sont surtout les exemples d'inconduites passées qui ont amené l'opinion mondiale à s'insurger contre les mauvais traitements infligés à des personnes. On a donc tracé des codes d'éthique visant à encadrer la recherche menée auprès des êtres humains. Ce chapitre présente les principes et les pratiques de bonne conduite qui sont devenus la norme dans la planification et l'implantation de la recherche. Ces principes, contenus dans l'*Énoncé de politique des trois Conseils* (EPTC2, édition 2014), font état de l'obligation éthique des chercheurs de s'assurer que la recherche effectuée auprès des êtres humains répond à des critères éthiques qui protègent et respectent la vie des participants. Le chapitre se termine par l'exposé de certains aspects du consentement libre et éclairé et du rôle des comités d'éthique dans l'approbation des propositions de recherche.

9.1 L'éthique de la recherche

L'éthique est la discipline qui se préoccupe des valeurs qui guident les conduites et les comportements humains. Elle est souvent prise comme synonyme de morale, qui distingue ce qui est le bon du mauvais, le vrai du faux pour la personne. L'utilisation du terme « éthique » semble plus justifiée que celle du terme « morale » dans le contexte de l'activité de recherche scientifique. À cet égard, le Fonds de la recherche en santé du Québec[1] (FRSQ) (2008) a établi la distinction entre ces deux termes et a défini l'**éthique de la recherche** « comme la discipline qui propose un ensemble de règles de conduite propices au bien humain et au respect des personnes » (p. 6). Il ajoute que « les règles de conduite se rapportent à l'agir dans le domaine de la recherche scientifique » (p. 6). Ainsi, toute recherche qui porte sur des êtres humains soulève des considérations éthiques. Dans bon nombre de disciplines scientifiques, la recherche s'intéresse à un aspect ou à l'autre de l'activité humaine : comportement ou état de santé des personnes de tous âges, mode de vie des familles, des groupes ou des communautés, prestation de soins, difficultés psychologiques telles l'anxiété, la honte, l'estime de soi, etc. Quels que soient les aspects étudiés, la recherche doit être conduite dans le respect de la personne. Les décisions conformes à l'éthique sont celles qui se fondent sur les principes de la dignité humaine. La nature de la question de recherche, le type d'étude, le recrutement des participants, la façon de recueillir les données et de les interpréter sont autant d'éléments que le chercheur doit considérer d'un point de vue éthique.

> **Éthique de la recherche**
> Ensemble de principes qui guident et assistent le chercheur dans la conduite de la recherche.

Des problèmes éthiques peuvent survenir dans les deux méthodes de recherche, quantitative et qualitative, et certains peuvent prendre une connotation différente selon le paradigme en cause. La relation entre le chercheur et les participants diffère selon les méthodes de recherche, et les risques de manquements à l'éthique sont plus susceptibles de se produire à cet égard avec la recherche qualitative (Brockopp et Hastings-Tolsma, 2003). Par exemple, dans la recherche quantitative, les participants ont un rapport circonscrit et neutre avec le chercheur, ce qui tend à

....

1. À la suite du regroupement des organismes subventionnaires québécois, le Fonds de la recherche en santé du Québec (FRSQ) est devenu le Fonds de recherche du Québec – Santé (FRQS).

créer entre eux une relation impersonnelle et détachée. En revanche, dans la recherche qualitative, l'entrevue non dirigée constitue généralement le moyen usuel de recueillir les données personnelles, ce qui met le chercheur et le participant en contact plus étroit. Les études qualitatives exigent une forme particulière d'intimité entre le chercheur et le participant pour permettre de découvrir le sens et le contexte qui définissent les expériences de ce dernier. Comme la relation progresse avec le temps, elle risque d'entrainer la divulgation d'expériences personnelles, ce qui pourrait porter atteinte au principe de confidentialité à moins de se soumettre à des règles strictes en cette matière (Bogdan et Biklen, 1998 ; Boswell et Cannon, 2007).

9.2 La responsabilité éthique du chercheur

La principale responsabilité éthique du chercheur concerne sans contredit le respect et la protection des participants à une étude. La conduite de la recherche auprès des êtres humains, si elle n'est pas règlementée, peut mener à des abus ou à des dommages sur les plans physique et psychologique. En étudiant les phénomènes biopsychosociaux, le chercheur peut porter atteinte, de façon consciente ou non, à la vie privée ou à l'intégrité des personnes avec qui il entre en relation, ou encore leur causer des préjudices. Le chercheur fait face à un problème éthique potentiel chaque fois qu'il juge que les inconvénients excèdent les avantages. Quel que soit le type d'étude, l'approche utilisée ou la stratégie adoptée, le chercheur est appelé à résoudre certaines questions d'ordre éthique. Dans la recherche expérimentale, sa responsabilité est directement engagée, en raison des expériences qu'il mène avec le concours d'êtres humains. Dans la recherche non expérimentale, la responsabilité morale du chercheur peut être plus limitée, bien que certaines études puissent avoir des conséquences défavorables. Dans les méthodes de recherche qualitative, il faut également tenir compte de certains principes éthiques du fait de la relation amicale qui se tisse souvent entre le chercheur et les participants. Certaines études qualitatives traitent de sujets intimes touchant directement les personnes, en particulier concernant la confidentialité de la vie privée (Punch, 2005). Quoi qu'il en soit, dans la recherche quantitative comme dans la recherche qualitative, c'est la responsabilité du chercheur de veiller à ce que la recherche soit menée de façon éthique.

> Dans la recherche quantitative comme dans la recherche qualitative, c'est la responsabilité du chercheur de veiller à ce que la recherche soit menée de façon éthique.

L'EPTC2 (Conseil de recherches en sciences humaines du Canada [CRSH], Conseil de recherches en sciences naturelles et en génie du Canada [CRSNG] et Instituts de recherche en santé du Canada [IRSC], 2014) et les *Standards du FRSQ sur l'éthique de la recherche en santé humaine et l'intégrité scientifique* (FRSQ, 2008) constituent à cet égard des guides surs pour la conduite de la recherche dans les contextes canadien et québécois. Afin de donner une vue d'ensemble des aspects éthiques concernant la recherche menée auprès des êtres humains, la section suivante retrace l'évolution des principaux codes d'éthique et règlements associés à ce type de recherche.

9.3 L'évolution des règles de conduite dans la recherche menée auprès des êtres humains

L'histoire relativement récente fournit des exemples d'abus manifestes commis en vers des personnes au nom de la science. En effet, le xxᵉ siècle abonde en expériences moralement inacceptables telles que les expériences médicales effectuées sur des prisonniers de guerre par les nazis ou les scandales en recherche biomédicale survenus entre autres aux États-Unis (Beecher, 1966). Il est cependant possible de causer du tort aux participants dans d'autres domaines que celui de la recherche médicale. C'est le cas d'études dont l'objectif est, par exemple, de déterminer les effets du stress psychologique ou émotionnel au moyen de procédés susceptibles de provoquer des crises convulsives (Drew, Hardman et Hart, 1996). Les efforts de la recherche biomédicale et de certaines disciplines à caractères psychosocial et clinique ont produit des guides concrets (codes, déclarations, lignes directrices) visant à respecter et à protéger les participants à des recherches.

Les expérimentations médicales menées sous le règne nazi durant la Seconde Guerre mondiale consistaient, entre autres, à vérifier les capacités de résistance à l'exposition au froid excessif en haute altitude et à observer les réactions des prisonniers à des agents pathogènes et à des drogues aux propriétés inconnues. La stérilisation, l'euthanasie et l'expérimentation médicale avaient pour but d'assurer la pureté de la race destinée à gouverner le monde. Les personnes étaient forcées de se soumettre à des expériences qui provoquaient souvent la mort ou causaient des dommages permanents sur les plans physique, mental et social. Les expériences en question n'étaient ni conçues ni conduites dans le respect de la dignité humaine; par ailleurs, elles ont très peu contribué à faire avancer la science (Berger, 1990).

Des études étatsuniennes ont aussi attiré l'attention sur des cas de recherches qui ont bafoué la morale. Citons, entre autres, celles de Tuskegee, de Brooklyn et de Willowbrook. L'étude de Tuskegee, menée dans les années 1930, portait sur l'observation à leur insu de 400 hommes noirs, dont 200 étaient porteurs de la syphilis et 200 étaient sains, afin de suivre l'évolution de la maladie (U.S. Department of Health, Education, and Welfare, 1973). Cette étude, menée à Tuskegee en Alabama, s'est poursuivie pendant 40 ans, jusqu'à ce que les autorités ordonnent sa suspension en 1972 (Brandt, 1978). Les sujets étaient examinés périodiquement, et ils ne recevaient aucun traitement, malgré la découverte de la pénicilline en 1940, un médicament efficace contre la maladie. Dès 1972, des comités d'éthique fédéraux ont été institués aux États-Unis à la suite des révélations sur les essais cliniques de Tuskegee. Par ailleurs, les études de Brooklyn et de Willowbrook font partie des nombreux manquements à l'éthique rapportés dans un article du *New England Journal of Medicine* (Beecher, 1966). Cet article décrit plusieurs expériences de recherche menées au cours des années 1950 et 1960, dont deux avaient particulièrement attiré l'attention des autorités. L'étude de Brooklyn portait sur des greffes de cellules cancéreuses vivantes pratiquées sur 22 personnes âgées, hospitalisées sans leur consentement et ignorant qu'elles participaient à une étude. De surcroit, le projet n'avait reçu l'approbation d'aucun comité. Dans le cadre de l'étude de Willowbrook, on a injecté le virus de l'hépatite B à des enfants séjournant dans un établissement psychiatrique en vue de connaitre l'évolution de la maladie et de mettre au point un vaccin (Doucet, 2002). D'autres exemples d'études ayant transgressé les principes éthiques ont contribué à renforcer la règlementation de la recherche conduite auprès des êtres humains. Au Canada, il faut rappeler les expériences d'un médecin de l'armée américaine, financées par la CIA, sur le lavage de cerveau et le fonctionnement cérébral de sujets canadiens. Ces expériences, effectuées sans le consentement des personnes et menées à l'Institut Allan Memorial de Montréal, concernaient divers moyens d'influer sur le comportement humain. Elles ont été dévoilées en 1977, soit 14 ans après la fin des essais.

9.3.1 Les codes d'éthique de la recherche

C'est en réponse aux violations des droits de la personne que des codes visant à règlementer la recherche effectuée auprès des êtres humains ont été peu à peu instaurés à l'échelle nationale et internationale. Le Code de Nuremberg et la *Déclaration d'Helsinki* figurent parmi les efforts les plus évidents pour contrer les violations des droits de la personne.

Code de Nuremberg
Code d'éthique constitué d'articles définissant les règles et les principes à observer dans la conduite de la recherche.

Le **Code de Nuremberg** a été le premier guide formel définissant la recherche conduite auprès des êtres humains. Ce document a été rédigé dans le cadre du procès des criminels de guerre nazis à Nuremberg, en 1947, qui a mis en lumière les crimes subis par des prisonniers de guerre et des populations considérées comme sous-humaines, principalement les Juifs internés dans les camps de concentration. Le Code de Nuremberg établit clairement des règles et des principes qui assurent l'obtention du consentement éclairé des sujets humains qui participent à une recherche. Le consentement doit être donné une fois que les participants ont été pleinement informés du but, des procédés, des inconvénients et des risques potentiels de l'expérimentation. Le Code précise également que les expérimentations doivent être pratiquées par des chercheurs scientifiques qualifiés (U.S. Department of Health & Human Services, 2005).

Déclaration d'Helsinki
Déclaration qui mentionne pour la première fois le recours à l'évaluation des protocoles de recherche par un comité d'experts indépendants.

La *Déclaration d'Helsinki*, rédigée par l'Association médicale mondiale (AMM) (1964-2013), a été amendée à plusieurs reprises, le dernier amendement ayant été adopté au Brésil en 2013. Les recommandations contenues dans la *Déclaration d'Helsinki* se composent d'une série de principes éthiques. Ceux-ci comprennent la mise sur pied, dans les établissements de santé, de comités d'éthique de la recherche (CER) en vue de l'évaluation indépendante de la recherche portant sur les êtres humains. Les éléments essentiels à cette déclaration modifiée sont constitués de l'ensemble des principes de base relatifs aux méthodes scientifiques, à la publication des résultats et à la différenciation entre la recherche thérapeutique, qui vise à améliorer la santé des participants, et la recherche non thérapeutique, qui s'intéresse surtout à l'avancement des connaissances (AMM, 2013).

Le *Rapport Belmont* (*Belmount Report*) incorpore les délibérations et les recommandations de la National Commission for the Protection of Human Subjects of Biomedical and Behavioral Research (1979). Ce rapport résume les principes éthiques fondamentaux d'autonomie, de bienfaisance et de justice définis par la Commission nationale américaine au cours de ses délibérations. Il précise également la manière d'appliquer ces principes dans la conduite de la recherche auprès des êtres humains. Les lignes directrices internationales d'éthique pour la recherche biomédicale touchant des êtres humains ont mis l'accent sur les principes de respect de la personne, de bienfaisance et de justice. De nombreux documents normatifs ont été adoptés dans plusieurs pays et ont donné naissance à des exigences auxquelles les chercheurs sont tenus de se soumettre (Conseil des organisations internationales des sciences médicales [CIOMS], 2003).

> De nombreux documents normatifs ont été adoptés dans plusieurs pays et ont donné naissance à des exigences auxquelles les chercheurs sont tenus de se soumettre.

9.3.2 Les lignes directrices et les codes de déontologie canadiens

Au Canada, des conseils de recherche, des associations et des organismes professionnels ont publié des plans d'action, des guides et des lignes directrices pour aider les intervenants en recherche à soumettre des protocoles basés sur le respect de la dignité humaine. Le Conseil de recherches médicales du Canada (CRMC) (1987, 1990) et le CRSH (1986) ont élaboré et fréquemment mis à jour des codes de déontologie. Ces organismes subventionnaires canadiens ont établi des règles d'éthique auxquelles il est nécessaire de se conformer pour obtenir un financement. Le CRMC a tracé des lignes directrices pour l'évaluation de l'aspect éthique des protocoles de recherche. Plusieurs associations et organismes professionnels, notamment le Conseil des arts du Canada (1977), l'Association des infirmières et infirmiers du Canada (AIIC) (2002) et la Société canadienne de psychologie (SCP) (1991), se sont également fixé des lignes directrices. Les principes éthiques qui s'appliquent à toutes les disciplines ont trait au respect des personnes et de la vie privée, à la confidentialité ainsi qu'aux principes de bienfaisance et de justice. L'ensemble de ces principes éthiques est inséré dans l'EPTC2, qui propose des principes directeurs canadiens relativement à la protection des sujets humains (CRSH, CRSNG et IRSC, 2014).

> Les principes éthiques qui s'appliquent à toutes les disciplines ont trait au respect des personnes et de la vie privée, à la confidentialité ainsi qu'aux principes de bienfaisance et de justice.

Au Québec, le Fonds de recherche du Québec, qui regroupe les trois organismes subventionnaires le Fonds de recherche du Québec – Santé (FRQS), le Fonds de recherche – Nature et technologiques (FRQNT) et le Fonds de recherche – Société et culture (FRQSC), a été interpelé par les questions d'éthique et d'intégrité. Le ministère de la Santé et des Services sociaux (MSSS) (1998) a publié un document intitulé *Plan d'action ministériel en éthique de la recherche et en intégrité scientifique* dans lequel il confie au FRSQ d'alors la responsabilité de formuler des standards destinés à la communauté scientifique. Par ce mandat, le MSSS entend faire la promotion de la qualité des activités de recherche. Les objectifs consistent à assurer la sécurité et l'intégrité des personnes participant à des activités de recherche, à rendre plus clairs les niveaux de responsabilités et à établir les moyens facilitant l'exercice de celles-ci.

À la suite de ce mandat, ce même organisme a rédigé un document, *Standards du FRSQ sur l'éthique de la recherche en santé humaine et l'intégrité scientifique* (FRSQ, 2008), afin d'établir des standards de la recherche et de veiller à sa qualité. L'organisme insiste sur le fait que la responsabilité du respect de l'éthique et de l'intégrité, principes qu'il juge primordiaux, incombe aux personnes concernées, et il estime que les chercheurs en santé humaine sont dignes de confiance. Le document propose la définition suivante de l'intégrité: «Le concept d'intégrité appliqué au domaine de la recherche scientifique a pour objets la probité intellectuelle, l'usage rigoureux des ressources destinées à la recherche et l'abstention de se placer en situation de conflit d'intérêts.» (FRSQ, 2008, p. 6)

9.4 Les principes éthiques fondés sur le respect de la dignité humaine

Les trois conseils subventionnaires du Canada (CRSH, CRSNG et IRSC) se sont regroupés afin de promouvoir, de faciliter et de soutenir la réalisation de projets de recherche dans leurs domaines respectifs. Ils ont adopté une première politique commune, formulée dans l'*Énoncé de politique des trois Conseils* (EPTC) (CRSH, CRSNG et IRSC, 1998). L'ensemble de règles éthiques contenues dans l'EPTC vise le financement des protocoles des recherches menées sur des sujets humains selon des principes très rigoureux. Plusieurs révisions (en 2000, 2002, 2005 et 2010) ont mené à une nouvelle édition de la politique en 2014, l'EPTC2 (CRSH, CRSNG et IRSC, 2014). Dans cette édition officielle, trois principes directeurs sont mis en évidence et intègrent les huit principes contenus dans l'édition 1998 de l'EPTC. Les chercheurs des universités canadiennes, dont les études concernent des sujets humains, doivent désormais suivre la ligne de conduite énoncée dans ce document et fondée sur le respect de la dignité humaine.

> L'ensemble de règles éthiques contenues dans l'EPTC2 vise le financement des protocoles des recherches menées sur des sujets humains selon des principes très rigoureux.

9.4.1 Les principes directeurs de l'*Énoncé de politique des trois Conseils*

Comme c'était le cas en 1998, les obligations éthiques formulées dans la nouvelle édition 2014 de l'EPTC2 sont axées sur le respect de la dignité humaine, une valeur essentielle de l'*Énoncé.* Ce principe fondamental a pour but la protection des multiples intérêts des participants à la recherche, en particulier la reconnaissance de la valeur intrinsèque des êtres humains, le respect et les égards qui leur sont dus. Le respect de la dignité humaine suppose celui de l'intégrité de la personne et des conditions qui lui permettent non seulement de vivre, mais aussi de s'épanouir et d'exercer ses droits de citoyenneté. Le concept de dignité humaine occupe une place prépondérante en droit international relativement aux droits de la personne, notamment dans les textes sur la bioéthique, comme la *Déclaration universelle sur la bioéthique et les droits de l'homme* (Comité international de bioéthique de l'UNESCO, 2005). Selon l'EPTC2, le respect de la dignité humaine s'exprime par les trois principes directeurs suivants : 1) le respect des personnes ; 2) la préoccupation pour le bienêtre ; 3) la justice.

> Le respect de la dignité humaine suppose celui de l'intégrité de la personne et des conditions qui lui permettent non seulement de vivre, mais aussi de s'épanouir et d'exercer ses droits de citoyenneté.

Le respect des personnes

Le principe de respect des personnes intègre le consentement libre et éclairé et le respect des personnes vulnérables. Les personnes vulnérables sont celles qui, en raison d'une autonomie réduite, ne peuvent participer pleinement au processus de consentement et qui doivent par conséquent faire l'objet d'une protection vigilante contre tout mauvais traitement ou toute discrimination. Ce principe implique que toute personne, quelle que soit sa condition, a droit au respect et à tous les égards qui lui sont dus (CRSH, CRSNG et IRSC, 2014). Il s'applique concrètement dans le cadre d'une recherche qui fait appel à des participants. Le respect de la personne et de sa liberté de choix repose sur le principe d'autonomie selon lequel toute personne a le droit et la capacité de décider par elle-même, en toute connaissance de cause, de participer ou non à une recherche. L'autonomie s'exerce lorsqu'il s'agit de solliciter le consentement libre des personnes pour participer à une recherche. Le consentement libre et éclairé signifie que celles-ci ont obtenu toute l'information essentielle sur le but de l'étude, de ses avantages possibles aussi bien que des risques potentiels, qu'elles en

> Les personnes vulnérables sont celles qui, en raison d'une autonomie réduite, ne peuvent participer pleinement au processus de consentement et qui doivent par conséquent faire l'objet d'une protection vigilante contre tout mauvais traitement ou toute discrimination.

connaissent bien le contenu et ont bien compris ce à quoi elles s'engagent. Aucun moyen de coercition ne doit être employé pour amener la personne, qu'elle soit en diminution de sa capacité à exercer son autonomie ou non, à participer à une recherche. De plus, le participant peut cesser à tout moment de prendre part à la recherche sans encourir de peine ni de sanction. Enfin, les personnes dont l'autonomie est réduite doivent bénéficier d'une protection particulière.

Le principe du respect des personnes s'applique également aux personnes inaptes à exercer leur autonomie en raison de l'âge, de déficiences cognitives ou de troubles mentaux. Toutefois, ce principe reconnait la justesse de la participation de ces personnes à condition que des mesures additionnelles soient prises pour assurer que leurs intérêts sont protégés. Ces mesures concernent le recours au consentement d'une tierce personne autorisée à prendre des décisions pour le participant. Ce principe stipule ceci: «Même s'il n'est pas possible d'obtenir un consentement libre, éclairé et continu, le principe de respect des personnes exige de faire participer la personne en situation de vulnérabilité à la prise de décision, dans la mesure du possible. » (CRSH, CRSNG et IRSC, 2014, p. 7) Les obligations éthiques à l'égard des personnes vulnérables qui participent à la recherche exigent le recours à des méthodes particulières visant à protéger l'intégrité mentale ou psychologique des participants.

La préoccupation pour le bienêtre

Le principe de la **préoccupation pour le bienêtre** d'une personne fait appel à sa qualité de vie quant à la santé physique, mentale, spirituelle, économique et sociale. Font également partie de ce principe la vie privée de la personne et de son entourage significatif et la maitrise de l'information les concernant. Est considéré comme préjudiciable pour le bienêtre des personnes tout ce qui apparait négatif, que ce soit sur le plan social, comportemental, psychologique, physique ou économique. Le **respect de la vie privée** est au cœur de la conduite éthique de la recherche menée avec des êtres humains. Ce droit se trouve protégé si le participant est suffisamment bien informé de la nature et du but de l'étude pour être en mesure d'évaluer les bénéfices et les risques potentiels de sa participation. En vertu de ce principe, le participant à une étude a le droit de conserver l'anonymat et de recevoir l'assurance que les données recueillies demeureront confidentielles. La **confidentialité** fait référence au droit de maintenir privée une information divulguée au cours d'une relation professionnelle avec le chercheur (Sieber, 1992). Ce dernier s'engage à garder secrètes les données recueillies durant et après l'étude, et il ne peut les communiquer à quiconque sans l'autorisation du participant. Le chercheur contrevient à la règle de confidentialité quand, par inadvertance ou par des propos délibérés, il divulgue les données recueillies ou permet que des personnes non autorisées y aient accès. Par exemple, divulguer à un employeur que telle personne est porteuse du virus de l'immunodéficience humaine (VIH) peut causer des dommages personnels et professionnels à celle-ci. De plus, la façon de divulguer des résultats doit être conçue de telle sorte qu'il soit impossible à quiconque de reconnaitre les participants. L'anonymat est protégé si l'identité du participant ne peut être dévoilée par quiconque et d'aucune façon, pas même par le chercheur. Les CER ont le mandat de veiller au bienêtre des participants en essayant de minimiser le plus possible les risques pouvant survenir au cours d'un projet de recherche.

Préoccupation pour le bienêtre
Principe éthique qui fait appel à la qualité de vie d'une personne et au respect de sa vie privée.

Respect de la vie privée
Principe qui permet à une personne de décider de l'information de nature personnelle à rendre publique dans le cadre d'une recherche.

Confidentialité
Maintien du secret des renseignements personnels fournis par le participant à la recherche.

> Est considéré comme préjudiciable pour le bienêtre des personnes tout ce qui apparait négatif, que ce soit sur le plan social, comportemental, psychologique, physique ou économique.

La justice

Le **principe de justice** implique le devoir d'agir auprès des personnes de manière juste et équitable. Avoir la même préoccupation pour tous relève de la justice. L'équité a trait à la façon de répartir les bienfaits et les inconvénients de la recherche entre tous les participants, ce qui entraine l'obligation de n'établir aucune discrimination entre les personnes ou les groupes qui participent à la recherche. Toutefois, l'EPTC2 stipule qu'être juste et équitable envers les personnes ne signifie pas nécessairement qu'elles doivent être traitées de la même façon. C'est ainsi que leur degré de vulnérabilité doit être pris en compte dans la répartition des avantages et des inconvénients de la recherche. Le respect des personnes vulnérables exige l'absence de tout mauvais traitement ou de toute discrimination ainsi qu'une attitude bienveillante de la part des intervenants en recherche. Les personnes considérées comme vulnérables sont les mineurs (âgés de moins de 18 ans) et les majeurs inaptes mentalement, certaines personnes âgées, les personnes atteintes des problèmes de santé mentale et celles dont la capacité de décision est réduite. Ces personnes ne sont pas toutes capables de donner un consentement libre et éclairé, puisqu'elles ne sont pas nécessairement en mesure de comprendre la nature de leur participation. En vertu du principe de dignité humaine, ces personnes ont droit à la compassion et à l'équité, de même qu'à une protection spéciale contre les abus, l'exploitation et la discrimination. Les mineurs et les majeurs inaptes ne sont pas habilités, d'un point de vue légal et éthique, à donner leur consentement. Selon le Code civil du Québec (C.c.Q., art. 21), le consentement est donné pour les mineurs par le titulaire de l'autorité parentale ou par le tuteur et, pour les majeurs inaptes, par le mandataire, le tuteur ou le curateur.

> Le respect des personnes vulnérables exige l'absence de tout mauvais traitement ou de toute discrimination ainsi qu'une attitude bienveillante de la part des intervenants en recherche.

La conduite juste et équitable concerne aussi la façon de recruter les participants, ce qui suppose que le choix des sujets doit être directement lié au problème de recherche et non pas motivé par des questions de convenance. L'EPTC2 insiste sur la conduite équitable et impartiale dans le choix des participants. Il y a manquement à ce principe quand les participants sont recrutés en fonction d'autres raisons que celles motivées par la question de recherche. Ainsi, la participation devrait être établie selon des critères d'inclusion à partir de la question de recherche.

La réduction des inconvénients et l'optimisation des avantages de participer à la recherche sont les moyens de mise en œuvre du principe de justice. La **réduction des inconvénients** vise à supprimer ou à limiter les inconvénients que la recherche peut entrainer pour les participants. Même s'il est rarement possible d'estimer avec exactitude les bénéfices et les risques pour ceux-ci, les chercheurs doivent éviter de les exposer à des désagréments. Les inconvénients susceptibles d'être provoqués durant et après l'étude menée auprès des participants sont, entre autres, la douleur physique, l'inconfort, le sentiment d'échec, la peur irraisonnée et la menace posée à l'identité. D'un point de vue psychologique, le fait de rappeler aux participants une expérience malheureuse peut avoir des conséquences sérieuses. Dans tous les cas, il faut s'assurer qu'une aide psychologique pourra leur être apportée rapidement.

L'**optimisation des avantages** est un autre moyen d'application du principe de justice, qui a trait à l'équilibre entre les avantages et les inconvénients. Il correspond au principe de bienfaisance, lequel consiste à vouloir du bien aux personnes.

Les avantages escomptés doivent compenser largement les risques (Doucet, 2002). Ainsi, un avantage notable pour le participant serait de bénéficier d'un traitement ou d'une intervention, moyennant sa participation à la recherche. Il faut noter aussi la contribution à l'avancement des connaissances et les bénéfices qui pourraient découler des découvertes faites au cours de la recherche.

La répartition des avantages et des inconvénients suppose aussi la mesure des risques potentiels d'inconfort ou de préjudice pour les participants. Si les inconvénients excèdent les avantages, il est préférable de ne pas entreprendre la recherche. Le chercheur a le devoir d'éviter de faire éprouver aux personnes un inconfort excessif et de leur causer un préjudice. Par contre, si les avantages dépassent les inconvénients, il y a de fortes chances que l'étude respecte les principes éthiques et puisse contribuer à faire avancer les connaissances. Dans la plupart des études menées en sciences infirmières et dans certaines autres disciplines, les inconvénients sont souvent minimes. Les avantages l'emportent sur les inconvénients lorsque la recherche ne soulève pas, en principe, de problèmes éthiques importants.

9.5 L'éthique et la recherche qualitative

Bien que la recherche qualitative soit soumise aux principes éthiques sur la recherche conduite auprès des êtres humains, l'EPTC2 a tenu à préciser, dans un chapitre consacré à la recherche qualitative, des indications précises sur certaines questions concernant cette approche, qui peuvent tout aussi bien s'appliquer à la recherche quantitative (CRSH, CRSNG et IRSC, 2014). D'emblée, l'EPTC2 reconnait que la recherche qualitative a de longs antécédents non seulement dans plusieurs disciplines établies des sciences humaines, mais aussi dans certains domaines des sciences de la santé, dont les sciences infirmières.

Mais avant d'établir des indications sur l'évaluation éthique des recherches qualitatives, ce chapitre de l'ETPC2 trace un portrait de la nature de la recherche qualitative, particulièrement dans sa démarche générale, ses exigences méthodologiques et les pratiques qui s'y rattachent. À cet égard sont explicités les principaux éléments qui caractérisent les recherches qualitatives. On mentionne, entre autres, la compréhension inductive et analytique de la recherche qualitative, la variété des approches méthodologiques et leur application, la diversité et la multiplicité des contextes, la collecte des données sur un nombre limité de situations, la variété du but et des objectifs de la recherche, la négociation continue du consentement, ainsi que le caractère émergent de plusieurs études qualitatives.

La section relative à l'évaluation éthique des recherches qualitatives porte surtout sur les enjeux liés à l'évaluation de projets de recherche par le CER. L'EPTC2 précise ceci : « La recherche qualitative peut soulever des questions d'éthique particulières lorsqu'il s'agit d'obtenir l'accès aux participants, d'établir des relations avec eux, d'utiliser les données et de publier les résultats. » (CRSH, CRSNG et IRSC, 2014, p. 159) L'EPTC2 précise que les activités préliminaires qui se déroulent avant que le chercheur amorce véritablement sa recherche ne sont pas soumises à l'évaluation par les CER, comme la détermination de l'objet d'étude, les méthodes, la nature et la taille de l'échantillon, l'élaboration du projet de recherche. Les chercheurs et les CER sont ainsi tenus d'examiner les questions qui se rapportent au consentement, à la vie privée, à la confidentialité des données ainsi que les relations entre les chercheurs et les participants tout au long de la recherche. Les chercheurs sont tenus de décrire dans leur proposition de recherche les moyens d'utilisation envisagés pour solliciter le consentement des participants. Les aspects entourant la vie privée et la confidentialité au moment de la diffusion des résultats de recherche sont explicités dans le contexte du consentement requis pour la divulgation de l'identité des participants dans les publications de recherche.

Le consentement écrit et signé ne convient pas toujours à la recherche qualitative. S'il existe des raisons valables de ne pas solliciter le consentement des participants à l'aide d'un formulaire écrit qu'ils doivent signer, le chercheur doit alors indiquer la méthode adoptée pour l'obtention du consentement (p. ex. un consentement oral consigné dans les notes de terrain, des enregistrements audios ou vidéos, un questionnaire).

9.5.1 Les études axées sur l'observation

L'EPTC2 s'attarde aux études axées sur l'observation des participants comme moyen de collecte de données, car elles peuvent soulever des préoccupations concernant la vie privée des personnes observées, particulièrement au moment de la divulgation des résultats. La violation possible de la vie privée en regard des exigences de la recherche sur l'observation doit être considérée par les chercheurs et les comités d'éthique. Les répercussions éthiques peuvent provenir de certains facteurs tels que la nature des observations, le contexte dans lequel celles-ci ont lieu, les attentes des participants éventuels eu égard à leur vie privée, les moyens utilisés pour consigner les observations, etc. Si le chercheur ne recueille aucune information personnelle, le consentement des participants n'est pas requis.

> La violation possible de la vie privée en regard des exigences de la recherche sur l'observation doit être considérée par les chercheurs et les comités d'éthique.

L'*Énoncé de politique* soulève également la question du modèle de recherche émergente de l'étude qualitative, qui consiste en l'évolution du déroulement de la collecte et de l'analyse des données. Il peut s'avérer difficile de prévoir tous les éléments entourant la collecte des données. C'est pourquoi il est nécessaire de fournir au comité d'éthique tous les renseignements disponibles permettant l'évaluation et l'approbation de la méthode de collecte des données.

9.6 Le processus du consentement

Le principe éthique le plus important dans les études menées auprès des êtres humains demeure sans aucun doute la capacité d'une personne à donner son consentement après avoir reçu et bien compris toute l'information relative à sa participation à une étude. Le consentement libre, éclairé et continu et les éléments qui le définissent sont fondés, dans le contexte canadien, sur les principes énoncés par l'EPTC2, soit le respect des personnes, la préoccupation pour le bienêtre et la justice.

9.6.1 La définition du consentement

Le **consentement** est l'acquiescement que donne volontairement une personne à sa participation à une étude. Pour être valable, le consentement doit être libre, éclairé et continu. Le consentement est considéré comme libre et volontaire si la personne

Consentement
Acquiescement donné volontairement par une personne pour participer à une étude. Pour être valable, le consentement doit être libre, éclairé et continu.

qui l'accorde jouit de toutes ses facultés et ne subit aucune forme de manipulation, de coercition ou de pression. Le participant peut en tout temps revenir sur sa décision et retirer son consentement. Il peut aussi demander le retrait de ses données du projet. Un consentement éclairé suppose que la personne possède toute l'information nécessaire pour pouvoir juger des avantages et des inconvénients de sa participation à la recherche. Pour que les participants éventuels puissent évaluer les conséquences de prendre part à l'étude, le chercheur doit leur fournir suffisamment de renseignements, formulés dans un langage accessible, sur le projet de recherche et sur leur participation. Un consentement est continu lorsqu'il dure jusqu'à la fin de la recherche. Le participant doit donc être informé de toute modification apportée au projet qui pourrait avoir des conséquences éthiques ou une incidence directe sur sa décision.

La recherche est conforme à l'EPTC2 après que les personnes pressenties ou leurs représentants légaux ont donné leur consentement libre, éclairé et continu. En effet, celui-ci est une condition éthique et juridique essentielle à la réalisation d'une recherche menée auprès de sujets humains (Université de Montréal, 2014a, 2014b).

L'*Énoncé de politique* propose une liste de renseignements nécessaires pour qu'il y ait consentement éclairé. Ces renseignements servent de base à la création de formulaires de renseignements utilisés par les chercheurs pour obtenir un consentement éclairé.

9.6.2 Les éléments du consentement libre, éclairé et continu

Le consentement libre, éclairé et continu et tous ses éléments d'information reposent sur les principes du respect de la personne, de la préoccupation de son bienêtre et de la justice. À cet égard, les établissements postsecondaires et les autres organismes de recherche proposent à l'intention des chercheurs et des comités d'éthique des guides d'information sur le consentement et des formulaires contenant les éléments que le chercheur doit documenter et présenter au participant.

À titre d'exemple, le *Guide d'information sur le consentement libre, éclairé et continu* (Université de Montréal, 2014a) élaboré par le Comité d'éthique de la recherche en santé, le Comité plurifacultaire d'éthique de la recherche et le Comité d'éthique de la recherche en arts et en sciences de l'Université de Montréal contient au point 3.2 les éléments requis pour l'obtention d'un consentement :

- les renseignements généraux ;
- la description du projet de recherche ;
- la nature, la durée et les conditions de la participation ;
- les risques et les inconvénients ;
- les avantages et les bénéfices ;
- la compensation ;
- la conservation et la protection des données ;
- le retour des résultats ;
- le droit de retrait et de la participation volontaire ;
- la responsabilité de l'équipe de recherche ;

- les personnes-ressources;
- l'énoncé de consentement;
- l'engagement du chercheur.

Ces éléments sont détaillés dans le *Formulaire d'information et de consentement* (Université de Montréal, 2014b). On trouve en ligne divers documents préparés à cet effet par d'autres universités ou établissements de recherche.

9.6.3 Le formulaire d'information et de consentement

Le **formulaire d'information et de consentement** est un document écrit, une entente attestant que le participant est informé des tenants et aboutissants de l'étude et qu'il a compris en quoi consiste sa participation volontaire à celle-ci. Après avoir reçu l'assurance que ses informations personnelles ne seront pas divulguées et avoir déclaré bien comprendre en quoi consistent la recherche et le rôle qui sera le sien, le sujet donne son consentement en apposant sa signature sur le formulaire. L'entente est ensuite signée par le chercheur ou son représentant.

9.7 Les comités d'éthique de la recherche

Selon l'EPTC2, chaque établissement doit constituer un **comité d'éthique de la recherche** (CER) chargé d'évaluer l'éthique des projets de recherche (CRSH, CRSNG et IRSC, 2014). Tout projet de recherche, subventionné ou non, qui comporte une collecte des données mettant en cause directement ou indirectement des êtres humains exige un certificat d'éthique octroyé par les CER. Ceux-ci sont formés de professionnels chargés d'évaluer si les propositions de recherche qui leur sont soumises respectent les droits des participants à l'étude. Les CER sont généralement constitués d'équipes multidisciplinaires qui ont la compétence et l'indépendance nécessaires pour évaluer l'éthique des propositions de recherche en vue d'émettre un certificat d'éthique.

9.7.1 Le mandat et la composition des comités d'éthique de la recherche

Les CER ont pour mandat de contribuer à assurer que toute la recherche qui fait appel à des sujets humains se déroule conformément aux principes éthiques. En conséquence, ils assument le rôle d'approuver, de refuser, de modifier ou d'arrêter des projets de recherche impliquant des êtres humains qui ne sont pas conformes à l'éthique. Leur utilité pour le milieu de la recherche tient à leur fonction consultative, et ils contribuent de ce fait à la formation éthique. Ils ont aussi pour responsabilité d'assurer une évaluation indépendante et multidisciplinaire de l'éthique des projets qui leur sont soumis.

L'EPTC2 recommande que les CER soient composés de membres exerçant une profession associée au projet de recherche, comme la recherche biomédicale, l'éthique ou le domaine juridique, et que la collectivité servie par l'établissement soit représentée (CRSH, CRSNG et IRSC, 2014).

La composition d'un CER se fait selon certaines exigences de manière à réunir les connaissances, l'expertise et les perspectives favorisant une prise de décision éclairée et indépendante sur l'éthique des projets de recherche soumis (CRSH, CRSNG et IRSC , 2014 ; FRSQ, 2008). Les CER doivent être composés d'au moins cinq membres répartis comme suit :

- deux membres possédant une vaste connaissance des méthodes ou des domaines de recherche ;
- un membre spécialisé en éthique ;
- un membre spécialisé en droit dans un domaine pertinent ;
- au moins un membre non affilié à l'établissement où se déroule l'étude, mais issu d'un groupe qui en utilise les services.

9.8   L'examen critique des aspects éthiques de la recherche

Les publications de recherche n'indiquent pas toujours les problèmes éthiques auxquels le chercheur a pu faire face, sauf s'ils ont été difficiles à résoudre. Lorsqu'ils sont présentés, les aspects éthiques font généralement partie de la section portant sur les méthodes. Le lecteur est donc susceptible d'y trouver l'information relative à l'approbation du projet par un CER et à l'obtention du consentement éclairé par les participants. Si l'étude présente des risques importants liés à l'intervention ou au traitement, ceux-ci doivent être mentionnés, de même que les moyens utilisés afin de recruter les sujets et d'obtenir leur consentement pour participer à l'étude. L'auteur doit également préciser si des personnes vulnérables ont pris part à la recherche et dévoiler les dispositions particulières qui ont été prises à leur égard. L'encadré 9.1 présente un certain nombre de questions pouvant servir de base à l'examen critique des aspects éthiques d'une recherche.

ENCADRÉ 9.1	Quelques questions guidant l'examen critique des aspects éthiques d'une étude

1. L'étude a-t-elle été approuvée par un CER ?

2. Qu'est-ce qui permet de croire qu'un consentement éclairé a été obtenu de tous les participants ?

3. La vie privée des participants a-t-elle été protégée durant le recrutement, la collecte et l'analyse des données ?

4. Quelles mesures a-t-on prises pour assurer l'anonymat et la confidentialité des données ?

5. Les participants à l'étude ont-ils subi de l'inconfort ou des préjudices ? Des mesures ont-elles été prises pour les prévenir ou les limiter ?

6. Les participants ont-ils tiré de l'étude plus d'avantages que d'inconvénients ?

7. Les participants étaient-ils vulnérables (sans défense, avec des facultés amoindries) ? Si oui, quelles mesures a-t-on prises pour les protéger et pour obtenir leur consentement ?

Points saillants

9.1 L'éthique de la recherche

- L'éthique de la recherche est une discipline qui propose un ensemble de règles de conduite propices au bien humain et au respect des personnes. Ce terme diffère de celui de «morale», car les règles de conduite se rapportent à l'agir dans le domaine de la recherche scientifique.

9.2 La responsabilité éthique du chercheur

- La recherche soulève toujours le problème de la responsabilité éthique du chercheur à l'égard de la protection des droits de la personne. L'histoire relativement récente recèle des exemples d'abus commis envers des personnes au nom de la science.

9.3 L'évolution des règles de conduite dans la recherche menée auprès des êtres humains

- Les considérations morales et éthiques n'ont reçu d'attention qu'après la Seconde Guerre mondiale, en réaction aux atrocités commises au nom de la science sous le régime nazi.
- Des problèmes éthiques peuvent survenir dans les deux principales méthodes de recherche, quantitative et qualitative.
- Des codes d'éthique ont peu à peu été instaurés à l'échelle nationale et internationale pour règlementer la recherche conduite auprès des êtres humains en réponse aux violations des droits de la personne (Code de Nuremberg, *Déclaration d'Helsinki,* lignes directrices issues de divers organismes).

9.4 Les principes éthiques fondés sur le respect de la dignité humaine

- Au Canada, des conseils de recherche, des associations et des organismes professionnels ont publié des plans d'action, des guides et des lignes directrices pour aider les intervenants en recherche à soumettre des protocoles basés sur le respect des droits de la personne.
- En 1998, les trois grands conseils subventionnaires canadiens ont adopté une position commune relativement à l'éthique de la recherche sur des sujets humains, position définie dans l'*Énoncé de politique des trois Conseils* (EPTC). La dernière édition, publiée en 2014, constitue la version officielle, l'EPTC2.
- Les principes éthiques, basés sur le respect de la dignité humaine et formulés dans l'EPTC2, sont les suivants : le respect des personnes, qui inclut le consentement éclairé et les personnes vulnérables ; la préoccupation pour le bienêtre, qui intègre le respect de la vie privée et des renseignements personnels ; la justice et l'intégration, qui comprennent l'équilibre des avantages et des inconvénients, la réduction des inconvénients et l'optimisation des avantages.

9.5 L'éthique et la recherche qualitative

- La recherche qualitative peut soulever des questions éthiques, particulièrement lorsqu'il s'agit d'obtenir l'accès aux répondants, d'établir des relations avec eux, d'utiliser les données recueillies. Les études d'observation peuvent soulever des questions éthiques au moment de la divulgation des résultats.

9.6 Le processus du consentement

- Le chercheur doit obtenir le consentement libre et éclairé des participants pressentis à une étude. Pour que le consentement soit libre et éclairé, les participants doivent connaitre le but de l'étude, les risques et les avantages potentiels de celle-ci et avoir reçu l'assurance qu'ils peuvent se retirer de la recherche à tout moment.
- Le formulaire d'information et de consentement est un document écrit qui atteste que le participant est informé du projet et qu'il donne son consentement. Ce dernier doit être libre, éclairé et continu.

9.7 Les comités d'éthique de la recherche

- Les comités d'éthique de la recherche (CER), constitués d'équipes multidisciplinaires ayant les compétences et l'indépendance nécessaires, ont le mandat d'examiner l'aspect éthique des projets de recherche.

Mots clés

Anonymat

Code de Nuremberg

Comité d'éthique de la recherche

Confidentialité

Consentement libre et éclairé

Déclaration d'Helsinki

Dignité humaine

Énoncé de politique des trois Conseils

Équilibre des avantages

Formulaire de consentement

Optimisation des avantages

Personne vulnérable

Préjudice

Renseignements personnels

Responsabilité

Vie privée

Exercices de révision

1. Quels sont les trois principes directeurs de l'EPTC2 ?

2. Associez chacun des termes suivants à la définition qui convient.
   a) Respect de la vie privée
   b) Principe de la justice et de l'intégration
   c) Formulaire de consentement
   d) Préoccupation pour le bienêtre
   e) Consentement libre éclairé et continu
   f) Comité d'éthique de la recherche

   Définitions
   1) Principe qui fait appel à la santé physique, mentale, sociale, spirituelle, économique.
   2) Principe qui permet à une personne de décider de l'information de nature personnelle à rendre publique dans le cadre d'une recherche.
   3) Acquiescement qui est donné librement par une personne convenablement renseignée sur le projet de recherche à réaliser.
   4) Instance chargée de déterminer si les projets de recherche respectent les droits de la personne.
   5) Document attestant l'entente convenue entre le participant et les chercheurs et signé par les deux parties.
   6) Principe qui implique le devoir d'agir auprès des personnes de manière juste et équitable.

3. Nommez les éléments ou les rubriques que doit contenir le formulaire de consentement.

4. Lisez le texte de la mise en situation 1 et répondez aux questions suivantes.
   a) Y a-t-il eu manquement aux principes éthiques ? Justifiez votre réponse.
   b) Quelles sont vos suggestions ?

Mise en situation 1

Dans le cadre de son étude, un chercheur collecte des données sur les caractéristiques de la personnalité de certains étudiants sans leur mentionner qu'ils font partie d'une étude, puis il informe leur professeur des résultats obtenus.

5. Lisez le texte de la mise en situation 2. Respecte-t-on les principes éthiques à l'endroit de Sophie ? Sinon, quels principes n'ont pas été respectés ? Justifiez votre réponse.

Mise en situation 2

Sophie, âgée de 54 ans, mariée et mère de deux adolescents, est atteinte depuis 3 ans d'un cancer du sein qui a progressé et qui requiert d'autres traitements plus énergiques. L'équipe médicale a discuté de son état et a décidé de la soumettre à un protocole de traitement en l'assignant de façon aléatoire dans un des deux groupes, expérimental ou témoin. Les deux protocoles consistent en des thérapies standards reconnues et couramment utilisées visant à offrir des traitements appropriés. Le personnel médical pense que Sophie n'a pas besoin de savoir qu'elle a été assignée à un des groupes de traitement et qu'une telle information la rendrait anxieuse et serait pour elle une source de stress.

Liste des références

Les références citées dans la rubrique « Exemple » ou dans les citations peuvent ne pas figurer dans cette liste.

Association des infirmières et infirmiers du Canada (AIIC) (2002). *Lignes directrices déontologiques à l'intention des infirmières qui effectuent des recherches* (3e éd.). Ottawa, Ontario : AIIC.

Association médicale mondiale (AMM) (2013). *Déclaration d'Helsinki de l'AMM – Principes éthiques applicables à la recherche médicale impliquant des êtres humains.* Repéré à www.wma.net/fr/30publications/10policies/b3/index.html

Beecher, H.K. (1966). Ethics and clinical research. *New England Journal of Medicine, 274*(24), 1354-1360.

Berger, R.L. (1990). Nazi Science: The Dachau hypothermia experiments. *New England Journal of Medicine, 332*(20), 1435-1440.

Bogdan, R.C. et Biklen, S.K. (1998). *Qualitative research in education* (3e éd.). Boston, MA : Allyn & Bacon.

Boswell, C. et Cannon S. (2007). *Introduction to nursing research: Incorporating evidence-based practice.* Sudbury, MA : Jones & Bartlett.

Brandt, A.M. (1978). Racism and research: The case of the Tuskegee syphilis study. *Hastings Center Report, 8*(6), 21-29.

Brockopp, D.Y. et Hastings-Tolsma, M.T. (2003). *Fundamentals of nursing research* (3e éd.). Sudbury, MA : Jones & Bartlett.

Comité international de bioéthique de l'UNESCO (2005). *Déclaration universelle sur la bioéthique et les droits de l'homme.* Repéré à portal.unesco.org/fr/ev.php-URL_ID=31058&URL_DO=DO_TOPIC&URL_SECTION=201.html

Conseil de recherches en sciences humaines du Canada (CRSH) (1986). Code déontologique de la recherche utilisant des sujets humains. Dans *Subventions de recherche : guide des candidats,* annexe H. Ottawa, Ontario : CRSH.

Conseil de recherches en sciences humaines du Canada (CRSH), Conseil de recherches en sciences naturelles et en génie du Canada (CRSNG) et Instituts de recherche en santé du Canada (IRSC) (1998). *Énoncé de politique des trois Conseils : Éthique de la recherche avec des êtres humains.* Repéré à www.chirofed.ca/french/statements/Research_Ethics_Policy_Appendix_Tri-Agency_Policy_Statement_FR.pdf

Conseil de recherches en sciences humaines du Canada (CRSH), Conseil de recherches en sciences naturelles et en génie du Canada (CRSNG) et Instituts de recherche en santé du Canada (IRSC) (2014). *Énoncé de politique des trois Conseils : Éthique de la recherche avec des êtres humains (EPTC2).* Repéré à www.ger.ethique.gc.ca/pdf/fra/eptc2-2014/EPTC_2_FINALE_Web.pdf

Conseil de recherches médicales du Canada (CRMC) (1987). *Lignes directrices concernant la recherche sur des sujets humains.* Ottawa, Ontario : CRMC.

Conseil de recherches médicales du Canada (CRMC) (1990). *Lignes directrices concernant la recherche sur la thérapie génique somatique chez les humains.* Ottawa, Ontario : CRMC.

Conseil des arts du Canada (1977). *Rapport du groupe consultatif de déontologie.* Ottawa, Ontario : Conseil des arts du Canada.

Conseil des organisations internationales des sciences médicales (CIOMS) (2003). *Lignes directrices internationales d'éthique pour la recherche biomédicale impliquant des sujets humains.* Repéré à www.cioms.ch/publications/guidelines/french_text.htm

Doucet, H. (2002). *L'éthique de la recherche : guide pour le chercheur en sciences de la santé.* Montréal, Québec : Presses de l'Université de Montréal.

Drew, C.J., Hardman, M.L. et Hart, A.W. (1996). *Designing and conduction research: Inquiry in education and social science* (2e éd.). Boston, MA : Allyn & Bacon.

Fonds de la recherche en santé du Québec (FRSQ) (2008). *Standards du FRSQ sur l'éthique de la recherche en santé humaine et l'intégrité scientifique.* Repéré à www.frqs.gouv.qc.ca/fr/ethique/pdfs_ethique/Standards.pdf

Ministère de la Santé et des Services sociaux (MSSS) (1998). *Plan d'action ministériel en éthique de la recherche et en intégrité scientifique.* Repéré à www.frqs.gouv.qc.ca/documents/10191/186007/Plan_action_ministeriel_1998.pdf

National Commission for the Protection of Human Subjects of Biomedical and Behavioral Research (1979). *The Belmont Report: Ethical principles and guidelines for the protection of human subjects of research.* Repéré à www.hhs.gov/ohrp/humansubjects/guidance/belmont.html

Punch, K.F. (2005). *Introduction to social research: Quantitative and qualitative approaches* (2e éd.). Thousand Oaks, CA : Sage Publications.

Sieber, J.E. (1992). *Planning ethically responsible research.* Newsbury Park, CA : Sage Publications.

Société canadienne de psychologie (SCP) (1991). *Code canadien de déontologie professionnelle des psychologues.* Ottawa, Ontario : SCP.

Université de Montréal (2014a). *Guide d'information sur le consentement libre, éclairé et continu.* Repéré à www.recherche.umontreal.ca/fileadmin/user_upload/Ethique_humaine/CERES/Guide_FCLE.pdf

Université de Montréal (2014b). *Formulaire d'information et de consentement.* Repéré à www.recherche.umontreal.ca/fileadmin/user_upload/Ethique_humaine/CERES/Gabarit.docx

U.S. Department of Health, Education, and Welfare (1973). *Final report of the Tuskegee syphilis study ad hoc advisory panel.* Washington, DC : United States Public Health Services.

U.S. Department of Health & Human Services (2005). *The Nuremberg Code.* Repéré à www.hhs.gov/ohrp/archive/nurcode.html

CHAPITRE 10

L'introduction au devis de recherche

Objectifs d'apprentissage

Après avoir étudié ce chapitre, vous serez
en mesure :

- de définir le devis de recherche ;
- de discuter du caractère émergent du devis
  qualitatif ;
- d'énumérer les principaux éléments à considérer
  dans le devis de recherche ;
- de dégager les principales stratégies de contrôle ;
- de reconnaitre les types de validité.

A u cours de la phase conceptuelle, le chercheur s'est attardé à documenter le sujet d'étude, ce qui a conduit à la formulation du problème de recherche et à l'énoncé du but, des questions de recherche ou des hypothèses. La phase méthodologique vient préciser la manière dont le but de la recherche sera intégré dans un devis, lequel indiquera les activités à accomplir et, le cas échéant, les contrôles à exercer pour rendre l'étude la plus rigoureuse possible. Dans ce chapitre, il est approprié de définir ce que l'on entend par devis de recherche dans le contexte des méthodes quantitatives et qualitatives, de convenir des postulats qui sous-tendent le choix d'un devis et les principaux éléments à considérer, de mettre en lumière les différentes stratégies de contrôle et les concepts qui s'y rapportent, de discuter des types de validité dont on doit tenir compte dans un devis pour contrer les obstacles susceptibles de fausser les résultats d'une étude. Le chapitre se termine par la présentation des grandes classes de la recherche et par un aperçu des types de devis associés, lesquels seront précisés dans les chapitres subséquents.

10.1 Qu'est-ce qu'un devis de recherche ?

Devis de recherche
Plan d'ensemble qui permet de répondre aux questions de recherche ou de vérifier des hypothèses et qui, dans certains cas, définit des mécanismes de contrôle ayant pour objet de minimiser les risques d'erreur.

Le **devis de recherche** est sous-jacent à toute forme d'étude. Il s'agit d'un plan d'ensemble qui précise les activités à accomplir ou les conditions particulières à appliquer dans la conduite de la recherche pour répondre aux questions de recherche ou pour vérifier des hypothèses. Ces activités, dictées par le choix du type d'étude, incluent la façon de choisir l'échantillon, de mesurer les concepts, d'établir les méthodes de collecte des données, d'appliquer les mécanismes de contrôle servant à minimiser les sources potentielles de biais, d'analyser les données et de protéger les droits de la personne. Comme il a été discuté dans la présentation de la phase conceptuelle, le but d'une recherche détermine le choix du type d'étude selon qu'il s'agit de décrire des phénomènes ou des populations, d'explorer ou de vérifier des relations entre des variables ou de prédire des différences entre les groupes. Les modalités d'application de ces activités ou conditions varieront en fonction des méthodes quantitatives ou qualitatives et des types d'études qui leur sont associés. Parce qu'il existe différents problèmes de recherche et différents buts et types de questions, il existe également une variété de types d'études à l'intérieur d'une même méthode, qu'elle soit quantitative ou qualitative, chaque type d'étude comportant ses propres activités et conditions. Chaque type d'étude faisant appel à des activités particulières du devis, on utilisera souvent ce terme pour désigner un type d'étude en particulier. Par exemple, on dira « devis corrélationnel » pour signifier que des conditions particulières s'appliquent à l'étude corrélationnelle.

La conception et l'application du devis sont influencées par les positions philosophiques du chercheur selon le paradigme qu'il a choisi. Dans une recherche quantitative, le devis est constitué de l'ensemble des décisions à prendre pour mettre en œuvre une structure permettant de maximiser les possibilités d'obtenir des réponses fiables aux questions de recherche ou à la vérification des hypothèses. Dans une recherche qualitative (*voir le chapitre 11*), le devis prend forme au fur et à mesure de la progression de l'étude, de sorte que les décisions ne sont pas fixées à priori, mais sont sujettes à des modifications au cours de l'avancement des travaux. Bien qu'il s'agisse d'un devis émergent, les chercheurs font généralement état des grandes lignes qui procurent de l'information sur la méthodologie qu'ils prévoient utiliser pour réaliser l'étude.

Un **devis émergent** signifie que le plan initial ne peut être mis en œuvre de façon stricte et que les phases du processus peuvent changer ou se déplacer une fois que le chercheur se trouve sur le terrain et que la collecte des données est amorcée. L'émergence dans ce contexte convie le chercheur vers une approche réflexive et une remise en question constante. Comme le soulignent Deslauriers et Kérisit (1997), la spécificité du devis de la recherche qualitative se définit par la nature des données, le type de contact avec le terrain (p. ex. une entrevue non dirigée ou semi-dirigée, une observation non structurée, des récits de vie), le caractère itératif et rétroactif du processus de recherche (p. ex. la collecte des données, l'analyse, la formulation de la question), le rôle évolutif de la recension des écrits, l'élaboration progressive de l'objet d'étude et l'énoncé de propositions ouvertes. Certaines caractéristiques propres aux devis de recherche qualitative peuvent être résumées comme suit : la flexibilité et le dynamisme dans l'étude des phénomènes ; la généralité des questions de recherche visant à décrire, interpréter ou comprendre le contexte social ; l'utilisation de plusieurs méthodes interactives dans la collecte des données ; la sélection des participants selon des méthodes non randomisées en fonction de l'information recherchée ; l'implication du chercheur dans le partage de l'expérience décrite par les participants ; la vision holistique des phénomènes sociaux ; la formulation de propositions dès le début de la collecte des données et leur modification au fur et à mesure que l'étude progresse et que de nouvelles données sont recueillies et analysées (Lodico, Spaulding et Voegtle, 2010).

Devis émergent
Devis qui se déploie au cours du déroulement d'une étude qualitative de manière à représenter la réalité du terrain.

10.1.1 Les orientations paradigmatiques

On ne peut concevoir le devis de recherche sans s'appuyer sur la formulation du problème de recherche et sur le but qui en découle. La compréhension du problème permet au chercheur de choisir la méthode de recherche quantitative ou qualitative qui convient le mieux à l'atteinte de ses objectifs. Les méthodologies de recherche véhiculent différents postulats relatifs à la façon de concevoir le comportement humain et d'envisager la connaissance des phénomènes. En choisissant une méthodologie particulière, le chercheur adopte une certaine vision du monde et une compréhension particulière de celui-ci. Ces postulats orientent le chercheur vers la recherche quantitative, la recherche qualitative ou une méthode mixte de recherche (Creswell, 2009 ; Houser, 2008).

Certains postulats sous-tendent la question de recherche. Quand le but d'une étude est d'explorer et de comprendre la signification de phénomènes en particulier, la recherche qualitative s'avère la plus appropriée (*voir le chapitre 11*). Dans une approche inductive, le chercheur explore et décrit les interactions avec les personnes de manière à comprendre le sens de l'évènement sans l'avoir vécu personnellement. Le développement de théories est aussi une préoccupation des chercheurs en recherche qualitative. Le devis adopte alors une structure flexible, où peu de contrôle est exercé. La réalité demeure subjective, personnelle et socialement construite par les participants. La collecte des données s'effectue en milieu naturel à l'aide d'entrevues ou d'observations, et les données servent à construire le sens des évènements.

La recherche quantitative est la plus appropriée lorsque le but d'une étude est de décrire les caractéristiques d'une population, ou d'explorer et de vérifier des relations entre des variables, ou encore d'évaluer l'efficacité d'une intervention.

Les postulats qui sous-tendent le but et les questions posées militent en faveur d'une méthode déductive qui reflète la réalité objective et l'observation de comportements humains sous certaines conditions. Les devis quantitatifs utilisent des instruments de mesure standardisés qui font appel à des analyses numériques. Ces études exigent également la prise en compte des aspects de contrôle de manière à assurer la validité des résultats et de leur généralisation. L'étendue du contrôle requis varie selon le degré de structure d'une étude.

Enfin, quand le chercheur considère que la meilleure façon de répondre à la question de recherche est de se tourner vers une approche méthodologique qui intègre certains aspects des méthodes quantitatives et qualitatives, la méthode de recherche mixte semble la plus appropriée.

10.1.2 Quelques éléments à considérer dans un devis de recherche

Selon le but de l'étude, le chercheur doit d'abord décider du devis qu'il adoptera et des éléments sur lesquels il concentrera son attention. Cela suppose que le but, les questions de recherche ou les hypothèses sont clairement établis et qu'ils s'harmonisent parfaitement avec le problème de recherche. Les principaux éléments à considérer sont les types de comparaisons possibles, la présence ou l'absence d'une intervention, les milieux de la recherche, les méthodes et les instruments de collecte des données, le moment et la fréquence de la collecte des données, la communication avec les participants et le contrôle des variables étrangères.

Les types de comparaisons

Les comparaisons servent à mettre en évidence des ressemblances ou des différences entre des populations ou des groupes donnés. Bien qu'on les trouve le plus souvent dans les études à caractère expérimental, les comparaisons peuvent aussi être présentes dans certaines études descriptives et corrélationnelles. Par exemple, dans une étude descriptive, on peut comparer diverses manifestations de la douleur parmi des groupes de personnes souffrant d'un même problème de santé. Dans une étude corrélationnelle, il est possible de comparer des relations d'associations entre des variables. Ainsi, un chercheur peut se demander si les personnes qui souffrent beaucoup entretiennent moins d'espoir que celles qui souffrent moins, ce qui implique évidemment des comparaisons entre les scores d'intensité de la douleur chez ces différents groupes. Dans les études à visée temporelle, l'état des membres d'un groupe est comparé à différents moments dans le temps. L'un des types de comparaisons les plus fréquents est celui que l'on emploie dans le cadre d'une recherche expérimentale ou quasi expérimentale pour étudier un groupe qui bénéficie d'une intervention par rapport à un autre groupe qui n'en profite pas. Dans ce type de comparaison, on se réfère à un groupe de contrôle, c'est-à-dire à un groupe de participants qui ne fait pas l'objet d'une intervention, mais qui possède certains traits communs avec le groupe qui en bénéficie.

La présence ou l'absence d'une intervention

Quand une étude comporte une intervention, cela signifie qu'il y aura, en plus des comparaisons à faire entre les groupes, un contrôle de la variable indépendante afin de minimiser les variations dans son application. Dans la recherche de type expérimental, contrairement à la recherche non expérimentale (descriptive et corrélationnelle), le chercheur décide de la manière dont il appliquera l'intervention ou le traitement. Il décrit ainsi en quoi consiste l'intervention (la variable indépendante) et il détermine les procédures à suivre pour les participants qui bénéficient de l'intervention et pour ceux qui n'en font pas l'objet, ainsi que les conditions dans lesquelles s'inscrit l'intervention.

Les milieux de la recherche

Il est important de s'assurer que le ou les milieux dans lesquels se déroulera la recherche sont appropriés au but de la recherche, en ce sens qu'ils doivent représenter les caractéristiques, les expériences ou les comportements étudiés (Polit et Beck, 2012). Par exemple, si l'on veut étudier l'usage de la contraception par des adolescentes du secondaire, l'étude sera menée dans les écoles secondaires, là où se trouve cette population. Les données sont recueillies sur le terrain, c'est-à-dire dans le milieu naturel, tel qu'il existe. Dans les autres cas, le site, qui donne lieu à un contrôle rigoureux se nomme « laboratoire ». La majorité des études appliquées, qu'elles soient qualitatives ou quantitatives, sont menées en milieu naturel, car, dans la plupart des cas, elles ont lieu sur le site de travail, au domicile des sujets, dans les établissements d'enseignement et de santé. Dans les études qualitatives, le milieu naturel où les participants vivent ou travaillent revêt une grande importance. L'information est recueillie directement sur le terrain en parlant avec les participants, en les voyant agir et se comporter dans leur contexte. Pour avoir accès à ces milieux, le chercheur doit obtenir la collaboration et les autorisations nécessaires des instances concernées pour réaliser l'étude.

> Dans les études qualitatives, le milieu naturel où les participants vivent ou travaillent revêt une grande importance.

Les méthodes et les instruments de collecte des données

Dans la phase méthodologique, les méthodes d'observations et d'entrevues et les instruments de mesure utilisés pour recueillir les données doivent être décrits. Quand les concepts ne peuvent être mesurés directement, on doit les exprimer sous une forme opérationnelle pour les rendre mesurables. Puisque les instruments de mesure servent à collecter les données qui permettront de répondre aux questions de recherche ou de vérifier des hypothèses, il est important de s'assurer de leur fidélité et de leur validité (*voir le chapitre 15*). Ils doivent pouvoir rendre compte correctement des relations entre des variables ou des différences entre des groupes. Si l'instrument de mesure a été traduit en langue française, il faut préciser ce que l'on entend faire pour qu'il continue de fournir des données fiables afin que les deux versions aient la même signification. Dans les études qualitatives, le chercheur est l'instrument clé pour recueillir les données par le truchement de documents qu'il examine, par les observations ou les entrevues qu'il fait auprès des participants. Dans les études qualitatives, on ne fait pas usage de questionnaires ou d'instruments développés par d'autres chercheurs.

> Quand les concepts ne peuvent être mesurés directement, on doit les exprimer sous une forme opérationnelle pour les rendre mesurables.

Le moment et la fréquence de la collecte des données

En élaborant son devis, le chercheur doit décider du nombre de fois que des données seront recueillies auprès des participants. Dans la recherche qualitative, la collecte des données se fait surtout de façon simultanée avec l'analyse et se termine quand il y a saturation des données, c'est-à-dire quand d'autres informations n'ajouteraient rien à la compréhension. Dans les études quantitatives, les données sont généralement recueillies à un seul moment dans le temps, sauf dans les études longitudinales. En revanche, dans les études expérimentales, notamment, il est souvent nécessaire de collecter les données à différents moments avant et après l'intervention, pour vérifier par exemple si des changements ont pu survenir entre les temps de mesure ou pour déterminer le degré de constance d'un phénomène.

La communication avec les participants

Les participants (sujets) sont les personnes qui prennent part à l'étude. En élaborant le devis de recherche, le chercheur détermine comment les données seront recueillies auprès de ceux-ci, et il veille à fournir à chacun les mêmes instructions, par exemple sur la façon de remplir les questionnaires. Le personnel chargé de la collecte de l'information doit avoir reçu une formation appropriée pour la conduite des entrevues. En recherche qualitative, le chercheur se trouve en interaction continue en face à face avec les participants. Enfin, les principes éthiques s'appliquent à toute recherche, eu égard au respect et à la protection des êtres humains.

Le contrôle des variables étrangères

La présence de variables étrangères peut avoir une incidence sur la précision des phénomènes observés dans les études descriptives et corrélationnelles, et elle risque de fausser la relation de causalité entre la variable indépendante et la variable dépendante dans les recherches expérimentales. Le contrôle est donc un aspect important des études quantitatives, puisque le chercheur doit préciser les moyens ou les stratégies qu'il entend utiliser pour minimiser l'impact des variables étrangères. Cet aspect du contrôle est examiné plus loin dans ce chapitre.

10.2 Les concepts liés à certains devis

Les principaux concepts qui ont rapport au devis ont une signification particulière dans certains contextes d'applications ; c'est pourquoi il est important de comprendre ces concepts et de reconnaitre les devis auxquels ils s'appliquent. On distingue la manipulation, la causalité et le biais. Les concepts de contrôle et de la validité sont exposés plus en détail dans les prochaines sections du chapitre.

10.2.1 La manipulation

Dans la recherche de type expérimental, une variable indépendante est manipulée, c'est-à-dire qu'une intervention ou qu'un traitement est appliqué à un groupe appelé « groupe expérimental », mais non à un autre groupe, nommé « groupe de contrôle » ou « groupe témoin ». La **manipulation** consiste en l'application contrôlée de la variable indépendante de manière à pouvoir vérifier son effet sur la ou les variables dépendantes.

10.2.2 La causalité

La notion de **causalité** est au cœur de la recherche expérimentale, car elle intervient dans la relation entre les variables indépendantes et les variables dépendantes. La variable indépendante X est la cause présumée, et la variable dépendante Y, l'effet présumé. En vertu du principe de causalité, tout évènement

Manipulation
Application par le chercheur d'un ensemble de conditions expérimentales prédéfinies (variable indépendante) afin d'en évaluer les effets sur l'étude de la variable dépendante.

Causalité
Relation de cause à effet entre des variables indépendantes et des variables dépendantes.

a une cause, et toute cause produit un effet. Il résulte de la manière traditionnelle de concevoir la causalité qu'avant de déterminer une relation causale, on doit démontrer que la cause est présente chaque fois que l'effet se produit. Cela peut se vérifier en sciences pures, mais s'avère difficilement applicable dans les sciences de la santé et les sciences psychosociales. Cependant, la causalité peut être envisagée d'une autre manière. Selon Cook et Campbell (1979), la question n'est pas de trouver à tout coup un résultat donné dans une expérimentation, car il est impossible de spécifier toutes les conditions nécessaires et suffisantes étant donné que les phénomènes psychosociaux proviennent rarement d'une seule cause. Comme les relations causales sont complexes, on ne peut considérer qu'une variable puisse être la cause unique d'un évènement. Selon cette manière de concevoir la causalité, les causes peuvent être multiples, et les évènements, seulement probables.

10.2.3 Le biais

Le **biais** peut se définir comme une déformation systématique des conclusions se dégageant d'une étude. Le biais résulte de toute influence, condition ou de tout ensemble de conditions ayant une incidence sur le processus de généralisabilité des résultats. Les éléments qui peuvent être source de biais au cours d'une étude sont nombreux ; mentionnons entre autres la subjectivité du chercheur, les participants, les méthodes de collecte des données, l'échantillon, les données elles-mêmes (Waltz, Strickland et Lenz, 2010). Le biais est préoccupant en recherche en raison de son effet potentiel sur la signification des résultats. Dans l'élaboration du devis, il est important de déterminer les sources possibles de biais et de proposer des moyens pour contrôler ou minimiser leurs effets.

Biais
Toute influence ou action pouvant fausser les résultats d'une étude.

10.3 Le contrôle des variables étrangères

La notion de contrôle est particulièrement importante dans les études à caractère expérimental du fait que la crédibilité des résultats s'appuie sur la qualité du contrôle exercé sur les caractéristiques de l'étude. Le choix d'un devis de recherche implique donc des décisions relatives aux mécanismes de contrôle des variables étrangères qui peuvent provenir à la fois de l'environnement (facteurs extrinsèques) et des participants (facteurs intrinsèques). Les **variables étrangères** sont des variables qui n'ont pas été choisies et qui risquent d'influer sur les résultats d'une étude. Leur présence peut avoir une incidence sur les phénomènes observés et sur la mesure des variables dans les études descriptives et corrélationnelles, et elle risque de fausser la relation de causalité entre la variable indépendante et la variable dépendante dans les recherches expérimentales ou quasi expérimentales. Le contrôle est donc un aspect important des études quantitatives, puisque le chercheur doit préciser les moyens ou les stratégies qu'il entend utiliser pour minimiser l'impact des variables étrangères.

Variable étrangère
Variable qui confond la relation entre la variable indépendante et la variable dépendante et qui risque d'influer sur les résultats d'une étude.

Les variables qui relèvent des conditions de l'environnement, telles que le manque d'uniformité dans la manipulation de l'intervention, la communication avec les participants ou les conditions de la collecte des données, sont considérées comme des facteurs extrinsèques. Les variables liées aux caractéristiques personnelles des participants à une étude sont les facteurs intrinsèques, par exemple l'âge, le sexe, la scolarité ou l'état de santé. Il importe que l'effet de la variable indépendante sur la variable dépendante ne soit pas biaisé ou remis en cause par l'action de variables extérieures à l'étude. Les moyens visant à exercer un **contrôle** sur les variables étrangères consistent à réduire ou du moins à neutraliser l'influence de ces variables non désirées sur les résultats d'une étude. Le contrôle est un élément essentiel du devis expérimental. Le même critère de contrôle s'applique, avec les ajustements appropriés, dans certaines études corrélationnelles où une variable est observée dans le temps. Le contrôle ne veut pas nécessairement dire l'élimination d'une source d'influence ; il signifie que cette source a été neutralisée de sorte qu'elle n'a pas d'impact sur un groupe plus que sur l'autre.

10.3.1 Le contrôle des facteurs extrinsèques

La recherche s'insère toujours dans un environnement déterminé : il peut s'agir d'un milieu naturel ou d'un laboratoire. Les activités de la recherche qualitative, tout comme celles des recherches quantitatives descriptives et corrélationnelles, se produisent dans le milieu naturel des participants et en conformité avec les conditions existantes. La recherche expérimentale menée en laboratoire ne crée pas véritablement de problème, puisque le chercheur maitrise les conditions de l'environnement, comme le bruit, la lumière, etc. Les études expérimentales effectuées dans le milieu naturel nécessitent un certain contrôle sur les conditions d'observation, puisque l'environnement peut influer grandement sur la situation de recherche et, par conséquent, sur les résultats eux-mêmes. Le contrôle des variables étrangères provenant de l'environnement consiste principalement à faire en sorte que les conditions de la recherche demeurent constantes.

> Le contrôle des variables étrangères provenant de l'environnement consiste principalement à faire en sorte que les conditions de la recherche demeurent constantes.

Il faut donc contrôler plusieurs facteurs extrinsèques liés à la situation de recherche pour assurer la meilleure uniformité possible. Dans les études expérimentales, celle-ci se trouve dans l'application de la variable intervention auprès des participants, par exemple la constance dans la communication avec ceux-ci, la façon de recueillir les données et la convenance du temps d'expérimentation.

10.3.2 Le contrôle des facteurs intrinsèques

Les facteurs intrinsèques renvoient aux différences individuelles entre les participants à une étude, comme l'âge, le sexe, la scolarité, l'ethnie, les attitudes, etc. Les principales stratégies servant à contrôler ces variables étrangères sont présentées ci-dessous et résumées dans le tableau 10.1, à la page 174.

- La randomisation, ou répartition aléatoire, permet dans la recherche expérimentale de s'assurer que les caractéristiques des participants se retrouvent tant dans le groupe expérimental que dans le groupe témoin. Toutefois, la randomisation n'est pas infaillible, et elle peut engendrer des groupes qui ne sont pas équilibrés au regard de variables importantes. Par conséquent, le chercheur ne doit pas compter uniquement sur la randomisation pour contrôler les facteurs intrinsèques, en particulier si les conditions ne permettent pas sa réalisation, et il doit envisager d'autres moyens, comme le montre ce qui suit.

- L'homogénéité a pour effet de réduire la variabilité entre les participants. L'échantillon se définit par son uniformité en ce qui concerne les caractéristiques susceptibles d'influer sur la variable dépendante. Son homogénéité est davantage assurée si le chercheur fixe les critères de sélection des participants. S'il pense que le sexe des sujets risque d'influer sur la variable dépendante, c'est-à-dire sur la réponse au traitement, il se sert d'un échantillon composé uniquement de personnes de même sexe pour créer l'homogénéité. Cette approche comporte cependant l'inconvénient majeur de limiter la généralisabilité des résultats de l'étude à un seul type de sujets, dans ce cas-ci, les femmes ou les hommes.

- L'appariement constitue une autre façon de contrôler les variables étrangères en permettant de rendre comparables le groupe expérimental et le groupe témoin. Il découle d'un principe relativement simple : lorsqu'un participant du groupe expérimental est recruté, le chercheur, pour constituer le groupe de comparaison, l'unit à un autre sujet dont les caractéristiques sont les mêmes que les variables déterminées ou qui répondent aux mêmes critères de sélection. L'âge, l'expérience, le sexe et les catégories socioéconomiques sont des variables souvent utilisées pour l'appariement. L'un des inconvénients de cette approche est de limiter l'interprétation des résultats de recherche, puisque l'effet différentiel des variables d'appariement ne peut être analysé. Par exemple, on ne pourrait déterminer si l'effet du traitement est différent selon l'âge ou le sexe des participants (Portney et Watkins, 2009).

- La stratification est une approche visant à contrôler les variables étrangères, dans laquelle le devis expérimental traite les caractéristiques personnelles des participants (ou variables attributs) comme des variables indépendantes, car ces caractéristiques risquent de poser un problème. L'âge et le sexe sont les variables les plus souvent utilisées pour constituer des groupes de sujets. Par exemple, si la variable âge présente une difficulté, il est possible de former trois groupes de sujets : pour chaque groupe composé de 20 participants, les sujets du premier groupe sont âgés de 30 à 44 ans, ceux du deuxième sont âgés de 45 à 59 ans, et ceux du troisième, de 60 ans et plus. Ainsi, s'ajoute à l'intervention la variable indépendante âge divisée en trois strates ou blocs. Cette variable attribut se nomme « stratification » (*blocking variable*). Chacun des blocs ainsi créés comprend un certain nombre de sujets homogènes, selon la caractéristique liée à la variable dépendante étudiée. Dans ce cas-ci, cette stratégie permet de contrôler les effets de l'âge, grâce à l'analyse de l'effet différentiel de celui-ci sur l'intervention.

- Les mesures répétées sont l'application à tous les participants (d'un seul groupe) des conditions ou des situations expérimentales. Cela signifie que l'évaluation des participants est effectuée à la suite de chaque condition expérimentale. En plus d'être efficace pour le contrôle de certaines différences individuelles, cette méthode assure un degré élevé d'équivalence dans l'ensemble des conditions du traitement, parce que les sujets sont évalués et comparés à eux-mêmes en fonction de leurs réponses (Portney et Watkins, 2009).

- L'analyse de la covariance est une technique statistique qui s'avère utile lorsqu'il est impossible de contrôler les variables étrangères au début de l'étude. Elle consiste à éliminer de façon statistique l'influence des variables étrangères, appelées « covariables », sur la variable dépendante. Cette technique permet d'effectuer des ajustements statistiques sur la variable dépendante, afin de supprimer l'effet confondant de la ou des covariables. Pour ce faire, elle établit une corrélation entre la variable dépendante et les covariables.

TABLEAU 10.1	Les stratégies visant à contrôler les facteurs intrinsèques	
Stratégie	**Description**
Randomisation	Répartition des sujets de façon aléatoire dans les groupes expérimental et témoin.
Homogénéité	Sélection de participants qui partagent les mêmes caractéristiques en ce qui a trait aux variables étrangères.
Appariement	Union des participants par paires en fonction de caractéristiques précises (âge, sexe, etc.).
Stratification (*blocking variable*)	Traitement des variables étrangères comme des variables indépendantes à l'aide de la stratification ou de la formation en blocs appariés, selon l'attribut considéré.
Mesures répétées	Exposition des participants à toutes les conditions expérimentales, ce qui crée un devis croisé.
Analyse de la covariance	Choix d'une variable étrangère à titre de covariable et ajustement statistique des différents résultats par l'établissement de corrélations entre la variable dépendante et la covariable.

10.3.3 La réflexivité dans la recherche qualitative

Bien que les chercheurs soient soucieux de découvrir la nature exacte de l'expérience humaine, la notion de contrôle n'est pas utilisée dans les études qualitatives. De manière à accroître l'intégrité de la recherche qualitative, les chercheurs font plutôt appel à la réflexivité pour se prémunir des biais personnels étant donné leur implication dans l'étude. Le chercheur, une figure centrale dans le processus de recherche qualitative, est susceptible d'influencer la collecte et l'interprétation des données. La **réflexivité** est une introspection critique sur ce qui a été pensé et fait dans une recherche qualitative (Holloway et Wheeler, 2010). Selon Finlay (2002), l'analyse réflexive comprend une évaluation critique continue des réponses subjectives, des dynamiques interactionnelles et du processus de recherche lui-même. Elle permet de démontrer comment la recherche peut être améliorée, vue sous un autre angle.

Réflexivité
Introspection et examen critique de l'interaction entre le soi et les données durant la collecte et l'analyse de données qualitatives. Peut amener le chercheur à explorer ses propres sentiments et ses expériences.

10.4 La validité des devis et ses obstacles

Dans le contexte du devis de recherche quantitatif, le terme « validité », tel que décrit par Shadish, Cook et Campbell (2002), se rapporte à la justesse approximative d'une proposition, d'une inférence ou d'une conclusion. Par exemple, comment peut-on affirmer avec certitude qu'une proposition théorique tirée d'un cadre de recherche reflète la réalité avec justesse? Le devis utilisé est-il adéquat pour vérifier l'exactitude d'une affirmation qui préoccupe le chercheur tout au long du processus de recherche? En affirmant qu'une chose est valide, on émet un jugement sur la portée de la preuve à l'appui de la proposition tenue pour vraie. Cette preuve provient habituellement des résultats constants issus des recherches et des théories. Selon ces auteurs, il est impossible d'avoir la certitude que les déductions ou les interprétations tirées d'une étude, par exemple une expérimentation, sont vraies. C'est pourquoi les jugements sur la validité ne sont pas absolus et nécessitent d'être évalués relativement aux degrés de validité que possède une interprétation.

La validité fournit une base solide sur laquelle peut s'appuyer le chercheur pour décider si des résultats sont suffisamment exacts pour être retenus en vue d'une application éventuelle dans la pratique. La validité est une propriété issue de l'interprétation ou de l'inférence, mais non un élément du devis de recherche. Cependant, les éléments du devis peuvent influer sur les conclusions d'une étude. En anticipant les obstacles potentiels à la validité, le chercheur peut introduire dans le devis des stratégies permettant d'éliminer ou du moins de minimiser ces obstacles qui risquent de fausser les résultats d'une étude.

> La validité fournit une base solide sur laquelle peut s'appuyer le chercheur pour décider si des résultats sont suffisamment exacts pour être retenus en vue d'une application éventuelle dans la pratique.

Shadish et ses collaborateurs (2002) ont élaboré une typologie de la validité selon quatre composantes reliées : la validité de conclusion statistique, la validité interne, la validité de construit et la validité externe. Afin que les devis expérimentaux reflètent le plus possible ces types de validité, on a cerné un certain nombre d'obstacles ou d'écueils et proposé des moyens pour les contourner. Ces types de validité doivent être pris en compte au moment de la conception du devis de recherche : la validité de conclusion statistique et la validité interne sont liées aux opérations de l'étude proprement dite, alors que la validité de construit et la validité externe se rapportent à la généralisation des résultats. Les types de validité correspondent chacun à une question à se poser comme le montre le tableau 10.2.

TABLEAU 10.2	Les types de validité et les questions à poser	
Type de validité	**Question**
Validité de conclusion statistique ↓	Existe-t-il une relation entre les deux variables à l'étude ?
Validité interne ↓	En considérant l'existence d'une relation entre ces variables, est-on en mesure de démontrer qu'une variable a un effet sur l'autre variable ou que la même relation peut avoir été obtenue en l'absence d'une intervention ?
Validité de construit ↓	En considérant la probabilité qu'il existe une relation de cause à effet entre les variables, les résultats représentent-ils correctement les construits mesurés ?
Validité externe	En considérant la probabilité qu'il existe une relation causale fondée sur les construits, cette relation peut-elle être généralisable à d'autres personnes, milieux et périodes de temps ?

10.4.1 La validité de conclusion statistique

Pour valider une expérimentation, on doit s'assurer qu'il existe une différence statistiquement significative entre le groupe expérimental et le groupe témoin. Dans la **validité de conclusion statistique**, on se demande si les conclusions tirées des tests statistiques sur les relations ou les différences reflètent correctement la réalité. Lorsque ce n'est pas le cas, la conclusion de l'effet de la variable indépendante sur la variable dépendante peut se révéler erronée. On nomme « obstacles à la validité de conclusion statistique » les raisons pouvant expliquer les conclusions erronées. Un certain nombre d'obstacles susceptibles de compromettre la validité de conclusion statistique ont été relevés par

Validité de conclusion statistique
Degré de certitude des conclusions tirées des tests statistiques sur les relations entre les variables ou sur les différences entre les groupes.

Shadish et ses collaborateurs (2002), notamment un faible taux de puissance statistique et la violation des postulats liés aux tests statistiques (*voir le tableau 10.3*).

- Un faible taux de puissance statistique est un obstacle qui survient quand la taille de l'échantillon est trop petite ou que les tests statistiques employés sont inappropriés. La puissance d'un test statistique réside dans sa capacité à rejeter l'hypothèse nulle, c'est-à-dire à appuyer une relation réelle entre la variable indépendante et la variable dépendante.

- La violation des postulats liés aux tests statistiques est un manquement au critère selon lequel les tests statistiques reposent sur des postulats dont il faut tenir compte dans l'application appropriée des tests et leur exécution (p. ex. la distribution normale). Ce manquement peut occasionner des résultats statistiques inexacts et, conséquemment, des inférences erronées.

TABLEAU 10.3 | Les obstacles à la validité de conclusion statistique

Obstacle	Description
Faible taux de puissance statistique	Taille d'échantillon insuffisante ou test de puissance trop faible pour déceler une différence réelle.
Violation des postulats liés aux tests statistiques	Manquement à la prise en compte de postulats liés aux tests statistiques, telle la distribution normale, ce qui conduit à l'appui erroné des hypothèses de recherche.

10.4.2 La validité interne

Validité interne
Caractère d'une étude expérimentale dans laquelle la variable indépendante est la seule cause du changement touchant la variable dépendante.

La **validité interne** met l'accent sur la preuve du lien de cause à effet entre la variable indépendante (l'intervention) et la variable dépendante (le résultat). S'il y a une relation de cause à effet, on veut s'assurer que la variable indépendante, et non d'autres facteurs, est la seule responsable du changement produit dans la variable dépendante. La validité interne atteste que les changements touchant les variables dépendantes sont attribuables uniquement à la variable indépendante. Cela suppose l'examen systématique des obstacles à la validité interne, considérés comme des hypothèses rivales, susceptibles d'altérer les résultats. Si les obstacles à la validité interne peuvent être éliminés, le chercheur est alors en mesure de reconnaitre que les changements de la ou des variables dépendantes sont causés par la variable indépendante (McMillan et Schumacher, 2006). Selon Campbell et Stanley (1963), il existe plusieurs types de variables étrangères susceptibles d'altérer les résultats d'une expérimentation : ce sont les obstacles à la validité interne décrits ci-dessous et résumés dans le tableau 10.4, à la p. 178.

Facteurs historiques
Obstacles à la validité interne où des évènements extérieurs ou des faits survenant au cours de l'expérimentation influent sur les résultats.

- Les **facteurs historiques** sont des évènements particuliers ou des expériences personnelles, non directement liés à l'étude, qui peuvent se produire dans la vie des participants pendant l'étude (p. ex. après l'introduction de la variable indépendante ou entre le prétest et le posttest) et ainsi modifier leur réaction à l'intervention. Par exemple, dans une étude traitant de l'efficacité d'un programme de relaxation sur la diminution du stress, les facteurs historiques peuvent comprendre d'autres programmes auxquels participent les sujets, ou des massages thérapeutiques, dont l'effet peut être aussi bénéfique que l'intervention expérimentale elle-même. Dans une expérimentation qui s'échelonne sur une courte période de temps, comme une seule séance, les facteurs historiques ne constituent pas un véritable problème, puisque les mesures de la variable dépendante se font dans un court laps de temps.

- La **maturation** se rapporte aux processus de changement qui se produisent normalement au fil du temps et qui ne dépendent pas d'évènements extérieurs. Ces processus sont biologiques et psychologiques, comme la croissance, le vieillissement, la fatigue, la faim, le développement cognitif. Ainsi, la maturation peut amener les participants à répondre de façon différente au cours d'une deuxième évaluation, parce qu'ils ont vieilli, sont en meilleure santé ou plus alertes que lors de la première évaluation. Par exemple, pour évaluer les effets d'un programme de rétablissement auprès de personnes ayant subi une chirurgie cardiaque, il faut prendre en considération les changements naturels qui se produisent souvent sans intervention.

Maturation
Obstacles à la validité interne se rapportant aux processus de changement qui se produisent au fil du temps et qui ne dépendent pas d'évènements extérieurs (p. ex. le vieillissement, la fatigue, le développement cognitif).

- La **mortalité expérimentale** renvoie à la défection des participants en cours d'étude. L'abandon des sujets, pour diverses raisons, entre les premières mesures (tests) et les dernières peut avoir une incidence sur la validité interne de la recherche. C'est particulièrement le cas lorsqu'un plus grand nombre de participants se désistent dans un groupe plutôt que dans un autre ; les groupes deviennent alors non équivalents. Supposons, par exemple, que l'on veuille étudier les effets d'un programme d'éducation à la santé sur la prise de médicaments des ainés. Certains participants pourront se désister parce qu'ils trouvent l'exercice difficile ou monotone, ou parce qu'ils manquent de motivation, ce qui rendra le groupe auquel ils appartenaient non représentatif de l'échantillon original.

Mortalité expérimentale
Incidence sur la validité interne à la suite du désistement de sujets pouvant survenir dans un groupe plus que dans un autre.

- La **sélection des participants** se rapporte aux différences préexistantes entre les groupes et au mode de répartition des sujets. L'absence de répartition aléatoire des participants dans les groupes expérimentaux et témoins a pour effet de rendre non équivalentes les différences individuelles qui existent entre les groupes (p. ex. l'âge, le degré d'anxiété, l'intelligence, le type de personnalité). Lorsque le chercheur répartit les participants à l'intérieur de différents groupes, il peut arriver que les critères de répartition ne soient pas appliqués de façon uniforme, ce qui peut occasionner la formation de groupes non équivalents. Par exemple, si le chercheur assigne les 30 premières personnes d'une liste chronologique au groupe expérimental et les 30 dernières au groupe témoin, il pourrait se produire un biais de sélection.

Sélection des participants
Facteur d'invalidité interne associé à des différences préexistantes entre les groupes de sujets en l'absence de répartition aléatoire entre ceux-ci.

- La **situation de mesure** renvoie à l'application de mesures de la variable dépendante à différents moments (p. ex. pendant le prétest ou le posttest), ce qui peut induire une accoutumance aux tests. Le fait de mesurer les variables dépendantes avant l'application de la variable indépendante peut influer sur les réponses des participants à un degré variable et leur permettre d'améliorer leur résultat au posttest, parce qu'ils se souviennent de leurs premières réponses. Par exemple, dans une expérimentation visant à mesurer l'apprentissage de la lecture chez des élèves de niveau primaire, ceux-ci peuvent apprendre en répondant à un prétest et améliorer leurs habiletés au cours d'un posttest, indépendamment d'une intervention éducative. Quand le chercheur utilise des mesures avant l'application de la variable indépendante, il doit prendre en compte la possibilité que celles-ci aient une incidence sur les résultats des mesures prises après l'intervention.

Situation de mesure
Facteur d'invalidité interne qui peut induire une accoutumance au test à la suite de l'application de mesures répétées.

- La **fluctuation des instruments de mesure** a trait à la fidélité de la mesure. Tout instrument de mesure peut donner lieu à des fluctuations, y compris lorsque l'instrument en cause est une personne (p. ex. au cours des entrevues). Ainsi, les assistants de recherche qui collectent les données peuvent améliorer leur rendement entre un prétest et un posttest et obtenir des données différentes à celui-ci. Il peut également arriver que deux assistants appliquent les mêmes mesures différemment. Les instruments de mesure auxquels le chercheur a recours peuvent, au cours de l'enregistrement des données, se dérégler et procurer ainsi des mesures inexactes qui ne donnent pas une image réelle du comportement des participants (Robert, 1988). Les instruments mécaniques ou électroniques peuvent avoir des répercussions sur la validité interne si la linéarité et la sensibilité ne sont pas maintenues constantes au cours des mesures. Par exemple, si l'on cherche à contrôler la pression artérielle de sujets, on devrait s'attendre à ce que le sphygmomanomètre, s'il est bien calibré, fournisse les mêmes résultats d'une fois à l'autre dans un laps de temps déterminé.

- La **régression statistique** est un phénomène statistique qui concerne la fidélité des mesures. Quand les mesures ne sont pas fidèles, on observe que tout résultat extrême d'une distribution au prétest tend à régresser vers un résultat moyen dans les tests subséquents (posttests), et ce, indépendamment de l'intervention. Les résultats extrêmement bas ont tendance à augmenter, les résultats extrêmement hauts, à diminuer, et les résultats qui se situent autour de la moyenne, à demeurer stables. Quand le chercheur sélectionne des personnes dont les résultats sont extrêmes, il obtient un score très élevé ou très bas à un moment précis. Ce résultat ne correspond pas nécessairement à leur position habituelle ; ainsi, dans les évaluations ultérieures, cet ensemble de personnes aura tendance à se rapprocher de la moyenne du groupe.

TABLEAU 10.4	Les obstacles à la validité interne
Obstacle	**Description**
Facteurs historiques	Évènements extérieurs imprévus qui surviennent au cours de l'expérimentation et qui peuvent avoir une incidence sur la variable dépendante.
Maturation	Évolution qui s'opère chez les participants au fil du temps.
Mortalité expérimentale	Désistement délibéré des participants au cours de l'expérimentation
Sélection des participants	Différences individuelles préexistantes entre les sujets dans les groupes et le mode de répartition des participants
Situation de mesure	Effet d'un prétest sur les résultats de tests ultérieurs
Fluctuation des instruments de mesure	Effet découlant de l'utilisation inconstante ou d'un mauvais calibrage des instruments de mesure
Régression statistique	Retour statistiquement observable des participants à des résultats moyens après l'obtention de scores extrêmes

10.4.3 La validité de construit

La **validité de construit** a trait au degré d'exactitude avec lequel les variables indépendantes et dépendantes représentent les construits théoriques mesurés et manipulés. Les construits théoriques sont des abstractions d'aspects particuliers du comportement que l'on ne peut observer directement, mais qui peuvent faire l'objet d'inférence à partir d'autres variables observables, les indicateurs empiriques (*voir le chapitre 16*). Conceptuellement, l'appréciation de la validité de construit des causes et des effets suppose qu'il faille évaluer respectivement si les variables indépendantes et dépendantes sont représentatives des construits étudiés. Les construits théoriques sont définis dans le contexte du modèle ou du cadre de recherche d'une étude. Ces définitions conceptuelles fournissent la base à l'élaboration des définitions opérationnelles des variables, lesquelles doivent refléter adéquatement les construits théoriques (Grove, Burns et Gray, 2013). L'examen de la validité des construits détermine si l'instrument servant à mesurer les variables évalue correctement le construit théorique qu'il est censé mesurer. Cook et Campbell (1979) ont cerné plusieurs obstacles à la validité des construits, dont quelques-uns sont décrits ci-dessous et résumés dans le tableau 10.5.

- Une clarification inadéquate des construits peut conduire à des inférences erronées sur les résultats anticipés parce que tous les construits ne sont pas suffisamment décrits de manière conceptuelle et opérationnelle.

- Le biais lié à l'utilisation d'une seule mesure se produit lorsqu'on utilise une seule forme d'instrument pour mesurer un construit. Les résultats ne s'appliquent alors qu'à l'aspect limité du construit et non à ses autres dimensions sous-représentées. On peut améliorer la validité de construit en utilisant d'autres formes de mesure. Par exemple, si l'on pose que l'estime de soi est une variable dépendante, il faut utiliser plus d'une mesure pour capter les différentes dimensions du construit estime de soi.

- Le biais lié à l'utilisation d'une seule méthode se produit si les instruments utilisés pour mesurer un construit proviennent d'une seule méthode de collecte des données (p. ex. un questionnaire).

- Le biais expérimental lié aux attentes des participants est associé à l'effet de réactivité, ou effet Hawthorne, qui se traduit par une modification du comportement des sujets parce qu'ils se sentent observés ou par une tendance à donner des réponses favorables pouvant avoir des répercussions sur les résultats.

- Le biais expérimental lié aux attentes de l'expérimentateur peut fausser les évaluations. Les attentes du chercheur peuvent en effet influer sur l'attitude des participants. Si un chercheur désire obtenir la confirmation de ses hypothèses et amène, inconsciemment ou non, les participants à les corroborer, il peut en résulter des évaluations biaisées.

TABLEAU 10.5	Les obstacles à la validité de construit	
Obstacle	**Description**
Explications insuffisantes des construits	Description insuffisante des variables indépendantes et dépendantes à l'étude
Biais lié à l'utilisation d'une seule mesure	Sous-estimation d'autres dimensions du construit par l'utilisation d'une seule forme d'instrument de mesure
Biais lié à l'utilisation d'une seule méthode	Incidence sur les résultats par l'utilisation d'une seule méthode pour mesurer un construit. L'utilisation de plusieurs mesures peut réduire le risque d'influencer les résultats.
Biais expérimental lié aux attentes des participants	Modification du comportement ou des réactions des participants dans une situation expérimentale, parce qu'ils se sentent observés.
Biais expérimental lié aux attentes de l'expérimentateur	Attentes de l'expérimentateur susceptibles d'influer sur les réponses des participants quant aux effets désirables souhaités

10.4.4 La validité externe

10.4.4 La validité externe

La **validité externe** fait référence à la généralisation des résultats d'une étude au-delà des personnes, des contextes et des périodes de temps qui sont pris en considération dans la recherche. La validité externe ne peut être appréciée que si les conditions assurant la validité interne sont jugées satisfaisantes (Cook et Campbell, 1979). Alors que la validité interne a trait aux relations entre la variable indépendante et la variable dépendante à l'intérieur d'un ensemble de conditions expérimentales, la validité externe se rapporte à l'utilité de cette information au-delà de la situation expérimentale. Les facteurs d'invalidité externe représentent des interactions entre l'intervention ou l'application de la variable indépendante et d'autres facteurs tels que ceux décrits ci-dessous et résumés dans le tableau 10.6.

- L'interaction entre l'intervention (variable indépendante) et les facteurs historiques se produit quand les résultats d'une étude sont généralisés sur différentes périodes de temps, sans que les circonstances survenues durant ces périodes soient prises en compte. Bien qu'il soit difficile d'induire des résultats futurs, la répétition d'études à différents moments renforce l'utilité des résultats déjà obtenus. Ainsi, dans la critique d'études, on doit toujours considérer le laps de temps au cours duquel l'étude a été menée et les circonstances qui prévalaient à ce moment.

- L'interaction entre l'intervention et le biais de sélection se produit quand les sujets qui participent à une étude possèdent certaines caractéristiques qui représentent des variables tels que l'âge, le sexe, l'ethnie ou l'état de santé. Si les sujets sont choisis en fonction de caractéristiques précises, celles-ci définissent la population cible. Normalement, les résultats d'une étude ne peuvent être généralisés qu'aux personnes qui possèdent des caractéristiques identiques à celles ayant participé à l'expérimentation. Lorsque les caractéristiques varient, la généralisabilité se trouve compromise.

- L'interaction entre l'intervention et les milieux peut survenir quand le milieu où se déroule une étude peut restreindre la possibilité de généraliser les résultats. Par exemple, jusqu'à quel point peut-on généraliser aux milieux secondaires ou universitaires les résultats d'un programme de gestion du stress auprès d'enseignants du niveau collégial ? On peut répondre à cette question par la répétition de l'étude dans chacun des milieux visés.

TABLEAU 10.6	Les obstacles à la validité externe	
Obstacle	**Description**
Interaction entre l'intervention et les facteurs historiques	Généralisation des résultats à différentes périodes de temps sans tenir compte des circonstances survenues durant ces périodes
Interaction entre l'intervention et le biais de sélection	Limitation de la généralisation des résultats en raison de l'interaction entre l'intervention et les caractéristiques personnelles des sujets
Interaction entre l'intervention et les milieux	Conditions différentes du milieu dans lequel se déroule l'étude, susceptibles de restreindre la généralisation.

10.5 Les grandes classes de la recherche et les devis associés

La figure 10.1, à la page suivante, présente les grandes classes de la recherche et les devis associés. Ces classes comprennent 1) la recherche descriptive : qualitative et quantitative ; 2) la recherche explicative : descriptive corrélationnelle et prédictive corrélationnelle ; et 3) la recherche prédictive causale : expérimentale et quasi expérimentale. Les paragraphes suivants fournissent un aperçu des types d'études qui seront explicitées dans les chapitres subséquents.

Les questions de recherche revêtent diverses formes, correspondent à différents niveaux de recherche et commandent des méthodes particulières. Essentiellement, le devis de recherche a pour but de fournir une structure opérationnelle permettant d'obtenir des réponses aux questions de recherche ou de vérifier des hypothèses. La question de recherche fait appel à l'état des connaissances sur un sujet donné et détermine la méthode à suivre dans l'étude d'un phénomène. S'il existe peu ou s'il n'existe pas de connaissances sur le phénomène considéré, le chercheur orientera son étude vers l'exploration ou la description d'un phénomène, d'un concept ou d'un facteur plutôt que vers l'établissement de relations entre les facteurs ou les variables. Dans certains cas, il est nécessaire d'étudier les caractéristiques d'une population désignée ou de décrire l'expérience d'un groupe particulier de personnes avant de concevoir une intervention destinée à vérifier les effets de variables sur d'autres variables. La plupart des questions de recherche peuvent être catégorisées comme suit :

- les questions cherchant à décrire et à comprendre des phénomènes ;
- les questions cherchant à décrire des populations ;
- les questions cherchant à explorer et vérifier des relations d'association entre des variables ;
- les questions cherchant à prédire et à contrôler les effets de variables indépendantes sur des variables dépendantes.

10.5.1 Un aperçu des devis de la recherche qualitative

La recherche qualitative se caractérise par la compréhension des phénomènes ; elle cherche à décrire la nature complexe des êtres humains et la manière dont ils perçoivent leurs propres expériences à l'intérieur d'un contexte social particulier. La recherche qualitative englobe plusieurs approches méthodologiques et des perspectives qui se recoupent pour l'étude des phénomènes. Les devis de recherche qualitative sont en général moins structurés, plus dynamiques et habituellement plus flexibles que les devis de recherche quantitative. Parmi les différentes approches ou perspectives étudiées dans cet ouvrage, on retrouve la phénoménologie, l'ethnographie, la théorisation enracinée, l'étude de cas et la recherche descriptive qualitative.

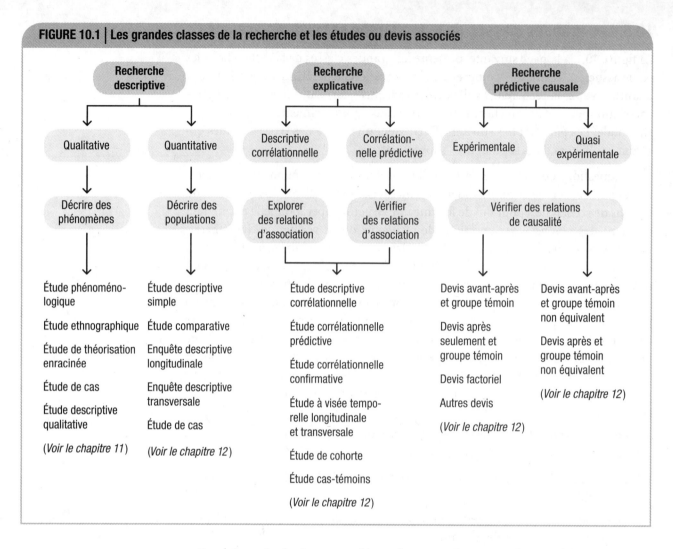

FIGURE 10.1 | Les grandes classes de la recherche et les études ou devis associés

Recherche descriptive		Recherche explicative		Recherche prédictive causale	
Qualitative	Quantitative	Descriptive corrélationnelle	Corrélationnelle prédictive	Expérimentale	Quasi expérimentale
Décrire des phénomènes	Décrire des populations	Explorer des relations d'association	Vérifier des relations d'association	Vérifier des relations de causalité	
Étude phénoménologique	Étude descriptive simple	Étude descriptive corrélationnelle		Devis avant-après et groupe témoin	Devis avant-après et groupe témoin non équivalent
Étude ethnographique	Étude comparative	Étude corrélationnelle prédictive		Devis après seulement et groupe témoin	Devis après et groupe témoin non équivalent
Étude de théorisation enracinée	Enquête descriptive longitudinale	Étude corrélationnelle confirmative		Devis factoriel	(*Voir le chapitre 12*)
Étude de cas	Enquête descriptive transversale	Étude à visée temporelle longitudinale et transversale		Autres devis	
Étude descriptive qualitative	Étude de cas	Étude de cohorte		(*Voir le chapitre 12*)	
(*Voir le chapitre 11*)	(*Voir le chapitre 12*)	Étude cas-témoins			
		(*Voir le chapitre 12*)			

La phénoménologie est une démarche visant à comprendre un phénomène, à en saisir l'essence du point de vue des personnes qui en font ou en ont fait l'expérience; l'ethnographie est une démarche systématique visant à observer, à décrire et à analyser sur le terrain le genre de vie d'un groupe associé à une culture ou sous-culture; la théorisation enracinée est une démarche inductive ayant pour objet l'élaboration de théories enracinées dans des phénomènes sociaux pour lesquels il existe peu d'études approfondies; l'étude de cas est une démarche visant l'examen en profondeur d'une entité (personne, groupe, famille, communauté, organisation) dans le contexte d'une situation de la vie réelle; et la recherche descriptive qualitative consiste à décrire un phénomène sans faire appel à une méthodologie qualitative particulière.

10.5.2 Un aperçu des devis de la recherche quantitative

La recherche quantitative se caractérise par la mesure de variables et l'obtention de résultats numériques susceptibles d'être généralisés à d'autres populations ou contextes. La recherche quantitative comprend également plusieurs approches différentes les unes des autres. Elle fait appel à des descriptions de caractéristiques de populations, à des explications et à des prédictions associatives et de causalité.

Dans les recherches quantitatives, on considère les trois grandes classes de devis suivants : 1) le devis descriptif simple ou comparatif, l'enquête, l'étude de cas ; 2) le devis descriptif corrélationnel ou corrélationnel prédictif, la vérification de modèle théorique, les études à visée temporelle ; et 3) les devis expérimentaux et quasi expérimentaux.

Le devis descriptif simple examine les caractéristiques d'une population. Le devis descriptif comparatif examine et décrit des différences entre les variables qui se produisent naturellement dans deux groupes ou plus ; l'enquête décrit les changements qui surviennent dans le temps ; l'étude de cas présente l'examen approfondi d'un phénomène lié à une entité sociale (personne, famille). Les devis corrélationnels comportent l'examen de relations d'association entre des variables et incluent certaines études à visée temporelle. Le but peut être d'explorer des relations et de les décrire ; il peut aussi s'agir de vérifier des relations et de les expliquer ou encore de vérifier des modèles théoriques. Ces trois différents devis corrélationnels correspondent à des niveaux de connaissances qui existent sur le sujet à l'étude. Pour leur part, les devis expérimentaux et quasi expérimentaux sont utilisés quand il s'agit d'établir une relation de causalité entre une variable indépendante et une ou plusieurs variables dépendantes. On les emploie quand les relations avec d'autres variables ont été vérifiées et que les résultats sont connus. Ces types de devis requièrent un degré de contrôle plus élevé que les deux précédents afin de minimiser la présence de facteurs étrangers qui risquent de fausser les résultats.

Points saillants

10.1 Qu'est-ce qu'un devis de recherche ?

- Le devis de recherche est le plan élaboré par le chercheur en vue de répondre aux questions de recherche ou de vérifier des hypothèses. Il correspond à l'ensemble des décisions à prendre pour mettre en œuvre les directives liées à la recherche projetée.
- Le devis s'harmonise avec l'état des connaissances sur le sujet d'étude et les positions philosophiques du chercheur qui l'orientent vers le type d'étude approprié. Les facteurs décisionnels dans le choix d'un devis de recherche reposent sur des postulats qui guident le chercheur vers une méthode quantitative, une méthode qualitative ou une méthode mixte.
- Plusieurs éléments entrent dans la composition d'un devis de recherche, les principaux étant les comparaisons, l'intervention, le milieu, la communication avec les participants, les méthodes et les instruments de collecte des données, les moments de collecte et d'analyse des données et le contrôle des variables étrangères.

10.2 Les concepts liés à certains devis

- Les principaux concepts liés à certains devis de recherche sont la manipulation, la causalité et le biais.
- La manipulation fait appel à l'application de la variable indépendante, selon certaines modalités ; la causalité fait référence au type de relation entre les variables indépendantes et dépendantes dans une étude expérimentale et quasi expérimentale ; le biais résulte de toute influence sur les résultats d'une étude.

10.3 Le contrôle des variables étrangères

- Les variables étrangères sont des variables qui n'ont pas été choisies et qui risquent d'influer sur la mesure des variables à l'étude.
- Les principales stratégies de contrôle des variables étrangères visent les facteurs extrinsèques (conditions de l'environnement) et les facteurs intrinsèques (différences individuelles).
- Les stratégies de contrôle des variables étrangères sont les suivantes : la randomisation, l'homogénéité, l'appariement, la stratification, les mesures répétées et l'analyse de covariance.
- En recherche qualitative, la notion de contrôle n'est pas utilisée ; de manière à accroitre l'intégrité, les chercheurs font appel à la réflexivité pour se prémunir des biais.

10.4 La validité des devis et ses obstacles

- Quatre types de validité ont été définis en recherche quantitative pour minimiser les obstacles à la validité : la validité de conclusion statistique, la validité interne, la validité de construit et la validité externe.
- Dans la validité de conclusion statistique, on vise à s'assurer que les tests statistiques utilisés sont assez puissants pour démontrer l'existence d'une relation causale entre les variables dépendantes et indépendantes.
- Dans la validité interne, on fait en sorte que la variable indépendante soit la cause réelle du changement survenu dans la variable dépendante, après avoir contrôlé les facteurs d'invalidité interne (facteurs historiques, maturation, etc.)
- Dans la validité de construit, on tend à démontrer avec exactitude que les appuis théoriques aux variables indépendantes et dépendantes sont solides et justifiés.
- Dans la validité externe, on cherche à s'assurer que les résultats obtenus à l'issue de la recherche peuvent être généralisés à d'autres populations ou contextes que ceux étudiés, en contrôlant les obstacles ou les facteurs d'invalidité externe (interactions entre l'intervention et divers facteurs).

10.5	Les grandes classes de la recherche et les devis associés	• Les trois grandes classes de recherche sont la recherche descriptive (quantitative et qualitative), la recherche explicative et la recherche prédictive causale.

- Les trois grandes classes de recherche sont la recherche descriptive (quantitative et qualitative), la recherche explicative et la recherche prédictive causale.
- Les devis de recherche qualitative ont pour but d'explorer et de comprendre des phénomènes selon la perspective des personnes. Les études qui leur sont associées dans cet ouvrage sont l'étude ethnographique, l'étude phénoménologique, l'étude de théorisation enracinée, l'étude de cas et l'étude descriptive qualitative.
- Le devis de recherche descriptive quantitative a pour but de décrire des populations ou des facteurs dans une situation donnée.
- Les devis de recherche corrélationnelle ou explicative visent à explorer ou à vérifier des associations entre des variables. Ils incluent, d'une part, les études descriptives corrélationnelles, les études corrélationnelles prédictives, les études de vérification d'un modèle théorique; et, d'autre part, les études à visée temporelle: les études longitudinales et transversales, les études de cohorte et les cas-témoins.
- Les devis de recherche expérimentale (prédictifs et de contrôle) servent à vérifier des relations de cause à effet entre des variables dépendantes et indépendantes: on considère les devis expérimentaux et les devis quasi expérimentaux.

Mots clés

Comparaison	Devis expérimental	Étude de théorisation enracinée	Obstacles à la validité
Contrôle	Devis quasi expérimental		Réflexivité
Devis corrélationnel	Étude à visée temporelle	Étude ethnographique	Validité
Devis de recherche	Étude cas-témoin	Étude longitudinale	
Devis descriptif	Étude de cas	Étude phénoménologique	
Devis descriptif corrélationnel	Étude de cohorte	Facteur décisionnel	

Exercices de révision

1. Expliquez les raisons pour lesquelles le chercheur doit s'appliquer à contrôler les variables étrangères.

2. Nommez quelques stratégies servant à contrôler les facteurs intrinsèques.

3. Quels sont les types de validité recherchés dans les études expérimentales?

Liste des références

Les références citées dans la rubrique «Exemple» ou dans les citations peuvent ne pas figurer dans cette liste.

Campbell, D.T. et Stanley, J.C. (1963). *Quasi-experimentation: Design and analysis issues for field settings.* Boston, MA: Houghton Mifflin Company.

Cook, T.D. et Campbell, D.T. (1979). *Quasi-experimentation: Design and analysis issues for field settings.* Boston, MA: Houghton Mifflin Company.

Creswell, J.W. (2009). *Research design: Qualitative, quantitative, and mixed approaches* (3e éd.). Thousand Oaks, CA: Sage Publications.

Deslauriers, J.-P. et Kérisit, M. (1997). Le devis de recherche qualitative. Dans J. Poupart et collab., (dir.). *La recherche qualitative: enjeux épistémologiques et méthodologiques.* Montréal, Québec: Gaëtan Morin Éditeur.

Finlay, L. (2002). "Outing" the researcher: The provenance, process, and practice of reflexivity. *Qualitative Health Research, 12*(4), 531-545.

Grove, S.K., Burns, N. et Gray, J.R. (2013). *The practice of nursing research: Appraisal, synthesis and generation of evidence* (7ᵉ éd.). Saint-Louis, MO : Saunders Elsevier.

Holloway, I. et Wheeler, S. (2010). *Qualitative research in nursing and health care* (3ᵉ éd.). Oxford, R.-U. : Wiley-Blackwell.

Houser, J. (2008). *Nursing Research: Reading, using, and creating evidence*. Sudbury, MA : Jones & Bartlett.

Lodico, M.G., Spaulding, D.T. et Voegtle, K.H. (2010). *Methods in educational research: From theory to practice* (2ᵉ éd.). San Francisco, CA : Jossey-Bass.

McMillan, J.H. et Schumacher, S. (2006). *Research in education: Evidence-based inquiry* (6ᵉ éd.). Boston, MA : Pearson.

Polit, D.F. et Beck, C.T. (2012). *Nursing research: Generating and assessing evidence for nursing practice* (8ᵉ éd.). Philadelphie, PA : Wolters Kluwer/Lippincott, Williams & Wilkins.

Portney, L.G. et Watkins, M.P. (2009). *Foundations of clinical research: Applications to practice* (3ᵉ éd.). Upper Saddle River, NJ : Pearson/Prentice Hall.

Robert, M. (1988). *Fondements et étapes de la recherche scientifique en psychologie* (3ᵉ éd.) Saint-Hyacinthe, Québec : Edisem.

Shadish, W.R., Cook, T.D. et Campbell, D.T. (2002). *Experimental and quasi-experimental designs for generalized causal inference*. Boston, MA : Houghton Mifflin Company.

Waltz, C.F., Strickland, O.L. et Lenz, E.R. (2010). *Measurement in nursing and health research* (4ᵉ éd.). New York, NY : Springer Publishing Company.

CHAPITRE 11

Les devis de recherche qualitative

Objectifs d'apprentissage

Après avoir étudié ce chapitre, vous serez en mesure :

- de décrire les principales caractéristiques des devis de recherche qualitative ;
- de définir les buts poursuivis dans la phénoménologie, l'ethnographie, la théorisation enracinée, l'étude de cas et la recherche descriptive qualitative ;
- de discuter des principales méthodes de collecte des données utilisées dans les études qualitatives.

Plan du chapitre

D ans la recherche quantitative, comme il a été discuté dans le chapitre 10, le chercheur se conforme tout au long de son étude au plan préétabli selon les décisions prises, alors que dans la recherche qualitative, le devis est émergent, de sorte que les décisions ne sont habituellement pas prises d'avance ou dans l'ordre et peuvent se modifier pour mieux représenter la réalité du milieu. Les chercheurs en recherche qualitative entreprennent généralement leur étude avec un plan préliminaire qui désigne la méthodologie ou le devis qu'ils prévoient utiliser pour étudier un phénomène particulier, chaque devis étant appuyé par des postulats philosophiques. Ce chapitre situe la recherche qualitative dans son contexte, décrit les méthodologies utilisées dans cinq types de recherches qualitatives — la phénoménologie, l'ethnographie, la théorisation enracinée, l'étude de cas et l'étude descriptive qualitative — ainsi que la manière dont ces devis envisagent les phénomènes, posent les questions et recueillent les données. Sont décrites sommairement par la suite les méthodes de collecte des données, notamment les observations, les entrevues, les groupes de discussion focalisée, l'incident critique, le recueil de textes, les notes de terrain et le journal de bord. Les trois principales méthodes seront discutées plus en profondeur dans le chapitre 16. Le chapitre se termine par la présentation de questions relatives à l'examen critique des méthodologies qualitatives[1].

11.1 La planification de la recherche qualitative

Planifier une recherche qualitative, c'est organiser les différents éléments essentiels à la réalisation de l'étude. Les étapes suivies entrent dans un processus itératif; l'ordre des différents éléments peut changer ou se modifier, sauf en ce qui a trait à l'idée de départ. La recherche commence généralement par une idée, un thème exposé dans le problème et lié à un domaine précis de connaissances. Comme dans la recherche quantitative, l'énoncé de la question qualitative conduit *de facto* vers le devis ou l'approche la plus appropriée au but poursuivi. La recension des écrits peut être faite ou complétée en tout temps avant, pendant ou à la fin de l'étude, et parfois en même temps que la collecte des données. La théorisation peut être élaborée au cours de la recherche, comme dans la théorisation enracinée, ou elle peut servir d'appui dans une recherche ethnographique. La collecte des données et l'analyse s'effectuent de façon simultanée de manière à adapter les questions de recherche.

> La recherche commence généralement par une idée, un thème exposé dans le problème et lié à un domaine précis de connaissances.

La démarche qualitative variera en fonction du but de l'étude et du type de devis, selon qu'il s'agit de rapporter en détail une expérience de vie du point de vue de la personne qui l'a vécue (p. ex. la phénoménologie), de comprendre les règles ou les normes culturelles auxquelles obéissent des personnes aux pratiques ou aux coutumes particulières (p. ex. l'ethnographie), de proposer une explication théorique d'un phénomène complexe et peu étayé sur le plan théorique (p. ex. la théorisation enracinée), d'examiner en détail un ou plusieurs cas dans le temps en utilisant de multiples sources de données (études de cas) ou encore de décrire simplement une situation sans recourir à une méthodologie qualitative particulière (p. ex. l'étude descriptive qualitative).

....

1. Sylvie Noiseux a collaboré au chapitre 13, « Le devis de recherche qualitative », de l'édition 2010 de *Fondements et étapes du processus de recherche*.

Un aspect important de la recherche qualitative est le recrutement des participants. Pour ce faire, le chercheur peut choisir entre l'échantillonnage accidentel, par réseaux ou par choix raisonné (*voir le chapitre 14*), dans le but d'obtenir un échantillon qui représente bien le phénomène à l'étude et son contexte. Plus précisément, la taille de l'échantillon n'est pas déterminée selon une représentativité statistique, mais bien à partir de données qui apparaissent nécessaires à l'atteinte de la saturation empirique, c'est-à-dire jusqu'à ce que de nouvelles données n'ajoutent aucune information nouvelle au phénomène à l'étude. De façon générale, le chercheur tend vers la saturation empirique parce qu'il s'avère parfois difficile de déterminer avec certitude l'atteinte de la saturation des données. Pires (1997) insiste particulièrement sur ce point en affirmant « […] qu'il ne faut pas demander au principe de saturation ce qu'aucune étude ne peut faire : rendre compte du réel dans sa totalité » (p. 157). L'échantillonnage théorique utilisé dans les études de la théorisation enracinée se fonde sur l'examen des catégories conceptuelles émergentes provenant de la collecte des données et se construit au fur et à mesure de l'analyse. Il doit apporter de la cohérence, de la variation et de la précision à la théorisation du phénomène à l'étude.

Plutôt effacé dans la recherche quantitative, le chercheur joue un rôle actif dans la recherche qualitative. D'une certaine manière, le chercheur et les participants s'influencent mutuellement. Cette interaction, loin de constituer un biais, fait partie intégrante de la recherche qualitative (Creswell, 2007), d'où l'importance pour le chercheur d'être attentif aux propos des participants, d'interagir avec eux afin de mieux comprendre leur expérience. Ainsi, le rôle du participant se rapproche de celui d'un cochercheur. Le participant peut orienter les questions de recherche, guider la collecte des données et prendre part à leur interprétation.

Les composantes majeures que l'on devrait trouver dans un **devis de recherche qualitative** sont constituées de l'interaction des trois éléments suivants : 1) les postulats philosophiques ou les visions du monde qui fournissent non seulement la direction de la recherche, mais aussi une justification de l'orientation philosophique proposée et de ses principaux éléments à l'appui ; 2) le type d'approche qualitative distinctive selon l'orientation proposée ; et 3) les différentes méthodes de collecte des données prévues (Creswell, 2009). Les paragraphes qui suivent font état de chacune de ces composantes.

Devis de recherche qualitative
Arrangement des conditions entourant la collecte et l'analyse des données au regard du but de l'étude.

11.2 Les postulats philosophiques dans le contexte des devis de recherche qualitative

La conduite des études qualitatives est guidée par des postulats philosophiques et des buts qui sous-tendent une façon de concevoir les phénomènes et de développer les connaissances. Le chapitre 2 a mis en lumière les traits dominants qui caractérisent les paradigmes de recherche postpositiviste et interprétatif. La recherche qualitative se fonde sur des croyances et sur une approche holistique des êtres humains, qui orientent la démarche de recherche vers l'étude de phénomènes complexes dans des milieux où les interactions se produisent naturellement et ne comportent ni contrôle rigoureux ni manipulation de variables. On cherche à répondre aux questions de recherche qui impliquent l'exploration, la description, la compréhension et parfois l'explication de comportements et d'interactions. Le devis de recherche qualitative s'harmonise avec le paradigme interprétatif stipulant que les faits et les principes sont

> La découverte et la compréhension sont
> des éléments essentiels de la recherche
> qualitative, de même que la place
> prépondérante occupée par les acteurs.

déterminés par les contextes historiques et culturels et qu'il existe plusieurs réalités. La découverte et la compréhension sont des éléments essentiels de la recherche qualitative, de même que la place prépondérante occupée par les acteurs. La compréhension des phénomènes sociaux tels qu'ils se produisent dans le milieu naturel est l'une des principales caractéristiques de la recherche qualitative (Deslauriers et Kérisit, 1997). Cette compréhension des phénomènes s'inscrit dans le mouvement de la pratique fondée sur les données probantes, qui enjoint le chercheur clinicien ou le professionnel de la santé à considérer les valeurs de la personne dans l'exercice de son jugement clinique (Portney et Watkins, 2009).

La recherche qualitative, liée au paradigme interprétatif, met l'accent sur la compréhension approfondie et élargie d'un phénomène. En accordant une place prépondérante à la perspective des participants, la recherche qualitative ouvre la voie à une connaissance intériorisée des dilemmes et des enjeux auxquels les personnes font face. Elle s'intéresse à la complexité d'un phénomène et à la façon dont les personnes perçoivent leur propre expérience à l'intérieur d'un contexte social donné. De ce point de vue, l'expérience d'une personne (p. ex. la souffrance, l'espoir) diffère de celle d'une autre personne et peut être connue par la description subjective qu'elle en fait. La recherche qualitative utilise les propres mots des participants, résumés par la suite en récits (verbatim), plutôt que des données numériques qui rendent compte de la mesure des variables. Les questions qui se prêtent à la recherche qualitative sont généralement assez larges puisqu'elles visent à dégager la signification des paroles ou des comportements des personnes placées dans différentes situations non provoquées (Benoliel, 1984). Ce type de recherche fait intervenir une pluralité de méthodes, ce qui suppose une approche interprétative du sujet d'étude (Denzin et Lincoln, 2005). Son but ultime est de proposer une compréhension ou une explication d'un phénomène complexe peu connu.

11.3 Les approches distinctes de la recherche qualitative

La méthodologie de la recherche qualitative est employée pour répondre aux questions de recherche relatives à des situations complexes ou aux questions ayant trait à l'exploration, à la description et à la compréhension de phénomènes. L'investigation qualitative ne se résume pas à l'adoption d'une seule approche ou à des techniques en particulier, mais fait plutôt appel à une gamme d'approches méthodologiques qui permettent de pénétrer l'univers des participants ou de s'investir dans un contexte social donné. Dans cet ouvrage, les approches méthodologiques suivantes ont été retenues : la phénoménologie, l'ethnographie, la théorisation enracinée, l'étude de cas et la recherche descriptive qualitative. De façon générale, les recherches qualitatives visent le même but, soit celui de rendre compte de l'expérience humaine dans un milieu naturel. Toutefois, elles diffèrent entre elles sur les plans du style d'écriture, de l'orientation philosophique, de la précision du but, de sa perspective théorique ainsi que des méthodes de collecte et d'analyse des données (Lipson, 1991 ; Morse, 1991).

Le tableau 11.1 et les sections suivantes présentent les approches de recherche retenues et leur façon respective d'appréhender les phénomènes.

TABLEAU 11.1	Les buts des approches méthodologiques qualitatives retenues				
Phénoménologie	**Ethnographie**	**Théorisation enracinée**	**Étude de cas**	**Étude descriptive qualitative**
Décrire une expérience sous l'angle des personnes qui la vivent.	Décrire le système culturel ou social qui explique le comportement des personnes.	Découvrir le processus social présent dans les interactions humaines.	Examiner en détail un ou plusieurs cas sur une période donnée.	Fournir un résumé compréhensif d'un évènement ou d'une situation.

11.3.1 La phénoménologie

La phénoménologie tire ses origines du début du xxe siècle; il s'agit à la fois d'une philosophie et d'une méthode de recherche. Comme philosophie, elle s'intéresse aux questions ontologiques et épistémologiques, lesquelles influencent le développement des connaissances au fil de son évolution (Mackey, 2005). Comme méthode de recherche, elle vise la compréhension et la description de l'expérience humaine telle que la vivent les participants à une étude (Munhall, 2012). Ce qui la caractérise des autres approches qualitatives, c'est qu'elle cherche à découvrir l'essence des phénomènes, leur nature et le sens que les êtres humains leur attribuent (van Manen, 1990). Selon cette perspective, l'expérience est construite à l'intérieur du contexte social de la personne et, par conséquent, repose sur l'intersubjectivité (Gubrium et Holstein, 2000). En d'autres termes, la phénoménologie cherche à répondre à des questions telles que : « Qu'est-ce que cela signifie pour vous de vivre cette expérience ? » L'expérience humaine peut être un phénomène comme le deuil, la colère, l'insomnie, le fait de subir une chirurgie ou encore la prise en charge de quelqu'un (Moustakas, 1994). Par exemple, un chercheur peut s'intéresser à l'expérience vécue par les proches aidants dans la prise en charge d'une personne atteinte de troubles neurocognitifs ou chercher à savoir ce que signifie pour une personne le fait de vivre dans une relation abusive. La grande majorité des études effectuées sous l'angle de la phénoménologie vise la compréhension de diverses expériences de santé-maladie et de soins.

La phénoménologie compte plusieurs courants ou orientations philosophiques selon qu'on adhère à un philosophe en particulier. Les deux principaux philosophes dont s'inspirent les chercheurs en recherche phénoménologique sont Husserl (1859-1938) et Heidegger (1889-1976), le premier s'intéressant en particulier à la description et à la question épistémologique et le second, à l'interprétation et à la question ontologique.

Les orientations philosophiques

La **phénoménologie descriptive**, mise au point par Husserl et traduite dans une approche de recherche par Giorgi (1985, 1997), s'inscrit dans l'intentionnalité, c'est-à-dire le fait d'« être conscient de ». Elle a pour but de décrire des expériences vécues afin d'atteindre la compréhension de la structure essentielle des expériences et l'essence du vécu (Holloway et Wheeler, 2010). Un autre aspect privilégié par Husserl est la réduction phénoménologique, qui se traduit par l'attitude consistant dans la mise entre parenthèses des acquis préalables (p. ex. la suspension du jugement,

Phénoménologie descriptive
Méthodologie servant à décrire la signification d'une expérience particulière telle qu'elle est vécue par des personnes à travers un phénomène.

la croyance, l'opinion) quant à un vécu expérientiel qui a un sens dans notre champ de conscience. On cherche à comprendre et à décrire les caractéristiques essentielles d'un phénomène comme étant libéré autant que possible de préjugés et du contexte culturel (Dowling, 2007). Les données sont recueillies auprès de personnes qui ont vécu l'expérience d'un phénomène particulier. Une description est par la suite élaborée sur l'essence de cette expérience. L'accent porte sur le processus interactif par lequel les personnes donnent une signification à une situation particulière.

Phénoménologie herméneutique
Méthodologie qui met l'accent sur l'interprétation des expériences vécues plutôt que sur leur simple description.

La **phénoménologie herméneutique**, ou interprétative, a pour sa part été mise au point par Heidegger (1962), Gadamer (1976) et Ricœur (1976). Tout comme la phénoménologie descriptive, elle se concentre sur l'expérience humaine telle qu'elle est vécue. Cependant, la phénoménologie herméneutique met plus l'accent sur la compréhension et l'interprétation d'expériences diverses vécues, déjà disponibles dans une forme écrite, plutôt que sur la description proprement dite. Le phénomène concerné par la phénoménologie, selon Heidegger, est la signification de l'«être au monde», c'est-à-dire de devenir conscient de son propre être (Mackey, 2005). Les phénoménologistes de l'herméneutique ne croient pas nécessaire d'écarter les idées préconçues, c'est-à-dire de les mettre entre parenthèses. Ils suggèrent plutôt de les utiliser de façon positive de telle sorte que le lecteur puisse comprendre les forces et les limites des interprétations faites par le chercheur (Todres et Holloway, 2006).

Dans la conduite d'une recherche phénoménologique, le but et les questions de recherche concernent une expérience de vie particulière. Le cœur de la phénoménologie étant l'expérience humaine vécue, le chercheur choisira vraisemblablement une dimension d'une expérience de vie particulière d'un groupe de personnes. Les participants sont sélectionnés par choix raisonné sur la base des caractéristiques recherchées, bien que d'autres critères puissent inclure des aspects démographiques et sociaux. Le chercheur est le principal instrument de collecte des données. L'étude phénoménologique exige que les participants soient capables de refléter et de rapporter le plus fidèlement possible leurs réactions à un phénomène précis de leur vie. À l'aide d'entrevues non dirigées ou semi-dirigées et de récits de vie, le participant rapporte l'évènement tel qu'il le perçoit, et le chercheur tente de dégager les significations que le participant donne à cet évènement.

Guimond-Plourde (2013) a mené une étude phénoménologique interprétative selon la philosophie d'Heidegger en utilisant le cadre méthodologique de van Manen où les perspectives descriptives et interprétatives se côtoient afin de comprendre l'expérience vécue du stress-coping auprès des jeunes en santé en milieu éducatif. Chaque jeune a pu se révéler comme être unique à l'aide d'entretiens et de récits de vie. Le but du récit de vie est la reconstruction des situations expérientielles en vue de dégager le sens du vécu. L'auteure souligne l'importance de la création à deux (ou cocréation) des données, un terme important dans la phénoménologie herméneutique, comme en fait foi le paragraphe cité ci-dessous.

> Le but du récit de vie est la reconstruction des situations expérientielles en vue de dégager le sens du vécu.

[...] l'inspiration herméneutique découle d'une entreprise de création, fruit d'une quête de sens à deux. En reconnaissant que la conscience est toujours conscience de quelque chose, que l'accent est mis sur l'humain en tant qu'être-au-monde impliqué dans des situations et des projets, l'herméneutique contribue à penser le monde, autrui et soi-même, et à isoler leurs rapports pour leur donner un sens. Spécifiquement, elle a pour objet d'approfondir la compréhension d'une expérience humaine vécue sans pour autant prétendre aboutir à une conclusion dans le sens positiviste du terme. Elle offre un espace où le réel ne répond que s'il est interrogé, où le sens ne se dégage qu'à partir d'un projet au sein duquel est reconnu le primat ontologique de la conscience. L'influence herméneutique se présente donc comme une étape de construction d'une signification nouvelle où le discours des jeunes est en écho et non subordonné à celui de la chercheuse. (Guimond-Plourde, 2013, p. 184)

Dans la conclusion de son étude, cette auteure affirme que l'approche qualitative herméneutique utilisée pour dévoiler le sens de l'expérience de stress-coping a été pour le jeune une démarche éducative en soi. Elle ajoute ceci : « Une construction et une création de sens sont aussi une construction de soi qui s'élabore dans un but d'émancipation, d'un mieux-être individuel, donc de connaissance de soi. » (Guimond-Plourde, 2013, p. 197)

11.3.2 L'ethnographie

L'ethnographie est une approche de recherche issue de l'anthropologie sociale qui consiste à observer, à décrire, à documenter et à analyser les styles de vie ou les tendances particulières d'un groupe de personnes à l'intérieur d'une culture ou d'une sous-culture (Leininger, 1985). Elle se distingue des autres approches qualitatives par l'accent mis sur le concept de culture. En effet, la recherche ethnographique utilise ce concept comme principal outil pour expliquer les dynamiques en jeu. La notion de culture englobe la manière de voir le monde et le système de valeurs qui déterminent la façon dont les personnes se perçoivent et voient leur rôle dans leur vie quotidienne. Plusieurs disciplines s'inspirent de cette approche de recherche et l'adaptent à leur contexte particulier. En sciences infirmières, on l'utilise pour décrire des unités de soins ou des communautés dans le cadre d'une problématique de santé ou d'une maladie. Leininger (1985) a créé le terme *ethnonursing* pour désigner l'étude des groupes et des milieux liés au domaine de la santé. De façon précise, l'*ethnonursing* s'intéresse aux soins infirmiers, à la connaissance relevant de la discipline et à la compréhension ou à l'explication des phénomènes qui leur sont associés.

> **Ethnographie**
> Méthodologie visant à comprendre les modes de vie de groupes appartenant à des cultures différentes.

> La recherche ethnographique utilise le concept de culture comme principal outil pour expliquer les dynamiques en jeu.

L'investigation ethnographique porte principalement sur une démarche compréhensive visant à mieux cerner les comportements sociaux (p. ex. les interactions, les rituels, le langage) des membres d'un groupe donné, avec l'intention de comprendre les normes culturelles, les croyances, la structure sociale et les autres modes culturels de ce groupe (Leedy et Ormrod, 2005). Selon le postulat sous-jacent à cette approche, chaque groupe de personnes acquiert une culture qui sert à guider la façon dont les membres structurent et conçoivent le monde (Creswell, 2009). L'étude ethnographique requiert l'immersion totale du chercheur dans la vie quotidienne des membres du groupe afin qu'il puisse saisir, par les observations et les entretiens, ce que sont les croyances, les valeurs et les conduites qui façonnent le comportement du groupe. Le chercheur devient un participant actif, ce qui lui permet de dégager une certaine vision de la culture existante.

L'ethnographie, en tant que processus, comporte un long travail de terrain, au cours duquel le chercheur fait des observations et réalise des entretiens approfondis auprès des participants d'un groupe culturel donné. Les détails de la vie quotidienne de ceux-ci sont relevés dans un style documentaire aboutissant à une description narrative dense, compréhensible, ainsi qu'à une interprétation intégrant tous les aspects de la vie des membres du groupe, mettant en relief toute sa complexité. Bien qu'il existe des variantes dans les études ethnographiques d'une culture, l'observation participante est utilisée par le chercheur dans les activités d'observation du groupe.

Les termes «émique» et «étique», couramment utilisés dans la recherche ethnographique, sont deux façons d'appréhender l'étude des cultures. La perspective émique signifie «vision de l'intérieur». Elle renvoie à la perception des membres d'un groupe ou d'une culture particulière quant à la connaissance qu'ils ont de leur culture. La perspective émique correspond à la réalité des participants. Les membres du groupe culturel (*insiders*) attribuent une signification à leurs expériences et peuvent expliquer les raisons de leurs actions. Leur vision est alors reformulée par le chercheur aux fins de la recherche. À l'opposé, la perspective étique fait appel à des critères développés en dehors (*outside*) de la culture et qui lui servent de cadre d'étude. Selon la vision étique, la réalité est jugée en comparaison des normes des pratiques culturelles. Les chercheurs (ethnographes) sont ainsi considérés comme des juges de la réalité, puisqu'ils choisissent les normes externes ou le cadre utilisé pour étudier la culture (Willis, 2007). Cette perspective s'avère utile pour transformer la connaissance tacite, enracinée dans les expériences culturelles des membres d'un groupe.

Les questions de recherche ethnographique sont uniques, car elles mettent l'accent exclusivement sur la compréhension de la culture d'un groupe de personnes (Wolcott, 1999). Elles ont souvent rapport avec l'expérience, la langue d'origine, les différences culturelles, comme le traduit la question suivante: «Quelle est la culture d'une unité de soins intensifs en néonatalogie?» Les observations du chercheur mettent l'accent sur les objets, les modes de communication et de comportements, de manière à comprendre comment les valeurs sont socialement construites et transmises (Wolf, 2012). Les notes de terrain ne servent pas seulement à la description, puisque celles-ci sont transformées et traduites par le chercheur en des catégories à partir desquelles des relations sont établies. Le chercheur peut ensuite décrire des modes de comportement à l'appui d'exemples particuliers (Grove, Burns et Gray, 2013). Les observations deviennent le point de départ pour les entrevues en profondeur afin de clarifier auprès des participants les interprétations du chercheur sur ce qu'il a observé et entendu.

> Les questions de recherche ethnographique sont uniques, car elles mettent l'accent exclusivement sur la compréhension de la culture d'un groupe de personnes.

Tout comme dans d'autres recherches qualitatives, le chercheur utilise un échantillonnage non probabiliste, orienté vers le but en adoptant certains critères pour choisir un groupe particulier et un lieu. Une des principales caractéristiques de l'ethnographie est la notion de description en profondeur (*thick description*) qui permet de rendre explicites de façon contextuelle les modes de relations culturelles et sociales. Ces descriptions en profondeur se fondent sur la signification que les actions et les évènements produisent sur les membres d'une culture à l'intérieur d'un contexte culturel donné (Holloway et Wheeler, 2010).

Rindstedt (2013) a examiné, dans une étude ethnographique, les différentes façons avec lesquelles le personnel hospitalier d'une unité de soins oncologiques (médecins, infirmières, thérapeutes du jeu et clowns) soutient les enfants dans leur effort pour prendre en main leur maladie (leucémie). L'exemple 11.1 présente la question centrale de recherche de cette étude ainsi que la méthodologie utilisée

Un extrait d'une étude ethnographique

Quels sont les modes d'interactions multi-partites qui se sont développés entre les enfants et les différents intervenants d'une unité de soins oncologiques d'un centre hospitalier?

La majeure partie de la collecte des données a été enregistrée sur vidéocassette selon une méthode ethnographique facilitant une analyse détaillée. Les données proviennent des interactions entre les enfants, les parents et le personnel ainsi que de l'observation participante et de la prise de notes intensives. Une approche théorique fondée sur une combinaison d'approches de conversation analytique et d'anthropologie linguistique a été utilisée pour comprendre le langage. Celui-ci est vu comme une action sociale, et l'examen des modes séquentiels dans l'interaction quotidienne est considéré comme l'élément clé de l'analyse théorique. Les résultats de l'étude sur les stratégies d'adaptation des enfants d'une unité de soins oncologiques ont été organisés selon cinq sous-thèmes: 1) les histoires racontées; 2) l'humeur dans les pratiques du traitement; 3) la prière; 4) les rituels enjoués; 5) le jeu des rôles inversés et les improvisations créatrices des membres du personnel. (Traduction libre)

Dans cette étude ethnographique, où plusieurs méthodes de collecte de données ont été utilisées, l'auteur conclut que le personnel et les parents ont joué un rôle significatif dans le processus d'adaptation des enfants. Les membres du personnel ont aidé les parents à soutenir leurs enfants dans des scénarios qui favorisent l'adaptation à la maladie.

11.3.3 La théorisation enracinée

La **théorisation enracinée** (*grounded theory*) est une méthode de recherche de théorisation empirique et inductive mise au point par deux sociologues, Glaser et Strauss (1967). Cette méthode traduit la volonté des auteurs de faire connaitre la richesse du monde empirique par la construction ou l'émergence de théories sociales bien enracinées dans cette réalité. Selon certains auteurs, la théorisation enracinée s'inspire de l'interactionnisme symbolique selon lequel l'être humain construit sa réalité à partir des interactions sociales, en fonction de la signification qu'il accorde aux autres et à lui-même (Paillé, 1994). L'explication théorique de la réalité examinée, selon Paillé (1994), doit être fidèle à la perspective et à la compréhension des acteurs sociaux qui en témoignent. En outre, la théorisation enracinée confère une importance singulière aux phénomènes observés, lesquels sont significatifs dans la mesure où ils s'expriment par la parole ou par les interactions sociales (Benoliel, 1996; Robrecht, 1995; Strauss et Corbin, 1998). Dans la théorisation enracinée, la préoccupation du chercheur n'est pas de confirmer une théorie ou des hypothèses préalablement établies, mais de comprendre et d'interpréter, au moyen d'une démarche analytique récursive, les représentations cognitives ou la perspective que les participants se font de leur réalité ainsi que des conduites qui en découlent (Anadón, 2006; Laperrière, 1997; Mucchielli, 1996; Stern, 1985; Strauss et Corbin, 1990).

Dans la théorisation enracinée, on trouve essentiellement la nature inductive. Il n'y a pas de question centrale proprement dite; le chercheur essaie plutôt de découvrir les paramètres du problème ou de la situation sociale qui l'intéresse en recueillant des données sur le terrain dès le début du processus (Guillemette, 2006). Ainsi, il s'immerge dans le contexte social afin d'arriver à une

Théorisation enracinée
Méthodologie visant à décrire des problèmes présents dans des contextes sociaux particuliers et la manière dont les personnes y font face dans le but de générer une proposition théorique des phénomènes sociaux.

compréhension approfondie du problème qu'affrontent et que tentent de résoudre les participants (Glaser, 1998). L'accent est mis sur un processus qui, selon Strauss et Corbin (1998), correspond aux séquences d'actions ou d'interactions des personnes par rapport à un problème particulier. La théorisation enracinée utilise d'abord des données inductives, puis elle invoque des stratégies de va-et-vient entre les données et l'analyse, et elle interagit avec les données et l'analyse émergente. Le problème de recherche et le processus employé pour le résoudre sont découverts durant l'étude. On appelle «thème central» la manière dont les participants s'y prennent pour résoudre le problème. C'est au fil de l'analyse des entretiens que le thème central ou la catégorie centrale se découvre. D'autres thèmes ou catégories viendront se greffer autour du thème central et constitueront des codes. À mesure que la démarche se poursuit, le chercheur fait appel à des comparaisons constantes entre les données empiriques pour mieux cerner le phénomène à l'étude ; des mises en relation entre les concepts émergent de la situation et contribuent à l'élaboration d'un cadre théorique. L'utilisation de la théorisation enracinée est tout indiquée pour concevoir une théorie de moyenne portée (*middle range theory*) permettant d'expliquer, à partir de données empiriques, un processus complexe et en pleine évolution. Le but de ce processus est d'élaborer une conceptualisation ou une théorie qui explique un type de comportement.

Depuis sa conception initiale par Glaser et Strauss (1967), la théorisation enracinée s'est diversifiée ; il en est résulté deux versions ou perspectives différentes à certains égards. Des variations sur le plan méthodologique ont été apportées par Strauss et Corbin (1990 ; 1998) ainsi que par Corbin et Strauss (2008). La différence la plus importante réside dans une reformulation plus structurée du processus d'analyse des données (Cooney, 2010 ; Heath et Cowley, 2004). Par exemple, le processus de codification dans la version originale est divisé en deux niveaux : le codage substantif, qui contient deux phases (le codage ouvert et le codage sélectif), et le codage théorique, qui se produit au niveau conceptuel. Dans la version de Strauss et Corbin (1990), le processus de codification se fait selon trois niveaux : le codage ouvert, le codage axial et le codage sélectif, chacun ayant des procédures précises pour atteindre des buts distincts (Walker et Myrick, 2014). Le codage de premier niveau est l'étape initiale vers la théorisation tout en continuant l'analyse des données. Aux deux autres niveaux, le codage axial et le codage sélectif contribuent à l'essentiel de la comparaison constante, à la relation entre les concepts et à l'émergence de la théorie (Guillemette et Lapointe, 2012 ; Wuest, 2011).

Le chercheur devra donc choisir, selon sa manière de penser, l'approche méthodologique qu'il utilisera : celle de Glaser, celle de Strauss et Corbin ou encore celle de Charmaz (2014), cette dernière préconisant une théorisation enracinée constructiviste. Cette perspective reconnaît, entre autres, la subjectivité et l'implication du chercheur dans la construction et l'interprétation des données (Charmaz, 2014). La théorisation constructiviste adopte l'approche inductive comparative émergente de l'énoncé original de Glaser et Strauss (1967), laquelle met en valeur la flexibilité de la méthode, la subjectivité et l'implication du chercheur dans la construction et l'interprétation des données. Une lecture approfondie des différentes approches devrait orienter le chercheur vers un choix éclairé en fonction de ses perspectives.

Les composantes de la méthodologie de la théorisation enracinée sont énumérées de la façon suivante par Charmaz (2014) : 1) l'implication simultanée de la collecte et de l'analyse des données ; 2) la construction des codes et des catégories ; 3) la comparaison constante ; 4) l'élaboration de la théorie à chaque étape de la collecte des données et de l'analyse ; 5) l'utilisation des mémos théoriques dans l'élaboration des catégories et la définition des relations entre les catégories ; 6) l'échantillonnage théorique ; et 7) la conduite de la recension des écrits. Les auteurs Norton, Holloway et Galvin (2013) ont mené une étude de théorisation enracinée auprès d'adolescentes dans le but d'explorer les expériences liées à l'exposition au soleil et de générer une théorie enracinée pour expliquer leur comportement. L'exemple 11.2 est un extrait décrivant le processus de collecte et d'analyse des données de cette étude.

EXEMPLE 11.2

Le processus de collecte et d'analyse des données

Dans cette étude, la version élaborée par Glaser (1992) a été utilisée pour faciliter l'exploration des préoccupations des adolescentes et leurs perspectives. La collecte des données, l'analyse et la formation de la théorie ont été effectuées de façon simultanée. La méthode de comparaison constante a mené au processus de codage ouvert et théorique. Cinq catégories sont ressorties : se conformer, être soi-même, se sentir bien physiquement, se tromper et se sentir bien au soleil. La catégorie centrale retenue est « se sentir bien ». Chacune des catégories a par la suite été explicitée ; toutes ont ensuite été mises en relation. (Traduction libre)

Les auteures mentionnent que la théorie émergente visant à expliquer le comportement des adolescentes à l'égard de l'exposition au soleil et de leur sécurité n'appuie pas l'idée qu'elles prennent des risques ; la théorisation cherche plutôt à expliquer les activités liées à l'exposition au soleil en des termes favorisant leur confort ou leur bienêtre. L'essence de la théorie repose sur le fait que les adolescentes dirigent leurs actions de manière à répondre à leurs besoins de confort ou de bienêtre physique et psychologique.

11.3.4 L'étude de cas

L'étude de cas est une méthode de recherche qui implique une analyse en profondeur d'une entité (cas) ou plus. L'entité peut être une ou plusieurs personnes, un groupe social, un évènement, une famille, une communauté, une organisation ou un établissement. Cette approche est utilisée par plusieurs disciplines, dont les sciences infirmières. L'étude de cas consiste à faire état d'une situation réelle particulière, prise dans son contexte, et à l'analyser pour découvrir comment se manifestent et évoluent les phénomènes auxquels le chercheur s'intéresse. Comme les autres approches de recherche qualitative, l'étude de cas s'inscrit dans le contexte quotidien des participants afin de se baser sur leur perspective pour mieux comprendre le cas en profondeur en reconnaissant sa complexité et son contexte (Gall, Gall et Borg, 2007). Plutôt que de simplement enregistrer un comportement, l'étude de cas permet de décrire en profondeur les conditions d'une personne ou la manière dont celle-ci réagit à un traitement (cas), ses émotions, ses pensées et ses activités relativement au foyer central de l'étude (Portney et Watkins, 2009). L'étude de cas a une

> L'étude de cas consiste à faire état d'une situation réelle particulière, prise dans son contexte, et à l'analyser pour découvrir comment se manifestent et évoluent les phénomènes auxquels le chercheur s'intéresse.

dimension holistique en ce sens qu'elle vise à préserver et à comprendre l'entiè-reté et l'unité du cas (Punch, 2005). Les données peuvent être recueillies sur une longue période, au cours de laquelle plusieurs méthodes de collecte des données sont utilisées. L'étude de cas a le potentiel de révéler d'importants résultats pou-vant conduire à la conception d'hypothèses.

Stake (2005) établit une distinction entre trois catégories d'études de cas : l'étude de cas intrinsèque, l'étude de cas instrumentale et l'étude de cas mul-tiples. L'étude de cas intrinsèque vise essentiellement à permettre une meilleure compréhension du cas étudié. Le chercheur prend soin de dégager les faits impor-tants en délaissant les autres aspects. Dans l'étude de cas instrumentale, le cher-cheur met l'accent sur une question ou sur une préoccupation et choisit un cas pour l'illustrer. L'étude de cas multiples insiste aussi sur une préoccupation, mais il fait appel à plusieurs cas ou sites pour comprendre cette préoccupation. De son côté, Yin (2014) considère quatre types de devis d'études de cas selon que l'étude porte sur un cas (étude de cas simple) ou plus (étude de cas multiples) de la manière suivante : 1) cas unique, holistique ; 2) cas unique, imbriqué ; 3) cas multiples, holistiques ; et 4) cas multiples, imbriqués. Ainsi, l'étude de cas peut porter sur un cas unique ou sur plusieurs cas, et elle peut avoir un devis holistique ou imbriqué. Le devis holistique a une seule unité d'analyse alors que le devis imbriqué peut en contenir plusieurs. Dans un devis holistique, le cas est examiné dans son ensemble. L'étude de cas unique suppose une analyse en profondeur des divers aspects d'une situation pour en faire ressortir les éléments significatifs et les liens qui les unissent. L'étude de cas multiples inclut plus d'un cas. On peut se référer à Yin (2014) pour plus de précision.

Comme dans toute recherche, l'étude de cas débute par le choix d'un problème de recherche. La première étape consiste à déterminer un cas approprié, par exemple une difficulté d'apprentissage chez un élève, une situation clinique rare ou unique. Certains cas s'avèrent plus complexes et plus difficiles à définir, comme le sont les programmes ou les organisations. Le foyer central de l'étude de cas étant l'élabora-tion d'une description et d'une analyse détaillée, le type de devis de recherche qui convient le mieux est celui qui peut fournir une compréhension en profondeur d'un cas unique ou de plusieurs cas. Une fois que le chercheur a choisi et précisé le cas à l'étude, il en établit les limites et définit l'unité ou les unités d'analyse à l'intérieur du ou des cas. Il détermine ainsi ce qui constitue son intérêt comme chercheur à l'intérieur du cas. La question de recherche se formule autour d'interrogations ser-vant de base à la découverte de la complexité afin de mieux comprendre le phéno-mène à l'étude (Stake, 2005). L'étude de cas s'adapte bien aux recherches visant à découvrir le « comment » et le « pourquoi » des phénomènes (Yin, 2014). L'échantil-lonnage par choix raisonné demeure la stratégie privilégiée dans l'étude de cas, considérant que le choix des participants et des sites est fait en fonction de la com-préhension du problème de recherche et du phénomène à l'étude (Creswell, 2009).

Forland et Ringsberg (2013), ont mené une étude multicas imbriquée compre-nant deux cas (A et B) et trois unités d'analyses définies auprès de 32 partici-pants. Le but était l'analyse et la discussion quant aux principes théoriques sur lesquels s'appuient deux cours d'éducation à la santé et la compréhension de la façon dont ces principes ont influencé la pratique. L'exemple 11.3 offre un extrait de cette étude.

Un extrait d'une étude de cas imbriquée

Ce devis imbriqué comprend deux cas (cours A, cours B). Dans un tel devis, les sous-unités résident à l'intérieur de l'unité centrale; dans ce cas-ci, l'unité centrale est: «Comment l'éducation à la santé est-elle pratiquée à l'échelle locale?» Les trois sous-unités d'analyse ont été définies comme étant: l'influence de la promotion de la santé, l'approche d'apprentissage active et l'égalité dans la connaissance entre les professionnels et les utilisateurs. Les données ont été recueillies à l'aide d'observations passives et d'analyse de documents. L'analyse des données quali-tatives a porté sur les aspects spécifiques des cas; on a commencé par lire les documents et les notes prises au cours des observations pour déterminer des catégo-ries définies par les unités d'analyses. Dans la discussion, les auteurs relèvent l'accent mis par l'étude sur l'apprentis-sage des participants et sur la façon dont les initiatives de ceux-ci ont été utilisées. Les auteurs concluent que les résultats obtenus indiquent que les deux cas (cours A et cours B) ont été organisés et mis en appli-cation d'une manière scolastique. (Traduction libre)

De multiples sources de données sont utilisées dans les études de cas (observa-tions, entrevues, matériel audiovisuel, documents, rapports, personnes significa-tives, intervenants) de manière à décrire en profondeur le phénomène étudié. Comme pour d'autres méthodes de recherche qualitative, le chercheur passe beau-coup de temps sur le terrain pour réviser les opérations. À partir de la collecte des données, une description détaillée émerge, dans laquelle le chercheur relate des aspects tels que l'historique du cas, la chronologie des évènements ou le compte rendu des activités quotidiennes du cas (Stake, 2005). Quant à l'analyse des données, elle peut être de nature holistique, couvrant le cas dans son ensemble, ou de nature imbriquée, s'attardant à un aspect précis de celui-ci (Yin, 2014). Une analyse de contenu permet de dégager des tendances et des thèmes, qui sont ensuite classifiés en fonction des objectifs de l'étude.

> Comme pour d'autres méthodes de recherche qualitative, le chercheur passe beaucoup de temps sur le terrain pour réviser les opérations.

11.3.5 L'étude descriptive qualitative

Certaines études qualitatives décrivent des phénomènes ou des évènements sans utiliser explicitement une méthodologie qualitative particulière. Bien qu'on fasse peu mention de la description qualitative comme méthode distincte de recherche, Sandelowski (2000) reconnait que c'est une des méthodes les plus fréquemment utilisées dans les disciplines appliquées. Elle voit les études descriptives qualita-tives moins axées sur l'interprétation, car elles n'exigent pas nécessairement que les chercheurs exploitent leurs données en profondeur. Ce qui ne rend pas, selon l'auteure, les descriptions qualitatives moins valables que les autres méthodes de recherche. En outre, les chercheurs ne devraient pas hésiter à utiliser la description qualitative comme devis de recherche quand il s'agit de décrire simplement ou sommairement un phénomène ou un évènement peu connu (Sandelowski, 2000).

L'**étude descriptive qualitative** ne fait pas nécessairement appel à des assises théoriques ou philosophiques. Les techniques de collecte des données incluent les entrevues individuelles non dirigées ou semi-dirigées, des groupes de discussion focalisée, des observations sur des évènements ciblés et l'examen de documents et d'artéfacts (Sandelowski, 2000). Dans une étude descriptive qualitative, Lowey, Norton, Quinn et Quill (2013) justifient le choix du devis en s'appuyant sur les propos de Sandelowski (2000), qui stipule que la recherche descriptive qualitative

Étude descriptive qualitative
Type de recherche servant à décrire des phénomènes sans faire appel à une méthodologie qualitative particulière.

est une méthode idéale pour décrire les expériences personnelles et les réponses des personnes à un évènement ou à une situation. Un extrait de cette recherche est présenté dans l'exemple 11.4.

Un extrait d'une méthodologie descriptive qualitative

Cette étude explore et décrit les expériences et les buts liés au soin de personnes en fin de vie et atteintes de troubles cardiaques et de maladie pulmonaire obstructive chronique. L'étude tente de répondre à certaines questions telles que: «Pouvez-vous me dire ce que représente pour vous le fait de vivre dans votre état de santé actuel? Avez-vous pensé au type de soins que vous pourriez recevoir si votre état de santé empirait?» Les données ont été analysées au moyen de l'analyse de contenu qualita-tive. Pour entreprendre la codification, les textes des entretiens ont été lus ligne par ligne. Des codes descriptifs ont été assignés aux sujets et des catégories ont été créées à partir des groupes de codes. Les codes et les catégories ont été comparés entre les groupes constitués sur la base du diagnostic et du sexe. Enfin, des thèmes ont été formulés en se fondant sur les modes (*patterns*) et les liens entre les données en guise d'expressions abstraites pour décrire le phénomène d'intérêt. (Traduction libre)

Dans la recherche descriptive qualitative, l'analyse de contenu est souvent la technique utilisée pour analyser les données; elle se fait avec ou sans assises théo-riques. Dans cette étude, les auteurs n'ont pas fait appel à une théorie ou à un cadre conceptuel en particulier.

Le tableau 11.2 résume les caractéristiques des types de devis qualitatifs sélec-tionnés selon le but et l'origine, le foyer d'intérêt ainsi que les méthodes de collecte et d'analyse des données.

TABLEAU 11.2	Des caractéristiques liées aux approches méthodologiques qualitatives		
Approche de recherche	**But et origine**	**Centre d'intérêt**	**Méthodes de collecte des données**
Étude phénoméno-logique	• Comprendre l'expérience telle qu'elle est vécue par les participants. • Issue de la philosophie existentia-liste.	Un phénomène particulier tel qu'il est vécu et perçu par les êtres humains.	• Entrevues en profondeur non dirigées et semi-dirigées • Échantillonnage par choix raisonné de 5 à 20 personnes
Étude ethnographique	• Comprendre comment les comporte-ments reflètent la culture d'un groupe. • Issue de l'anthropologie.	Un milieu naturel particulier dans lequel un groupe de personnes partagent une culture commune.	• Observation participante • Entrevues non dirigées et semi-dirigées • Documents divers
Étude de théorisation enracinée	• Générer ou découvrir une théorie sur la base des données recueillies dans le milieu naturel. • Issue de la sociologie et de l'interactionnisme symbolique.	Un processus incluant des actions et des interactions humaines et la façon dont elles s'influencent les unes les autres.	• Entrevues et toutes les autres sources de données pertinentes • Échantillonnage théorique
Étude de cas	• Comprendre une personne (ou un petit groupe) ou une situation en profondeur. • Issue de l'anthropologie et de la sociologie.	Un ou plusieurs cas à l'intérieur de leur milieu naturel.	• Observations, entrevues, documents écrits pertinents ou matériel audiovisuel
Étude descriptive qualitative	• Décrire simplement un phénomène, une situation ou un évènement.	Un milieu naturel dans lequel on cherche à découvrir le qui, le quoi et le lieu d'une expérience ou d'un évènement.	• Description qualitative sommaire des données organisées autour d'un thème ciblé

11.4 Les méthodes de collecte des données qualitatives

Dans la recherche qualitative, la collecte des données et l'analyse se font générale-ment de façon simultanée. Le chercheur s'engage dans ce processus de diverses façons et peut utiliser plus d'une méthode de collecte des données dans une même étude. Les données sont recueillies auprès des participants dont le recrutement se fait sur la base de l'échantillonnage intentionnel (choix raisonné) de manière à trouver les personnes les plus susceptibles de fournir des données riches en infor-mation par rapport au problème étudié (Patton, 2002). Il existe plusieurs méthodes pour recueillir les données qualitatives, dont : les observations, les entrevues, les groupes de discussion focalisée, l'incident critique, le recueil de textes, les notes de terrain et le journal de bord. Les sections qui suivent présentent un aperçu de ces méthodes, et les principales seront décrites dans le chapitre 16.

11.4.1 Les observations

L'essence de la recherche qualitative consiste à décrire l'expérience individuelle, telle que la vit la personne. Les chercheurs souhaitent comprendre les comporte-ments et les expériences des personnes comme ils se présentent dans leurs milieux naturels. Pour décrire cette expérience, ils ont souvent recours à l'observation non structurée, qui peut être non participante ou participante. Dans l'observation non participante, le chercheur observe et enregistre ce qu'il voit sans intervenir dans les activités des participants. L'observation participante, quant à elle, est une méthode couramment utilisée dans la recherche qualitative, particulièrement dans les études ethnographiques. Selon cette approche, le chercheur devient un participant dans les activités du groupe à l'étude et peut ainsi apprécier les obser-vations du point de vue de ceux qui sont observés. Il doit donc oublier son rôle en s'intégrant complètement dans le groupe social qu'il s'est donné pour tâche d'étu-dier. Il devient ainsi en position de décrire les interactions des personnes à l'inté-rieur d'un contexte social et d'analyser les comportements en fonction de leurs réalités personnelles (Portney et Watkins, 2009). Le chercheur dispose de diffé-rents moyens pour consigner les données de son observation : enregistrer sur-le-champ ce qu'il observe ou concentrer toute son attention sur l'observation et rédiger ses notes par la suite.

11.4.2 Les entrevues

L'entrevue est considérée comme le moyen privilégié pour tenter de comprendre l'autre (Fontana et Frey, 1994). Elle établit un contact direct entre le chercheur et les participants à l'intérieur d'un environnement naturel. Souvent non dirigée ou semi-dirigée, l'entrevue est utilisée pour recueillir de l'information en vue de comprendre la signification d'un évènement ou d'un phénomène vécu par les participants. Dans l'entrevue semi-dirigée, le chercheur établit habituellement une liste des sujets à aborder, à partir des-quels il formule des questions présentées au participant dans l'ordre qu'il juge à propos. L'entretien semi-dirigé fournit au sujet l'occa-sion d'exprimer ses sentiments et ses opinions sur le sujet traité.

> Souvent non dirigée ou semi-dirigée, l'entrevue est utilisée pour recueillir de l'information en vue de comprendre la signification d'un évènement ou d'un phénomène vécu par les participants.

Le format des entrevues est le plus souvent guidé par une structure générale qui oriente la discussion et fournit une base de comparaison des réponses. L'ordre des questions étant flexible, l'intervieweur peut commencer par poser des questions générales et avoir progressivement recours à des questions plus précises quant au phénomène considéré. Par exemple, il peut poser la question suivante : « Dites-moi, qu'a représenté pour vous le fait d'avoir subi un traumatisme cérébral ? » Une question de ce type entraine des questions plus approfondies telles que : « Pouvez-vous m'en dire davantage sur ce sujet ? » L'entrevue semi-dirigée ressemble généralement à une conversation informelle. L'entrevue est également utilisée pour les études ethnographiques ou phénoménologiques, les questions posées par le chercheur étant alors inspirées par le sujet d'étude.

11.4.3 Les groupes de discussion focalisée

Le groupe de discussion focalisée est un type d'entrevue qui réunit un animateur et un petit nombre de participants qui partagent certaines caractéristiques semblables pour examiner en détail leurs façons de penser, leurs opinions et leurs réactions vis-à-vis d'un sujet en particulier. Ces entrevues sont souvent employées pour découvrir les dimensions d'une notion peu étudiée dans un contexte social ou encore pour concevoir des instruments de mesure. Cette approche qualitative fournit une grande richesse narrative grâce aux interactions qu'elle favorise entre les participants. Elle se déroule dans un environnement permissif qui vise à reproduire des échanges spontanés semblables à ceux observés dans la vie de tous les jours (Leclerc, Bourassa, Picard et Courcy, 2011).

11.4.4 L'incident critique

Incident critique
Évènement inattendu susceptible de provoquer une forte réaction émotive ou comportementale chez la personne qui le vit.

La technique de l'**incident critique**, issue des travaux de Flanagan (1954), a servi à recueillir des descriptions précises d'évènements, positifs ou négatifs, au moyen d'observations et d'entrevues. C'est une façon de raconter une histoire qui permet aux participants de partager leurs expériences particulières (Sharoff, 2008). Cette technique consiste à demander aux participants de se remémorer des incidents particuliers ou des évènements clés qu'ils ont vécus ; elle permet de recueillir des observations sur le comportement humain dans des situations précises. L'incident critique peut être un évènement hors de l'ordinaire, survenu de façon soudaine, inhabituelle et imprévue, qui suscite un sentiment d'impuissance.

11.4.5 Le recueil de textes

Les textes existants peuvent se révéler utiles dans la recherche sur le terrain, constituant une source additionnelle d'information. Ils permettent au chercheur de se familiariser avec l'histoire d'un groupe social, avec sa culture, avec l'organisation ou les évènements importants liés à la recherche. Différents types de documents peuvent intéresser le chercheur : documents du domaine public, journaux, articles de revues, livres, courriels, dossiers, journaux de bord, matériel audio, correspondance, artéfacts. Dans l'analyse de la documentation, le chercheur peut mettre l'accent sur l'origine du document et sur ce qu'il contient ou ne contient pas. Ces documents devraient être analysés en parallèle avec les autres données recueillies.

11.4.6 Les notes de terrain et le journal de bord

Les notes de terrain sont utilisées par le chercheur pour rendre compte de ses observations de manière chronologique. Elles incluent la description des lieux et des faits en présence des participants, les réactions des personnes, des impressions et des réflexions personnelles (Noiseux et Ricard, 2008). En recherche qualitative, on utilise fréquemment le journal de bord et les notes de terrain pour l'enregistrement des données pertinentes. Les notes de terrain sont plus générales que le journal de bord et se prêtent mieux à l'interprétation des observations. Le journal de bord rend compte des échanges au cours de la collecte et de l'analyse des données.

11.5 L'examen critique des méthodologies qualitatives

Il peut sembler difficile d'évaluer un devis qualitatif, soit parce que l'on est moins familiarisé avec les méthodes qualitatives, soit parce que le chercheur omet de préciser le type d'approche utilisé et le contexte dans lequel s'inscrit le phénomène d'intérêt. Étant donné que chaque approche de recherche est unique en soi, il s'avère peu approprié d'adopter des critères standardisés pour l'ensemble des méthodes qualitatives. Toutefois, il est possible d'évaluer si un article de recherche présente clairement le processus de collecte et d'analyse de données et la manière dont celles-ci fournissent des réponses aux questions soulevées. On devrait également s'attendre à trouver des exemples en verbatim tirés des données permettant ainsi de porter un jugement sur la clarté et la rigueur de l'interprétation des résultats. L'encadré 11.1 présente certains critères facilitant l'examen critique d'un devis de recherche qualitative.

ENCADRÉ 11.1 | **Quelques questions guidant l'examen critique d'un devis qualitatif**

1. Le phénomène d'intérêt est-il explicitement indiqué et situé dans un contexte particulier? Peut-on distinguer le type de méthode qualitative?

2. La question de recherche est-elle compatible avec la méthode qualitative utilisée?

3. Si une perspective théorique est utilisée, est-elle compatible avec l'orientation philosophique et les postulats qui sous-tendent la recherche qualitative?

4. Le devis de recherche proposé est-il bien décrit et pertinent par rapport à la question de recherche?

5. Les méthodes de collecte des données sont-elles explicites (p. ex. où, quand, avec qui; saturation, enregistrement, transcription)?

Points saillants

11.1	**La planification de la recherche qualitative**	• Planifier une recherche qualitative, c'est organiser les différents éléments essentiels à sa réalisation en tenant compte d'un processus itératif.
11.2	**Les postulats philosophiques dans le contexte des devis de recherche qualitative**	• La conduite de la recherche qualitative est guidée par des postulats philosophiques et des buts qui sous-tendent une certaine façon d'appréhender les phénomènes et de développer les connaissances. • Un devis de recherche devrait contenir les composantes suivantes : les postulats philosophiques sous-jacents à l'orientation de la recherche ; l'approche qualitative proposée et les différentes méthodes de collecte des données. • Par les questions qu'elle soulève, la recherche qualitative vise à comprendre la signification des descriptions que les personnes font de leur expérience.
11.3	**Les approches distinctes de la recherche qualitative**	• Les principales méthodes qualitatives retenues sont la phénoménologie, l'ethnographie, la théorisation enracinée, l'étude de cas et la recherche descriptive qualitative. • Les activités à réaliser au cours de l'étude donnent des indications sur le type de devis auquel on a affaire : décrire et comprendre l'expérience pour la phénoménologie ; recueillir des données sur une culture ou sous-culture et la décrire pour l'ethnographie ; découvrir et élaborer une théorie pour la théorisation enracinée ; étudier en profondeur un phénomène pour l'étude de cas ; décrire des phénomènes sans faire appel à une méthodologie qualitative particulière pour l'étude descriptive qualitative. • Bien que les différentes approches qualitatives diffèrent entre elles dans leur application, la démarche est de nature itérative et varie en fonction des types de devis. • L'étude phénoménologique convient lorsqu'il s'agit de décrire l'expérience subjective d'une personne. • S'il s'agit de déterminer à quelles règles ou normes culturelles des pratiques ou des coutumes particulières sont soumises, l'étude ethnographique est la plus appropriée. • On utilise l'étude de théorisation enracinée lorsqu'il s'agit d'expliquer les origines, un processus, l'évolution ou les conséquences d'un phénomène. • L'étude de cas est appropriée quand on dispose de peu de données sur un phénomène. • La recherche descriptive qualitative est utilisée pour décrire simplement un phénomène peu connu.
11.4	**Les méthodes de collecte des données qualitatives**	• Les méthodes de collecte des données qualitatives les plus courantes sont les observations, les entrevues et les groupes de discussion focalisée. Parmi les autres méthodes, on note l'incident critique, le recueil de textes, les notes de terrain et le journal de bord.

Mots clés

Codage axial

Codage ouvert

Codage sélectif

Comparaison constante

Devis de recherche qualitative

Échantillonnage théorique

Entrevue non dirigée

Entrevue semi-dirigée

Ethnographie

Étude de cas

Étude descriptive qualitative

Groupe de discussion focalisée

Immersion

Observation participante

Phénoménologie descriptive

Phénoménologie herméneutique

Recherche qualitative

Saturation des données

Théorisation enracinée

Exercices de révision

1. Indiquez si les énoncés suivants sont vrais ou faux en ce qui concerne la recherche qualitative.

   a) Le chercheur exerce un contrôle rigoureux sur les différentes opérations.

   b) Le chercheur vise à généraliser les résultats.

   c) Le chercheur fait appel au raisonnement inductif dans l'examen des phénomènes.

   d) Le nombre de participants est déterminé dès le début de l'étude.

   e) La recherche qualitative est particulièrement appropriée pour l'étude de processus dynamiques.

   f) Le concept de transférabilité des résultats de recherche est utilisé en recherche qualitative au lieu du concept de généralisation des résultats.

2. Dans quel type d'étude qualitative l'échantillonnage théorique est-il surtout utilisé?

3. Associez les différentes caractéristiques à l'approche qui convient.

Méthodes

a) Phénoménologique

b) Ethnographique

c) Théorisation enracinée

Caractéristiques

1) Le chercheur observe et étudie les cultures et sous-cultures.

2) Le chercheur considère une expérience significative pour la personne.

3) Le chercheur s'imprègne personnellement dans le contexte social d'un groupe.

4) Le chercheur a constamment recours à des comparaisons.

5) Le chercheur essaie de comprendre la signification de l'expérience vécue.

6) Le chercheur vise à élaborer une théorisation.

Liste des références

Les références citées dans la rubrique «Exemple» ou dans les citations peuvent ne pas figurer dans cette liste.

Anadón, M. (2006). La recherche dite «qualitative»: de la dynamique de son évolution aux acquis indéniables et aux questionnements présents. *Recherches qualitatives, 26*(1), 5-31.

Benoliel, J.Q. (1984). Advancing nursing science: Qualitative approaches. *Western Journal of Nursing Research, 7*(1), 1-8.

Benoliel, J.Q. (1996). Grounded theory and nursing knowledge. *Qualitative Health Research, 6*(3), 406-428.

Charmaz, K. (2014). *Constructing grounded theory* (2e éd.). Los Angeles, CA: Sage Publications.

Cooney, A. (2010). Choosing between Glaser and Strauss: An example. *Nurse Researcher, 17*(4), 18-28.

Corbin, J. et Strauss, A. (2008). *Basics of qualitative research: Techniques and procedures for developing grounded theory* (3e éd.). Thousand Oaks, CA: Sage Publications.

Creswell, J.W. (2007). *Qualitative inquiry and research design: Choosing among five approaches* (2e éd.). Thousand Oaks, CA: Sage Publications.

Creswell, J.W. (2009). *Qualitative, quantitative, and mixed methods approaches* (3e éd.). Los Angeles, CA: Sage Publications.

Denzin, N.K. et Lincoln, Y.S. (2005). Introduction: The discipline and practice of qualitative research. Dans N.K. Denzin et Y.S. Lincoln (dir.). *The SAGE handbook of qualitative research* (3e éd.). Thousand Oaks, CA: Sage Publications.

Deslauriers, J.-P. et Kérisit, M. (1997). Le devis de recherche qualitative. Dans J. Poupart et collab. (dir.). *La recherche qualitative: enjeux épistémologiques et méthodologiques* (p. 85-109). Montréal, Québec: Gaëtan Morin Éditeur.

Dowling, M. (2007). From Husserl to van Manen: A review of different phenomenological approaches. *International Journal of Nursing Studies, 44*(1), 131-142.

Flanagan, J.C. (1954). The critical incident technique. *Psychosocial Bulletin, 176*(4), 327-358.

Fontana, A. et Frey, J.H. (1994). Interviewing: The art of science. Dans N.K. Denzin et Y.S. Lincoln (dir.). *Handbook of qualitative research*. Thousand Oaks, CA: Sage Publications.

Forland, G., et Ringsberg, K. (2013). Implementation of a standardised health education in a local context: A case study. *Scandinavian Journal of Caring Sciences, 27*, 724-732.

Gadamer, H.G. (1976). *Philosophical hermeneutics*. Berkeley, CA: University of California Press.

Gall, M.D., Gall, J.P. et Borg, W.R. (2007). *Educational research: An introduction* (8e éd.). Boston, MA: Pearson.

Giorgi, A. (1985). *Phenomenology and psychological research*. Pittsburgh, PA: Duquesne University Press.

Giorgi, A. (1997). The theory, practice and evaluation of the phenomenological method as a qualitative research procedure. *Journal of Phenomenological Psychology, 28*(2), 235-260.

Glaser, B.G. (1998). *Doing grounded theory: Issues and discussions*. Mill Valley, CA: Sociology Press.

Glaser, B.G. et Straus, A.L. (1967*). The discovery of grounded theory: Strategies for qualitative research*. Chicago, IL: Aldine.

Grove, S.K., Burns, N. et Gray, J.R. (2013). *The practice of nursing research: Appraisal, synthesis and generation of evidence.* (7e éd.). Saint-Louis, MO : Elsevier.

Gubrium, J.F. et Holstein, J.A. (2000). Analyzing interpretive practice. Dans N.K. Denzin et Y.S. Lincoln (dir.). *Handbook of qualitative research* (2e éd.). Thousand Oaks, CA : Sage Publications.

Guillemette, F. (2006). L'approche de la *Grounded Theory*; pour innover ? *Recherches qualitatives, 26*(1), 32-50.

Guillemette, F. et Lapointe, J.-R. (2012). Illustration d'un effort pour demeurer fidèle à la spécificité de la méthodologie de la théorisation enracinée. Dans J. Luckerhoff et F. Guillemette (dir.). *Méthodologie de la théorisation enracinée : fondements, procédures et usages* (p. 11-35). Québec, Québec : Presses de l'Université du Québec.

Guimond-Plourde, R. (2013). Une « randonnée » phénoménologique-herméneutique au cœur de l'expérience vécue du stress-coping chez des jeunes en santé. *Recherches qualitatives, 32*(1), 181-202.

Heath, H. et Cowley, S. (2004). Developing a grounded approach: A comparison of Glaser and Strauss. *International Journal of Nursing Studies, 41,* 141-150.

Heidegger, M. (1962). *Being and time.* New York, NY : Harper & Row.

Holloway, I. et Wheeler, S. (2010). *Qualitative research in nursing and health care* (3e éd.). Oxford, R.-U. : Wiley-Blackwell.

Laperrière, A. (1997). La théorisation ancrée : démarche analytique et comparaison avec d'autres approches. Dans J. Poupart et collab. (dir.). *La recherche qualitative : enjeux épistémologiques et méthodologiques* (p. 309-340). Montréal, Québec : Gaëtan Morin Éditeur.

Leclerc, C., Bourassa, B., Picard, F. et Courcy, F. (2011). Du groupe focalisé à la recherche collaborative : avantages, défis et stratégies. *Recherches qualitatives, 29*(3), 145-167.

Leedy, P.D. et Ormrod, J.E. (2005). *Practical research: Planning and design* (8e éd.). Upper Saddle River, NJ : Pearson/Prentice-Hall.

Leininger, M. (1985). *Culture care diversity and universality: A theory of nursing.* New York, NY : National League for Nursing.

Lipson, J. (1991). The use of self in ethnographic research. Dans J.M. Morse (dir.). *Qualitative nursing research: A contemporary dialogue.* Newbury Park, CA : Sage Publications.

Lowey, S.E., Norton, S.A., Quinn, J.R. et Quill, T.E. (2013). Living with advanced heart failure or COPD: Experiences and goals of individuals nearing the end of life. *Research in Nursing & Health, 36*(4), 349-358.

Mackey, S. (2005). Phenomenological nursing research: Methodological insights derived from Heidegger's interpretive phenomenology. *International Journal of Nursing Studies, 42*(2), 179-186.

Morse, J.M. (dir.) (1991). *Qualitative nursing research: A contemporary dialogue.* Newbury Park, CA : Sage Publications.

Moustakas, C.E. (1994). *Phenomenological research methods.* Thousand Oaks, CA : Sage Publlications.

Mucchielli, A. (1996). *Dictionnaire des méthodes qualitatives en sciences humaines et sociales.* Paris, France : Armand Colin.

Munhall, P.L. (2012). *Nursing research: A qualitative perspective* (5e éd.). Sudbury, MA : Jones & Bartlett.

Noiseux, S. et Ricard, N. (2008). Recovery as perceived by people with schizophrenia, family members and health professionals: A grounded theory. *International Journal of Nursing Studies, 45,* 1148-1162.

Norton, E., Holloway, I. et Galvin, K. (2013). Comfort vs risk: A grounded theory about female adolescent behavior in the sun. *Journal of Clinical Nursing, 23,* 1889-1899.

Paillé, P. (1994). L'analyse par théorisation ancrée. *Cahiers de recherche sociologique, 23,* 147-181. *Les méthodes en sociologie. L'observation.* Paris, France : La Découverte (Collection Repères).

Patton, M.A. (2002). *Qualitative research and evaluation methods* (2e éd.). Thousand Oaks, CA : Sage Publications.

Pires, A.-P. (1997). Échantillonnage et recherche qualitative : essai théorique et méthodologie. Dans J. Poupart et collab. (dir.). *La recherche qualitative : enjeux épistémologiques et méthodologiques* (p. 113-167). Montréal, Québec : Gaëtan Morin Éditeur.

Portney, L.G. et Watkins, M.P. (2009). *Foundations of clinical research: Applications to practice* (3e éd.). Upper Saddle River, NJ : Pearson/Prentice Hall.

Punch, K.F. (2005). *Introduction to social research quantitative and qualitative approaches* (2e éd.). Thousand Oaks, CA : Sage Publications.

Ricœur, P. (1976). *Interpretative theory: Discourse and the surplus of meaning.* Fort Worth, TX : Texas Christian University Press.

Rindstedt, C. (2013). Children's strategies to handle cancer: A video ethnography of imaginal coping. *Child Care, Health and Development, 40*(4), 580-586.

Robrecht, L. (1995). Grounded theory: Evolving methods. *Qualitative Health Research, 5*(2), 169-177.

Sandelowski, M. (2000). What happened to qualitative description? *Research in Nursing & Health, 23*(4), 334-340.

Sharoff, L. (2008). Critique of the critical incident technique. *Journal of Research in Nursing, 13*(4), 301-309.

Stake, R.E. (2005). Qualitative case studies. Dans N.K. Denzin et Y.S. Lincoln (dir.). *Handbook of qualitative research* (2e éd.) (p. 442-466). Thousand Oaks, CA : Sage Publications.

Stern, P.N. (1985). Using grounded theory method in nursing research. Dans M.M. Leininger (dir.). *Qualitative research methods in nursing* (p. 149-160). Orlando, FL : Grune & Stratton.

Strauss, A.L. et Corbin, J.M. (1990). *Basics of qualitative research: Grounded theory, procedures and techniques.* Newbury Park, CA : Sage Publications.

Strauss, A.L. et Corbin, J.M. (1998). *Basics of qualitative research: Grounded theory, procedures and techniques* (2e éd.). Thousand Oaks, CA : Sage Publications.

Todres, L. et Holloway, I. (2006). Phenomenological research. Dans K. Gerrish et A. Lacey (dir.). *The research process in nursing.* Oxford, R.-U. : Blackwell Publishing.

van Manen, M. (1990). *Researching lived experience. Human science for an action sensitive pedagogy.* Buffalo, NY : State of University of New York Press.

Walker, D. et Myrick, F. (2014). Grounded theory: An exploration of process and procedure. *Qualitative Health Research, 16*(4), 547-559.

Willis, J.W. (2007). *Foundations of qualitative research: Interpretive and critical approaches.* Thousand Oaks, CA : Sage Publications.

Wolcott, H.F. (1999). *Ethnography: A way of seing.* Walnut Creek, CA : Alta Mira Press.

Wolf, J. (2012). Ethnography: The method. Dans P.L. Munhall (dir.) *Nursing research: A qualitative perspective* (5e éd.) (p. 225-256). Sudbury, MA : Jones & Bartlett.

Wuest, J. (2011). Grounded theory: The method. Dans P.L. Munhall (dir.). *Nursing research: A qualitative perspective* (5e éd.) (p. 225-256). Sudbury, MA : Jones & Bartlett.

Yin, R.K. (2014). *Case study research: Design and methods* (5e éd.). Thousand Oaks, CA : Sage Publications.

CHAPITRE 12

Les devis de recherche quantitative

Objectifs d'apprentissage

Après avoir étudié ce chapitre, vous serez
en mesure :

- de dégager les caractéristiques distinctes des
  devis d'études descriptives et corrélationnelles ;
- de distinguer les différents devis d'études
  corrélationnelles ;
- d'établir la distinction entre les devis d'études
  transversales et longitudinales ;
- de définir les caractéristiques des devis d'études
  expérimentales et quasi expérimentales ;
- de discuter de l'importance de la validité
  expérimentale ;
- d'utiliser les questions suggérées pour évaluer
  de façon critique les devis d'études descriptives,
  corrélationnelles et expérimentales.

Plan du chapitre

Comme il a déjà été mentionné, la recherche quantitative se divise généralement en trois grandes classes : la recherche descriptive, la recherche corrélationnelle et la recherche expérimentale, chaque classe incluant un certain nombre d'études et de devis. Les devis d'études descriptives servent à répondre aux questions de recherche par la description des variables tandis que les devis d'études corrélationnelles servent à répondre aux questions qui visent à décrire ou à vérifier des relations entre des variables. Ces études peuvent inclure une collecte de données prospective ou l'analyse rétrospective de données existantes ou encore utiliser une approche longitudinale ou transversale. Sont également présentées dans ce chapitre les études à visée temporelle, qui ont pour objectif d'examiner des associations entre des facteurs, incluant les études analytiques, telles les études de cohorte et les études cas-témoins. Le chapitre aborde par la suite la classification et la description des devis expérimentaux et quasi expérimentaux. Le but des études à caractère expérimental étant d'établir des relations de cause à effet, une variable indépendante est introduite dans une situation de recherche ; le chercheur observe alors si elle exerce un effet sur une ou plusieurs variables dépendantes. Ces devis expérimentaux sont souvent schématisés dans un diagramme, où les symboles indiquent l'arrangement des conditions des variables. Il convient donc d'explorer la signification de ces diagrammes et de leurs symboles.

12.1 Les devis d'études descriptives

Devis d'études descriptives
Variété de devis ayant pour but d'obtenir des informations précises sur les caractéristiques à l'intérieur d'un domaine particulier et de dresser un portrait de la situation.

Les **devis d'études descriptives** visent à obtenir des informations précises sur les caractéristiques, les comportements ou les conditions de personnes, de groupes ou de populations de manière à dresser un portrait juste de la situation. Ces devis peuvent aussi avoir pour objectif d'établir la fréquence d'apparition de certains phénomènes dans une population. On fait appel à la recherche descriptive quand les phénomènes existants sont peu connus et peu étudiés dans les travaux de recherche. Les études descriptives sont généralement organisées autour d'un ensemble de questions de recherche ou d'objectifs qui permettent de caractériser une situation particulière. L'information ainsi obtenue sert alors d'appui éventuel à la formulation d'hypothèses, lesquelles pourront être vérifiées ultérieurement au moyen d'études corrélationnelles.

Les études descriptives ne font pas appel aux notions de variables indépendante et dépendante ni aux relations présumées entre des variables. Elles ne comportent pas nécessairement de cadre de recherche précis. Il s'agit dans bien des cas de l'agencement des variables ou d'une justification par rapport à l'importance que les résultats apportent en vue d'une meilleure compréhension du phénomène, du concept ou de la population étudié. Les recherches descriptives peuvent varier en complexité, allant de l'étude d'une variable à celle de plusieurs variables. Le but premier est de décrire l'état de chaque variable et non d'établir des relations entre elles (Polit et Beck, 2012). La méthode et l'analyse ne requièrent pas un contrôle systématique comme c'est le cas en recherche expérimentale ; la stratégie utilisée dans ce type d'étude vise plutôt à minimiser les biais et à assurer la correspondance entre les définitions conceptuelles et opérationnelles des variables, à sélectionner un échantillon de taille appropriée et à utiliser des méthodes de collecte de données fidèles et valides. Ces méthodes sont variées : elles peuvent être soit structurées, soit semi-structurées, soit utiliser une combinaison des deux approches. Les instruments de mesure les plus courants sont le questionnaire, l'entrevue et l'observation systématique. Des données démographiques sont recueillies afin de décrire les caractéristiques de la population étudiée. Une variable démographique est une caractéristique ou un attribut d'une personne tel que l'âge, le sexe, l'ethnicité ou le niveau de scolarité. La technique d'échantillonnage utilisée varie selon le degré de complexité des méthodes de collecte des données. Si des données recueillies sont de nature qualitative, on utilise l'analyse de contenu. Les données de nature quantitative emploient des techniques statistiques descriptives telles que les mesures de tendance centrale et de dispersion. Le tableau 12.1 présente les types d'études descriptives décrites dans les sections qui suivent.

TABLEAU 12.1	Les devis d'études descriptives et leurs buts			
Devis d'étude descriptive simple	**Devis d'étude descriptive comparative**	**Devis d'enquêtes descriptives longitudinales et transversales**	**Devis d'étude de cas**
Décrire les caractéristiques d'une population ou d'un phénomène d'intérêt.	Décrire les différences observées dans les variables dans deux groupes de sujets ou plus.	Dresser le portrait général des caractéristiques d'un groupe ou d'une population déterminée.	Décrire de façon détaillée et approfondie un phénomène (cas) lié à une entité sociale (personne, famille, etc.).

12.1.1 Le devis descriptif simple

Le **devis descriptif simple** consiste à examiner les caractéristiques d'un échantillon. Le devis précise un phénomène en particulier et les concepts ou les variables qui s'y rattachent, propose des définitions conceptuelles et opérationnelles des concepts et les décrits. La description des concepts fournit une perspective à l'étude et conduit à une interprétation de la portée théorique des résultats tout en fournissant une connaissance du phénomène et de la population étudiée (Grove, Burns et Gray, 2013). Ce devis est utile pour acquérir des connaissances dans un domaine peu étudié. L'exemple 12.1, à la page suivante, présente un extrait d'une étude descriptive transversale dans laquelle Strand et Lindgren (2010) ont examiné les attitudes, la connaissance, les barrières perçues et les occasions d'agir du personnel infirmier envers la prévention de lésions de pression.

Devis descriptif simple
Type d'étude qui examine les caractéristiques d'un échantillon.

12.1.2 Le devis descriptif comparatif

Le **devis descriptif comparatif** rend compte des différences observées en milieu naturel dans les variables relatives à deux ou à plusieurs groupes de participants. On cherche ainsi à établir des différences entre les groupes par rapport, notamment, à des données sociodémographiques et à des caractéristiques telles que l'âge, le sexe ou les attitudes des sujets. Des statistiques descriptives peuvent être utilisées pour apprécier ces différences. Dans une étude descriptive comparative, les auteurs Bagatell, Cram, Alvarez et Loehle (2014) ont comparé les routines de familles ayant des adolescents atteints de troubles du spectre autistique (TSA) à celles de familles dont les adolescents ont un développement normal.

Devis descriptif comparatif
Type d'étude qui rend compte des différences dans les variables dans deux groupes ou plus de sujets.

Une étude descriptive simple

Contexte: De 1 à 56 % des personnes séjournant dans les unités de soins intensifs souffrent de lésions de pression. La prévention de cette condition est un facteur important pour le personnel infirmier.

But: Étudier les attitudes, la connaissance, les barrières perçues et les occasions d'agir du personnel infirmier envers la prévention des lésions de pression dans une unité de soins intensifs.

Devis: Le devis est descriptif. Les données ont été recueillies à l'aide d'un questionnaire mené auprès du personnel infirmier de quatre unités de soins intensifs d'un centre hospitalier.

Résultats: Le score moyen obtenu par les répondants à l'échelle des attitudes est de 34 sur une échelle de Likert (25 est le score le plus bas, et 44 est le plus élevé). Près de 47 % des personnes ont répondu correctement à la question portant sur la connaissance des différentes catégories de plaies. Au sujet des barrières perçues à l'application de mesures préventives, 57,8 % ont exprimé le manque de temps, et 29,8 %, l'état des grands malades. Quant aux occasions d'agir, 38 % des répondants ont affirmé posséder une bonne connaissance des mesures préventives, et 35,5 % ont utilisé l'équipement pour soulager et prévenir les lésions.

Conclusions: Cette étude met en lumière les mesures qui peuvent être prises pour faciliter la prévention des lésions de pression dans les unités de soins intensifs telles qu'établir une routine régulière. La figure ci-dessous représente les caractéristiques de cette étude descriptive simple.

(Traduction libre)

La représentation des caractéristiques de l'étude descriptive simple

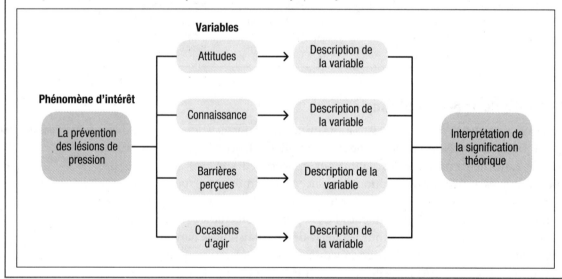

Les résultats de la comparaison entre les deux groupes de familles n'ont pas montré de différences quant à l'adoption de routines, mais une tendance s'est révélée lors de l'analyse de questions ouvertes concernant l'adoption et la conservation de routines à l'heure des repas. Les auteurs souhaitent la réalisation d'autres études pour mieux comprendre les routines des familles dont des adolescents sont atteints de TSA dans le but d'améliorer la santé et le bienêtre de ces familles.

Les études descriptives peuvent inclure des questions fermées et des questions ouvertes, une collecte de données prospective ou rétrospective, de même que des méthodes longitudinales et transversales. Les enquêtes sont souvent utilisées comme sources de données pour l'analyse descriptive.

12.1.3 Les devis d'enquêtes descriptives : longitudinales et transversales

Le terme « enquête » peut être utilisé de deux façons. Dans un sens restreint, il sert à décrire une technique de collecte des données dans laquelle le chercheur fait usage de questionnaires et d'entrevues pour recueillir de l'information auprès d'une population. Dans un sens plus large, l'enquête signifie toute étude descriptive ou corrélationnelle qui a rapport avec la dimension temporelle. C'est le sens utilisé dans cet ouvrage.

Les enquêtes descriptives à visée temporelle comportent la description des changements qui se produisent dans le temps. Elles sont souvent utilisées pour recueillir de l'information auprès d'un groupe précis de personnes afin de décrire leurs caractéristiques, leurs opinions, leurs attitudes ou leurs expériences antérieures et d'en dresser un portrait général. Les principaux buts de l'enquête sont de recueillir de l'information factuelle sur un phénomène existant, de décrire des problèmes, d'apprécier des pratiques courantes et de faire des comparaisons et des évaluations. Cette approche peut comporter l'analyse d'association entre certaines variables, comme dans les études descriptives corrélationnelles. Les études menées par des organismes gouvernementaux sur les habitudes de vie des personnes, leurs croyances, leurs besoins ou leurs comportements dans une situation donnée constituent des enquêtes de population. Les méthodes d'enquête peuvent être longitudinales ou transversales. Il s'agit d'une étude longitudinale si les données sont recueillies auprès d'un groupe de personnes afin d'observer les changements qui surviennent sur une période de temps. Il s'agit d'une étude transversale si les données sont recueillies à un moment précis dans le temps auprès d'un segment de population auquel on s'intéresse (*voir les études à visée temporelle explicatives dans la section 12.3*).

> Les principaux buts de l'enquête sont de recueillir de l'information factuelle sur un phénomène existant, de décrire des problèmes, d'apprécier des pratiques courantes et de faire des comparaisons et des évaluations.

12.1.4 Le devis d'étude de cas

Le **devis d'étude de cas** est une approche méthodologique qui consiste en l'examen détaillé et approfondi des conditions d'une personne, d'un groupe, d'une famille, d'une communauté ou d'autres entités sociales telles qu'une organisation, un établissement d'enseignement ou de santé ou encore d'un petit nombre de sujets. L'étude de cas est appropriée quand on dispose de peu de données sur la personne, l'évènement ou le phénomène en cause (Yin, 2014). Elle ne se résume pas à la description d'un cas reconnu comme étant particulier et unique, telle une maladie rare ; elle peut aussi servir à vérifier l'efficacité d'un traitement thérapeutique dans une étude expérimentale (*voir la section 12.5*) et à formuler des hypothèses sur la base des résultats obtenus. L'étude de cas fait le plus souvent appel à la recherche qualitative (*voir le chapitre 11*). Pour sa part, l'étude de cas quantitative vise deux buts : accroître la connaissance que l'on a d'une personne ou d'un groupe et élaborer des hypothèses à ce propos ; ou étudier les changements susceptibles de se produire dans le temps chez la personne ou le groupe. Ce qui caractérise avant tout l'étude de cas, c'est la souplesse avec laquelle il est possible d'accumuler des données sur un cas particulier. Les études de cas sont surtout utiles en ce qu'elles

Devis d'étude de cas
Description en profondeur d'une simple entité, tels une personne, une famille, un groupe, une communauté, un établissement ou un nombre restreint de sujets.

> Ce qui caractérise avant tout l'étude de cas, c'est la souplesse avec laquelle il est possible d'accumuler des données sur un cas particulier.

permettent d'explorer des phénomènes nouveaux ou négligés, de combler les lacunes d'autres études et d'ouvrir la voie à des recherches de plus grande envergure. Elles peuvent aussi comporter des limites, particulièrement sur le plan de la représentativité (Roy, 2010).

Les études de cas sont intensives : elles se limitent à peu de participants, tout en permettant au chercheur d'accumuler un grand nombre d'observations et d'informations sur chacun d'eux et sur leur contexte (Roy, 2010). Dans les études de cas, le chercheur utilise la triangulation des données en faisant appel à plusieurs méthodes et sources de données qui lui permettent d'établir ses observations sur des bases solides. L'analyse présente généralement un nombre élevé de variables. Une fois que les variables ont été déterminées, elles doivent être définies et saisies au moyen d'instruments de mesure appropriés. On s'assure que les mesures sont fidèles dans le temps, étant donné qu'elles seront appliquées plus d'une fois au cours de l'étude. Il est important de recueillir le plus de données possible sur l'objet d'étude afin de cerner celles qui auront une influence sur les réponses des participants. L'étude de cas exige de nombreuses rencontres avec le ou les participants, de manière à pouvoir tirer des conclusions justes sur l'état de la personne (Yin, 2014). Les données sont recueillies de diverses façons : questionnaire, entrevue, observation, document, journal de bord. Les résultats peuvent être présentés sous forme de tableaux ou de graphiques, afin de voir en un coup d'œil les changements survenus dans les variables étudiées. La valeur réelle de l'étude de cas réside dans le caractère poussé de l'analyse, les multiples observations auxquelles elle donne lieu et les comportements types qu'elle permet d'isoler.

12.2 Les devis d'études corrélationnelles

Devis d'études corrélationnelles
Devis basés sur la corrélation, une statistique qui renseigne le chercheur sur le degré d'association entre des variables.

Les **devis d'études corrélationnelles**, ou devis d'études exploratoires ou observationnelles selon certains ouvrages, renvoient aux études ayant pour but d'explorer et de vérifier des relations entre deux variables ou plus. Ces types de devis sont généralement guidés par un ensemble d'hypothèses qui servent de structure à la mesure et à l'interprétation des résultats. Les devis corrélationnels peuvent s'inscrire dans trois niveaux d'examen de relations, chaque niveau correspondant à un type d'étude déterminé. On peut ainsi décrire des relations entre des variables, prédire des relations entre celles-ci ou vérifier des relations proposées dans un modèle théorique. Sont aussi incluses dans cette catégorie les études à visée temporelle, qui ont pour but d'analyser les déterminants des problèmes de santé dans une population, ainsi que les études en épidémiologie. Ces études explicatives peuvent comprendre une collecte de données prospective ou rétrospective et utiliser des méthodes longitudinales ou transversales (Portney et Watkins, 2009).

Dans les études corrélationnelles, on ne cherche pas à contrôler ou à manipuler les variables à l'étude, mais plutôt à mesurer comment celles-ci varient entre elles. Ces études se fondent sur la corrélation, une mesure qui procure des renseignements sur le degré d'association entre des variables. Selon le concept de la corrélation, deux variables provenant d'un échantillon de sujets sont mesurées, et leurs données sont reproduites par des points dans un diagramme, à partir duquel une statistique de corrélation est calculée pour déterminer la force et la direction de la relation. La corrélation peut être positive ou négative. Une **corrélation positive** signifie que les valeurs (scores) obtenues d'une variable sont associées avec les valeurs obtenues d'une autre variable. La relation entre la taille et le poids, entre l'estime de soi et la réussite sont des exemples de corrélations positives. Une **corrélation négative** signifie que les valeurs (scores) d'une variable sont associées de façon inversée avec celles d'une autre variable. La relation entre l'augmentation de la relaxation et la diminution de la douleur est un exemple de corrélation négative. La force d'une corrélation renvoie à l'importance de la variation qu'elle explique ; elle est déterminée à l'aide d'analyses statistiques de corrélation et s'exprime par un coefficient de détermination (*voir les chapitres 19 et 20*). On distingue principalement les devis d'études descriptive corrélationnelle, corrélationnelle prédictive et corrélationnelle confirmative ou de vérification de modèle théorique, comme le montre le tableau 12.2.

Corrélation positive
Tendance des valeurs élevées d'une variable à s'associer aux valeurs élevées de l'autre variable.

Corrélation négative
Tendance des valeurs élevées d'une variable à s'associer aux valeurs faibles de l'autre variable.

TABLEAU 12.2	Les devis d'études corrélationnelles et à visée temporelle		
Devis d'étude descriptive corrélationnelle	**Devis d'étude corrélationnelle prédictive**	**Devis d'étude corrélationnelle confirmative**	**Devis d'étude à visée temporelle[1]**
Explorer et décrire des relations entre des variables.	Prédire et expliquer des relations entre des variables.	Vérifier des relations proposées dans un modèle théorique.	Examiner les tendances et les changements qui se produisent dans le temps.

1. Ce type de devis est présenté dans la section 12.3.

12.2.1 Le devis descriptif corrélationnel

Le **devis d'étude descriptive corrélationnelle** sert à explorer des relations entre des variables dans une situation actuelle ou antérieure sans clarification de la raison sous-jacente à la relation. Dans ce type d'étude, le chercheur se trouve souvent en présence de plusieurs variables dont il ignore lesquelles peuvent être associées les unes aux autres.

Devis d'étude descriptive corrélationnelle
Type d'étude servant à explorer des relations entre des variables en vue de les décrire.

L'établissement de relations entre les variables permet de circonscrire le phénomène étudié. À cette étape de l'exploration de relations entre des variables, des questions de recherche plutôt que des hypothèses servent à guider l'étude. Un cadre conceptuel ou théorique est élaboré de manière à ordonner les variables et leurs relations mutuelles. Les données sont recueillies auprès des participants au moyen d'échelles de mesure et de questionnaires. L'échantillon doit être d'assez grande taille et suffisamment représentatif de la population cible. Des analyses statistiques de corrélation permettent de déterminer si les variables sont en relation les unes avec les autres. L'exemple 12.2, à la page suivante, présente une étude descriptive corrélationnelle menée par Finn et Guay (2014) auprès d'un échantillon de 229 étudiants au baccalauréat ; elle vise à explorer le lien entre le perfectionnisme orienté vers soi (POS) et le perfectionnisme orienté vers autrui (POA), ainsi que la perception par l'étudiant du contingentement universitaire (anxiété et dépression) dans le programme auquel il aspire.

Une étude descriptive corrélationnelle

Contexte: Étant donné le caractère compétitif des programmes universitaires à capacité d'accueil limitée, on s'interroge sur l'existence d'un lien entre le perfectionnisme de l'étudiant et le contingentement universitaire, lequel se manifeste par de l'anxiété et des symptômes dépressifs.

Objectif: «L'objectif principal est de vérifier l'existence d'un lien entre le perfectionnisme et la perception par l'étudiant d'un contingentement dans le programme auquel il désire accéder. L'objectif secondaire est d'étudier les corrélations entre les deux variables principales et la détresse psychologique objectivée par la symptomatologie dépressive et l'anxiété d'examen. Vu le caractère exploratoire de cette recherche, aucune hypothèse n'est avancée.» (Finn et Guay, 2014, p. 255)

Devis et méthode: Étude descriptive exploratoire. Les 229 étudiants ont été recrutés dans des cours de premier cycle de psychologie, de sociologie et de gestion des ressources humaines. Cinq questionnaires remplis par les étudiants avaient pour but de mesurer les variables sociodémographiques, le perfectionnisme, l'anxiété d'examen et la symptomatologie dépressive.

Résultats: «Les analyses principales montrent qu'il existe une différence entre les groupes sur la variable perfectionnisme orienté vers soi après avoir contrôlé l'effet du genre, de la symptomatologie dépressive et du perfectionnisme prescrit par autrui.» (Finn et Guay, 2014, p. 252)

La figure suivante pourrait représenter les corrélations entre les variables.

Une représentation des caractéristiques de l'étude descriptive corrélationnelle

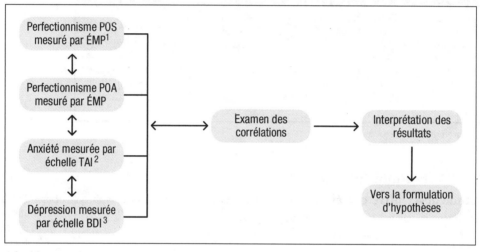

1. ÉMP: Échelle multidimensionnelle de perfectionnisme
2. TAI: Anxiété liée à l'examen
3. BDI: Inventaire de dépression de Beck

12.2.2 Le devis corrélationnel prédictif

Devis d'étude corrélationnelle prédictive
Prédiction de la valeur d'une variable fondée sur les valeurs obtenues d'autres variables.

Le **devis d'étude corrélationnelle prédictive** va plus loin que l'étude fondée sur l'exploration de relations, car ce type d'étude permet de prédire la valeur d'une variable fondée sur les valeurs observées d'autres variables. L'étude corrélationnelle prédictive est caractérisée par le fait que les variables sont choisies en fonction de l'influence qu'elles peuvent exercer les unes sur les autres. Il est à noter que les variables prédictives ne sont pas aléatoires; elles sont plutôt sélectionnées par le chercheur pour l'action qu'elles peuvent exercer sans qu'il y ait manipulation. L'accent est mis sur l'explication du changement dans la variable soumise à l'influence de la variable prédictive. Idéalement, le chercheur encadre son explication en se servant d'une théorie appropriée au phénomène à l'étude.

L'étude prédictive s'appuie sur des propositions théoriques constituées en hypothèses en vue de la prédiction de l'action des variables. Pour établir l'exactitude de la prédiction, on fait appel à une technique statistique appelée « régression ». L'échantillon est généralement de grande taille, étant donné l'ampleur de la variation qui peut se produire entre les variables, et autant que possible représentatif de la population étudiée. Les méthodes de collecte des données les plus courantes sont l'échelle de mesure et le questionnaire. La valeur des études corrélationnelles n'est pas déterminée par la complexité du devis ou des analyses statistiques, mais bien par l'explication approfondie des construits théoriques qui sous-tendent l'étude (Gall, Gall et Borg, 2007). L'exemple 12.3 résume l'étude corrélationnelle prédictive longitudinale menée par Bélanger et Marcotte (2013) afin de mieux comprendre l'association entre les changements vécus durant la transition primaire-secondaire et les symptômes dépressifs des adolescents (filles et garçons).

<table>
<tr><td>EXEMPLE 12.3</td><td colspan="2">

Une étude corrélationnelle prédictive

But : « [...] mieux documenter l'association entre les changements vécus durant la transition primaire-secondaire et les symptômes dépressifs des adolescents. » (Bélanger et Marcotte, 2013, p. 159)

Cadre théorique : La théorie d'Eccles et de ses collaborateurs (1993) « [...] qui propose que l'environnement de l'école secondaire typique est moins adapté aux besoins psychologiques des adolescents que celui de l'école primaire, ce qui entraine une baisse de l'adaptation scolaire et émotionnelle à l'arrivée au secondaire. » (Bélanger et Marcotte, 2013, p. 160)

Devis : Étude corrélationnelle prédictive longitudinale. « Des mesures de puberté, d'image corporelle, d'environnement de

classe et de symptômes dépressifs ont été recueillies auprès d'un échantillon de 499 adolescents. » (Bélanger et Marcotte, 2013, p. 161)

Résultats : « [...] les analyses de régression montrent qu'une puberté précoce, un changement négatif dans l'image corporelle ainsi qu'une diminution du soutien de l'enseignant durant la transition expliquent les symptômes dépressifs des adolescents après cette transition. » (Bélanger et Marcotte, 2013, p. 162)

Conclusion : « Nos résultats soulignent l'importance de tenir compte des différences entre les sexes en réponse à cette transition. » (Bélanger et Marcotte, 2013, p. 166)

</td></tr>
</table>

12.2.3 Le devis corrélationnel confirmatif ou de vérification d'un modèle théorique

Une autre fonction de l'étude corrélationnelle consiste à vérifier la validité d'un modèle causal hypothétique appliqué à l'analyse de relations de causalité entre trois variables ou plus ayant déjà fait l'objet d'études. Le **devis d'étude corrélationnelle confirmative** (ou de vérification d'un modèle théorique) examine le réseau de relations formé des variables proposées par une théorie ou un modèle. Le but de ces études est de déterminer quelles sont, parmi les variables considérées, celles qui influent le plus sur le phénomène à l'étude. Par exemple, il peut s'agir de chercher quelles sont les variables ayant rapport aux réactions émotionnelles qui ont le plus d'influence sur la dépression à l'adolescence et quelles sont les autres variables présentes à cet âge susceptibles de favoriser la dépression. Dans ce genre d'étude, on met à l'épreuve un modèle hypothétique en cherchant à expliquer un phénomène donné (la dépression) et son mécanisme d'action à partir d'un ensemble de variables définies qui ont fait l'objet d'études antérieures. Les analyses déterminent si les données recueillies auprès d'un échantillon de personnes représentatives de la population confirment le modèle proposé.

Devis d'étude corrélationnelle confirmative
Vérification de la validité d'un modèle causal hypothétique.

Les variables d'un modèle théorique sont classées en trois catégories : exogènes, endogènes ou résiduelles. Les variables exogènes sont représentées dans le modèle théorique, mais la cause est attribuable à des facteurs extérieurs au modèle. Les variables endogènes sont celles dont la modification est expliquée dans le modèle théorique. Les variables exogènes modifient la valeur des variables endogènes. Enfin, les variables résiduelles sont la résultante de variables non mesurées et non incluses dans le modèle (Grove, Burns et Gray, 2013). Le chercheur fait appel soit à des techniques d'analyse propres à rendre compte des relations entre les variables et à établir des liens de causalité, telles l'analyse de régression multiple et l'analyse de cheminement, soit à des techniques plus avancées, comme l'analyse d'équations structurales (LISREL, EQS). Ces analyses permettent de déterminer si les données empiriques confirment le modèle théorique. Le fait que les données s'accordent avec le modèle ne prouve pas la validité de ce dernier, mais constitue seulement un élément de confirmation. L'exemple 12.4 présente un devis corrélationnel confirmatif tiré d'une étude visant à tester un modèle de l'adaptation psychosociale parentale (Hui Choi et collab., 2012).

EXEMPLE 12.4

Une étude confirmative ou de vérification d'un modèle théorique

Contexte : L'évaluation psychologique parentale est utilisée pour reconnaitre de façon précoce les facteurs de risques psychologiques de manière à prévenir les morbidités psychiatriques des mères et des enfants. Toutefois, les connaissances portant sur l'adaptation psychosociale et ses variables explicatives ne sont pas concluantes.

Buts : Examiner les variables explicatives du modèle de l'adaptation psychosociale parentale, à savoir le soutien social, les caractéristiques démographiques et obstétricales, l'incertitude, la recherche d'information, l'engagement.

Méthodes : L'échantillon était constitué de 550 femmes chinoises recrutées dans des cliniques de trois hôpitaux. Les variables explicatives de l'adaptation psychosociale ont été déterminées à l'aide du programme basé sur le modèle d'équation structurale. La figure ci-dessous montre les résultats des coefficients des sentiers structuraux obtenus à partir du modèle d'équation structurale

estimés par le maximum de vraisemblance. Les analyses fournissent une explication des données indiquant les relations entre les divers construits, particulièrement en montrant les faibles corrélations ainsi que les changements d'une corrélation négative vers une corrélation positive entre l'incertitude et l'engagement dans des stratégies d'adaptation.

Résultats : Comme on peut le voir dans le graphique plus bas, les quatre variables explicatives de l'adaptation psychosociale sont le soutien social, l'incertitude, l'efficacité perçue et l'engagement vis-à-vis de la grossesse.

Conclusion : Les résultats fournissent un guide aux cliniciens en mettant l'accent sur l'évaluation routinière prénatale. Puisqu'il manque d'instruments de dépistage fiables, les sagefemmes devraient recevoir une formation adéquate, et des instruments de dépistage efficaces devraient être conçus. (Traduction libre)

Les solutions standardisées des sentiers structuraux entre le soutien social, l'incertitude, l'efficacité, l'engagement et l'adaptation psychosociale

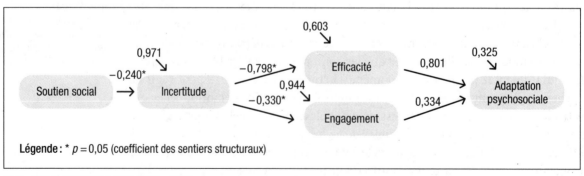

Légende : * $p = 0{,}05$ (coefficient des sentiers structuraux)

Source : Traduit de Hui Choi et collab. (2012, p. 2639).

12.3 Les devis d'études à visée temporelle

Les **devis d'études à visée temporelle** prennent leur origine à l'intérieur du champ de l'épidémiologie, une discipline qui se préoccupe des facteurs qui conditionnent l'apparition de maladies dans la population, et en particulier ceux qui interviennent dans leur distribution, leur fréquence et leur évolution. La dimension temporelle est un facteur important pour l'examen des tendances qui se dessinent au cours du temps et les modes de changements qui se produisent dans la population. Elle renvoie à la relation entre le moment de la collecte des données et l'apparition du phénomène étudié (*voir la figure 12.1*). Les études explicatives à visée temporelle visent à vérifier des associations entre des facteurs. Plusieurs devis sont utilisés pour la conduite de ces études : d'une part, les études longitudinales mettent l'accent sur les changements qui surviennent au cours du temps, et les études transversales examinent les caractéristiques d'une population à un moment donné dans le temps ; d'autre part, les études analytiques, comme l'étude de cohorte et l'étude cas-témoins, servent à déterminer les facteurs de risque et tentent d'établir un lien de cause à effet entre un évènement donné et la manifestation d'une situation de santé ou d'une maladie.

Devis d'études à visée temporelle
Examen de la séquence et des modes de changements, de la croissance ou des tendances dans le temps.

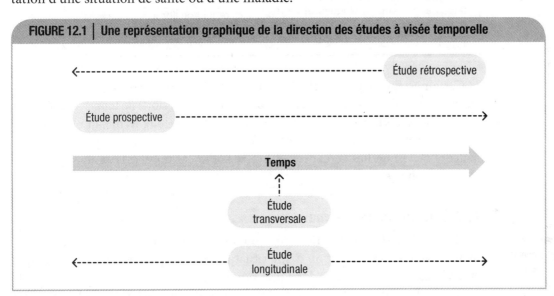

FIGURE 12.1 | Une représentation graphique de la direction des études à visée temporelle

Étude rétrospective

Étude prospective

Temps

Étude transversale

Étude longitudinale

Source : Inspiré de Portney et Watkins (2009, p. 279).

12.3.1 Le devis longitudinal

Le **devis d'étude longitudinale** recueille des données de façon périodique auprès des mêmes groupes, appelés « cohortes ». L'étude peut être descriptive ou explicative. Dans l'étude longitudinale explicative, le chercheur suit une cohorte de sujets à plusieurs reprises dans le temps et applique des mesures à des moments déterminés. L'enquête longitudinale commence dans le présent et se termine dans le futur. Ainsi, le chercheur peut évaluer les modes de changements qui surviennent dans le temps et établir des relations et des différences entre les variables. Les instruments de mesure doivent être soigneusement planifiés et implantés, car la prise de mesures est répétée sur une longue période de temps. De Wilde et

Devis d'étude longitudinale
Étude dans laquelle les données sont recueillies à divers moments dans le temps afin de suivre l'évolution des phénomènes étudiés.

ses collaborateurs (2013) ont ainsi mené une étude longitudinale auprès de femmes durant leur grossesse et la période postpartum afin de déterminer les relations entre les symptômes dépressifs, les caractéristiques sociodémographiques et les habitudes liées au tabac ; l'exemple 12.5 fait état de cette étude et des résultats observés.

Une étude longitudinale observationnelle

Contexte : Les relations entre les sentiments de dépression, les habitudes de consommation de la cigarette et le niveau de scolarité ont été bien documentés durant la grossesse. Cependant, aucune étude longitudinale n'a évalué les sentiments de dépression chez les femmes ayant différentes habitudes quant à l'usage de la cigarette pendant la grossesse et la période postpartum.

Objectifs : Déterminer les relations entre les symptômes dépressifs, les caractéristiques sociodémographiques et les habitudes liées au tabac pendant et après la grossesse chez un groupe de femmes.

Méthodes : Au cours de l'étude longitudinale, les données ont été recueillies à trois moments : avant la grossesse (T0), entre 32 et 34 semaines de grossesse (T1) et à six semaines postpartum (T2). L'échelle de dépression de Beck a été utilisée pour évaluer le degré de dépression.

Résultats : Les fumeuses ont rapporté de façon significative plus de symptômes dépressifs aux trois moments de mesure que les femmes appartenant au groupe des non-fumeuses.

(Traduction libre)

Certaines études longitudinales comportent de larges bases de données associées au suivi d'une cohorte de sujets sur une longue période de temps, comme *The Nurses' Health Study* (1976, 1989, 2010). Cette étude à long terme, qui se poursuit actuellement, est conduite auprès d'infirmières étatsuniennes afin d'évaluer les facteurs de risque liés au cancer et à la maladie cardiovasculaire. Il s'agit d'une étude de cohorte prospective.

12.3.2 Le devis transversal

Devis d'étude transversale
Étude dans laquelle les données sont recueillies à un moment précis dans le temps en vue de décrire la fréquence d'apparition d'un évènement et de ses facteurs associés.

Le **devis d'étude transversale** a pour but de rapporter la fréquence d'un évènement, d'un comportement ou d'une situation de santé, de ses facteurs de risque et d'autres caractéristiques dans une population à un moment donné. L'étude transversale peut être de type descriptif, explicatif ou analytique, selon que l'on cherche à décrire des facteurs ou à examiner des facteurs associés à un phénomène de santé en particulier (Hulley, Cummings, Browser, Grady et Newman, 2013). La prévalence est la proportion de la population qui présente une condition (maladie, comportement) à un moment donné dans le temps. On estime ainsi le taux de prévalence de cette condition, soit le nombre de personnes chez qui un phénomène particulier s'est manifesté à un moment donné. Par exemple, on peut poser la question suivante : « Quelle est la prévalence de l'asthme dans une population générale d'enfants âgés de 0 à 10 ans à un moment donné ? » L'étude transversale consiste à examiner simultanément une ou plusieurs cohortes ou un ou plusieurs groupes de personnes en un temps donné relativement à un phénomène présent au moment de l'enquête. Les processus considérés peuvent avoir rapport à l'âge, à la croissance, aux réactions à des évènements, à l'état de santé. Ainsi, dans une étude descriptive corrélationnelle transversale, Toma, Houck, Wagnild, Messecar et Jones (2013) ont examiné les relations entre des variables liées à la santé et à la fonction physique d'un échantillon d'adultes âgés atteints de fibromyalgie. Les participants ont rempli un questionnaire envoyé par la poste. Les résultats ont montré que la résilience était un facteur pouvant influencer la fonction physique.

Les moyens de recueillir l'information auprès des participants sont divers : l'examen de dossiers, l'observation d'un comportement, les entrevues ou les questionnaires. Dans l'analyse des données, on se sert des statistiques descriptives pour établir des corrélations et obtenir ainsi un portrait général instantané de la situation étudiée. L'étude transversale est économique, simple à organiser et fournit des données immédiates et utilisables, mais elle a une portée plus limitée que l'étude longitudinale.

12.3.3 Les études analytiques en épidémiologie

Les **études analytiques en épidémiologie** diffèrent des autres types d'études corrélationnelles, car on recherche des différences entre des groupes en se fondant sur des variables préexistantes. Le chercheur en épidémiologie essaie de décrire ou d'analyser les phénomènes de santé, tels qu'ils apparaissent dans la population, et d'en déduire des relations causales sans recourir aux méthodes expérimentales (Bouchard et Boyer, 2005). Les études de cohorte et les études cas-témoins concernent toutes deux l'observation des facteurs de risque. Ces études tentent de faire la lumière sur un problème d'intérêt central par la vérification d'hypothèses causales sur les facteurs de risque et la manifestation du problème de santé observé (Stommel et Wills, 2004). Dans les études de cohorte, les personnes ne présentent pas le facteur de risque (condition, maladie) au début de l'observation. Par contre, dans l'étude cas-témoins, toutes les personnes sont déjà atteintes de la maladie ou de la condition d'intérêt, et l'on essaie d'en déterminer la cause possible en remontant dans le temps (Fletcher et Fletcher, 2005).

> **Études analytiques en épidémiologie**
> Type d'études en épidémiologie qui cherche à comprendre le lien entre un facteur de risque et la survenue d'une maladie.

> Dans les études de cohorte, les personnes ne présentent pas le facteur de risque (condition, maladie) au début de l'observation.

L'étude de cohorte ou de suivi est une étude d'observation dans laquelle un groupe de sujets exposés à des facteurs de risque d'une maladie ou d'une condition est suivi pendant une période déterminée et comparé à un autre groupe non exposé aux mêmes facteurs. Selon leur but, ces études analysent des relations de causalité entre les facteurs de risque et le phénomène d'intérêt. Deux stratégies peuvent être utilisées pour examiner des conditions données dans le temps : les études prospectives et les études rétrospectives. Ces deux types d'études diffèrent entre elles par la présence ou non de l'évènement (maladie) au début de la recherche.

Dans l'**étude de cohorte prospective**, on définit au préalable un facteur (p. ex. l'exposition au soleil) et la manifestation du phénomène attendu (p. ex. le cancer de la peau). Ainsi, dans le cas du cancer de la peau, on choisira un groupe de personnes qui se sont exposées au soleil sans protection pendant un nombre déterminé d'années. Le groupe peut être divisé en sous-groupes selon les types de peau. Les sous-groupes pourront être comparés à un groupe de personnes qui ont protégé leur peau du soleil. Les sujets de ces groupes sont observés pendant une période de temps précise afin de déterminer s'il y a apparition du cancer de la peau. Dans ce genre d'étude, on mesure des différences entre les groupes qui découlent de variables préexistantes, et ces différences ne sont pas manipulées comme dans l'étude expérimentale. La cause peut s'être produite ou non, mais

> **Étude de cohorte prospective**
> Étude qui implique un groupe de personnes exposées à des facteurs de risque d'un phénomène et suivi pendant une période déterminée.

l'effet n'a pas encore été observé, et les observations destinées à établir si l'effet se manifestera se poursuivent (Friedman, 1987). La cohorte de comparaison doit présenter des caractéristiques similaires à la cohorte exposée. L'étude de cohorte prospective constitue une méthode puissante pour définir l'incidence d'une condition ou d'un phénomène donné et en rechercher les causes potentielles. Elle permet au chercheur de mesurer d'importantes variables de façon complète et exacte. Toutefois, cette étude s'avère couteuse et ne constitue pas la méthode de choix pour étudier les facteurs de risque dans la survenue d'une maladie, particulièrement les maladies rares (Hulley et collab., 2013).

Étude de cohorte rétrospective
Étude qui implique un groupe de personnes dont les facteurs de risque et les effets sont déjà observables au moment de commencer l'étude.

Dans l'**étude de cohorte rétrospective**, une partie du processus s'est déjà déroulée. Le facteur et l'évènement, donc la cause et l'effet, sont observables au moment où commence l'étude, ce qui permet d'examiner, en se servant des dossiers médicaux, comment les variables sont apparues dans le temps à l'égard de l'effet observé. Ce type d'étude est possible seulement si les données sur les facteurs de risque et les effets observés sont disponibles et permettent ou non de percevoir l'évolution de la cohorte (Hulley, et collab., 2013). L'étude de cohorte rétrospective est moins couteuse en argent et en temps que l'étude de cohorte prospective étant donné que les sujets ont déjà été regroupés, que les mesures ont été prises et que les périodes de suivi sont terminées. Une des faiblesses de l'étude rétrospective est le manque de contrôle sur la nature et la qualité des mesures prises. L'information tirée des données existantes peut être insuffisante pour permettre de répondre à la question de recherche (Hulley et collab., 2013). L'exemple 12.6 présente un résumé d'une étude de cohorte rétrospective menée par Diez-Manglano et ses collaborateurs (2013).

EXEMPLE 12.6

Une étude de cohorte rétrospective

Contexte : Le délirium accroit la mortalité et prolonge le séjour à l'hôpital des personnes atteintes. On connait peu l'incidence du délirium chez les sujets qui reçoivent des soins médicaux au sein des unités de médecine dans les résidences pour personnes âgées en Espagne (*nursing homes*).

Objectifs : Estimer la fréquence du délirium à l'admission de personnes en clinique et déterminer les facteurs associés avec le délirium à l'aide de dossiers infirmiers et des données de bases administratives.

Méthodes : Une étude de cohorte rétrospective a été menée auprès de 744 personnes hospitalisées dans un service de médecine interne. Les données ont été recueillies rétrospectivement sur un ensemble de données, entre autres : la date d'apparition du délirium, l'âge, le sexe, le fait de vivre en résidence, les activités de la vie quotidienne (*Barthel Index*), le risque de lésions de pression (*Norton Scale*), la présence d'un cathéter urinaire, etc.

Résultats : Treize pour cent des sujets ont fait l'expérience du délirium. Les facteurs associés avec le délirium durant l'hospitalisation ont été l'âge, l'index Barthel, la présence d'un cathéter urinaire. (Traduction libre)

Étude cas-témoins
Étude d'observation rétrospective dans laquelle sont mis en relation un phénomène présent au moment de l'enquête et un phénomène antérieur chez deux groupes de sujets : un groupe atteint de la maladie considérée (les cas) et un groupe indemne (les témoins).

L'**étude cas-témoins** est une étude d'observation rétrospective dans laquelle on tente de lier un phénomène présent au moment de l'enquête à un phénomène antérieur. Les faits sont recueillis à postériori. Il s'agit de sélectionner un groupe de sujets déjà atteints de la maladie considérée (les cas) et un groupe ou plus de sujets sains (les témoins) et de comparer les caractéristiques des groupes. On recherche des renseignements sur l'exposition au facteur de risque dans le passé pour chacune des personnes en vue de déterminer la cause possible après coup, car le facteur de risque étudié est déjà observé au début de l'enquête. Ce type d'enquête se prête bien à l'étude de maladies rares. Elle est moins onéreuse que l'étude de cohorte prospective, mais elle comporte des risques d'erreur liés surtout au choix de la population. Les cas peuvent être choisis dans le centre hospitalier où ils ont été traités pour la maladie ou le phénomène recherché ou encore ils peuvent être tirés d'une population plus vaste porteuse de la maladie (Portney et Watkins, 2009). En ce qui a trait au choix des sujets témoins, les mêmes auteurs soulignent qu'idéalement, ils devraient être sélectionnés à partir d'une population de personnes qui auraient été choisies comme cas, n'eut été la présence du phénomène. Les sujets témoins peuvent être recrutés dans le même milieu hospitalier que les sujets cas s'ils ont été admis pour des conditions autres que la maladie d'intérêt ou encore provenir de la population en général. L'exemple 12.7 résume l'étude cas-témoins menée par Bessaoud et Daurès (2008).

EXEMPLE 12.7

Une étude cas-témoins

But : Une étude cas-témoins a été réalisée dans le but d'examiner la relation entre une consommation régulière d'alcool, particulièrement le vin, et le cancer du sein.

Méthode : L'étude couvrait 437 cas de cancer du sein chez des femmes françaises ayant nouvellement reçu le diagnostic entre 2002 et 2004 et 922 résidentes tirées au hasard d'une liste électorale (témoins). Chaque cas recruté a été apparié avec deux témoins. À des fins de comparaison avec d'autres études sur le sujet, trois groupes ont été formés selon les habitudes de consommation d'alcool.

Des analyses de régression logistiques multivariées ont servi à déterminer les associations.

Résultats : Les résultats ne montrent pas d'association entre les habitudes de consommation d'alcool et le cancer du sein. L'effet protecteur d'une consommation de faible à régulière est plausible, selon les auteurs, puisque le vin, particulièrement le rouge, contient des taux élevés d'antioxydants ainsi que du resvératrol, un phytoestrogène doté de propriétés anticancéreuses. (Traduction libre)

Dans l'étude cas-témoins, les cas sont choisis en fonction du statut recherché ou de l'issue, à savoir si les sujets ont fait l'expérience ou non d'une maladie ou d'une condition. L'observation des facteurs de risque relève des études de cohorte et cas-témoins et de l'étude transversale si celle-ci examine des relations entre des facteurs. L'étude de cohorte, contrairement à l'étude cas-témoins, permet de déterminer le début d'apparition du phénomène. Dans l'étude transversale, le phénomène est présent au moment de l'enquête.

12.4 D'autres devis d'études utilisant la corrélation

Les devis méthodologiques sont utilisés pour établir et vérifier la fidélité et la validité d'instruments servant à mesurer les variables dans une recherche. La **recherche méthodologique** inclut l'estimation de la validité de contenu, l'évaluation de la structure conceptuelle d'une échelle, la validité de construit, la validité liée au critère et l'estimation de la fidélité. La vérification de la fidélité et de la validité s'applique également aux échelles traduites dans une autre langue ou utilisées auprès de populations différentes de celles pour lesquelles l'instrument a été conçu.

Recherche méthodologique
Recherche conçue pour élaborer ou raffiner les instruments servant à mesurer des variables ; l'accent porte sur la fidélité et la validité.

La recherche méthodologique diffère des autres méthodes de recherche, car elle n'inclut pas toutes les étapes du processus de recherche. L'étude ne s'intéresse ni aux relations proprement dites entre des variables ni à l'effet de la variable indépendante sur la variable dépendante. Elle se définit plutôt comme une stratégie en plusieurs étapes portant sur la mise au point ou la validation d'un instrument de mesure nouvellement créé ou traduit d'une autre langue. Quand un chercheur construit un instrument de mesure ou valide une échelle traduite, il doit s'assurer que l'échelle est : applicable à plusieurs groupes de sujets dans la population en général ; appropriée aux dimensions du concept à mesurer ; facile à utiliser ; et suffisamment sensible pour déceler des changements dans le temps (*voir le chapitre 15*).

Les questions de fidélité touchent généralement à deux aspects de la mesure : l'instrument lui-même et la personne qui l'utilise. Les questions de validité concernent surtout l'élaboration d'un nouvel instrument de mesure. Il s'agit d'un long processus dont le point de départ est la description claire du problème pour lequel il n'existe pas d'instrument disponible. Les études de fidélité et de validité sont fréquemment rapportées dans les articles de recherche, ce qui démontre l'importance que les chercheurs accordent à l'établissement de normes de mesure fiables (Portney et Watkins, 2009).

L'exemple 12.8 résume une étude méthodologique réalisée par Weisman et ses collaborateurs (2014), dans laquelle on a conçu une nouvelle échelle de mesure et vérifié sa fidélité et sa validité.

EXEMPLE 12.8

Une étude méthodologique

Les auteurs ont mené deux études afin de mettre au point une échelle de six éléments (*Male Body Image Concerns Scale* [MBICS]), destinés à mesurer les préoccupations quant à l'image corporelle d'adolescents masculins âgés de 14 à 18 ans et à en vérifier les qualités psychométriques. La première étude visait à évaluer la fidélité test-retest et la validité de convergence de la mesure. La deuxième étude avait pour but de jauger la validité concomitante avec les comportements de troubles alimentaires. En combinant les résultats des deux études, les auteurs ont observé un niveau de moyen à bas d'insatisfaction de leur image corporelle chez les participants. Chaque énoncé de l'échelle a obtenu une corrélation significative avec chacun des autres énoncés, démontrant la corrélation interénoncés. Le coefficient alpha de Cronbach était de 0,80, ce qui indique un score de fidélité adéquat. (Traduction libre)

Analyse secondaire
Type d'étude utilisant les données recueillies par un chercheur et réanalysées par un autre chercheur afin de vérifier des hypothèses inédites ou d'explorer de nouvelles relations.

L'**analyse secondaire** comporte l'examen des données recueillies dans des études déjà publiées. Ces données sont réexaminées dans une optique différente, soit pour répondre à de nouvelles questions, soit pour vérifier de nouvelles hypothèses, soit pour établir d'autres relations. L'analyse secondaire a pour buts, notamment, d'analyser des variables qui n'ont pas été traitées dans l'étude déjà menée, d'examiner des relations ou de vérifier des hypothèses qui ont été laissées de côté dans l'étude originale, d'étudier un sous-groupe en particulier plutôt que l'échantillon d'origine ou d'appliquer d'autres types d'analyses statistiques. Dans l'analyse secondaire, la première étape est la même que dans toute autre recherche, à savoir énoncer des questions de recherche ou des hypothèses après avoir consulté l'état actuel des connaissances dans les écrits empiriques pertinents ou les données cliniques probantes (Stommel et Wills, 2004).

L'analyse secondaire comme technique de recherche est parfois confondue avec la métaanalyse. Bien que les deux types d'études utilisent des données existantes, la métaanalyse se limite à synthétiser les résultats de diverses études liées à un même phénomène plutôt que de chercher à établir de nouvelles relations. On doit retrouver, dans une étude d'analyse secondaire, la source originale des données et les publications qui en sont ressorties. L'exemple 12.9 présente une étude d'analyse secondaire, dans laquelle Meneses, Azuero, Su, Benz et McNees (2013) ont examiné les caractéristiques associées au désistement de participantes dans une étude longitudinale sur le cancer du sein.

EXEMPLE 12.9

Une étude d'analyse secondaire

Cette analyse secondaire avait pour but d'examiner les prédicteurs du désistement à partir des caractéristiques de base de 432 participantes à une étude longitudinale sur les survivantes du cancer du sein. Les prédicteurs du désistement étaient basés sur les variables sociodémographiques, le traitement du cancer, la santé physique et la santé mentale. En plus de dépeindre les caractéristiques de base des participants, les données originales ont servi à décrire les désistements parmi ces femmes et à déterminer si les caractéristiques de base pouvaient les prédire. Des tests d'association et de modèles de régression statistiques ont été utilisés dans l'analyse. Les résultats montrent que 100 femmes participantes se sont retirées de l'étude après 12 mois. Une santé mentale déficiente et le manque de couverture d'assurance maladie ont été les prédicteurs significatifs du désistement parmi les populations rurales desservies. (Traduction libre)

Les avantages découlant de l'analyse secondaire sont les couts minimes engendrés, la possibilité d'étudier de grands échantillons et l'élimination du temps habituellement consacré au processus de recherche et à la collecte des données. Les chercheurs peuvent formuler des hypothèses et les vérifier sur-le-champ. L'analyse secondaire peut aussi servir de point de départ à une recherche. Par ailleurs, le fait que le chercheur n'exerce pas de contrôle sur le processus de collecte des données et sur la qualité de celles-ci représente l'inconvénient de l'analyse secondaire. Le tableau 12.3, à la page suivante, résume les devis d'études descriptives, corrélationnelles et analytiques.

12.5 Les devis d'études expérimentales

Les devis expérimentaux ont pour but de fournir une structure permettant d'évaluer la relation de causalité entre un ensemble de variables indépendantes et dépendantes. Ils se distinguent des devis non expérimentaux (c.-à-d. les devis descriptifs et corrélationnels) par le fait que le chercheur introduit de façon systématique une intervention ou un traitement, appelé « variable indépendante », et observe, auprès de groupes de participants, les conséquences de cette intervention sur d'autres variables, appelées « variables dépendantes ». Le chercheur peut ainsi tirer des conclusions sur la relation de cause à effet entre la variable indépendante et la variable dépendante. Dans une expérimentation, la validité est étroitement liée au contrôle des variables étrangères et aux mesures. Dès lors, le chercheur doit s'assurer que les résultats obtenus découlent de l'intervention, et non d'autres facteurs.

TABLEAU 12.3	Un résumé des devis d'études descriptives, corrélationnelles et analytiques

Type d'étude	Description
Étude descriptive simple	Décrit les caractéristiques d'un phénomène ou d'une population.
Étude descriptive comparative	Décrit des différences entre les variables dans deux populations ou plus.
Enquêtes descriptives : • transversale • longitudinale	• Présente les données recueillies à un moment précis dans le temps. • Présente les données recueillies à différents moments dans le temps en vue de décrire les changements survenus.
Étude de cas	Explore en profondeur une condition liée à une entité sociale : personne, famille, groupe ou action.
Étude descriptive corrélationnelle	Explore des relations entre des variables sans clarifier la raison sous-jacente à la relation.
Étude corrélationnelle prédictive	Prédit la valeur d'une variable fondée sur les valeurs obtenues d'autres variables.
Étude corrélationnelle confirmative (ou de vérification d'un modèle théorique)	Examine le réseau de relations formé des variables proposées par une théorie ou un modèle hypothétique.
Études à visée temporelle explicatives : • étude longitudinale • étude transversale	• Examine les changements auprès des mêmes sujets sur une période de temps et établit des relations. • Examine les données recueillies à un moment précis dans le temps en vue de décrire la fréquence d'apparition d'un évènement et de ses facteurs.
Études analytiques : • étude de cohorte prospective • étude de cohorte rétrospective • étude cas-témoins	• Fait le suivi d'un groupe de sujets exposé à un facteur de risque sur une période déterminée et comparé à un groupe non exposé au facteur. • Examine, à l'aide de données existantes, comment les variables sont apparues dans le temps à l'égard de l'effet observé. • Cherche à lier un phénomène présent à un phénomène antérieur en sélectionnant des sujets atteints de la maladie (cas) et des sujets sains (témoins).
Étude méthodologique	Conçoit ou vérifie des instruments de mesure en ce qui a trait à leur fidélité et à leur validité.
Analyse secondaire	Utilise des données existantes afin de vérifier de nouvelles hypothèses.

Une variable étrangère est tout facteur non directement lié au but de l'étude, mais susceptible d'avoir une incidence sur la variable dépendante (*voir le chapitre 10*). Dans la planification de son expérimentation, le chercheur actualise le problème de recherche et le rattache à un cadre théorique qui permet d'expliquer les changements susceptibles de se produire dans les variables dépendantes à la suite de l'application d'une variable indépendante ou plus. Le chercheur propose une réponse qu'il formule en hypothèse. Celle-ci est confirmée ou réfutée à la suite d'analyses statistiques, qui fournissent les résultats sur l'issue de la relation causale anticipée.

12.5.1 La classification des devis

Les devis peuvent être expérimentaux ou quasi expérimentaux. Les **devis expérimentaux** peuvent se définir selon certaines caractéristiques. Une première distinction est le degré de contrôle exercé dans la situation de recherche et la façon dont les sujets sont répartis dans les groupes. Dans un devis expérimental véritable, les sujets sont répartis aléatoirement dans au moins deux groupes de comparaison. Fondé sur ces caractéristiques, les devis expérimentaux permettent théoriquement d'exercer le plus grand contrôle sur les obstacles à la validité (*voir le chapitre 10*) et fournit la preuve de l'existence d'une relation causale (Shadish, Cook et Campbell, 2002).

> **Devis expérimentaux**
> Devis qui fournissent le plus grand contrôle possible permettant d'examiner des relations de causalité entre des variables.

Les **devis quasi expérimentaux** ne satisfont pas aux exigences des véritables devis expérimentaux en ce qu'il manque la répartition aléatoire, ou les groupes de contrôle, ou les deux. Bien que les devis quasi expérimentaux ne permettent pas un contrôle aussi rigoureux des obstacles à la validité interne que les devis expérimentaux, il n'en demeure pas moins que plusieurs de ces devis sont appropriés et représentent souvent une contribution valable pour la recherche clinique. En effet, les devis quasi expérimentaux s'adaptent mieux que les devis expérimentaux aux contraintes des milieux naturels quand les conditions de l'expérimentation sont difficilement applicables ou non éthiques (Portney et Watkins, 2009). Ces devis sont discutés dans la section 12.6.

> **Devis quasi expérimentaux**
> Devis qui ne répondent pas à toutes les exigences du devis expérimental du fait qu'il manque le groupe témoin ou la répartition aléatoire ou les deux.

12.5.2 Les caractéristiques des devis expérimentaux

Sont considérées comme de véritables expérimentations les études qui comportent les trois caractéristiques essentielles suivantes : 1) la manipulation de la variable indépendante ; 2) la répartition aléatoire des sujets dans les groupes ; et 3) les groupes de contrôle.

La manipulation de la variable indépendante

La **manipulation d'une variable indépendante** intervient dans toute étude à caractère expérimental. Le chercheur détermine au préalable les conditions expérimentales (variable indépendante) auprès d'au moins un groupe de participants, afin d'en étudier les effets sur la ou les variables dépendantes. Il manipule les niveaux ou les conditions de la variable indépendante en soumettant les participants à un ensemble de conditions variées, habituellement en appliquant une intervention à un seul des deux groupes. À un deuxième niveau, le chercheur peut faire varier les conditions en offrant l'intervention plus d'une fois à un groupe ou à un deuxième groupe. En voici une illustration : le chercheur formule une hypothèse voulant qu'un programme d'éducation à la santé des aînés (variable indépendante que peut manipuler le chercheur) augmente leur efficacité personnelle perçue à l'égard des comportements en matière de santé et améliore leurs connaissances (variables dépendantes). L'offre peut être modifiée et appliquée à un autre groupe expérimental, alors que le troisième groupe (groupe de contrôle) ne bénéficie pas

> **Manipulation d'une variable indépendante**
> Opération délibérée du chercheur qui introduit un ensemble de conditions expérimentales prédéterminées auprès d'au moins un groupe de sujets afin d'en évaluer les effets sur la variable dépendante.

du programme ou reçoit un traitement standard. Le chercheur mesure ensuite les variables dépendantes (efficacité personnelle perçue et connaissances) et compare les trois groupes entre eux.

La variable indépendante, dite « expérimentale », peut être un type de thérapie, une technique de relaxation, un programme de soutien, un niveau de bruit, la durée d'un exercice physique, etc. Cette variable comporte au moins deux niveaux (la présence ou l'absence de l'intervention), mais elle peut en contenir davantage. Ainsi, la durée d'un exercice physique (variable indépendante) peut s'étaler sur quatre niveaux : 15, 30, 45 ou 60 minutes. Dans les devis expérimentaux en général, il est important de concevoir une intervention suffisamment puissante pour produire un effet appréciable sur la variable dépendante. Les variables dépendantes les plus souvent utilisées dans les devis expérimentaux se rapportent à des comportements, à des connaissances ou à des fonctions biologiques. Par exemple, l'utilisation de variables dépendantes ayant rapport au comportement permet de mesurer quelque chose d'observable et ainsi d'évaluer la réponse ou l'ampleur du changement produit.

La répartition aléatoire des sujets

Une fois que les sujets ont été choisis aléatoirement pour former l'échantillon, il convient de poursuivre le processus de randomisation par leur répartition dans les groupes. La **répartition aléatoire** des sujets dans les groupes, ou randomisation, est une procédure qui donne à chaque sujet une chance égale d'être assigné à un groupe ou à l'autre, c'est-à-dire que les assignations sont indépendantes du jugement personnel ou d'un biais. Cette procédure permet d'équilibrer les groupes, expérimental et de contrôle, en favorisant la représentation des caractéristiques individuelles dans les deux groupes. La répartition aléatoire est une caractéristique essentielle au devis expérimental, car elle prévient l'existence de biais systématiques causés par les variables attributs, susceptibles d'influer sur la variable dépendante. La répartition aléatoire est considérée comme la technique de choix pour créer l'équivalence initiale entre les groupes. Les groupes deviennent équivalents lorsqu'ils présentent, avant le début de l'intervention, les mêmes caractéristiques relatives aux variables dépendantes et aux variables sociodémographiques. S'il est possible de supposer que les groupes sont équivalents au début de l'expérimentation, les différences observées à la fin de l'étude ne seront alors pas touchées par les variations individuelles préexistant au commencement de celle-ci (Portney et Watkins, 2009). Plusieurs ouvrages méthodologiques considèrent la répartition aléatoire entre les groupes comme une solution de remplacement acceptable, même si la sélection initiale des sujets au sein d'une population n'est pas le fait du hasard.

Le processus qui consiste à répartir les sujets dans les groupes peut se faire de diverses façons. Les nombres aléatoires ou l'utilisation de tables de nombres aléatoires (*voir le chapitre 14*) sont considérés comme un moyen efficace de randomisation. Pour des échantillons de petite taille, on peut recourir à des méthodes analogues, notamment le tirage au sort des noms.

Les groupes de contrôle

De manière à obtenir des résultats plausibles sur les relations de cause à effet entre la variable indépendante et la variable dépendante, le chercheur a recours à un

Répartition aléatoire
Mode de distribution des participants dans les groupes au moyen de méthodes probabilistes, donnant à chaque sujet une chance égale de faire partie de l'un ou l'autre groupe.

groupe de contrôle, ou groupe témoin, qui sert de comparaison. Le groupe de contrôle est constitué de sujets ayant des caractéristiques semblables à celles des participants du groupe expérimental, et il sert de point de comparaison en ce qui concerne l'effet produit sur les variables dépendantes. Les participants du groupe de contrôle reçoivent habituellement un traitement standard, ou un placébo, ou encore ne font l'objet d'aucune intervention comparativement au groupe expérimental qui reçoit l'intervention à l'étude. Dans les études expérimentales véritables, contrairement aux études quasi expérimentales, le groupe témoin provient aléatoirement de la même population que celle du groupe expérimental. L'emploi d'un groupe témoin accroît la possibilité de détecter des différences entre les groupes provenant de la même population. Pour effectuer des comparaisons valides, il doit exister, au départ, un degré d'équivalence raisonnable entre les groupes expérimental et témoin (Portney et Watkins, 2009). Les groupes sont dits équivalents s'ils proviennent de la même population; autrement, ils sont considérés comme des groupes de comparaison non équivalents. Pour des raisons pratiques ou éthiques, l'utilisation de groupes de contrôle n'est pas toujours possible ou faisable dans certaines situations cliniques. C'est pourquoi ils sont utilisés comme groupes témoins non équivalents dans les études quasi expérimentales. Ces études emploient des échantillons de convenance avec répartition aléatoire dans les groupes.

> De manière à obtenir des résultats plausibles sur les relations de cause à effet entre la variable indépendante et la variable dépendante, le chercheur a recours à un groupe de contrôle, ou groupe témoin, qui sert de comparaison.

12.5.3 Les principaux devis expérimentaux

Les devis expérimentaux regroupent un certain nombre de types de devis comportant des particularités différentes. Les principaux devis expérimentaux traités dans cet ouvrage sont:

- le devis avant-après avec groupe témoin;
- le devis après seulement avec groupe témoin;
- le devis factoriel;
- le devis en blocs aléatoires;
- le devis croisé ou contrebalancé;
- l'essai clinique randomisé.

Les termes « avant » et « après » renvoient respectivement au prétest et au posttest, lesquels désignent la prise de mesures auprès des participants avant et après l'intervention. Les devis expérimentaux ne nécessitent pas tous des mesures avant, alors que les mesures après sont essentielles pour déterminer les effets de la variable indépendante sur la variable dépendante. Les symboles servant à schématiser les devis sont les suivants:

R = la randomisation;

O = les observations ou les prises d'une mesure avant ou après l'intervention;

X = la variable indépendante ou l'intervention;

----- = l'absence de randomisation (dans les études quasi expérimentales).

Le devis avant-après avec groupe témoin (prétest-posttest)

Le **devis avant-après avec groupe témoin,** illustré schématiquement ci-après, est la structure classique de l'essai randomisé contrôlé, pour lequel il existe des variantes. Ce devis, qui est soumis à un contrôle rigoureux, comporte la prise de mesures (observations) auprès d'un groupe expérimental et d'un groupe témoin avant et après l'intervention. Le devis se compose d'au moins deux groupes de sujets équivalents, c'est-à-dire issus de la même population et répartis de façon aléatoire (R) dans le groupe expérimental et dans le groupe témoin. Un seul groupe est soumis à l'intervention (X). Les variables dépendantes sont mesurées deux fois auprès des participants: avant et après l'intervention (O_1 et O_2) pour le groupe expérimental et (O_3 et O_4) pour le groupe témoin. On compare les mesures obtenues aux deux moments auprès des deux groupes. L'alignement vertical des observations signifie qu'elles sont prises en même temps.

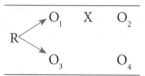

Les mesures prises avant l'intervention permettent d'observer jusqu'à quel point les groupes sont équivalents par rapport aux variables d'intérêt. S'il y a des différences, elles devraient se manifester de la même façon dans les deux groupes. Si le devis avant-après est bien appliqué, il suffit généralement à démontrer l'efficacité de l'intervention X en contrôlant les facteurs d'invalidité interne décrits par Campbell et Stanley (1963). L'action combinée de la randomisation, de l'intervention et des mesures avant et après a pour effet de protéger le devis contre les facteurs d'invalidité (*voir le chapitre 10*). Ces derniers ont une probabilité égale d'influencer les résultats (Bouchard et Cyr, 2005). En ce qui concerne la validité externe, il existe une possibilité d'interaction entre la prise de mesures avant et après l'intervention, ce qui risque d'avoir un impact sur la validité externe. Le fait de répondre à un test peut favoriser une prise de conscience chez les participants et les rendre plus réceptifs à l'intervention et avoir ainsi une influence sur leur façon de répondre au prochain test. Le devis avant-après avec groupe témoin peut aussi être étendu pour inclure plus d'un groupe expérimental, comme l'illustre le diagramme ci-dessous, comportant trois groupes de sujets:

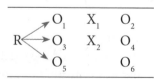

L'exemple 12.10 présente l'extrait d'une étude utilisant un devis avant-après avec groupe témoin (Moisan, Poulin, Capuano et Viatro, 2014); elle comporte deux groupes expérimentaux et un groupe témoin, comme illustré symboliquement ci-dessus.

Le devis après seulement avec groupe témoin (posttest seulement)

Le **devis après seulement avec groupe témoin** est un devis dans lequel des mesures sont prises auprès d'un groupe expérimental et d'un groupe témoin à la suite de l'intervention seulement. Les sujets sont répartis de façon aléatoire dans les deux groupes avant l'application de la variable indépendante. À la fin de l'expérimentation, on

Un devis avant-après avec un groupe témoin et deux groupes expérimentaux

But: Dans cet exemple, qui comporte trois groupes de sujets, dont deux groupes expérimentaux, les auteurs ont évalué les effets de deux interventions visant la promotion de la compétence sociale chez des enfants agressifs à la maternelle.

Méthode: L'échantillon de 182 élèves agressifs a été réparti aléatoirement entre trois conditions : a) une intervention portant sur la promotion de la compétence sociale en classe (PCS); b) une intervention PCS combinée à une intervention dyadique avec un pair (PCS + ID); et c) un groupe témoin. Les effets des interventions ont été mesurés à l'aide de questionnaires, d'une observation directe des comportements et d'une entrevue individuelle avec les enfants.

Résultats: Les résultats montrent que les enfants qui ont bénéficié des interventions présentent de meilleures habiletés de résolution de problèmes sociaux comparativement à ceux de la condition témoin. L'observation directe révèle que les garçons de la condition PCS et les filles de la condition PCS + ID ont plus tendance à proposer une idée à leurs pairs. La condition PCS + ID n'a pas eu d'effet plus marqué que la condition PCS seule.

Conclusion: L'étude a permis de démontrer que des rencontres d'intervention en classe avaient un effet positif sur la compétence sociale d'enfants de maternelle agressifs.

---

compare les mesures prises auprès des deux groupes, expérimental et témoin. Ce devis est approprié dans certaines études lorsqu'il n'est pas requis de mesurer les variables dépendantes avant le début de l'intervention. Ainsi, il ne servirait à rien de prendre une mesure du nombre de chutes chez des personnes âgées en résidence avant le début d'une intervention destinée à réduire leur fréquence. Ce devis est également recommandé quand un prétest peut avoir un effet défavorable sur la variable indépendante.

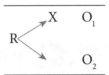

La randomisation permet d'établir l'équivalence initiale des groupes dans les limites de confiance déterminées par les analyses statistiques, sans qu'il soit nécessaire de procéder à un prétest (Campbell et Stanley, 1963). De plus, la plupart des obstacles à la validité interne sont contrôlés par la randomisation, comme dans le devis avant-après avec groupe témoin. En ce qui a trait à la validité externe, l'effet d'interaction entre la prise de mesures et l'intervention peut être contrôlé. Il est également possible, avec ce type de devis, d'avoir plus d'un groupe expérimental et plus de deux niveaux de la variable indépendante. La même structure est maintenue du fait que les participants sont répartis de façon aléatoire dans les groupes.

Le devis factoriel

Un **devis factoriel** est un devis expérimental dans lequel deux variables indépendantes ou plus sont manipulées simultanément, permettant ainsi d'analyser les effets des variables indépendantes et ceux de leur interaction. Les sujets sont répartis de façon aléatoire selon diverses combinaisons de niveaux des deux variables. La combinaison la plus simple est celle qui comporte deux traitements ou facteurs; au sein de chaque facteur, deux niveaux de traitement sont manipulés (p. ex. la présence ou l'absence de traitement). Cela rend possible l'interprétation

Devis factoriel
Devis expérimental dans lequel plus d'une variable indépendante comportant chacune au moins deux niveaux sert à vérifier l'action conjointe des variables indépendantes sur les variables dépendantes.

de l'action conjointe exercée par les variables indépendantes sur les variables dépendantes au sein d'une même étude. On se réfère ici à un devis factoriel 2 × 2. Ce devis, illustré dans le tableau 12.4, comporte quatre cellules, et chacune d'elle doit contenir un nombre équivalent de sujets.

TABLEAU 12.4	Un devis factoriel à deux facteurs (2 × 2)	
	A : Environnement physique	
B : Environnement social	A_1 Avec miroir	A_2 Sans miroir
B_1 Exercice en solo	$A_1 B_1$	$A_2 B_1$
B_2 Exercice en groupe	$A_1 B_2$	$A_2 B_2$

Un devis factoriel est schématisé dans une matrice de notation indiquant comment les groupes sont formés relativement aux niveaux de chaque variable indépendante. Les lettres A et B sont utilisées pour qualifier les variables indépendantes et leurs niveaux. Par exemple, avec deux variables indépendantes, A et B, il est possible de déterminer deux niveaux pour la première variable (A_1, A_2) et deux niveaux pour la seconde variable (B_1, B_2) Le devis factoriel peut être étendu à plus de deux facteurs. Par exemple, un devis 2 × 2 équivaut à 4 cellules ou groupes ; un devis 3 × 3 à 9 groupes ; un devis 2 × 3 × 4 à 24 cellules. Chaque cellule de la matrice représente une combinaison unique de niveaux. L'exemple 12.11 présente une étude utilisant un devis factoriel à deux facteurs (2 × 2) menée par Martin Ginis, Burke et Gauvin (2007). Un tel devis inclut deux variables indépendantes, A et B.

EXEMPLE 12.11

Un devis factoriel à deux facteurs (2 × 2)

Dans le contexte d'une activité physique structurée, les auteurs ont mené une étude factorielle à deux facteurs dans le but d'examiner les effets d'interaction uniques d'un environnement physique avec miroir et d'un environnement social de groupe sur l'induction des états d'humeur (revitalisation, tranquillité, engagement positif et épuisement physique) chez de jeunes femmes sédentaires. Les 92 femmes ont été réparties aléatoirement dans l'un des quatre groupes selon les conditions (seule devant un miroir, seule sans miroir, en groupe devant un miroir et en groupe sans miroir). Les chercheurs ont formulé l'hypothèse à partir d'une proposition théorique selon laquelle les femmes qui font l'exercice en groupe devant un miroir rapporteront des états d'humeur significativement accentués de façon négative durant et après l'exercice comparativement aux femmes des trois autres groupes. Cette prédiction s'appuie sur la théorie *Objective Self-Awareness Theory,* selon laquelle tout stimulus qui met en évidence le soi peut conduire à un état de conscientisation personnelle. Les résultats appuient les hypothèses de façon partielle et permettent de comprendre les facteurs environnementaux qui sont susceptibles de dissuader les femmes sédentaires de faire de l'exercice. (Traduction libre)

Dans cette étude, les deux variables indépendantes (facteurs) qui soutiennent les périodes d'activité physique sont l'environnement physique (A) avec miroir et sans miroir et l'environnement social (B) en solo et en groupe, chacune des variables comportant deux niveaux. Chaque groupe ou cellule est associé à un seul niveau : le premier groupe A_1B_1 fait l'exercice en solo devant un miroir ; le second groupe A_2B_1 fait l'exercice en solo sans miroir ; le troisième groupe A_1B_2 fait l'exercice en groupe devant miroir ; le quatrième groupe A_2B_2 fait l'exercice en groupe sans miroir. Dans ce devis factoriel, les deux variables indépendantes sont croisées, ce qui signifie que chaque niveau d'un facteur est représenté à chaque niveau de l'autre facteur. Chacun des quatre groupes représente une combinaison unique des niveaux de ces variables, comme le montre le tableau 12.4. Par exemple, en répartissant de façon aléatoire les 92 participantes de cette étude, on obtiendrait 23 femmes par groupe. En ce qui a trait à l'effet d'interaction entre les deux variables indépendantes, cette interdépendance survient quand l'effet d'une variable fluctue à différents niveaux de la deuxième variable.

Dans ce devis, la validité interne est assurée du fait de la répartition aléatoire des participantes dans les différentes conditions expérimentales. Quant à la validité externe, il faut signaler que plus le contrôle servant à préserver la validité interne est puissant, plus il devient difficile de généraliser les résultats. Dans cet exemple, les auteurs reconnaissent qu'ils ne peuvent généraliser les résultats à toutes les femmes qui font de l'exercice, mais ils soulèvent l'importance de tenir compte des types d'environnements dans les réponses psychologiques à l'exercice.

Le devis en blocs aléatoires

Un chercheur a recours au devis expérimental en blocs aléatoires quand il soupçonne qu'un facteur ou une variable étrangère peut influer sur les différences entre les groupes. Ce type de devis permet de contrôler l'effet nuisible de cette variable (Portney et Watkins, 2009). Le facteur est introduit dans l'étude et traité comme une variable indépendante. Cette variable indépendante, appelée «variable de stratification» (*blocking*), sert à créer des blocs de sujets homogènes. Un bloc est un sous-groupe formé de personnes qui partagent certaines caractéristiques individuelles. Par exemple, l'âge, le sexe, l'ethnicité, le degré de scolarité sont autant de variables qui peuvent être contrôlées quant à leur influence potentielle sur les résultats d'une expérimentation. Les sujets sont groupés par blocs selon la variable stratifiée et ensuite répartis de façon aléatoire dans chaque groupe pour être soumis aux conditions expérimentales. L'exemple 12.12, à la page suivante, présente un résumé d'une étude menée par Germino et ses collaborateurs (2013) ; ces chercheurs ont utilisé un devis expérimental en blocs aléatoires 2×2 afin de déterminer l'efficacité d'une intervention basée sur la gestion de l'incertitude devant la maladie auprès de femmes afro-américaines et américaines survivantes du cancer du sein.

Dans un devis en blocs aléatoires, le facteur de stratification doit être lié à la variable indépendante, c'est-à-dire que le facteur ou la variable est susceptible d'exercer une action sur la réponse des participants à l'intervention. Dans ce cas-ci, les auteurs ont justifié le choix de l'ethnicité comme variable de stratification sur la base de données concernant les deux ethnies. En effet, les Afro-Américaines ont des expériences de vie plus difficiles et des préoccupations différentes de celles des femmes blanches. En utilisant ce type de devis, les auteurs souhaitaient généraliser leurs résultats aux deux ethnies.

Un devis expérimental en blocs aléatoires

Un devis en blocs aléatoires a été utilisé dans le but de déterminer les effets d'une intervention de gestion de l'incertitude comparée à une condition d'attention de contrôle auprès de femmes afro-américaines et américaines survivantes d'un cancer du sein. Les variables dépendantes étaient l'incertitude devant la maladie, la gestion de l'incertitude, les préoccupations liées au cancer du sein et la dimension psychologique. L'ethnicité a servi de variable de stratification pour constituer des groupes (blocs homogènes).

Les 313 participantes ont été réparties aléatoirement selon l'une ou l'autre des deux conditions après la constitution des groupes. Les résultats indiquent une diminution de l'incertitude et une amélioration statistiquement significative dans les stratégies d'adaptation cognitives et comportementales pour gérer l'incertitude, l'autoefficacité et le dysfonctionnement sexuel chez les femmes du groupe ayant fait l'objet de l'intervention de gestion de l'incertitude. (Traduction libre)

Le devis croisé ou contrebalancé

Devis croisé ou contrebalancé
Devis à mesures répétées où un groupe de sujets est exposé dans un ordre aléatoire à plus d'une condition expérimentale.

Le **devis croisé ou contrebalancé** est un devis à mesures répétées où un groupe de sujets est exposé dans un ordre aléatoire à plus d'une condition expérimentale. Dans certaines études, les sujets peuvent faire l'objet de plus d'un traitement ou d'une intervention. L'ordre des traitements expérimentaux est défini selon la technique en carré latin, de sorte que chacun des traitements X est appliqué une fois seulement dans chaque rangée et une fois seulement dans chaque colonne, formant ainsi un arrangement carré dans lequel chaque traitement n'apparait qu'une fois dans chaque position ordinale (Laurencelle, 2005). La taille du carré latin peut varier de 2×2 à l'infini. Les traitements sont appliqués de façon séquentielle plutôt que simultanée. S'il y a un effet, celui-ci pourra donc jusqu'à un certain point être contrebalancé. Ce type d'étude a l'avantage d'assurer un niveau élevé d'équivalence entre les sujets soumis aux différentes conditions expérimentales. Dans ce devis, il y a autant de groupes que de traitements. Le diagramme ci-après montre quatre groupes et quatre traitements. Tous les sujets reçoivent chacun des traitements de façon aléatoire, ce qui permet de distribuer également les effets de croisement et ainsi de les annuler.

Ce diagramme indique les séquences d'application aléatoires de traitement. Dans la première séquence suivant un prétest (O_1), le groupe A reçoit le traitement 1, le groupe B reçoit le traitement 2, le groupe C reçoit le traitement 3, et le groupe D reçoit le traitement 4. À la suite d'une deuxième évaluation (O_2), les groupes reçoivent un deuxième traitement, et ainsi de suite. Ainsi, chaque groupe reçoit tous les traitements, et chaque traitement est premier, deuxième, troisième ou quatrième, selon l'ordre reçu par les groupes (Best et Kahn, 2006).

Réplique	O_1X_1	O_2X_2	O_3X_3	O_4X_4
R 1	Groupe A	B	C	D
R 2	Groupe B	D	A	C
R 3	Groupe C	A	D	B
R 4	Groupe D	C	B	A

L'exemple 12.13 rapporte une étude où des chercheurs ont appliqué des mesures d'intervalles afin d'évaluer si l'application de la méthode kangourou et la position couchée sur le ventre entrainaient une diminution de la douleur chez les nouveau-nés très prématurés à la suite d'une procédure douloureuse faite au talon (Johnston et collab., 2013).

EXEMPLE 12.13

Un devis croisé ou contrebalancé

Dans cette étude, les chercheurs ont utilisé un devis croisé randomisé afin de déterminer l'efficacité de la méthode de soin kangourou sur la diminution de la douleur chez les nouveau-nés prématurés de 28 à 31 semaines de gestation. Cette méthode de soin est une intervention maternelle (variable indépendante) de contact peau à peau de la mère avec son bébé, qui est souvent utilisée pour soulager la douleur des nouveau-nés prématurés au cours de prélèvement sanguin. Chacun des 61 nouveau-nés prématurés a été soumis à une procédure douloureuse, la ponction capillaire au talon. Dans la condition expérimentale, la méthode kangourou était appliquée 15 minutes avant la ponction capillaire. Dans la condition de contrôle, le nouveau-né se trouvait dans l'incubateur en position couchée sur le ventre. L'ordre des traitements était déterminé de façon aléatoire. La douleur a été mesurée à l'aide d'indicateurs physiologiques et du comportement. Le temps de rétablissement du nouveau-né a été mesuré par l'enregistrement du retour à la normale de la pulsation. (Traduction libre)

L'utilisation d'un devis croisé exige que les conditions des sujets soient relativement stables dans le temps. Il s'avère particulièrement utile quand les conditions de traitement sont réversibles, comme dans le positionnement d'enfants. Dans certains cas, ce type de devis peut présenter des difficultés dues aux effets cumulatifs, mais celles-ci peuvent être résolues en allouant aux sujets une période d'arrêt suffisante pour éliminer les effets prolongés du traitement (Portney et Watkins, 2009).

L'essai clinique randomisé

L'essai clinique randomisé désigne la plupart du temps les études expérimentales qui examinent les effets d'interventions cliniques auprès des personnes ou des communautés. L'essai clinique n'est pas un devis de recherche particulier, mais bien l'application d'un devis expérimental à un problème de recherche clinique. Les devis avant-après ou après seulement sont parmi les devis les plus souvent utilisés dans l'essai clinique randomisé. Les chercheurs dans le domaine de la santé, particulièrement en épidémiologie, ont souvent recours à l'essai clinique pour évaluer l'efficacité de nouveaux traitements à caractère clinique. L'essai clinique randomisé et contrôlé utilise en général un grand nombre de sujets de manière à pouvoir vérifier les effets des interventions et comparer les résultats cliniques avec ceux obtenus par un groupe témoin qui n'a pas bénéficié de l'intervention ou qui a reçu le traitement habituel.

L'essai clinique n'est pas un devis de recherche particulier, mais bien l'application d'un devis expérimental à un problème de recherche clinique.

Pour conclure cette section sur les devis expérimentaux, il importe de souligner que même si ces devis sont les plus robustes pour détecter des différences entre les groupes par rapport à la variable dépendante, ils ne sont pas accessibles à toutes les situations de recherche. En effet, à cause des contraintes relatives à la sélection des sujets, au contrôle et à la randomisation, de véritables expérimentations de terrain sont impossibles dans plusieurs disciplines. Les devis quasi expérimentaux constituent donc une solution de rechange valable. Même s'ils ne satisfont pas aux exigences d'une véritable expérimentation, ils permettent néanmoins de déduire que les effets observés sur la variable dépendante sont dus à la variable indépendante en cause. Dans une démarche expérimentale, il importe de tout mettre en œuvre pour obtenir l'assurance maximale que les résultats sont attribuables à la seule variable indépendante et non pas à d'autres facteurs extérieurs. Le tableau 12.5 résume les caractéristiques des devis expérimentaux qui ont été vus précédemment.

TABLEAU 12.5 | Un résumé des caractéristiques des devis expérimentaux

Type	Description	Facteurs de validité et d'invalidité
Devis avant-après avec groupe témoin $R \begin{cases} O_1 \quad X \quad O_2 \\ O_3 \qquad\quad O_4 \end{cases}$	Deux groupes de sujets sont randomisés : l'un reçoit l'intervention et l'autre non. Les prises de mesures auprès des sujets sont faites avant et après l'intervention.	La plupart des obstacles à la validité interne sont contrôlés par la randomisation et les mesures avant-après. La validité externe peut être affaiblie par la possibilité d'une interaction entre les mesures et l'intervention.
Devis après seulement avec groupe témoin $R \begin{cases} X \quad O_1 \\ \quad\; O_2 \end{cases}$	Deux groupes de sujets sont randomisés comme dans le devis précédent. Les mesures des variables dépendantes sont prises uniquement après le traitement ou l'intervention.	Même sans prétest, la plupart des obstacles à la validité interne sont contrôlés par la randomisation et le groupe témoin. La validité externe est accrue par le contrôle de l'interaction entre la mesure et l'intervention.
Devis factoriel $R \begin{cases} A_1B_1 \quad O \\ A_1B_2 \quad O \\ A_2B_1 \quad O \\ A_2B_2 \quad O \end{cases}$	Au moins deux variables indépendantes (facteurs) sont utilisées auprès de sujets répartis aléatoirement selon diverses combinaisons des niveaux des deux variables.	La plupart des obstacles à la validité interne sont contrôlés. L'absence d'un prétest fait qu'il n'y a pas d'interaction entre la mesure et l'intervention, renforçant la validité externe.
Devis en blocs aléatoires	Une variable indépendante est stratifiée pour créer des blocs homogènes de sujets répartis aléatoirement selon les niveaux de la variable indépendante active.	La généralisation des résultats dépend de la définition des blocs.
Devis croisé ou contrebalancé $R \begin{cases} X_1O \quad X_2O \\ X_2O \quad X_1O \end{cases}$ (modèle de base)	Les sujets sont exposés à plus d'un traitement. Chaque traitement est appliqué une fois seulement dans chaque rangée et chaque colonne. Le traitement est appliqué de façon séquentielle ; les sujets sont randomisés selon une des séquences.	Les facteurs d'invalidité interne sont pour la plupart contrôlés. L'effet de croisement, dans certaines études, peut avoir un impact sur les réponses ultérieures.
Essai clinique randomisé Devis avant-après avec groupe témoin ou devis après seulement avec groupe témoin	Des études expérimentales examinent les effets de traitements ou d'interventions cliniques.	Se référer aux facteurs d'invalidité des deux premiers types de devis de ce tableau.

12.6 Les devis d'études quasi expérimentales

Les devis quasi expérimentaux utilisent une structure similaire à celle des devis expérimentaux, mais ils ne satisfont pas totalement aux exigences du contrôle expérimental, puisqu'il manque soit la répartition aléatoire, soit les groupes de comparaison, soit les deux. Toutefois, la manipulation de la variable indépendante est présente dans toutes les expérimentations. L'absence de répartition aléatoire introduit des problèmes potentiels relatifs à la validité de l'expérimentation. Dans les devis quasi expérimentaux, l'absence de randomisation compromet jusqu'à un certain point la comparaison entre les groupes (Wiersma et Jurs, 2005). Plusieurs études incorporent des éléments de la quasi-expérimentation à cause des limites des conditions cliniques; c'est le cas lorsqu'on répartit aléatoirement des sujets dans diverses unités hospitalières afin d'évaluer l'efficacité d'une intervention. Il pourrait être alors assez difficile de répartir des personnes d'une même unité ou d'unités différentes dans le groupe expérimental et dans le groupe témoin sans qu'il en résulte des biais importants du fait des contacts quotidiens entre les sujets des deux groupes et des caractéristiques différentes des personnes hospitalisées.

12.6.1 Les principaux devis quasi expérimentaux

Il existe plusieurs types de devis quasi expérimentaux. Cette section présente les plus courants, dont certains comportent un seul groupe de sujets, et d'autres peuvent comporter plus d'un groupe:

- le devis avant-après à groupe unique;
- le devis avant-après avec groupe témoin non équivalent;
- le devis après seulement avec groupe témoin non équivalent;
- le devis à séries temporelles interrompues simples;
- le devis à séries temporelles interrompues multiples.

Le devis avant-après à groupe unique

Le **devis avant-après à groupe unique** est un devis quasi expérimental, souvent appelé «préexpérimental», qui évalue un seul groupe de sujets avant et après l'intervention en vue de mesurer les changements survenus dans la variable dépendante. L'effet du traitement ou de l'intervention est déterminé par la différence entre les scores obtenus au prétest (O_1) et au posttest (O_2), comme le montre l'expression symbolique ci-après.

$$\overline{\quad O_1 \quad X \quad O_2 \quad}$$

Devis avant-après à groupe unique
Devis comportant un seul groupe de sujets qui est évalué avant et après l'intervention.

L'absence d'un groupe de comparaison rend ce devis vulnérable aux obstacles à la validité interne. L'établissement d'une relation de cause à effet s'avère limité, ce qui en fait un devis très peu efficace. Plusieurs facteurs d'invalidité sont présents, en particulier les facteurs historiques et les effets de maturation. De plus, la situation de mesure, la fluctuation des instruments de mesure, la régression statistique et les effets d'interaction avec la sélection des sujets ne sont pas exclus (Cook et Campbell, 1979).

Dans une étude quasi expérimentale avant-après avec groupe unique, Baumbusch, Dahlke et Phinney (2012) ont évalué les connaissances et les croyances des étudiants en sciences infirmières au sujet des soins aux aînés à la suite d'un cours d'introduction intégrant un contenu axé sur l'adulte âgé. Les étudiants ont répondu à une échelle sur les perceptions des soins aux aînés (*Perceptions of Caring for Older People Scale*) et à des questions ouvertes sur leurs expériences avant et après avoir participé au cours ainsi qu'à un jeu-questionnaire (*Palmore*

Facts on Aging Quiz). Les résultats ont montré des changements positifs importants chez les étudiants à la fin du cours quant à leurs connaissances et leurs croyances envers les soins aux personnes âgées.

Le devis avant-après avec groupe témoin non équivalent

Le **devis avant-après avec groupe témoin non équivalent** est un devis quasi expérimental dans lequel des mesures sont prises auprès d'un groupe expérimental et d'un groupe témoin non équivalent avant et après l'intervention. Dans le schéma présenté ci-dessous, la ligne pointillée qui sépare les deux groupes symbolise l'absence de randomisation des participants. Les observations sont indépendantes, car les groupes ne sont pas équivalents. Ce devis est semblable au devis expérimental avant-après, sauf que les sujets ne sont pas répartis de façon aléatoire dans les groupes. Les obstacles à la validité proviennent du fait qu'il y a absence de randomisation. Toutefois, le fait que les deux groupes soient soumis aux mesures avant et après (O_1 et O_2) permet de se rapprocher de l'équivalence initiale des groupes.

$$
\begin{array}{ccc}
O_1 & X & O_2 \\
\hline
O_1 & & O_2 \\
\end{array}
$$

Ce devis est fréquemment utilisé dans les recherches appliquées où il est difficile de réunir toutes les conditions expérimentales. On y a recours lorsque des groupes de sujets sont déjà constitués, comme des groupes de personnes hospitalisées pour tel type de chirurgie, des classes d'élèves, etc. Par exemple, un chercheur peut choisir un groupe de sujets hospitalisés à l'étage X pour le contrôle du diabète et un autre groupe de sujets hospitalisés pour le même problème de santé à l'étage Y, comme groupe de comparaison. Dans une étude avec devis avant-après avec groupe témoin non équivalent, les auteurs Gavigan, Cain et Carroll (2014) ont mesuré l'effet d'une intervention qui consistait en la présentation d'une vidéo informationnelle en regard de la procédure coronarienne percutanée sur l'anxiété et la satisfaction avant et après la procédure. L'échantillon était composé de 113 hommes et 72 femmes. Les résultats ne montrent pas de différence entre les groupes quant à l'anxiété. Cependant, on a noté un accroissement significatif en ce qui concerne la satisfaction chez le groupe qui a visualisé la présentation audiovisuelle comparativement au groupe de comparaison qui a reçu l'information de routine.

Même si le devis avant-après avec groupe témoin non équivalent est limité, il présente tout de même de la solidité. Le fait d'inclure des mesures avant et après exerce un certain contrôle sur les facteurs d'invalidité historiques, les effets dus à la situation de mesure et à la fluctuation des instruments de mesure, puisque les deux groupes subissent le même degré d'influence de ces sources d'invalidité (*voir le chapitre 10*). Le facteur d'invalidité interne le plus important est l'interaction entre la sélection des sujets, les facteurs historiques et la maturation. Les deux groupes choisis peuvent être dissemblables au début de l'étude. Cependant, il est possible de vérifier statistiquement les différences entre les groupes en ce qui a trait à l'âge, à la scolarité, etc. Si ces dernières variables se révèlent similaires, on peut avoir confiance dans les relations de causalité entre les variables.

Le devis après seulement avec groupe témoin non équivalent

Le **devis après seulement avec groupe témoin non équivalent** est un devis quasi expérimental impliquant un groupe de comparaison créé de façon non aléatoire. Il est aussi appelé «groupe de comparaison statique» (Campbell et Stanley, 1963). L'absence d'une évaluation avant l'intervention constitue un sérieux désavantage, car toute différence dans les mesures entre les groupes peut être attribuée à l'effet du traitement ou de la sélection opérée entre les différents groupes. Les résultats peuvent être par conséquent difficiles à interpréter.

$$\begin{array}{cc} X & O_1 \\ \hline & O_2 \end{array}$$

En dépit du fait que ce devis comporte un groupe de comparaison, la validité interne est menacée particulièrement par des facteurs d'invalidité (biais de sélection et mortalité expérimentale) (*voir le chapitre 10*). C'est un devis faible, car on ne peut assurer l'équivalence entre les groupes avant l'intervention (Portney et Watkins, 2009).

Les devis à séries temporelles

Les **devis à séries temporelles** se caractérisent par les nombreuses prises de mesures avant et après l'intervention, habituellement auprès d'un seul groupe et à des moments précis à l'intérieur de la série. Ils peuvent aussi comporter un groupe de comparaison. Les effets de la variable intervention s'évaluent par l'observation d'une discontinuité dans la série plutôt que par la comparaison avec un autre groupe. Ces devis permettent de prendre en compte la tendance des données avant et après la manipulation de la variable indépendante. Les deux types de devis à séries temporelles présentés ci-après sont le devis à séries temporelles interrompues simples et le devis à séries temporelles interrompues multiples avec un groupe témoin non équivalent.

Le devis à séries temporelles interrompues simples

Ce type de devis comporte une série de mesures prises sur une période de temps et interrompues par l'application d'un traitement ou plus. Ce devis, représenté dans le diagramme ci-dessous, requiert un groupe expérimental et plusieurs mesures (O) avant et après l'application de la variable indépendante. Les observations O_1 à O_4 représentent quatre périodes de collecte des données avant l'application de l'intervention, et les observations O_5 à O_8 correspondent à quatre périodes de collecte de données après l'intervention. Il n'y a pas de groupe de comparaison.

$$\begin{array}{ccccccccc} O_1 & O_2 & O_3 & O_4 & X & O_5 & O_6 & O_7 & O_8 \end{array}$$

Dans ce devis, même si le chercheur ne contrôle pas complètement l'intervention, les multiples prises de mesures améliorent la possibilité d'attribuer le changement à l'effet de la variable indépendante. L'évaluation porte sur les caractéristiques de la série avant l'intervention et sur la discontinuité ainsi que sur ses caractéristiques après le traitement. Ce devis requiert un petit nombre de participants. L'évaluation d'un changement administratif, celle d'une modification de programme d'études ou celle d'une distribution des soins remaniée sont des exemples d'utilisation de ce devis.

Devis après seulement avec groupe témoin non équivalent
Devis quasi expérimental comportant un groupe de comparaison qui n'a pas été créé dans un ordre aléatoire.

Devis à séries temporelles
Devis comportant des prises de mesures répétées auprès d'un groupe ou plus avec l'insertion d'un traitement expérimental entre les deux séries de mesures.

Un des avantages de ce devis est de permettre l'évaluation des effets dus à la maturation (facteur d'invalidité interne) avant l'introduction de la variable indépendante. Les mesures répétées rendent possible l'examen de la tendance des scores obtenus avant l'intervention en ce qui concerne l'effet dû à la régression statistique. Toutefois, les facteurs historiques demeurent un facteur important d'invalidité (Cook et Campbell, 1979). La situation de mesure et la sélection des sujets constituent d'autres facteurs d'invalidité interne. En ce qui a trait à la validité externe, l'effet de réactivité peut être présent si les participants sont conscients d'être l'objet d'une intervention ou d'un traitement.

Souvent perçu comme une extension du devis avant-après à groupe unique, il offre néanmoins plus de contrôle du fait de l'application de multiples prises de mesures avant et après l'intervention. L'exemple 12.14 présente une étude à séries temporelles interrompues simples menée par Dierker et ses collaborateurs (2008).

Un devis à séries temporelles interrompues simples

Cette étude avait pour but d'évaluer les habitudes quotidiennes de consommation de la cigarette, de l'alcool et de la marijuana parmi des collégiens inscrits en première année. Dans un devis à séries temporelles, les auteurs ont évalué les tendances comportementales pour chaque substance auprès des participants sur 210 jours durant l'année scolaire. L'étude visait aussi à déterminer la valeur prédictive quotidienne de consommation des substances. Quelques-unes des tendances ont pu être observées, entre autres la consommation d'une plus grande quantité de ces substances au début et à la fin de l'année scolaire. (Traduction libre)

Le devis à séries temporelles interrompues multiples

Ce type de devis comporte deux groupes: un groupe expérimental et un groupe témoin non équivalent. L'ajout d'un groupe de comparaison renforce la validité des résultats. Le groupe de comparaison permet d'examiner les différentes tendances entre les groupes après le traitement et la persistance dans le temps des effets du traitement. Ainsi, deux groupes donnent lieu à des séries temporelles indépendantes: un groupe est soumis au traitement tandis que l'autre fait seulement l'objet d'évaluations.

$$O_1 \quad O_2 \quad O_3 \quad X \quad O_4 \quad O_5 \quad O_6$$
$$O_1 \quad O_2 \quad O_3 \qquad O_4 \quad O_5 \quad O_6$$

Ce devis, illustré symboliquement dans le diagramme ci-dessus, permet un meilleur contrôle de certains facteurs de validité interne que le devis à séries temporelles interrompues simples, principalement des facteurs historiques. Cependant, il faut tenir compte du fait que le devis est constitué d'un groupe témoin non équivalent, un facteur qui peut avoir un effet négatif sur la validité des résultats. Plus les groupes sont comparables, plus grande est la probabilité de vérifier les facteurs d'invalidité.

L'exemple fictif présenté dans le tableau 12.6 illustre la mesure de l'efficacité d'un nouveau traitement, en l'occurrence celui des lésions de pression chez des grabataires. On applique une série de mesures, représentée par O_1 à O_4, avant la mise en œuvre du nouveau traitement (X) chez le groupe expérimental, puis on applique l'intervention (X), suivie d'une série de mesures après le traitement, représentée par O_5 à O_8. Le groupe de comparaison n'est pas soumis au nouveau traitement, mais reçoit les soins habituels. Les mesures sont prises en même temps auprès des deux groupes. En raison des nombreuses prises de mesures, ce devis permet de suivre l'évolution des lésions dans le temps. Il permet également d'apprécier la persistance des effets du traitement.

TABLEAU 12.6	Un exemple fictif d'un devis à séries temporelles avec groupe de comparaison non équivalent		
	Mesures avant	**Traitement**	**Mesures après**
Personnes alitées	Inventaire des lésions de pression à O_1, O_2, O_3, O_4	Tourner la personne toutes les deux heures.	Inventaire des lésions de pression à O_5, O_6, O_7, O_8
Personnes alitées	Inventaire des lésions de pression à O_1, O_2, O_3, O_4	Donner les soins habituels.	Inventaire des lésions de pression à O_5, O_6, O_7, O_8

Pour conclure cette section sur les devis quasi expérimentaux, il faut se rappeler que ces derniers sont plus complexes à généraliser que les devis expérimentaux randomisés parce qu'ils n'offrent pas un contrôle suffisant des variables étrangères ou des facteurs d'invalidité interne. Cependant, à cause de la structure rigide des études randomisées contrôlées, les devis expérimentaux sont moins accessibles et ne représentent pas toujours des situations réelles. C'est pourquoi on a recours à des études quasi expérimentales qui peuvent représenter une source d'informations valables, permettant d'examiner des relations causales et de comparer des contextes plus naturels. Il relève de la responsabilité du chercheur de juger de l'applicabilité des résultats à d'autres contextes (Portney et Watkins, 2009).

Le tableau 12.7, à la page suivante, fournit un résumé des principaux devis quasi expérimentaux et de leurs principales caractéristiques.

12.7 L'examen critique des devis d'études quantitatives

Le but de la recherche descriptive consiste à caractériser un phénomène, une population. Bien que les études descriptives ne comportent pas d'hypothèses, elles nécessitent néanmoins de la rigueur dans la définition et la mesure des variables d'intérêt. Le but des études corrélationnelles est d'examiner des relations entre des variables. Même si ces études n'établissent pas de relation de cause à effet, comme dans la recherche expérimentale ou quasi expérimentale, elles servent à découvrir quelles sont les variables associées entre elles dans un environnement naturel et la raison pour laquelle elles le sont. Dans les études à caractère expérimental, le chercheur met au point une intervention qu'il applique auprès d'un groupe de participants afin d'évaluer les effets sur la variable dépendante et de comparer les résultats obtenus avec un groupe de contrôle qui n'a pas été soumis à l'intervention. Les résultats obtenus sont censés montrer des différences dans les mesures prises entre le groupe expérimental et le groupe témoin. Pour évaluer si le devis convient à une situation de recherche, on peut se baser sur les questions qui figurent dans l'encadré 12.1, à la page suivante. Un aperçu de l'ensemble de l'étude est requis avant de procéder à un examen critique.

TABLEAU 12.7 | Un résumé des caractéristiques des devis quasi expérimentaux

Type	Description	Facteurs de validité et d'invalidité
Devis avant-après à groupe unique $O_1 \quad X \quad O_2$	• Un seul groupe est évalué avant et après l'intervention. • Variable indépendante avec deux niveaux avant et après représentée par le temps écoulé.	L'absence de groupe de comparaison rend ce devis vulnérable aux menaces à la validité interne : maturation, facteurs historiques, accoutumance au test, instrumentation, régression statistique. Les relations causales sont limitées.
Devis avant-après avec groupe témoin non équivalent $O_1 \quad X \quad O_2$ ----------- $O_1 \qquad O_2$	• Deux groupes de sujets répartis de façon non aléatoire : un groupe avec traitement, l'autre sans traitement. • Prises de mesures avant et après le traitement.	Un certain contrôle est exercé. Le facteur d'invalidité interne le plus menaçant est l'interaction de la sélection avec les facteurs historiques et la maturation.
Devis après seulement avec groupe témoin non équivalent $X \quad O_2$ -------- $\quad O_2$	• Deux groupes de sujets répartis de façon non aléatoire. • Évaluation faite après le traitement.	L'absence d'une évaluation avant le traitement constitue un sérieux obstacle. Même en présence d'un groupe de comparaison, la validité interne est menacée par des biais de sélection.
Devis à séries temporelles interrompues simples $O_1 \quad O_2 \quad O_3 \quad O_4 \quad X \quad O_5 \quad O_6 \quad O_7 \quad O_8$	• Un seul groupe expérimental évalué à plusieurs reprises avant et après le traitement. • Tendances liées aux intervalles de temps.	Les multiples prétests et posttests offrent un certain contrôle. Les facteurs historiques représentent une grande menace à la validité interne. La plupart des autres facteurs sont assez bien contrôlés.
Devis à séries temporelles interrompues multiples $O_1 \quad O_2 \quad O_3 \quad O_4 \quad X \quad O_5 \quad O_6 \quad O_7 \quad O_8$ $\text{----------------------}$ $O_1 \quad O_2 \quad O_3 \quad O_4 \qquad O_5 \quad O_6 \quad O_7 \quad O_8$	• Deux groupes de sujets non équivalents et répartis de façon non aléatoire. • Plusieurs prises de mesures avant et après le traitement.	Certaines de ses caractéristiques sont similaires à celles du devis à séries temporelles simples interrompues. La validité interne est menacée par l'interaction entre les facteurs historiques et la sélection.

ENCADRÉ 12.1 | Quelques questions guidant l'examen critique des études quantitatives

1. De quel type d'étude s'agit-il : descriptive, corrélationnelle, expérimentale ou quasi expérimentale ?

2. Étant donné l'état des connaissances, ce devis convient-il pour obtenir l'information souhaitée ?

3. Le cadre théorique ou conceptuel est-il mis en évidence ?

4. L'étude est-elle de nature transversale ou longitudinale ? Compte tenu de la question de recherche, la fréquence de la collecte des données est-elle appropriée ?

5. S'il s'agit d'une étude corrélationnelle, les relations à examiner entre les variables sont-elles clairement indiquées et définies ?

6. Si des prédictions sont faites entre des variables, sont-elles appuyées par une théorie ?

7. Quelles sont les limites du devis utilisé ? Ces limites sont-elles prises en compte par l'auteur ?

8. L'étude est-elle expérimentale ou quasi expérimentale ? Le type de devis est-il clairement décrit et désigné comme tel ?

9. Quels types de comparaisons établit-on dans le devis (p. ex. avant-après, entre les groupes) ? Ces comparaisons mettent-elles en évidence la relation causale entre les variables indépendantes et dépendantes ?

10. Les risques d'invalidité interne sont-ils mis en évidence ? Sont-ils contrôlés dans la mesure du possible ?

11. Le devis de recherche utilisé permet-il de tirer des conclusions sur les relations de cause à effet entre les variables ?

Points saillants

12.1 Les devis d'études descriptives

- Les devis d'études descriptives quantitatives visent à obtenir des informations précises sur les caractéristiques d'une population ou sur des phénomènes peu étudiés.

- Les devis descriptifs les plus courants sont le devis descriptif simple, le devis descriptif comparatif, l'enquête descriptive, qui peut être transversale ou longitudinale, et l'étude de cas.

12.2 Les devis d'études corrélationnelles

- À la différence des devis d'études purement descriptives, axées sur la description, les recherches corrélationnelles ont pour but d'examiner des relations entre des variables et, éventuellement, d'en préciser la force et la direction.

- L'examen des relations entre les variables se fait à des niveaux différents, selon qu'il s'agit : 1) d'explorer et de décrire des relations entre des variables, comme dans le devis d'étude descriptive corrélationnelle ; 2) de vérifier la nature des relations qui existent entre des variables, comme dans le devis d'étude corrélationnelle prédictive ; 3) d'examiner des modèles théoriques causals, comme dans le devis d'étude corrélationnelle confirmative ou de vérification d'un modèle.

12.3 Les devis d'études à visée temporelle

- Les études à visée temporelle se classent parmi les études corrélationnelles parce qu'elles servent à vérifier des associations entre des facteurs et à établir des différences entre des groupes ; elles permettent également de faire des comparaisons. Ces études peuvent être conduites de façon rétrospective ou prospective.

- Les études à visée temporelle peuvent être de nature transversale, si l'accent est mis sur les caractéristiques d'une population à un moment précis dans le temps, ou de nature longitudinale, si l'on veut évaluer les changements dans le temps.

- Les études analytiques en épidémiologie, comme les études de cohorte et les études cas-témoins, sont utilisées pour étudier non seulement des changements qui se produisent au cours du temps, mais aussi des relations de causalité entre les facteurs.

12.4 D'autres devis d'études utilisant la corrélation

- Parmi les autres types d'études utilisant la corrélation figurent la recherche méthodologique et l'analyse secondaire.

12.5 Les devis d'études expérimentales

- Les devis expérimentaux se distinguent des devis non expérimentaux du fait qu'ils comportent un traitement ou une intervention. Le chercheur évalue les effets d'une intervention, appelée « variable indépendante », sur d'autres variables, appelées « variables dépendantes ». Les devis sont expérimentaux ou quasi expérimentaux.

- Les devis expérimentaux utilisent au moins deux groupes de sujets à des fins de comparaison : un groupe expérimental et un groupe témoin. Le groupe expérimental diffère du groupe témoin en ce qu'il est l'objet d'une intervention.

- Les devis expérimentaux comprennent trois éléments essentiels : 1) la manipulation, qui introduit la variable indépendante ; 2) le contrôle, qui se fait par comparaison avec un groupe témoin ; et 3) la randomisation, qui est la répartition aléatoire des participants dans les groupes expérimental et de contrôle.

- Les devis expérimentaux décrits dans ce chapitre sont le devis avant-après avec groupe témoin, le devis après seulement avec groupe témoin, le devis factoriel, le devis en blocs aléatoires, le devis croisé ou contrebalancé et l'essai clinique randomisé.

- Les devis quasi expérimentaux se caractérisent par l'absence soit du groupe de contrôle, soit de la randomisation, soit des deux.

12.6 Les devis d'études quasi expérimentales

- Dans les devis quasi expérimentaux, on ne peut pas se servir des groupes de contrôle équivalents créés par la sélection aléatoire des sujets pour comparer les effets de la variable indépendante.
- Les devis quasi expérimentaux sont utiles, car ils permettent d'observer des phénomènes dans les cas où la répartition aléatoire des participants est impossible ou non souhaitable.
- Les devis quasi expérimentaux décrits dans ce chapitre sont le devis avant-après à groupe unique, le devis avant-après avec groupe témoin non équivalent, le devis après seulement avec groupe témoin non équivalent et les devis à séries temporelles interrompues (simples ou multiples).

Mots clés

Causalité

Corrélation

Devis à séries temporelles

Devis après seulement avec groupe témoin

Devis après seulement avec groupe témoin non équivalent

Devis avant-après à groupe unique

Devis avant-après avec groupe témoin

Devis avant-après avec groupe témoin non équivalent

Devis croisé ou contrebalancé

Devis en blocs aléatoires

Devis expérimental

Devis factoriel

Devis quasi expérimental

Enquête descriptive

Essai clinique randomisé

Étude cas-témoins

Étude corrélationnelle confirmative

Étude corrélationnelle prédictive

Étude de cas

Étude de cohorte prospective

Étude de cohorte rétrospective

Étude de vérification d'un modèle théorique

Étude descriptive

Étude descriptive comparative

Étude descriptive corrélationnelle

Étude longitudinale

Étude transversale

Exercices de révision

1. Définissez les expressions suivantes: étude descriptive, enquête, étude de cas, étude descriptive corrélationnelle, étude corrélationnelle prédictive.

2. Trois chercheurs s'intéressent à la croissance d'une cohorte d'enfants depuis la naissance jusqu'à l'âge de six ans. Différents devis de recherche à visée temporelle peuvent être utilisés dans une recherche qui s'étend sur une certaine période de temps. Pour chacune des trois recherches suivantes, indiquez quel type de devis à visée temporelle il conviendrait d'utiliser.

   a) Étude d'un nombre déterminé de nouveau-nés suivis jusqu'à l'âge de six ans.

   b) Étude d'un nombre déterminé d'enfants du même âge choisis parmi la classe d'enfants âgés de zéro à six ans, à un moment donné.

   c) Étude de la croissance des enfants actuellement âgés de six ans et fréquentant le même centre local de services communautaires (CLSC) depuis la naissance à partir des registres conservés au CLSC.

3. Déterminez la lettre correspondant à votre réponse.

   L'étude descriptive corrélationnelle sert à:

   a) décrire un phénomène.

   b) explorer et décrire des relations entre des variables.

   c) vérifier des relations entre des variables.

   d) décrire et classer des phénomènes.

4. Quelles sont les caractéristiques spécifiques des devis expérimentaux véritables?

5. Quels types de relations les devis expérimentaux ont-ils pour but d'examiner?

6. À quel devis correspond l'expression graphique suivante?

   $$O_1 \quad X \quad O_2$$
   $$O_1 \quad\quad O_2$$

7. Quelle est la principale caractéristique du devis avant-après avec groupe témoin non équivalent? Choisissez parmi les quatre options suivantes:

   a) Le prétest n'est pas administré au groupe témoin.

   b) Les participants ne sont pas répartis de façon aléatoire dans les groupes expérimental et témoin.

   c) L'intervention dont bénéficie le groupe expérimental diffère de celle du groupe témoin.

   d) Tous les facteurs d'invalidité sont contrôlés.

Liste des références

Les références citées dans la rubrique «Exemple» ou dans les citations peuvent ne pas figurer dans cette liste.

Bagatell, N., Cram, M., Alvarez, C. G. et Loehle, L. (2014). Routines of families with adolescents with autistic disorders: A comparison study. *Canadian Journal of Occupational Therapy, 8*(11), 62-67.

Baumbusch, J., Dahlke, S. et Phinney, A. (2012). Nursing students' knowledge and beliefs about care of older adults in a shifting context of nursing education. *Journal of Advanced Nursing, 68*(11), 2550-2558.

Bélanger, M. et Marcotte, D. (2013). Étude longitudinale du lien entre les changements vécus durant la transition primaire-secondaire et les symptômes dépressifs des adolescents. *Canadian Journal of Behavioural Sciences/Revue canadienne des sciences du comportement, 45*(2), 159-172.

Bessaoud, F. et Daurès, J.P. (2008). Patterns of alcohol (especially wine) consumption and breast cancer risk: A case-control study among a population in Southern France. *Annals of Epidemiology, 18*(6), 467-475.

Best, J.W. et Kahn, J.V. (2006). *Research in education* (10e éd.). Boston, MA: Allyn & Bacon.

Bouchard, S. et Boyer, R. (2005). L'épidémiologie. Dans S. Bouchard et C. Cyr. *Recherche psychosociale: pour harmoniser recherche et pratique* (2e éd.) (p. 563-568). Québec, Québec: Presses de l'Université du Québec.

Bouchard, S. et Cyr, C. (2005). *Recherche psychosociale: pour harmoniser recherche et pratique* (2e éd.). Québec, Québec: Presses de l'Université du Québec.

Campbell, D.T. et Stanley, J.C. (1963). *Experimental and quasi-experimental designs for research.* Chicago, IL: Rand McNally.

Cook, T.C. et Campbell, D.T. (1979). *Experimental and quasi-experimental designs for research.* Chicago, IL: Rand McNally.

De Wilde, K.S. et collab. (2013). Smoking patterns, depression, and socio-demographic variables among Flemish women during pregnancy and the postpartum period. *Nursing Research, 62*(6), 394-404.

Dierker, L. et collab. (2008). Tobacco, alcohol, and marijuana use among first-year U.S. college students: A time series analysis. *Substance Use & Misuse, 43*(5), 680-699.

Diez-Manglano, J. et collab. (2013). Factors associated with onset of delirium among internal medicine inpatients in Spain. *Nursing Research, 62*(6), 445-449.

Finn, K. et Guay, C. (2014). Perfectionnisme et contingentement universitaire: existe-t-il un lien? *Canadian Journal of Behavioural Science/Revue canadienne des sciences du comportement, 46*(2), 252-261.

Fletcher, R.H. et Fletcher, W. (2005). *Clinical epidemiology: The essentials* (4e éd.). Philadelphie, PA: Lippincott Williams & Wilkins.

Friedman, G.D. (1987). *Primer of epidemiology* (3e éd.). New York, NY: McGraw-Hill.

Gall, M.D., Gall, J.P. et Borg, W.R. (2007). *Educational research: An introduction* (8e éd.). Boston, MA: Allyn & Bacon.

Gavigan, A., Cain, C. et Carroll, D.L. (2014). Effects of informational sessions on anxiety precardiovascular procedure. *Clinical Nursing Research, 23*(3), 281-295.

Germino, B.B. et collab. (2013). Outcomes of an uncertainty management intervention in younger African American and Caucasian breast cancer survivors. *Oncology Nursing Forum, 40*(1), 82-92.

Grove, S.K., Burns, N. et Gray, J. (2013). *The practice of nursing research: Appraisal, synthesis and generation of evidence* (7e éd.). Saint-Louis, MO: Saunders Elsevier.

Hui Choi, W.H. et collab. (2012). The relationships of social support, uncertainty, self-efficacy, and commitment to prenatal psychosocial adaptation. *Journal of Advanced Nursing, 68*(12), 2633-2645.

Hulley, S.B., Cummings, S.R., Browner, W.S., Grady, D.G. et Newman, T.B. (2013). *Designing clinical research* (4e éd.). Philadelphie, PA: Volters Kluwer/Lippincott Williams & Wilkins.

Johnston, C.C. et collab. (2008). Kangaroo mother care diminishes pain from hell lance in very preterm neonates: A crossover trial. *BMC Pediatrics, 8,* 13-22. Repéré à www.biomedcentral.com/1471-2431/8/13

Laurencelle, L. (2005). *Abrégé sur les méthodes de recherche et la recherche expérimentale.* Québec, Québec: Presses de l'Université du Québec.

Martin Ginis, K.A., Burke, S.M. et Gauvin, L. (2007). Exercising with others exacerbates the negative effects of mirrored environments on sedentary women's feeling states. *Psychology and Health, 22*(8), 945-962.

Meneses, K., Azuero, A., Su, X., Benz, R. et McNees, P. (2013). Predictors of attrition among rural breast cancer survivors. *Research in Nursing & Health, 37,* 21-31.

Moisan, A., Poulin, F., Capuano, F. et Viatro, F. (2014). Impact de deux interventions visant à améliorer la compétence sociale chez des enfants agressifs à la maternelle. *Canadian Journal of Behavioural Science/Revue canadienne des sciences du comportement, 46*(2), 301-311.

Polit, D.F. et Beck, C.T. (2012). *Nursing research: Generating and assessing evidence for nursing practice* (9e éd.). Philadelphie, PA: Wolters Kluwer Health/Lippincott Williams & Wilkins.

Portney, L.G. et Watkins, M.P. (2009). *Foundations of clinical research: Applications to practice* (3ᵉ éd.). Upper Saddle River, NJ : Pearson/Prentice Hall.

Roy, S.N. (2010). L'étude de cas. Dans B. Gauthier (dir.). *Recherche sociale : de la problématique à la collecte des données* (5ᵉ éd.) (p. 199-225). Québec, Québec : Presses de l'Université du Québec.

Shadish, W.R., Cook, T.D. et Campbell, D.T. (2002). *Experimental and quasi-experimental designs for generalized causal inference.* Boston, MA : Houghton Mifflin.

Stommel, M. et Wills, C. (2004). *Clinical research: Concepts and principles for advanced practice nurses.* Philadelphie, PA : Lippincott Williams & Wilkins.

Strand, T. et Lindgren, M. (2010). Knowledge, attitudes and barriers toward prevention of pressure ulcers in intensive care units: A descriptive cross-sectional study. *Intensive and Critical Care Nursing, 26,* 335-342.

The Nurses' Health Study (1976, 1989, 2010). Repéré à www.channing.harvard.edu/nhs

Toma, L.M., Houck, G.M., Wagnild, G.M., Messecar, D. et Dupree Jones, K. (2013). Growing old with fibromyalgia. *Nursing Research, 62*(1), 16-24.

Weisman, H.L. et collab. (2014). Validation of a six-item male body image concerns scale (MBICS). *Eating Disorders, 22,* 420-434.

Wiersma, W. et Jurs, S.G. (2005). *Research methods in education: An introduction* (8ᵉ éd.). Boston, MA : Allen & Bacon.

Yin, R. (2014). *Case study research: Design and methods* (3ᵉ éd.). Thousand Oaks, CA : Sage Publications.

CHAPITRE 13

Les méthodes mixtes de recherche et les devis

Objectifs d'apprentissage

Après avoir étudié ce chapitre, vous serez en mesure :

- de décrire sommairement en quoi consistent les méthodes mixtes de recherche ;
- de connaitre les principaux types de devis mixtes ;
- de comprendre les raisons qui justifient le recours aux méthodes mixtes de recherche.

Les deux chapitres précédents ont discuté des devis qualitatifs et quantitatifs. Ce chapitre aborde une troisième voie, celle des méthodes mixtes de recherche et de ses principaux devis. Dans sa démarche, cette méthodologie incorpore des éléments des méthodes qualitatives et quantitatives. Elle dépasse la simple combinaison de données qualitatives et quantitatives pour comporter des postulats philosophiques ou des paradigmes offrant une prédominance aux données quantitatives ou qualitatives. On trouvera décrits dans les sections suivantes en quoi consistent les méthodes mixtes de recherche, leurs perspectives, les différents types de devis séquentiels et concomitants, des éléments de démarche particulière de cette approche et les critères de qualité des méthodes mixtes[1].

13.1 Les méthodes mixtes de recherche

Méthodes mixtes de recherche
Méthodologie combinant ou associant des méthodes qualitatives et quantitatives dans une même étude afin de répondre de façon optimale à une question de recherche.

Les chercheurs de différentes disciplines ont depuis longtemps utilisé les approches de recherche quantitatives et qualitatives, et parfois les deux, comme moyen d'obtenir des réponses aux questions de recherche ou de vérifier des hypothèses. Ce n'est que plus récemment que l'association des méthodes quantitatives et qualitatives a donné lieu de manière plus formelle à ce qu'on nomme aujourd'hui « **méthodes mixtes de recherche** ». Bien que la combinaison des deux méthodes ait engendré certaines controverses en cours de route (p. ex. l'incompatibilité ou non des paradigmes sous-jacents aux méthodes), il semble se dégager un consensus quant au bienfondé de la mixité des méthodes pour résoudre des problèmes de recherche plus complexes et présenter une diversité accrue de points de vue.

La recherche par les méthodes mixtes s'est développée progressivement dans plusieurs champs disciplinaires tels que la sociologie, la psychologie, la gestion, les sciences de l'éducation, les sciences infirmières et la santé publique (Guével et Pommier, 2012 ; Tashakkori et Creswell, 2008). Les méthodes mixtes constituent une approche de recherche novatrice qui incorpore dans une même étude des composantes qualitatives et quantitatives et, plus particulièrement, un langage, des concepts, des postulats ainsi que des techniques de collecte et d'analyse des données quantitatives et qualitatives (Johnson et Onwuegbuzie, 2004). Cette méthodologie mixte fournit des résultats nourris par la combinaison de ces stratégies (Creswell, 2009 ; Marshall et Rossman, 2011 ; Morse, 1991). Le but des méthodes mixtes de recherche est de tirer avantage des forces et des faiblesses de chacune des méthodes, qualitative et quantitative, et non pas de les remplacer. Ces méthodes ont l'avantage de permettre l'intégration de plusieurs perspectives et sont particulièrement utiles quand la question de recherche présente plusieurs facettes et qu'une seule méthode s'avère insuffisante pour toutes les explorer (Anaf et Sheppard, 2007). La complémentarité est une des raisons qui militent en faveur de l'adoption d'une recherche par les méthodes mixtes. D'autres considérations sont aussi évoquées dans les écrits tels que la confirmation de la convergence entre les résultats des différentes méthodes de collecte des données, le développement d'instruments de recherche ou encore le renforcement des résultats dans des situations expérimentales où l'interprétation entre les significations statistiques et les significations cliniques ont leur importance (Halcomb, Andrew et Brannen, 2009).

....
1. Ce chapitre s'inspire du chapitre 17 rédigé par Cécile Michaud et Patricia Bourgault pour la 2ᵉ édition de *Fondements et étapes du processus de recherche : méthodes quantitatives et qualitatives*, 2010.

Les méthodes mixtes de recherche sont plus qu'une simple combinaison ponctuelle de données qualitatives et quantitatives ; elles comportent des postulats philosophiques et un mélange planifié de ces méthodes à un moment prédéterminé du processus de recherche (Halcomb et collab., 2009). L'implantation des devis mixtes issus de ces méthodes s'avère particulièrement importante quant à la manière d'intégrer dans une même étude des données provenant des approches quantitatives et qualitatives, d'interpréter et de présenter les résultats. Le choix d'une méthodologie mixte découle de l'orientation personnelle du chercheur et de sa position philosophique, qui l'amène à considérer que la meilleure façon de répondre pleinement à certaines questions de recherche est de combiner les méthodes quantitatives et quantitatives dans une étude unique. Les méthodes mixtes de recherche sont considérées comme la troisième vague ou le troisième paradigme, ou encore une voie intermédiaire entre deux positions extrêmes sur le continuum entre les paradigmes postpositiviste et interprétatif (Anaf et Sheppard, 2007). Rappelons qu'un paradigme est une vision du monde, un ensemble de règles et de croyances partagées par une communauté de chercheurs (*voir le chapitre 2*). Dans la conduite de la recherche, ceux-ci s'appuient, consciemment ou non, sur des postulats philosophiques qui les orientent vers une perspective postpositiviste ou vers une perspective interprétativiste (Fawcett et Garity, 2009).

13.1.1 Les perspectives des méthodes mixtes

Deux perspectives ou visions différentes se dégagent des écrits portant sur les méthodes mixtes de recherche quant à la façon de concevoir les devis mixtes : la perspective de Morse (2005, 2008), précisée dans d'autres écrits (Morse et Niehaus, 2007 ; Morse, Niehaus, Wolfe et Wilkins, 2006), et la perspective de Creswell (2003, 2007). Selon la vision de Morse, les devis mixtes se justifient par la nature exploratoire des études, la complexité des phénomènes et les limites des méthodes de recherche. Ainsi, la combinaison de méthodes, qu'elles soient qualitatives ou quantitatives, est parfois nécessaire. Cependant, étant donné que les méthodes de recherche ne sont jamais neutres, cette combinaison doit s'appuyer sur un postulat philosophique ou paradigmatique qui oriente le problème de recherche et entraine la préséance d'une catégorie de données sur l'autre (qualitatives ou quantitatives). Cette position est appuyée par plusieurs philosophes de la science, dont Lipscomb (2008). Ainsi, une même étude présentera une composante majeure quantitative et une composante mineure qualitative ou l'inverse, ainsi que des données de base et des données supplémentaires. Ces dernières servent à confirmer les données de base et assurent une réponse optimale à la question de recherche. Selon cette perspective, le devis mixte serait plus une stratégie qu'une méthode, et il favoriserait la compréhension, la description ou l'explication d'un phénomène complexe.

Selon la perspective de Creswell (2003, 2007), qui rejoint celle de Tashakkori et Teddlie (1998), les méthodes mixtes de recherche s'appuient sur le paradigme pragmatique qui met l'accent sur l'avancement des connaissances, l'amélioration de la condition humaine et la création de théories. Le paradigme pragmatique considère que la connaissance se développe dans l'action et qu'elle est une conséquence de la recherche et non pas une condition préalable à celle-ci. Ces auteurs soutiennent que le but de la recherche est de résoudre un problème et que, pour ce faire, toutes les approches doivent être utilisées. Dans

> Le paradigme pragmatique considère que la connaissance se développe dans l'action et qu'elle est une conséquence de la recherche et non pas une condition préalable à celle-ci.

cette optique, ils proposent de se concentrer sur le but de l'étude plutôt que sur l'un ou l'autre des paradigmes (postpositiviste ou interprétatif). Le chercheur s'appuie sur ses connaissances méthodologiques pour choisir la meilleure façon de répondre efficacement à la question de recherche ainsi que sur les stratégies les plus pertinentes qui en découlent. Pour ces auteurs, il est alors possible que des études puissent ne pas accorder de préséance à la composante particulière. Toutes les possibilités de stratégies dépendent du but de la recherche ainsi que de la question à laquelle celle-ci veut répondre.

En ce qui a trait à la notion paradigmatique, il a été établi que les paradigmes postpositiviste et interprétatif et leurs différents postulats philosophiques déterminent des façons et des méthodes différentes d'appréhender les phénomènes. D'une part, le paradigme postpositiviste (p. ex. le raisonnement déductif, une réalité objective, des données numériques) oriente le chercheur vers le choix de la méthode de recherche quantitative. D'autre part, le paradigme interprétatif (p. ex. le raisonnement inductif, plusieurs réalités, des données textuelles) guide le choix de la méthode qualitative. Quant au paradigme pragmatique, il se fonde sur le postulat que la collecte de plusieurs types de données fournit une meilleure compréhension du problème de recherche. Le chercheur fait ainsi appel aux raisonnements déductif et inductif et à la collecte de données quantitatives et qualitatives. La notion de réalité (vérité) cède alors la place à celle d'efficacité, qui agit comme critère de vérité en ce qui concerne les façons d'explorer les questions de recherche. Le chercheur qui fait appel aux méthodes mixtes pour résoudre un problème de recherche s'appuie sur une démarche rationnelle visant la valeur pratique et l'efficacité. Le paradigme pragmatique reconnaît les valeurs du chercheur et le rôle qu'il joue dans l'interprétation des résultats (Tashakkori et Teddlie, 2003). À ce titre, toute étude utilisant une méthode mixte de recherche doit présenter l'aspect rationnel explicitant le recours à cette méthode (Creswell, Fetters et Ivankova, 2004). Le paradigme pragmatique adopte de multiples points de vue pour résoudre un problème de recherche. Il fournit un cadre philosophique aux méthodes mixtes de recherche. Ces dernières peuvent aussi être utilisées avec l'un des paradigmes (postpositiviste et interprétatif) ; dans ce cas, l'une des composantes qualitative ou quantitative a préséance.

> Le paradigme pragmatique adopte de multiples points de vue pour résoudre un problème de recherche. Il fournit un cadre philosophique aux méthodes mixtes de recherche.

13.2 Les types de devis mixtes

Tout comme les méthodes de recherche quantitative et qualitative comportent un certain nombre de types de devis pour atteindre leur but, les méthodes mixtes de recherche font aussi appel à une typologie particulière pour caractériser les différents devis mixtes. Les stratégies associées à la conduite des devis mixtes impliquent des procédures séquentielles, concomitantes et transformatives selon certains facteurs, notamment le moment de la collecte des données (séquentiel ou concomitant), la priorité donnée à l'une ou l'autre des approches quantitatives et qualitatives, la façon dont les données seront combinées et, dans certains cas, la présence d'une perspective théorique. La notion de concomitance ou celle de séquence sert à préciser le moment de la mise en œuvre des stratégies de collecte des données.

Dans la procédure séquentielle, le chercheur tente d'expliquer les résultats d'une méthode en s'appuyant sur ceux de l'autre méthode ; la collecte des données a lieu l'une après l'autre. Trois types de devis sont issus de la procédure séquentielle : explicatif, exploratoire et transformatif. Dans la procédure concomitante, le chercheur tente de rapprocher les données quantitatives et qualitatives en les intégrant dans l'interprétation des résultats afin de fournir une analyse complète du problème de recherche ; les données sont recueillies en même temps. Les types de devis mixtes associés à la procédure concomitante sont les suivants : triangulé, imbriqué et transformatif. Dans la procédure transformative, le chercheur recueille un seul type de données (qualitatives ou quantitatives) et transforme ensuite un type de données en un autre. Cette procédure utilise une perspective théorique. La priorité accordée aux méthodes (qualitatives ou quantitatives) est un autre aspect des devis mixtes. La position dominante signifie que l'une des méthodes a prédominance sur l'autre ; la position égale ou équivalente indique que les deux méthodes revêtent la même importance.

La complexité des méthodes mixtes de recherche a nécessité une nouvelle terminologie qui a été décrite et adaptée par différents auteurs (Creswell, 2003 ; Morse, 1991 ; Tashakkori et Teddlie, 1998). Ces notions, détaillées dans le tableau 13.1, servent à expliciter les différents types de devis issus des méthodes mixtes de manière à ce que les chercheurs utilisent un langage commun. Dans la méthodologie mixte, on considère une composante majeure, soit la méthode de recherche prédominante (qualitative ou quantitative), laquelle fournit la direction générale à l'étude, et la composante supplémentaire (l'autre méthode), qui est la stratégie (outil ou moyen méthodologique) utilisée pour améliorer la description, l'explication ou la compréhension du phénomène à l'étude.

TABLEAU 13.1	La terminologie caractérisant les devis des méthodes mixtes de recherche
Notation	**Définition**
QUAN ou QUAL	Les majuscules indiquent que la priorité est accordée aux données quantitatives ou qualitatives, à l'analyse et à l'interprétation des résultats.
quan ou qual	Les minuscules indiquent une priorité moindre accordée aux données quantitatives ou qualitatives, à l'analyse et l'interprétation des résultats.
QUAN/qual	La notation indique que les données qualitatives sont imbriquées dans le devis quantitatif.
Le signe +	Ce signe indique que la collecte des données quantitatives et qualitatives se produit de façon concomitante.
La flèche →	La flèche indique la forme séquentielle de la collecte des données (une des méthodes, qualitative ou quantitative, s'appuie sur l'autre pour évoluer).

Creswell (2009) a proposé six types de devis issus des méthodes mixtes de recherche en tenant compte des stratégies séquentielle, concomitante et transformative : 1) le devis séquentiel explicatif ; 2) le devis séquentiel exploratoire ; 3) le devis séquentiel transformatif ; 4) le devis concomitant triangulé ; 5) le devis concomitant imbriqué ; et 6) le devis concomitant transformatif. Ces types de devis mixtes sont brièvement décrits dans les prochains paragraphes et s'inspirent de plusieurs auteurs, dont Creswell et Plano Clark (2011), Creswell (2003, 2009), Teddlie et Tashakkori (2009), Morse et Niehaus (2007).

13.2.1 Le devis séquentiel explicatif

Devis séquentiel explicatif (QUAN → qual)
Devis avec prise de données quantitatives préalable à la collecte qualitative dans le but d'approfondir les résultats quantitatifs et d'expliquer des phénomènes.

Le **devis séquentiel explicatif (QUAN → qual)** se caractérise par la collecte et l'analyse de données quantitatives (QUAN) au cours d'une première phase suivie par la collecte et l'analyse de données qualitatives (qual) dans une deuxième phase, permettant ainsi d'avancer une explication sur les résultats quantitatifs obtenus à la phase initiale. La priorité est accordée aux données quantitatives, et le mélange des données intervient quand les résultats qualitatifs de la deuxième phase clarifient ou expliquent la collecte des données quantitatives primaires (*voir la figure 13.1*). Bien que les deux ensembles de données soient séparés, le mélange des données et l'intégration se produisent au moment de l'interprétation des résultats (Creswell, 2009).

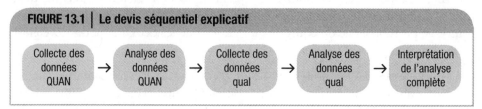

FIGURE 13.1 | Le devis séquentiel explicatif

Collecte des données QUAN → Analyse des données QUAN → Collecte des données qual → Analyse des données qual → Interprétation de l'analyse complète

Source : Inspiré de Creswell (2009, p. 209).

13.2.2 Le devis séquentiel exploratoire

Devis séquentiel exploratoire (QUAL → quan)
Devis avec prise de données qualitatives préalable à la collecte quantitative visant à explorer un phénomène.

Le **devis séquentiel exploratoire (QUAL → quan)** vise à raffiner une théorie, soit pour concevoir un outil de collecte des données, soit pour explorer des relations concernant le phénomène. Ce devis est similaire au précédent, sauf que les phases sont inversées. Dans le devis séquentiel exploratoire, la première phase consiste en la collecte et l'analyse de données qualitatives (QUAL), suivie de la deuxième phase, soit la collecte et l'analyse de données quantitatives (quan). Cette stratégie permet de recueillir de l'information additionnelle auprès des participants et vient enrichir les résultats découlant de la première phase. La priorité est donnée à la méthodologie qualitative. L'utilisation de la composante quantitative de l'étude permet d'explorer des relations décelées dans l'étude qualitative. L'atteinte de cet objectif repose sur des stratégies, entre autres l'entrevue et le groupe de discussion focalisée, ce qui permet de déterminer l'émergence de thèmes pouvant être associés et de poursuivre l'étude avec des mesures quantitatives afin d'explorer plus en profondeur ces associations fondées sur les liens établis durant la première phase. L'intégration des données se produit durant la phase d'interprétation, et les données quantitatives sont utilisées pour comprendre les données qualitatives (*voir la figure 13.2*).

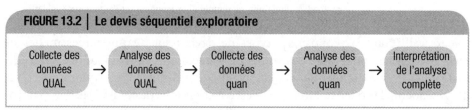

FIGURE 13.2 | Le devis séquentiel exploratoire

Collecte des données QUAL → Analyse des données QUAL → Collecte des données quan → Analyse des données quan → Interprétation de l'analyse complète

Source : Inspiré de Creswell (2009, p. 209).

L'exemple 13.1 présente l'extrait d'une étude ayant recours à un devis séquentiel exploratoire dans laquelle les auteurs ont utilisé une combinaison d'entrevues de groupes focalisés et d'un instrument de mesure quantitatif dans le but d'obtenir une pleine compréhension de l'expérience vécue par les femmes pendant l'accouchement (Larkin, Begley et Devane, 2014).

Une étude avec un devis séquentiel exploratoire

Les objectifs consistaient à 1) déterminer les attentes des femmes par rapport à l'accouchement ; 2) cibler les composantes de l'accouchement les plus importantes ; 3) établir la valeur relative assignée aux éléments de leurs expériences ; 4) examiner les associations entre les préférences des femmes en regard de l'accouchement et les variables telles que la parité, l'âge et le modèle des soins de maternité. Les deux premiers objectifs ont été atteints lors de la phase initiale qualitative, alors que les deux derniers objectifs ont été atteints par la phase quantitative. Les données qualitatives ont été traitées à l'aide de l'analyse thématique, et les données quantitatives l'ont été par l'utilisation d'analyse de régression. Il en est résulté une fusion convaincante fournie par les méthodes quantitative et qualitative menant à une pleine compréhension des expériences des femmes en regard de l'accouchement. (Traduction libre)

13.2.3 Le devis séquentiel transformatif

À la différence des deux devis séquentiels précédents, le **devis séquentiel transformatif (QUAL → quan ou QUAN → qual)** s'inspire d'une perspective théorique ou de soutien qui se traduit dans le but, les questions de recherche et l'incitation à l'action. Il convient à la compréhension d'un phénomène qui évolue au cours de l'étude. Ce devis comporte deux phases servant à encadrer les procédures séquentielles. Dans la phase initiale, on peut utiliser une collecte de données quantitatives ou qualitatives et faire suivre une autre phase quantitative ou qualitative qui se construit sur les données de la phase initiale. Selon le cas, la priorité est accordée à la méthode qualitative ou à la méthode quantitative (QUAL → quan ou QUAN → qual) ; la priorité peut aussi être distribuée également dans les deux phases. Le devis séquentiel transformatif est guidé par une perspective théorique qui fait appel à des méthodes qui s'harmonisent avec une telle vision. Cette perspective théorique ou de soutien modèle la question de recherche visant à explorer un problème, à recueillir des données auprès de groupes marginalisés ou sous-représentés, et elle se termine par un appel à l'action. Le devis séquentiel transformatif se caractérise par la perspective visant à soutenir davantage les participants ou à mieux comprendre un phénomène qui évolue à mesure qu'il est étudié. Dans ce sens, ce devis se rapproche de celui de la recherche-action (*voir la figure 13.3*).

Devis séquentiel transformatif (QUAL → quan ou QUAN → qual)
Devis en deux phases comportant une prise de données quantitatives ou qualitatives suivie d'une prise de données qualitatives ou quantitatives, incluant une perspective théorique ou de soutien chevauchant les procédures séquentielles.

FIGURE 13.3 | Le devis séquentiel transformatif

Perspective de soutien
QUAL → quan

OU

Perspective théorique
QUAN → qual

Source : Inspiré de Creswell (2009, p. 209).

L'exemple 13.2 présente l'extrait d'un devis séquentiel transformatif utilisé par Irimu et ses collaborateurs (2014) dans la conduite d'une méthode mixte pour expliquer la nature dynamique des déterminants dans le processus d'amélioration de la qualité des soins.

EXEMPLE 13.2

Une étude avec un devis séquentiel transformatif

La composante quantitative était une étude d'intervention avant-après à groupe unique. La composante qualitative était une étude ethnographique basée sur la perspective théorique de l'action participante. L'intégration des deux paradigmes s'est produite à trois niveaux, à savoir par l'énoncé de la question de recherche, par la méthodologie concernant les résultats préliminaires de la recherche quantitative sur les activités de l'action participante et par l'interprétation des résultats. La priorité était donnée à la recherche qualitative (QUAL) sur la recherche quantitative (quan). Les résultats de l'intégration des paradigmes de recherche semblent mettre en évidence une compréhension des lacunes qui existent dans la performance des travailleurs de la santé, ce qui n'aurait pas été possible sans le recours à une méthode mixte de recherche. Les auteurs concluent que l'implantation des meilleures pratiques sur le plan professionnel et organisationnel est un processus long et complexe étant donné les nombreux facteurs contextuels. (Traduction libre)

13.2.4 Le devis concomitant triangulé

Devis concomitant triangulé (QUAN + QUAL ou QUAL + QUAN) Devis avec prise de données quantitatives et qualitatives concourantes et comparaison des deux bases de données visant à déterminer s'il y a une convergence, une différence ou une combinaison possible des résultats.

Le **devis concomitant triangulé (QUAN + QUAL ou QUAL + QUAN)** consiste en la collecte concomitante des données quantitatives et qualitatives. La comparaison des données des deux approches permet de déterminer s'il y a une convergence, des différences ou d'autres combinaisons possibles des résultats. Théoriquement, les deux méthodes sont considérées comme d'égale importance, mais dans la pratique, l'une des deux approches se trouve priorisée. La collecte et l'analyse des données sont habituellement séparées, et l'intégration se fait au moment de l'interprétation des résultats. La discussion fait ressortir dans quelle mesure les données sont convergentes ou triangulées (*voir la figure 13.4*).

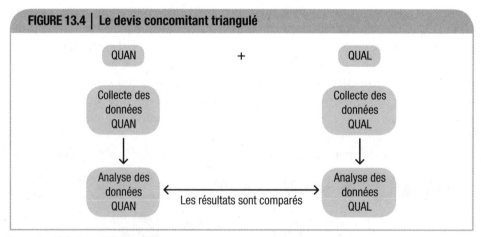

FIGURE 13.4 | Le devis concomitant triangulé

Source : Inspiré de Creswell (2009, p. 210).

L'exemple 13.3 rapporte une étude de Bourgault, Devroede, St-Cyr-Tribble, Marchand et De Souza (2008a, 2008b), qui ont utilisé un devis concomitant triangulé avec la méthode de théorisation enracinée dans le but d'explorer le processus d'aide aux femmes atteintes du syndrome du côlon irritable et de comprendre le rôle de la douleur abdominale ainsi que de l'état émotionnel de ces femmes dans ce processus.

EXEMPLE 13.3

Une étude avec un devis concomitant triangulé

Cette méthode visait à comprendre les comportements et les actions des femmes atteintes du syndrome du côlon irritable (SCI) afin de construire un modèle de théorisation de recherche d'aide. La composante qualitative était appuyée par la méthodologie de la théorisation enracinée. La composante quantitative a servi à décrire la douleur abdominale et l'état émotionnel des femmes atteintes du SCI. Les données qualitatives obtenues par entrevue semi-structurée ont été analysées selon l'approche de Strauss et Corbin (1990), afin de proposer un modèle du processus de recherche d'aide. Les données quantitatives relatives à la douleur ont été recueillies au moyen d'un questionnaire, d'un journal quotidien et d'un test en laboratoire (*Cold Pressure Test*). Des analyses de corrélation ont mis en relation ces variables avec le processus de recherche d'aide. Les données qualitatives ont servi à modéliser ce processus en trois catégories : le problème de santé (la condition causale), les caractéristiques personnelles (le contexte) et le processus de recherche d'aide (le phénomène en soi, les stratégies et leurs conséquences). Les analyses quantitatives ont permis de préciser ce processus en soutenant que la détresse psychologique explique davantage le processus de recherche d'aide que la douleur. (Traduction libre)

13.2.5 Le devis concomitant imbriqué

Le **devis concomitant imbriqué (QUAN/qual ou QUAL/quan)** peut être schématisé en deux rectangles, l'un étant inséré dans l'autre (*voir la figure 13.5*). Il comporte une phase de collecte des données au cours de laquelle des données qualitatives et quantitatives sont recueillies de façon concomitante. À la différence du modèle avec triangulation, une des deux méthodes prédomine pour guider l'étude, et l'autre méthode joue un rôle d'appoint dans les stratégies. La méthode qui fait l'objet de la priorité moindre est imbriquée dans la méthode prédominante. Le but consiste à obtenir une plus grande perspective telle que la fusion des données quantitatives afin d'enrichir la description des participants ou la fusion des données qualitatives pour décrire un aspect du phénomène qui ne peut être quantifié (Morse, 1991). Cette fusion peut signifier que la question de la méthode moins prioritaire est différente de celle de la méthode prioritaire.

Devis concomitant imbriqué (qual/QUAN ou quan/QUAL)
Devis avec prise de données quantitatives et qualitatives dont la méthode de moindre priorité est imbriquée dans l'autre.

FIGURE 13.5 | Le devis concomitant imbriqué

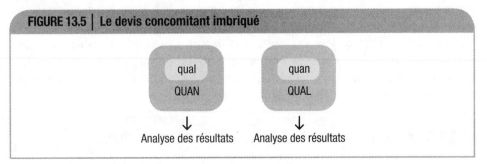

Source : Inspiré de Creswell (2009, p. 210).

13.2.6 Le devis concomitant transformatif

Devis concomitant transformatif (QUAN + QUAL ou qual/QUAN)
Devis avec prise concomitante de données quantitatives et qualitatives incluant une perspective théorique particulière.

Tout comme le devis séquentiel transformatif, le **devis concomitant transformatif (QUAN + QUAL ou qual/QUAN)** est guidé par une perspective théorique basée sur des idéologies (théorie critique, recherche participative) ou appuyé par des modèles théoriques. Cette perspective théorique se reflète dans le but et les questions de recherche. La priorité peut être inégale ou égale, selon le cas. L'analyse des données est habituellement séparée, et l'intégration se fait au moment de l'interprétation des résultats ou durant l'analyse si les données sont transformées. Ce devis ouvre la voie à diverses perspectives et permet de mieux comprendre un phénomène qui peut se modifier au cours de l'étude (*voir la figure 13.6*).

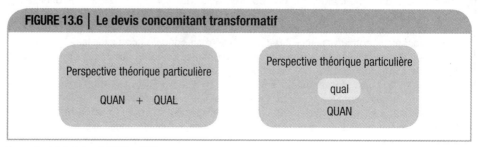

FIGURE 13.6 | Le devis concomitant transformatif

Source : Inspiré de Creswell (2009, p. 210).

13.3 La conduite des devis mixtes de recherche

Les principaux éléments à considérer dans la conduite des devis mixtes de recherche ont trait à la collecte des données, à leur analyse et à l'intégration des résultats.

13.3.1 La collecte des données

Une étape importante dans la conduite des méthodes mixtes de recherche est l'implantation de la collecte des données et la priorité accordée à la méthode quantitative ou qualitative utilisée pour les recueillir. De façon générale, la priorité accordée à l'une ou l'autre des méthodes dépend de l'accent mis par le chercheur sur le type d'information à obtenir. L'implantation détermine l'ordre selon lequel les données seront recueillies, soit de façon séquentielle, soit de façon concomitante, et la priorité concerne l'importance accordée aux deux types de données en matière d'égalité et d'inégalité (Creswell, 2003). Par exemple, on peut recueillir des données de façon séquentielle en commençant dans la première phase par des données quantitatives ; par la suite, on recueille des données qualitatives. Celles-ci peuvent servir à corroborer ou à réfuter les résultats obtenus à la première phase. Dans ce cas, la priorité accordée serait inégale, parce qu'un type de données prédomine sur l'autre. Par exemple, si l'on commence à recueillir des données quantitatives, on donne la priorité à la méthode quantitative, qui devient la composante principale de l'étude (QUAN → qual), alors que la méthode qualitative obtient une priorité moindre (Morgan, 1998).

13.3.2 L'analyse des données et l'intégration des résultats

Une autre étape a trait à la détermination de l'analyse des données et aux procédures de fusion et d'intégration. Cette étape est associée au choix du moment pour l'analyse des données et leur intégration à l'étude. Il s'agit de déterminer la manière dont les résultats issus des deux méthodes seront combinés pour répondre à la question de recherche. À cette fin, des approches ont été proposées par Teddlie et Tashakkori (2003) et rapportées dans d'autres écrits (Guével et Pommier, 2012 ; Pluye et collab., 2009) à savoir, les approches complémentaire, par tension dialectique et par transformation, aussi appelée « assimilation ».

- L'approche complémentaire indique que les résultats qualitatifs et quantitatifs sont présentés séparément, mais un élément du volet qualitatif contribue à un élément du volet quantitatif.

- L'approche par tension dialectique souligne les divergences possibles entre les résultats qualitatifs et quantitatifs. Ces divergences peuvent être attribuées aux différentes visions du monde. Les résultats peuvent être mis en contraste dans la discussion.

- L'approche par transformation (ou assimilation) suggère que les résultats sont intégrés sous une seule forme, qualitative ou quantitative. Cela nécessite la création de codes à partir des thèmes qui émergent des entrevues qualitatives et le calcul de la fréquence à laquelle ils apparaissent dans le texte. Cette quantification des données qualitatives permet au chercheur de comparer les résultats quantitatifs avec les données qualitatives.

13.4 Les critères de qualité des méthodes mixtes de recherche

Les méthodes mixtes de recherche, tout comme les autres méthodes, doivent répondre à des critères de qualité. Cependant, il ne semble pas se dégager de consensus dans les écrits quant à une normalisation de critères distincts pour favoriser la qualité des méthodes mixtes (Bryman, Becker et Sempik, 2008). Par ailleurs, des auteurs suggèrent certaines mesures à prendre dans la conception d'une étude et dans sa conduite (Morse, Wolfe et Niehaus, 2006). Ces critères mettent l'accent sur l'importance d'adhérer aux postulats de la méthode dominante, de justifier le rôle joué par la stratégie supplémentaire et de s'assurer d'un nombre adéquat de données additionnelles.

L'adhésion aux postulats de la méthode principale guide la conception de la nature du phénomène, tout comme le but de la recherche, donc la méthode et les valeurs qui la sous-tendent. Les stratégies quantitatives seront privilégiées lorsque l'orientation revêt une nature déductive, soit lorsque le but est la description d'un phénomène ou l'explication du phénomène avec des liens prédictibles. Les stratégies qualitatives auront préséance lorsque l'orientation est de nature inductive, soit lorsque le but de l'étude devient la compréhension d'un phénomène. Les critères de rigueur scientifique du paradigme principal s'appliquent à l'ensemble de l'étude. Il importe que les stratégies de recherche restent différentes, et le langage, les concepts ainsi que les techniques, quantitatives ou qualitatives, doivent demeurer cohérents.

La stratégie supplémentaire fournit des données impossibles à obtenir par la méthode principale seulement. Ces données additionnelles permettent de comprendre, de décrire ou d'expliquer le phénomène. Elles doivent pouvoir s'intégrer aux données de base qui ont préséance. Les critères de rigueur scientifique de la stratégie supplémentaire fournissent des éléments pour critiquer les données supplémentaires recueillies, mais ils ne s'appliquent pas aux données de base.

Le nombre de données supplémentaires doit être justifié, car il risque de diminuer la validité de l'étude. Les données supplémentaires doivent demeurer séparées et intactes avant d'être intégrées aux données de base. Ainsi, la complexité des méthodes mixtes de recherche exige la maitrise des méthodes de recherche traditionnelles. Par conséquent, cette approche convient mieux à des chercheurs expérimentés ou à des équipes de chercheurs qui possèdent des expériences complémentaires.

13.5 L'examen critique d'un devis mixte

L'encadré 13.1 présente quelques critères servant à guider l'examen critique des devis mixtes de recherche.

ENCADRÉ 13.1 | Quelques critères guidant l'examen critique des devis mixtes

1. Le paradigme qui guide la recherche par les méthodes mixtes est clairement décrit, qu'il soit postpositiviste, interprétatif ou pragmatique.

2. Les méthodes qualitatives et quantitatives sont détaillées avec autant de soin et de précision les unes que les autres.

3. La réponse à la question de recherche s'appuie sur la description des liens entre les méthodes et l'intégration des données.

4. Les stratégies de collecte des données séquentielles ou concomitantes sont pleinement expliquées.

5. Les techniques d'analyse des données sont décrites pour chaque but ou question de recherche.

6. Les retombées de l'étude sont mentionnées.

7. Les limites et les biais potentiels des stratégies de recherche sont exposés.

Point saillants

<table>
<tr><td>13.1</td><td>**Les méthodes mixtes de recherche**</td><td>• La recherche par les méthodes mixtes est une approche novatrice qui consiste à combiner des composantes des recherches qualitative et quantitative dans une même étude.

• Cette approche présente deux perspectives particulières déterminées par des auteurs différents.

• La perspective de Morse s'appuie sur des postulats philosophiques qui orientent la recherche et entraine la préséance d'une composante (qualitative ou quantitative) sur l'autre. La perspective de Creswell privilégie la vision pragmatique qui vise la valeur pratique et l'efficacité en se concentrant sur le but de la recherche plutôt que sur l'un ou l'autre des paradigmes. Toutes les stratégies sont valables dans la mesure où elles contribuent à l'atteinte du but de la recherche.</td></tr>
<tr><td>13.2</td><td>**Les types de devis mixtes**</td><td>• Six devis mixtes sont proposés; ils se caractérisent par la séquence ou la concomitance dans l'utilisation de la composante majeure, qu'elle soit qualitative ou quantitative. Il s'agit des devis séquentiel explicatif, séquentiel exploratoire, séquentiel transformatif, concomitant triangulé, concomitant imbriqué et concomitant transformatif.</td></tr>
<tr><td>13.3</td><td>**La conduite des devis mixtes de recherche**</td><td>• La démarche se caractérise par l'implantation de la collecte des données et la priorité accordée à la collecte des données qualitatives ou quantitatives ainsi que par la détermination du moment de l'analyse de l'information recueillie et des procédures d'intégration.</td></tr>
<tr><td>13.4</td><td>**Les critères de qualité des méthodes mixtes de recherche**</td><td>• Certaines précautions s'imposent pour assurer la qualité dans la conception et la conduite de la recherche : l'adhésion aux propositions du paradigme sur lequel s'appuie l'étude, la reconnaissance précoce du rôle et de la situation de la stratégie supplémentaire, et le nombre limité de données supplémentaires.</td></tr>
</table>

Mots clés

Devis concomitant imbriqué

Devis concomitant transformatif

Devis concomitant triangulé

Devis mixte

Devis séquentiel explicatif

Devis séquentiel exploratoire

Devis séquentiel transformatif

Données de base

Données supplémentaires

Méthodes mixtes de recherche

Paradigme pragmatique

Perspective théorique

Priorité

Exercices de révision

1. Donnez une définition des méthodes mixtes de recherche.

2. Nommez un type de devis mixte qui utilise :

   a) la stratégie de collecte séquentielle des données qualitatives dans une première phase suivie de la collecte des données quantitatives ;

   b) la stratégie de collecte concomitante des données quantitatives et qualitatives sans prépondérance pour l'une ou l'autre des méthodes.

3. Vous prévoyez utiliser un devis mixte séquentiel explicatif pour votre recherche. Décrivez la stratégie que vous utiliserez pour la collecte initiale des données et la stratégie à laquelle vous aurez recours pour la collecte secondaire des données.

Liste des références

Les références citées dans la rubrique « Exemple » ou dans les citations peuvent ne pas figurer dans la liste des références.

Anaf, S. et Sheppard, L.A. (2007). Mixing research methods in health professional degrees: Thoughts for undergraduate students and supervisors. *The Qualitative Report, 12*(2),184-192.

Bourgault, P., Devroede, G., St-Cyr-Tribble, D., Marchand, S. et De Souza, J.B. (2008a). Help-seeking process in women with irritable bowel syndrome. Part 1: Study results. *Gastrointestinal Nursing, 6*(9), 24-31.

Bourgault, P., Devroede, G., St-Cyr-Tribble, D., Marchand, S., et De Souza, J.B. (2008b). Help seeking process in women with irritable bowel syndrome. Part 2: Discussion. *Gastrointestinal Nursing, 6*(10), 28-32.

Bryman, A., Becker, A. et Sempik, J. (2008). Quality criteria for quantitative, qualitative and mixed methods research: A view from social policy. *International Journal of Social Research Methodology, 11*(4), 261-276.

Creswell, J.W. (2003). *Research design: Qualitative, quantitative and mixed methods approaches* (2ᵉ éd.). Thousand Oaks, CA : Sage Publications.

Creswell, J.W. (2007). Developing publishable mixed methods manuscripts. *Journal of Mixed Methods Research, 1*(3), 107-111.

Creswell, J.W. (2009). *Research design: Qualitative, quantitative and mixed methods approaches* (3ᵉ éd.). Los Angeles, CA : Sage Publications.

Creswell, J.W. et Plano Clark, V.L. (2011). *Designing and conducting mixed methods research* (2ᵉ éd.). Thousand Oaks, CA : Sage Publications.

Creswell, J.W., Fetters, M.D. et Ivankova, N.V. (2004) Designing a mixed methods study in primary care. *Annals of Family Medicine, 2*(1), 7-12.

Fawcett, J. et Garity, J. (2009). *Evaluating research for evidenced-based nursing practice.* Philadelphie, PA : F.A. Davis Company.

Guével, M.-R. et Pommier, J. (2012). Recherche par les méthodes mixtes en santé publique : enjeux et illustration. *Santé publique, 24*(1), 23-38.

Halcomb, E.J., Andrew, S. et Brannen, J. (2009). Introduction to mixed methods research for nursing and the health sciences. Dans S. Andrew et E.J. Halcomb (dir.). *Mixed methods research for nursing and the health sciences* (p. 3-12). Chichester, Grande-Bretagne : Wiley-Blackwell.

Irimu, G.W. et collab. (2014). Explaining the uptake of paediatric guidelines in a Kenyan tertiary hospital – mixed methods research. *BMC Health Services Research, 14*(119), 1-13.

Johnson, B. et Onwuegbuzie, A.J. (2004). Mixed methods research: A research paradigm whose time has come. *Educational Researcher, 33*(7), 14-26.

Larkin, P., Begley, C.M. et Devane, D. (2014). Breaking from binaries – using a sequential mixed methods design. *Nurse Researcher, 21*(4), 8-12.

Lipscomb, M. (2008). Mixed method nursing studies: A critical realist critique. *Nursing Philosophy, 9*(1), 32-45.

Marshall, G. et Rossman, G.B. (2011). *Designing qualitative research* (5ᵉ éd.). Thousand Oaks, CA : Sage Publications.

Morgan, D.L. (1998). Practical strategies for combining qualitative and quantitative methods: Applications to health research. *Qualitative Health Research, 8*(3), 362-376.

Morse, J.M. (1991). Approaches to qualitative-quantitative methodological triangulation. *Nursing Research, 40*(2), 120-123.

Morse, J.M. (2005). Evolving trends in qualitative research: Advances in mixed-methods designs. *Qualitative Health Research, 15*(5), 583-585.

Morse, J.M. (2008). Serving two masters: The qualitatively-driven, mixed-method proposal. *Qualitative Health Research, 18*(12), 1607-1608.

Morse, J.M. et Niehaus, L. (2007). Combining qualitative and quantitative methods for mixed-method designs. Dans P.L. Munhall (dir.). *Nursing research: A qualitative perspective* (4ᵉ éd.) (p. 541-554). Sudbury, MA : Jones & Bartlett.

Morse, J.M., Niehaus, L., Wolfe, R.R. et Wilkins, S. (2006). The role of the theoretical drive in maintaining validity in mixed-method research. *Qualitative Research in Psychology, 3*(4), 279-291.

Morse, J.M., Wolfe, R.R. et Niehaus, L. (2006). Principles and procedures of maintaining validity for mixed-method design. Dans L.A. Curry, R.R. Shield et T.T. Wetle (dir.). *Improving aging and public health research: Qualitative and mixed methods* (p. 65-78). Washington, DC : American Public Health Association et Gerontological Society of America.

Pluye, P., Nadeau, L., Gagnon, M.P., Grad, R., Johnson-Lafleur, J., et Griffiths, F. (2009). Les méthodes mixtes. Dans V. Ridde et C. Dagenais (dir.). *Approches et pratiques en évaluation de programmes* (p. 125-142). Montréal, Québec : Presses de l'Université de Montréal.

Tashakkori, A. et Creswell, J.W. (2008). Mixed methodology. *Journal of Mixed Methods Research, 2*(1), 3-6.

Tashakkori, A. et Teddlie, C. (1998). *Mixed methodology: Combining qualitative and quantitative approaches.* Thousand Oaks, CA : Sage Publications.

Tashakkori, A. et Teddlie, C. (2003). *Handbook of mixed methods in the social and behavioral research.* Thousand Oaks, CA : Sage Publications.

Teddlie, C. et Tashakkori, A. (2003). Major issues and controversies in the use of mixed methods in the social and behavioral sciences. Dans A. Tashakkori et C. Teddlie (dir.). *Handbook of mixed methods in social and behavioral research.* Thousand Oaks, CA : Sage Publications.

Teddlie, C. et Tashakkori, A. (2009). *Foundations of mixed methods research: Integrating quantitative and qualitative approaches in the social and behavioral sciences.* Thousand Oaks, CA : Sage Publications.

CHAPITRE 14

L'échantillonnage

Objectifs d'apprentissage

Après avoir étudié ce chapitre, vous serez en mesure :

- de définir les concepts fondamentaux de l'échantillonnage ;
- de distinguer la population cible de la population accessible ;
- de comparer entre elles les techniques se rapportant aux méthodes d'échantillonnage probabiliste et non probabiliste ;
- d'énumérer les éléments servant à déterminer la taille de l'échantillon dans les études quantitatives et qualitatives ;
- d'examiner de façon critique la taille de l'échantillon dans les études quantitatives et qualitatives.

Plan du chapitre

L'étape qui suit celle de la présentation des devis de recherche consiste à préciser la population auprès de laquelle les données seront recueillies. Bien que la phase conceptuelle ait employé certaines notions relatives à la population et au choix des participants à une étude, il s'agit maintenant d'extraire un échantillon de la population visée par la recherche. En effet, une étude comprend rarement tous les membres d'une population donnée, et un échantillon représentatif suffit à fournir des renseignements sur les caractéristiques de la population. Il existe plusieurs techniques d'échantillonnage parmi les méthodes probabilistes et non probabilistes ; le chercheur choisit celle qui s'adapte le mieux au but de l'étude et aux contraintes susceptibles de survenir dans le processus de recrutement des sujets. L'objectif est de pouvoir généraliser les résultats aux personnes non incluses dans l'étude, mais qui possèdent des caractéristiques semblables à celles des participants. Ce chapitre présente les principaux concepts liés à l'échantillonnage, les méthodes et les techniques d'échantillonnage, le recrutement des participants ainsi que les facteurs à considérer pour estimer la taille de l'échantillon dans les études quantitatives et qualitatives.

14.1 Les concepts liés à l'échantillonnage

Échantillonnage
Processus au cours duquel on sélectionne un groupe de personnes ou une portion de la population pour représenter la population cible.

L'**échantillonnage** est le processus par lequel on obtient un échantillon à partir de la population. Comme il s'agit de tirer des conclusions précises sur celle-ci à partir d'un groupe plus restreint de personnes, il est essentiel de choisir soigneusement l'échantillon afin qu'il reflète le plus fidèlement possible la population cible. Pour se familiariser avec ce processus, il convient de considérer les principaux concepts qui jouent un rôle de premier plan dans l'échantillonnage : 1) la population ; 2) les critères de sélection ; 3) l'échantillon ; 4) la représentativité de l'échantillon ; et 5) le biais d'échantillonnage.

14.1.1 La population

Population
Ensemble des éléments (personnes, objets, spécimens) qui présentent des caractéristiques communes.

La première étape du processus d'échantillonnage consiste à préciser la population à l'étude. La **population** désigne le groupe formé par tous les éléments (personnes, objets, spécimens) à propos desquels on souhaite obtenir de l'information. Ce que l'on vise à obtenir, c'est une population dont tous les éléments comportent autant que possible les mêmes caractéristiques. Par exemple, si l'étude porte sur les effets d'interventions thérapeutiques sur la qualité de vie des personnes atteintes du sida, la population qui intéresse le chercheur serait constituée de toutes les personnes qui en sont atteintes dans le monde. Toutefois, il n'est pas raisonnable de vouloir tester à l'échelle mondiale chaque personne atteinte ; c'est pourquoi on a recours à l'échantillon pour représenter la population. Le travail auprès de groupes plus restreints est souvent plus économique et potentiellement plus exact que s'il s'effectue auprès de grands groupes, en raison d'un meilleur contrôle. L'échantillonnage suppose une définition claire de la population prise en considération et des éléments qui la composent. L'élément est l'unité de base de la population auprès de laquelle l'information est recueillie ; il s'agit généralement d'une personne, mais cela peut aussi être un groupe, une organisation, une école, une ville. La population est alors constituée d'un ensemble de personnes, d'écoles, de villes, etc.

> L'échantillonnage suppose une définition claire de la population prise en considération et des éléments qui la composent.

La **population cible** désigne le groupe de tous les éléments (personnes, objets, spécimens) qui satisfont aux critères de sélection déterminés et pour lesquels on souhaite généraliser les résultats. Ainsi, la population cible d'une étude portant sur les avantages de l'allaitement maternel pour la mère et l'enfant peut être définie comme suit : toutes les mères qui allaitent aujourd'hui leur nouveau-né au Québec. Comme il est impossible d'avoir accès à chaque mère qui allaite son nouveau-né à l'échelle de la province, une portion seulement de la population cible qui présente cette caractéristique sera prise en considération. C'est la population accessible.

La **population accessible** désigne la portion de la population cible pour laquelle le chercheur peut avoir un accès raisonnable. Par exemple, une population accessible peut être constituée de toutes les femmes venant d'accoucher qui ont séjourné dans des centres hospitaliers de la région de Montréal pour la naissance de leur nouveau-né et qui ont choisi l'allaitement maternel. Étant donné qu'il existe plusieurs centres hospitaliers dans cette région, le chercheur en choisit au hasard un certain nombre et y sélectionne son échantillon de femmes venant d'accoucher. Comme le montre la figure 14.1, l'échantillon de l'étude sera choisi parmi cette population accessible. La population à l'étude est celle qui est accessible au chercheur, mais qui représente la population cible, c'est-à-dire celle pour laquelle on désire faire des généralisations.

Autant que possible, la population accessible doit être représentative de la population cible. La population accessible peut se trouver à l'intérieur d'une ville, d'une région, d'un établissement d'enseignement, d'un centre hospitalier, etc. La population cible peut comprendre, par exemple, tous les élèves de cinquième année du secondaire du Québec, alors que la population accessible, constituée pour faciliter l'étude, peut être formée des élèves de cinquième année du secondaire des écoles X, Y et Z de la ville de Montréal. La population est initialement hétérogène, c'est-à-dire que les éléments qui la composent sont de nature différente. Il faut donc définir une population cible en établissant d'abord les critères de sélection des éléments qui la composent.

Population cible
Population que le chercheur veut étudier et pour laquelle il désire faire des généralisations ou des transferts.

Population accessible
Portion de la population cible que l'on peut atteindre.

| FIGURE 14.1 | La population, la population cible, la population accessible et l'échantillon |

14.1.2 Les critères de sélection

Les **critères de sélection**, aussi appelés « critères d'admissibilité », incluent une liste des caractéristiques essentielles qui déterminent la population cible. Ils sont établis à partir du problème de recherche, du but ainsi que de la recension des écrits et du devis de recherche. Le chercheur doit considérer l'étendue des caractéristiques présentes dans la population, telles que le groupe d'âge, l'état de santé, les facteurs démographiques et géographiques, si ces facteurs sont pertinents pour la question de recherche. Une étude peut comporter des critères d'inclusion ou d'exclusion, ou les deux. Les critères d'inclusion décrivent les caractéristiques que doit posséder un sujet pour faire partie de la population (cible et accessible). Les critères d'exclusion servent à déterminer les sujets qui ne feront pas partie de la population cible en raison de leurs caractéristiques différentes. L'échantillon est tiré de la population cible qui est accessible au chercheur.

L'étude de Moisan, Poulin et Capuano (2014) menée auprès de 182 élèves de maternelle avait pour but de vérifier un programme destiné à prévenir la violence et le décrochage scolaire chez des élèves jugés agressifs. Les critères d'inclusion ont été les suivants :

- être de sexe masculin ;
- être jugé agressif d'après des critères précis ;
- fréquenter l'une des 41 classes de maternelle de la Commission scolaire de Laval.

14.1.3 L'échantillon

Un **échantillon** est un sous-groupe d'une population choisi pour participer à une étude. Il doit être, autant que possible, représentatif de cette population, c'est-à-dire que certaines caractéristiques connues de la population doivent être présentes dans l'échantillon. L'utilisation d'un échantillon comporte des avantages certains sur le plan pratique, à la condition de représenter fidèlement la population cible. La constitution de l'échantillon peut varier selon le but recherché, les contraintes qui s'exercent sur le terrain et la capacité d'accès à la population étudiée.

14.1.4 La représentativité de l'échantillon

Un **échantillon** est **représentatif** s'il peut, en raison de ses caractéristiques, se substituer à l'ensemble de la population cible. Pour généraliser les résultats de son étude, le chercheur doit s'assurer que les réponses des membres qui composent son échantillon sont représentatives de celles qu'auraient les membres de la population cible dans des circonstances similaires (Portney et Watkins, 2009). Les personnes diffèrent, et leurs différences observables sur les plans physique, psychologique ou comportemental doivent être représentées dans l'échantillon. Ainsi, un échantillon représentatif reflète de façon proportionnelle les caractéristiques pertinentes et les variables retrouvées dans la population. Afin de s'assurer qu'un échantillon représente bien une population, le chercheur a recours à des techniques d'échantillonnage qui permettent de minimiser l'éventualité d'un biais.

14.1.5 Le biais d'échantillonnage

Le **biais d'échantillonnage** renvoie à la sélection des participants à une étude dont les caractéristiques diffèrent de façon précise de celles de la population. Le biais d'échantillonnage survient quand les personnes désignées pour former l'échantillon ne sont pas soigneusement choisies ou que les participants devant composer un échantillon sont sous-représentés ou surreprésentés au regard de certaines caractéristiques de la population directement liées au phénomène à l'étude. Le biais peut être conscient, c'est-à-dire détecté dès le départ, ou inconscient, mais contrairement à l'erreur d'échantillonnage qui est causée par les variations aléatoires, le biais d'échantillonnage reste sous le contrôle du chercheur. Afin de réduire le plus possible le risque d'erreurs, celui-ci peut soit sélectionner au hasard les sujets qui composeront l'échantillon (échantillonnage probabiliste), soit s'attarder à représenter le plus exactement possible la population en tenant compte de ses caractéristiques connues (échantillonnage non probabiliste). Cela nous conduit à décrire les méthodes et les techniques d'échantillonnage.

14.2 Les méthodes d'échantillonnage

Les échantillons sont choisis selon l'une ou l'autre des deux méthodes d'échantillonnage : **l'échantillonnage probabiliste** ou **l'échantillonnage non probabiliste**. Les échantillons probabilistes sont constitués à partir d'un processus de sélection aléatoire. Cela veut dire que chaque élément de la population a une chance égale ou une probabilité non nulle d'être choisi pour faire partie de l'échantillon. Ce qui signifie également que chaque élément choisi a une probabilité égale de posséder un certain nombre de caractéristiques propres à la population cible. Ainsi, l'échantillon devrait être exempt de biais et considéré comme représentatif de la population de laquelle il provient. Comme la représentativité ne fournit jamais une garantie, il existe toujours une possibilité que les caractéristiques d'un échantillon soient différentes de celles de la population entière. C'est ce qui constitue l'erreur d'échantillonnage. Un grand écart d'échantillonnage signifie que l'échantillon ne donne pas une image fidèle de la population cible, qu'il n'est pas représentatif.

Les échantillons non probabilistes sont constitués sans que tous les éléments qui les composent soient obtenus par un processus aléatoire. Cela signifie que chaque élément de la population n'a pas une chance égale de faire partie de l'échantillon. Les échantillons non probabilistes sont plutôt choisis sur la base des caractéristiques de la population cible. Cette méthode limite la représentativité des échantillons et la capacité de généraliser les résultats au-delà de l'échantillon étudié. Comme il est souvent difficile, voire impossible, d'obtenir un échantillon probabiliste dans la pratique, le chercheur se tourne alors vers des techniques d'échantillonnage non probabiliste.

L'échantillonnage est aussi important en recherche qualitative qu'en recherche quantitative. Cependant, les deux approches de recherche comportent une différence importante quant à la manière de procéder. Dans la recherche quantitative, l'accent est mis sur l'échantillonnage de la population. Le concept de base est l'échantillonnage probabiliste qui vise à maximiser la représentativité : les variables sont mesurées à partir de l'échantillon qui a été choisi afin de représenter la population cible. En raison de la représentativité de l'échantillon, les résultats obtenus pourront être généralisables à la population de laquelle l'échantillon est prélevé. Dans la recherche qualitative, on utilise plutôt un type d'échantillonnage délibéré à partir duquel un nombre de personnes relativement petit est étudié en profondeur dans leur contexte de vie. C'est moins la population qui prévaut que les expériences et les évènements rapportés par les participants. Les décisions relatives

Échantillonnage probabiliste
Choix d'un échantillon à l'aide de techniques aléatoires afin que chaque élément de la population ait une chance égale d'être choisi pour faire partie de l'échantillon.

Échantillonnage non probabiliste
Choix d'un échantillon sans recourir à une sélection aléatoire.

à l'échantillonnage qualitatif ne relèvent pas seulement du choix des personnes à interviewer ou des types d'évènements à observer, mais aussi des milieux et de l'environnement. Il s'agit d'obtenir un échantillon qui représente bien le phénomène à l'étude dans un contexte particulier. Les critères de sélection qualitatifs sont formulés sur la base d'une réflexion approfondie selon le type de personnes les plus susceptibles de répondre à la question de recherche. Les deux méthodes d'échantillonnage comprennent un ensemble de techniques et de procédés qui leur sont propres. La figure 14.2 en présente les principaux types se rapportant à l'échantillonnage probabiliste et à l'échantillonnage non probabiliste.

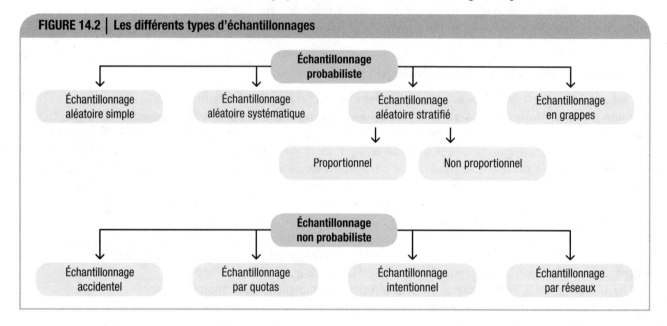

FIGURE 14.2 | Les différents types d'échantillonnages

14.2.1 Les types d'échantillonnage probabiliste

Quatre types d'échantillonnages probabilistes sont décrits ci-après : l'échantillonnage aléatoire simple, l'échantillonnage aléatoire systématique, l'échantillonnage aléatoire stratifié et l'échantillonnage en grappes.

L'échantillonnage aléatoire simple

Échantillonnage aléatoire simple
Méthode d'échantillonnage probabiliste qui donne à chaque élément de la population une probabilité égale d'être inclus dans l'échantillon.

L'**échantillonnage aléatoire simple** est une technique qui consiste à choisir des sujets de telle sorte que chaque membre a une chance égale d'être inclus dans l'échantillon. L'échantillon aléatoire simple provient de la population accessible ; il peut être constitué à partir d'une liste numérotée de personnes, comme les membres d'associations professionnelles, d'une liste de domiciles avec l'identification du nom de l'occupant ou encore d'une liste d'établissements. La population accessible résulte souvent de telles listes. Par exemple, si l'on utilise la liste des étudiants d'une université inscrits en sciences de l'éducation pour créer un échantillon d'étudiants, la population accessible sera définie par tous les étudiants de cette faculté figurant sur la liste. Celle-ci constitue le plan d'échantillonnage qui donne à tous les étudiants une chance égale de faire partie de l'échantillon. Dans cette liste, un numéro d'identification est attribué à chaque sujet. Si la population accessible contient peu d'éléments, l'approche la plus simple consiste à écrire le nom de chaque étudiant sur des bouts de papier et à les déposer dans une urne, de laquelle on tire un à un les noms à l'aveuglette, jusqu'à l'atteinte du nombre voulu. Ce choix peut se faire avec ou sans remplacement. Lorsqu'on remet, après chaque tirage, le nom sélectionné dans l'urne, il s'agit d'un tirage avec remplacement. Dans le deuxième cas, chaque nom tiré une fois ne peut l'être de nouveau ; il s'agit alors d'un tirage sans remplacement (Beaud, 2009). Cette façon de procéder serait la plus courante.

Il existe d'autres façons de constituer un échantillonnage aléatoire simple, dont le recours à une table de nombres aléatoires générés par ordinateur. Cette stratégie consiste à utiliser une table de nombres aléatoires de laquelle on tire une suite de numéros représentant les sujets. La table de nombres aléatoires générés par ordinateur comprend une liste et une matrice de chiffres qui apparaissent sans ordre prédéterminé. Les nombres comportent généralement de deux à cinq chiffres. Une manière ordonnée d'utiliser la table de nombres aléatoires pour constituer un échantillon à partir d'une table à cinq chiffres est présentée ci-dessous.

1. Déterminer le nombre de chiffres à sélectionner en fonction de la taille de l'échantillon. Si la population accessible est de 250 personnes, des combinaisons de trois chiffres seront nécessaires pour prendre tous les sujets en considération. Si la population est de 75 personnes, on utilisera des combinaisons de deux chiffres.

2. Établir une façon de créer des nombres aléatoires, disons de trois chiffres, à partir d'une table de combinaisons de cinq chiffres. Il suffit de partir des rangées de cinq chiffres et de retenir les trois premiers chiffres ou les trois derniers, en suivant toujours le même procédé.

3. Adopter un mode de progression pour choisir des nombres dans une des rangées et des colonnes selon un axe horizontal, vertical ou diagonal.

4. Choisir un point de départ à l'aveugle en dirigeant la pointe d'un crayon sur la table des nombres aléatoires.

5. Constituer l'échantillon selon l'axe choisi à l'aide des éléments correspondant aux numéros obtenus avec la table de nombres aléatoires de la liste énumérative.

L'encadré 14.1, à la page suivante, présente une table de nombres aléatoires à cinq chiffres permettant de constituer un échantillonnage aléatoire simple. Supposons une population de 110 personnes ($N = 110$) à partir de laquelle le chercheur constitue un échantillon aléatoire simple de taille 20 ($n = 20$). Voici les étapes à suivre pour constituer un échantillon à partir des nombres de ce tableau : d'abord, assigner un numéro entre 001 et 110 à chaque personne, car les nombres retenus ne doivent pas dépasser la taille de la population (110) ; ensuite, choisir au hasard un point de départ dans la table des nombres aléatoires (dans ce cas, 23288, 1re colonne, 3e rangée) ; enfin, à partir du nombre choisi aléatoirement, parcourir les nombres verticalement en retenant les 20 premiers dont les trois premiers chiffres se situent entre 001 et 110, en progressant de haut en bas et de gauche à droite. Les chiffres correspondant aux 20 personnes retenues pour composer l'échantillon sont en caractères gras et soulignés (026, 100, 079, 097, 107, etc.). L'opération se poursuit jusqu'à l'atteinte de la taille souhaitée (20).

ENCADRÉ 14.1 | L'extrait d'une table de nombres aléatoires

71510	68311 →	48214	20002	64650	10480
36921	**015**36 ↓	13459	**062**43	21949	**054**63
23288 ↓	89515 ↓	58503	46185	**003**68	16656
02668 ↓	37444	**078**56	59468	11409	**062**43
10089	20002	**053**74	17918	**052**17	27756
23140	60137	**031**64 ↑	**005**10	18710	18876
28420	**107**04 ↑	23522	36967	**029**67	20992
07971	68718 ↑	**034**74	45367	61716	53060
71441 →	**097**73 →	**024**80	**040**23	38231	**102**81

En résumé, l'échantillonnage aléatoire simple permet de corriger les biais d'échantillonnage, d'accroitre la représentativité de l'échantillon et d'évaluer l'erreur d'échantillonnage. Enfin, il importe de savoir qu'il peut être plus couteux de confectionner une liste de sujets issus de la population que d'avoir recours à une liste déjà établie.

L'échantillonnage aléatoire systématique

L'**échantillonnage aléatoire systématique** consiste à prélever des éléments à intervalles prédéterminés à partir d'une liste exhaustive, organisée de façon alphabétique ou autrement, de tous les éléments d'une population donnée. L'étendue de l'intervalle entre les éléments en vue du choix est définie par le rapport entre la taille de la population accessible (N) et celle de l'échantillon souhaitée (n), soit N/n. Si la taille de la population est $N = 1\,800$, et la taille de l'échantillon, $n = 200$, le rapport $1\,800/200$ donne un intervalle de 9: c'est l'intervalle d'échantillonnage. Pour constituer l'échantillon de 200 sujets, on commence par choisir aléatoirement un nombre dans la liste, puis on prend un élément à chaque intervalle de 9 jusqu'à l'obtention de la taille de l'échantillon désirée. L'échantillonnage aléatoire systématique est facile, rapide et économique; il représente une façon convenable d'obtenir un échantillon à partir d'une liste disponible de sujets potentiels. Cette technique est considérée comme équivalente à celle de l'échantillonnage aléatoire, sauf si les listes comprennent différentes catégories. Dans leur étude, Singh et ses collaborateurs (2014) ont utilisé l'échantillonnage systématique pour recruter les participants. La procédure suivie par les auteurs est décrite dans l'extrait présenté dans l'exemple 14.1.

EXEMPLE 14.1

L'échantillonnage aléatoire systématique

L'étude avait pour but de déterminer, auprès d'adolescents et d'adolescentes âgés de 14 à 20 ans, la prévalence et ses corrélats de violence dans les fréquentations comportant de la victimisation et de l'agression. Les participants potentiels à l'étude ont été recrutés dans les aires de traitement des salles d'urgence par des assistants expérimentés. La méthode d'échantillonnage systématique avec enrôlement consécutif et séquentiel a été utilisée pour recruter les adolescents au moment du triage. Les auteurs concluent qu'un adolescent ou une adolescente sur six a cherché à obtenir de l'aide aux services d'urgence pour cause de violence dans les fréquentations au cours de la dernière année. (Traduction libre)

L'échantillonnage aléatoire stratifié

On utilise l'**échantillonnage aléatoire stratifié** quand la population est fragmentée en strates relativement homogènes quant à la variable étudiée. Cela suppose que la population est divisée en groupes distincts en fonction de certaines de ses caractéristiques connues. Cette technique consiste à fractionner la population accessible en sous-groupes relativement homogènes appelés « strates », puis à prélever au hasard un échantillon dans chaque strate. La technique peut servir à comparer des sous-groupes de la population entre eux et à améliorer leur représentativité. Il est possible de faire la stratification avant ou après l'étude. Les caractéristiques de stratification peuvent se rapporter, entre autres, à l'âge, au sexe, à la classe sociale et à l'ethnie. Le but est d'obtenir des strates homogènes de la population.

Échantillonnage aléatoire stratifié
Méthode d'échantillonnage probabiliste selon laquelle la population est répartie en fonction de certaines caractéristiques afin de constituer des strates qui seront représentées dans l'échantillon.

L'utilisation des caractéristiques (ou variables de stratification) a pour effet de diviser la population en sous-groupes de taille inégale. Par exemple, si l'ethnie est utilisée comme variable pour stratifier la population canadienne, la taille de la sous-population des Canadiens de souche serait alors plus grande que celle de l'ensemble des sous-populations d'ethnies différentes. Pour éviter cette situation, le chercheur peut choisir un nombre de sujets par strate qui correspond au pourcentage de la population représentant l'ethnie dont ils sont issus. Ce procédé, appelé « **échantillonnage stratifié proportionnel** », permet de refléter les différences proportionnelles qui existent dans une population donnée.

Échantillonnage stratifié proportionnel
Méthode d'échantillonnage permettant de choisir la même proportion d'unités dans chaque strate de population étudiée.

L'échantillonnage aléatoire stratifié permet d'utiliser un échantillon plus petit et d'obtenir le même degré de représentativité qu'offre un échantillon plus grand. Deux scénarios sont possibles. Dans le premier, chaque strate peut contenir des nombres équivalents de sujets représentant la ou les variables retenues pour la stratification ; le nombre de sujets peut varier, proportionnellement au nombre de caractéristiques ou de personnes issues de la population étudiée. En voici un exemple : en se basant sur un échantillonnage aléatoire stratifié proportionnel, un chercheur veut connaitre les opinions des étudiants de la première année du baccalauréat inscrits dans quatre disciplines différentes sur certains services de l'université, comme la bibliothèque, le service informatique et les activités culturelles et sportives. Il souhaite prélever un échantillon de 100 étudiants sur les 1 000 répartis dans les 4 disciplines suivantes : psychologie, 100 ; sciences de l'éducation, 300 ; sciences infirmières, 400 ; et sciences sociales, 200. Dans un échantillon aléatoire simple tiré de cette population, il est possible, par hasard, que la répartition des étudiants ne reflète pas les différences proportionnelles qui existent dans chaque discipline. Le chercheur peut créer quatre strates et extraire aléatoirement dans chacune d'elles le nombre de personnes en tenant compte de la proportion qui existe dans la population étudiante. La figure 14.3, à la page suivante, montre que, pour obtenir un échantillon stratifié proportionnel de 100 étudiants, on choisira 10 étudiants en psychologie, 30 en sciences de l'éducation, 40 en sciences infirmières et 20 en sciences sociales.

L'autre scénario consiste à sélectionner les sujets de manière non proportionnelle. Par exemple, si le chercheur décide que 10 étudiants provenant de la psychologie ne constituent pas un échantillon de taille suffisante pour représenter adéquatement l'opinion de l'ensemble des étudiants de cette discipline, il peut décider de choisir un nombre égal de sujets dans chaque strate : dans ce cas, 25 étudiants par strate.

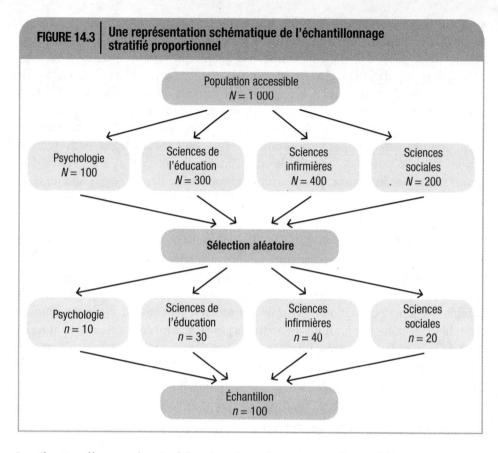

FIGURE 14.3 | Une représentation schématique de l'échantillonnage stratifié proportionnel

Échantillonnage stratifié non proportionnel
Méthode d'échantillonnage dans lequel certaines strates sont surreprésentées, étant donné leur proportion réelle dans la population.

La sélection d'un nombre égal de sujets dans chaque strate, lorsqu'elle ne correspond pas au pourcentage par strate de la population, est appelée «**échantillonnage stratifié non proportionnel**». Cette approche conduit à une surreprésentation dans l'échantillon, et son effet peut être corrigé en pondérant les données. Même si l'échantillonnage aléatoire stratifié est plus long à réaliser, il peut fournir un échantillon plus représentatif que l'échantillonnage aléatoire en raison de l'absence d'erreur d'échantillonnage sur les variables stratifiées. Une connaissance approfondie de la population à l'étude s'avère toutefois essentielle pour pouvoir choisir convenablement les variables de stratification (Portney et Watkins, 2009).

L'échantillonnage en grappes

Échantillonnage en grappes
Méthode d'échantillonnage probabiliste qui consiste à choisir les éléments de la population en grappes plutôt qu'un élément à la fois.

Dans la méthode d'**échantillonnage en grappes**, aussi appelée «échantillonnage par faisceaux», on cherche à créer des grappes ou des groupes de sujets hétérogènes afin que chaque grappe soit représentative de la population. On fait appel à cette méthode dans les études à grande échelle ou dans les cas où la population à étudier étant très dispersée, il serait difficile ou même impossible de dresser une liste exhaustive de toutes les personnes qui en font partie. Une grappe est un ensemble d'unités d'une population constitué au moyen de critères définis. Il peut s'agir d'un groupe qui existe dans la population, comme les établissements d'enseignement, les centres hospitaliers ou les régions. L'échantillonnage en grappes consiste à prélever au hasard des groupes de personnes plutôt que des sujets isolés. Ainsi, il peut être plus pratique de choisir des classes entières d'élèves plutôt que des élèves dispersés un peu partout dans une école. On énumère les grappes d'élèves et non les élèves pris individuellement, puisque ce sont les grappes qui sont choisies aléatoirement. L'échantillonnage en grappes suppose une série d'échantillonnages aléatoires des unités de la population. Dans le choix des unités d'échantillonnage, on procède du général au particulier pour constituer un nombre déterminé d'échantillons par étapes successives. On distingue l'échantillonnage à plusieurs degrés, qui consiste à prélever un échantillon à l'intérieur de chaque grappe. On peut utiliser deux niveaux ou plus, par exemple le niveau 1: la ville; le niveau 2: l'établissement de santé; le niveau 3: les infirmières.

Koelewijn-van Loon et ses collaborateurs (2009) ont utilisé l'échantillonnage en grappes pour constituer leur échantillon afin d'examiner l'effet de l'implication des personnes atteintes de maladies cardiovasculaires dans la gestion des risques associés à ce problème de santé sur leur adhésion à un style de vie. Les étapes parcourues sont décrites dans l'exemple 14.2.

L'échantillonnage en grappes

Dans un premier temps, les auteurs ont stratifié de façon aléatoire les régions géographiques en quatre grappes distinctes; dans un deuxième temps, les unités échantillonnées ont été réparties aléatoirement en sous-strates de 25 cliniques, soit 13 cliniques pour le groupe expérimental et 12 cliniques pour le groupe témoin, dans lesquelles 615 personnes ont été choisies au hasard. (Traduction libre)

L'échantillonnage en grappes présente l'avantage d'être commode, rapide et peu couteux quand il s'agit d'utiliser de larges populations. Il permet d'apprécier les caractéristiques des grappes ainsi que celles de la population. Toutefois, cette méthode peut accroitre le risque d'erreur d'échantillonnage et avoir une incidence sur l'échantillon final, car chaque échantillon prélevé est sujet à l'erreur d'échantillonnage.

14.2.2 Les types d'échantillonnage non probabiliste

Il est parfois difficile, sinon impossible, d'obtenir un échantillon aléatoire dans certains domaines (p. ex. la santé), et les chercheurs n'ont pas d'autres choix que d'utiliser des échantillons non probabilistes. Étant donné que les éléments de la population n'ont pas une chance égale d'être choisis dans ces circonstances, on ne peut supposer que l'échantillon représente la population cible. Les types d'échantillonnage non probabilistes les plus couramment utilisés dans certaines recherches quantitatives sont l'échantillonnage accidentel et l'échantillonnage par quotas. L'échantillonnage intentionnel et l'échantillonnage par réseaux s'appliquent davantage à la recherche qualitative.

L'échantillonnage accidentel

Le type d'échantillonnage non probabiliste le plus courant est l'**échantillonnage accidentel,** aussi appelé «par convenance». Selon cette méthode, les sujets sont choisis en fonction de leur disponibilité. L'échantillonnage accidentel est composé de personnes facilement accessibles qui répondent à des critères d'inclusion précis. L'échantillon est constitué à mesure que des personnes se présentent à l'endroit convenu jusqu'à l'atteinte du nombre désiré. Par exemple, un chercheur se poste à la sortie d'un magasin d'alimentation et y interroge des clients qui viennent de dépenser de 20 à 30 $ en produits biologiques. Il choisit les clients au fur et à mesure qu'ils se présentent et leur pose des questions sur le sujet. Il poursuit le processus jusqu'à l'atteinte de la taille souhaitée de l'échantillon.

Échantillonnage accidentel
Méthode d'échantillonnage non probabiliste qui consiste à choisir des personnes selon leur accessibilité dans un lieu déterminé et à un moment précis.

L'échantillonnage accidentel se définit aussi par la recherche de volontaires. C'est le cas, par exemple, lorsque le chercheur affiche sa requête de sujets qui présentent des caractéristiques particulières dans des espaces publics ou qu'il la publie autrement. La principale limite de cette méthode concerne le biais potentiel suivant : l'échantillon ne se compose que des sujets ayant choisi de participer, car il est impossible de connaitre au préalable leurs caractéristiques et de les comparer à celles des personnes qui décident de ne pas le faire. Les sujets volontaires peuvent en effet comporter certaines caractéristiques qui les rendent atypiques de la population cible, comme l'âge, le degré de motivation, etc.

L'échantillon accidentel est couramment utilisé, même si les sujets choisis peuvent ne pas être représentatifs de la population. Par exemple, des personnes atteintes d'une maladie cardiaque recrutées pour prendre part à une étude portant sur un programme d'activités physiques peuvent différer de l'ensemble des personnes qui sont en attente d'une chirurgie cardiaque sous l'angle des caractéristiques définies susceptibles d'influer sur les réactions au programme d'activités. Dans de tels cas, le degré de représentativité est difficile à évaluer ; cependant, il peut être renforcé en mettant en œuvre des moyens de contrôle tels que l'homogénéité. Cette caractéristique peut être obtenue notamment par l'utilisation de critères de sélection plus restrictifs (Kerlinger, 1973). L'exemple 14.3 présente l'extrait d'une étude descriptive quantitative où les chercheurs ont utilisé l'échantillonnage accidentel dans le but de recruter des étudiants volontaires en sciences infirmières pour participer à une étude portant sur l'exploration des habiletés de la pensée critique (Hunter, Pitt, Croce et Roche, 2014).

> L'échantillon accidentel est couramment utilisé, même si les sujets choisis peuvent ne pas être représentatifs de la population.

EXEMPLE 14.3

L'échantillonnage accidentel

Selon l'échantillonnage par convenance, on a recruté les étudiants volontaires pour chaque année du programme de baccalauréat de trois ans. Les étudiants de la première année ont été recrutés à leur entrée dans le programme en sciences infirmières, les étudiants de la deuxième année l'ont été à l'issue de l'année en cours, et les finissants l'ont été durant l'été précédent. La stratégie de recrutement visait à minimiser les biais. Sur les 517 étudiants admis en première année du programme, 143 ont accepté de participer à l'étude. Seulement 61 étudiants de la deuxième année sur 290 ont été invités à participer, les autres n'étant pas disponibles à cause des stages cliniques. En ce qui a trait aux finissants, 97 sur 270 ont accepté de participer à l'étude. Les résultats indiquent que les étudiants de la troisième année ont un profil de la pensée critique comparable à la norme selon le *Health Sciences Reasoning Test.* (Traduction libre)

Les échantillons par convenance sont facilement accessibles et demandent peu de temps comparativement à d'autres types d'échantillonnage. Cependant, l'utilisation de cette technique ne rend pas compte de la représentativité de l'échantillon, réduisant ainsi la possibilité de généraliser les résultats. Les échantillons accidentels peuvent convenir pour l'étude de sujets qu'il est impossible d'examiner à l'aide de l'échantillonnage probabiliste (Grove, Burns et Gray, 2013) ; d'ailleurs, il arrive souvent que l'échantillonnage par convenance représente la seule possibilité d'entreprendre une recherche.

L'échantillonnage par quotas

L'échantillonnage non probabiliste peut aussi faire usage d'éléments de stratification. Ainsi, l'**échantillonnage par quotas**, comme l'échantillonnage aléatoire stratifié, consiste à former des sous-groupes qui présentent des caractéristiques définies, afin que celles-ci soient représentées dans des proportions identiques à celles qui existent dans la population. Il a pour objet de refléter le plus fidèlement possible la population étudiée relativement à des particularités déterminées, comme l'âge, le sexe, l'ethnie, etc. On ne connait pas toutes les spécificités de la population, mais on peut ne la stratifier que selon les plus évidentes. L'échantillon est constitué à partir des connaissances que l'on possède sur la répartition des caractéristiques dans la population. Si la population considérée est composée de plusieurs groupes ethniques, l'échantillonnage par quotas permet de représenter ces derniers dans l'échantillon, proportionnellement à leur nombre dans la population. Toutefois, comme les membres de chaque sous-groupe ne sont pas choisis de façon aléatoire, ils ne représentent pas nécessairement la strate ou le sous-groupe. L'aspect aléatoire du choix est donc ce qui différencie l'échantillon par quotas de l'échantillon aléatoire stratifié. L'échantillonnage par quotas exige que le chercheur connaisse suffisamment la population pour pouvoir en dégager les caractéristiques. On l'utilise lorsque l'échantillon accidentel ne permet pas d'équilibrer les éléments étudiés.

Échantillonnage par quotas
Méthode d'échantillonnage non probabiliste qui consiste à choisir des sous-groupes proportionnellement égaux de sujets en se fondant sur des caractéristiques déterminées.

L'échantillonnage intentionnel

En ce qui concerne l'**échantillonnage intentionnel,** aussi appelé « échantillonnage par choix raisonné », « typique » ou « au jugé », les éléments de la population sont choisis sur la base de critères précis, afin que les éléments soient représentatifs du phénomène à l'étude. Pour recruter des sujets répondant à des critères d'inclusion définis, il est courant d'insérer des annonces dans des publications internes ou locales. On peut aussi interroger des personnes aux prises avec un problème de santé pour déterminer si elles possèdent les critères d'inclusion recherchés. À partir des connaissances qu'il a de la population, le chercheur exerce son jugement sur le choix des personnes aptes à fournir l'information liée au but de l'étude. L'échantillonnage intentionnel est souvent utilisé par les chercheurs en recherche qualitative pour sélectionner des sites particuliers, des personnes ou des activités dont ils espèrent obtenir des données informatives riches et significatives (Maxwell, 2005). L'encadré 14.2, à la page suivante, présente un exemple d'annonce qui pourrait paraitre dans un quotidien local et qui vise à recruter des participants à une étude portant sur les antécédents familiaux d'hypertension artérielle.

Échantillonnage intentionnel
Méthode d'échantillonnage qui consiste à sélectionner certaines personnes en fonction de caractéristiques typiques de la population à l'étude.

L'échantillonnage intentionnel est semblable à l'échantillonnage par convenance, sauf qu'il requiert de choisir des personnes répondant à certains critères et non sur la base de leur simple disponibilité. Ce type d'échantillonnage est couramment employé dans certaines études qualitatives pour la sélection de participants possédant les caractéristiques recherchées (Morse, 1990). Il exige de choisir un nombre déterminé de participants susceptibles de représenter les thèmes à l'étude. L'échantillonnage intentionnel recèle une variété de stratégies, notamment :

- l'échantillonnage par cas extrêmes permet de mieux comprendre le phénomène étudié à partir de manifestations inhabituelles et extrêmes des répondants (Miles et Huberman, 1994 ; Patton, 2002) ;

Avez-vous une pression artérielle (PA) élevée ?
Avez-vous des antécédents familiaux d'hypertension artérielle ?
Étude portant sur la préhypertension

La préhypertension (PA normale élevée) se définit par une PA se situant entre 130/85 et 139/89 mm Hg. C'est une condition pouvant mener à une PA élevée et indiquant un risque de maladie cardiaque.

- Si vous êtes une femme âgée de 45 à 65 ans, que vous avez cessé d'être menstruée depuis au moins un an et que vous n'avez pas subi d'hystérectomie, vous pouvez être admissible pour participer à la recherche.

- Le but de cette étude est d'évaluer la sureté et l'efficacité d'une thérapie hormonale visant à diminuer la PA normale élevée (systolique de 130-139 mm Hg et diastolique inférieure à 89 mm Hg).

- Vous devez vous présenter pour des visites régulières. Une compensation vous sera allouée pour votre temps et vos déplacements.

Quel bénéfice vais-je retirer de ma participation ?

- Une attention médicale de la part des médecins et des infirmières sera apportée dans le cadre de cette étude.

- Aucun frais ne sera requis si des examens s'avéraient nécessaires tels qu'une mammographie si la précédente a été subie il y a 9 mois et plus et un test PAP si le dernier date de plus de 12 mois.

Veuillez communiquer avec les personnes suivantes pour en apprendre davantage sur cette étude clinique et découvrir si vous êtes admissible :
D^r X ou D^{re} Y
xxx xxx-xxxx

- l'échantillonnage homogène permet de choisir un échantillon de cas similaires, afin de favoriser une étude en profondeur du groupe représenté dans l'échantillon (Miles et Huberman, 1994 ; Patton, 2002) ;

- l'échantillonnage à variations maximales consiste à sélectionner des cas susceptibles de montrer l'étendue de la variation du phénomène à l'étude. Le choix de participants qui offrent différentes caractéristiques permet de déterminer si les thèmes communs et les modèles épousent le sens de la variation. Quand un chercheur maximise les différences au début d'une étude, il accroit du même coup la probabilité que les résultats reflètent ces différentes perspectives (Creswell, 2005).

L'échantillonnage par réseaux

Échantillonnage par réseaux
Méthode d'échantillonnage qui consiste à demander à des personnes recrutées initialement selon des critères de sélection précis de suggérer le nom d'autres personnes qui leur paraissent répondre aux mêmes critères.

L'**échantillonnage par réseaux**, aussi appelé « échantillonnage en boule de neige », est une technique permettant d'obtenir graduellement un échantillon en utilisant des références obtenues des répondants recrutés initialement. Cette technique s'appuie sur les réseaux sociaux réels et virtuels et le fait que les amis et les connaissances partagent certains caractères communs. Le recrutement se fait en deux temps : dans un premier temps, il s'agit de recruter des personnes qui répondent aux critères de sélection et de les interviewer ; dans un deuxième temps, il y a lieu de demander aux participants de départ de fournir le nom d'autres personnes qui leur semblent posséder les mêmes caractéristiques que celles pour lesquelles ils ont été choisis. Ce processus de sélection en boule de neige se poursuit jusqu'à l'atteinte d'une taille suffisante de l'échantillon. Le chercheur doit pouvoir vérifier l'admissibilité de chaque répondant afin de s'assurer que le groupe est représentatif des caractéristiques recherchées (Portney et Watkins, 2009).

L'échantillonnage par réseaux est souvent utilisé lorsqu'il s'avère difficile de trouver des sujets possédant les caractéristiques recherchées, comme les toxicomanes, les alcooliques ou les personnes sans abri. On l'emploie aussi pour recruter des sujets dans le cadre de certaines approches qualitatives, lesquelles ont pour but de décrire une situation particulière, sans viser à généraliser des résultats. Par exemple, si l'on veut connaitre les perceptions des personnes sans abri de la région de Montréal par rapport à leur situation, il s'agira de communiquer avec quelques personnes qui œuvrent auprès de ce groupe ou qui sont elles-mêmes sans abri, puis de leur demander de transmettre le nom d'autres personnes, hommes ou femmes, qui partagent la même situation. L'exemple 14.4 présente l'utilisation d'un échantillonnage par réseaux extrait de l'étude de Dykes, Rothschild et Hurtley (2010) portant sur les erreurs médicales interceptées par des infirmières d'unités de soins intensifs.

EXEMPLE 14.4

L'échantillonnage par réseaux

Dans cette étude, les auteures ont examiné les erreurs médicales interceptées par des infirmières travaillant dans les unités de soins intensifs. Les participants à l'étude ont été recrutés par le truchement du courriel et des listes de soignants. Afin d'obtenir un grand échantillon, les chercheurs ont pris contact avec les personnes recrutées initialement pour leur demander d'étendre l'invitation à d'autres participants potentiels dans les milieux de soins intensifs. Cette stratégie peut se montrer utile dans les cas où il est difficile d'avoir accès à des populations particulières ou dans des situations où le recrutement se révèle compliqué. (Traduction libre)

Si l'on compare les deux méthodes d'échantillonnage, il en ressort que l'échantillonnage probabiliste est la méthode qui convient dans les études quantitatives pour obtenir des échantillons représentatifs de la population cible. En effet, si tous les éléments de la population ont une chance égale d'être sélectionnés pour faire partie de l'échantillon, on peut conclure que celui-ci représente bien la population. Cette méthode permet de réduire les biais d'échantillonnage et d'estimer l'erreur de mesure. L'échantillonnage non probabiliste n'offre pas à tous les éléments de la population de faire partie de l'échantillon et ne peut ainsi assurer la représentativité. Comme il s'avère parfois impossible dans certaines circonstances d'obtenir des échantillons probabilistes et qu'il est même non souhaitable de le faire dans d'autres cas, les échantillons non probabilistes demeurent la seule solution. À l'égard de certains problèmes de recherche où la représentativité parait secondaire, l'échantillon non probabiliste devient le choix à faire. Le tableau 14.1, à la page suivante, résume les définitions et les caractéristiques qui relèvent de chacune des méthodes, probabiliste et non probabiliste.

14.2.3 Le choix d'une méthode d'échantillonnage appropriée

Certains facteurs sont à considérer dans le choix d'une méthode d'échantillonnage : les objectifs poursuivis, la population à échantillonner, les délais impartis et

Méthode/type	Définition	Caractéristiques
Échantillonnage probabiliste		
Échantillonnage aléatoire simple	Choix aléatoire des éléments d'échantillonnage.	Nécessite l'établissement d'une liste de noms des sujets faisant partie de la population accessible.
Échantillonnage aléatoire systématique	Choix aléatoire du premier élément dans une liste suivi du prélèvement à intervalles prédéterminés des autres éléments.	Nécessite la formation d'une liste ordonnée des éléments de la population.
Échantillonnage aléatoire stratifié • proportionnel • non proportionnel	Division de la population accessible en sous-groupes homogènes (strates). Prélèvement aléatoire d'un échantillon dans chaque strate.	Nécessite la connaissance des caractéristiques de la population pour pouvoir établir les critères de stratification.
Échantillonnage en grappes (par faisceaux)	Choix aléatoire des éléments de la population, par grappes plutôt qu'à l'unité.	Nécessite une série d'échantillonnages aléatoires des éléments de la population.
Échantillonnage non probabiliste		
Échantillonnage accidentel (par convenance)	Choix des sujets déterminé par le lieu et le moment.	Nécessite l'accessibilité (ou la disponibilité) des sujets à un endroit précis et à un moment déterminé.
Échantillonnage par quotas	Formation de sous-groupes sur la base de certaines caractéristiques et représentation de ceux-ci en proportion de celle de la population.	Nécessite la connaissance de la population pour en dégager les caractéristiques.
Échantillonnage intentionnel (par choix raisonné)	Choix de sujets qui présentent des caractères typiques.	Nécessite le recrutement, par des annonces publiques, de personnes présentant des caractéristiques précises en fonction du but de l'étude.
Échantillonnage par réseaux (en boule de neige)	Sélection de participants en fonction de leurs liens avec un réseau de personnes leur permettant de recruter de nouveaux sujets partageant des caractéristiques semblables.	Nécessite le recrutement, à l'aide de réseaux sociaux réels ou virtuels, de personnes possédant des caractéristiques particulières communes du fait d'être amies.

TABLEAU 14.1 | L'ensemble des méthodes et des types d'échantillonnage

> Si la population accessible est hétérogène, la méthode qui convient le mieux demeure l'échantillonnage probabiliste.

les ressources disponibles. Si la population accessible est hétérogène, la méthode qui convient le mieux demeure l'échantillonnage probabiliste. Toutefois, cette méthode exige la confection d'une liste représentant tous les éléments de la population accessible; cette liste sert à choisir au hasard les personnes qui feront partie de l'échantillon. Il faut généralement créer cette liste, car elle ne préexiste pas nécessairement à l'étude. Par exemple, si l'on veut échantillonner des écoles secondaires d'une région donnée, il est assez facile d'en constituer la liste. Par contre, il peut être difficile de dresser la liste de tous les enseignants du collégial exerçant sur un territoire donné. Si la population est homogène, c'est-à-dire s'il y a peu de variation d'une personne à une autre, on peut opter pour un échantillonnage de type non probabiliste. Ainsi, il est possible d'obtenir assez facilement un échantillon de personnes âgées de 45 à 65 ans qui sont en attente d'une chirurgie de revascularisation cardiaque et qui satisfont à des critères d'inclusion déterminés.

> Si la population est homogène, c'est-à-dire s'il y a peu de variation d'une personne à une autre, on peut opter pour un échantillonnage de type non probabiliste.

Le choix de la méthode dépend aussi du type d'information que l'on veut recueillir auprès d'une population. Pour explorer des relations entre certaines variables sans généraliser les résultats, un échantillon non probabiliste serait sans doute suffisant. Comme le soulignent Gillis et Jackson (2002), les techniques non probabilistes sont particulièrement appropriées pour comprendre certaines activités particulières d'une fraction de la population. Toutefois, quand les études s'appuient sur des tests inférentiels comme dans la vérification empirique d'hypothèses, il est nécessaire de faire appel à des techniques d'échantillonnage probabiliste.

14.3 Le recrutement des participants potentiels

La population cible ayant été définie, il s'agit de recruter une population accessible à partir de laquelle l'échantillon sera constitué. La façon de recruter des participants en vue de créer l'échantillon représente un défi majeur pour les chercheurs dans la réalisation d'une étude. Le **recrutement** fait référence au processus de sélection des participants. Il requiert de la part du chercheur et des assistants une planification et une collaboration avec les milieux concernés. Une fois les critères d'inclusion et d'exclusion définis, le chercheur peut amorcer le processus qui consiste à trouver en nombres suffisants les participants qui satisfont aux critères de sélection. La façon de recruter les participants dépendra du type d'étude, de la population visée et du milieu. En outre, le chercheur doit aussi tout mettre en œuvre pour retenir les participants recrutés dans l'étude. La rétention a trait au développement et au maintien de bonnes relations avec les sujets de manière à soutenir leur participation jusqu'à la fin de l'étude (Gul et Ali, 2010). Le problème du recrutement insuffisant a été soulevé dans les écrits (Puffer et Torgerson, 2003). Il est reconnu que le recrutement inefficace peut avoir des conséquences scientifiques, économiques et éthiques (Gross et Fogg, 2001). Certains auteurs font état de stratégies efficaces de recrutement alors que d'autres rapportent les barrières à celui-ci (Davidson et collab., 2010; Sullivan-Bolyai et collab., 2007).

Diverses méthodes peuvent être utilisées pour effectuer le contact initial auprès des participants potentiels à un projet de recherche tels que le courriel, le téléphone, les réseaux sociaux réels et virtuels, les affiches publiques, les avis dans les journaux, les annuaires, les écoles, les centres de santé. Les participants recrutés pour participer à des études à caractère clinique proviennent de la population de personnes qui fréquentent des établissements de santé ou qui sont hospitalisées. Les participants peuvent aussi être recrutés par l'intermédiaire d'autres agences sur la base d'une collaboration entre des collègues d'établissements. À cet égard, le chercheur doit obtenir des autorisations écrites de la part de la direction confirmant la volonté de collaboration. Si les participants à recruter fréquentent un établissement de santé, le chercheur peut communiquer avec le responsable des soins afin d'obtenir sa collaboration. Une fois que le chercheur a obtenu l'approbation, il peut contacter directement les personnes pour s'assurer de leur participation. De façon générale, le mode de recrutement a été approuvé par le comité d'éthique de la recherche des établissements. L'invitation à participer peut être faite en personne ou par lettre en expliquant aux participants potentiels le but de l'étude et l'assurance qu'ils recevront les mêmes soins s'ils décident de ne pas y participer. Un formulaire de consentement est remis aux sujets afin qu'ils prennent connaissance des tenants et aboutissants de l'étude et, éventuellement, qu'ils puissent en discuter avec le chercheur (*voir le chapitre 9*). Celui-ci doit expliquer l'importance de l'étude et clarifier auprès des sujets en quoi consiste exactement leur participation.

Le recrutement peut être plus problématique auprès de groupes sous-représentés dans la population (p. ex. les minorités, les enfants, les personnes âgées, les personnes

Recrutement
Démarche entreprise auprès de participants potentiels en vue de constituer un échantillon répondant à des critères de sélection pour prendre part à un projet de recherche.

obèses). D'un point de vue éthique, des mesures additionnelles doivent être prises pour s'assurer que leurs intérêts sont bien protégés. Ces groupes ont souvent tendance à refuser de participer aux études pour diverses raisons : le préjugé, la crainte, le sentiment d'abus, etc. Pour contrer cette tendance, des stratégies de recrutement devront être mises au point, comme le recrutement en face à face dans des milieux non menaçants pour ces personnes et en utilisant un langage approprié pour leur transmettre l'information sur le but de l'étude, les bénéfices et les risques potentiels (Grove et collab., 2013).

L'étude menée par Coleman-Phox et ses collaborateurs (2013) avait pour but d'examiner les stratégies de recrutement et de rétention des participantes et de rapporter les leçons apprises dans l'élaboration d'une intervention comportementale visant à encourager un gain pondéral sain durant la grossesse chez des femmes enceintes en surpoids. L'étude s'est déroulée en deux phases, telles que décrites dans l'exemple 14.5.

EXEMPLE 14.5

Les stratégies de recrutement

Dans la phase 1, une étude qualitative a été menée auprès de femmes obèses enceintes en utilisant les groupes de discussion focalisée dans le but d'évaluer les barrières potentielles à la participation à une intervention prénatale comportementale. La stratégie de recrutement comportait le contact avec les cliniques prénatales, les administrateurs des programmes de santé maternelle et infantile, de nutrition et d'autres agences de services sociaux afin de recueillir de l'information sur leurs caractéristiques et sur le nombre de personnes desservies afin de les informer de l'étude. Subséquemment, de l'information a été envoyée par la poste aux fournisseurs de soins qui assurent le service à la population cible. Le courrier électronique a été utilisé pour annoncer l'étude à partir de listes établies. Des tables rondes et d'autres stratégies ont servi à des séances didactiques. Les groupes de discussion ont permis de recruter 69 femmes admissibles qui ont été acceptées pour participer à l'étude.

Durant la phase 2, l'adhésion était limitée aux femmes de moins de 20 semaines de gestation de manière à ce qu'elles reçoivent l'intervention assez tôt durant leur grossesse pour avoir un effet sur leur gain de poids gestationnel. Les stratégies de recrutement de la phase 1 ont été utilisées en plus du ciblage de femmes enceintes dans trois centres hospitaliers. Afin de renforcer le maintien dans l'étude et le consentement éclairé, les femmes admissibles ont été invitées à assister à un groupe d'orientation où on leur donnait de l'information sur l'étude. On a demandé aux participantes de fournir leur adresse courriel et leur numéro de téléphone, en plus de leur remettre une carte de rappel. Durant cette phase, sur les 204 femmes contactées, 135 ont été dépistées à l'aide de l'instrument SurveyMonkey, 68 ont été trouvées admissibles, et 47 ont été inscrites pour faire partie de l'étude d'intervention. (Traduction libre)

Les auteurs concluent que le recrutement d'un nombre adéquat de participants et leur maintien dans les études est difficile. Sur l'ensemble des dispositions prises pour recruter directement ou indirectement les participantes, le recrutement en personne dans les cliniques prénatales des centres hospitaliers s'est avéré la méthode la plus efficace.

14.4 La taille de l'échantillon dans la recherche quantitative

Le nombre de personnes à inclure dans un échantillon est une question souvent débattue. Dans les études quantitatives, la taille de l'échantillon a une incidence directe sur la validité des conclusions d'une étude. La règle générale consiste à obtenir un nombre suffisant de personnes pour fournir des résultats crédibles. Cela peut signifier le recrutement du plus grand nombre possible de personnes. De façon générale, de larges échantillons donnent une image plus fidèle des caractéristiques de la population. Cependant, les approximations obtenues ne garantissent pas nécessairement la représentativité de l'échantillon. En fait, il n'y a pas de formule simple pour déterminer la taille de l'échantillon. Les chercheurs ont souvent recours à une technique statistique appelée « analyse de puissance », qui sert à déterminer la taille requise de l'échantillon pour les études corrélationnelles et expérimentales. La puissance statistique est la capacité d'un test à déceler des différences significatives ou des relations entre des variables ou de rejeter à bon escient l'hypothèse nulle. Le niveau minimum acceptable de l'analyse de puissance pour une étude est établi à 0,8 (Cohen, 1988). Une puissance de 0,8 signifie qu'il y a 80 % de probabilité de déceler une relation si celle-ci existe. Pour éviter de mauvaises surprises, il est suggéré d'effectuer un test d'analyse de puissance au début de l'étude afin de déterminer la taille requise de l'échantillon. Avec un échantillon de petite taille, la puissance peut être faible, ce qui révèle l'incapacité de l'étude à démontrer l'effet désiré. Une analyse de puissance adéquate signifie qu'il y a suffisamment de sujets pour déceler une différence ou une relation dans les variables étudiées. Toutefois, avec un seuil de signification statistique de 0,01 ou de 0,001, de larges échantillons sont nécessaires. Il faut prendre en compte le nombre de variables à examiner simultanément et le nombre de sous-groupes à comparer, lesquels exigent une plus grande puissance. Plus il y a de variables dans une étude, plus le nombre de participants doit être élevé (*voir le chapitre 20*).

14.4.1 Les facteurs relatifs au calcul de la taille de l'échantillon

L'objectif de l'échantillonnage est d'obtenir un échantillon dont la taille est suffisante pour pouvoir observer des différences statistiquement significatives au moment de la vérification des hypothèses, eu égard aux ressources et aux délais. Avant de considérer les tables qui fournissent des tailles d'échantillons fondées sur des critères provenant d'analyses statistiques, le chercheur examine d'abord certains facteurs à prendre en compte dans le calcul de l'échantillon. Ces facteurs sont le type d'étude, l'ampleur de l'effet attendu et l'homogénéité de la population.

Le type d'étude

Le but de la recherche détermine à la fois son orientation et le type d'étude à entreprendre. Les études requièrent de grands ou de petits effectifs, selon la nature de l'investigation. Si le but de l'étude consiste à explorer et à décrire des phénomènes, l'échantillon sera de petite taille. Dans les études descriptives de nature quantitative ou qualitative qui visent à développer les connaissances dans un domaine donné, de petits échantillons suffisent généralement pour obtenir l'information nécessaire sur le phénomène étudié (Morse, 1990). Si l'étude consiste à explorer des associations entre des variables, comme dans l'étude descriptive corrélationnelle, il est nécessaire d'avoir un large échantillon. Quand le but est de vérifier des relations d'associations, comme dans les études corrélationnelles, l'échantillon doit être de taille suffisamment grande pour que l'on puisse obtenir des tests statistiques significatifs, susceptibles de confirmer ou de rejeter des hypothèses. S'il s'agit de déterminer des relations de cause à effet, comme dans les études de type expérimental, l'échantillon devra comprendre moins de sujets que dans

> Si l'étude consiste à explorer des associations entre des variables, comme dans l'étude descriptive corrélationnelle, il est nécessaire d'avoir un large échantillon.

les études descriptives et corrélationnelles, en raison d'un contrôle de l'environnement accru en cours de recherche. Les études longitudinales exigent un vaste échantillon, parce que leur processus de longue durée entraine le risque d'abandon des sujets. Enfin, dans toutes les recherches qui exigent la vérification d'hypothèses, la taille de l'échantillon doit être suffisante pour atteindre un niveau de puissance permettant de réduire les risques d'erreurs.

L'ampleur de l'effet

L'**ampleur de l'effet** est liée à la puissance statistique ; elle exprime la force de la relation qui unit des variables ou l'étendue de l'écart entre des groupes. Lorsque deux populations sont comparées, l'hypothèse nulle signifie qu'il n'y a pas de différence entre les groupes. Dans un tel cas, l'effet est égal à zéro. Toutefois, si l'on suppose que l'hypothèse nulle est fausse, il y a un certain degré d'effet ou une différence ; c'est ce qui caractérise l'ampleur de l'effet (Cohen, 1988). Quand l'effet est grand, c'est-à-dire lorsqu'il existe une grande différence entre les groupes, il est facile de le déceler, et, dans ce cas, un échantillon de taille plus petite suffit. Si, au contraire, l'effet s'avère petit, c'est-à-dire lorsqu'il existe une petite différence entre les groupes, il devient plus difficile de le trouver ; dans ce cas, l'échantillon doit être de plus grande taille. En d'autres termes, si le chercheur prévoit un grand effet (présence d'une forte différence entre les groupes), l'échantillon requis sera de petite taille, puisqu'il sera possible de le déceler ; s'il prévoit plutôt un faible effet (présence d'une petite différence entre les groupes), l'échantillon devra être de plus grande taille. L'ampleur de l'effet peut être petite, moyenne ou grande. On doit déterminer l'ampleur de l'effet attendu avant de procéder à des analyses de puissance pour établir la taille de l'échantillon.

L'homogénéité de la population

Lorsque le chercheur a de bonnes raisons de croire que la population est plutôt homogène relativement aux variables à l'étude, un échantillon de taille réduite peut être suffisant pour répondre au but de la recherche. Par contre, pour déceler la variabilité dans une population hétérogène, un nombre plus élevé de sujets s'impose. De façon générale, les études portant sur des phénomènes qui ont tendance à varier requièrent des échantillons plus grands que celles ayant trait à des phénomènes qui varient peu. Il existe des formules statistiques permettant d'estimer la variance prévue d'un phénomène et le degré d'erreur d'échantillonnage tolérable.

14.5 La taille de l'échantillon dans la recherche qualitative

La taille de l'échantillon dans les études qualitatives est rarement prédéterminée. Elle s'appuie sur les besoins d'information. Il s'agit de décrire et d'analyser les significations des expériences vécues par des personnes plutôt que de chercher, comme dans les recherches quantitatives, à assurer une représentation de la population par des techniques d'échantillonnage probabiliste. Il est essentiel que l'échantillon reflète bien la population cible, étant donné que les expériences subjectives sont au cœur de l'étude (Macnee et McCabe, 2008). À cet égard, la norme qui fixe la taille de l'échantillon est l'atteinte de la **saturation des données**, qui se produit lorsque le chercheur s'aperçoit que les réponses deviennent répétitives et qu'aucune nouvelle information ne s'ajoute. C'est le point de redondance.

Morse (2000) énumère un certain nombre de facteurs à prendre en considération pour déterminer la taille requise de l'échantillon permettant d'atteindre la saturation des données dans les études qualitatives. Ces facteurs sont, entre autres, l'ampleur de l'étude, la nature du phénomène, la qualité des données et le devis de recherche. Au regard de l'ampleur de l'étude, plus la question de recherche est générale, plus il faudra obtenir de renseignements pour arriver à la saturation : cela nécessite un échantillonnage plus grand de participants. Si le sujet à l'étude est clair et que l'information s'obtient facilement au cours des entrevues, un plus petit échantillon sera suffisant. Par contre, si le thème s'avère complexe et difficile à définir, ou qu'il est délicat et que les participants manifestent de l'embarras à répondre aux questions, il faudra alors accroitre le nombre de participants. La qualité des données influe également sur la taille de l'échantillon. Dans la mesure où les participants se sentent à l'aise et qu'ils sont capables de communiquer efficacement leur expérience, la saturation peut être atteinte au moyen d'un échantillon plus petit. Enfin, certaines études exigent un plus grand nombre d'entrevues par participant, ce qui signifie plus de données à obtenir. Il s'agit de tenir compte des devis longitudinaux, ou de longue durée, et de ceux qui requièrent des interventions ou la participation de familles au lieu de sujets isolés.

14.6 L'examen critique de la méthode d'échantillonnage

Dans une recherche quantitative, un bon article contient généralement une description de la méthode d'échantillonnage, qu'elle soit probabiliste ou non probabiliste, de même que la détermination de la taille de l'échantillon et les critères de sélection. Ces renseignements apparaissent généralement dans la section qui traite de la méthode. Le lecteur devrait trouver assez facilement à quel groupe de personnes le chercheur veut généraliser (recherche quantitative) ou transférer (recherche qualitative) les résultats de son étude. On trouve également dans cette section les caractéristiques démographiques des personnes qui ont participé à l'étude. La taille de l'échantillon doit aussi faire l'objet d'un examen critique. Par exemple, si le chercheur a choisi un échantillon de petite taille, il doit exposer les raisons ayant motivé ce choix. De même, si des participants se sont désistés en cours d'étude, le chercheur doit le mentionner dans son rapport de recherche. Dans une recherche qualitative, un bon rapport contient une description détaillée de la technique d'échantillonnage utilisée et celle de l'échantillon obtenu. Le lecteur doit trouver la logique qui sous-tend le choix de la technique d'échantillonnage. L'encadré 14.3 présente quelques questions se rapportant à l'examen critique de la méthode d'échantillonnage.

ENCADRÉ 14.3 | Quelques questions guidant l'examen critique de la méthode d'échantillonnage

1. La population cible est-elle clairement définie?
2. Les critères d'inclusion et d'exclusion sont-ils clairement établis?
3. La méthode d'échantillonnage utilisée est-elle probabiliste ou non probabiliste?
4. Quelle est la technique d'échantillonnage utilisée pour recruter les participants?
5. L'échantillon est-il représentatif des groupes auxquels les résultats seront appliqués?
6. La taille de l'échantillon est-elle suffisante et justifiée ou produit-elle la saturation des données?
7. L'échantillon est-il clairement décrit au chapitre des caractéristiques et des participants?
8. L'échantillon est-il représentatif du phénomène étudié?

Points saillants

14.1	**Les concepts liés à l'échantillonnage**	• L'échantillonnage est le processus qui consiste à choisir un groupe de personnes ou une fraction d'une population de sorte que la population entière soit représentée.
		• Une population est l'ensemble des éléments qui possèdent des caractéristiques communes et pour lesquels le chercheur désire faire des généralisations. Une population peut se définir par des critères d'inclusion et d'exclusion.
		• L'échantillon est un ensemble d'éléments (personnes, objets, spécimens) prélevés dans la population.
		• L'échantillon est considéré comme représentatif si les caractéristiques des éléments qui le composent sont identiques à celles de la population.
		• Le biais d'échantillonnage survient quand les sujets choisis pour faire partie d'un échantillon sont sous-représentés ou surreprésentés par rapport à des caractéristiques directement liées au phénomène à l'étude.
14.2	**Les méthodes d'échantillonnage**	• On distingue deux grandes méthodes d'échantillonnage : probabiliste et non probabiliste.
		• La méthode d'échantillonnage probabiliste suppose le choix aléatoire des éléments de la population ; elle regroupe l'échantillonnage aléatoire simple, l'échantillonnage aléatoire systématique, l'échantillonnage aléatoire stratifié et l'échantillonnage en grappes.
		• La méthode d'échantillonnage non probabiliste ne donne pas à tous les éléments de la population une chance égale de faire partie de l'échantillon ; les principales techniques de cette méthode sont l'échantillonnage accidentel, l'échantillonnage par quotas, l'échantillonnage intentionnel et l'échantillonnage par réseaux.
		• L'échantillonnage probabiliste est la méthode de choix dans la recherche quantitative pour assurer la représentativité d'un échantillon et réduire au minimum l'erreur d'échantillonnage.
		• Les principales méthodes d'échantillonnage utilisées dans la recherche qualitative sont l'échantillonnage intentionnel et l'échantillonnage par réseaux.
14.3	**Le recrutement des participants potentiels**	• Le recrutement est le processus par lequel on sélectionne des personnes répondant à des critères de sélection définis.
		• En plus de recruter les sujets, il faut tout mettre en œuvre pour les retenir jusqu'à la fin de l'étude.
14.4	**La taille de l'échantillon dans la recherche quantitative**	• Le nombre de personnes à inclure dans l'échantillon dépend de plusieurs facteurs. Si le chercheur ne peut utiliser la puissance statistique pour déterminer la taille de l'échantillon dans une recherche quantitative, il doit inclure le plus grand nombre possible de sujets.
		• Dans la détermination de la taille de l'échantillon, le chercheur doit prendre en considération le type d'étude, l'ampleur de l'effet statistique, l'homogénéité de la population, le seuil de signification et la puissance des tests statistiques.
14.5	**La taille de l'échantillon dans la recherche qualitative**	• La taille de l'échantillon dans les études qualitatives est rarement prédéterminée, mais s'appuie sur les besoins en matière d'information.

Mots clés

Ampleur de l'effet

Biais d'échantillonnage

Critère d'exclusion

Critère d'inclusion

Échantillon

Échantillonnage accidentel ou par convenance

Échantillonnage aléatoire simple

Échantillonnage aléatoire stratifié

Échantillonnage aléatoire systématique

Échantillonnage en grappes ou par faisceaux

Échantillonnage intentionnel

Échantillonnage non probabiliste

Échantillonnage par quotas

Échantillonnage par réseaux ou en boule de neige

Échantillonnage probabiliste

Erreur d'échantillonnage

Population

Puissance

Représentativité

Table de nombres aléatoires

Taille de l'échantillon

Exercices de révision

1. Définissez les termes suivants.
   a) Population cible
   b) Population accessible
   c) Échantillon
   d) Représentativité

2. Qu'est-ce qui caractérise les échantillons probabilistes par rapport aux échantillons non probabilistes ?

3. Lisez le texte de la mise en situation ci-contre et indiquez :
   a) la population cible ;
   b) la population accessible ;
   c) la taille de l'échantillon ;
   d) la technique d'échantillonnage utilisée.

Mise en situation

Un chercheur veut vérifier si une bonne connaissance de l'ostéoporose entraine la mise en application des mesures de prévention chez des femmes blanches âgées de 45 à 75 ans. À cette fin, il a élaboré un questionnaire comportant des indicateurs de chacune des variables principales. Une assistante de recherche se rend dans trois CLSC de la région de Montréal et fait remplir le questionnaire à 60 femmes présentes sur les lieux. Celles-ci répondent aux critères d'inclusion et ont bien voulu accepter de participer à l'enquête.

Liste des références

Les références citées dans la rubrique «Exemple» ou dans les citations peuvent ne pas figurer dans la cette liste.

Beaud, J.-P. (2009). L'échantillonnage. Dans B. Gauthier (dir.). *Recherche sociale : de la problématique à la collecte des données* (5e éd.) (p. 251-283). Sillery, Québec : Presses de l'Université du Québec.

Cohen, J. (1988). *Statistical power analysis for the behavioural sciences* (2e éd.). New York, NY : Academic Press.

Coleman-Phox, K. et collab. (2013). Recruitment and retention of pregnant women for a behavioral intervention: Lessons from the maternal adiposity, metabolism, and stress (MAMAS) study. *Preventive Chronic Disease, 10*, 1-7.

Creswell, J.W. (2005). *Educational research: Planning, conducting, and evaluating quantitative and qualitative research* (2e éd.). Upper Saddle River, NJ : Merrill/Pearson Education.

Davidson, M.M. et collab. (2010). Strategies to recruit and retain college smokers in cessation trials. *Research in Nursing & Health, 33*(2), 144-155.

Dykes, P.C., Rothschild, J.M. et Hurley, A.C. (2010). Medical errors recovered by critical care nurses. *The Journal of Nursing Administration, 40*(5), 241-246.

Gillis, A. et Jackson, W. (2002). *Research for nurses: Methods and interpretation*. Philadelphie, PA : F.A. Davis.

Gross, D. et Fogg, I. (2001). Clinical trials in the 21st century: The case for participant-centered research. *Research in Nursing & Health, 24*(6), 530-539.

Grove, S.R., Burns, N. et Gray, J.R. (2013). *The practice of nursing research: Appraisal, synthesis, and generation of evidence* (7e éd.). Philadelphie, PA : Elsevier.

Gul, R.B. et Ali, P. (2010). Clinical trials: The challenge of recruitment and retention of participants. *Journal of Clinical Nursing, 19*(1-2), 227-233.

Hunter, S., Pitt, V., Croce, N. et Roche, J. (2014). Critical thinking skills of undergraduate nursing students: Description and demographic predictors. *Nurse Education Today, 34*(5), 809-814.

Kerlinger, F.N. (1973). *Foundations of behavioral research* (2ᵉ éd.). New York, NY : Holt, Rinehard & Winston.

Koelewijn-van Loon, M.S. et collab. (2009). Involving patients in cardiovascular risk management with nurse-led clinics: A cluster randomized controlled trial. *Canadian Medical Association Journal, 181*(12), E267-E274.

Macnee, C.L. et McCabe, S. (2008). *Understanding nursing research: Reading and using research in evidence-bases practice* (2ᵉ éd.). Philadelphie, PA : Lippincott Williams & Wilkins.

Maxwell, J.A. (2005). *Qualitative research design: An interactive approach* (2ᵉ éd.). Thousand Oaks, CA : Sage Publications.

Miles, M.B. et Huberman, A.M. (1994). *Qualitative data analysis: An expanded sourcebook* (2ᵉ éd.). Thousand Oaks, CA : Sage Publications.

Moisan, A., Poulin, F. et Capuano, F. (2014). Impact de deux interventions visant à améliorer la compétence sociale chez des enfants agressifs à la maternelle. *Canadian Journal of Behavioural Science/Revue canadienne des sciences du comportement, 46*(2), 301-311.

Morse, J.M. (1990). Strategies for sampling. Dans J.M. Morse (dir.). *Qualitative nursing research: A contemporary dialogue* (p. 127-145). Newbury Park, CA : Sage Publications.

Morse, J.M. (2000). Determining sample size. *Qualitative Health Research, 10*(1), 3-5.

Patton, M.Q. (2002). *Qualitative research and evaluation methods* (3ᵉ éd.). Thousand Oaks, CA : Sage Publications.

Portney, L.G. et Watkins, M.P. (2009). *Foundations of clinical research: Applications to practice* (3ᵉ éd.). Upper Saddle River, NJ : Pearson/Prentice-Hall.

Puffer, S. et Torgerson, D. (2003). Recruitment difficulties in randomized controlled trials. *Controlled Clinical Trials, 24*, 214-215.

Singh, V. et collab. (2014). Dating violence among male and female youth seeking emergency department care. *Annals of Emergency Medicine, 64*(4), 405-412.

Sullivan-Bolyai, S. et collab. (2007). Barriers and strategies for recruiting study participants in clinical settings. *Western Journal of Nursing Research, 29*(4), 486-500.

CHAPITRE 15

Les principes sous-jacents à la mesure des concepts

Objectifs d'apprentissage

Après avoir étudié ce chapitre, vous serez en mesure :

- de définir la mesure en recherche ;
- de discuter de l'opérationnalisation des variables ;
- de comprendre ce que représente l'erreur de mesure ;
- de distinguer les quatre échelles ou niveaux de mesure ;
- de définir les concepts de fidélité et de validité ;
- de distinguer les principaux types de fidélité et de validité.

L a mesure joue un rôle primordial dans le processus de recherche. À cette étape, il faut choisir la manière de mesurer les concepts contenus dans les questions de recherche et les hypothèses. En d'autres mots, il convient de traduire les concepts abstraits en termes observables et mesurables. Cette démarche correspond au processus d'opérationnalisation des concepts, qui comporte une série d'opérations débouchant sur la détermination d'indicateurs appropriés et des moyens pour les mesurer. La façon dont les concepts sont définis et mesurés influe directement sur la fidélité et la validité des mesures et, par conséquent, sur les résultats de la recherche et de la théorie sous-jacente. Ce chapitre discutera donc de la définition de la mesure des concepts et de son application dans la conduite de la recherche. Ce faisant, seront considérés l'opérationnalisation des concepts, les définitions conceptuelle et opérationnelle, l'erreur de mesure, les échelles de mesure, les cadres de référence de la mesure et les aspects relatifs à la fidélité et à la validité des instruments de collecte des données, deux caractéristiques essentielles pour déterminer la qualité d'un instrument de mesure, incluant ceux qui ont été traduits d'autres langues. Le chapitre se termine par un aperçu de la sensibilité et de la spécificité qui déterminent la qualité des tests diagnostiques et des outils de dépistage utilisés dans la recherche en soins de santé et dans la pratique clinique.

15.1 La mesure des concepts dans la conduite de la recherche

Mesure
Opération qui consiste à assigner des nombres à des objets, à des évènements ou à des situations selon certaines règles.

La **mesure** en recherche a été définie par divers auteurs comme étant le processus menant à l'attribution de nombre à des objets, à des évènements ou à des personnes selon des règles préétablies dans le but de déterminer la valeur d'un attribut donné (Green et Lewis, 1986 ; Kerlinger, 1973 ; Nunnally et Berstein, 1994). Ces règles désignent la manière dont les nombres sont assignés pour refléter la quantité d'une variable et les unités de mesure. La règle de mesure assure que l'attribution de nombres s'effectue de manière constante avec le même outil d'un objet à un autre ou d'une personne à une autre. La variable représente un attribut qui peut prendre différentes valeurs. On utilise la quantification pour définir ces valeurs. Selon Laurencelle (1998), un nombre exprime symboliquement la « grandeur » d'une caractéristique donnée d'un objet. Les nombres assignés aux objets ou aux évènements représentent des quantités (variables continues) ou des qualités (variables catégorielles). Une variable est l'expression quantitative d'un concept abstrait ou construit, à laquelle il est possible d'attribuer différentes valeurs selon son utilisation dans une recherche. Une variable continue peut prendre théoriquement n'importe quelle valeur sur un continuum à l'intérieur d'une étendue déterminée de valeurs (p. ex. pour une étendue de 2 à 4, la variable peut être fractionnée comme suit : 2,5 ; 2,8 ; 3,58 ; etc.). D'autres variables sont décrites uniquement par des unités entières : elles sont considérées comme des variables discrètes. Une variable discrète ne peut prendre qu'un nombre limité de valeurs entre deux points. Les variables qualitatives représentent des valeurs catégorielles. Quand ces variables ne prennent que deux valeurs, elles sont appelées « variables dichotomiques », comme c'est le cas pour le sexe.

> La règle de mesure assure que l'attribution de nombres s'effectue de manière constante avec le même outil d'un objet à un autre ou d'une personne à une autre.

En recherche quantitative, les chercheurs utilisent la mesure comme moyen de comprendre, d'évaluer et de différencier les caractéristiques des personnes ou des objets. Elle permet de comparer, au moyen d'une unité de mesure constante, des évènements ou des phénomènes entre eux. Il existe des règles de mesure concrètes (p. ex. le ruban gradué), alors qu'il faut les créer pour mesurer des variables abstraites. La mesure fournit un mécanisme relativement exact permettant d'atteindre un degré de précision fiable dans la manière de décrire les caractéristiques physiques ou comportementales selon leur quantité, leur degré, leur capacité ou leur qualité. Par exemple, pour exprimer un degré d'humidité, sa valeur à l'hygromètre est plus précise que des qualificatifs tels que « élevée » ou « faible ». La précision renvoie à l'exactitude d'une mesure. La capacité de précision de la mesure permet de communiquer l'information en des termes objectifs, évitant ainsi l'ambigüité dans l'interprétation (Portney et Watkins, 2009).

Dans la conduite de la recherche, la mesure sert à guider la prise de décision et à tirer des conclusions dans différentes circonstances. Elle est utile pour décrire la qualité ou la quantité d'une variable telle que l'état de santé, les attitudes, les comportements, etc. La mesure peut aussi mener à la prise de décision dans des situations d'apprentissage, en se référant à un critère de rendement (norme) tel que l'exigence pour un étudiant de réussir un ensemble de tests pour être promu à un grade supérieur. Elle permet d'évaluer les changements ou les progrès des participants à une étude à la suite d'un traitement ou d'une intervention. La mesure sert également à comparer et à établir des différences entre les personnes ou les groupes. Par exemple, un test peut servir à faire une distinction entre des enfants qui présentent des troubles de comportement et d'autres qui n'en ont pas. Enfin, la mesure permet de tirer des conclusions sur l'existence de relations entre des variables, par exemple sur l'état fonctionnel de personnes par rapport à leur capacité à accomplir les activités de la vie quotidienne (Portney et Watkins, 2009). Ainsi, on pourrait créer une règle de mesure pour attribuer des nombres à des catégories permettant d'apprécier la mobilité des personnes : 1 = peut marcher seule, sans aide ; 2 = a besoin d'aide pour se déplacer. Dans ce cas, les nombres assignés représentent des valeurs discrètes (1 et 2), qui permettent d'évaluer la mobilité des personnes en appliquant une règle qui consiste à distinguer celles qui ont besoin d'aide pour se déplacer de celles qui n'en nécessitent pas. La définition de la mesure exige donc que le chercheur précise clairement l'objet à mesurer, l'unité de mesure à utiliser et la règle de mesure.

15.1.1 L'opérationnalisation des concepts : les indicateurs empiriques

L'opérationnalisation des concepts est le processus par lequel un concept abstrait (construit) est transposé en phénomène observable et mesurable. Certains concepts sont facilement observables et se distinguent aisément des autres. Par exemple, il est impossible de confondre une table avec un piano. D'autres concepts, moins tangibles, ne peuvent être définis que par déduction. Les concepts qui représentent des comportements ou des évènements non observables sont appelés « construits » (*voir le chapitre 3*). La plupart des construits désignent des réalités non directement observables ou mesurables. Pour les mesurer, il faut avoir recours à des mesures indirectes. La signification d'un construit dépend de la théorie à laquelle le chercheur fait référence. Par exemple, pour savoir ce qu'un chercheur entend lorsqu'il traite du construit « douleur », il est nécessaire de connaitre la théorie de la douleur à laquelle il se réfère.

Les construits doivent donc être convertis en indicateurs empiriques pour être mesurables. L'**indicateur empirique** est l'expression quantifiable et mesurable d'un construit ; il représente des caractéristiques ou des dimensions de ce construit que l'on peut reconnaitre dans la réalité par des comportements ou des réactions directement observables et mesurables. L'indicateur permet de traduire en termes concrets des variables aussi abstraites que l'estime de soi, l'espoir ou la qualité de vie en établissant un lien avec la mesure empirique. Ainsi, l'indicateur peut être constitué par une série d'énoncés placés sur une échelle de mesure ou par une réponse à une question figurant dans un questionnaire. Pour déterminer les indicateurs empiriques appropriés aux construits à mesurer, il faut prendre en compte toutes les dimensions ou facettes d'un construit et sa signification. Par exemple, une étude sur l'environnement social des personnes pourrait utiliser le soutien social comme construit ; le soutien social peut comporter plusieurs dimensions — sociale, émotionnelle, matérielle et familiale —, lesquelles ne sont pas directement observables, mais elles peuvent être mesurées à l'aide d'indicateurs sous forme d'énoncés auxquels sont associées des valeurs, appelées « scores ». Étant donné que l'indicateur est choisi par rapport à un construit, il faut absolument que celui-ci soit défini au préalable de façon que l'on puisse tenir compte des dimensions qui le caractérisent. La définition du construit permet de préciser sa signification théorique et sert de guide à son opérationnalisation et au choix de l'indicateur approprié pour le mesurer.

> L'indicateur peut être constitué par une série d'énoncés placés sur une échelle de mesure ou par une réponse à une question figurant dans un questionnaire.

15.1.2 La distinction entre les définitions conceptuelle et opérationnelle

Une définition conceptuelle a pour but de transmettre aussi clairement que possible l'idée véhiculée par le construit. Une des façons est de commencer par écrire sa signification dans le contexte de ses assises théoriques et en fonction du but de l'étude. Pour qu'une définition conceptuelle soit précise, compréhensible et appropriée à la situation de recherche, le chercheur peut soit établir sa propre définition du concept en fonction du but de l'étude, soit rechercher dans les écrits théoriques et empiriques des définitions correspondant à l'idée qu'il se fait de la variable dans le cadre de son étude. La définition conceptuelle est habituellement assez large pour permettre des applications dans diverses situations de recherche. Par exemple, Bandura (1977) définit le concept de l'efficacité personnelle perçue comme l'ensemble des jugements que les personnes expriment sur leurs capacités à accomplir avec succès une action déterminée. L'efficacité personnelle perçue suppose que la personne se sent capable de réaliser l'action. Cependant, cette définition ne précise pas comment mesurer les capacités à réaliser l'action ou comment interpréter ces termes, mais sert de guide aux opérations menant à la définition opérationnelle.

La définition opérationnelle consiste à déterminer les opérations (procédés) par lesquelles les variables seront mesurées dans une étude en particulier. Cette définition doit être suffisamment détaillée pour permettre à d'autres chercheurs de reproduire les mêmes procédés. La définition opérationnelle des variables doit comporter la manière dont on prévoit étudier et mesurer les variables dans le contexte du but de l'étude. On précise l'instrument de mesure ou les opérations à effectuer pour mesurer les variables, comme l'ont fait Johnston et ses collaborateurs (2008), illustré par l'exemple 15.1.

Une définition opérationnelle

Les auteurs ont mené une étude dans le but de déterminer l'efficacité de la méthode kangourou sur la diminution de la douleur chez des nouveau-nés prématurés durant des procédures de routine thérapeutiques douloureuses. Les deux variables définies de façon opérationnelle étaient la méthode kangourou (variable indépendante) et la douleur (variable dépendante). La description faite de ces deux variables permet de dégager les définitions opérationnelles suivantes en fonction du but de l'étude.

But de l'étude .

Déterminer l'efficacité de la méthode kangourou sur la diminution de la douleur chez les nouveau-nés prématurés durant des procédures thérapeutiques douloureuses.

Définitions opérationnelles

Méthode kangourou: intervention maternelle de contact peau à peau qui consiste à placer le bébé sur le ventre entre les seins de la mère, qui est assise confortablement sur une chaise, entourant de manière sécuritaire le bébé par ses vêtements et par une couverture couvrant le dos de celui-ci. Cette position expérimentale est maintenue durant 15 minutes.

Douleur: expressions faciales douloureuses, pleurs, accélération de la pulsation cardiaque manifestée par les bébés prématurés au cours de procédures thérapeutiques douloureuses et évalués à l'aide de l'échelle multidimensionnelle *Premature Infant Pain Profile* (PIPP).

La variable indépendante (méthode kangourou) est définie de façon opérationnelle par la description de la méthode, les propriétés et les critères d'application qui permettent l'observation et la mesure. Dans l'exemple de la définition opérationnelle de la variable dépendante (douleur), celle-ci est exprimée par les scores reflétant le degré de douleur sur l'échelle de mesure multidimensionnelle (PIPP) au moment des prises de mesure après l'application des procédures thérapeutiques douloureuses. La nature multidimensionnelle de l'échelle indique que la douleur est évaluée de plusieurs façons ou sous plusieurs facettes. Cette définition permet d'interpréter le profil de la douleur exprimée par les bébés prématurés.

Une variable peut contenir plus d'une dimension ou caractéristique; pour les déterminer, il est important d'examiner les diverses descriptions de certaines variables dans la documentation existante. Certaines variables plutôt évidentes comme l'âge ou le sexe n'ont pas besoin de définitions opérationnelles élaborées pour être mesurées. Il en est ainsi pour les variables poids et taille, pourvu que l'on précise les unités de mesure et le type d'instrument utilisés. Une même variable abstraite peut aussi être mesurée à l'aide de différents instruments. Par exemple, l'anxiété peut être appréciée au moyen de l'échelle de Beck ou de l'échelle de Spielberger, ou encore selon une mesure physiologique. Les résultats seront interprétés suivant les propriétés de l'échelle de mesure choisie. En somme, la définition opérationnelle doit pouvoir communiquer le plus exactement possible les termes utilisés de manière à ce que le lecteur comprenne la conceptualisation de la variable adoptée par le chercheur et les résultats qui en découlent (Portney et Watkins, 2009).

15.2 L'erreur de mesure

L'**erreur de mesure** est inhérente à toute opération de mesure. Réduire le nombre d'erreurs engendrées par un instrument de mesure accroît sa fidélité. Tous les instruments de mesure demeurent faillibles jusqu'à un certain point, et les personnes ne sont pas toujours constantes dans leurs réponses. Lorsqu'un instrument n'est pas parfaitement précis, les mesures obtenues présentent un certain

Erreur de mesure
Différence entre la mesure réelle (score vrai) et celle qui est prise à l'aide d'un instrument de mesure (score observé).

pourcentage d'erreur. L'erreur de mesure existe dans les mesures directes et indirectes. Théoriquement, toute forme de mesure contient une marge d'erreur. On considère trois composantes dans un score : le score observé, le score vrai et la composante erreur. Leur relation peut être représentée par l'équation suivante :

$$X = V \pm E,$$

où X est le score observé, V, le score vrai et E, l'erreur de mesure.

Le score observé ou la variance observée correspond à la valeur obtenue au moyen d'un instrument de mesure utilisé auprès des participants à une étude. Par exemple, la valeur peut être représentée par un score placé sur une échelle (estime de soi, anxiété). Le score vrai (ou vraie variance) est le score qui serait obtenu s'il n'y avait pas d'erreur ; comme l'erreur reste toujours présente, on ne connait jamais le score vrai. La différence entre le score vrai (valeur réelle) et le score observé (celui obtenu sur l'instrument de mesure) est ce que l'on appelle « erreur de mesure ». Le score vrai et l'erreur de mesure sont des construits hypothétiques, puisqu'on ne peut ni les mesurer directement ni les connaitre. Cependant, il est possible d'estimer la quantité de la mesure attribuable à l'erreur. L'estimation relève de la fidélité. Plus l'erreur de mesure est jugée faible, plus le score observé s'approche du score vrai. Ainsi, un instrument fidèle est celui dont les mesures tendent à s'approcher du score vrai (Laurencelle, 1998). Le résultat à un test peut être vu comme une combinaison du score vrai et de l'erreur de mesure.

> Le résultat à un test peut être vu comme une combinaison du score vrai et de l'erreur de mesure.

15.2.1 Les types d'erreurs de mesure

La fidélité d'un instrument de mesure est liée à deux types d'erreurs de mesure : les erreurs aléatoires et les erreurs systématiques. Les **erreurs aléatoires** sont attribuables, au moment de la passation d'un test à des participants, soit à des causes subjectives, soit à des variations dans le temps, soit à la manière d'utiliser l'instrument. Le hasard est toujours responsable d'une certaine variation, ce qui explique, tout au moins en partie, l'erreur de mesure. Puisque toutes les techniques de mesure entrainent une part d'erreur due au hasard, la fidélité est donc susceptible de varier. Les erreurs aléatoires se produisent au cours de la collecte des données et ne sont pas prédictibles. Elles proviennent souvent de facteurs subjectifs (p. ex. la fatigue, l'humeur, la faim), de facteurs extérieurs (p. ex. la chaleur, des distractions), d'un manque de clarté des instruments, de variations dans l'utilisation de ceux-ci (ajout ou suppression de questions), d'un changement de personnel ou d'erreurs dans l'enregistrement des données.

Erreur aléatoire
Erreur non prédictible provenant de facteurs subjectifs, de facteurs extérieurs ou de facteurs liés aux instruments de mesure.

> Les erreurs aléatoires se produisent au cours de la collecte des données et ne sont pas prédictibles.

Erreur systématique
Erreur prédictible survenant de façon constante chaque fois qu'il y a prise de mesure et attribuable à des facteurs permanents.

Les **erreurs systématiques** sont des erreurs prédictibles. Elles surviennent de façon constante chaque fois qu'il y a prise de mesure, surestimant ou sous-estimant le score vrai ; elles sont attribuables à des facteurs permanents tels que l'intelligence, la scolarité, la conformité sociale ou à la nature du test (p. ex. le choix des énoncés représentatifs, leur capacité à discriminer et à mesurer). Ces facteurs ont un effet direct sur la fidélité et sur la validité des instruments de mesure. Comme ceux-ci comportent toujours des erreurs systématiques, il est important de les améliorer constamment et d'employer concurremment d'autres moyens tels que l'observation ou l'entrevue. Lorsque des mesures sont prises sur un échantillon de personnes, il est normal qu'elles varient quelque peu. La variation provient des différences réelles qui existent entre les personnes ainsi que de la mesure elle-même, c'est-à-dire de l'instrument et de la situation de mesure ainsi que des objets à mesurer. L'erreur systématique est plus grave que l'erreur aléatoire parce qu'elle comporte des biais et entraine une fausse estimation de l'objet mesuré (Laurencelle, 1998). Il est important de bien distinguer la variance causée par l'erreur de mesure de celle attribuable à la différence qui existe entre les personnes.

L'erreur de mesure influe directement sur la fidélité des instruments de mesure. De façon générale, les erreurs de mesure proviennent souvent des instruments de mesure eux-mêmes, des personnes qui les utilisent et des variations dans les caractéristiques mesurées. Plusieurs sources d'erreurs peuvent être minimisées si la recherche est correctement planifiée, si les variables se trouvent bien définies de façon opérationnelle et si les instruments physiques sont calibrés de façon adéquate.

15.3 Les échelles de mesure

Les échelles, ou niveaux, de mesure précisent la manière dont les valeurs sont assignées aux objets pour représenter à la fois la quantité qu'ils renferment et les unités de mesure. Les mesures comportent des niveaux qui correspondent à un ordre de classification selon que les nombres attribués représentent des valeurs discrètes (catégories) ou des valeurs continues (quantités). Stevens (1946, 1951) a conçu des règles d'attribution des nombres à des objets de manière à établir une hiérarchie dans la mesure. Ces règles établissent des échelles de mesure classées par ordre croissant de précision : nominale, ordinale, d'intervalle et de proportion. Les règles de mesure déterminent des quantités, des degrés, des gradations ou encore l'étendue des observations effectuées.

15.3.1 L'échelle nominale

L'**échelle nominale** est le niveau de mesure le plus élémentaire ; elle utilise des nombres à valeur uniquement nominale, c'est-à-dire sans valeur numérique, pour classer des objets dans une catégorie donnée. Les valeurs de cette échelle servent à indiquer à quelle catégorie appartient un objet déterminé ; elles n'ont aucun caractère quantitatif, reflétant simplement les différences qualitatives qui existent entre les catégories. Les catégories peuvent être codifiées par un nombre, une lettre ou un symbole. Le sexe, la nationalité ou le groupe sanguin sont des exemples de variables nominales. Tous les éléments d'une même catégorie sont traités également ou de façon similaire. Par exemple, un groupe de personnes peut être divisé en catégories selon le sexe (1 = féminin, 2 = masculin) ou selon la nationalité (1 = Canadien, 2 = Espagnol, 3 = autre). L'échelle nominale doit satisfaire à deux conditions : les catégories nominales doivent être exhaustives, c'est-à-dire que chaque personne ou chaque objet à classer doit appartenir à une catégorie ; et les catégories doivent s'exclure mutuellement, c'est-à-dire que chaque élément ne peut appartenir à plus d'une catégorie.

Échelle nominale
Niveau de mesure le plus élémentaire servant à classer des objets ou des personnes dans des catégories exhaustives et qui s'excluent mutuellement.

> Les catégories peuvent être codifiées par un nombre, une lettre ou un symbole.

Le chercheur est limité dans l'utilisation des analyses statistiques avec les variables nominales, puisqu'il ne peut effectuer d'opérations mathématiques sur les nombres utilisés, sauf compter le nombre de sujets par catégorie. Toutefois, l'échelle nominale admet l'emploi de tests non paramétriques et de statistiques descriptives telles que les distributions de fréquences, les pourcentages et les corrélations de contingence (*voir le chapitre 19*).

15.3.2 L'échelle ordinale

Échelle ordinale
Niveau de mesure qui requiert le classement des catégories par rang ou selon un ordre de grandeur.

L'**échelle ordinale** assigne des nombres à des éléments selon leur valeur relative pour représenter un rang ou un ordre de grandeur. Comme dans la mesure nominale, les catégories utilisées au niveau ordinal sont exhaustives et s'excluent mutuellement. Les nombres indiquent l'ordre, et non la quantité des propriétés des variables. L'ordre de grandeur signifie non pas que les intervalles entre les catégories sont égaux, mais plutôt que les catégories sont ordonnées entre elles. Par exemple, dans la mesure de la mobilité d'une personne dans l'accomplissement des activités quotidiennes, les catégories peuvent être ordonnées de la façon suivante : 1 = complètement dépendant ; 2 = nécessite l'assistance d'une autre personne ; 3 = nécessite une assistance partielle ; 4 = complètement indépendant. Ici, les nombres indiquent un ordre de grandeur dans la capacité d'une personne à réaliser des actions. Cependant, la mesure ordinale ne procure pas de renseignements sur la grandeur de l'écart entre les catégories, puisque les intervalles ne sont pas égaux. Ainsi, il peut y avoir un plus grand écart entre les catégories 1 et 2 (« complètement dépendant » et « nécessite l'assistance d'une autre personne ») qu'entre les catégories 3 et 4 (« nécessite une assistance partielle » et « complètement indépendant »). Cela peut être aussi le résultat obtenu à un énoncé sur une échelle Likert numérotée de 1 à 5 : de « pas du tout d'accord » à « tout à fait d'accord ».

L'échelle ordinale permet l'utilisation de statistiques descriptives, comme les distributions de fréquences, les pourcentages et les corrélations de contingence. Parce que les propriétés arithmétiques sont limitées, l'interprétation des données s'en trouve réduite. Cependant, certaines données ordinales sont considérées dans les analyses statistiques comme appartenant à l'échelle d'intervalle en raison d'un continuum sous-jacent d'intervalles, comme dans les échelles de type Likert. On fait souvent appel aux mesures ordinales dans les domaines des sciences sociales, de la psychologie, de l'éducation et de la santé, incluant les sciences infirmières. Selon Kerlinger (1986), la plupart des échelles psychosociales et éducatives se rapprochent assez bien des niveaux de mesure d'intervalle, et le résultat des analyses statistiques faites avec ces mesures fournit une information satisfaisante. Comme la somme des indices sur une échelle de Likert produit des scores, des statistiques paramétriques peuvent être utilisées. C'est généralement la pratique adoptée dans le calcul des scores même s'il n'y a pas véritablement de consensus à ce sujet (Jacobsson, 2004 ; Knapp, 1990 ; Wang, Yu, Wang et Huang, 1999). S'il est approprié de calculer des moyennes avec les échelles ordinales, on ne peut déduire de conclusions significatives de ces moyennes (Knapp, 1990).

15.3.3 L'échelle d'intervalle

Échelle d'intervalle
Niveau de mesure dont les intervalles entre les nombres sont à égale distance, mais dont les nombres ne sont pas absolus en raison du zéro arbitraire.

Dans l'**échelle d'intervalle**, les catégories de la variable ne sont pas seulement différentes et ordonnées, mais elles sont séparées par des intervalles fixes à partir d'une unité de mesure. Ce niveau de mesure fait intervenir des nombres à valeur numérique séparés par des intervalles égaux. L'échelle d'intervalle assure des valeurs continues. Toutefois, il ne s'agit pas de nombres absolus en raison de l'absence d'un point zéro. L'opérationnalisation de la température en degrés Celsius est un bon exemple d'une échelle d'intervalle. Une température de 30 degrés à l'échelle Celsius n'équivaut pas à deux fois une température de 15 degrés, parce que le degré 0 n'indique pas l'absence de température; c'est un zéro arbitraire, conventionnel. L'unité de mesure (le degré, dans le cas de la température) constitue donc la différence la plus importante entre l'échelle d'intervalle et l'échelle ordinale. Les échelles d'intervalles offrent des possibilités statistiques plus grandes que les échelles ordinales du fait que les intervalles entre les nombres peuvent être additionnés ou soustraits. De plus, il est possible de calculer la moyenne et de tirer des conclusions sur les résultats.

15.3.4 L'échelle de proportion

L'**échelle de proportion**, ou de ratio, occupe le niveau le plus élevé dans l'ordre hiérarchique des niveaux de mesure. En plus de posséder toutes les caractéristiques des mesures précédentes, ce niveau de mesure admet le zéro absolu, qui correspond à l'absence d'un phénomène. Les nombres assignés aux éléments sont séparés par des intervalles égaux et reflètent les quantités de la variable mesurée. La distance, la durée, le poids, l'âge et le revenu sont autant de variables couramment mesurées sur une échelle de proportion. Il est impossible d'obtenir des scores négatifs avec ce type d'échelle du fait que l'on ne peut avoir moins que l'absence d'une quantité. Cette échelle permet d'utiliser des catégories différentes, ordonnées et séparées par une unité de mesure constante, et de proposer des interprétations significatives en fonction des résultats. Une personne peut avoir un revenu deux fois plus élevé qu'une autre, comme elle peut n'avoir aucun revenu. L'échelle de proportion donne accès à toutes les opérations mathématiques et statistiques de même qu'elle permet de transformer les données d'une échelle à l'autre (p. ex. 1 mille = 1,6 km; 1 kg = 2,2 lb).

Une même étude comporte souvent des variables de différents niveaux. Par exemple, les données sociodémographiques font généralement état de variables nominales (p. ex. le sexe, le diagnostic), de variables ordinales (p. ex. la scolarité, le statut matrimonial) et de variables de proportions (p. ex. l'âge, le revenu). Les données d'intervalles sont le plus souvent représentées par des variables dépendantes mesurées à l'aide d'échelles de Likert (anxiété, estime de soi, agressivité).

Pour conclure sur les échelles, ou niveaux, de mesure, il faut retenir qu'elles s'ordonnent selon une hiérarchie dans laquelle les possibilités d'utilisation d'analyses statistiques augmentent graduellement de l'échelon inférieur à l'échelon supérieur. Ainsi, les opérations mathématiques demeurent limitées dans les échelles nominale et ordinale, mais sont plus variées dans les échelles d'intervalle et de proportion. Les échelles numériques (d'intervalle et de proportion) offrent également une plus grande précision que les échelles catégorielles (nominale et ordinale). Il faut préciser que c'est la nature des phénomènes qui détermine le niveau de mesure appropriée à telle variable et, en conséquence, à l'étendue des opérations mathématiques. Le tableau 15.1, à la page suivante, résume les caractéristiques des différents niveaux de mesure. Les flèches indiquent l'ordre croissant de précision des échelles.

Échelle de proportion
Niveau de mesure le plus élevé représenté par des intervalles égaux entre les unités et un zéro absolu.

TABLEAU 15.1	Un résumé des caractéristiques des niveaux de mesure	
Niveau	**Description**	**Exemples**
Échelle de proportion ↑	• Les nombres représentent des quantités réelles sur lesquelles toutes les opérations mathématiques peuvent être exécutées. • L'échelle possède un zéro absolu.	• Température mesurée à l'échelle Kelvin • Poids, taille, distance, revenu
Échelle d'intervalle ↑	• Les intervalles entre les nombres sont égaux. Les nombres peuvent être additionnés ou soustraits. • Les nombres ne sont pas absolus, car le zéro est arbitraire.	• Température mesurée à l'échelle Celsius ou Fahrenheit
Échelle ordinale ↑	• Les objets sont classés par ordre de grandeur.	• Degré de scolarité (p. ex. primaire, secondaire, collégial, universitaire) • Stade d'une tumeur
Échelle nominale	• Les objets sont classés dans des catégories. • Les nombres sont sans valeur numérique.	• Sexe, diagnostic, groupe sanguin

15.4 Les cadres de référence de la mesure

Il existe plusieurs façons de mesurer un phénomène, par exemple en comptant ou en comparant des éléments. Le comptage est le moyen le plus ancien. Pour comparer, il faut avoir une unité de mesure permettant d'établir des comparaisons. Les deux cadres de référence qui guident le devis et l'interprétation de la mesure sont la référence normative, qui est la comparaison d'une personne avec un groupe de personnes pris comme standards de référence, et la référence critériée, à savoir la comparaison d'une personne avec elle-même à différents moments dans le temps.

Référence normative
Interprétation d'un score basée sur sa valeur relative à un score normal ou standard.

La **référence normative** résulte de la comparaison entre le rendement (score) qu'obtient une personne et celui qui est obtenu par un groupe de comparaison bien défini, ou groupe normatif. Le score de la personne sur une échelle de mesure normalisée indique la position qu'elle occupe par rapport à ce groupe. La norme peut être une échelle ou un test normalisé qui sert de point de comparaison. Les échelles normalisées sont celles qui ont été utilisées à maintes reprises auprès de divers groupes et qui ont été soumises à des évaluations extensives sous le rapport de la fidélité et de la validité des données. On compare le score des personnes avec cette norme ou ce score moyen. Par exemple, on veut savoir comment se classe un groupe de personnes à qui l'on a fait passer un test normalisé sur l'anxiété et la dépression par rapport à d'autres groupes ayant subi le même test. Les scores de ce groupe sont comparés aux scores des autres groupes et, de là, on calcule la moyenne et l'écart type. Les échelles de mesure normalisées permettent de distinguer les personnes en fonction d'une caractéristique particulière (McMillan et Schumacher, 2006; Waltz, Strickland et Lenz, 2010). Les scores sont généralement distribués selon une courbe normale, où apparaissent peu de scores très élevés et très bas aux extrémités de la courbe, la

> Les échelles normalisées sont celles qui ont été utilisées à maintes reprises auprès de divers groupes et qui ont été soumises à des évaluations extensives sous le rapport de la fidélité et de la validité des données.

majorité des scores se situant près de la moyenne. Font également partie des mesures de référence normative les mesures physiologiques comme la pulsation et la pression artérielle, qui sont établies d'après un groupe de comparaison basé sur le sexe, l'âge, l'ethnie, etc.

La **référence critériée** sert à déterminer si une personne a atteint le score qui est indiqué pour la réussite à un test ou qui dénote la capacité d'accomplir certaines actions. Ici, on s'intéresse à l'atteinte d'un résultat déterminé par la personne et non à la comparaison de celle-ci avec d'autres sujets. Si une personne est capable d'agir de telle ou telle façon à un moment donné, elle a atteint son objectif et peut passer à l'étape suivante. La comparaison est faite entre le score obtenu et le score fixé comme seuil de réussite. Le critère défini d'avance peut être le niveau de connaissances, le résultat obtenu à un test sanguin servant de base à un diagnostic ou l'adoption d'un comportement précis. La référence critériée est souvent utilisée pour apprécier la capacité d'une personne à accomplir des actions telles que la marche sur une certaine distance au cours d'une convalescence. En éducation, elle sert à évaluer les progrès des élèves et à différencier ceux qui réussissent de ceux qui n'atteignent pas le seuil de réussite.

Référence critériée
Interprétation d'un score basée sur sa valeur actuelle.

15.5 Les concepts de fidélité et de validité des mesures

La fidélité et la validité sont des concepts fondamentaux liés aux instruments de mesure. Le respect de ces concepts par le chercheur lui permet de se fier aux données recueillies et de tirer des conclusions plausibles à partir des résultats. La fidélité d'un instrument peut en limiter la validité si le degré d'erreur de mesure s'avère élevé. La fidélité détermine jusqu'à quel point un instrument de mesure est consistant et libre d'erreurs. Elle relève du degré d'autocorrélation de l'instrument de mesure à reproduire les mêmes résultats. La fidélité est nécessaire, mais elle ne constitue pas un élément suffisant pour assurer la validité d'un instrument. La validité suppose qu'une mesure est relativement exempte d'erreur, c'est-à-dire que l'instrument possède un degré élevé de fidélité. Contrairement à la fidélité, qui a trait à la qualité de la mesure elle-même, la validité s'apprécie autrement qu'avec l'instrument de mesure lui-même. Elle porte sur la qualité des indicateurs empiriques du concept. Plusieurs options s'offrent à son appréciation : le pourcentage d'accord entre des experts qui ont examiné le contenu de l'instrument de mesure ; la comparaison de l'instrument avec un autre moyen ou instrument servant de référence ; la corrélation avec d'autres instruments. Les concepts de fidélité et de validité concernent non seulement les nouveaux instruments de mesure, mais également les instruments traduits d'une autre langue ou utilisés auprès de populations différentes de celles pour qui l'instrument a d'abord été conçu. Ce qui importe, au sujet de la validité, est que l'instrument choisi pour mesurer une variable chez des sujets dans un contexte particulier évalue ce qu'il est censé mesurer et que les interprétations faites sur la base des résultats soient exactes (Johnson et Christensen, 2004).

15.5.1 La fidélité des instruments de mesure

La **fidélité** renvoie à la précision et à la constance des mesures obtenues à l'aide d'un instrument de mesure. Elle se rapporte à la capacité de celui-ci à mesurer un même objet de façon constante d'une fois à l'autre (notion de reproductibilité).

Fidélité
Constance des valeurs obtenues à l'aide d'un instrument de mesure.

L'instrument de mesure est fidèle s'il donne des résultats semblables dans des situations comparables. Il en va de même pour la mesure effectuée à l'aide d'instruments de mesure directe. Par exemple, si une personne se pèse à intervalles répétés et dans un court laps de temps sur un pèse-personne bien calibré, le poids indiqué sera identique d'une fois à l'autre. Le terme « fidélité » s'applique généralement aux échelles de mesure, et le terme « fiabilité », aux instruments ou aux équipements de mesure directe. Il résulte que, dans une situation réelle, tous les instruments de mesure sont sujets à l'erreur. L'erreur de mesure est problématique, parce qu'elle représente souvent des quantités inconnues.

Plusieurs coefficients de fidélité ont été développés pour vérifier la fidélité empirique dont chacun permet d'appréhender une caractéristique particulière d'un instrument de mesure : la stabilité temporelle, l'équivalence intercodeurs, les formes ou les versions dites parallèles et la cohérence interne ou homogénéité.

La stabilité temporelle

Stabilité temporelle
Qualité d'un instrument de mesure lorsqu'il procure des résultats similaires obtenus par des prises de mesure répétées, effectuées dans des conditions identiques et auprès des mêmes personnes.

La **stabilité temporelle** s'évalue au moyen de l'approche test-retest. Le test et le retest renvoient au degré de corrélation entre deux mesures prélevées à deux moments différents. Un instrument est considéré comme stable lorsque des prises de mesure répétées, effectuées dans les mêmes conditions et auprès des mêmes personnes, donnent des résultats semblables. La période de temps entre le test et le retest dépend de la variabilité des concepts à mesurer et des caractéristiques des participants. Certains auteurs recommandent de prendre des mesures à intervalles de deux à quatre semaines. Le chercheur doit pouvoir justifier la constance des réponses dans son interprétation des comparaisons entre le test et le retest (Portney et Watkins, 2009). Une fois que les mesures ont été prises avec le même instrument, le chercheur recourt à l'analyse de corrélation des scores obtenus des deux temps de mesure. La relation entre les deux ensembles de scores s'exprime par un coefficient de stabilité. En ce qui a trait aux mesures physiques et à certains équipements, ils peuvent être testés puis retestés presque immédiatement. Souvent, ils nécessitent d'être calibrés de nouveau (par ex. le sphygmomanomètre).

L'examen de la stabilité temporelle convient particulièrement lorsqu'il s'agit d'éléments relativement stables dans le temps, comme les traits de personnalité ou l'estime de soi. Il est donc déconseillé d'apprécier la stabilité d'instruments quand la mesure s'applique aux états passagers, telle l'humeur. Pour connaitre le coefficient de stabilité des données continues situées entre deux ensembles de scores, on utilise habituellement la corrélation de Pearson. Quand les données sont ordinales, on fait appel à la corrélation de Spearman. Un coefficient de stabilité élevé (supérieur à 0,70) signifie que les mesures ont peu changé d'une observation à l'autre. Quand les données sont nominales, le pourcentage d'accord peut être déterminé à l'aide de la statistique kappa de Cohen, dont il sera question plus loin dans cette sous-section.

> L'examen de la stabilité temporelle convient particulièrement lorsqu'il s'agit d'éléments relativement stables dans le temps, comme les traits de personnalité ou l'estime de soi.

L'équivalence intercodeurs

Équivalence
Mesure de fidélité servant à comparer les résultats de deux observateurs mesurant le même évènement ou deux versions parallèles d'un même instrument.

L'**équivalence** est une mesure de fidélité qui consiste à comparer les résultats de deux observateurs ou plus ayant mesuré le même évènement ou le même groupe de sujets. La comparaison entre deux observateurs ou plus renvoie à la fidélité intercodeurs. Plusieurs situations de recherche exigent que des observateurs fassent partie du système de mesure. La fidélité intercodeurs revêt une grande importance dans toute recherche où il faut employer l'observation directe pour collecter des données ou évaluer une situation. L'équivalence s'applique aussi à la comparaison entre des formes parallèles d'un même instrument.

La **fidélité intercodeurs** permet d'apprécier la fidélité ou la constance entre les estimations issues des observations plutôt que le degré d'exactitude de l'instrument. La fidélité intercodeurs s'exprime en pourcentage d'accord entre les scores ou par un coefficient de corrélation des scores assignés aux comportements observés. En ce sens, l'accord entre les observateurs concerne l'erreur externe, étant donné le caractère faillible de l'observation humaine. Le pourcentage d'accord ou de concordance intercodeurs donne des indications sur l'importance de l'erreur survenue en cours d'observation. Cette erreur s'explique par des différences dans la façon de percevoir les participants et de planifier la codification.

> **Fidélité intercodeurs**
> Degré auquel deux observateurs ou plus obtiennent les mêmes résultats sur le même évènement observé.

Il existe plusieurs façons d'évaluer la fidélité intercodeurs. On utilise une mesure d'accord quand l'unité de mesure représente une échelle catégorielle ; l'indice le plus simple est le pourcentage d'accord entre les observations. On peut calculer le pourcentage d'accord en divisant le nombre de jugements pour lesquels il y a concordance entre les observateurs par le nombre total d'observations et en multipliant par 100, selon la formule suivante :

$$P_o = \frac{\text{nombre d'accords}}{\text{nombre total d'observations}} \times 100.$$

Le coefficient de concordance représente la proportion d'observations pour lesquelles il y a accord. On obtient habituellement un pourcentage d'accord de 80 à 100 %. Supposons que deux observateurs évaluent le même évènement, par exemple la douleur chez les nouveau-nés prématurés, en utilisant le même système de codification ; si les évaluations des observateurs diffèrent grandement les unes des autres, il y a lieu de se demander si ces personnes sont suffisamment formées pour accomplir leur tâche ou si le phénomène à observer a été défini de façon assez précise. Toutefois, cette façon d'évaluer l'évènement ne tient pas compte de la proportion d'accords dus à la chance. La **statistique kappa (κ)** est souvent employée pour évaluer la fidélité intercodeurs (Cohen, 1960). Celle-ci considère non seulement la proportion d'accords observés (P_o), mais aussi la proportion d'accords dus à la chance (P_c), comme l'indique la formule suivante :

> **Statistique kappa (κ)**
> Indice de correction pour les mesures de pourcentage d'accord de la fidélité en tenant compte de l'effet potentiel des accords obtenus par chance.

$$P_c = \frac{\text{nombre d'accords attendus}}{\text{nombre d'accords possibles}}.$$

La statistique kappa de Cohen consiste à corréler les résultats obtenus par les observateurs pour chaque énoncé ou catégorie. L'indice de fidélité correspond au coefficient de corrélation κ (Cicchetti et Fleiss, 1977). Ainsi, la proportion d'observations attribuables à la fidélité de la mesure se définit par $P_o - P_c$, c'est-à-dire la proportion d'accords observés moins la contribution de la chance. Le maximum d'accords possibles par chance serait de $1 - P_c$, ou de 100 %, moins les accords dus à la chance. Selon Landis et Koch (1977), les valeurs de kappa supérieures à 80 % représentent un excellent accord ; supérieures à 60 %, un accord substantiel ; de 40 à 60 %, un accord modéré ; inférieures à 40 %, un accord faible.

La fidélité des formes parallèles

Fidélité des formes parallèles
Fidélité entre deux versions équivalentes d'un instrument de mesure.

La **fidélité des formes parallèles** consiste à comparer deux versions équivalentes d'un même instrument de mesure. Par cette procédure, le chercheur évalue le degré de corrélation obtenu entre deux versions équivalentes d'un même instrument, appliquées aux mêmes personnes, pour mesurer le même construit. Il peut s'agir de deux questionnaires présentant des versions différentes des énoncés, mais censés mesurer le même concept ou la même caractéristique. S'il y a corrélation entre les résultats obtenus des deux versions équivalentes, on peut conclure que celles-ci mesurent réellement et de façon constante un même concept (Graziano et Raulin, 2000). Le coefficient de fidélité pour les formes équivalentes s'établit en comparant les scores des deux versions de l'instrument de mesure.

La cohérence interne ou homogénéité

Cohérence interne
Degré d'homogénéité de tous les énoncés d'un instrument de mesure.

La **cohérence interne** fait référence à la corrélation qui existe entre tous les énoncés individuels qui constituent l'instrument de mesure, où chaque énoncé est lié aux autres énoncés de l'échelle de mesure. La cohérence interne est l'approche la plus utilisée pour évaluer la fidélité dans les mesures (échelles et tests) psychosociales et cognitives. Il s'agit de l'homogénéité d'un ensemble d'énoncés (items) servant uniquement à mesurer différents aspects d'une même variable. La corrélation des énoncés est proportionnelle à la cohérence interne de l'instrument. Celle-ci repose sur le principe que l'échelle est unidimensionnelle, c'est-à-dire qu'elle mesure un seul concept. Les énoncés individuels peuvent s'additionner les uns aux autres pour constituer un seul score, puisque tous les énoncés mesurent le même concept et sont de même nature (Green et Lewis, 1986). Dans le cas d'échelles multidimensionnelles, les sous-échelles doivent être homogènes par rapport à la caractéristique particulière mesurée. La façon la plus courante d'apprécier la cohérence interne d'une échelle de mesure consiste à examiner jusqu'à quel point tous les énoncés d'une même échelle mesurent de façon constante le même concept. Le coefficient alpha de Cronbach est la procédure statistique utilisée pour calculer la consistance interne des données de niveau intervalle et de proportion.

> La corrélation des énoncés est proportionnelle à la cohérence interne de l'instrument.

Coefficient alpha de Cronbach (α)
Indice de fidélité qui évalue la cohérence interne d'une échelle composée de plusieurs énoncés.

Le **coefficient alpha de Cronbach (α)** (Cronbach, 1990) est une statistique servant à estimer la cohérence interne des énoncés d'une échelle de mesure (test). Il est utilisé lorsqu'il existe plusieurs choix d'établissement des scores, comme le propose l'échelle de Likert (*voir le chapitre 16*). Le coefficient alpha dépend du nombre d'énoncés d'une échelle : il est plus élevé si l'échelle comporte plusieurs énoncés. Sa valeur varie de 0,00 à 1,00, une valeur élevée indiquant une grande cohérence interne. La valeur des coefficients alpha ne peut atteindre 1,00 comme résultat de cohérence puisque tous les instruments possèdent un degré d'erreur. Le coefficient alpha de Cronbach doit faire l'objet d'une réévaluation chaque fois qu'une échelle est utilisée. Lorsque chaque énoncé ne comporte que deux réponses (vrai ou faux), on utilise la statistique Kuder-Richardson (KR-20), une variante du coefficient alpha de Cronbach, qui sert à calculer le coefficient d'homogénéité d'un test comportant deux variables dichotomiques.

> Le coefficient alpha dépend du nombre d'énoncés d'une échelle : il est plus élevé si l'échelle comporte plusieurs énoncés.

L'exemple 15.2 présente deux situations figurant dans une étude menée par Jones et Gulick (2009) où la fidélité de cohérence interne est évaluée à l'aide du coefficient alpha de Cronbach et de la corrélation inter-énoncés, laquelle consiste à établir le degré de corrélation entre chaque énoncé individuel d'une échelle et le score total obtenu sur l'ensemble des énoncés.

Une étude sur la fidélité de cohérence interne

L'étude avait pour but d'évaluer l'adhésion aux pressions sexuelles exercées sur les jeunes femmes en milieu urbain, à l'aide de l'instrument *Sexual Pressure Scale for Women-Revised* (SPSW-R). Les auteurs de l'étude ont évalué la fidélité de cohérence interne de l'échelle SPSW-R et la corrélation interénoncés. L'échelle de Likert (degré d'accord et de désaccord) était composée de 27 énoncés répartis en trois sous-échelles homogènes. Les coefficients alpha (α) étaient respectivement de 0,76 et de 0,88, ce qui démontre une forte cohérence interne. Les auteurs ont également procédé à une corrélation interénoncés concernant la relation entre chaque énoncé et le score total. Celui-ci était de 0,86. La conclusion de l'étude montre que les indicateurs mesurant les dimensions propres aux concepts de l'échelle sont pertinents par rapport au construit.

La **fidélité moitié-moitié** est une façon plus ancienne d'apprécier empiriquement la cohérence interne d'un instrument de mesure, tel un questionnaire. Elle consiste à diviser les énoncés d'un questionnaire en deux moitiés et à comparer entre eux les scores obtenus à deux intervalles différents. Les deux moitiés sont soumises aux participants, et la fidélité est évaluée en corrélant les résultats des deux moitiés du test. Si les corrélations entre les résultats des deux moitiés sont élevées, on peut conclure à la cohérence interne de l'instrument de mesure. Le problème avec cette approche vient du fait qu'il faut établir jusqu'à quel point les deux moitiés du test mesurent la même chose. Il peut en résulter un coefficient trop bas, considérant le peu d'énoncés. Or, il est établi statistiquement qu'une échelle qui renferme peu d'énoncés est moins fidèle qu'une échelle qui en comporte un plus grand nombre (Laurencelle, 1998).

Fidélité moitié-moitié
Mesure de fidélité de la cohérence interne qui consiste à diviser les énoncés d'une échelle en deux moitiés et à corréler les résultats de celles-ci.

15.5.2 L'interprétation des coefficients de fidélité

Interpréter un coefficient de fidélité, c'est jauger un instrument de mesure : celui-ci est fidèle s'il présente constamment les mêmes valeurs. En outre, plus il y a d'énoncés dans une échelle, plus la fidélité sera grande. Il faut cependant savoir comment déterminer si un instrument de mesure est suffisamment fidèle pour être utilisé dans une étude. La fidélité d'un instrument de mesure peut être évaluée au moyen de procédés d'estimation généralement basés sur des mesures de corrélation ou de correspondance. La corrélation permet d'établir le sens et le degré d'association qui existe entre deux séries de mesures, et le calcul du coefficient de corrélation fournit des indications sur la précision de l'instrument de mesure. Le coefficient de corrélation varie de + 1,00 à − 1,00. Comme la fidélité d'un instrument n'est jamais parfaite, il est rare d'obtenir des coefficients de + 1,00 ou de − 1,00. Toutefois, on peut se demander quelle est la valeur qui permet de conclure qu'un instrument s'avère fidèle.

La corrélation permet d'établir le sens et le degré d'association qui existe entre deux séries de mesures, et le calcul du coefficient de corrélation fournit des indications sur la précision de l'instrument de mesure.

Plus le coefficient de corrélation s'éloigne de zéro vers des valeurs positives ou négatives, plus la relation devient forte, et plus l'instrument est fidèle. Bien qu'il soit possible de faire usage de formules savantes pour interpréter les coefficients de corrélation (Laurencelle, 1998), il convient d'opter pour des indicateurs ou des barèmes qui servent à déterminer les valeurs de fidélité acceptables. Ces barèmes, même s'ils comportent une part d'arbitraire, peuvent guider le chercheur dans le choix de l'instrument de mesure. En se basant sur plusieurs ouvrages, Portney et Watkins (2009) établissent des limites (arbitraires) qu'ils considèrent comme des niveaux acceptables du coefficient de fidélité : les coefficients alpha inférieurs à 0,50 représentent une faible fidélité, ceux de 0,50 à 0,75 suggèrent une fidélité modérée, et les valeurs des coefficients supérieurs à 0,75 indiquent une bonne fidélité. Par ailleurs, Nunnally (1978) ainsi que Streiner et Norman (2008) estiment que le niveau de corrélation souhaitable pour les coefficients de fidélité devrait être de 0,70 à 0,90. Un coefficient devrait avoir une valeur moyenne de 0,70 s'il s'agit de nouvelles échelles (DeVellis, 1991) et de 0,80 et plus pour les échelles bien rodées. Ainsi, un instrument de mesure qui produit peu d'erreurs est considéré comme excellent si son coefficient de fidélité se situe au moins à 0,90. Un instrument dont le coefficient de fidélité s'avère inférieur à 0,70 est considéré comme imprécis, bien qu'il permette d'obtenir de l'information utile.

Le chercheur peut tolérer des coefficients de fidélité plus faibles s'il s'agit d'instruments servant à la description. Par contre, les instruments sur lesquels le chercheur s'appuie pour prendre des décisions doivent fournir des coefficients plus élevés, d'au moins 0,90, pour assurer une interprétation valide des résultats. Le tableau 15.2 résume les types de fidélité des instruments de mesure et les techniques qui leur sont associées.

TABLEAU 15.2	La vérification empirique des types de fidélité	
Type	**Description**	**Vérification**
Stabilité temporelle		
• Test-retest	• Constance sur le plan temporel des mesures répétées prises auprès d'un même groupe de sujets mettant en corrélation les scores obtenus.	• Calculer le pourcentage de concordance entre les scores obtenus au test et les scores obtenus au retest.
Équivalence		
• Fidélité intercodeurs	• Constance des estimations issues de deux observateurs indépendants ou plus qui ont évalué le même instrument ou le même évènement.	• Calculer le pourcentage d'accord entre deux ensembles de scores issus de deux observateurs indépendants ou plus.
• Formes parallèles	• Comparaison de deux versions parallèles d'un même instrument de mesure.	• Calculer le degré de corrélation entre les deux versions équivalentes.
Cohérence interne		
• Coefficient alpha de Cronbach (α)	• Évaluation de la cohérence interne ou de l'homogénéité d'une échelle de mesure composée de plusieurs énoncés.	• Examiner jusqu'à quel point tous les énoncés d'une échelle mesurent de façon constante le même concept.
• Fidélité moitié-moitié	• Corrélation entre les deux moitiés d'un instrument qui mesurent des caractéristiques semblables.	• Répartir les énoncés de l'échelle en deux moitiés et calculer le coefficient de corrélation.

15.5.3 La validité des instruments de mesure

La **validité** est la deuxième caractéristique d'un instrument de mesure. Si une mesure n'est pas fidèle, en évaluer la validité s'avère inutile. La validité désigne le degré selon lequel un instrument reflète bien ce qu'il est censé mesurer. La validité correspond au degré de précision avec lequel le concept est représenté par des énoncés présents dans un instrument de mesure. Par exemple, le chercheur désireux de mesurer le concept de l'agressivité tentera de déterminer si les résultats qu'il obtient se rapportent uniquement au concept visé et non à d'autres. La validité ne concerne pas l'instrument de mesure lui-même, mais l'interprétation que l'on fait des résultats (Laurencelle, 2005). Chaque instrument doit être une mesure valide d'un concept selon sa définition dans la théorie sous-jacente (Fawcett et Garity, 2009). Le chercheur se posera les questions suivantes : « Jusqu'à quel point peut-on tirer des conclusions à partir des résultats d'un test censé mesurer un concept ? » et « Le test permet-il de différencier les personnes qui possèdent certaines caractéristiques de celles qui ne les possèdent pas ? » La validité n'est pas inhérente à un instrument de mesure, mais elle doit être déterminée selon le contexte de son utilisation. L'établissement de la validité est une tâche plus complexe que celui de la fidélité, étant donné la difficulté de vérifier les déductions ou les interprétations tirées des données.

Différentes approches peuvent être utilisées pour déterminer le degré de validité des instruments de mesure. S'il s'agit d'évaluer la représentativité des questions en ce qui concerne l'univers du contenu à mesurer, on a recours à la validité de contenu ; s'il convient de déterminer à quel degré une personne possède un trait ou une caractéristique censée être représentée sur l'échelle, on utilise la validité de construit ; s'il y a lieu de prédire le rendement d'une personne ou d'évaluer son rendement actuel par une variable étudiée, on se sert de la validité liée au critère. On pourra trouver, dans d'autres ouvrages, des façons différentes de présenter les types de validité. Par exemple, certains auteurs mettent l'accent sur la validité de construit, de laquelle découleraient les autres formes de validité (DeVon et collab., 2007).

La validité de contenu

La **validité de contenu** a trait au caractère représentatif des énoncés d'un instrument servant à mesurer le concept ou le contenu du domaine à l'étude. Pour établir la validité de contenu, on cherche à répondre à la question suivante : « Jusqu'à quel point les énoncés d'un instrument de collecte des données représentent-ils l'ensemble des énoncés par rapport à un domaine particulier ou à un concept ? » Quand un chercheur élabore un instrument de mesure, sa principale préoccupation est de s'assurer que les énoncés ou les questions qu'il contient sont représentatifs du domaine qu'il veut étudier. La validité de contenu est directement liée à la définition théorique du concept, à la détermination précise de l'objet de l'étude et à la spécification des indicateurs qui servent à évaluer les comportements à observer. La validité de contenu est une caractéristique importante des questionnaires et des entrevues dont le but est d'évaluer la pertinence de l'information contenue dans le choix des énoncés ou des questions.

Validité
Capacité d'un instrument à mesurer ce qu'il est censé mesurer.

Validité de contenu
Représentativité des énoncés d'un instrument afin de mesurer un concept ou un champ de contenu particulier.

> Quand un chercheur élabore un instrument de mesure, sa principale préoccupation est de s'assurer que les énoncés ou les questions qu'il contient sont représentatifs du domaine qu'il veut étudier.

Pour évaluer la validité de contenu d'un instrument de mesure, tel un questionnaire, on demande à des experts d'examiner l'instrument et de vérifier si chaque énoncé ou question se rapporte bien au domaine à l'étude. Ce processus peut nécessiter plus d'une révision avant qu'un consensus sur la validité de contenu puisse être dégagé. Les experts doivent être familiarisés avec l'un ou l'autre aspect de la recherche, posséder une expertise dans l'élaboration d'instruments de mesure ou détenir une bonne connaissance de la discipline concernée.

Une approche de plus en plus utilisée pour estimer la validité de contenu d'un instrument consiste à calculer l'indice de validité de contenu (IVC) (Lynn, 1986; Waltz et Bausell, 1981; Waltz et collab., 2010). L'IVC est basé sur les cotes de pertinence accordée par les experts aux énoncés d'un instrument utilisant une échelle ordinale à 4 points où 1 = énoncé non pertinent et 4 = énoncé très pertinent. Le chercheur doit préalablement fournir au groupe d'experts une définition précise du concept ou du problème étudié ainsi que les objectifs de l'étude. Les experts doivent lier chacun des objectifs à l'énoncé respectif, évaluer la pertinence des énoncés par rapport au contenu des objectifs et juger si les énoncés de l'échelle représentent adéquatement le contenu ou les comportements du domaine à étudier. L'IVC représente la proportion des énoncés auxquels les experts ont attribué des cotes de 3 et de 4. Pour obtenir l'IVC, on divise le nombre d'énoncés ayant obtenu des cotes de 3 et de 4 par le nombre total des énoncés. On obtient ainsi une valeur numérique qui reflète le degré de validité de contenu pour un instrument. Selon Waltz et ses collaborateurs (2010), un indice de validité se révèle acceptable s'il est égal ou supérieur à 0,80. La formule servant à calculer l'IVC est la suivante:

$$IVC = \frac{\text{Nombre d'énoncés, cotes de 3 et de 4}}{\text{Nombre total d'énoncés}}.$$

L'exemple 15.3 présente une étude de validité de contenu menée par Gélinas, Filion et Puntillo (2009), dans laquelle on a calculé l'IVC pour valider une grille d'observation.

EXEMPLE 15.3

Une étude de validité de contenu

Les auteures de cette étude ont évalué la validité de contenu d'une nouvelle grille d'observation comportementale de la douleur en soins critiques. Cette grille, appelée *Critical-Care Pain Observation Tool,* s'adresse aux personnes adultes incapables de communiquer oralement. Treize cliniciens se sont prononcés sur la validité de contenu en répondant à un questionnaire prévu à cette fin. Plus de 80 % des cliniciens ont jugé de la pertinence des indicateurs proposés. L'IVC est égal ou supérieur à 0,80 concernant la pertinence des indicateurs comportementaux et physiologiques. La validité nominale donne quant à elle un pourcentage d'accord entre les cliniciens supérieur à 80 %.

Validité nominale
Apparence des énoncés d'un instrument de mesure à représenter adéquatement le contenu du domaine à l'étude.

La **validité nominale**, dite aussi « validité apparente », est une approche moins rigoureuse pour évaluer la validité de contenu, car elle s'appuie uniquement sur des opinions. La validité nominale indique la concordance apparente entre les énoncés d'un instrument de mesure et les caractéristiques recherchées. Le critère est un jugement subjectif fondé sur l'examen de l'instrument par un expert ou, plus rarement, sur une approche empirique (Streiner et Norman, 2008). La validité nominale ne devrait pas être considérée comme suffisante pour déterminer la validité de contenu d'une mesure à des fins scientifiques, en raison de son caractère subjectif. Cependant, elle peut représenter un indice précieux pour vérifier si une mesure est acceptable pour ceux qui l'utilisent et qui se serviront des résultats.

La validité de construit

La **validité de construit** reflète la capacité d'un instrument à mesurer un concept abstrait ou construit, défini dans son contexte théorique (structure théorique). Un construit est toujours intégré de manière plus ou moins explicite dans une théorie. On évalue dans quelle mesure les relations entre les énoncés de l'instrument sont cohérentes avec la théorie et les concepts définis de façon opérationnelle. Comme les construits sont multidimensionnels et non directement observables, il n'est jamais facile de déterminer si un instrument permet vraiment de mesurer le concept à l'étude. Par exemple, une échelle visant à évaluer globalement la qualité de vie comportera une définition différente de celle d'une échelle plus dimensionnelle de la qualité de vie, qui incorpore des catégories physiques, psychologiques, sociales et économiques. La validité de construit est un processus continu de validation qui exige plusieurs épreuves avant d'atteindre un degré de validité acceptable. Quand on examine la validité de construit, on fait généralement appel à plus d'une méthode ou technique, dont les principales sont : 1) par groupes connus ; 2) par vérification d'hypothèses ; 3) par analyse factorielle ; 4) par convergence et par divergence (approche multitrait-multiméthode).

La validité par groupes connus Cette technique consiste à évaluer auprès de groupes présumés être différents par rapport au construit examiné si l'instrument est sensible aux différences individuelles relativement à la caractéristique mesurée. Une différence importante entre les scores de chaque groupe devrait être observée, ce qui démontrerait que l'instrument possède une validité de construit. Une procédure statistique (test de *t*, analyse de variance) peut déterminer jusqu'à quel point les groupes diffèrent. L'exemple 15.4 présente une application de la **validité par groupes connus**. Il s'agit d'une étude menée par Nakajima, Rodrigues, Gallani, Alexandre et Oldridge (2009) visant à vérifier les propriétés psychométriques de la version brésilienne du questionnaire portant sur la qualité de vie liée à la santé, le *MacNew Heart Disease Health-related Quality of Life Questionnaire*.

Validité de construit
Justesse avec laquelle un instrument de mesure permet d'obtenir des résultats conformes au construit défini dans son contexte théorique.

Validité par groupes connus
Technique servant à estimer la validité de construit par laquelle on évalue la capacité d'un instrument à distinguer les personnes possédant une caractéristique particulière connue de celles qui ne la possèdent pas.

EXEMPLE 15.4

La validité de construit selon la technique des groupes connus

Nakajima et ses collaborateurs (2009) ont examiné la validité de construit du *MacNew Heart Disease Health-related Quality of Life Questionnaire* au moyen de la technique des groupes connus. Pour ce faire, ils ont comparé des groupes formés d'adultes censés manifester une différence de gravité des symptômes cardiaques. Par exemple, l'étude a retenu les sujets qui présentaient des symptômes d'insuffisance ventriculaire systolique, une dyspnée, une angine, des palpitations, un œdème et ceux qui n'étaient pas atteints de ces troubles, à partir de leurs réponses aux énoncés d'une échelle relative à la santé en général. Selon cette approche, la validité de construit a permis de distinguer les sujets qui manifestent des symptômes cardiaques de ceux qui sont en bonne santé, corroborant ainsi la validité de construit selon l'approche des groupes connus.

La validité par vérification d'hypothèses Lorsque le chercheur utilise la **validité par vérification d'hypothèses**, il s'appuie sur la théorie ou sur le cadre de recherche sous-jacent à son étude pour formuler des hypothèses au regard de sujets présentant divers scores obtenus de l'instrument de mesure utilisé. La vérification des hypothèses permet d'inférer d'après les résultats obtenus et de savoir si la logique sous-jacente à l'instrument de mesure peut expliquer les résultats. Si la théorie ou le cadre de recherche n'est pas appuyé par les données, il y a lieu de reconsidérer la mesure (Waltz et collab., 2010). L'exemple 15.5 présente une application de cette méthode dans laquelle Jones et Gulick (2009) ont étudié les relations entre la pression sexuelle et la victimisation sexuelle.

EXEMPLE 15.5

La validité de construit par vérification d'hypothèses

Dans cette étude, les auteurs ont évalué la validité de construit de l'instrument *Sexual Pressure Scale for Women-Revised* (SPSW-R) à l'aide de différentes approches, dont celle de la vérification d'hypothèses. L'échelle, étayée par un cadre théorique, a été mise au point en vue de mesurer le concept de pression sexuelle. Les auteurs ont formulé des hypothèses à partir du cadre théorique mettant en relation, entre autres, la pression sexuelle et la victimisation sexuelle, de même que le comportement sexuel à risque d'infection par le virus de l'immunodéficience humaine (VIH) et la confiance dyadique. Les hypothèses ont été confirmées lors de l'étude menée auprès de 325 jeunes femmes issues d'un milieu urbain. Les résultats indiquent que le SPSW-R est une mesure valide et fidèle pour évaluer la pression sexuelle chez les jeunes femmes urbaines.

La validité par analyse factorielle Cette technique statistique est utilisée pour examiner la structure d'un grand ensemble de variables et pour déterminer l'existence des dimensions sous-jacentes à cet ensemble. Le concept de **validité par analyse factorielle** s'appuie sur l'idée qu'un construit contient une ou plusieurs dimensions sous-jacentes ou différentes composantes théoriques. L'utilisation de l'analyse factorielle, dans le contexte de la validité de construit d'un instrument de mesure, nécessite l'administration de l'instrument à un grand échantillon représentatif (Waltz et collab., 2010). À l'aide de procédures corrélationnelles, les relations entre les divers énoncés de l'instrument de mesure sont examinées, et l'on regroupe les énoncés fortement corrélés entre eux pour former un facteur. L'analyse factorielle permet de savoir si un ensemble d'énoncés d'un test mesure le même construit sous-jacent. Les énoncés qui mesurent la même dimension d'un construit appartiennent au même facteur; les énoncés qui mesurent différentes dimensions devraient relever de facteurs différents (Nunnally et Bernstein, 1994). Les énoncés qui n'entrent pas dans un facteur dû à l'absence de corrélation avec les autres énoncés doivent être enlevés du test (DeVon et collab., 2007). Cette procédure permet de scinder de grands groupes de variables en des ensembles plus petits. Elle indique également si les énoncés de l'échelle reflètent un seul construit ou plusieurs. Dans l'étude de Jones et Gulick (2009), les auteurs ont utilisé l'analyse factorielle pour vérifier la validité de construit du SPSW-R. Les intercorrélations entre les facteurs se sont avérées modérées et significatives.

La validité par convergence et divergence La validité de construit d'un instrument de mesure peut être estimée en comparant les résultats d'un instrument de mesure avec ceux d'autres instruments qui évaluent des construits identiques ou différents.

Il est important de déterminer ce qu'un instrument mesure et ce qu'il ne mesure pas. Cette détermination s'appuie sur les concepts de convergence et de divergence. Il est possible d'utiliser les instruments pour vérifier en même temps ces deux types de validité à l'aide de l'approche multitrait-multiméthode.

La **validité par convergence** consiste à déterminer si différentes méthodes servant à mesurer deux tests d'un même construit donne des résultats similaires. Il y a validité convergente lorsque les mesures sont corrélées positivement entre elles. Par exemple, si les scores de deux échelles conçues pour mesurer l'anxiété sont des mesures convergentes valides, elles devraient produire des résultats semblables ou converger positivement vers la même direction. La convergence sous-entend que le contexte théorique sous-jacent au construit devrait être confirmé au moment de l'emploi de l'instrument auprès de différents groupes et à des moments et dans des lieux divers (Portney et Watkins, 2009).

La **validité par divergence** sert à déterminer la capacité de différencier deux tests mesurant des construits différents par la même méthode ou par des méthodes différentes. Par exemple, lorsqu'on veut vérifier si une échelle conçue pour mesurer la dépression diffère d'une autre évaluant le bienêtre, on établit qu'il y a validité divergente si les mesures sont corrélées négativement. En d'autres termes, des échelles valides ne devraient pas être corrélées avec des échelles qui ne mesurent pas le même construit : les résultats devraient être différents.

L'**approche multitrait-multiméthode** permet de combiner la vérification des instruments pour évaluer la validité de convergence et la validité de divergence. Cette approche consiste à mesurer deux ou plusieurs construits théoriquement distincts à l'aide de deux instruments différents ou plus et à calculer les divers coefficients de corrélations possibles (Portney et Watkins, 2009). Par exemple, si l'on mesure les trois construits dépression, espoir et bienêtre, les instruments fidèles qui mesurent le même construit devraient donner des corrélations élevées démontrant la validité convergente ; ainsi, on s'attend à ce que l'échelle de dépression *Beck Depression Scale* (BDS), soit en corrélation avec l'échelle de dépression *Hamilton Depression Scale* (HDS), puisqu'elles mesurent le même construit. De même, les instruments qui mesurent différents construits devraient donner des corrélations faibles démontrant la validité divergente ; ainsi, l'échelle de dépression *Beck Depression Scale* (BDS) devrait être en corrélation négative avec l'échelle de l'espoir *Hope Index Scale* (HIS), ou comparée à l'échelle de bienêtre *Existential Well-Being Scale* (EWS).

La validité liée au critère

La **validité liée au critère** consiste à comparer l'instrument de mesure à valider (instrument cible) avec un autre instrument servant de critère et mesurant le même phénomène, dont la validité a déjà été établie comme étant un indicateur valide de la variable. On emploie les deux instruments auprès d'un groupe de sujets et l'on calcule l'étendue de la corrélation. Les résultats doivent être corrélés avec ceux de l'instrument critère. Si le coefficient de corrélation avoisine 1,00, l'instrument cible est considéré comme un prédicteur valide de l'instrument critère.

L'élément important dans ce type de validité est le critère : s'il n'est pas valide, il ne peut pas être considéré comme la norme de mesure. Certaines caractéristiques sont requises pour qu'un critère soit jugé valide. Il s'agit, selon Portney et Watkins (2009), de démontrer les trois aspects suivants : la stabilité de l'instrument

Validité par convergence
Évaluation du degré de similitude des résultats ou d'élévation des corrélations issues de deux instruments censés mesurer le même phénomène.

Validité par divergence
Évaluation du degré de différence des résultats ou de faiblesse des corrélations issues des instruments censés mesurer des caractéristiques différentes.

Approche multitrait-multiméthode
Méthode qui examine la corrélation entre des instruments censés mesurer le même construit (validité convergente) et entre des instruments devant mesurer différents construits (validité divergente).

Validité liée au critère
Type de validité qui permet d'estimer le degré de corrélation entre un instrument de mesure et un autre instrument servant de critère mesurant le même phénomène.

dans une situation test-retest; l'indépendance des résultats produits par les deux instruments (cible et critère); et la pertinence du comportement ou de la caractéristique mesurée par l'instrument cible. La validité liée au critère comporte deux formes de validité qui se différencient par leur caractère temporel: la validité concomitante et la validité prédictive.

Validité concomitante
Degré de corrélation entre deux tests mesurant le même construit et appliqués à des sujets à peu près en même temps.

La **validité concomitante** est étudiée quand deux instruments de mesure, l'instrument à valider et l'instrument servant de critère, sont appliqués simultanément à des sujets, de sorte que les résultats des deux mesures reflètent la même caractéristique ou le même évènement. Par exemple, il est possible d'étudier la validité concomitante de deux échelles de santé mentale, l'échelle SCL-90-R (échelle à valider: *Sympton Checklist-90-R*) et l'échelle MMPI (échelle critère: *Minnesota Multiphasic Personality Inventory*). S'il y a corrélation entre les résultats des deux échelles, c'est qu'elles mesurent le même concept. Le degré de validité concomitante s'exprime par un coefficient de corrélation; un coefficient élevé indique que les deux échelles mesurent le même concept. L'échelle de mesure peut aussi être comparée avec des données cliniques, grâce aux concepts de sensibilité et de spécificité des mesures concernant l'évaluation des instruments de diagnostic et de dépistage.

Validité prédictive
Validité qui tente d'établir qu'une mesure actuelle sera un prédicteur valide d'un résultat futur.

La **validité prédictive** est une forme de mesure de la validité de construit par laquelle on tente d'établir la capacité d'un test à prédire une situation à partir d'un résultat actuel. Pour établir la validité prédictive, on soumet des sujets à un test à un moment donné et on les soumet de nouveau après avoir atteint le critère. On compare le test à valider (test cible) avec un autre test (test critère), censé mesurer la même caractéristique, et l'on examine si la corrélation entre les deux résultats de mesure permet de déterminer si le test cible est un prédicteur valide des résultats issus du test critère. Par exemple, si le test à valider est la stabilité physiologique du nouveau-né durant les 12 premières heures de sa vie, le critère pourrait être le nombre de jours d'hospitalisation comme conséquence plausible de la stabilité physiologique. En éducation, les résultats obtenus à un test d'aptitudes par des étudiants avant leur admission à un programme de cours peuvent servir à prédire leur chance de réussir leurs études (critère). Le coefficient de corrélation rend compte de la concordance entre la prévision et le résultat. L'exemple 15.6 présente une étude dans laquelle Lovelace, Reschly, Appleton et Lutz (2014) ont examiné la validité concomitante et la validité prédictive d'un instrument mesurant le degré d'engagement des élèves envers l'école.

EXEMPLE 15.6

Une étude de validation concomitante et de validation prédictive

La validité concomitante

La validité concomitante de l'instrument *Student Engagement Instrument* (SEI) servant à mesurer les perceptions de l'engagement cognitif et affectif des élèves envers l'école a été estimée à l'aide d'un critère portant sur les indicateurs éducationnels concomitants (p. ex. les notes, le risque de décrochage scolaire). Les résultats démontrent que les facteurs du SEI sont associés à chaque critère (indicateur).

La validité prédictive

La validité prédictive du SEI a été examinée en prédisant l'association des scores du SEI avec les résultats de fin d'études, c'est-à-dire que les scores élevés aux facteurs du SEI seront associés à une plus grande probabilité pour les élèves d'être normalement diplômés après quatre ans et à une probabilité moindre de décrochage. (Traduction libre)

La validité prédictive est un concept important dans les procédures de dépistage afin d'évaluer des risques futurs. Par exemple, un instrument comme l'échelle d'équilibre de Berg (*Berg Balance Scale*) (Berg, Wood-Dauphinee, Williams et Maki, 1992) peut servir comme moyen de dépistage pour prédire les risques de chute chez les personnes âgées.

Le tableau 15.3 résume les types de validité des instruments de mesure abordés dans cette section.

TABLEAU 15.3	Le résumé des types de validité des mesures
Type	**Description**
Validité de contenu	Indique que les énoncés qui déterminent le contenu sont représentatifs de la variable mesurée ou du domaine à l'étude.
Validité de construit Méthodes :	Établit la capacité de l'instrument à mesurer un concept abstrait et le degré avec lequel l'instrument reflète les composantes théoriques du construit.
• Par groupes connus	Désigne la capacité de l'instrument à établir une distinction entre des groupes dont la différence est connue.
• Par vérification d'hypothèses	Estime la validité par la vérification d'hypothèses formulées en fonction de la théorie ou du cadre de recherche.
• Par analyse factorielle	Détermine que la structure théorique s'accorde avec les composantes sous-jacentes au construit.
• Par convergence et divergence	Validité convergente : indique que deux mesures censées refléter le même construit produiront des résultats similaires. Validité divergente : indique que l'instrument mesure un seul construit et le différencie d'autres construits. L'approche multitrait-multiméthode combine différentes mesures pour vérifier la validité convergente et la validité divergente.
Validité liée au critère Méthodes :	Indique que les résultats obtenus à l'aide d'un instrument (cible) sont comparables à ceux issus d'un instrument servant de critère. Se vérifie au moyen de la validité concomitante ou de la validité prédictive.
• Validité concomitante	Établit la validité d'un nouvel instrument de mesure pris simultanément avec une mesure reconnue valide. Elle est utilisée pour déterminer la relation entre un instrument de mesure et un critère externe. L'instrument est valide si les scores sont corrélés positivement avec ceux du critère.
• Validité prédictive	Détermine si le résultat actuel, obtenu à l'aide d'un instrument cible, peut être utilisé pour prédire un résultat ultérieur. De fortes corrélations positives indiquent une bonne validité.

15.6 La sensibilité et la spécificité des mesures

La sensibilité et la spécificité sont des mesures de validité importantes dans l'évaluation des instruments servant au dépistage ou au diagnostic. Elles sont souvent utilisées dans les sciences biomédicales et les sciences de la santé publique pour évaluer les caractéristiques des tests. Les outils de dépistage peuvent comprendre des mesures biophysiologiques et des questionnaires. La sensibilité et la spécificité sont des types de validité divergente (Houser, 2008).

Sensibilité
Capacité d'un instrument de mesure à déceler correctement la présence d'un état (maladie).

Spécificité
Capacité d'un instrument de mesure à reconnaitre correctement l'absence d'un état (maladie).

La **sensibilité** est la capacité d'un instrument (test) à classer correctement les sujets ayant le problème de santé ou l'état recherché (vrais positifs). Par exemple, la mammographie est un test diagnostique qui peut être assez sensible pour déceler un cancer du sein. La **spécificité** est la capacité d'un instrument (test) à reconnaitre les sujets sains, c'est-à-dire ne manifestant pas le trouble (vrais négatifs), et donc à conclure que la condition ou la maladie est absente lorsque c'est le cas. Un instrument de dépistage ou de diagnostic peut contenir quatre possibilités de classement, représentées dans la configuration par paires de la figure 15.1. La classification est caractérisée par la présence ou l'absence de l'état recherché et les résultats positifs et négatifs du test. La sensibilité correspond à la proportion de l'échantillon total des vrais positifs sur les vrais positifs et les faux négatifs combinés, soit $a/(a + c)$, et la spécificité, à la proportion des vrais négatifs sur les vrais négatifs et les faux positifs combinés, soit $d/(b + d)$.

Les cellules a et d de la figure représentent respectivement les vrais positifs et les vrais négatifs, ce qui indique que le test a classé correctement les sujets, selon qu'ils sont atteints ou non de la maladie. La cellule b désigne les sujets incorrectement classés comme ayant la maladie, ou faux positifs. La cellule c montre les sujets incorrectement classés comme ne manifestant pas la maladie, ou faux négatifs.

FIGURE 15.1 | Le sommaire des données illustrant la sensibilité et la spécificité

		Vraie condition (maladie, diagnostic)	
		+ Présence	− Absence
Résultats du test	+	a (Vrai positif)	b (Faux positif)
	−	c (Faux négatif)	d (Vrai négatif)
Total		Sensibilité $a/(a + c)$	Spécificité $d/(b + d)$

Pour interpréter la validité des instruments de mesure, il faut se référer à la valeur que représente le coefficient de corrélation ou le pourcentage de concordance associé au type de validité examiné. On ne peut pas dire d'un instrument qu'il est valide ou non valide, mais plutôt qu'il possède un certain degré ou pourcentage de validité. Les coefficients de corrélation de la validité sont généralement moins élevés que les coefficients de fidélité. Contrairement à des coefficients de 0,70 à 0,90 pour la fidélité, un coefficient de validité de 0,60 pourrait être considéré comme satisfaisant (Nunnally et Bernstein, 1994). La validité d'une mesure n'est jamais démontrée, puisqu'il s'agit d'un processus continu; ce sont plutôt les applications de l'instrument de mesure qui sont validées dans des contextes particuliers et auprès de populations différentes.

> Les coefficients de corrélation de la validité sont généralement moins élevés que les coefficients de fidélité.

15.7 La validation transculturelle

La **validation transculturelle** désigne les opérations par lesquelles on cherche à obtenir des degrés de fidélité et de validité équivalents à ceux d'un instrument de mesure dont la langue diffère de celle ayant servi à la validation originale. Dans les situations de recherche où il est nécessaire d'utiliser une échelle pour mesurer un concept, le chercheur n'a souvent d'autres choix que d'employer un instrument de mesure conçu dans une autre langue, car l'élaboration d'un instrument serait couteuse à tous égards. Quand il veut se servir d'échelles de mesure rédigées dans une langue étrangère pour évaluer des variables, le chercheur doit être renseigné sur les valeurs de leur fidélité et de leur validité dans la langue originale ainsi que sur leurs aspects normatifs. Toute modification apportée à l'échelle originale peut en altérer sérieusement la fidélité et la validité. La traduction des énoncés d'une échelle de mesure vers une autre langue a pour but de permettre aux participants d'exprimer dans leur propre langue leurs opinions, leurs impressions, etc., ce qui permet au chercheur de comparer les résultats avec ceux de la langue originale (Hulin, 1987). Pour que la traduction de l'instrument de mesure soit de bonne qualité, il est essentiel d'employer des techniques reconnues, comme la validation transculturelle équivalente

> **Validation transculturelle**
> Opération par laquelle on cherche à obtenir l'équivalence culturelle d'un instrument de mesure traduit d'une langue à une autre.

La méthode inversée, ou retraduction, est la procédure fréquemment utilisée pour traduire des instruments de recherche d'une langue vers une autre (Brislin, 1986 ; Jones et Kay, 1992 ; Vallerand, 1989 ; Varricchio, 2004). Elle consiste, en premier lieu, à faire traduire les énoncés de l'échelle de la langue originale vers l'autre langue et, en second lieu, à les faire retraduire vers la langue d'origine par un traducteur professionnel. Les deux versions, originale et retraduite, sont ensuite comparées et corrigées jusqu'à ce qu'elles soient jugées pleinement satisfaisantes (Haccoun, 1987 ; Vallerand, 1989). La traduction inversée a le mérite d'éliminer les fautes de traduction. Toutefois, elle ne constitue qu'une étape, car le chercheur doit s'assurer que la traduction est adaptée à la culture dont sont issus les participants. Le but est de permettre l'équivalence de la signification des énoncés et des échelles dans les deux langues. Hulin (1987) a démontré l'importance de certifier cette équivalence avant même de comparer entre eux les résultats obtenus avec les différentes versions. Il convient de fixer des normes à cet égard, car la population étudiée dans le cadre de la recherche conduite dans la langue originale diffère parfois de la population sur laquelle porte la recherche en cours.

> La méthode inversée, ou retraduction, est la procédure fréquemment utilisée pour traduire des instruments de recherche d'une langue vers une autre.

Il existe des stratégies permettant d'atteindre l'équivalence transculturelle des versions, originale et traduite. Selon Flaherty et ses collaborateurs (1988), une traduction donnée doit atteindre certains critères d'équivalence transculturelle. Pour évaluer la pertinence de la traduction, les cinq critères d'équivalence suivants ont été proposés par ces auteurs.

- L'équivalence de contenu fait référence à la pertinence de chaque énoncé de l'instrument pour la culture visée.
- L'équivalence sémantique fait référence à l'étendue selon laquelle la signification de chaque énoncé est la même dans la culture originale et dans la culture pour laquelle l'instrument a été traduit.

- L'équivalence technique fait référence à la similarité dans chaque culture des méthodes de collecte des données (entrevues, questionnaires) utilisées pour évaluer le concept.

- L'équivalence du critère fait référence à la similarité dans l'interprétation des résultats pour chaque culture lorsqu'ils sont comparés.

- L'équivalence conceptuelle fait référence à l'étendue selon laquelle l'instrument mesure le même construit théorique pour chaque culture.

L'idéal pour obtenir l'équivalence culturelle et l'équivalence de la langue serait d'atteindre les cinq critères ou de s'en approcher. Peu d'instruments utilisés dans la recherche transculturelle parviennent à l'équivalence dans les cinq domaines (Beck, Bernal et Froman, 2003). Lorsqu'une équivalence suffisante est atteinte, il s'agit d'établir les caractéristiques psychométriques pour la version traduite, car tout changement ou toute adaptation requiert l'établissement de la fidélité et de la validité de l'instrument.

Pour examiner la fidélité, on utilise l'instrument original et l'instrument traduit auprès de personnes bilingues. Une analyse de la corrélation entre les deux versions permet ensuite d'en apprécier le degré de concordance. L'évaluation de la validité de construit constitue une autre étape importante du processus d'adaptation et de validation d'une échelle de mesure. Il faut en effet s'assurer que l'échelle évalue bien le concept qu'elle est censée mesurer. L'établissement de normes constitue l'étape finale du processus d'adaptation et de validation de l'échelle de mesure (Vallerand, 1989). Comme le souligne Hulin (1987), cette étape est essentielle, car elle sert concurremment à dégager les caractéristiques des populations concernées et à vérifier l'équivalence entre les énoncés formulés dans deux langues différentes ; d'où l'importance de prétester (étude pilote) les deux versions de l'échelle, originale et traduite, auprès d'un échantillon de personnes bilingues. Les moyennes, les écarts types et les corrélations devraient être similaires dans les deux versions. L'exemple 15.7 présente une étude de validation transculturelle menée par Sideli et ses collaborateurs (2014) dans laquelle la version originale anglaise de l'échelle a été traduite en italien.

EXEMPLE 15.7

Une étude de validation transculturelle

Dans cette étude, les auteurs ont procédé à la validation transculturelle de l'échelle *Burn Specific Health Scale Brief* (BSHS-B). La version originale anglaise a été traduite par deux traducteurs indépendants qui se sont mis d'accord sur une version italienne. Celle-ci a été retraduite en anglais et acceptée par les deux traducteurs. Par la suite, la version italienne et la version anglaise retraduite ont été soumises à un comité multidisciplinaire qui les a examinées et qui a trouvé les deux versions raisonnablement similaires. L'équivalence conceptuelle de l'échelle en version italienne a également été examinée, et des amendements mineurs y ont été apportés de manière à ce que le construit convienne à chaque culture. (Traduction libre)

15.8 L'examen critique des instruments de mesure

L'encadré 15.1 présente un certain nombre de questions susceptibles de guider le lecteur dans l'évaluation des instruments de mesure. Elles visent à lui permettre de déterminer si les instruments définis dans la section de l'article qui porte sur la fidélité et la validité sont appropriés pour vérifier les hypothèses ou répondre aux questions de recherche.

ENCADRÉ 15.1 | **Quelques questions guidant l'examen critique des instruments de mesure**

1. Les instruments de mesure ont-ils été utilisés antérieurement ou ont-ils été élaborés pour les besoins de l'étude?

2. L'étude fournit-elle de l'information sur la fidélité des instruments de mesure? Si oui, quel type de fidélité a été examiné et comment l'auteur en interprète-t-il les résultats?

3. L'étude donne-t-elle de l'information sur la validité des instruments de mesure? Si oui, de quel type de validité s'agit-il? Les résultats semblent-ils suffisants?

4. Si les échelles de mesure ont fait l'objet d'une traduction, comment a-t-on procédé? Cela parait-il approprié?

5. L'auteur s'est-il assuré de la fidélité et de la validité des échelles traduites?

6. L'auteur fait-il mention de l'équivalence entre la version originale et la version traduite?

Points saillants

15.1	**La mesure des concepts dans la conduite de la recherche**	• La mesure joue un rôle fondamental dans la conduite de la recherche, car elle permet de comprendre, d'évaluer et de différencier les caractéristiques des personnes et des objets.

15.1 **La mesure des concepts dans la conduite de la recherche**

- La mesure joue un rôle fondamental dans la conduite de la recherche, car elle permet de comprendre, d'évaluer et de différencier les caractéristiques des personnes et des objets.
- Mesurer consiste à assigner des nombres à des personnes, à des objets ou à des évènements en suivant certaines règles, de façon à leur attribuer une valeur. Il existe des valeurs continues et des valeurs discrètes.
- Lorsqu'on mesure des concepts, il faut considérer les niveaux d'abstraction. Comme peu de concepts sont directement mesurables, des indicateurs empiriques représentent les dimensions d'un concept abstrait ou construit.
- La mesure des concepts implique un processus d'opérationnalisation qui consiste à définir théoriquement le concept, à décrire son contenu, à rechercher des indicateurs appropriés selon la définition opérationnelle et, enfin, à choisir ou à concevoir un instrument de mesure.

15.2 **L'erreur de mesure**

- L'erreur de mesure est l'écart entre la mesure réelle de la caractéristique et ce qui est mesuré par l'instrument. Elle se produit aussi bien dans les mesures directes que dans les mesures indirectes et elle peut être aléatoire ou systématique.

15.3 **Les échelles de mesure**

- Quatre échelles, ou niveaux, de mesure servent à déterminer les règles qui s'appliquent selon la nature des concepts.
- Ces échelles de mesure vont dans un ordre croissant de précision : 1) l'échelle nominale sert à attribuer des nombres à des objets pour représenter des catégories exhaustives qui s'excluent mutuellement ; 2) l'échelle ordinale sert à attribuer des nombres à des objets pour représenter un ordre de grandeur ; 3) l'échelle d'intervalle produit des valeurs continues, les nombres assignés étant espacés à intervalles égaux ; 4) l'échelle de proportion, le niveau de mesure le plus élevé, possède toutes les propriétés de la mesure d'intervalle, auxquelles s'ajoute un zéro absolu qui représente l'absence du phénomène.

15.4 **Les cadres de référence de la mesure**

- Le cadre de référence de la mesure peut être normatif ou critérié. Il est normatif dans l'évaluation du rendement de personnes ou dans le score obtenu à un test comparé à un groupe de référence. Il est critérié dans l'évaluation du rendement d'une personne par rapport à elle-même.

15.5 **Les concepts de fidélité et de validité des mesures**

- La fidélité et la validité sont des caractéristiques essentielles qui déterminent la qualité de tout instrument de mesure.
- La fidélité se définit comme la constance avec laquelle un instrument de mesure fournit des résultats semblables dans des situations comparables.
- On distingue quatre types de fidélités : la stabilité temporelle, qui s'évalue par le test-retest ; l'équivalence, qui comprend la fidélité intercodeurs et les formes parallèles ; la cohérence interne selon le coefficient alpha de Cronbach ; et la fidélité moitié-moitié.
- Interpréter un coefficient de fidélité, c'est apprécier la valeur de l'instrument de mesure.
- La validité désigne le degré selon lequel un instrument mesure ce qu'il est censé mesurer.
- Contrairement à la fidélité, la validité s'apprécie autrement qu'avec l'instrument lui-même.
- Plusieurs types de validité peuvent être évalués, notamment : la validité de contenu (évaluer si l'instrument est représentatif de l'ensemble des énoncés qui constituent le concept ou le domaine à mesurer) ; la validité de construit (analyser la structure théorique qui sous-tend le concept à l'aide de la méthode des groupes connus, de la vérification d'hypothèses, de l'analyse factorielle, de l'approche multitrait-multiméthode [les validités convergente et divergente]) ; la validité liée au critère (apprécier la concordance entre une mesure donnée et une mesure indépendante servant de critère).

15.6	La sensibilité et la spécificité des mesures	• La sensibilité et la spécificité sont des mesures de validité utiles pour évaluer les caractéristiques des tests de dépistage ou de diagnostic.
15.7	La validation transculturelle	• La traduction d'un instrument de mesure d'une langue vers une autre a des conséquences sur sa fidélité et sa validité.
		• La traduction inversée permet de rester fidèle au sens du texte original. Toutefois, elle ne constitue qu'une étape, le chercheur devant aussi s'assurer que la traduction est adaptée à la culture dont les participants sont issus.

Mots clés

Analyse factorielle

Approche multitrait-multiméthode

Coefficient de fidélité

Cohérence interne

Concept/construit

Définition conceptuelle

Définition opérationnelle

Échelle de proportion

Échelle d'intervalle

Échelle nominale

Échelle ordinale

Équivalence

Erreur aléatoire

Erreur de mesure

Erreur systématique

Fidélité

Fidélité intercodeurs

Fidélité moitié-moitié

Formes parallèles

Groupes connus

Indicateur empirique

Opérationnalisation

Référence critériée

Référence normative

Stabilité temporelle

Validation transculturelle

Validité

Validité convergente

Validité de construit

Validité divergente

Validité prédictive

Exercices de révision

1. Définissez les termes suivants.

   a) Concept

   b) Mesure

   c) Erreur de mesure

   d) Échelle de mesure

   e) Définition conceptuelle

   f) Indicateur empirique

2. Quels types de valeurs les nombres assignés aux objets, aux évènements ou aux personnes peuvent-ils avoir?

3. Quelle est la principale différence entre la mesure discrète et la mesure continue?

4. Le score obtenu à l'aide d'un instrument de mesure comprend trois éléments. Quels sont-ils?

5. Associez les échelles de mesure qui conviennent aux variables.

Échelles

   a) Nominale

   b) Ordinale

   c) D'intervalle

   d) De proportion

Variables

   1) La température en degrés Celsius

   2) Le sexe

   3) Le degré de scolarité

   4) La note à l'examen final

   5) Le type de diagnostic

   6) Le revenu annuel

   7) Le score d'une échelle analogue

   8) La durée

   9) La gravité de la maladie

   10) La couleur

6. Pour chacune des questions suivantes, trouvez le type d'échelle appropriée parmi les choix proposés.

   a) Avec quel type d'échelle classifie-t-on et ordonne-t-on les objets pour déterminer dans quelle mesure ils possèdent la caractéristique étudiée ?

   b) Avec quel type d'échelle mesure-t-on le poids d'un bébé ?

   Échelles

   1) Nominale
   2) Ordinale
   3) D'intervalle
   4) De proportion

7. Définissez les termes suivants.

   a) Fidélité
   b) Validité

8. Examinez les énoncés suivants et indiquez à quel type de fidélité ou de validité ils correspondent.

   a) L'inventaire d'anxiété de Beck a été passé à un groupe de sujets à deux reprises, à intervalle de trois semaines. La corrélation obtenue entre les résultats des deux mesures était de 0,85.

   b) La corrélation entre les résultats d'autonomie obtenus par des étudiants au moment de l'obtention de leur diplôme et leurs habiletés comme chef de file deux ans plus tard était de 0,70.

9. Pour que le coefficient de fidélité soit acceptable, à quel degré ou à quelle valeur (entre 0 et 1,00) devrait-il se situer ?

Liste des références

Les références citées dans la rubrique « Exemple » ou dans les citations peuvent ne pas figurer dans cette liste.

Bandura, C.A. (1977). *Social learning theory.* Englewood Cliffs, NJ : Prentice-Hall.

Beck, C.T., Bernal, H. et Froman, R.D. (2003). Methods to document semantic equivalence of a translated scale. *Research in Nursing & Health, 26*(1), 64-73.

Berg, K.O., Wood-Dauphinee, S.L., Williams, J.I. et Maki, B. (1992). Measuring balance in the elderly: Validation of an instrument. *Canadian Journal of Public Health, 83,* Suppl. 2, S7-11.

Brislin, R.W. (1986). The wording and translation of research instruments. Dans W.J. Lonner et J.W. Berry (dir.). *Field methods in cross-cultural research* (p. 137-164). Beverly Hills, CA : Sage Publications.

Cicchetti, D.V. et Fleiss, J.L. (1977). Comparison of the null distributions of weighted kappa and the ordinal statistics. *Applied Psychological Measurement, 1*(2), 195-201.

Cohen, J. (1960). A coefficient of agreement for nominal scales. *Educational and Psychological Measurement, 20,* 37-46.

Cronbach, L.J. (1990). *Essentials of psychological testing* (5ᵉ éd.). New York : Harper & Row.

DeVellis, R.F. (1991). *Scale development: Theory and applications.* Newbury Park, CA : Sage Publications.

DeVon, H.A. et collab. (2007). A psychometric toolbox for testing validity and reliability. *Journal of Nursing Scholarship, 39*(2), 155-164.

Fawcett, J. et Garity, J. (2009). *Evaluating research for evidence-based nursing practice.* Philadelphie, PA : F.A. Davis Company.

Flaherty, J.A. et collab. (1988). Developing instruments for cross-cultural psychiatric research. *Journal of Nervous & Mental Disease, 176*(5), 260-263.

Gélinas, C., Filion, L. et Puntillo, K.-A. (2009). Item selection and content validity of the Critical-Care Pain Observation Tool for non-verbal adults. *Journal of Advanced Nursing, 65*(1), 203-216.

Graziano, A.M. et Raulin, M.L. (2000). *Research methods: A process of inquiry* (4ᵉ éd.). Boston, MA : Allyn & Bacon.

Green, L. et Lewis, F. (1986). *Measurement and evaluation in health education and health promotion.* Palo Alto, CA : Mayfield.

Haccoun, R.H. (1987). Une nouvelle technique de vérification de l'équivalence de mesures psychologiques traduites. *Revue québécoise de psychologie, 8*(3), 30-39.

Houser, J. (2008). *Nursing research: Reading, using and creating evidence.* Sudbury, MA : Jones & Bartlett.

Hulin, C.L. (1987). A psychometric theory of evaluations of item and scale translations: Fidelity across languages. *Journal of Cross-Cultural Psychology, 18*(2), 115-142.

Jacobsson, U. (2004). Statistical presentation and analysis of ordinal data in nursing research. *Scandinavian Journal of Caring Sciences, 18*(4), 437-440.

Johnson, B. et Christensen, L. (2004). *Educational research: Quantitative, qualitative and mixed approaches* (2ᵉ éd.). Boston, MA : Pearson/ Allyn & Bacon.

Johnston, C.C. et collab. (2008). Kangaroo mother care diminishes pain from heel lance in very preterm neonates: A crossover trial. *BMC Pediatrics, 8*(13). Repéré à www.ncbi.nlm.nih.gov/pmc/articles/ PMC2383886

Jones, E.G. et Kay, M. (1992). Instrumentation in cross-cultural research. *Nursing Research, 41*(3), 186-188.

Jones, R. et Gulick, E. (2009). Reliability and validity of the Sexual Pressure Scale for Women-Revised. *Research in Nursing & Health, 32*(1), 71-85.

Kerlinger, F.N. (1973). *Foundations of behavioral research* (2ᵉ éd.). New York, NY : Holt, Rinehart & Winston.

Kerlinger, F.N. (1986). *Foundations of behavioral research* (3ᵉ éd.). New York, NY : Holt, Rinehart & Winston.

Knapp, T.R. (1990). Treating ordinal scale as interval scales: An attempt to resolve the controversy. *Nursing Research, 39*(2), 121-123.

Landis, J.R. et Koch, G.G. (1977). The measurement of observer agreement for categorical data. *Biometrics, 33,* 159-174.

Laurencelle, L. (1998). *Théorie et technique de la mesure instrumentale.* Québec, Québec : Presses de l'Université du Québec.

Laurencelle, L. (2005). *Abrégé sur les méthodes de recherche et la recherche expérimentale.* Québec, Québec : Presses de l'Université du Québec.

Lovelace, M.D., Reschly, A.L., Appleton, J.J. et Lutz, M.E. (2014). Concurrent and predictive validity of the student engagement instrument. *Journal of Psychoeducational Assessment, 32*(6), 509-520.

Lynn, M.R. (1986). Determination and quantification of content validity. *Nursing Research, 35*(6), 382-385.

McMillan, J.H. et Schumacher, S. (2006). *Research in education: Evidence-based inquiry* (6ᵉ éd.). Boston, MA : Pearson/Allyn & Bacon.

Nakajima, K.-M., Rodrigues, R.C.M., Gallani, M.C.B.J., Alexandre, N.M.C. et Oldridge, N. (2009). Psychometric properties of MacNew Heart Disease Health-related Quality of Life Questionnaire: Brazilian version. *Journal of Advanced Nursing, 65*(5), 1084-1094.

Nunnally, J.C. (1978). *Psychometric testing.* New York, NY : McGraw-Hill.

Nunnally, J.C. et Bernstein, I.H. (1994). *Psychometric theory* (3ᵉ éd.). New York, NY : McGraw-Hill.

Portney, L.G. et Watkins, M.P. (2009). *Foundations of clinical research: Applications to practice* (3ᵉ éd.). Upper Saddle River, NJ : Pearson/Prentice Hall.

Sideli, L. et collab. (2014). Validation of the Italian version of the burn specific health scale-brief. *Burns, 40*(5), 995-1000.

Stevens, S.S. (1946). On the theory of scales of measurement. *Science, 103*(2684), 677-680.

Stevens, S.S. (1951). Mathematics, measurement and psychophysics. Dans S.S. Stevens (dir.). *Handbook of experimental psychology.* New York, NY : Wiley.

Streiner, D.L. et Norman, G.R. (2008). *Health measurement scales: A practical guide to their development and use* (4ᵉ éd.). Oxford, R.-U. : Oxford University Press.

Vallerand, R.J. (1989). Vers une méthodologie de validation transculturelle de questionnaires psychologiques : implications pour la recherche en langue française. *Canadian Psychology/ Psychologie canadienne, 30*(4), 662-680.

Varricchio, C.G. (2004). Measurement issues concerning linguistic translations. Dans F. Frank-Stromborg et S.J. Olson (dir.). *Instruments for clinical health-care research* (3ᵉ éd.). Boston, MA : Jones & Bartlett.

Waltz, C. et Bausell, R.B. (1981). *Nursing research: Design, statistics and computer analyses.* Philadelphie, PA : F. A. Davis.

Waltz, C.F., Strickland, O.L. et Lenz, E.R. (2010). *Measurement in nursing and health research* (4ᵉ éd.). New York, NY : Springer Publishing Company.

Wang, S.T., Yu, M.L., Wang, C.J. et Huang, C.C. (1999). Bridging the gap between the pros and cons in treating ordinal scales as interval scales from an analysis point of view. *Nursing Research, 48*(4), 226-229.

CHAPITRE 16

Les méthodes de collecte des données

Objectifs d'apprentissage

Après avoir étudié ce chapitre, vous serez en mesure :

- de discuter du choix d'une méthode de collecte des données ;
- de reconnaitre les instruments de collecte des données qualitatives et quantitatives ;
- de distinguer les différents types d'entrevues et d'observations ;
- de commenter les étapes de construction d'un questionnaire ;
- de différencier les échelles ;
- d'analyser de manière critique la section portant sur les instruments de collecte des données dans des articles de recherche.

Comme la recherche dans les différentes disciplines porte sur une multiplicité de phénomènes, elle requiert l'accès à une variété de méthodes de collecte des données. Le choix de la méthode dépend de la nature de la question de recherche. Si le chercheur souhaite obtenir le plus d'information possible sur un phénomène, il optera pour des méthodes de collecte de données non structurées. S'il désire explorer ou vérifier des relations entre des variables ou entre des groupes, il se tournera vers des méthodes plus structurées de manière à quantifier l'information à des fins d'analyses statistiques. Dans le choix d'une méthode de collecte des données, on considère aussi les instruments disponibles qui ont fait leur preuve sur le plan de la fidélité et de la validité. En l'absence de tels outils, le chercheur n'a d'autre choix que de construire son propre instrument. Ce chapitre présente les facteurs prépondérants qui président au choix d'une méthode de collecte des données et décrit les principaux instruments utilisés pour recueillir celles-ci auprès des participants à l'étude.

16.1 Le choix d'une méthode de collecte des données

Les données peuvent être recueillies de diverses façons : collecter des données factuelles à l'aide d'entrevues et de questionnaires, évaluer les caractéristiques psychosociales au moyen d'échelles de mesure ou apprécier les situations par des méthodes observationnelles. Le choix de la méthodologie de collecte des données dépend du niveau de recherche, du type de phénomène à l'étude et des instruments disponibles. Quelles que soient la discipline concernée et la méthode de recherche utilisée, l'étude est susceptible de porter sur une multitude de phénomènes et, pour les examiner, il faut disposer de différentes méthodes de collecte des données. C'est au chercheur de déterminer la méthode qui convient le mieux au but de l'étude, à ses questions de recherche ou à ses hypothèses. Il doit donc être informé des divers instruments de recherche et connaitre leurs possibilités d'application. Parallèlement, il tient compte du niveau de la recherche et des connaissances existantes sur les variables à l'étude.

> Le choix de la méthodologie de collecte des données dépend du niveau de recherche, du type de phénomène et des instruments disponibles.

Au moment de choisir la méthode de collecte des données qui convient à son étude, le chercheur doit trouver un instrument qui s'accorde avec les définitions conceptuelles des variables sous-jacentes au cadre conceptuel ou théorique de son étude et s'assurer que l'instrument offre une fidélité et une validité suffisantes. S'il est traduit d'une autre langue, il faut que l'instrument possède les mêmes propriétés métrologiques que l'instrument original, c'est-à-dire celles de maintenir la précision et la reproductibilité des mesures. Si aucun instrument de recherche ne lui parait approprié pour l'étude des variables, le chercheur doit envisager d'en concevoir un, puis de le soumettre au processus de vérification et de validation. En réfléchissant aux facteurs à prendre en considération dans le choix d'une méthode de collecte des données, le chercheur est amené à déterminer non seulement le phénomène ou les variables à l'étude, mais aussi le type de données sociodémographiques, les moyens de contrôler les variables étrangères et les biais possibles. En outre, il tient compte des aspects éthiques de sa recherche ainsi que de la disponibilité du personnel de recherche.

Lorsque le chercheur étudie un phénomène encore mal connu, comme dans la recherche exploratoire/descriptive ou dans la compréhension d'un phénomène du point de vue des participants, il s'applique d'abord à accumuler le plus de données possibles sur le phénomène en cause, afin d'en cerner les divers aspects. Cet examen le conduit à la recherche qualitative et l'incite à recourir à l'une ou l'autre des approches suivantes : les observations non structurées, les entrevues non dirigées ou semi-dirigées ou encore le groupe de discussion focalisée. Dans les études descriptives quantitatives, il emploiera plutôt des approches structurées telles que l'observation structurée, l'entrevue dirigée, le questionnaire et, parfois, les échelles. S'il s'agit de décrire des relations entre des variables (étude descriptive corrélationnelle) ou de les expliquer (étude corrélationnelle), le chercheur recourt généralement à des échelles de mesure, à des tests normalisés ou au questionnaire. Pour prédire des relations causales, qui supposent la manipulation d'une variable indépendante, il privilégie le questionnaire, les échelles et parfois l'observation structurée. Le tableau 16.1 fait état des principales méthodes de collecte des données.

TABLEAU 16.1	Les méthodes de collecte des données qualitatives et quantitatives
Recherche qualitative	**Recherche quantitative**
• Observations non structurées • Entrevues non dirigées et semi-dirigées • Groupe de discussion focalisée • Incident critique et autres méthodes (*voir le chapitre 11*) • Journal personnel	• Observation structurée • Entrevue dirigée • Questionnaire • Échelles • Mesures physiologiques • Autres méthodes

16.2 Les méthodes de collecte des données qualitatives

Dans la recherche qualitative, les méthodes utilisées pour recueillir des données doivent permettre au chercheur de fournir une description détaillée des phénomènes à l'étude et d'en comprendre la signification selon la perspective des répondants. Dans ce type de recherche, la vérité n'est pas statique : plus la connaissance d'un phénomène s'accroît, plus sa signification contextuelle se précise. Les méthodes de collecte des données qui s'y rapportent reposent sur la bonne volonté des participants à partager leurs pensées, leurs impressions et leurs expériences, de façon verbale, écrite ou autre. Les observations, les entrevues et les groupes de discussion focalisée sont les méthodes les plus courantes d'obtenir des données qualitatives. Ces méthodes sont décrites dans les sous-sections suivantes.

16.2.1 Les méthodes d'observation non structurées

Dans le cadre d'études qualitatives, l'observation est une méthode de collecte des données permettant de comprendre les mécanismes de l'interaction sociale et de la vie en société. Le but consiste à déterminer les personnes, les interactions, l'influence du contexte socioculturel qui peuvent être étudiées en profondeur de manière à recueillir des données pertinentes pouvant répondre à la question de recherche. La méthode de l'observation dans l'étude des situations sociales peut se faire avec ou sans participation. Dans l'**observation non participante**, le chercheur se situe à l'extérieur du groupe pour décrire une situation sociale donnée. Il observe tout

Observation non participante
Méthode de collecte des données qui consiste à observer un groupe sans en faire partie afin de décrire une situation sociale donnée.

simplement une situation en adoptant un rôle passif durant l'examen du phénomène à l'étude. Il se garde bien d'intervenir ou d'influencer les activités et les comportements. L'approche non structurée comporte la collecte d'une grande quantité de données qualitatives décrivant le phénomène ou le groupe observé. Pendant ou immédiatement après l'observation, le chercheur enregistre les notes de terrain sur ce qu'il a observé et consigne aussi les questions qui lui viennent à l'esprit aux fins d'éventuelles entrevues. Les séances d'observation peuvent aussi être enregistrées sur vidéo. L'observation non structurée peut évoluer vers des observations plus structurées à mesure que l'étude progresse et que l'observateur se familiarise avec la situation. Cette méthode est flexible et permet à l'observateur d'obtenir une meilleure compréhension de la complexité d'une situation tout en favorisant la conceptualisation du problème de recherche. Dans le cas où le chercheur s'intègre au groupe, qu'il en fait partie pour mieux l'étudier, il s'agit d'observation participante.

Observation participante
Méthode de collecte des données qui consiste en l'immersion totale du chercheur au même titre que les participants, en vue d'observer directement comment ceux-ci réagissent dans des situations sociales données.

L'**observation participante** va au-delà de la seule description des composantes d'une situation sociale puisqu'elle permet au chercheur de découvrir le sens et la dynamique des groupes en s'imprégnant personnellement dans leur milieu pour comprendre leur fonctionnement, la signification des comportements et les phénomènes d'interaction. L'observation directe[1], dans sa forme participante, c'est « [...] être témoin des comportements sociaux d'individus ou de groupes dans les lieux mêmes de leurs activités ou de leurs résidences sans en modifier le déroulement ordinaire » (Peretz, 2004, p. 14). L'observation participante, qui est au centre de la recherche ethnographique, se caractérise par une période d'interactions sociales intenses entre le chercheur et les membres d'un groupe dans le milieu naturel de ces derniers. C'est au cours de cette période d'interactions que des données sont recueillies systématiquement. Le chercheur s'intègre complètement dans le groupe social qu'il a pour tâche d'étudier et devient un participant dans les activités de celui-ci ; il peut ainsi appréhender les observations du point de vue de ceux qui sont observés. Il est en position de décrire les interactions des personnes à l'intérieur d'un contexte social et d'analyser les comportements en fonction de leurs réalités personnelles (Portney et Watkins, 2009). L'observation participante se reconnait par sa flexibilité, son caractère peu contraignant, la grande liberté d'interprétation qu'elle permet et la prise en compte de l'expérience des personnes observées. Elle vise à aider les membres du groupe à dégager le sens de leurs actions. Le chercheur note par écrit les observations, les impressions, les conversations et les expériences à l'égard du phénomène étudié.

> L'observation participante se reconnait par sa flexibilité, son caractère peu contraignant, la grande liberté d'interprétation qu'elle permet et la prise en compte de l'expérience des personnes observées.

Avant de s'introduire dans un milieu particulier, le chercheur doit d'abord préparer son entrée dans le groupe qu'il a choisi d'étudier. Un des défis majeurs à relever pour assurer l'efficacité de l'observation participante réside dans l'acceptation de l'observateur par les participants du groupe social. Un bon contact entre le chercheur et les membres clés du groupe, joint à une compréhension et à une adhésion aux objectifs présentés, constituent un atout indispensable pour minimiser les biais dans le processus de collecte des données (Laperrière, 2009). Avec la présentation claire des objectifs de la recherche, l'observateur doit pouvoir fournir une explication de sa présence auprès des membres du groupe. C'est seulement après que la

....
1. Certains auteurs ne font pas de distinction entre l'observation directe et l'observation participante.

confiance est établie entre l'observateur et les participants que le travail de participant actif aux expériences et à la vie des membres du groupe peut commencer.

La collecte et l'enregistrement des données d'observations

Pour le chercheur, les points à observer se rapportent, entre autres, aux caractéristiques du milieu et des participants, à la nature des interactions, aux comportements verbaux et non verbaux, aux gestes, postures et mimiques. Dans l'observation participante, on ne fait pas qu'observer ; on écoute aussi les conversations, le contenu des discussions, etc. En outre, l'observation permet de noter ce qui se déroule durant une période donnée. Les activités et les interactions peuvent être décrites selon leur fréquence et leur durée. Lorsque le chercheur est immergé dans le milieu, il ne peut retenir tout ce qui se passe autour de lui. C'est pourquoi les notes de terrain sont indispensables. Selon Laperrière (2009), l'enregistrement des observations se produit en deux étapes distinctes : à l'étape descriptive et à l'étape analytique.

> Lorsque le chercheur est immergé dans le milieu, il ne peut retenir tout ce qui se passe autour de lui. C'est pourquoi les notes de terrain sont indispensables.

À l'étape descriptive, les notes constituent des descriptions des évènements et des conversations observés. Elles sont d'abord cursives pour ne retenir que les mots ou les phrases qui serviront ultérieurement à rédiger des notes plus élaborées. Par la suite, ces notes sont complétées dans un compte rendu signalétique. Polit et Beck (2012) proposent l'emploi de notes méthodologiques pour rendre compte des stratégies et des méthodes utilisées au cours des observations. Enfin, les notes sont extensives en ce qu'elles rapportent la situation observée dans toutes ses dimensions de façon détaillée et précise. Ce compte rendu doit être complété dès que possible après l'observation. L'étape analytique rend compte du cheminement théorique des chercheurs dans leur intention d'expliquer la situation observée. En général, les notes analytiques ne sont pas intégrées aux notes descriptives, mais conservées séparément avec référence aux notes descriptives pertinentes. Les moyens utilisés à cette étape sont le mémo, les notes théoriques et le journal de bord.

> L'étape analytique rend compte du cheminement théorique des chercheurs dans leur intention d'expliquer la situation observée.

Mémo
Note réflexive rédigée en cours d'analyse sur les idées que les données font naitre dans l'esprit du chercheur.

Le **mémo** est une note réflexive analytique rédigée en cours d'analyse sur les idées que les données font naitre dans l'esprit du chercheur. Les réflexions et les intuitions doivent être notées à mesure qu'elles émergent. Les notes théoriques représentent l'effort du chercheur pour trouver une signification aux observations du terrain, et elles servent de point de départ aux analyses subséquentes (Polit et Beck, 2012). Le journal de bord, dans le contexte de l'observation participante, est constitué de réflexions personnelles et d'impressions transcrites au fur et à mesure qu'elles émergent. Elles permettent au chercheur de prendre conscience de ses sentiments et de ses biais (Laperrière, 2009). La plupart du temps, il s'agit d'une prise de notes manuscrites, mais le chercheur peut recourir à d'autres moyens tels que l'enregistrement numérique ou vidéo. Cependant, ces moyens sont toujours associés à un risque de voir se modifier le comportement de ceux qui se sentent observés.

> Les notes théoriques représentent l'effort du chercheur pour trouver une signification aux observations du terrain.

L'exemple 16.1 résume l'étude de théorisation enracinée menée par Balthip et Purnell (2014) dans le but de comprendre comment des adolescents thaïlandais vivant avec le virus de l'immunodéficience humaine (VIH) accordaient un sens et un but à leur vie. Les données ont été recueillies au moyen d'entrevues en profondeur, de l'observation participante et des notes de terrain.

Une étude utilisant l'observation participante

Dans cette étude, l'observation participante a été utilisée conjointement avec des entrevues parce que celles-ci ne permettent pas à elles seules une compréhension suffisante du monde des participants (Morse, 2001). Au cours du déroulement des observations, le chercheur a observé des facteurs tels que la posture, le ton de la voix et la mimique des participants quand ils exprimaient des sentiments (bonheur, tristesse ou confiance) ainsi que les personnes ou les choses auxquelles les sujets se référaient. On a également observé, dans cette étude, que les participants arrivaient à 10 h à la clinique de traitement du VIH de manière à éviter de rencontrer une de leurs connaissances. Au cours des entrevues, on a demandé aux répondants pourquoi ils cherchaient à éviter la rencontre de personnes connues. (Traduction libre)

16.2.2 Les entrevues non dirigées et semi-dirigées

L'entrevue consiste en un mode particulier de communication verbale qui s'établit entre deux personnes : un intervieweur qui recueille l'information et un répondant qui fournit les données. Elle établit un contact direct entre le chercheur et les participants à l'intérieur d'un environnement naturel. Le but de l'entrevue est de recueillir de l'information en vue de comprendre la signification d'un évènement ou d'un phénomène vécu par les participants, conformément à l'intention du chercheur. Le répondant est censé posséder cette information particulière que le chercheur tente de comprendre (Savoie-Zajc, 2009). L'entrevue peut être non dirigée, semi-dirigée ou dirigée. Dans l'entrevue non dirigée, le participant contrôle le contenu alors que dans l'entrevue semi-dirigée, c'est l'intervieweur qui a cette fonction. Dans l'entrevue dirigée, à l'instar du questionnaire, l'intervieweur exerce un contrôle maximum : il a prédéfini les questions, et les réponses possibles sont soigneusement recensées. Ce type d'entrevue est discuté dans la sous-section 16.3.2.

> Le but de l'entrevue est de recueillir de l'information en vue de comprendre la signification d'un évènement ou d'un phénomène vécu par les participants, conformément à l'intention du chercheur.

L'**entrevue non dirigée** ou non structurée est une méthode courante pour recueillir des données qualitatives auprès des participants. Elle peut prendre la forme d'entrevues en profondeur, d'histoires et de récits de vie. Toutes ces méthodes ont pour but de sonder la compréhension d'un évènement ou d'un phénomène auprès des participants ainsi que leurs expériences vécues. Dans le cadre d'une entrevue non dirigée, les questions sont ouvertes et fournissent des données qualitatives. La formulation et l'ordre des questions ne sont pas prédéterminés, mais laissés entièrement à la discrétion de l'intervieweur. La question ouverte est tout indiquée pour aborder un thème et laisser le répondant libre de répondre à sa guise, ce qui lui permet d'influencer le cours que prend l'entrevue. L'entrevue non dirigée compte parmi les outils de prédilection, en particulier dans les récits de vie où les règles à suivre n'offrent presque aucune contrainte (Fontana et Frey, 1994). Le chercheur présente le sujet de l'entretien et invite le participant à exprimer ses idées sur le thème ; l'intervieweur doit se montrer intéressé et attentif. L'entrevue peut être amorcée par une question très large, assortie de sous-questions. Dans les entrevues non dirigées, les répondants sont encouragés à parler librement de certains sujets proposés par l'intervieweur. Ce type d'entrevue peut parfois constituer une première étape dans la conception d'un instrument de recherche.

Entrevue non dirigée
Interaction verbale au cours de laquelle le chercheur propose un ou plusieurs thèmes au répondant et à propos desquels il l'invite à s'exprimer librement et de façon personnelle.

> L'entrevue non dirigée compte parmi les outils de prédilection, en particulier dans les récits de vie où les règles à suivre n'offrent presque aucune contrainte.

Afin d'obtenir des descriptions élaborées, le chercheur demande aux participants de replacer leurs expériences dans leur contexte. Selon l'approche qualitative employée, le chercheur peut soit mettre de côté ses connaissances, ses croyances ou ses attentes concernant le phénomène, soit les intégrer dans le processus de collecte d'information. La collecte des données, pendant l'entrevue non dirigée, comprend non seulement les mots utilisés par les participants, mais aussi les notes ou les expressions liées au contexte (Macnee et McCabe, 2008). Les questions ouvertes comportent l'avantage d'encourager la libre expression de la pensée et de permettre un examen approfondi de la réponse du participant. Elles favorisent le contact direct avec l'expérience individuelle de celui-ci et l'obtention d'informations sur des sujets complexes et chargés d'émotion. Toutefois, le fait d'avoir à formuler ses propres réponses peut rebuter certaines personnes. Les réponses aux questions ouvertes sont plus longues, et elles s'avèrent parfois difficiles à coder et à analyser. Les données qui proviennent des réponses formulées par les participants dans une entrevue non dirigée sont généralement hétérogènes, ce qui rend leur comparaison difficile.

Entrevue semi-dirigée
Interaction verbale animée par le chercheur à partir d'une liste de thèmes qu'il souhaite aborder avec le participant.

L'**entrevue semi-dirigée** est une méthode qualitative qui sert à recueillir des données auprès des participants quant à leurs sentiments, leurs pensées et leurs expériences sur des thèmes préalablement déterminés. Elle représente une catégorie intermédiaire entre l'entrevue non dirigée et l'entrevue dirigée et combine certains aspects de ces dernières. La plupart des entrevues qualitatives sont semi-dirigées et organisées autour d'un ensemble de questions. L'intervieweur arrête une liste de thèmes à aborder, formule des questions s'y rapportant et les pose au répondant, dans l'ordre qu'il juge à propos en vue d'atteindre le but fixé, soit d'en arriver à la compréhension ou à l'explication d'une certaine réalité. Il est souvent nécessaire d'interroger un répondant au cours de plusieurs rencontres, si celui-ci a donné son autorisation. Savoie-Zajc (2009) définit l'entrevue semi-dirigée comme étant :

> [...] une interaction verbale animée de façon souple par le chercheur. Celui-ci se laissera guider par le rythme et le contenu unique de l'échange dans le but d'aborder, sur un mode qui ressemble à celui de la conversation, les thèmes généraux qu'il souhaite explorer avec le participant à la recherche. Grâce à cette interaction, une compréhension riche du phénomène à l'étude sera construite conjointement avec l'interviewé. (p. 340)

La préparation de l'entrevue semi-dirigée

L'entrevue totalement non dirigée ne nécessite pas de préparation particulière, la question de départ étant ouverte et d'ordre général. Par contre, l'entrevue semi-dirigée requiert la détermination des objectifs et la préparation d'un plan ou d'un **guide d'entrevue**, de même que l'indication de thèmes et de sous-thèmes associés à la question de recherche. L'intervieweur doit s'être préalablement familiarisé avec le contenu de l'entrevue afin de faire face aux situations difficiles susceptibles de survenir et de leur trouver des solutions. Il incombe à l'intervieweur de créer un climat de confiance qui met le participant à l'aise pour répondre aux questions.

Guide d'entrevue
Document utilisé par l'intervieweur au cours d'un entretien en guise de rappel des différents thèmes ou des questions devant être abordés.

Durant l'entrevue, il doit savoir comment éviter d'exprimer de la partialité de façon verbale ou non verbale. En effet, le libellé d'une question, le ton de la voix, la physionomie et l'attitude corporelle sont des éléments qui envoient des messages positifs ou négatifs aux participants. Par conséquent, le rôle de l'intervieweur consiste

> Il incombe à l'intervieweur de créer un climat de confiance qui met le participant à l'aise pour répondre aux questions.

non seulement à poser des questions et à veiller à la qualité des réponses, mais aussi à créer un climat susceptible d'accroitre la motivation des participants. Le guide d'entrevue est un outil qui facilite la communication, grâce à l'enchainement logique des questions portant sur différents aspects du sujet. Qu'elle soit dirigée ou non dirigée, l'entrevue doit être précédée d'un contact direct ou téléphonique avec la personne. Ce contact permet au chercheur de préciser le but de l'étude, d'indiquer comment la sélection des participants a été faite, d'assurer la confidentialité des renseignements et d'obtenir le consentement du répondant. L'intervieweur fixe par la suite un rendez-vous avec celui-ci dans un lieu calme, discret et agréable.

Qu'elle soit dirigée ou non dirigée, l'entrevue doit être précédée d'un contact direct ou téléphonique avec la personne.

La conduite de l'entrevue semi-dirigée

Même si l'entrevue semi-dirigée se déroule comme une conversation, sa conduite requiert des habiletés de communication et de la pratique. Une des habiletés les plus importantes à maitriser pour l'intervieweur est sans contredit l'écoute active qui implique la mise de côté de ses préjugés pour être extrêmement attentif aux significations exprimées par le répondant (Lodico, Spaulding et Voegtle, 2010). Pour manifester son écoute active, l'intervieweur utilise des façons verbales et non verbales telles que des signes de tête affirmatifs indiquant qu'il a compris les réponses, des périodes de silence laissées aux répondants pour penser et formuler leur réponse. L'écoute est plus importante que la parole dans la conduite de l'entrevue (Seidman, 2006). L'écoute active veut aussi dire que l'intervieweur pense à ce qui vient d'être dit et revient sur ce qui mérite d'être approfondi ou validé. Le guide d'entrevue préparé selon les objectifs de l'étude et les thèmes choisis sert d'appui à la conduite de l'entrevue.

Le format des entrevues est le plus souvent guidé par une structure générale qui oriente la discussion et fournit une base de comparaison des réponses. L'ordre des questions étant flexible, l'intervieweur peut commencer par des questions générales et poser progressivement des questions plus précises au sujet du phénomène considéré. Par exemple, il peut formuler la question suivante : « Dites-moi, que représente pour vous le fait d'avoir subi un traumatisme cérébral ? » Une question de ce type entraine des questions plus approfondies telles que : « Pouvez-vous m'en dire plus sur les conséquences qu'a eues ce traumatisme sur votre vie quotidienne ? » L'entrevue semi-dirigée ressemble généralement à une conversation informelle, les questions posées par le chercheur étant alors inspirées par le sujet d'étude. Les questions doivent être courtes, neutres, énoncées clairement et ne contenir qu'une seule idée.

La transcription des données

L'entrevue peut faire l'objet d'une notation littérale ou d'un enregistrement vidéo ou audio. Si les données sont recueillies au cours de l'entrevue, l'intervieweur doit pouvoir en dégager les idées maitresses et les formuler de façon concise. La transcription des données enregistrées durant l'entrevue s'effectue généralement en verbatim. L'analyse des données succède à leur enregistrement et à leur transcription. Elle consiste essentiellement en une analyse de contenu ou en une autre méthode appropriée et sert à mesurer la fréquence, l'ordre ou l'intensité de certains mots, de phrases ou d'expressions ainsi que de certains faits ou évènements. Le chercheur classe les éléments par catégories, mais en général, il détermine et définit les caractéristiques du contenu à évaluer (*voir le chapitre 18*).

Clukey, Weyant, Roberts et Henderson (2014) ont utilisé l'entrevue semi-dirigée au cours d'une étude phénoménologique pour explorer les perceptions des répondants dans le cadre d'un traitement par ventilation mécanique. L'exemple 16.2 en présente un extrait.

Une étude utilisant l'entrevue semi-dirigée

L'étude avait pour but d'explorer les perceptions et les expériences de personnes ayant été intubées sous sédation et contraintes de demeurer à l'unité de soins intensifs dans le cadre d'un traitement par ventilation mécanique. À l'aide d'un guide d'entrevue, une série de questions ont été posées à 14 participants, dont la première s'énonçait comme suit : « À l'unité des soins intensifs, nous exerçons une légère contention des poignets aux personnes sous ventilation mécanique. Comment avez-vous vécu le fait de subir cette mesure de contention ? » Les données ont été recueillies jusqu'à la saturation. Les entrevues enregistrées ont été transcrites en verbatim, et les données, compilées dans le logiciel NVivo 9 pour analyse. Les trois principaux thèmes qui ont émergé des données sont un manque de mémoire par rapport aux mesures de contention, une perception horrible de l'intubation et le comportement aidant et réconfortant des infirmières. (Traduction libre)

Les auteures se sont mises d'accord sur les thèmes qui ont émergé après avoir revu les transcriptions des données. À la surprise des auteures, les répondants n'ont pas été incommodés par les mesures de contention, mais plutôt par l'expérience de l'intubation, la douleur et l'anxiété associées à cette procédure. Ils ont par ailleurs apprécié le réconfort que leur apportaient les infirmières.

16.2.3 Les groupes de discussion focalisée

Groupe de discussion focalisée
Technique d'entrevue qui réunit un petit groupe de participants et un modérateur dans le cadre d'une discussion orientée sur un sujet particulier.

Le **groupe de discussion focalisée** correspond à un type courant d'entrevue en recherche qualitative qui réunit un petit nombre de participants et un modérateur pour discuter d'un sujet en particulier. Le modérateur anime une discussion entre les membres en vue d'examiner en détail leur façon de penser, leurs opinions et leurs réactions vis-à-vis d'un sujet précis. Le modérateur génère la discussion par des questions ouvertes et agit comme animateur dans le processus d'échange, tout en maintenant le cap sur le thème choisi (Johnson et Christensen, 2004). Le but de cette technique d'entrevue est de mieux comprendre comment les participants perçoivent un problème, l'analysent et en discutent (Geoffrion, 2009). En créant un environnement social propice dans lequel les membres du groupe sont stimulés par les idées et les perceptions de leurs pairs, le modérateur peut accroître la qualité et la richesse des données plus efficacement que dans l'entrevue individuelle (McMillan et Schumacher, 2006).

La méthode des groupes de discussion focalisée fournit une compréhension collective des points de vue des participants (Ivanoff et Hultberg, 2006). De fait, le groupe de discussion est unique, puisqu'il combine à la fois l'entrevue, l'observation participante et l'interaction de groupe. Les participants choisis pour prendre part au groupe de discussion possèdent en général des caractéristiques semblables sur le plan des expériences personnelles et des points de vue, ce qui leur permet de contribuer à une meilleure connaissance du thème de recherche en plus de faciliter une discussion ouverte et interactive. La taille du groupe de discussion

> Le groupe de discussion est unique, puisqu'il combine à la fois l'entrevue, l'observation participante et l'interaction de groupe.

focalisée doit être suffisamment grande pour favoriser la diversité des perspectives, mais assez petite pour permettre à chacun de s'exprimer. Selon les écrits, elle peut varier de 6 à 10 membres; elle est plus restreinte lorsque la discussion porte sur des thèmes à saveur émotive (p. ex. un deuil récent) (Côté-Arsenault et Morrison-Beedy, 1999). Recruter les participants appropriés pour chaque groupe de discussion s'avère crucial pour l'atteinte des objectifs fixés. Divers moyens peuvent être utilisés pour recruter les membres tels que les médias, les affiches ou encore le recours à l'échantillonnage par choix raisonné. Dans la plupart des cas, les participants ne se connaissent pas.

La conduite d'un groupe de discussion requiert un temps de préparation plus long qu'une entrevue individuelle et nécessite des habiletés de communication pour faciliter la discussion de groupe. De façon générale, on utilise un guide d'entrevue dans lequel se trouvent précisés les principaux thèmes à aborder ainsi que l'ordre et la durée approximative de la discussion. Les données font généralement l'objet d'enregistrements sonores et de notes prises sur le terrain, qui seront transcrits ultérieurement. Contrairement aux analyses d'entrevues individuelles, un aspect important du processus analytique consiste à cerner les éléments où il y a accord ou désaccord ainsi qu'à indiquer l'évolution des points de vue des participants durant la discussion (Goodman et Evans, 2006).

L'exemple 16.3 résume une approche qualitative utilisant des groupes de discussion focalisée menée par Costa, Hayley et Miller (2014) auprès de jeunes adolescents dans le but d'explorer leurs perceptions, leurs habitudes et leurs contextes sociaux par rapport à la consommation de boissons énergisantes. Selon ces auteurs, il a été démontré que la consommation de ces boissons est courante chez les jeunes et a tendance à augmenter avec l'âge. Les adolescents ont été recrutés selon un échantillonnage de convenance dans deux écoles. L'extrait suivant donne un aperçu de la méthodologie utilisée.

EXEMPLE 16.3

Une étude utilisant le groupe de discussion focalisée

L'échantillon était composé de 40 adolescents âgés de 12 à 15 ans. Six groupes de discussion constitués de cinq à huit élèves ont été conduits dans les écoles sélectionnées. Un des chercheurs a tenu le rôle de modérateur dans les groupes de discussion, dont la durée a été de 20 à 40 minutes. Les données ont été enregistrées en format audio et transcrites ultérieurement en verbatim. Sept questions semi-fermées ont été formulées à partir des écrits et des connaissances des chercheurs sur le sujet telles que: «Avez-vous déjà consommé une boisson énergisante? Quand avez-vous consommé pour la dernière fois une boisson énergisante? Qu'est-ce que vos amis pensent des personnes qui consomment des boissons énergisantes?» L'analyse thématique des données a fourni des thèmes généraux liés à la consommation des boissons énergisantes. Par la suite, les données ont été lues et relues pour raffiner les thèmes et atteindre un consensus. La fidélité des analyses a été vérifiée par un chercheur indépendant qui a codé au hasard 20 % des données d'entrevues, et il en est résulté une fidélité d'accord estimée à plus de 80 %. Dans tous les cas où il y avait désaccord sur l'interprétation des résultats, les chercheurs ont délibéré jusqu'à l'obtention d'un consensus. (Traduction libre)

Les adolescents interviewés dans cette étude ont dit être familiarisés avec la consommation de boissons énergisantes et rapportent en boire pour le plaisir et pour des raisons sociales en dépit du peu de connaissances qu'ils ont des ingrédients qu'elles contiennent. Les résultats indiquent que les adolescents consomment les boissons énergisantes de la même manière que les adultes sans savoir ce qu'ils boivent, ignorant ainsi comment ils contribuent à accroître un risque personnel pour leur santé.

16.3 Les méthodes de collecte des données quantitatives

Dans la recherche quantitative, les méthodes de collecte des données ont pour but de mesurer les variables de façon claire et précise. La définition opérationnelle des variables explicite les activités à entreprendre pour mesurer les variables (*voir le chapitre 15*). Les principales méthodes quantitatives de collecte des données sont : l'observation structurée, l'entrevue dirigée ou structurée, le questionnaire, les échelles et les mesures physiologiques, mais il existe également d'autres méthodes.

16.3.1 L'observation structurée

Observation structurée
Forme d'observation propre à la recherche quantitative où des évènements sont observés et enregistrés dans des catégories prédéfinies et mutuellement exclusives.

La recherche par observation structurée, aussi appelée « observation systématique », peut s'avérer nécessaire dans l'étude quantitative lorsque l'emploi d'autres méthodes convient peu à la collecte d'information ou ne lui convient pas du tout. En voici des exemples : détecter des comportements difficilement repérables ; observer des groupes qui ne peuvent répondre directement (p. ex. les bébés, les enfants, les personnes vulnérables) ; évaluer certains comportements d'élèves ; servir de méthode complémentaire à une collecte des données. L'**observation structurée** est une démarche systématique qui consiste à observer et à décrire des comportements particuliers ou des évènements à l'aide de formes standardisées dans lesquelles le chercheur inscrit ce qui doit être observé, pendant combien de temps et la façon dont les données seront enregistrées. Elle nécessite la connaissance de l'étendue des manifestations que peut avoir un comportement. On doit porter une grande attention à l'entrainement des observateurs, particulièrement dans le cas d'observations complexes. L'observation structurée s'appuie sur l'enregistrement de ce que voit et entend l'observateur plutôt que sur les réponses fournies par les participants. L'approche usuelle servant à organiser les observations structurées consiste à élaborer un système d'observation permettant de classifier, de consigner et de coder de façon précise les phénomènes observés dans des catégories définies.

Les systèmes d'observation

Grille d'observation
Outil d'observation permettant de classer des comportements dans des catégories prédéterminées.

Après avoir défini l'objet d'observation, c'est-à-dire le ou les comportements à examiner et auprès de qui cela sera fait, le chercheur détermine comment les observations seront enregistrées et codées. À cette fin, il élabore un système d'observation, qui peut être une grille d'observation ou une échelle d'évaluation ou de cotation. Une **grille d'observation** est un système d'observation systématique destiné à recueillir des faits et dans laquelle sont déterminés de façon explicite les critères permettant de classer les différents comportements ou les unités d'observation dans des catégories mutuellement exclusives. Les catégories d'unités d'observation y sont précisées (p. ex. les gestes, les mimiques). Un certain nombre de critères peuvent servir à guider le choix judicieux des unités d'observation : les unités doivent s'exclure mutuellement de manière à ce que les comportements appartenant à une unité ou à une catégorie puissent être distingués les uns des autres ; elles doivent être concrètes, avoir une fréquence d'occurrence assez élevée et être représentatives de tous les comportements déterminés ; enfin, elles doivent être clairement définies et se rapporter directement aux objectifs de l'étude (Beaugrand, 1988).

Selon la grille d'observation tracée, on prend en compte deux grandes catégories : la durée du comportement et la fréquence à laquelle il se produit. Le chercheur décide du meilleur moment pour noter ses observations sur un comportement particulier et détermine pendant combien de temps et à quelle fréquence il doit les consigner. Le système d'observation ou de codification doit indiquer l'évènement déclencheur si l'observation est notée au fur et à mesure qu'il se produit, ou le moment déclencheur si l'observation est consignée à un moment précis. S'il prend comme base l'évènement déclencheur, l'observateur commence à noter le comportement au moment même où survient un évènement particulier. Par exemple, il observe des enfants qui jouent sur un terrain de jeu et note ses observations à partir du moment où l'un d'entre eux subit une légère agression de la part d'un autre enfant. S'il se fonde sur le moment déclencheur, l'observateur note ou enregistre des comportements à des moments déterminés d'avance. Ainsi, il peut noter de façon continue la présence ou l'absence de comportements agressifs toutes les 10 secondes ou il peut observer les enfants durant 30 secondes et ensuite noter la présence ou l'absence de tels comportements agressifs.

L'enregistrement des comportements désignés doit être soigneusement planifié. Le chercheur doit décider s'il désire noter le comportement comme il se présente ou l'enregistrer sur support matériel (p. ex. sur vidéo) en vue de le noter plus tard. Dans l'immédiat, l'observateur peut utiliser un papier et un crayon ou d'autres instruments (magnétophone, ordinateur, chronomètre) pour noter et encoder le nombre d'apparitions du comportement, l'intervalle de temps entre des comportements similaires et la durée d'un comportement. La collecte des données suit un plan d'échantillonnage, car il est impossible d'observer tous les comportements simultanément et de caractériser leur façon de s'enchainer.

L'échelle d'évaluation bipolaire constitue une autre option pour remplacer la grille d'observation pour l'enregistrement des données. L'observateur marque sur une échelle, dont les deux points extrêmes sont définis, la position correspondant à ce qu'il observe. Par exemple, il peut s'agir de noter sur une échelle à 7 points la stabilité d'humeur d'une personne dont 1 signifie une humeur stable et 7, une humeur instable.

La fidélité des données et des analyses

Les observations produisent de grandes quantités de données. Pour procéder à leur interprétation, on doit d'abord les regrouper et les résumer, ce que permettent les statistiques descriptives. En effet, le taux et la fréquence d'apparition des comportements peuvent être calculés statistiquement. Le temps, exprimé en secondes, peut également servir à évaluer la fréquence et la durée d'un comportement. Par exemple, pour évaluer l'expression de la douleur chez les nouveau-nés prématurés, on établit souvent des périodes de 30 secondes au cours desquelles on mesure la durée en secondes des grimaces du visage (sillon nasolabial, yeux fermés serrés).

Un des moyens couramment employés pour apprécier l'exactitude d'un système d'observation ou la qualité des données recueillies consiste à déterminer, à l'aide d'un même système d'observation ou d'enregistrement, la proportion d'accords qui existe entre les observateurs (intercodeurs). Ce pourcentage doit être d'au moins 80 %. On peut également recourir aux évaluations statistiques effectuées à l'aide de la statistique kappa (κ) ; ces évaluations permettent d'apprécier l'étendue de l'accord qui s'établit entre 0 et 1,00, où 0 représente l'accord obtenu par chance et où 1,00 signifie l'accord parfait. Plus le coefficient de corrélation κ se rapproche de 1,00, plus grande est la fidélité des données.

16.3.2 L'entrevue dirigée

Dans l'**entrevue dirigée**, aussi dite « structurée », l'intervieweur exerce un contrôle sur le contenu, sur le déroulement des échanges ainsi que sur l'analyse et l'interprétation des mesures (Waltz, Strickland et Lenz, 2010). La nature des questions à poser, leur formulation et leur ordre de présentation sont déterminés d'avance. Contrairement aux questions ouvertes qui caractérisent l'entrevue non dirigée, les questions fermées sont utilisées dans l'entrevue dirigée et ne laissent le choix qu'entre un nombre préétabli de réponses. Les questions fermées comprennent les questions dichotomiques, les questions à choix multiple et les énoncés d'échelle. Comme les questions à poser sont fermées, l'intervieweur est astreint à suivre un cadre défini. L'entrevue se déroule de façon identique pour tous les répondants. Au préalable, les intervieweurs reçoivent une formation et testent leurs questions afin d'en assurer la clarté. Ils veillent à exclure toute forme de partialité, verbale ou non, tant dans leur travail que dans l'entrevue. Un des avantages de l'entrevue dirigée est de permettre la comparaison des réponses des participants.

L'entrevue dirigée est semblable au questionnaire à la différence près que dans l'entrevue dirigée, les questions prédéfinies sont posées oralement, et les participants répondent de la même manière à un format d'entrevue en face à face ou par téléphone ; dans le questionnaire, les participants remplissent l'instrument eux-mêmes à l'aide d'un papier et d'un crayon ou directement à l'ordinateur. Les processus d'élaboration et d'enchainement des questions d'une entrevue dirigée étant similaires à ceux du questionnaire, ces aspects sont traités en détail dans la sous-section suivante.

16.3.3 Le questionnaire

Le **questionnaire** est un instrument de collecte des données qui exige du participant des réponses écrites à un ensemble de questions. C'est la méthode de collecte des données la plus utilisée par les chercheurs. Le questionnaire a pour but de recueillir de l'information factuelle sur des évènements ou des situations connus, sur des attitudes, des croyances, des connaissances, des impressions et des opinions. Il offre une très grande souplesse en ce qui concerne la structure, la forme et les moyens de recueillir l'information. Un questionnaire peut comprendre des questions fermées et des questions ouvertes. Les participants doivent se borner à répondre aux questions telles qu'elles sont présentées. Celles-ci suivent un ordre logique, et les biais sont plus facilement évités.

Le chercheur a la possibilité d'utiliser un questionnaire déjà existant sur le sujet ou de créer son propre questionnaire pour recueillir des données qui lui seront utiles. Il emploie généralement un questionnaire éprouvé, ce qui lui permet de comparer les résultats de son étude avec ceux qui sont publiés. Cependant, il ne convient pas toujours de se servir d'un questionnaire déjà existant, puisque le but est de recueillir de l'information factuelle. Il faut parfois faire traduire le questionnaire dans la langue des participants et l'adapter au milieu concerné. À l'occasion, le chercheur ajoute ou supprime des questions pour pouvoir répondre aux exigences de la recherche entreprise. Le chercheur désireux de construire son propre questionnaire trouvera des renseignements utiles en consultant l'ouvrage de Waltz et de ses collaborateurs (2010). Le questionnaire peut être distribué à des groupes de toutes tailles. Les participants peuvent le remplir eux-mêmes, parfois sans assistance, comme dans le cas du questionnaire expédié et retourné en ligne ou par la poste. Quant au questionnaire que l'on fait passer au cours d'une entrevue ou d'un appel téléphonique, l'assistant de recherche peut le remplir en interrogeant le participant.

La construction du questionnaire

La construction d'un questionnaire exige que le chercheur définisse clairement le but de l'étude, qu'il possède une bonne connaissance de l'état de la recherche sur le phénomène considéré et qu'il ait une idée nette de la nature des données à recueillir. L'élaboration du questionnaire suit une série d'étapes, illustrées dans la figure 16.1.

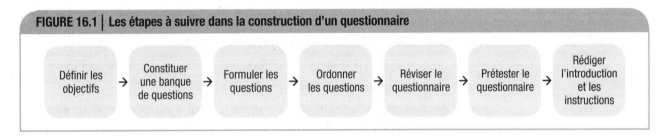

FIGURE 16.1 | Les étapes à suivre dans la construction d'un questionnaire

Définir les objectifs → Constituer une banque de questions → Formuler les questions → Ordonner les questions → Réviser le questionnaire → Prétester le questionnaire → Rédiger l'introduction et les instructions

Définir les objectifs La première étape consiste à définir les objectifs et à déterminer l'information à recueillir auprès du répondant, en tenant compte des questions de recherche ou des hypothèses. Le chercheur fixe les objectifs à atteindre, précise les thèmes à explorer en vue de comprendre le phénomène et détermine le nombre de questions ou d'énoncés pour chacun des thèmes retenus. Les questions de recherche sont les principales sources de contenu à élaborer. Le chercheur doit décider s'il assemblera des données existantes, s'il formulera de nouvelles questions ou s'il utilisera les deux formes de contenu. Tous les énoncés du questionnaire doivent se rapporter directement aux objectifs fixés. On peut dresser une liste des types ou des catégories d'informations permettant d'atteindre l'objectif et classer les éléments figurant sur cette liste par ordre de priorité. La liste doit indiquer de façon approximative le nombre de questions correspondant à chaque catégorie. Les catégories représentent les thèmes principaux sur lesquels l'information devra porter (Waltz et collab., 2010).

> Tous les énoncés du questionnaire doivent se rapporter directement aux objectifs fixés.

Constituer une banque de questions La seconde étape de la construction d'un questionnaire nécessite la recherche, dans la documentation existante, de questionnaires ou d'extraits de questionnaires qui correspondent aux objectifs poursuivis.

Les énoncés doivent avoir trait à un aspect de la question ou au thème à explorer. Parfois, on peut trouver un extrait de questionnaire annexé aux travaux de recherche, mais la plupart du temps il faut en demander un exemplaire aux auteurs. On peut adapter des questionnaires existants à ses besoins et s'en servir pour constituer une banque d'énoncés qui permettra la confection d'un nouvel instrument, conforme aux objectifs de la recherche.

Formuler les questions La formulation des questions et l'adaptation des énoncés s'y rapportant constitue la troisième étape de l'élaboration d'un questionnaire. Le chercheur décide alors si les questions seront fermées ou ouvertes, si elles porteront sur des faits ou des opinions et si elles seront directes ou indirectes. Le questionnaire peut être mixte, c'est-à-dire formé de questions ouvertes et fermées. Le chercheur doit également déterminer s'il posera plusieurs questions ou une seule pour chaque thème à traiter. Un ensemble de questions couvrant les divers aspects d'un thème permet souvent d'obtenir une information plus détaillée et plus utile. La formulation des questions doit respecter certaines caractéristiques :

- les questions doivent être aisément compréhensibles ;
- elles doivent être claires et concises ;
- elles doivent permettre d'obtenir des réponses précises ;
- chacune doit exprimer une seule idée ;
- elles doivent éviter de suggérer des réponses conformes à des normes sociales ;
- les termes techniques utilisés doivent être bien définis ;
- elles ne doivent pas comprendre de mots prêtant à interprétation ni avoir un caractère péjoratif ou tendancieux ;
- elles ne doivent pas contenir de double négation.

Le chercheur dresse aussi la liste des réponses aux questions à choix multiple. Les réponses doivent s'exclure mutuellement et se succéder dans un ordre logique. S'il s'agit de questions ouvertes, les thèmes suivront également un ordre logique. Les questions filtres, qui visent à diriger le répondant vers les questions qui le concernent directement, seront formulées soigneusement. On trouvera ci-après une description des différentes questions.

Les types particuliers de questions fermées Les questions fermées sont des questions dont la réponse doit être choisie dans une liste préétablie. Les questions dichotomiques, les questions à choix multiple, les questions par ordre de rang, les questions à énumération graphique ainsi que les listes de pointage et les questions filtres appartiennent toutes à cette catégorie.

Les questions dichotomiques offrent au répondant le choix entre deux réponses, comme oui et non, vrai ou faux. En voici un exemple :

Travaillez-vous à plein temps ?

[1] ☐ Oui

[2] ☐ Non

Les questions à choix multiple comportent une série de réponses possibles, disposées selon un ordre déterminé. En voici un exemple :

Quand avez-vous fait prendre votre pression artérielle la dernière fois ?

1 ☐ Il y a moins de six mois.

2 ☐ Il y a 6 à 12 mois.

3 ☐ Il y a plus d'un an.

4 ☐ Il y a plus de deux ans.

5 ☐ Je ne l'ai jamais fait prendre.

Les questions par ordre de rang invitent le répondant à classer les énoncés par ordre d'importance, où, par exemple, le chiffre inférieur correspond à l'énoncé le plus important, et le chiffre supérieur, à l'énoncé le moins important. De façon habituelle, le nombre d'énoncés ne devrait pas dépasser 10. En voici un exemple :

À votre avis, que devriez-vous faire pour vous maintenir en bonne santé ? Placez les énoncés suivants par ordre d'importance, 1 étant le plus important.

1 _____ Faire plus d'exercice.

2 _____ Apprendre à me détendre, à moins m'inquiéter.

3 _____ Perdre du poids.

4 _____ Prendre moins de médicaments.

5 _____ Consommer moins d'alcool.

6 _____ Améliorer mes habitudes alimentaires.

Les questions à énumération graphique demandent aux participants d'indiquer leur appréciation d'un sujet quelconque sur une échelle bipolaire dont les extrêmes sont des énoncés opposés. Le nombre de points sur l'échelle peut varier (7, 9, 11), mais il doit être impair pour que l'on ait un point neutre au centre, comme dans l'exemple suivant.

Sur une échelle de 1 à 7, indiquez votre degré de satisfaction à l'égard de l'actuelle politique du gouvernement provincial en matière de santé.

Extrêmement satisfait / 1 / 2 / 3 / 4 / 5 / 6 / 7 / Extrêmement insatisfait

Les listes de pointage sont constituées d'une liste d'énoncés parmi lesquels le répondant doit effectuer un choix. En voici un exemple, sous forme horizontale.

Cochez les domaines qui vous intéressent le plus :

☐ sociologie   ☐ sciences infirmières   ☐ éducation   ☐ psychologie

Les questions filtres peuvent être incluses dans les questions fermées. Ces questions servent à diriger le répondant vers celles qui s'appliquent à sa situation. En voici un exemple.

Fumez-vous ?

1 ☐ Oui

2 ☐ Non ⟶ Passez à la question n° 5.

Les caractéristiques des questions fermées Les questions fermées conviennent lorsque le nombre de réponses possibles est connu et limité. Les réponses présentent les caractéristiques suivantes:

- elles proposent l'ensemble des possibilités significatives pour l'étude;
- elles s'excluent mutuellement;
- elles offrent une succession logique à leurs choix de réponses;
- elles sont courtes.

Les questions fermées comportent certains avantages: elles sont simples, permettent le codage facile des réponses, leur analyse est rapide et peu couteuse, et elles peuvent faire l'objet d'un traitement statistique. De plus, elles sont uniformes et ajoutent à la fidélité des données; elles fournissent des repères au sujet, ce qui a pour effet de rendre les réponses comparables entre elles et d'écarter celles qui sont inappropriées. Les questions fermées permettent de traiter de sujets délicats, notamment le revenu annuel. Comme il est plus facile d'indiquer la fourchette correspondant à son revenu que le montant exact de ce dernier, la question évitera le style direct et proposera plutôt plusieurs catégories de revenus, comme dans l'exemple suivant.

Quel a été votre revenu familial au cours de la dernière année?

1 ☐ Moins de 15 000 $.

2 ☐ Entre 15 000 $ et 24 999 $.

3 ☐ Entre 25 000 $ et 34 999 $.

4 ☐ Entre 35 000 $ et 44 999 $.

5 ☐ 45 000 $ et plus.

Les questions fermées ont cependant l'inconvénient d'être difficiles à mettre au point. On peut commettre des omissions, dans les questions ou la série de réponses, et le choix limité de réponses peut déplaire aux répondants.

Les caractéristiques des questions ouvertes Les questions ouvertes ne proposent pas de catégories de réponses, laissant le participant libre de répondre ce qu'il veut. Elles sont surtout utilisées dans les entrevues non dirigées et semi-dirigées. Dans un questionnaire, elles peuvent aussi servir à obtenir des précisions supplémentaires sur certains aspects de la recherche. Les questions ouvertes permettent parfois de recueillir une information plus détaillée que les questions fermées. Par contre, les réponses risquent d'être incomplètes. Les questions ouvertes sont traitées à l'aide de l'analyse de contenu.

Ordonner les questions L'étape suivante consiste à disposer les questions dans un certain ordre. Comme celui-ci peut influer sur l'attitude des répondants, certains éléments peuvent être pris en considération pour améliorer les résultats. Les questions appartenant à un même sujet doivent être regroupées. Il convient de placer les questions générales avant les questions particulières. Les questions qui intéressent directement le participant viennent en premier. Si le questionnaire contient des questions ouvertes, elles sont placées à la fin, étant donné qu'il faut plus de temps pour y répondre. Il en va de même des données démographiques. L'enchainement des questions,

> Il convient de placer les questions générales avant les questions particulières.

l'apparence générale du questionnaire, sa longueur et l'espace réservé aux réponses sont des éléments essentiels à considérer dans l'élaboration du questionnaire.

Réviser le questionnaire On prépare ensuite une ébauche de questionnaire que l'on soumet à l'appréciation de personnes expertes en la matière. La version révisée d'après leurs commentaires sert de prétest auprès d'un échantillon de la population cible.

Prétester le questionnaire Le prétest est l'épreuve qui consiste à vérifier l'efficacité et la valeur du questionnaire auprès d'un petit échantillon de personnes semblables à celles qui seront évaluées. Cette étape est tout à fait indispensable, car elle permet de déceler les défauts du questionnaire, d'apporter les corrections qui s'imposent et d'estimer le temps requis pour y répondre. Si des changements d'importance sont apportés, il faut procéder à un deuxième prétest. Il importe d'inviter les intervieweurs à formuler des critiques et des suggestions.

Rédiger l'introduction et les instructions Dans une courte introduction, le chercheur présente l'étude et invite les participants à répondre au questionnaire. Des instructions claires sur la façon de répondre aux différents types de questions sont annexées. Si le questionnaire est envoyé par la poste ou de façon électronique, une lettre ou une page d'introduction doit l'accompagner pour indiquer le but de l'étude, le nom des chercheurs, le temps requis pour répondre au questionnaire, ainsi que la manière de le remplir et de le retourner.

La transmission du questionnaire

Une fois la version définitive terminée, on doit décider de la modalité des applications. On peut distinguer trois modes de transmission du questionnaire : la distribution personnelle en main propre, la poste et Internet. Si le questionnaire est présenté et remis à des groupes précis de personnes, par exemple des domaines éducationnel ou clinique, il est important de maintenir autant que possible une cohérence dans la façon de le distribuer, ainsi que dans la manière de le présenter et d'obtenir la coopération des répondants. Le questionnaire peut également être distribué à des personnes dispersées dans diverses zones géographiques (Dilman, 2000). Les questionnaires envoyés par la poste devraient avoir une présentation identique et être postés à des endroits similaires, soit à l'adresse du domicile, soit à celle du travail, mais pas une combinaison des deux afin d'uniformiser autant que possible les modalités d'application (Waltz et collab., 2010). Lorsque le participant remplit lui-même le questionnaire, le chercheur n'a pas le contrôle des conditions particulières auxquelles le répondant est soumis et qui orientent ses réponses. Des variations peuvent survenir dans l'application du questionnaire, ce qui rend difficile l'atteinte d'une standardisation hautement souhaitée. Les mêmes considérations s'appliquent avec les questionnaires remplis dans Internet par les répondants qui se trouvent à leur domicile ou au travail.

La proportion de non-réponses associée à ces questionnaires représente un problème préoccupant pour les chercheurs, et il leur faut tenir compte de ce biais dans leur évaluation (Waltz et collab., 2010). Si le taux de réponse est inférieur à 50 %, la représentativité de l'échantillon peut être compromise. Selon les écrits consultés, le pourcentage de réponse aux questionnaires envoyés par la poste serait en moyenne de 25 à 35 % (Grove, Burns et Gray, 2013). Des stratégies sont parfois mises en œuvre pour augmenter le nombre de questionnaires remplis et retournés. Ces stratégies peuvent consister à inclure une enveloppe-réponse affranchie ou à expédier un avis de rappel aux personnes qui n'ont pas répondu, environ deux semaines après l'envoi initial. Pour assurer la crédibilité des questionnaires, il faut procéder de façon constante. Par exemple, les instructions sur la manière de remplir le questionnaire ainsi que le mode de distribution doivent être les mêmes pour tous.

Les avantages et les inconvénients Le questionnaire présente certains avantages. Il constitue un moyen rapide et abordable d'obtenir des données auprès d'un grand nombre de personnes réparties dans un vaste territoire. Il comporte un caractère impersonnel ainsi qu'une présentation et des instructions uniformes. La constance d'un questionnaire à l'autre assure la fidélité de l'instrument, ce qui rend possibles les comparaisons entre les répondants. De plus, l'anonymat des réponses rassure les participants et les incite à exprimer leurs opinions librement. Le questionnaire comporte aussi certains inconvénients : un faible taux de réponse, un taux élevé de données manquantes et l'impossibilité pour les répondants d'obtenir des éclaircissements sur certains énoncés contenus dans les questionnaires qu'ils remplissent eux-mêmes. En ce qui concerne les questionnaires envoyés par la poste, il est impossible de s'assurer qu'ils sont correctement remplis. Enfin, les répondants peuvent ne pas être représentatifs de la population.

16.3.4 Les échelles

Échelle
Forme d'évaluation composite d'une caractéristique combinant plusieurs énoncés, qui donne lieu à l'attribution de valeurs ou de scores.

L'**échelle**, ou échelle de mesure, est une forme d'autoévaluation constituée de plusieurs énoncés (éléments) logiquement et empiriquement liés entre eux et destinés à mesurer un concept ou une caractéristique personnelle. L'échelle est plus précise que le questionnaire. À la différence de ce dernier et de l'entrevue, qui servent à recueillir une information factuelle, l'échelle de mesure s'emploie surtout pour évaluer des variables psychosociales, bien qu'on l'utilise aussi pour jauger des variables physiologiques telles que la douleur, la nausée ou l'intensité de l'effort. L'échelle indique le degré auquel les sujets manifestent une caractéristique donnée. Par exemple, elle sert à déterminer, chez les participants à une étude, lesquels présentent une attitude, une motivation ou un trait de personnalité précis. Les différentes valeurs pointées sur l'échelle sont généralement additionnées pour produire un score simple (échelle additive). Une valeur numérique (score) est attribuée à la position que le participant a choisie sur l'échelle représentant un continuum par rapport à la caractéristique mesurée. L'échelle de mesure peut comporter une série d'étapes, de degrés ou de gradations. Les points sur l'échelle permettent des comparaisons entre les sujets vis-à-vis de la caractéristique mesurée. Une échelle comprend les éléments suivants :

- un énoncé pivot lié à l'attitude ou au phénomène à évaluer (p. ex. « accomplit les activités de la vie quotidienne ») ;
- une série de chiffres qui indiquent des degrés sur l'échelle (p. ex. « 1, 2, …, 5 ») ;
- des catégories ou des mots d'ancrage qui définissent les degrés ou les échelons (p. ex. « 1 = fortement d'accord ; 5 = fortement en désaccord »).

Les principales échelles utilisées en recherche sont l'échelle de Likert, l'échelle différentielle sémantique, l'échelle visuelle analogique et la classification Q, bien qu'elle soit d'usage moins courant.

L'échelle de Likert

L'**échelle de Likert** est une échelle additive qui consiste en une série d'énoncés exprimant un point de vue sur un sujet. On demande aux participants d'indiquer leur degré d'accord ou de désaccord en choisissant entre des catégories de réponses possibles (p. ex. de quatre à sept) pour chaque énoncé. Les énoncés se rapportent habituellement à des attitudes ou à des traits psychologiques. Les choix de réponses sur une échelle de Likert concernent généralement l'accord avec quelque chose ou une fréquence d'utilisation ou d'application. Ainsi, les choix peuvent corresponde sur l'échelle aux catégories suivantes : « Tout à fait en désaccord », « Plutôt en désaccord », « Indécis », « Plutôt en accord », « Tout à fait d'accord ». S'il s'agit d'évaluer une fréquence, les catégories suivantes peuvent être utilisées : « Jamais », « Rarement », « Quelquefois », « Souvent », « Toujours » ou « Pas du tout », « Un peu », « Passablement », « Beaucoup », « Énormément ». Le choix des termes est varié, mais il doit être fait en fonction des énoncés (Spector, 1992). L'exemple 16.4 montre une échelle à cinq points appliquée au domaine de la santé.

Échelle de Likert
Échelle d'attitude constituée d'une série d'énoncés déclaratifs pour lesquels le répondant exprime son degré d'accord ou de désaccord.

EXEMPLE 16.4

Une échelle de Likert à cinq points

Voici quelques questions relatives à l'état de santé. Lisez attentivement chaque énoncé et encerclez le chiffre qui décrit le mieux votre situation.

Tout à fait d'accord	Plutôt d'accord	Indécis	Plutôt en désaccord	Tout à fait en désaccord
1	2	3	4	5

Énoncés	Points
1. Je peux me guérir par moi-même lorsque je suis malade..	1 2 3 4 5
2. Je ne peux rien faire pour éviter d'être malade..	1 2 3 4 5
3. Si je vois souvent un bon médecin, j'ai moins de chances d'être malade	1 2 3 4 5
4. Je crois que ma santé est influencée par des évènements soudains..........................	1 2 3 4 5

Il n'existe pas de consensus quant au nombre de catégories de réponses qui devraient être utilisées dans l'échelle de Likert. Certains soutiennent que les catégories « Neutre » ou « Indécis » peuvent réduire la possibilité de différencier les données et que, par conséquent, il est préférable d'offrir un choix forcé de réponses en utilisant un nombre pair. D'autres auteurs pensent que les répondants qui ne possèdent pas une forte opinion sur le sujet devraient avoir une option pour exprimer cette attitude. D'autres encore considèrent que les réponses du type « Indécis » ou « Neutre » sont difficiles à interpréter si un grand nombre ou très peu de sujets les choisissent. La controverse sur la catégorie « Indécis » est basée sur le niveau de mesure ordinale ou d'intervalle. S'il veut s'approcher le plus possible du zéro (échelle d'intervalle), le chercheur utilisera la catégorie « Neutre », qui justifie en quelque sorte l'utilisation de valeurs continues. S'il opte pour un choix forcé de réponses selon un ordre de grandeur (échelle ordinale), il omettra cette catégorie (Knapp, 1990 ; McMillan et Schumacher, 2006).

À chaque choix de réponse sur l'échelle correspond une valeur basée sur le degré d'accord du participant envers un énoncé. Un score global est calculé pour chaque répondant en additionnant les scores obtenus pour chaque énoncé. L'échelle proprement dite est précédée d'indications sur la marche à suivre à l'intention des répondants. L'échelle de Likert comporte un nombre moyen de 10 à 20 énoncés. Elle est censée constituer une mesure unidimensionnelle d'un concept, mais on voit souvent des sous-échelles qui produisent des scores pour chaque dimension d'un concept.

L'échelle différentielle sémantique

Échelle différentielle sémantique
Évaluation, sur une échelle bipolaire à sept points, de la signification qu'accorde un sujet à une attitude ou à un objet donné.

L'**échelle différentielle sémantique** est une technique utilisée pour mesurer les attitudes (Osgood, Suci et Tannenbaum, 1957). Elle est constituée d'un ensemble d'échelles pour lesquelles on demande aux répondants de classer les concepts sur une échelle de sept points représentant un continuum bipolaire. L'échelle bipolaire est constituée de mots pairs qui reflètent un sentiment opposé, comme «bon/mauvais». Contrairement à l'échelle de Likert, l'échelle de différenciation sémantique comporte seulement deux extrémités désignées, et le continuum ne porte pas sur l'accord/le désaccord, mais sur des adjectifs opposés qui devraient exprimer les sentiments des répondants sur le concept mesuré.

Dans une échelle différentielle, les valeurs 1 à 7 sont attribuées à chaque espace entre les adjectifs pairs, où 1 représente la réponse la plus négative et où 7 indique la réponse la plus positive. Le milieu représente une position neutre. Pour éviter les biais, l'ordre de présentation des réponses négatives et positives varie aléatoirement.

L'exemple 16.5 présente un exemple d'une échelle de différenciation sémantique qui évalue la qualité de vie chez des personnes âgées vivant en résidence.

EXEMPLE 16.5

Une échelle différentielle sémantique servant à évaluer la qualité de vie

Qualité de vie

Excellente	1	2	3	4	5	6	7	Mauvaise
Hors contrôle	1	2	3	4	5	6	7	En contrôle
Satisfaisante	1	2	3	4	5	6	7	Insatisfaisante
Stable	1	2	3	4	5	6	7	Instable
Forte	1	2	3	4	5	6	7	Faible
Détériorée	1	2	3	4	5	6	7	Améliorée

Les réponses «Détériorée» et «Hors contrôle» sont placées à gauche de l'échelle, alors que les réponses «Améliorée» et «En contrôle» sont à droite; dans les autres échelles, ce sont les valeurs positives qui sont à gauche et les valeurs négatives à droite. Chaque ligne est considérée comme une échelle. On attribue des scores de 1 à 7 à chaque réponse bipolaire et l'on additionne les réponses pour obtenir le résultat global pour chaque sujet. La différenciation sémantique est d'une grande souplesse, car elle permet la construction d'échelles servant à mesurer différents aspects d'une attitude. Le but est de dégager la signification du concept. La recherche sur ces échelles a démontré la tendance des adjectifs pairs de se regrouper autour de trois dimensions ou facteurs : l'évaluation, la puissance et l'activité. Nunnally et Bernstein (1994) expliquent la logique qui sous-tend la différenciation sémantique et décrivent en détail la technique de la mesure des attitudes et des sentiments.

L'échelle visuelle analogique

L'**échelle visuelle analogique** sert à évaluer l'intensité d'une expérience subjective. Elle est largement utilisée comme outil clinique et de recherche. L'échelle mesure des éléments tels que la douleur, la fatigue, la dyspnée, la nausée, la qualité du sommeil et la gravité clinique des symptômes (Waltz et collab., 2010 ; Wewers et Lowe, 1990). Plutôt que de demander aux répondants de pointer leur degré d'accord ou de désaccord sur une échelle de Likert, on les invite à indiquer l'intensité de leurs sentiments, de leurs symptômes ou la qualité de leur humeur, en traçant un trait sur une ligne horizontale ou verticale de 100 mm où, à chaque extrémité, des mots d'ancrage décrivent le degré d'intensité d'un stimulus. Les stimulus doivent être clairement définis et compréhensibles pour les répondants. La valeur du score s'obtient en mesurant la distance en millimètres entre le trait tracé par le sujet et le début de l'échelle. Les points de repère montrent des états allant de l'absence de sensation (p. ex. pas de douleur) à l'intensité maximale (p. ex. une douleur insupportable). L'exemple 16.6 présente une échelle visuelle analogique.

Échelle visuelle analogique
Instrument d'évaluation servant à mesurer certains concepts (p. ex. la fatigue, la douleur, la dyspnée) en demandant aux répondants d'indiquer l'intensité de leurs symptômes sur une ligne mesurant 100 mm.

EXEMPLE 16.6

Une échelle visuelle analogique de 100 mm montrant un trait à 32 mm

Pas de douleur /_____/_____/ Douleur insuportable

Les résultats obtenus avec l'échelle visuelle analogique sont traités comme des données de proportion ou de ratio mesurées en millimètres, ce qui permet d'obtenir une moyenne et d'utiliser des statistiques paramétriques (Price, McGrath, Rafili et Buckingham, 1983). L'échelle visuelle analogique est beaucoup plus sensible aux changements que ne le sont les échelles numériques et additives. Fréquemment utilisée dans la recherche en soins de santé, elle a l'avantage d'être facile à construire, de plaire aux participants et d'être assez sensible pour détecter de faibles fluctuations du degré d'intensité ou de la qualité des expériences. Dans une recension des écrits, Williamson et Hoggart (2005) concluent que l'échelle visuelle analogique est fidèle et valide et que son usage convient bien à la pratique clinique.

La classification Q

La **classification Q** (*Q-sort*) est une technique analytique mise au point par Stephenson (1953). Son intérêt réside dans le fait qu'elle se situe à la frontière des études qualitatives et quantitatives. Elle permet de caractériser les attitudes, les

Classification Q
Technique analytique utilisée pour catégoriser des attitudes ou des jugements personnels à l'aide d'un processus de comparaison par classement.

préférences et la personnalité des répondants à l'aide d'un processus de comparaison par mise en ordre de rang. Elle se fonde sur le principe que la subjectivité peut être étudiée de manière objective et scientifique. Ce type d'échelle est utilisé pour apprécier les ressemblances entre les attitudes et les perceptions de différents sujets ou de différents groupes, ainsi que pour observer les changements survenus à cet égard dans des groupes. La classification Q est préorganisée par le chercheur à partir d'énoncés sur un sujet particulier provenant d'une variété de sources (Watts et Stenner, 2012). L'échelle permet de connaitre le degré d'accord ou de désaccord des participants relativement à une idée ou à une caractéristique particulière. La généralisation de la classification Q est limitée du fait que les participants ne sont pas choisis de façon aléatoire. L'exemple 16.7 décrit brièvement l'étude menée par Barker (2008) dans laquelle la classification Q a été utilisée.

EXEMPLE 16.7

Une étude ayant utilisé la classification Q

Le but de l'étude consistait à examiner les points de vue d'infirmières travaillant en santé mentale par rapport aux connaissances qu'elles utilisent dans leur pratique quotidienne. Les thèmes relatifs aux connaissances ont été générés par ordinateur. L'examen de ces thèmes a permis de retenir 66 énoncés pour la classification Q. Les énoncés ont été écrits sur des cartes et numérotés de façon aléatoire. Chaque participante a reçu 66 cartes représentant les thèmes sur les connaissances, et on leur a demandé de classer les énoncés sur un continuum de «Pas du tout d'accord» (−5) à «Complètement d'accord» (+5). En réponse à la question de recherche, les participantes ont classé les cartes de la façon indiquée ci-dessous sur la répartition d'une classification Q de 66 cartes concernant les connaissances qu'elles utilisent le plus et le moins dans leur pratique.

La répartition d'une classification Q de 66 cartes

Quelles sont les connaissances que vous UTILISEZ LE MOINS ou LE PLUS dans votre pratique quotidienne comme infirmière en santé mentale? Classez les énoncés de −5 (le moins) à +5 (le plus) en plaçant le nombre de cartes sous chaque catégorie désignée.

	Connaissances UTILISE LE MOINS						Connaissances UTILISE LE PLUS				
Catégorie	−5	−4	−3	−2	−1	0	+1	+2	+3	+4	+5
Nombre de cartes	3	4	6	7	8	10	8	7	6	4	3

Les données ont été analysées à l'aide de trois approches: la corrélation, l'analyse factorielle et le calcul des groupes de scores. L'auteure conclut que la classification Q fournit un moyen d'accéder à la subjectivité des infirmières en santé mentale et de l'explorer au regard des connaissances utilisées dans leur pratique quotidienne; elle permet aussi de prendre en considération les répercussions sur la formation infirmière[1]. (Traduction libre)

1. Pour un exemple plus détaillé, se reporter à l'article de van Hooft, S.M., Dwarswaard, J., Jedeloo, S., Bal, R. et Staa, A. (2015). Four perspectives on self-management support by nurses for people with chronic conditions: A Q-methodology study. *International Journal of Nursing Studies, 52*(1), 157-166.

La technique consiste à présenter aux participants, recrutés à l'aide d'un échantillonnage intentionnel, une pile de cartes contenant chacune des énoncés, des phrases ou des images désignant une idée, un comportement, etc. Les participants doivent classer les cartes selon un certain ordre, en formant habituellement de 9 à 11 piles. Par exemple, les cartes peuvent contenir une liste de domaines relatifs à l'administration des soins, et les participants doivent classer les cartes selon leur degré d'acquiescement à un énoncé. Le critère est défini sur un continuum discret, comme une échelle à 11 points, où 0 représente aucun intérêt et 10, l'intérêt le plus grand. L'étendue de la classification Q peut représenter de 60 à 100 cartes. Selon cette technique, les participants sont limités par le nombre de cartes à répartir dans chaque pile. Les cartes sont placées dans les piles de manière à former une courbe de distribution normale de réponses, c'est-à-dire que très peu de cartes indiquent les extrêmes. On demande aux participants de choisir d'abord les cartes qu'ils désirent disposer aux extrémités et de poursuivre avec les catégories du centre où se trouve le plus grand nombre de cartes. Le chercheur précise ainsi le nombre de cartes à placer dans chaque pile, afin de forcer le choix des participants. La première pile devrait contenir les énoncés suscitant l'attitude la plus positive du répondant, et la dernière pile, ceux qui génèrent l'attitude la plus négative (Nieswiadomy, 2008).

En conclusion, toutes les échelles décrites, sauf l'échelle visuelle analogique, utilisent des méthodes de classement ou de notation permettant de catégoriser les répondants en fonction de leurs traits psychologiques. L'échelle de Likert et les types d'échelles qui lui sont associés présentent des énoncés se rapportant à des caractéristiques ou à des concepts avec lesquels les répondants expriment leur degré d'accord. L'échelle de différenciation sémantique mesure le sens connotatif des concepts chez les participants. La classification Q évalue les différences individuelles concernant les préférences accordées aux divers stimulus.

16.3.5 Les mesures physiologiques

Les **mesures physiologiques** servent à collecter des données biophysiques à l'aide d'instruments, d'appareils médicaux ou d'analyses de laboratoire. Elles fournissent généralement des données plus objectives et plus précises que la plupart des autres méthodes de collecte des données. Les mesures biophysiques comprennent entre autres le prélèvement sanguin, la pression artérielle, les tests de laboratoire, les rayons X et l'électrocardiogramme. Bien qu'elles procurent des données sur les variables biologiques, les mesures biophysiques donnent parfois des indications sur des variables psychologiques. Par exemple, le pouls est une mesure biophysique qui est souvent utilisée pour évaluer l'anxiété.

Mesures physiologiques
Techniques utilisées pour mesurer des variables physiologiques directement ou indirectement, telles que la pulsation, la pression artérielle et la douleur.

Certains changements physiologiques qui accompagnent souvent des réactions émotives intenses sont mesurables. Aux mesures spécialement conçues pour évaluer le stress et l'anxiété, on ajoute souvent des mesures du rythme cardiaque, de la pression artérielle et du taux de cortisol, qui fournissent d'autres types d'information. L'observation d'indicateurs fonctionnels permet d'évaluer l'état de santé. Par exemple, les troubles du sommeil sont souvent liés à des problèmes de santé. Le sommeil peut être évalué à l'aide d'appareils et par des programmes informatisés, tel le *Sleep State Evaluation Program* (SSEP). Ce programme consiste à lire les données analogiques emmagasinées sur disque et utilise des algorithmes pour classifier les états de sommeil. En psychophysiologie, les mesures de l'activité cardiovasculaire s'avèrent parfois très utiles dans l'étude des réactions de l'organisme à des situations stressantes.

Certains phénomènes physiologiques sont plus subjectifs que d'autres, comme la douleur, la fatigue, la nausée, la dyspnée. Pour les quantifier, il faut demander au sujet d'évaluer leur intensité ou les changements qui se produisent sur le plan de la sensation. L'utilisation d'échelles visuelles analogiques est tout indiquée pour évaluer l'intensité des stimulus perçus par le sujet. Il arrive que les mesures physiologiques soient erronées, et la cause est souvent attribuable à un mauvais calibrage des instruments. Parmi les erreurs courantes, signalons les faux positifs et les faux négatifs (*voir la section 15.6*), qui peuvent survenir au cours de tests de dépistage, comme dans l'évaluation des indices de sensibilité et de spécificité (p. ex. le frottis cervical dans le dépistage du cancer du col de l'utérus).

16.3.6 D'autres méthodes de collecte des données

Technique Delphi
Méthode qui permet de connaitre l'opinion d'experts sur des situations ou des problèmes prévalent sans que les participants aient à se déplacer.

La **technique Delphi** est une méthode de collecte des données qui consiste en une série d'envois et de retours de questionnaires visant à établir un consensus auprès d'un groupe d'experts sur un sujet particulier. Elle permet de recueillir les opinions d'un grand nombre d'experts de différents pays sans que ceux-ci aient à se déplacer. Elle est appropriée pour examiner les opinions et les croyances, pour faire des prédictions concernant les connaissances qu'ont les experts sur un sujet d'étude ou pour établir des priorités dans un domaine particulier.

Le chercheur envoie aux experts un questionnaire qui porte sur un sujet précis, en vue de connaitre leurs opinions sur différents aspects de celui-ci. Le chercheur procède ensuite à l'analyse des questionnaires retournés. Il expédie un deuxième questionnaire aux experts pour réexamen, puis d'autres, jusqu'à l'atteinte d'un consensus. Ce dernier s'établit sans interactions entre les répondants, afin d'éviter les biais, comme celui créé par la présence d'une personne dominante exerçant son influence pour privilégier un point de vue.

Vignette
Bref scénario qui peut être présenté à des participants en vue d'obtenir leurs réactions à un évènement ou à une situation.

La **vignette** consiste en une brève description d'un évènement ou d'une situation à laquelle les répondants doivent réagir en donnant leur opinion sur un phénomène à l'étude. Les situations ou les évènements relatés peuvent être réels ou hypothétiques. Les questions posées à la suite de la présentation des vignettes ou des enregistrements vidéos peuvent être ouvertes ou fermées. Les participants expriment leur appréciation du contenu des vignettes sur une échelle. Les vignettes peuvent s'insérer dans un questionnaire distribué par la poste ou disponible dans Internet et s'avérer utiles pour apprécier les comportements dans des situations inhabituelles. Cette technique peut être employée comme une mesure indirecte pour évaluer des attitudes, des stéréotypes ou des préjugés. Cependant, le fait de répondre à une situation hypothétique ne traduit pas nécessairement le comportement actuel. L'exemple 16.8 résume une étude intégrant des vignettes conduite par Allen, Petro et Phillips (2009).

EXEMPLE 16.8

Une étude ayant utilisé des vignettes

Dans une enquête menée sur le Web, les auteurs ont utilisé la méthode des vignettes en vue d'examiner les différences individuelles dans les perceptions d'acceptabilité de jeunes adultes envers la sexualité des femmes âgées. Des facteurs physique, mental et social, dont les attitudes et les stéréotypes, liés à l'expression sexuelle ont été évalués (Allen et collab., 2009). Quatre vignettes ont été élaborées pour représenter différents états de santé de femmes âgées de 75 ans tels que ceux-ci : 1) santé physique et cognitive; 2) déclin physique; 3) déclin cognitif; 4) déclin physique et cognitif. Les participants ont répondu à un questionnaire portant sur leurs perceptions à l'égard de la capacité des femmes âgées à avoir des contacts sexuels et à accepter divers comportements à caractère sexuel. (Traduction libre)

Les vignettes sont considérées comme une façon économique d'explorer des situations qui ne sont pas nécessairement accessibles dans la pratique. Elles représentent aussi une ressource efficace pour capter le comportement de sujets dans des situations où l'observation serait difficile à réaliser autrement.

Le tableau 16.2 résume le rôle, les avantages et les inconvénients des principales méthodes de collecte des données.

TABLEAU 16.2	Les principales méthodes de collecte des données		
Méthode	**Caractéristiques**	**Avantages**	**Inconvénients**
Observations : • non structurées • structurées	Méthode qui consiste à recueillir de l'information sur des comportements ou sur des activités.	Collecte de données qu'il serait difficile d'obtenir par d'autres méthodes.	Risques de biais provenant des observateurs. Temps exigé important.
Entrevues : • non dirigées • semi-dirigées • dirigées	Interactions verbales qui consistent à recueillir de l'information sur les perceptions des répondants.	Obtention de données descriptives riches de contenu.	Temps considérable exigé pour la réalisation et l'analyse. Risques de biais de la part de l'intervieweur.
Groupes de discussion focalisée	Type d'entrevue qualitative qui réunit un petit groupe pour une discussion orientée sur un sujet en particulier.	Points d'accord et de controverse et points de vue qui évoluent bien cernés.	Temps de préparation accru par rapport à l'entrevue individuelle.
Questionnaires	Méthode de collecte de données sur les attitudes, les opinions et les comportements.	Cout faible. Souplesse quant à la structure et à la façon de les faire passer.	Taux de réponse faible. Risque d'avoir des données manquantes.
Échelles : • Likert • différentielle sémantique • visuelle analogique • classification Q	Séries d'énoncés qui permettent de recueillir des données sur des attitudes, des traits psychologiques.	Précision. Possibilité d'obtenir des scores et de faire des comparaisons.	Risque d'avoir un nombre d'énoncés trop faible ou trop élevé.
Mesures physiologiques	Techniques servant à mesurer des variables physiologiques à l'aide d'instruments ou d'appareils.	Précision et objectivité ; elles fournissent des tests valides.	Techniques parfois invasives. Leur utilisation et leur interprétation exigent souvent une formation.
Technique Delphi	Recherche d'un consensus auprès d'experts dispersés.	Recours efficace auprès d'experts.	Processus lent. Présence d'un problème de validité des réponses.
Vignettes	Présentation de scénarios qui sollicitent les réactions des répondants.	Utilité pour apprécier des comportements dans des situations inhabituelles.	Risques de biais dans les réponses.

16.4 La traduction et l'adaptation d'échelles

La traduction d'un instrument de mesure vers une autre langue est un processus complexe, spécialement dans le cas d'échelles de mesure dont les énoncés représentent les dimensions d'un concept. La traduction d'une échelle doit permettre la comparaison des concepts entre des répondants appartenant à des cultures différentes. Ce genre de comparaison est possible à condition que la signification donnée aux concepts dans l'échelle originale et validée dans l'autre langue soit la même pour les deux cultures (Hulin, 1987). L'équivalence des mesures est l'élément recherché. Pour réussir à obtenir un instrument traduit qui est l'équivalent de l'original, des points de vue culturel et fonctionnel, il faut être familiarisé avec les exigences linguistiques inhérentes au travail de traduction et avec les particularités culturelles et psychométriques des populations concernées (Hilton et Skrutkowski, 2002). Une traduction littérale ne peut convenir puisqu'il faut conserver la signification des construits (*voir la section 15.7 du chapitre 15*).

16.5 L'examen critique des méthodes de collecte des données

L'encadré 16.1 présente un certain nombre de questions qui peuvent servir de guide pour procéder à l'examen critique de l'application d'une méthode de collecte des données. Le lecteur cherche à savoir quels sont les instruments de mesure utilisés dans l'étude, s'ils sont appropriés au genre d'information que l'on cherche à obtenir. S'il s'agit d'un instrument traduit d'une autre langue, le lecteur veut connaitre la façon dont il a été traduit et si les concepts de fidélité et de validité ont été pris en considération.

ENCADRÉ 16.1 | Quelques questions guidant l'examen critique des méthodes de collecte des données

Instrument

- Quels sont les instruments de mesure qui ont servi à évaluer les concepts?
- Les instruments de collecte des données sont-ils décrits clairement et des précisions sont-elles apportées sur les divers aspects relatifs à la fidélité et à la validité?

Entrevue

- Les questions d'entrevue sont-elles énoncées relativement au problème de recherche?
- Le schéma ou le guide d'entrevue décrit-il suffisamment le sujet à traiter?

Groupe de discussion

- S'il s'agit d'un groupe de discussion focalisée, quel but poursuit-il?
- Le groupe était-il suffisamment homogène pour favoriser pleinement la participation?

Observation

- L'objet sur lequel porte l'observation et les unités d'analyse sont-ils définis clairement?

Questionnaire

- Le questionnaire décrit-il de façon suffisante le sujet à traiter dans l'étude?
- Rapporte-t-on de l'information sur la validité de contenu du questionnaire?
- Les aspects liés à l'anonymat et à la confidentialité ont-ils été pris en considération?

Échelle

- S'il s'agit d'une échelle, celle-ci est-elle clairement décrite?
- L'information sur la fidélité et la validité de l'échelle provenant d'études antérieures est-elle rapportée?
- Si l'échelle a été traduite, précise-t-on la façon dont la traduction et l'adaptation ont été faites?

Points saillants

16.1	**Le choix d'une méthode de collecte des données**	• Le chercheur dispose d'une grande diversité de méthodes de collecte des données. • Certains facteurs sont à considérer dans le choix d'un instrument de collecte des données, en particulier le niveau de recherche et l'accessibilité des instruments.
16.2	**Les méthodes de collecte des données qualitatives**	• Certaines méthodes de collecte des données sont propres à la recherche qualitative : les méthodes d'observation non structurées peuvent faire appel à l'observation participante ou au groupe de discussion focalisée. • Les méthodes d'observation consistent à recueillir de l'information sur des comportements ou sur des activités. • L'observation participante permet au chercheur de découvrir le sens de la dynamique des groupes en s'intégrant dans le milieu pour mieux comprendre leur fonctionnement, la signification des comportements et les interactions entre les participants. • Les entrevues sont des modes particuliers de communication verbale qui s'établissent entre deux personnes, un intervieweur qui recueille l'information et un répondant qui fournit les données. Elles peuvent être non dirigées ou semi-dirigées. • Les groupes de discussion focalisée sont des types d'entrevues qui réunissent un petit nombre de participants et un animateur pour examiner en détail leur façon de penser, leurs opinions et leurs réactions vis-à-vis d'un sujet en particulier.
16.3	**Les méthodes de collecte des données quantitatives**	• Dans la recherche quantitative, les principales méthodes de collecte des données sont l'observation structurée, l'entrevue dirigée, les questionnaires, les échelles, les mesures physiologiques et d'autres méthodes, comme la technique Delphi et les vignettes. • L'observation structurée consiste à observer des comportements particuliers à l'aide de formes standardisées où l'on inscrit ce qui doit être observé et comment les données seront enregistrées. • L'entrevue dirigée se caractérise par le contrôle rigoureux exercé par le chercheur sur les questions posées et sur la façon d'y répondre. • Les questionnaires sont constitués d'une série de questions auxquelles les participants doivent répondre par écrit. • La construction d'un questionnaire suit un certain nombre d'étapes : 1) définir les objectifs ; 2) constituer une banque de questions ; 3) formuler les questions ; 4) ordonner les questions ; 5) réviser le questionnaire ; 6) prétester le questionnaire ; 7) rédiger l'introduction et les instructions. • Les échelles sont des formes d'autoévaluation constituées de plusieurs énoncés destinés à mesurer un concept ou une caractéristique. • Les principaux types d'échelles sont l'échelle de Likert, l'échelle différentielle sémantique, l'échelle visuelle analogique et la classification Q. • L'échelle de Likert est la plus utilisée. Elle comporte une série d'énoncés qui expriment un point de vue sur un sujet. Les participants indiquent leur degré d'accord ou de désaccord avec les différents énoncés. • La mesure des variables physiologiques peut être directe ou indirecte. Elle sert à collecter des données biophysiques à l'aide d'instruments, d'appareils médicaux ou d'analyses de laboratoire.
16.4	**La traduction et l'adaptation d'échelles**	• La traduction d'un instrument de mesure dans une autre langue est un processus complexe qui comporte plusieurs étapes. • La traduction d'une d'échelle doit permettre la comparaison des concepts entre les répondants des différentes cultures.

Mots clés

Classification Q	Échelle visuelle analogique	Mesure physiologique	Questionnaire
Échelle	Entrevue dirigée	Observation participante	Technique Delphi
Échelle de Likert	Entrevue non dirigée	Observation structurée	Vignette
Échelle différentielle sémantique	Entrevue semi-dirigée	Question fermée	
	Groupe de discussion focalisée	Question ouverte	

Exercices de révision

1. Quelles sont les mesures reconnues pour leur objectivité et leur précision?

2. Quelle méthode de collecte des données emploie-t-on de préférence pour évaluer les communications non verbales?

3. Quel type d'instrument de mesure permet d'additionner des scores?

4. Quel type d'instrument de mesure permet d'exprimer un point de vue sur un sujet?

5. Associez l'énoncé qui convient à chacune des méthodes de collecte des données.

   a) L'entrevue
   b) L'échelle de Likert
   c) Le questionnaire
   d) L'échelle différentielle sémantique
   e) L'observation
   f) Les mesures physiologiques
   g) La vignette
   h) La classification Q
   i) La technique Delphi
   j) L'échelle visuelle analogique

Énoncés

1) Peut être utilisée pour recueillir des données auprès des enfants.

2) Sont rarement utilisées dans les recherches qualitatives.

3) Est une échelle bipolaire à sept points comportant des adjectifs de sens opposés à chaque extrémité.

4) Sert à mesurer des expériences subjectives telles que la douleur et la dyspnée.

5) Présente des énoncés pour lesquels les répondants indiquent leur degré d'accord ou de désaccord.

6) Recueille les opinions d'experts de différents pays.

7) Consiste à présenter aux participants une pile de cartes portant chacune un énoncé sur un thème donné.

8) Est souvent utilisée pour évaluer des préjugés ou des stéréotypes.

9) Est principalement utilisée dans les études qualitatives.

10) L'ordre dans lequel les questions sont posées est défini.

Liste des références

Les références citées dans la rubrique « Exemple » ou dans les citations peuvent ne pas figurer dans cette liste.

Allen, R.S., Petro, K.N. et Phillips, L.L. (2009). Factors influencing young adults' attitudes and knowledge of late life sexuality among older women. *Aging & Mental Health, 13*(2), 238-245.

Balthip, Q. et Purnell, M.J. (2014). Pursuing meaning and purpose in life among Thai adolescents living with HIV: A grounded theory study. *Journal of the Association of Nurses in AIDS Care, 25*(4), e27-e38.

Barker, J.H. (2008). Q-methodology: An alternative approach to research in nurse education. *Nurse Education Today, 28*(8), 917-925.

Beaugrand, J.P. (1988). Observation directe du comportement. Dans M. Robert. *Recherche scientifique en psychologie* (3ᵉ éd.) (p. 277-310). Saint-Hyacinthe, Québec: Edisem.

Clukey, L., Weyant, R.A., Roberts, M. et Henderson, A. (2014). Discovery of unexpected pain in intubated and sedated patients. *Journal of Critical Care, 23*(3), 216-220.

Costa, B.M., Hayley, A. et Miller, P. (2014). Young adolescents' perceptions patterns, and contexts of energy drink use: A focus group study. *Appetite, 80,* 183-189.

Côté-Arsenault, D. et Morrison-Beedy, D. (1999). Practical advice for planning and conducting focus groups. *Nursing Research, 48*(50), 280-283.

Dilman, D.A. (2000). Mail and Internet surveys: The tailored design method (2ᵉ éd.). New York, NY: Wiley.

Fontana, A. et Frey, J.H. (1994). Interviewing: The art of science. Dans N.K. Denzin et Y.S.Lincoln (dir.). *Handbook of qualitative research* (p. 361-376). Thousand Oaks, CA: Sage Publications.

Geoffrion, P. (2009). Le groupe de discussion. Dans B. Gauthier (dir.). *Recherche sociale : de la problématique à la collecte des données* (5ᵉ éd.) (p. 392-414). Québec, Québec : Presses de l'Université du Québec.

Goodman, C. et Evan, C. (2006). Using focus groups. Dans K. Gerrish et A. Lacey. *The research process in nursing* (5ᵉ éd.) (p. 353-366). Londres, Angleterre : Blackwell Publishing.

Grove, S.K., Burns, N. et Gray, J.R. (2013). The practice of nursing research: Appraisal, synthesis, and generation of evidence. Saint-Louis, MO : Elsevier.

Hilton, A. et Skrutkowski, M. (2002). Translating instruments into other languages: Development and testing processes. *Cancer Nursing, 25*(1), 1-7.

Hulin, C.L. (1987). A psychometric theory of evaluations of item and scale translations: Fidelity across languages. *Journal of Cross-Cultural Psychology, 18*(2), 30-39.

Ivanoff, S.D. et Hultberg, J. (2006). Understanding the multiple realities of everyday life: Basis assumptions in focus-group methodology. *Scandinavian Journal of Occupational Therapy, 13*, 125-132.

Johnson, B. et Christensen, L. (2004). *Educational research: Quantitative, qualitative, and mixed approaches* (2ᵉ éd.). Boston, MA : Pearson/ Allyn & Bacon.

Knapp, T.R. (1990) Treating ordinal scales as interval scales: An attempt to resolve the controversy. *Nursing Research, 39*(2), 121-123.

Laperrière, A. (2009). L'observation directe. Dans B. Gauthier (dir.). *Recherche sociale : de la problématique à la collecte des données* (5ᵉ éd.) (p. 311-316). Québec, Québec : Presses de l'Université du Québec.

Lodico, M.G., Spaulding, D.T. et Voegtle, K.H. (2010). *Methods in educational research: From theory to practice* (2ᵉ éd.). San Francisco, CA : Jossey-Bass.

Macnee, C.L. et McCabe, S. (2008). *Understanding nursing research: Reading and using research in evidence-based practice* (2ᵉ éd.). Philadelphie, PA : Wolters Kluwer/Lippincott Williams & Wilkins.

McMillan, J.H. et Schumacher, S. (2006). *Research in education: Evidence-based inquiry* (6ᵉ éd.). Boston, MA : Pearson/Allyn & Bacon.

Nieswiadomy, R.M. (2008). *Foundation of nursing research* (5ᵉ éd.). Upper Saddle River, N.J. : Pearson/Prentice Hall.

Nunnally, J.C. et Bernstein, I.H. (1994) *Psychometric theory* (3ᵉ éd.). New York, NY : McGraw-Hill.

Osgood, C.E., Suci, G.J. et Tannenbaum, P.H. (1957). *The measurement of meaning.* Chicago, IL : University of Illinois Press.

Peretz, H. (2004). *Les méthodes en sociologie : l'observation.* Coll. Repères. Paris, France : La découverte.

Polit, D.E. et Beck, C.T. (2012). *Nursing research: Generating and assessing evidence for nursing practice* (9ᵉ éd.). Philadelphie, PA : Lippincott Williams & Wilkins.

Portney, L.G. et Watkins, M.P. (2009). *Foundations of clinical research: Applications to practice* (3ᵉ éd.). Upper Saddle River, NJ : Pearson/ Prentice Hall.

Price, D.D., McGrath, P.A., Rafili, A. et Buckingham, B. (1983). The validation of visual analogue scales as ratio scale measures for chronic and experimental pain. *Pain, 17*(1), 45-56.

Savoie-Zajc, L. (2009). L'entrevue semi-dirigée. Dans B. Gauthier (dir.). *Recherche sociale : de la problématique à la collecte des données* (5ᵉ éd.) (p. 337-360). Québec, Québec : Presses de l'Université du Québec.

Seidman, I. (2006). *Interviewing as qualitative research: A guide for researchers in education and the social sciences.* New York, NY : Teachers College Press.

Spector, P.E. (1992). *Summated rating scale construction: An introduction.* Newbury Park, CA : Sage Publications.

Stephenson, W. (1953). *The study of behavior: Q Technique and its methodology.* Chicago, IL : University of Chicago Press.

Waltz, C.F., Strickland, O.L. et Lenz, E.R. (2010). *Measurement in nursing and health research* (4ᵉ éd.). New York, NY : Springer Publishing Company.

Watts, S. et Stenner, P. (2012). *Doing Q methodological research: Theory, method and interpretation.* Londres, Angleterre : Sage Publications.

Wewers, M.E. et Lowe, N.K. (1990). A critical review of visual analogue scales in the measurement of clinical phenomena. *Research in Nursing and Health, 13*(4), 227-236.

Williamson, A. et Hoggart, B. (2005). Pain: A review of three commonly used pain rating scales. *Journal of Clinical Nursing, 14*, 798-804.

La phase empirique :
la collecte des données

La phase empirique concerne les activités qui entourent la collecte des données sur le terrain. Pour être en mesure de procéder à la collecte d'information auprès des participants, il a été nécessaire, au cours de la phase méthodologique, de concevoir des instruments appropriés aux données à recueillir ou d'adapter des instruments existants au contexte de l'étude. Une fois les données recueillies, le chercheur procède à leur organisation et à leur codification en vue des analyses de contenu ou des analyses statistiques descriptives et inférentielles, qui seront présentées dans la phase analytique.

1	**2**	**3**	**4**	**5**
PHASE CONCEPTUELLE	**PHASE MÉTHODOLOGIQUE**	**PHASE EMPIRIQUE**	**PHASE ANALYTIQUE**	**PHASE DE DIFFUSION**
• Choisir le sujet d'étude	• Prendre en compte les enjeux éthiques	• Recueillir les données sur le terrain et les organiser pour l'analyse	• Analyser les données	• Communiquer les résultats
• Recenser les écrits et en faire la lecture critique	• Choisir un devis de recherche		• Présenter et interpréter les résultats	• Intégrer les données probantes dans la pratique professionnelle
• Élaborer le cadre de recherche	• Sélectionner les participants			
• Formuler le problème	• Apprécier la qualité de la mesure des concepts			
• Énoncer le but, les questions et les hypothèses	• Préciser les méthodes de collecte des données			

CHAPITRE 17

La collecte et l'organisation des données

Objectifs d'apprentissage

Après avoir étudié ce chapitre, vous serez en mesure :

- de connaitre les préalables à la collecte des données ;
- de discuter des principaux problèmes liés à la collecte des données ;
- de vous familiariser avec le codage des données ;
- de reconnaitre l'importance d'élaborer un cahier de codes pour la saisie des données à l'ordinateur.

Plan du chapitre

La phase méthodologique a consisté à élaborer un devis de recherche, à préciser le genre d'étude qui convient le mieux au but de la recherche, à délimiter la population et la taille de l'échantillon, à fournir des définitions opérationnelles des variables et à choisir les méthodes et les instruments de collecte des données. Il s'agit maintenant de réaliser la phase empirique, à savoir de recueillir les données sur le terrain. Cependant, avant d'entreprendre cette collecte d'information, un certain nombre d'étapes préparatoires doivent être franchies. Il convient de mettre en œuvre un plan qui précise comment les données recueillies seront enregistrées, organisées, réduites et analysées. Le chercheur doit être en mesure de préciser les variables à mesurer et les instruments appropriés et prévoir les facteurs susceptibles d'influer sur le processus de collecte des données. Ce chapitre donne un aperçu général des procédures initiales précédant la collecte des données, les façons de les recueillir, la collecte proprement dite et les problèmes associés, le codage et les éléments d'élaboration d'un cahier de codes. La démarche particulière d'analyses des données qualitatives sera traitée dans le prochain chapitre.

17.1 Les procédures préparatoires à la collecte des données

C'est au cours de la phase empirique que le chercheur amorce la collecte des données proprement dite auprès des participants. Cependant, cette collecte sur le terrain doit être soigneusement préparée pour éviter les embuches; en effet, le chercheur doit souvent faire face à certaines difficultés, dont l'accessibilité et le recrutement des sujets, le respect des droits de la personne et le fait de composer avec les multiples intermédiaires pour trouver des participants et résoudre les problèmes liés à leur recrutement. Ainsi, avant d'entreprendre la collecte des données, le chercheur doit effectuer certaines démarches préliminaires. Par exemple, il lui faut obtenir l'autorisation des instances concernées et l'approbation du comité d'éthique de la recherche, assurer la constance dans la collecte de l'information et la confidentialité des données, recruter les participants, ainsi que remédier aux problèmes potentiels pouvant survenir au cours du processus de collecte des données.

> C'est au cours de la phase empirique que le chercheur amorce la collecte des données proprement dite auprès des participants.

17.1.1 L'autorisation des instances concernées

Avant toute chose, le chercheur doit s'adresser aux instances concernées pour demander l'autorisation de conduire son étude dans l'établissement qu'il a choisi en fonction de la population cible. Sa demande doit préciser en quoi consiste le projet, qui sont les participants et quelles seront les ressources à mobiliser. Il faut noter que la demande d'autorisation peut varier selon que le chercheur est membre associé ou non du centre de recherche de l'établissement dans lequel se déroulera l'étude. Dans certaines disciplines, par exemple en sciences infirmières, le chercheur établit des contacts avec les responsables de service des centres hospitaliers et les infirmières en chef de manière à s'assurer leur collaboration tout au long de la collecte de l'information.

Les données peuvent aussi être recueillies en dehors des centres hospitaliers, par exemple auprès de membres de la communauté, de particuliers, de familles et de groupes défavorisés qui fréquentent des centres intégrés de santé et de services sociaux (CISSS). La recherche peut également être basée sur l'entrevue à domicile, auquel cas la résidence du participant devient le milieu de recherche. Dans les enquêtes, l'entrevue se fait habituellement par téléphone. Quels que soient le type d'enquête et le milieu où se déroule l'étude, le chercheur doit obtenir l'autorisation personnelle de chacun des participants avant de recueillir de l'information.

La recherche peut également être basée sur l'entrevue à domicile, auquel cas la résidence du participant devient le milieu de recherche.

17.1.2 La confidentialité et la sécurité des données

Toute recherche conduite auprès d'êtres humains doit être évaluée du point de vue de l'éthique (*voir le chapitre 9*). Chaque établissement, organisation ou centre hospitalier où s'effectue de la recherche a en général son comité d'éthique. Le chercheur doit présenter un protocole de recherche mentionnant les instruments de collecte des données qui seront utilisés ainsi qu'un formulaire de consentement précisant les objectifs de l'étude, la nature de la participation des sujets et les dispositions prises pour protéger les droits des participants (Portney et Watkins, 2009). Avant de signer le formulaire de consentement, ceux-ci doivent avoir reçu l'assurance que leur information personnelle ne sera pas divulguée.

Dans le traitement des données, le chercheur doit assurer le maintien de la confidentialité de l'information obtenue des participants. Un numéro d'identification personnel doit être assigné à chaque sujet, et tous les documents de collecte des données devraient le mentionner. Une liste dressant les noms des participants, leurs adresses ou numéros de téléphone correspondant au numéro d'identification personnel doit être gardée séparément au cas où ces personnes devraient être contactées de nouveau.

Dans le traitement des données, le chercheur doit assurer le maintien de la confidentialité de l'information obtenue des participants.

17.1.3 Le recrutement des participants

La collecte des données donne lieu à des activités interdépendantes et simultanées. Pour recruter les participants, le chercheur applique les critères de sélection établis à la phase méthodologique. Si la taille de l'échantillon est déterminée, comme dans la recherche quantitative, il s'agit de recruter les participants selon le nombre qui a été fixé. Dans la recherche qualitative, le principe de saturation des données est souvent de mise. Le chercheur se dote d'une stratégie de recrutement des participants, par exemple en choisissant leurs noms dans une liste d'inscription à une intervention chirurgicale. Le recrutement des participants peut se faire par des annonces (brochures, affiches) dans les organisations telles que les cliniques, les centres de santé communautaire, les associations affiliées et autres. Les fournisseurs de soins peuvent aussi proposer des participants potentiels. Si ces derniers répondent à l'invitation, un feuillet explicatif et un formulaire de consentement doivent leur être fournis (James, Taylor et Francis, 2014). Lorsque les études sont menées dans des établissements de santé, le recrutement s'avère parfois difficile. Ainsi, trouver les participants susceptibles de bénéficier d'une intervention de soutien, par exemple à l'occasion d'une chirurgie cardiaque, peut prendre du temps. Si l'étude vise à évaluer les effets de l'intervention sur des variables telles que l'activité physique ou la convalescence, les participants devront tous présenter le même état de santé afin qu'il soit possible d'établir des comparaisons entre le groupe formé par ces participants et un autre groupe qui n'a fait l'objet d'aucune intervention. Le chercheur doit prévoir que certains sujets ne répondront pas aux critères de sélection, que d'autres n'accepteront pas de participer à l'étude et que d'autres encore se désisteront au cours de la collecte des données. Le fait d'utiliser un échantillon plus restreint que prévu peut avoir un impact sur les analyses statistiques ainsi que sur l'interprétation et la généralisation des résultats.

17.1.4 La constance durant la collecte des données

Les instruments de collecte des données doivent toujours être utilisés de la même manière d'un participant à un autre. Il est important de suivre le plan établi. Si celui-ci doit être modifié pour une quelconque raison, il est nécessaire de justifier le changement effectué et d'en évaluer les conséquences au moment de l'analyse des données et de l'interprétation des résultats. Le chercheur doit s'efforcer de neutraliser les influences extérieures imprévues qui peuvent s'exercer au cours de la collecte des données. Les variables étrangères décelées pendant ce processus doivent être prises en compte au moment des analyses de données et de l'interprétation des résultats. Dans les études de type expérimental, le chercheur doit prendre garde aux risques de « contamination » entre les participants du groupe expérimental et du groupe témoin. Le fait de faire preuve de constance et d'exercer un contrôle continuel au cours de l'étude concourt à sa validité.

> Les instruments de collecte des données doivent toujours être utilisés de la même manière d'un participant à un autre.

Un aspect important de la constance dans la collecte des données a trait à la formation du personnel. Celui-ci doit être au fait du projet de recherche et familiarisé avec les instruments à utiliser auprès des participants. La ou les personnes chargées de recueillir l'information devraient avoir accès à des instructions précisant le type d'instrument de collecte des données et la façon dont celui-ci doit être utilisé. Elles peuvent aussi bénéficier d'un entrainement à cet effet. Si plus d'une personne est requise pour recueillir les données, on doit s'assurer de l'équivalence entre les données qu'elles collectent (équivalence intercodeurs) (*voir le chapitre 15, à la page 294*).

17.2 Le plan d'enregistrement des données

Dès le début de la collecte des données, le chercheur doit être prêt à gérer ou à manipuler une grande quantité de données provenant de différents instruments: les entrevues en face à face ou par téléphone, les observations structurées et non structurées, les groupes de discussion focalisée, les questionnaires à remplir soi-même en ligne ou envoyés par la poste, les échelles de mesure et l'extraction de données existantes. Le choix de l'instrument repose sur le but de l'étude, selon qu'il s'agit de décrire des caractéristiques, d'expliquer des relations entre des variables ou de prédire l'efficacité d'une intervention. Selon le type de données, un système d'enregistrement ou un plan doit être soigneusement mis au point avant que s'amorce la collecte des données. Le chercheur établit la manière dont les données seront enregistrées et s'assure de garder ensemble tous les instruments ayant servi à recueillir les données auprès d'un même participant, et ce, jusqu'à l'étape de l'analyse. Le format d'enregistrement pour les questions ouvertes ou les données qualitatives doit être précisé. Les raisons pour lesquelles les données sont manquantes doivent être indiquées. Il importe que le chercheur enregistre toutes les données clairement et de manière constante afin de faciliter leur entrée à l'ordinateur.

Selon la méthode de collecte des données utilisée, certaines d'entre elles seront peu ou pas structurées et devront être codées à partir des enregistrements d'entrevues avant d'être analysées. Le codage des données qualitatives et l'analyse de contenu font l'objet d'une procédure particulière (*voir le chapitre 18*). Les données structurées recueillies auprès de chaque participant peuvent être notées sur des feuilles séparées ou entrées directement dans un fichier électronique. Si le chercheur utilise un ordinateur pour recueillir les données, il doit avoir recours à un programme spécialement conçu pour les entrer, les nettoyer et les saisir (Wasek, 1990).

Sur les feuilles préparées pour faciliter l'enregistrement des données figurent le code d'identification personnel du participant et d'autres informations pertinentes telles que la date de recueil des données, l'affectation des sujets à un groupe (s'il y a lieu) et les données sociodémographiques, tels l'âge, le sexe, le poids, le degré de scolarité, le statut d'emploi, l'état matrimonial. Certaines caractéristiques des participants peuvent être ajoutées dans la mesure où elles risquent d'influer sur les variables à l'étude. Dans le domaine de la santé, il peut être utile d'inclure l'état de santé ou le stade de la maladie, la durée de l'hospitalisation et les complications.

17.3 La collecte des données

La **collecte des données** proprement dite est le processus par lequel des données sont recueillies auprès des participants recrutés selon les critères de sélection établis (*voir le chapitre 16*). Les étapes de la collecte des données dépendent du devis de recherche quantitatif ou qualitatif et des méthodes de collecte utilisées. Le chercheur supervise les assistants de recherche qui recueillent l'information, il s'assure que les principes éthiques sont respectés et que le déroulement s'effectue conformément au plan établi. La collecte des données suit normalement une démarche qui consiste à demander aux participants sélectionnés de répondre à des questions en personne ou en ligne, à envoyer les questionnaires par la poste ou à les mettre en ligne afin qu'ils soient remplis et retournés au chercheur, à enregistrer les données d'observations et d'entrevues. Les données peuvent aussi être extraites de documents existants (p. ex. les dossiers médicaux). Des contacts fréquents ont lieu entre le chercheur et les assistants. Ces contacts sont essentiels pour assurer le bon fonctionnement de la collecte des données et résoudre les problèmes susceptibles de se produire durant ce processus (Grove, Burns et Gray, 2013).

17.3.1 Les principaux problèmes liés à la collecte des données

Parmi les principaux problèmes susceptibles de se produire, mentionnons ceux liés au recrutement des participants en raison de leur manque de disponibilité, le refus de participer à l'étude, les changements dans les procédures d'entente avec les organisations sources. Ces problèmes peuvent mener le chercheur à revoir certains critères d'inclusion et d'exclusion de manière à trouver des sources additionnelles de participants potentiels. D'autres problèmes peuvent survenir au cours de la collecte des données. Par exemple, le temps alloué au processus se révèle parfois insuffisant, ce qui rend la tâche difficile, non seulement pour ceux qui recueillent l'information, mais aussi pour le chercheur qui doit respecter un échéancier. Des changements institutionnels ou autres peuvent se produire et entrainer une modification au plan de recherche.

Collecte des données
Processus qui consiste à recueillir des données auprès des participants choisis pour faire partie de l'étude.

Une fois que les participants ont été recrutés, la perte possible de certains d'entre eux avant la fin de l'étude peut représenter un problème. Par exemple, certains participants peuvent se désister à un moment ou l'autre de l'étude avant la fin de la période de collecte des données. Si les données d'un participant ne sont pas complètes, elles doivent être exclues pour l'analyse. Il peut arriver que des sujets soient retirés de l'étude parce qu'ils ne répondent plus aux critères de sélection à la suite de changements dans leur état de santé. La perte des sujets est plus fréquente dans les études longitudinales. Ainsi, le chercheur peut anticiper cette perte en recrutant plus de participants afin que leur nombre demeure suffisant pour terminer l'étude et éviter de compromettre la représentativité de l'échantillon (*voir le chapitre 14*).

> Une fois que les participants ont été recrutés, la perte possible de certains d'entre eux avant la fin de l'étude peut représenter un problème.

17.3.2 La révision des données

Après avoir terminé la collecte des données, le chercheur doit faire en sorte que chaque questionnaire rempli et chaque enregistrement d'entrevue soient révisés afin de s'assurer que toute l'information est admissible et utilisable (Woods, 1988). En plus de vérifier la légitimité des données, il faut s'assurer que le numéro d'identification personnel figure sur chaque document du participant, de manière à ce que les données soient attribuées au bon sujet. Certaines sections des questionnaires peuvent avoir été omises par les participants ; dans ces cas, le chercheur doit déterminer si les données incomplètes peuvent être utilisables ou non. Par exemple, si plusieurs participants ne remplissent pas adéquatement les mêmes sections d'un questionnaire, les résultats pourraient être difficiles à interpréter.

> En plus de vérifier la légitimité des données, il faut s'assurer que le numéro d'identification personnel figure sur chaque document du participant, de manière à ce que les données soient attribuées au bon sujet.

17.4 Le codage des données

Codage
Procédé qui consiste à convertir en nombre ou en symboles l'information incluse dans un instrument de collecte des données afin d'en faciliter le traitement.

Une partie essentielle du plan de la collecte des données est le développement d'un schème qui permet l'enregistrement des données. Le **codage** est un processus par lequel les données originales sont transformées en symboles ou codes compatibles avec l'analyse assistée par ordinateur ou d'autres types d'analyses. Certaines mesures produisent des données quantitatives, tandis que d'autres, comme le sexe ou l'ethnie, génèrent des données catégorielles. Les études qualitatives fournissent des réponses aux questions ouvertes qui nécessitent d'être codées. La manière de procéder pour le codage dépend de l'échelle utilisée pour mesurer une variable et du type de question, ouverte ou fermée (Kumar, 2011). Les données peuvent être numériques ou nominales.

Les données numériques ou quantitatives fournissent l'information sur l'âge d'une personne, son poids, sa taille, son revenu, ses attitudes, etc. Ces données peuvent être directement incorporées dans les bases de données sans subir de transformation. Les données peuvent aussi être générées par des catégories discrètes qualitatives telles que le sexe, la religion, la scolarité. Chacune de ces variables sera mesurée, soit sur une échelle nominale (p. ex. le sexe), soit sur une échelle ordinale (p. ex. la scolarité). Quand les variables mesurées proviennent des échelles nominales et ordinales, elles doivent être désignées par un symbole numérique ou code avant d'être entrées à l'ordinateur. Par exemple, pour la variable « sexe » on appliquera un code 1 pour catégoriser le féminin et un code 2 pour le masculin.

Ces chiffres n'ont pas de valeur numérique ; dans une échelle nominale, ils servent à nommer ou à catégoriser des variables. On procèdera de la même façon avec l'échelle ordinale, par exemple en attribuant un nombre à chacun des niveaux de scolarité. Quand on demande aux participants d'une étude de faire un choix entre un certain nombre de catégories, les codes peuvent être anticipés comme suit :

En comparant votre santé avec celle d'autres personnes de votre âge, indiquez comment vous évaluez la vôtre :

mauvaise	1
acceptable	2
bonne	3
excellente	4

Ainsi, un code 2 serait attribué à la personne qui aurait répondu « acceptable » ; celle qui aurait répondu « bonne » se verrait donner un code 3 et ainsi de suite.

S'il s'agit de coder des réponses multiples, il faut créer une variable pour chaque catégorie. Prenons la question suivante :

Quels sont vos loisirs courants (plusieurs réponses possibles) ?

☐ Activités culturelles (conférences, concerts, lecture, etc.).

☐ Activités physiques (vélo, natation, marche, etc.).

☐ Activités manuelles (bricolage, tricot, jardinage, etc.).

☐ Activités liées au domaine électronique (Internet, tablette, jeux vidéos, etc.).

☐ Autre   Précisez : _____

On crée donc les variables loisir 1, loisir 2, loisir 3, loisir 4. Pour les réponses ouvertes à « Autre », on peut générer une variable alphanumérique ou une variable numérique en dressant une liste des loisirs nommés à cette rubrique.

Le nom des variables détermine chaque point d'entrée dans le fichier. Chaque variable doit avoir un nom unique. Si les noms des variables sont trop longs, des abréviations peuvent être utilisées. Les noms doivent être assez courts pour faciliter leur entrée, mais suffisamment longs pour être explicatifs (Kohn, Newman et Hulley, 2013). De façon générale, les noms des variables commencent par une lettre, et il n'y a pas d'espaces dans leur écriture.

Le codage permet aussi de distinguer les données manquantes (p. ex. les espaces laissés sans réponse par le participant). Le nombre 9 et son multiple (99 ou 999) sont souvent utilisés pour indiquer une valeur absente. Le chercheur sait donc que la donnée est manquante dans le cas où un participant n'a pas répondu à une question.

Les données qualitatives et catégorielles passent par un processus visant à transformer l'information en codes, de manière à ce que les données soient facilement analysées manuellement ou par ordinateur. Le **code** désigne le symbole numérique utilisé pour représenter une donnée (Wolf, 2003). Dans la description qualitative des phénomènes, l'information doit d'abord passer à travers un processus appelé « analyse de contenu », par lequel on détermine les thèmes qui émergent des descriptions fournies par les répondants. Une fois que les thèmes ont été désignés, les réponses en verbatim sont examinées et intégrées dans le texte du rapport de recherche. Un code nominal ou textuel peut être assigné à chaque thème, et le chercheur peut alors calculer la fréquence à laquelle le thème apparaît (*voir le chapitre 18*). Le codage des données quantitatives et qualitatives nécessite l'élaboration d'un cahier de codes.

Code
Symbole ou abréviation utilisé pour désigner des mots ou des phrases dans les données.

17.4.1 Les éléments d'un cahier de codes

Cahier de codes
Document qui définit chaque variable d'une étude et qui inclut une abréviation du nom de celle-ci ainsi que l'étendue des valeurs numériques possibles pour chacune.

Un **cahier de codes**, ou tableau de codes, est un document écrit qui contient les règles à suivre pour coder les variables en vue de leur entrée à l'ordinateur. Il fournit le nom des variables, leur abréviation, la description des valeurs possibles (étiquettes des valeurs) et ordonne les variables dans un ensemble de données. Il comprend les détails sur la structure, les variables et l'évaluation des variables d'un fichier de données (Wolf, 2003). Le cahier de codes doit être au point avant de commencer la collecte des données proprement dite. Les procédures de codage particulières aux approches de recherche qualitative font partie de l'analyse des données qualitatives (*voir le chapitre 18*).

De façon plus détaillée, le cahier de codes inclut généralement les éléments suivants : une liste des noms de toutes les variables de l'étude, un nom raccourci pour décrire chaque variable (abréviation), les numéros de code de toutes les valeurs possibles pour chaque variable, un sommaire des valeurs possibles, les colonnes où les valeurs des variables apparaissent et le format des chiffres de la variable (numérique ou alphanumérique) ainsi que la place du point décimal pour chacune (Woods, 1988). Le tableau 17.1 présente un exemple des définitions des données d'une étude fictive ayant pour but de déterminer les types de problèmes à long terme rapportés par un groupe de femmes ayant subi une chirurgie pour un cancer du sein. La question pourrait se formuler comme suit : « Quels sont les types de problèmes que vous avez eus au cours des cinq années suivant votre chirurgie pour le cancer du sein ? » Cette question renferme plusieurs sous-questions qui demandent autant de réponses. Les sous-questions sont traduites en variables énumérées dans le tableau.

TABLEAU 17.1 | Des exemples de définitions de données dans un cahier de codes

Variable et abréviation	Code		Valeur	Colonne	Format
Problèmes postopératoires liés à la chirurgie					
Œdème dans le bras (ŒDÈME)	Oui = 1	Non = 0	0 ou 1	1	F1
Faiblesse dans le bras (FAIBLE)	Oui = 1	Non = 0	0 ou 1	2	F1
Raideur dans le bras (RAIDE)	Oui = 1	Non = 0	0 ou 1	3	F1
Problèmes de la vie quotidienne					
Ne peut faire la lessive (MAISON)	Oui = 1	Non = 0	0 ou 1	4	F1
Ne peut visiter les amis (VISITE)	Oui = 1	Non = 0	0 ou 1	5	F1
Ne peut préparer les repas (REPAS)	Oui = 1	Non = 0	0 ou 1	6	F1
Ne peut aider les enfants (ENFANT)	Oui = 1	Non = 0	0 ou 1	7	F1
Ne peut faire de sports (SPORTS)	Oui = 1	Non = 0	0 ou 1	8	F1

La question sur les problèmes postopératoires peut être codée de manière à ce que chaque réponse possible soit une variable distincte traitée séparément. Dans la colonne de gauche du tableau, sous le titre « Problèmes postopératoires liés à la chirurgie », on trouve les noms des variables distinctes. Quand on construit un cahier de codes, il faut se rappeler que chaque variable doit avoir deux noms : un nom complet et un nom simplifié (abréviation). Ainsi, le nom de la première variable « Œdème dans le bras » devient « œdème », et la dernière variable « Ne peut faire de sports » devient « sports ». La colonne suivante mentionne les instructions de codage tandis que la troisième colonne indique l'étendue de valeurs que peut prendre la variable. Ici, il y a deux possibilités : 0 ou 1.

Les chiffres présents sous la rubrique « Colonnes » indiquent l'espace qu'occupe la variable dans le fichier électronique. Chaque nouvelle variable occupe une place. Si l'on avait à placer la variable « âge » de 21 à 70 ans dans cette colonne, il faudrait prévoir deux espaces (1 et 2) étant donné que l'âge entre 21 et 70 contient deux chiffres. La colonne à l'extrême droite contient l'information sur le format de la variable. Quand la valeur de la variable représente un chiffre (0 ou 1), comme c'est le cas pour les variables dans notre exemple, le format est F1. Ce format signifie que l'information pour chaque variable prendra une colonne à l'ordinateur. Pour reprendre l'exemple de la variable « âge » mentionné ci-dessus, le format correspondrait à F2.

Une fois que les données ont été codées, elles peuvent être transférées à l'ordinateur qui en fera le traitement pour produire les résultats d'analyses. Le cahier de codes est une référence nécessaire pour tous ceux qui sont engagés dans l'étude, particulièrement les personnes qui feront la saisie des données à l'ordinateur et qui les analyseront. Les programmes informatiques, tel SPSS (*Statistical Package for the Social Sciences*), utilisent un langage précis qui permet de distinguer, pour chaque variable incluse dans un fichier, son nom, sa description et toutes les valeurs possibles qu'elle peut prendre. Il existe plusieurs logiciels destinés à l'analyse qualitative des données (*voir le chapitre 18*). Le codage des données facilite les analyses statistiques faites par les programmes informatiques, qui traitent plus facilement les données numériques que les lettres.

Dans le cadre de cet ouvrage, ces notions sur l'organisation et la collecte des données avaient pour but de donner un aperçu de l'ensemble des activités menant à l'analyse des données recueillies.

Points saillants

17.1	**Les procédures préparatoires à la collecte des données**	• Avant d'entreprendre la collecte des données proprement dite, le chercheur doit effectuer certaines démarches préparatoires : demande d'autorisation auprès des instances concernées, approbation du projet par le comité d'éthique, recrutement des sujets, formation du personnel.
17.2	**Le plan d'enregistrement des données**	• Les données peuvent être recueillies selon diverses méthodes et notées sur une feuille séparée ou directement à l'ordinateur selon les variables.
17.3	**La collecte des données**	• La collecte des données est le processus par lequel celles-ci sont recueillies auprès des participants recrutés selon les critères de sélection.
		• Divers problèmes peuvent survenir au cours de la collecte des données, notamment la non-disponibilité des sujets recrutés, le refus de participer après y avoir consenti, le désistement avant la fin de l'étude.
		• Après la collecte, toutes les données doivent être vérifiées afin de s'assurer que l'information est admissible et utilisable.
17.4	**Le codage des données**	• Le codage est le processus par lequel les données brutes sont transformées en symboles numériques (ou codes) afin de faciliter les opérations visant leur traitement.
		• La manière de coder variera en fonction du type de variable et de la mesure utilisée et selon que la question est fermée ou ouverte.
		• Les données peuvent être numériques ou nominales. Les données qualitatives peuvent être générées par des catégories discrètes (p. ex. le sexe, la religion) et mesurées à l'aide d'échelles nominales ou ordinales. S'il s'agit de données qualitatives qui décrivent un phénomène, on fait appel à l'analyse de contenu et au codage qualitatif.
		• Un cahier de codes doit être élaboré pour inclure les noms et les descriptions des variables et pour les ordonner dans un ensemble de données afin de faciliter leur entrée à l'ordinateur.

Mots clés

Abréviation	Donnée manquante	Saisie des données	Variable nominale
Cahier de codes	Entrée des données	Système d'enregistrement	Variable numérique
Codage	Étiquette	Valeur	
Code	Numéro d'identification	Variable	
Colonnes	Recrutement	Variable alphanumérique	

Exercices de révision

1. Qu'est-ce qu'un cahier de codes et à quoi sert-il ?

2. Associez la définition qui convient à chacun des termes suivants.
   a) Nom de la variable
   b) Nettoyage des données
   c) Étiquette des variables
   d) Donnée manquante
   e) Cahier de codes
   f) Définition des données
   g) Copie du fichier des données brutes

Définitions

1. Opération qu'effectue le chercheur pour s'assurer de l'exactitude de l'information recueillie en définissant les données présentes et en permettant de repérer les erreurs et de les corriger.

2. Étiquette de valeurs

3. Information sur chaque variable dans le fichier des données

4. Abréviation du nom de la variable

5. Valeur manquante d'une variable

6. Nom complet de la variable

7. Impression des données du fichier

Liste des références

Les références citées dans la rubrique « Exemple » ou dans les citations peuvent ne pas figurer dans cette liste.

Grove, S.K., Burns, N. et Gray, J.R. (2013). *The practice of nursing research: Appraisal, synthesis, and generation of evidence* (7e éd.). Saint-Louis, MO : Elsevier.

James, A., Taylor, B.M. et Francis, K. (2014). Researching with young people as participants: Issues in recruitment. *Contemporary Nurse, 47*(1-2), 36-41.

Kohn, M.A., Newman, T.B. et Hulley, S.B. (2013). Data management. Dans S.B. Hulley, S.R. Cummings, W.S. Browner, D.G. Grady et T.B. Newman (dir.). *Designing clinical research* (4e éd.) (p. 237-249). Philadelphie, PA : Wolters Kluwer/Lippincott Williams & Wilkins.

Kumar, R. (2011). *Research methodology: A step-by-step guide for beginners* (3e éd.). Los Angeles, CA : Sage Publications.

Portney, L.G. et Watkins, M.P. (2009). *Foundations of clinical research: Applications to practice* (3e éd.). Upper Saddle River, NJ : Pearson/ Prentice Hall.

Wasek, P.A. (1990). Practical considerations in designing data collection forms. *Infection Control & Hospital Epidemiology, 11*(7), 384-389.

Wolf, J.R. (2003). Teaching the code book: Preparation for data entry. *Nurse Educator, 28*(3), 132-135.

Woods, N.F. (1988). Preparing data for analysis. Dans N.F. Woods et M. Catanzaro. *Nursing research: Theory and practice* (p. 371-384). Saint-Louis, MO : The C.V. Mosby Company.

La phase analytique :
l'analyse des données et l'interprétation des résultats

L a phase analytique porte essentiellement sur l'analyse des données et l'interprétation des résultats. Il s'agit, dans un premier temps, d'analyser les données qui ont été recueillies auprès des participants au cours de la phase empirique. Dans un deuxième temps, il convient de fournir les réponses aux questions de recherche et, dans un troisième temps, de présenter les résultats issus de la vérification des hypothèses. Ces différentes étapes correspondent à trois formes d'analyses : l'analyse des données qualitatives ; l'analyse statistique descriptive ; l'analyse statistique inférentielle. Une fois les données analysées, il faut présenter les résultats et les interpréter.

1	**2**	**3**	**4**	**5**
PHASE CONCEPTUELLE	**PHASE MÉTHODOLOGIQUE**	**PHASE EMPIRIQUE**	**PHASE ANALYTIQUE**	**PHASE DE DIFFUSION**
• Choisir le sujet d'étude • Recenser les écrits et en faire la lecture critique • Élaborer le cadre de recherche • Formuler le problème • Énoncer le but, les questions et les hypothèses	• Prendre en compte les enjeux éthiques • Choisir un devis de recherche • Sélectionner les participants • Apprécier la qualité de la mesure des concepts • Préciser les méthodes de collecte des données	• Recueillir les données sur le terrain et les organiser pour l'analyse	• Analyser les données • Présenter et interpréter les résultats	• Communiquer les résultats • Intégrer les données probantes dans la pratique professionnelle

CHAPITRE 18

L'analyse des données qualitatives

Objectifs d'apprentissage

Après avoir étudié ce chapitre, vous serez
en mesure :

- de décrire brièvement le processus d'analyse
  inductive ;
- de commenter les méthodes d'analyse des
  données dans les recherches phénoménologique,
  ethnographique et de théorisation enracinée ;
- de discuter des concepts liés à la rigueur dans
  les recherches qualitatives.

Les méthodes qualitatives se distinguent par la simultanéité de la collecte des données et de leur analyse. La collecte des données qualitatives produit un volume considérable d'informations brutes qui doivent être transformées et analysées pour rendre leur contenu accessible aux chercheurs. Il faut en effet procéder à une analyse détaillée des données issues des transcriptions intégrales d'entrevues, des groupes de discussion focalisée, des notes de terrain tirées d'observations ou d'extraits de documents d'archives. Il s'agit d'attribuer un sens aux données recueillies en fonction de l'évolution de la question de recherche. Différentes techniques d'analyse et certains logiciels peuvent servir à organiser et à traiter les données qualitatives. Ce chapitre présente une description générale de l'analyse des données qualitatives en tant que processus d'analyse inductive qui consiste à transcrire, à coder, à catégoriser l'information et à chercher les modèles de référence (*patterns*) qui se dégagent et qui permettent de proposer des descriptions ou des explications plausibles.

18.1 Le processus d'analyse des données qualitatives

Analyse des données qualitatives
Processus qui consiste à organiser et à interpréter les données narratives en vue de découvrir des thèmes, des catégories et des modèles de référence.

L'**analyse des données qualitatives** est un processus inductif composé d'allers-retours entre la collecte des données qui représentent la réalité des participants à une étude et les conceptualisations théoriques ou empiriques qui se dégagent de cette réalité. Ce processus consiste à fracturer, examiner, comparer, catégoriser et conceptualiser les données (Corbin et Strauss, 2008). Grâce au chevauchement des activités de collecte et d'analyse des données, il est possible de guider les collectes subséquentes, soit au moyen de l'échantillonnage théorique, soit à l'aide d'entrevues et d'observations, pour y inclure les données émergentes (Endacott, 2005). En outre, cette interaction entre la collecte d'information et l'analyse permet de déterminer le moment de la saturation empirique des données. Dans la recherche qualitative, une grande quantité de données est accumulée. Les entrevues et le matériel audiovisuel produisent souvent des dizaines de pages de transcriptions, tout comme les notes prises au cours des observations faites sur le terrain et de l'analyse de documents. Toute cette information requiert une structure adéquate, un examen critique et une analyse judicieuse. Le but de l'organisation des données qualitatives consiste à réduire leur volume en unités plus petites et riches de sens, qui peuvent être traitées, décrites, interprétées et présentées de manière compréhensible. Patton (2002) considère que l'analyse qualitative pose un défi. Il s'exprime en ces termes :

> Le défi de l'analyse qualitative consiste à donner une signification à la masse de données recueillies. Cela suppose de réduire le volume des renseignements bruts, d'éliminer les données changeantes, de déceler les tendances significatives et de construire un cadre de référence qui permet de communiquer l'essence de ce que les données révèlent. (p. 432. Traduction libre)

La démarche suivie pour organiser les données diffère selon la méthodologie de recherche qualitative et les techniques de collecte utilisées. Les données provenant de l'entrevue ou du groupe de discussion focalisée peuvent être transcrites de mémoire immédiatement après l'échange ou intégralement à partir des enregistrements. En ce qui a trait à l'observation non structurée, il s'agit de consigner les remarques captées sur le vif, les expressions, les propos textuels, afin de décrire tous les éléments de la situation. Les notes servent ensuite à produire un compte rendu exhaustif de la situation observée (Laperrière, 2003). La stratégie d'analyse dépendra du but de l'étude, du nombre de participants, du milieu, des moments consacrés à l'observation ou des similarités et des différences entre les personnes et entre les milieux (Best et Kahn, 2006).

Le chercheur recueille de riches données descriptives sur le terrain et tire des conclusions et des explications au cours de l'analyse des données, sans nécessairement avancer de théorie à priori (Bruce, 2007). Cela suppose l'utilisation d'une structure émergente flexible. Les données générées par la recherche qualitative sont volumineuses, et leur interprétation n'est possible que par la réalisation d'un certain nombre d'étapes.

18.2 Les étapes de l'analyse des données qualitatives

Les techniques particulières d'analyse des données qualitatives peuvent varier de descriptions purement narratives à la création d'un système de codage d'où il est possible de concevoir des catégories et des thèmes ou des modèles à partir d'une grande quantité d'informations. Cette démarche dans l'analyse des données peut s'effectuer à l'aide d'un certain nombre d'étapes telles que : 1) l'organisation des données ; 2) la révision des données et l'immersion du chercheur ; 3) le codage des données ; 4) l'élaboration de catégories et l'émergence de thèmes ; 5) la recherche de modèles de référence ; et 6) l'interprétation des résultats et les conclusions. Ces étapes sont expliquées dans les sous-sections suivantes.

18.2.1 L'organisation des données

Les données brutes recueillies sur le terrain proviennent de diverses méthodes de collecte : entrevues et groupes de discussion focalisée, observations, notes de terrain, documents, données visuelles (photographies fixes). Les données peuvent être des descriptions narratives d'observations, des transcriptions d'enregistrements d'entrevues audios, des notes prises pendant la lecture de documents, des données visuelles. Toutes ces données constituent de la matière brute disparate et dispersée qui n'a pas encore de signification particulière. L'organisation des données et l'analyse visent à apporter un sens qui fournira une compréhension ou une explication cohérente du phénomène étudié. Pour ce faire, il y a lieu de commencer par la transcription des données.

La transcription des données est une des étapes initiales de la préparation de celles-ci pour l'analyse. La transcription en verbatim peut produire des données complètes et riches, bien qu'elle consomme beaucoup de temps ; une heure d'entrevue peut nécessiter de quatre à six heures de transcription (Holloway et Wheeler, 2010). Le chercheur peut utiliser des logiciels pour se faciliter la tâche. Les entrevues initiales et les notes de terrain sont généralement transcrites intégralement de manière à ce que le chercheur soit conscient de la pertinence des données. Les mots exacts des participants sont enregistrés, de même que les aspects de communication non verbale tels que les pauses, le rire, les interruptions, les changements de ton. Il peut aussi arriver que l'enregistrement ne soit pas toujours parfaitement audible et donc difficile à déchiffrer. Ces aspects non verbaux ou techniques sont généralement notés entre parenthèses (Lodico, Spaulding et Voegle, 2010). Une personne expérimentée en analyse qualitative pourrait être sélective au moment de la transcription en retenant seulement ce qui est directement lié à l'élaboration de conceptualisations théoriques. Il est toujours préférable que les entrevues ou les notes de terrain soient transcrites par le chercheur lui-même, ce qui lui permet une immersion dans les données. Si une autre personne est engagée pour transcrire les enregistrements, le chercheur voudra vérifier la transcription écrite en même temps qu'il écoute attentivement ce qui est dit sur le support audio.

Les enregistrements audios sont maintenus dans leur forme originale. Toutefois, le chercheur peut prendre des notes ici et là sur des segments de l'enregistrement, créant ainsi une sorte de notes de terrain (Grove, Burns et Gray, 2013). Les autres types de préparation des données comprennent le développement ou l'agrandissement des photographies, l'étiquetage des fichiers vidéos et l'impression de photocopies de sécurité.

18.2.2 La révision des données et l'immersion du chercheur

La révision attentive et approfondie des données (transcriptions, notes de terrain, écoute des enregistrements audios, visualisation des fichiers vidéos, etc.) permet graduellement au chercheur de se familiariser avec leur contenu. Il peut ainsi évaluer si elles sont suffisantes pour répondre à la question de recherche. Le chercheur peut déjà mettre en évidence les aspects importants des données. Le véritable but de la révision à cette étape est l'immersion totale du chercheur dans les données, dont il est en mesure de découvrir toutes les possibilités d'analyse et d'interprétation (Lodico et collab., 2010). Au fil de cette étape, le chercheur peut évaluer l'étendue des données recueillies avant que ne commence véritablement leur réduction à l'aide d'un processus de codage.

18.2.3 Le codage des données

L'analyse détaillée commence par un processus de codage. La réduction des données suppose l'établissement d'une méthode de classification et d'indexation pour faciliter l'accès aux données. Celles-ci sont d'abord décomposées en éléments plus restreints, ou segments, en vue de leur traitement. La **segmentation** des données est préparatoire au codage, car c'est au cours de cette activité qu'on choisit les données pertinentes au regard de la question de recherche, afin de dégager des unités analytiques significatives, ou unités de sens, qui feront l'objet du codage. Une **unité analytique** significative correspond aux segments du texte qui possèdent un sens exhaustif en eux-mêmes. La réduction des données intervient quand une signification est accordée aux éléments qu'elles contiennent en les identifiant à l'aide de noms ou de symboles (Holloway et Wheeler, 2010). Le **codage qualitatif** est un processus qui consiste à reconnaitre, dans les données, les mots, les thèmes ou les concepts récurrents et à leur attribuer des symboles ou des marqueurs, appelés « codes ». Le but du codage est de classer, d'ordonner, de résumer et de repérer les données pour ensuite procéder à leur analyse proprement dite. Le codage a lieu au début de l'analyse et conduit à l'établissement de catégories, de thèmes ou de construits. Les données sont ainsi fragmentées en des sections plus malléables. Un code peut être un symbole ou un mot clé servant de descripteur à un concept. Les éléments à coder dans les données sont des unités de sens, parfois des mots seuls (concepts) ou des segments de texte. L'attribution de codes permet de conférer une

Segmentation
Opération consistant à diviser les données en unités analytiques significatives appelées « segments ».

Unité analytique
Segments du texte qui possèdent un sens exhaustif en eux-mêmes.

Codage qualitatif
Processus par lequel des symboles ou des mots clés sont attribués à des segments de phrases de manière à en dégager des thèmes et des modèles.

signification particulière à un ensemble de données. Les codes initiaux remplissent un certain nombre de fonctions, dont celles d'indexer et de déceler des catégories, de fournir une base pour l'emmagasinage et le repérage, de permettre la création de codes plus avancés sur le plan conceptuel afin de résumer les données, de les regrouper par thèmes et d'en dégager des modèles de référence (Punch, 2005).

Au cours du codage initial, plusieurs chercheurs choisissent certains mots ou des phrases utilisés par les participants, appelés « codes *in vivo* ». Ce type de codage met le chercheur à l'abri de l'imposition de son propre cadre d'analyse en mettant l'accent sur les mots des participants (Corbin et Strauss, 2008 ; Holloway et Wheeler, 2010).

L'élaboration d'un système de codes requiert plusieurs activités. La lecture minutieuse des données permet de découvrir des régularités, des phrases et des sujets qui représentent des unités analytiques de base. Ces unités, ou segments, déduites du texte constituent des catégories significatives auxquelles le chercheur applique un système de codage ; les codes servent à repérer les catégories dans le texte. Pour retenir les mots et les phrases qui représentent les unités analytiques de base, le chercheur peut encercler ou surligner les passages importants, écrire des mémos ou rédiger des annotations. Les unités ainsi déduites constituent des catégories significatives.

L'analyse de données qualitatives assistée par ordinateur

L'analyse des données qualitatives nécessite le traitement complexe et minutieux d'une grande quantité d'information. Les chercheurs qui font appel à la méthode d'analyse traditionnelle surlignent des sections de textes à l'aide de différentes couleurs, en déplacent des segments, numérotent chaque ligne pour s'y retrouver ; ces tâches s'avèrent longues et fastidieuses (Banner et Albarran, 2009). De nombreux chercheurs ont plutôt recours à des programmes informatiques pour les assister dans le codage, l'organisation et le triage de l'information. L'utilisation de logiciels d'analyse des données qualitatives leur permet de se délester de certaines tâches répétitives et lassantes. À partir de l'organisation des données qualitatives, et à l'aide de logiciels conçus pour leur traitement, le chercheur peut trier un fichier complet de données brutes se rapportant aux codes, retracer les réponses des participants sur un sujet en particulier ou le contexte dans lequel s'est produit tel comportement (Vierra, Pollock et Golez, 1998). Ainsi, le chercheur peut discerner des catégories et des modèles, de même qu'examiner des relations entre les catégories. Il lui restera cependant à analyser et à interpréter les données. Les programmes informatiques utilisés à cette fin sont des logiciels de traitement des données qualitatives. Roy et Garon (2013) ont réalisé une étude comparative de ces logiciels. Le tableau 18.1, à la page suivante, présente les six plus connus, sélectionnés par les auteurs, ainsi que les adresses Web où il est possible d'y accéder. Ces logiciels de traitement des données qualitatives sont constamment mis à jour et offerts sur le marché. Ils comprennent, à quelques différences près, les fonctions de base (codes, différents codages, classement des documents, découpage en unité de sens, étiquettes, etc.).

Comme on le constate, il existe plusieurs logiciels de traitement des données qualitatives, mais leurs caractéristiques fonctionnelles peuvent varier. Ainsi, certains logiciels sont mieux adaptés que d'autres pour réaliser un type d'analyse ou pour atteindre les buts de la recherche. Avant de choisir le logiciel qui convient le mieux au but

> Certains logiciels sont mieux adaptés que d'autres pour réaliser un type d'analyse ou pour atteindre les buts de la recherche.

TABLEAU 18.1	Un résumé des logiciels de traitement des données qualitatives
Logiciel	**Description et adresse Web**
ATLAS.TI 7	Possède un grand nombre d'unités d'analyse. Emmagasine une grande quantité de données. Facilite le codage émergent. Crée des réseaux conceptuels permettant l'ajout de mémos ou de relations entre les codes. atlasti.com
HyperResearch	Code, regroupe des catégories, analyse des fichiers de texte non formaté. Possède des caractéristiques de théorisation. Compatible avec le système d'exploitation MacOSX. Interface complexe. www.researchware.com
MAXQDA 11	Possède une interface complète avec une multitude d'options : codage par couleurs, organisation hiérarchique, iconographie. Les nombreux outils rendent l'apprentissage complexe. www.maxqda.com/products
NVivo 10	Crée et réalise des réseaux compatibles. Possède son propre langage et une diversité d'outils qui peut allonger l'apprentissage. Précieux pour les projets complexes et de longue durée. qsrinternational.com
QDA Miner 4	Logiciel récent. Possède les outils de base (fréquence des codes, liste des unités de sens, etc.). L'accent est surtout mis sur l'analyse quantitative des données qualitatives. provalisresearch.com
Weft QDA	Logiciel libre gratuit. Offre peu d'options, mais réalise le découpage et les analyses de base (liste des unités de base, de sens, tableaux). pressure.to/qda

proposé, Gibbs (2007) suggère de commencer par consulter le site Web des différents logiciels, de comparer leurs fonctionnalités respectives et de sélectionner le plus approprié. Ces sites proposent en général des logiciels de démonstration téléchargeables.

18.2.4 L'élaboration de catégories et l'émergence de thèmes

Le codage constitue la première étape dans la transformation des données et se situe au cœur de leur analyse. Il établit les bases pour l'élaboration de catégories et l'émergence de thèmes (Woodby, Williams, Wittich et Burgio, 2011).

L'élaboration de catégories

L'analyse s'appuie sur des catégories générales. L'élaboration de catégories représente, pour les chercheurs, l'étape la plus difficile, mais la plus créative (Marshall et Rossman, 2006). Elle consiste à relever, dans les segments de texte, des thèmes saillants, des phrases récurrentes et des modèles de référence qui représentent une signification particulière (unité de sens) en vue de dégager des catégories significatives auxquelles on donne un nom (étiquette). Une **catégorie** est une entité générale abstraite qui représente la signification de sujets semblables. C'est un regroupement de codes apparentés. Selon Paillé et Mucchielli (2008), la catégorie constitue une brève expression permettant de nommer un phénomène par la lecture du texte. Étant donné les diverses connotations d'un phénomène, celui-ci peut faire partie de plus d'une catégorie (McMillan et Schumacher, 2006).

Catégorie
Regroupement de codes apparentés.

Diverses stratégies peuvent servir à élaborer des catégories. Strauss et Corbin (1998) suggèrent entre autres de poser des questions fondamentales, qui commencent par « quel », « quand », « où », « pourquoi », « comment ». Ces questions peuvent en entrainer d'autres, plus élaborées, et le fait de trouver des réponses pour chaque catégorie permet une analyse plus approfondie.

L'émergence de thèmes et le codage thématique

À un premier niveau d'analyse, le codage descriptif aide le chercheur à produire des descriptions à partir des résumés des segments de données et à amorcer l'interprétation de thèmes et de modèles. Le codage plus avancé, ou codage thématique, sert à dégager des **thèmes** grâce à l'examen minutieux des codes et des données. Cette opération conduit à l'émergence de thèmes qui englobent plusieurs codes. Cependant, un petit nombre seulement de thèmes sont issus d'un grand nombre de codes. Le but ultime de l'analyse qualitative est de découvrir des modèles au moyen de la formulation d'énoncés généraux sur les relations entre les catégories. Les thèmes sont des modèles généraux tirés des données, grâce à la catégorisation et à l'analyse d'unités de signification. Les thèmes ne sont pas de simples anecdotes, mais des significations récurrentes qui semblent entrelacées dans l'ensemble des données (Houser, 2008). En cherchant à dégager des modèles, le chercheur essaie de comprendre les liens complexes qui unissent les divers aspects de la situation des répondants, leur processus mental, leurs croyances et leurs actions (McMillan et Schumacher, 2006).

Thème
Entité significative qui se manifeste de façon récurrente au cours de l'analyse des données qualitatives.

> Les thèmes ne sont pas de simples anecdotes, mais des significations récurrentes qui semblent entrelacées dans l'ensemble des données.

18.2.5 La recherche de modèles de référence

Les codes thématiques se répartissent dans des rubriques souvent liées entre elles, comme les thèmes, les causes ou les explications, les relations interpersonnelles et les éléments conceptuels plus théoriques (Miles et Huberman, 2003). La recherche de codes thématiques succède à une intuition du chercheur concernant les relations entre les catégories. Par l'examen approfondi des données, le chercheur vérifie ses intuitions en cherchant des confirmations et des explications possibles. Il passe au mode de pensée déductif dans un mouvement de va-et-vient entre les thèmes, les catégories (concepts) et les modèles possibles de confirmation. Selon le but de la recherche, les modèles (*patterns*) peuvent adopter différentes formes et recéler divers niveaux d'abstraction. Ils découlent du cadre conceptuel choisi pour l'étude ; les plus importants servent d'ossature pour la présentation des résultats et l'organisation des rapports (structures narratives).

Dans l'établissement de modèles, le chercheur a besoin de découvrir d'autres explications plausibles en ce qui a trait aux liens entre les catégories. Des contrexplications existent, mais il est possible qu'elles ne soient pas appuyées par les données. Un modèle devient une explication seulement quand d'autres modèles ne présentent pas d'éclaircissement raisonnable au regard du problème de recherche. La plausibilité relève du jugement que l'on fait à propos de la qualité des données à l'intérieur des limites du devis de recherche (McMillan et Schumacher, 2006). La recherche de modèles peut se faire à l'aide de différentes techniques, entre autres : la capacité de jauger la crédibilité des données durant la collecte et l'analyse intensive ; la triangulation, qui permet de

> Dans l'établissement de modèles, le chercheur a besoin de découvrir d'autres explications plausibles en ce qui a trait aux liens entre les catégories.

comparer différentes sources, situations et méthodes pour vérifier le maintien de modèles récurrents; ou la construction de représentations visuelles (p. ex. des figures, des matrices, des diagrammes).

L'organisation initiale des données donne généralement accès à un très grand nombre d'énoncés significatifs issus du verbatim des participants. Ces énoncés révèlent non seulement des constantes, mais également des contrastes. Ils ont préalablement été assignés à des codes, puis regroupés selon leur similarité. Le regroupement des codes d'énoncés similaires permet de constituer des catégories. Celles-ci sont exclusives, mais leurs interrelations reflètent la manifestation d'une théorie en construction, particulièrement dans l'analyse de théorisation enracinée (Noiseux, 2004).

Les mémos analytiques

Mémo analytique
Note réflexive rédigée par le chercheur en cours d'analyse sur les idées que les données font naitre dans son esprit.

Après avoir accumulé un certain nombre de thèmes codés à partir d'un texte, la rédaction de **mémos analytiques** par les chercheurs sert à documenter leurs idées concernant les relations entre les thèmes et les catégories. La rédaction de mémos peut s'effectuer au début de l'analyse, simultanément au codage, ou tout au long de celle-ci. Ils peuvent contenir des idées sur les concepts émergents, des thèmes ou des modèles issus des données (Johnson et Christensen, 2004). Les mémos ont généralement un contenu conceptuel: ils ne servent pas uniquement à décrire les données, mais à passer du mode empirique au mode conceptuel et, ainsi, à formuler des propositions théoriques. Ils sont considérés comme une façon de théoriser et de commenter à mesure que progresse le codage thématique.

L'analyse de contenu

Analyse de contenu
Technique d'analyse qualitative utilisée pour traiter les données textuelles.

L'**analyse de contenu** est la technique d'analyse la plus souvent utilisée pour le traitement des données qualitatives. Elle permet une grande diversité d'applications. Lorsque l'approche de recherche qualitative n'est pas orientée vers une méthodologie qualitative particulière, l'analyse de contenu a généralement été employée pour analyser les données. Ce type d'analyse consiste à traiter le contenu des données narratives de manière à en découvrir les thèmes saillants et les tendances qui s'en dégagent. Ce processus analytique comporte la fragmentation des données en unités d'analyse plus petites, le codage qui associe chaque unité d'analyse à une catégorie et le regroupement du matériel codé selon les concepts ou les catégories. L'unité d'analyse est choisie en fonction du but de l'étude; elle représente le segment de texte qui exprime un sens complet.

La formation des catégories requiert l'établissement de la fiabilité et de la crédibilité des données qualitatives, en raison de la subjectivité qui préside à l'analyse de contenu. Chaque catégorie doit comporter une définition distincte. La façon la plus simple pour établir la fiabilité est d'obtenir l'accord entre deux personnes indépendantes ou plus sur le choix de la catégorie qui décrit le mieux chaque réponse. Dans l'analyse de contenu, la crédibilité fait référence au degré de représentativité du thème ou du concept par les catégories. Dans les études fondées sur un cadre théorique ou conceptuel, on peut établir la validité en expliquant comment les catégories s'harmonisent avec le thème ou le concept. Cependant, dans la plupart des études exploratoires où il n'y a pas de cadre théorique ou de modèle conceptuel, on peut établir uniquement la validité nominale des catégories (Wood et Ross-Kerr, 2006).

18.2.6 L'interprétation des résultats et les conclusions

La présentation des résultats facilite la formulation de conclusions logiques issues de l'analyse des données. L'interprétation et l'analyse des données qualitatives s'effectuent de façon simultanée au cours d'un processus de va-et-vient. L'interprétation a lieu à mesure que le chercheur s'imprègne du contenu des données, les catégorise et les code, tout en élaborant de manière inductive une analyse thématique qui intègre les thèmes dans un tout cohérent (Polit et Beck, 2012). Il s'agit de dégager des significations pour expliquer les données présentées, relever des régularités et déceler des tendances, et ce, dès la collecte des données. Ainsi, l'interprétation va au-delà de la simple description des données en ce qu'elle attribue une signification et une cohérence aux thèmes, aux catégories et aux modèles. L'interprétation consiste donc à accorder une signification à ce que l'on a trouvé dans les données, à dégager un sens aux résultats, à fournir des explications et à tirer des conclusions (Patton, 2002). Les conclusions sont des propositions, dont la plausibilité et la crédibilité doivent être vérifiées en cours d'analyse.

> L'interprétation va au-delà de la simple description des données en ce qu'elle attribue une signification et une cohérence aux thèmes, aux catégories et aux modèles.

L'interprétation qualitative peut aussi s'appuyer sur une signification issue d'une comparaison des résultats avec l'information provenant d'études antérieures ou d'un cadre théorique. Dans ce cas, le chercheur tente de démontrer que les résultats confirment l'information déjà publiée ou il s'en distancie. L'interprétation peut aussi suggérer de nouvelles questions qui se dégagent des données et qui n'ont pas été prévues dans les analyses (Creswell, 2009).

L'étape d'interprétation inclut également la vérification des conclusions quant à leur vraisemblance, leur rigueur et leur confirmation. Après avoir rappelé les possibilités d'erreurs en raison des multiples sources pouvant affaiblir ou même invalider les conclusions, Huberman et Miles (1991) proposent un certain nombre de tactiques servant à vérifier ou à confirmer ces dernières, dont : le contrôle de la représentativité, qui consiste à éviter les embuches (p. ex. l'échantillonnage de participants non représentatifs, la présence intermittente du chercheur sur le terrain) ; le contrôle des effets du chercheur, car celui-ci peut être la source de biais (p. ex. l'influence du chercheur sur le terrain et l'influence du contexte sur le chercheur) ; la triangulation, qui vise à recueillir des exemples des résultats en les comparant à d'autres sources ; la pondération des résultats (p. ex. accorder plus de poids à des données fortes).

18.3 Les méthodes propres aux approches qualitatives

Les méthodes qualitatives, telles que la phénoménologie, l'ethnographie et la théorisation enracinée, utilisent des procédures analytiques distinctes qui permettent aux chercheurs d'interpréter les données selon la vision propre à chaque méthode. Les chercheurs qui conduisent des études qualitatives sans se référer à une méthodologie qualitative particulière utilisent généralement l'analyse de contenu telles l'étude de cas et l'étude descriptive qualitative. Le tableau 18.2, à la page suivante, dresse une comparaison sommaire des principales caractéristiques de ces approches abordées dans les prochaines sous-sections.

Approche de recherche	Processus d'analyse	Résultats
Phénoménologie	Selon les orientations philosophiques du chercheur, plusieurs choix de méthodes d'analyses s'imposent. Les données émergentes sont comparées avec celles existantes. Méthodes d'analyse : Colaizzi (1978), Giorgi (1970), van Kaam (1966), van Manen (1990).	Description approfondie de l'essence de l'expérience humaine.
Ethnographie	Il s'agit de l'interprétation explicite des significations et des fonctions des actions humaines. Il y a triangulation de multiples sources d'information.	Description dense et détaillée d'un groupe ou d'un milieu culturel.
Théorisation enracinée	Le codage est un processus d'analyse des données qui comporte trois niveaux selon Strauss et Corbin (1990) et deux niveaux selon Glaser (1978). • Le codage ouvert consiste en la segmentation des données et la manifestation de catégories conceptuelles. C'est le codage substantif selon Glaser. • Le codage axial est la démonstration dans un schéma des relations entre les catégories. • Le codage sélectif est une compréhension théorique d'un problème par l'intégration des catégories et des thèmes. C'est le codage théorique selon Glaser.	Élaboration de nouvelles théories dans les domaines étudiés.
Étude de cas	L'analyse des données peut être globale ou puiser à un cas particulier. L'analyse de contenu et parfois l'analyse ethnographique sont utilisées.	Description détaillée du cas et de son milieu ou de plusieurs cas. Détermination des comportements.
Étude descriptive qualitative	Le phénomène est étudié à l'aide de l'analyse de contenu avec ou sans appui théorique.	Description qualitative des données sur un thème ciblé.

TABLEAU 18.2 | Les types d'analyses des données qualitatives issues de cinq approches de recherche

18.3.1 L'analyse phénoménologique

L'analyse phénoménologique propose une démarche différente de celle des autres types de recherches qualitatives concernant le codage ou l'analyse de contenu. La clarification des significations et l'établissement de liens dans le texte nécessitent une stratégie qui privilégie un mouvement de va-et-vient entre les expressions particulières, les détails et le sens du texte dans son ensemble (Todres et Holloway, 2006). L'analyse phénoménologique vise à saisir et à clarifier la signification, la structure et l'essence d'un phénomène (Patton, 2002). Il s'agit de reconnaitre ce qui est essentiellement humain dans l'expression des phénomènes vécus. Certaines stratégies peuvent être utilisées pour saisir l'essence du phénomène à l'étude, comme la recherche de phrases idiomatiques, l'obtention de descriptions des expériences auprès des participants, l'observation et la réflexion sur les écrits phénoménologiques (van Manen, 1990). On distingue deux principales approches ou perspectives phénoménologiques : l'approche descriptive (eidétique) et l'approche interprétative (herméneutique).

> L'analyse phénoménologique vise à saisir et à clarifier la signification, la structure et l'essence d'un phénomène

Selon les orientations philosophiques ou les perspectives théoriques des chercheurs en regard de la phénoménologie, plusieurs choix de méthodes d'analyse s'imposent à eux. Le chapitre 11 a discuté des courants philosophiques ou des écoles de pensée sur la phénoménologie véhiculée par les philosophes Husserl et Heidegger. La vision de Husserl (1962) a donné lieu à l'approche phénoménologique descriptive, qui met l'accent sur la réduction. Celle-ci se traduit en quelque sorte par la mise entre parenthèses des acquis préalables pour mieux faire ressortir les caractéristiques essentielles du phénomène, ce dernier étant à l'abri du contexte culturel (Dowling, 2007). Selon la vision d'Heidegger (1962), l'interprétation de l'expérience vécue va au-delà de la simple description de cette expérience. Il s'agit de la phénoménologie herméneutique ou interprétative. Dans l'interprétation, les chercheurs ne peuvent séparer leurs propres perspectives de celles des participants. Par un mouvement de va-et-vient d'écriture et de réécriture, il est possible de clarifier les données de l'expérience vécue et d'y réfléchir avant d'en arriver à une compréhension plus approfondie du phénomène (Mackey, 2005).

Trois méthodes d'analyse sont fréquemment utilisées pour la phénoménologie descriptive : les méthodes de Colaizzi (1978), de Giorgi (1970) et de van Kaam (1966). Bien que ces méthodes d'analyse présentent quelques caractéristiques différentes, leur but commun est de décrire le sens d'une expérience à travers la reconnaissance de thèmes significatifs. Le tableau 18.3 fournit une comparaison sommaire des étapes d'analyse des données entre les trois méthodes.

TABLEAU 18.3	Les trois méthodes d'analyse phénoménologique des données		
	Colaizzi	**Giorgi**	**van Kaam**
Étape 1	Lire toutes les descriptions des participants pour découvrir le sens du phénomène à l'étude.	Lire la totalité des transcriptions pour découvrir l'essence du phénomène à l'étude.	Dresser la liste de chaque mot ou expression qui décrit des aspects de l'expérience vécue.
Étape 2	Extraire des énoncés significatifs de chaque transcription.	Définir les unités de sens des descriptions faites par les participants.	Résumer par des termes plus descriptifs les expressions concrètes ou vagues, transmises par les participants et qui se chevauchent. Un accord interjuges est requis.
Étape 3	Exprimer avec clarté la signification de chaque énoncé dominant.	Examiner attentivement la finesse psychologique de chacune des unités de sens.	Supprimer les éléments extérieurs au phénomène étudié ou qui incorporent d'autres phénomènes.
Étape 4	Regrouper par thèmes les significations énoncées : • établir un lien entre les regroupements et les transcriptions originales ; • tenir compte des divergences au sein des regroupements ou entre ceux-ci ainsi que des thèmes différents.	Résumer les unités de sens ainsi modifiées et émettre un énoncé structuré en tenant compte des expériences des participants.	Rédiger une définition et une description du phénomène à l'étude.
Étape 5	Intégrer les résultats à une description exhaustive du phénomène à l'étude.	Renvoyer à la structure de l'expérience qui s'exprime à un niveau particulier ou général.	Appliquer la description hypothétique à des cas extraits aléatoirement de l'échantillon. S'il y a lieu, réviser la description hypothétique et la vérifier auprès d'un nouvel échantillon aléatoire.
Étape 6	Décrire de façon exhaustive le phénomène étudié par un énoncé clair et sans équivoque.		Considérer la définition hypothétique du phénomène à l'étude comme étant valide si toutes les opérations décrites antérieurement ont été menées avec succès.
Étape 7	Valider, à l'étape finale, les résultats en demandant l'opinion de chaque participant.		

Source : Adapté de Beck (1994, p. 256-257. Traduction libre).

Une autre méthode d'analyse interprétative, préconisée par van Manen (1990, 1997), combine les caractéristiques descriptives et interprétatives. La phénoménologie herméneutique est un type particulier d'interprétation phénoménologique qui cherche à dévoiler les significations cachées de la description du phénomène par les participants (Speziale et Carpenter, 2007). Cette méthode est axée sur la signification de l'expérience vécue dans sa quotidienneté. La phénoménologie herméneutique est présentée comme une narration de l'essence tirée de l'expérience vécue. Selon van Manen (1997), l'analyse revêt quatre étapes décrites par Speziale et Carpenter (2007), dont voici un résumé.

1. Revenir à la nature de l'expérience vécue en cherchant à capturer les significations.

2. S'engager dans l'investigation existentialiste en explorant le phénomène, c'est-à-dire générer des données, retracer les sources étymologiques, chercher des phrases idiomatiques, obtenir des descriptions des participants, etc.

3. S'engager dans une réflexion phénoménologique incluant l'analyse thématique, le dévoilement d'aspects thématiques descriptifs, la séparation d'énoncés thématiques, la composition de transformations linguistiques et le recueil des descriptions de sources artistiques.

4. S'engager dans l'écriture phénoménologique et la réécriture.

Parmi d'autres approches relatives à l'analyse qualitative pour la phénoménologie herméneutique, mentionnons l'influence de Heidegger dans l'analyse interprétative de Benner (1994). L'analyse interprétative de cette auteure porte sur la recherche de cas paradigmatiques, ou thèmes, et le repérage d'exemplaires. Les cas paradigmatiques surgissent quand la lecture et l'analyse du texte décrivant l'expérience vécue du participant ont été comprises et reflètent une compréhension complète et détaillée du phénomène étudié. Les exemplaires sont des exemples frappants qui fournissent des distinctions qualitatives dans et entre les thèmes et s'illustrent dans des modèles connus (Mackey, 2005). L'approche de Benner a contribué à la recherche en sciences infirmières et à la pratique dans les milieux cliniques.

Une autre méthode d'analyse phénoménologique est celle de l'analyse en sciences infirmières qui se rapporte à la théorie de l'être en devenir (*human becoming theory*) décrite par Parse (1990). Dans ce modèle, les résultats d'analyse sont transposés à un degré d'abstraction pour représenter théoriquement le sens de l'expérience vécue, et ils sont interprétés selon les principes de la théorie de Parse. Sa description des participants lui permet de dégager des thèmes ainsi que l'essence ou la signification des structures de l'expérience (Fain, 2004). La phénoménologie descriptive a pour sa part inspiré le développement d'une méthode d'investigation relationnelle du *caring* (*relationnel caring inquiry*) (Cara, 1999). Cette méthode, qui comporte sept étapes de réalisation, vise à décrire une compréhension des phénomènes qui intéressent la discipline infirmière et d'autres disciplines de la santé. Au cœur de la démarche se trouve le *caring*, élément constitutif, selon l'auteure, de l'essence de la discipline infirmière. On trouve cette méthode décrite dans Corbière et Larivière (2014).

Toutes les méthodes d'analyses mentionnées précédemment exigent que le chercheur s'engage dans un dialogue avec les données et qu'il utilise le raisonnement inductif et la synthèse. Probst, Arber et Faithfull (2013) ont mené une étude phénoménologique selon la philosophie d'Heidegger dans le but d'explorer l'expérience de vivre avec une affection fongique maligne sur le sein. Les auteurs soulignent l'importance, pour le chercheur, d'éviter ses propres interprétations pour demeurer fidèle à l'expérience rapportée par les participants. L'exemple 18.1 fait état de la démarche utilisée dans l'analyse des données.

Étude phénoménologique selon Heidegger : l'analyse des données

L'analyse des données a été conduite en quatre étapes : 1) la transcription des entrevues en verbatim ; 2) la lecture et la relecture des transcriptions afin de s'immerger dans le texte ; 3) l'extraction et la catégorisation des thèmes marquants soulignés à l'étape précédente pour donner un sens au phénomène ; et 4) l'analyse de chaque thème en catégories. Le logiciel MAXQDA2 a servi à organiser les données. Deux catégories ont émergé de celles-ci : vivre avec une affection fongique maligne et se sentir différentes. Les auteurs concluent à la difficulté pour ces femmes d'être atteintes de cette affection et d'y faire face. Chaque femme a employé des stratégies différentes pour vivre avec cette condition et en maitriser les symptômes. (Traduction libre)

18.3.2 L'analyse ethnographique

L'ethnographie s'intéresse à l'étude des cultures (*voir le chapitre 11*). Comme méthode, elle renvoie souvent à l'observation participante par laquelle le chercheur est immergé dans un groupe sur une longue période afin de mieux comprendre l'univers social des participants (Schutt, 2012). Le chercheur étudie les significations relatives au comportement, au langage et aux interactions entre les membres d'un groupe partageant la même culture (Creswell, 2007). Les chercheurs qui font appel à l'ethnographie pour en apprendre sur la culture à l'étude utilisent largement le travail de terrain. Un des buts de l'ethnographie est de révéler l'information qui se trouve fortement imbriquée dans une culture. Ce niveau de compréhension d'un groupe culturel nécessite en plus des périodes d'observation participante, de multiples méthodes de collecte des données (documents, photographies, entrevues) et des procédures analytiques rigoureuses (Houser, 2008).

> Le chercheur étudie les significations relatives au comportement, au langage et aux interactions entre les membres d'un groupe partageant la même culture.

L'analyse ethnographique des données consiste essentiellement à synthétiser l'information obtenue à partir des observations, des entrevues et d'autres documents divers. Elle débute par la prise de notes sur le terrain et se termine par l'interprétation et la rédaction d'un rapport (Munhall, 2007). L'analyse et l'interprétation se font en parallèle. Les questions mettent l'accent exclusivement sur la compréhension de la culture d'un groupe. À mesure que les données évoluent, de nouvelles questions émergent. Au cours de ce processus d'analyse et d'interprétation, le chercheur peut faire des déductions et discuter de la signification possible des données.

L'ethnographie utilise principalement l'analyse de contenu pour induire des thèmes ou des tendances (Munhall, 2007). L'analyse des données fait d'abord l'objet d'un codage des notes de terrain et des entrevues pour se faire une idée des modèles pouvant émerger. Les codes représentant des significations similaires ainsi que les thèmes liés à un même domaine d'analyse sont regroupés en catégories plus abstraites. Des relations sont établies entre les catégories conceptuelles afin de dégager les tendances du groupe ou des personnes en matière de comportement. Le processus d'analyse ethnographique vise à fournir une description détaillée et exhaustive d'un groupe partageant la même culture. Wolcott (1994) propose trois aspects liés à ce processus d'analyse : la description, l'analyse et l'interprétation de la culture partagée par le groupe.

> Le processus d'analyse ethnographique vise à fournir une description détaillée et exhaustive d'un groupe partageant la même culture.

La description se traduit par la présentation d'une description dense par ordre chronologique ou par thème ou catégorie. La description peut prendre différentes formes telles que la mise en évidence d'un incident critique, d'un récit rapporté selon différentes perspectives ou encore de l'examen de groupes en interaction. Cela consiste à demander aux participants, au moyen d'observations ou d'entretiens, de décrire les évènements clés, positifs ou négatifs, qu'ils ont vécus dans des situations particulières. Par un processus de triage, l'analyse permet de dégager des thématiques récurrentes, des régularités donnant lieu à des catégories et à des modèles descriptifs. Il s'en dégage un portrait culturel ou une synthèse faisant état de la complexité de tous les aspects de la vie d'un groupe (Wolcott, 1999). D'autres possibilités d'analyse peuvent consister à comparer le groupe culturel à d'autres groupes, à tirer des conclusions entre les groupes qui partagent la même culture ou à se tourner vers des cadres théoriques (Creswell, 2007). Enfin, l'interprétation consiste à donner un sens au comportement des membres du groupe étudié. L'interprétation générale du chercheur ou la signification est discutée dans le cadre des résultats et peut mener à des déductions ou à une théorie pour appuyer son interprétation.

Il existe d'autres méthodes d'analyses des données ethnographiques, dont celle proposée par Leininger (2006). La **méthode de recherche *ethnonursing*** vise à découvrir, décrire, documenter et expliquer les phénomènes en soins infirmiers par l'étude des croyances, des valeurs et des pratiques de ces soins dans différentes cultures (McFarland, Mixer, Webhe-Alamah et Burk, 2012). Un guide comportant quatre phases d'analyse et destiné aux utilisateurs de l'*ethnonursing* a été élaboré par Leininger (2006). À la première phase, les données brutes sont analysées, incluant les transcriptions des enregistrements d'entrevues, les observations et les notes de terrain. Au cours de la deuxième phase, les données sont codées et classifiées selon le domaine à l'étude et les questions de recherche. Un logiciel de type NVivo peut être utile pour organiser les données. Dans la troisième phase, caractérisée par la saturation des données, le chercheur fait émerger des thèmes et des modèles récurrents. Enfin, la quatrième phase, considérée comme la plus importante de l'analyse des données, inclut l'interprétation et la synthèse des résultats. Le chercheur explique et confirme les thèmes majeurs et propose de nouvelles formulations théoriques avec les participants (McFarland et Webhe-Alamah, 2014).

> **Méthode de recherche *ethnonursing***
> Étude des cultures dont l'accent porte sur les croyances et les pratiques de groupes relatives aux soins infirmiers et aux comportements en matière de santé.

> La méthode de recherche *ethnonursing* vise à découvrir, décrire, documenter et expliquer les phénomènes en soins infirmiers par l'étude des croyances, des valeurs et des pratiques de ces soins dans différentes cultures.

Wanchai, Armer et Stewart (2012) ont mené une étude utilisant la méthode de recherche *ethnonursing* dans le but d'explorer les réactions des femmes à l'égard des médecines dites douces ou complémentaires. Les auteurs considèrent l'*ethnonursing* comme la seule méthode qualitative qui se préoccupe d'étudier le soin et les pratiques de guérison, les croyances et les valeurs dans divers contextes et environnements. L'exemple 18.2 présente un résumé de cette étude relatif à l'analyse des données.

Il existe également la méthode d'analyse ethnographique de Spradley (1979), selon laquelle l'analyse des données porte sur les caractéristiques du langage, le véhicule symbolique et culturel des répondants. La collecte des données et l'analyse comportent 12 phases regroupées en 6 étapes. Trois d'entre elles se rapportent particulièrement à l'analyse des données, soit l'analyse des domaines, l'analyse taxonomique et l'analyse des éléments (Dubouloz, 1996).

Une application de la méthode de recherche *ethnonursing*

L'étude avait pour but d'explorer comment les femmes thaïlandaises atteintes du cancer utilisaient les formes de médecines complémentaires pour améliorer leur santé et leur bienêtre. Les données obtenues au moyen d'entrevues et des notes de terrain ont été transcrites dans la langue originale, puis traduites en anglais. Les deux transcriptions ont été vérifiées pour s'assurer de leur signification équivalente. L'analyse des données a été conduite à l'aide de la méthode de recherche *ethnonursing* proposée par Leininger (2006). Les deux thèmes retenus ont été la recherche d'information sur les médecines complémentaires et l'essai de plusieurs types de pratiques. Trois de ces pratiques se distinguent : l'utilisation d'herbes, la méditation et le massage. Ces résultats sont corroborés par d'autres études sur le sujet publiées en Thaïlande, en Europe, aux États-Unis et en Asie.

18.3.3 L'analyse de théorisation enracinée

Comme discuté dans le chapitre 11, la méthodologie de la théorisation enracinée a été décrite par Glaser et Strauss (1967). Au cours des années, des divergences sont apparues entre les deux auteurs, de sorte qu'il en est résulté deux versions : la version de Glaser (1978) et la version de Strauss et Corbin (1990). Les deux versions adhèrent au même processus : le recueil des données, le codage et la construction de catégories, la comparaison constante, l'échantillonnage théorique, les mémos et l'élaboration de la théorie. Les différences ne se situent pas dans le processus général, mais bien dans la manière dont les divers processus sont menés pour refléter les différents postulats méthodologiques (Walker et Myrick, 2006). L'approche d'analyse des données de Glaser est moins structurée que celle de Strauss et Corbin. Glaser décrit deux types ou niveaux de processus de codage, substantif et théorique, tandis que Strauss et Corbin en décrivent trois : ouvert, axial et sélectif. Dans l'adoption d'une approche fondée sur la théorisation enracinée, Cooney (2010) estime qu'il faut indiquer, selon ses croyances, si l'on fait appel à l'approche de Glaser (1978) ou à celle de Strauss et Corbin (1990).

De façon générale, dans les études de théorisation enracinée, le processus d'analyse des données s'effectue simultanément à la collecte d'information. Le chercheur réexamine donc de façon approfondie et constante les données déjà recueillies. La lecture régulière des transcriptions d'entrevues et le codage de chaque ligne permettent au chercheur de comparer systématiquement la signification de chaque ligne avec la précédente. Ainsi, il est continuellement à l'affut de nouvelles données, révise le contenu des entrevues et précise les questions d'entrevues, ce qui lui permet de mieux cerner le phénomène à l'étude (Noiseux, 2004). La comparaison incessante et l'échantillonnage théorique se poursuivent tout au long du processus de collecte et d'analyse des données, et les décisions ne sont pas nécessairement finales. À mesure que l'analyse des données se poursuit, des relations s'établissent entre les concepts, et ces relations sont exprimées sous forme d'hypothèses.

L'analyse fondée sur la théorisation enracinée comporte des procédures telles que : 1) le codage des données et l'élaboration de catégories ; 2) l'analyse par comparaison constante ; 3) l'échantillonnage théorique ; 4) la découverte de la catégorie centrale ; et 5) l'élaboration de la théorie.

Le codage des données et l'élaboration de catégories

Le codage est un processus itératif et inductif qui permet d'organiser les données à partir desquelles le chercheur peut construire des thèmes, des unités de sens, des descriptions et des théories (Walker et Myrick, 2006). Le codage permet d'assigner des marqueurs ou des symboles à des concepts ou à des catégories. Il se déroule en deux ou trois étapes selon l'approche de théorisation enracinée utilisée.

Codage ouvert
Type de codage utilisé au début de l'analyse et visant à faire ressortir le plus grand nombre de concepts et de catégories possible, tout en précisant leurs propriétés et leurs dimensions.

Le **codage ouvert** est le premier niveau, qui consiste à reconnaitre, dans les données recueillies, les catégories, leurs propriétés et leurs dimensions (Strauss et Corbin, 1998). À l'aide des transcriptions intégrales des entrevues, le chercheur commence le codage ouvert en soulignant ligne par ligne dans le texte les évènements significatifs et en inscrivant en marge les concepts et les thèmes liés à ceux-ci. Le codage ouvert joue le même rôle que le codage substantif dans l'approche de Glaser (1978). Cette étape initiale comprend aussi l'application de codes qualifiés *in vivo* qui reproduisent les formulations des participants : ce sont des unités de sens. Par exemple, si un participant affirmait que « les infirmières passent beaucoup de temps avec lui », l'expression « passer beaucoup de temps » serait considérée comme un code *in vivo* du fait que ce sont les termes utilisés par le participant.

Le chercheur procède ligne par ligne, un mot après l'autre, ce qui génère un grand nombre de codes ouverts qu'il réduit en créant des catégories. Celles-ci sont plus abstraites que les codes initiaux et les codes ouverts. Elles sont fréquemment révisées et comparées entre elles. Ainsi, de nouvelles idées peuvent être intégrées aux catégories, y compris leurs caractéristiques et les circonstances dans lesquelles elles se produisent ainsi que les conséquences qui peuvent en découler. À l'aide d'un logiciel de traitement de données qualitatives, le chercheur conçoit une grille de codage ouvert pour constituer un premier niveau de conceptualisation du phénomène à l'étude.

Codage axial
Deuxième niveau de codification qui consiste à hausser le niveau conceptuel des relations entre les catégories déterminées dans la grille de codification ouverte de l'étape précédente.

Le **codage axial** est le deuxième niveau ; il se rapporte à la mise en relation des catégories précisées dans la grille de codage ouvert de l'étape précédente. Les catégories sont liées à leurs caractéristiques et aux sous-catégories selon les termes « quand », « où », « pourquoi », « comment » et « avec quelles conséquences » (Strauss, 1987 ; Strauss et Corbin, 1990, 1998). Le chercheur compare les codes initiaux, les rassemble selon leurs dimensions et élabore des construits théoriques à partir des catégories. Des comparaisons constantes sont effectuées entre les nouvelles idées, les incidents, les codes et les catégories. Dans l'approche de Glaser, il n'y a pas à proprement parler d'un autre codage si ce n'est la continuation du codage substantif.

Codage sélectif
Intégration des relations entre la catégorie principale et les autres catégories et vérification de ces relations.

Le **codage sélectif**, dernière étape de l'analyse, comporte l'intégration et le raffinement des catégories (Strauss et Corbin, 1998). Celles-ci sont regroupées autour de concepts principaux en vue de la construction d'une catégorie centrale (Holloway et Todres, 2006). Le chercheur découvre cette dernière en observant les relations entre les catégories ; il peut s'agir de quelques mots, d'une phrase, d'un paragraphe ou d'une idée qui vont au cœur du phénomène (Noiseux, 2004). Selon l'approche de Glaser, cette étape constitue le codage théorique qui va au-delà d'une description vers une analyse théorique qui intègre les concepts dans une explication théorique (Stommel et Wills, 2004).

L'analyse par comparaison constante

La théorisation enracinée utilise la méthode d'analyse par **comparaison constante**, ou continue, décrite d'abord par Glaser et Strauss (1967), puis reprise par Strauss et Corbin (1990), qui l'ont précisée. Cette méthode consiste à comparer de façon continue les nouvelles données aux données déjà recueillies, afin d'améliorer les catégories pertinentes sur le plan théorique. Les données qualitatives sont comparées non seulement à celles issues des entrevues et des observations, mais aussi à l'information pertinente provenant des écrits. Cette approche permet d'explorer d'éventuelles similarités. Le chercheur compare les idées élaborées à partir d'une catégorie avec les précédentes de la même catégorie. C'est par la comparaison et la caractérisation des catégories que les tendances se dégagent, ce qui renforce le pouvoir explicatif des catégories en vue de la théorisation. Ce processus d'analyse des données se fonde sur le schéma conceptuel suggéré par Strauss et Corbin (1990, 1998); le modèle utilise les trois types de codage des données (le codage ouvert, le codage axial et le codage sélectif) correspondant chacun à une des étapes d'analyse.

Comparaison constante
Comparaison continue entre les données qualitatives et celles provenant d'autres sources, afin de caractériser les catégories et d'en dégager les tendances.

L'échantillonnage théorique

L'**échantillonnage théorique** signifie la recherche de données pertinentes au développement de la théorie émergente. Il vise à concevoir et à raffiner les catégories constituant cette théorie (Charmaz, 2014). L'échantillonnage théorique se poursuit jusqu'à ce que les catégories, leurs propriétés et leurs dimensions ainsi que les liens entre les catégories soient bien établis, c'est-à-dire jusqu'à la saturation théorique. La saturation théorique des données représente un aspect important de l'élaboration de catégories; elle est atteinte quand le chercheur n'obtient plus de données nouvelles et qu'il ne peut relever de cas nouveaux.

Échantillonnage théorique
Processus qui consiste à choisir de nouveaux sites de recherche ou de nouvelles données afin de concevoir et de raffiner les catégories qui constituent la théorie émergente.

La découverte de la catégorie centrale

La **catégorie centrale** est un processus psychosocial de base qui survient dans le temps et qui explique les changements de comportement des participants, leurs sentiments et leurs pensées (Holloway et Todres, 2006). Ses caractéristiques sont explicitées par Glaser (1978), Strauss (1987), Strauss et Corbin (1990, 1998). Ainsi, la catégorie centrale est un phénomène de premier plan dans la recherche. Elle devrait présenter les caractéristiques suivantes: être liée aux autres catégories afin d'établir un schéma explicatif; se produire souvent dans les données; se manifester spontanément, sans l'intervention du chercheur; expliquer les variations entre les catégories; et être découverte à la fin de l'analyse.

Catégorie centrale
Phénomène central qui intègre toutes les catégories dans l'étude de théorisation enracinée.

L'élaboration de la théorie

Les catégories se rapportant à la théorisation enracinée sont plus abstraites que les codes initiaux et contribuent à la construction de la théorie. Strauss et Corbin (1998) insistent sur les points suivants: la théorisation doit mettre en évidence les relations entre les concepts et les liens entre les catégories; la variation devrait être insérée dans la théorisation; la théorisation devrait démontrer un processus social ou psychologique; les résultats théoriques devraient porter une signification dont l'importance perdure.

D'autres théoriciens de la théorisation enracinée, tels que Bryant et Charmaz (2007) ainsi que Charmaz (2014), proposent une théorie enracinée constructiviste. Cela signifie que les données et les analyses sont considérées comme des constructions sociales qui reflètent leur processus de production, et chaque analyse est propre au temps, à l'espace, à la culture et à la situation (Waring, 2012). Une étude menée par Witsø, Ytterhur et Vik (2015) avait pour but d'explorer et d'élucider les perceptions et l'expérience de participation des personnes âgées vis-à-vis des fournisseurs de services à domicile dans leur vie quotidienne. La méthode de comparaison constante inspirée par la théorie enracinée constructiviste de Charmaz (2006, 2014) a été appliquée à l'analyse des données, dont l'exemple 18.3 fait mention.

EXEMPLE 18.3

L'analyse des données par comparaison constante

Les données ont été analysées en appliquant la méthode de comparaison constante décrite par Charmaz (2006), incluant un processus de codage initial et accentué (*focused*), et en rédigeant des mémos. Le codage initial est caractérisé par le codage ligne par ligne de manière à établir les directions analytiques par la séparation des données en actions, en catégories et en processus, par la découverte de modèles et de divergences dans les données, tout en restant près du langage des participants. Le processus de codage initial et accentué a donné lieu à deux catégories finales: garder l'équilibre avec l'agence ou les fournisseurs de services; et développer des relations avec ces derniers, c'est-à-dire entretenir des rapports sociaux avec le personnel de l'agence de services. Enfin, la catégorie centrale déterminée représente le processus par lequel les adultes âgés agissent sur leur capacité de changement dans la vie quotidienne, qui se caractérise par des aspects émotionnels et intellectuels de participation. Les auteurs concluent que la participation comme interaction sociale avec les fournisseurs de service est considérée comme une pratique subordonnée et un soutien physique. Les professionnels devraient être à l'affut des significations et des expériences des participants pour faciliter la participation de ceux-ci. (Traduction libre)

18.3.4 L'analyse qualitative de l'étude de cas

L'étude de cas de nature qualitative comporte l'examen approfondi d'un cas (problème) dans son ensemble ou de plusieurs cas dans le cadre d'un système délimité, c'est-à-dire un milieu ou un contexte (Creswell, 2007). Même si bon nombre d'expressions diffèrent dans les méthodes qualitatives, l'étude de cas partage certaines caractéristiques avec la plupart d'entre elles. Par exemple, dans le processus d'analyse des données qualitatives, le chercheur commence par organiser les renseignements recueillis et entreprend ensuite la lecture des transcriptions d'entrevues ou d'observations, rédige des mémos et interprète les données.

L'analyse des données est étroitement liée à la collecte de l'information et à la description des résultats à mesure que l'étude de cas prend forme. L'analyse peut être holistique ou traiter d'un aspect précis du cas (Yin, 2014). Le processus de collecte des données permet la description de certains aspects, dont l'histoire du cas et la chronologie des évènements (Stake, 1995). L'analyse consiste à produire une description détaillée du cas et de son contexte. Si le cas comporte plusieurs évènements, les données provenant

> L'analyse consiste à produire une description détaillée du cas et de son contexte.

de sources multiples peuvent être analysées en vue de faire le point à chacune des étapes. L'analyse de contenu permet de déterminer des comportements types, de dégager des thèmes et des tendances. Les thèmes peuvent être rassemblés pour fournir une description du phénomène étudié.

Salami, Nelson, Hawthorne, Muntaner et McGillis Hall (2014) ont utilisé la méthodologie de l'étude de cas simple qualitative pour explorer les motivations des infirmières des Philippines qui ont émigré au Canada grâce au *Line-in Caregiver Program,* un programme canadien pour les travailleurs domestiques. L'exemple 18.4 présente un extrait du processus d'analyse des données.

EXEMPLE 18.4

L'analyse des données qualitatives d'une étude de cas

Dans cette étude, les infirmières des Philippines qui ont immigré au Canada entre 2001 et 2011 comme travailleuses domestiques constituent l'unité d'analyse. Les sources de données proviennent des documents d'analyse et d'entrevues semi-structurées effectuées auprès de 15 participantes. La collecte des données et l'analyse se sont déroulées simultanément. Durant le processus de codage, une attention a été portée sur l'effet de croisement entre le sexe, la classe, la nationalité et l'ethnie en ce qui a trait à l'expérience des travailleuses domestiques ayant immigré au Canada. Le logiciel NVivo 10 a servi à l'organisation des données. Les résultats donnent un bon aperçu des intentions qui sous-tendent le modèle de migration de ces travailleuses, à savoir le désir d'améliorer leur statut social et d'acquérir des droits de citoyenneté pour leur famille. (Traduction libre)

18.3.5 L'analyse qualitative de l'étude descriptive

La recherche descriptive qualitative est fréquemment utilisée dans les disciplines appliquées pour décrire des phénomènes ou répondre à des questions de recherche précises sans avoir recours à une méthodologie qualitative particulière. De façon générale, les mêmes méthodes de collecte des données sont utilisées (*voir le chapitre 11*). L'analyse de contenu est la plus employée pour analyser les données ; elle permet de classer les mots en catégories. Les résultats ne sont pas nécessairement appuyés par des assises théoriques ou conceptuelles selon que l'on a fait appel ou non à un cadre conceptuel pour situer le phénomène à l'étude.

O'Brien, Finlayson, Kerr et Edwards (2014) ont mené une étude descriptive qualitative dans le but de comprendre la perspective des adultes aux prises avec un ulcère veineux aux membres inférieurs en rapport avec la pratique d'exercice. L'exemple 18.5, à la page suivante, résume le processus d'analyse des données.

En conclusion, bien que chacune des méthodes de recherche qualitative ait ses origines distinctes et ses façons de procéder, elles partagent toutes une même façon d'orienter la collecte des données en fonction des participants et de construire une synthèse compréhensible dans l'analyse de celles-ci. L'ensemble ainsi constitué contribue à l'avancement des connaissances dans les diverses disciplines concernées par des applications précises.

L'analyse des données qualitatives d'une étude descriptive

Les données ont été recueillies à l'aide de groupes de discussion focalisée et d'entrevues. Les données d'entrevues ont été analysées selon un processus d'analyse thématique préconisé par Burnard (1991) qui consiste à produire de riches catégories de façon systématique. Les transcriptions d'entrevues ont été lues et relues plusieurs fois afin d'obtenir une vue d'ensemble et de permettre au chercheur de s'immerger dans les données, d'où la formation de catégories. Quatre thèmes, présentés dans le tableau ci-dessous, ont émergé des catégories établies par les analyses comme étant interreliées. Le logiciel NVivo 9 a été utilisé pour l'organisation des données.

Les thèmes et les catégories émergentes

Thèmes	Catégories émergentes
Compréhension des participants de la relation entre l'insuffisance veineuse chronique et l'exercice	• Aigüe ou chronique • Motivation à l'exercice • Bénéfices physiologiques de l'exercice
Crainte de l'impact négatif de l'exercice sur les croyances et les attitudes	• Crainte de perdre l'indépendance comme motivation à être actif • Crainte que l'exercice puisse faire plus de mal à la jambe ulcérée • Crainte que l'exercice puisse causer d'autres torts
Perception des facteurs limitant l'exercice	• Porter des bandages restrictifs • Être dépendant des autres • Vivre avec d'autres conditions • Se croire trop âgé pour faire de l'exercice • Altérer l'image de soi
Arrangement structuré facilitant l'exercice	• L'information donnée par des professionnels de la santé pour la pratique des exercices • Des outils d'accompagnement à l'exercice (p. ex. des brochures) • La croyance de pouvoir faire de l'exercice • La routine comme aspect important pour être actif

Pour conclure, dans leur discussion, les auteurs soulignent le concept d'efficacité perçue, à savoir la croyance d'une personne dans sa capacité à réduire et à maitriser un comportement. Les auteurs ont utilisé tous les moyens possibles pour s'assurer de la validité de leurs données. Leurs conclusions mettent l'accent sur la capacité de l'exercice à améliorer non seulement le processus de guérison dans ce contexte, mais aussi de réduire les conditions secondaires chez les personnes atteintes d'insuffisance veineuse. Cependant, plusieurs obstacles à l'exercice doivent être compris et gérés. (Traduction libre)

18.4 Les concepts liés à la rigueur dans les recherches qualitatives

La rigueur et l'authenticité sont des qualités inhérentes qui s'appliquent autant à la recherche quantitative qu'à la recherche qualitative. Les critères de rigueur issus de la recherche quantitative ne peuvent s'appliquer directement aux études interprétatives (Laperrière, 1997). Lincoln et Guba (1985) ont élaboré des critères constructivistes relatifs à la crédibilité, à la transférabilité, à la fiabilité et à la confirmabilité qui sont largement répandus, étant mieux adaptés aux recherches qualitatives. Ces auteurs ont également proposé un certain nombre de techniques visant à accroitre la crédibilité des données qualitatives. Le tableau 18.4 présente les critères de rigueur pour la recherche qualitative et les différentes techniques applicables pour rehausser la qualité de ces études.

TABLEAU 18.4	Les critères de rigueur scientifique pour l'analyse qualitative des données	
Critère d'évaluation	**Description**	**Techniques proposées**
Crédibilité (validité interne)	Renvoie à l'accord entre les vues des participants et la représentation que le chercheur se fait d'eux.	• Engagement prolongé sur le terrain • Observation soutenue • Triangulation • Recherche d'explications divergentes • Débreffage ou *debriefing* (vérification externe)
Transférabilité (validité externe)	Renvoie à l'exactitude de la description servant à juger de la similarité avec d'autres situations de telle sorte que les résultats peuvent être transférés.	• Notes réflexives • Description dense et détaillée
Fiabilité (fidélité)	Renvoie à la stabilité des données dans le temps et dans les conditions.	• Tracé de l'audit • Triangulation • Notes réflexives
Confirmabilité (objectivité)	Renvoie au lien entre les données, les résultats et l'interprétation.	• Tracé de l'audit • Triangulation • Vérification par les membres

18.4.1 La crédibilité

Le critère de **crédibilité** (correspondance avec la validité interne dans la recherche quantitative) a rapport à l'exactitude dans la description du phénomène vécu par les participants en fonction de l'interprétation des données. Dans quelle mesure les interprétations élaborées par le chercheur sont-elles révélatrices de l'expérience vécue ? La réalité doit être fidèlement représentée, et l'interprétation qui en est donnée doit paraitre plausible aux participants. Parmi les techniques proposées pour établir la crédibilité des données, on trouve, entre autres :

- l'engagement prolongé du chercheur sur le terrain, qui lui permet de mieux comprendre ce qui s'y passe et de cerner les différents points de vue des participants, ce qui peut aider à renforcer le climat de confiance ;

- les observations soutenues, qui favorisent un meilleur contrôle des biais qui pourraient résulter de conclusions prématurées ;

- la **triangulation**, qui consiste à faire usage de multiples sources de données. Il peut s'agir de combiner d'autres méthodes de collecte d'information avec celle qui est employée ou d'associer à son étude d'autres participants, d'autres chercheurs ou d'autres sources documentaires ou théories. Ces sources multiples permettent de tirer des conclusions valables sur ce qui constitue la réalité à propos d'un même phénomène. Si des conclusions comparables sont tirées de chaque méthode, la crédibilité de l'interprétation s'en trouve renforcée ;

- la recherche d'explications divergentes (contrexplications) renvoie à d'autres possibilités pour s'assurer que les conclusions tirées des données sont appropriées et plausibles ;

Crédibilité
Critère servant à évaluer dans quelle mesure la description du phénomène vécu par les participants reflète la réalité interprétée.

Triangulation
Stratégie de mise en comparaison de plusieurs méthodes de collecte et d'interprétation de données permettant de tirer des conclusions valables à propos d'un même phénomène.

- les vérifications externes, soit le débreffage par les pairs en tant que moyen de vérification. Ce débreffage nécessite que le chercheur ait des échanges avec des personnes expérimentées dans les méthodes ou le contenu et qu'il sollicite les opinions des participants sur la crédibilité des interprétations qu'il a formulées et sur les résultats obtenus. Lincoln et Guba (1985) considèrent la vérification par les participants comme la technique la plus importante pour établir la crédibilité des données.

18.4.2 La transférabilité

Transférabilité
Critère servant à évaluer l'application éventuelle des conclusions issues d'études qualitatives à d'autres contextes ou groupes. Elle s'apparente à la généralisation.

Le critère de **transférabilité** (correspondance avec la validité externe) a rapport à l'application éventuelle des conclusions tirées de l'analyse des données à d'autres contextes similaires. Il s'agit plutôt d'une transférabilité analytique des résultats de la recherche, puisque dans les études interprétatives, on ne peut inférer les résultats en fonction d'une population (Lincoln et Guba, 1985). Le chercheur doit démontrer que les résultats valent également pour d'autres situations. Comme technique proposée pour établir la transférabilité, il incombe de fournir une description détaillée du contexte permettant de porter un jugement quant à l'application des résultats à d'autres contextes. Cette information a trait à la densité et à la clarté des descriptions faites du contexte à l'étude et des activités observées sur le terrain (Lincoln et Guba, 1985). De plus, le chercheur doit être en mesure d'indiquer comment le contexte a favorisé ou non l'atteinte de ses objectifs.

18.4.3 La fiabilité

Fiabilité
Critère servant à évaluer l'intégrité des données d'études qualitatives en ce qui a trait à leur stabilité dans le temps et dans différentes conditions.

Le critère de **fiabilité** (correspondance avec la fidélité dans la recherche quantitative) a rapport à la stabilité des données et à la constance dans les résultats. Si la fiabilité n'est pas assurée, alors la crédibilité se trouve remise en question. On parle de fiabilité quand la répétition de l'étude avec les mêmes sujets dans des circonstances similaires produit des résultats constants. Dans la recherche de la fiabilité des données, le chercheur doit assurer leur exactitude et être en mesure de clarifier les schémas de codes et le processus d'analyse des données. Il fait appel à des personnes indépendantes pour vérifier si les résultats, les interprétations et les conclusions sont solidement appuyés.

18.4.4 La confirmabilité

Confirmabilité
Critère servant à évaluer l'intégrité d'une étude qualitative en se reportant à l'objectivité ou à la neutralité des données et de leur interprétation.

Le critère de **confirmabilité** (neutralité) renvoie à l'objectivité dans les données et leur interprétation. Ce critère vise à s'assurer que les résultats reflètent bien les données et non le point de vue du chercheur. Les significations qui émergent des données doivent être vérifiées pour en évaluer la vraisemblance, la solidité et la certitude, de sorte que deux chercheurs indépendants obtiendraient des significations similaires à partir des mêmes données. Ces vérifications se font à rebours en faisant appel à d'autres personnes pour juger de la qualité des résultats obtenus. L'audit est un autre moyen d'évaluer la confirmabilité. Il s'agit d'une procédure de vérification effectuée par un expert dans le but de confirmer si les inférences logiques et les interprétations du chercheur ont du sens.

18.5 L'examen critique d'une analyse qualitative

L'encadré 18.1 présente quelques critères généraux qui servent à faire la critique de l'analyse des données qualitatives effectuée selon les méthodes abordées dans ce chapitre. Même si, dans l'ensemble, les approches qualitatives privilégient l'aspect humain, chacune apporte une dimension particulière. Celle-ci est prise en compte dans les questions servant à guider l'examen critique.

ENCADRÉ 18.1 | **Quelques questions guidant l'examen critique d'analyses qualitatives**

1. Quel type de méthodologie qualitative a été utilisé dans cette étude ?

2. La méthode d'analyse qualitative utilisée est-elle suffisamment décrite et détaillée ?

3. Le verbatim des réponses est-il rapporté pour déterminer les thèmes et les catégories ?

4. Les thèmes soulevés dans l'étude respectent-ils l'intégrité des données originales ?

5. Quelle est l'importance de la recension des écrits dans ce type d'étude qualitative ?

6. Les résultats semblent-ils crédibles et importants cliniquement ?

7. À quelles conclusions arrive-t-on ? Les conclusions sont-elles justifiées dans le contexte des résultats ?

8. Les résultats sont-ils transférables à d'autres milieux cliniques ?

Points saillants

<table>
<tr>
<td>18.1</td>
<td>Le processus d'analyse des données qualitatives</td>
<td>

• L'analyse des données qualitatives consiste en un va-et-vient continu entre les données qui expriment la réalité des participants et les conceptualisations qui visent à représenter cette réalité.

• Les entrevues et le matériel audiovisuel produisent des dizaines de pages de transcriptions, tout comme les notes prises lors des observations sur le terrain et de l'analyse de documents.

• Dans la recherche qualitative, la méthode d'analyse des données est inductive.

</td>
</tr>
<tr>
<td>18.2</td>
<td>Les étapes de l'analyse des données qualitatives</td>
<td>

• Les principales étapes dans l'analyse des données sont : 1) l'organisation des données ; 2) la révision des données et l'immersion du chercheur ; 3) le codage des données ; 4) l'élaboration de catégories et l'émergence de thèmes ; 5) la recherche de modèles de référence ; et 6) l'interprétation des résultats et les conclusions.

• L'organisation des données inclut leur transcription en verbatim, qui se fait généralement à l'aide de logiciels.

• Le but de la révision est l'immersion totale du chercheur dans les données.

• L'analyse commence par un processus de codage au cours duquel des symboles sont attribués à des segments de phrases pour dégager des unités de sens.

• L'élaboration de catégories et l'émergence de thèmes permettent de relever des thèmes saillants et des phrases récurrentes dans les segments de texte d'où l'on procède à un codage plus avancé.

• Dans la recherche de modèles, on cherche des confirmations et des explications plausibles.

• Dans l'interprétation des résultats, le chercheur vise à donner un sens aux données et à en tirer des conclusions.

• Les logiciels d'analyse des données qualitatives fournissent une façon structurée de traiter certains aspects de cette analyse : trier un fichier complet de données brutes, retracer les réponses des participants, discerner les catégories et leurs interrelations.

</td>
</tr>
<tr>
<td>18.3</td>
<td>Les méthodes propres aux approches qualitatives</td>
<td>

• L'analyse phénoménologique vise à saisir et à clarifier la signification, la structure et l'essence d'un phénomène.

• On distingue deux écoles de pensée, ou visions : la vision phénoménologique descriptive, qui met l'accent sur le phénomène, et la vision herméneutique, qui privilégie la compréhension et l'expérience.

• Dans le cadre de l'ethnographie, l'*ethnonursing* vise à décrire et à expliquer les phénomènes en soins infirmiers à travers les croyances, les valeurs et les pratiques de ces soins dans différentes cultures.

• L'analyse de théorie enracinée peut s'effectuer selon l'approche de Glaser ou de Strauss. Les deux versions adhèrent au même processus, mais diffèrent dans la manière de conduire ce processus pour refléter les postulats méthodologiques.

</td>
</tr>
<tr>
<td>18.4</td>
<td>Les concepts liés à la rigueur dans les recherches qualitatives</td>
<td>

• Les concepts de rigueur dans la recherche qualitative sont : la crédibilité (validité interne), la transférabilité (validité externe) la fiabilité (fidélité) et la confirmabilité (objectivité).

</td>
</tr>
</table>

Mots clés

Analyse de contenu

Analyse de théorisation enracinée

Analyse des données qualitatives

Analyse ethnographique

Analyse phénoménologique

Catégorie

Codage

Codage axial

Codage ouvert

Codage sélectif

Codage théorique

Comparaison constante

Démarche inductive

Étude de cas

Étude descriptive qualitative

Fragmentation des données

Mémo analytique

Thème

Exercices de révision

1. Dans la recherche qualitative, en quoi consiste la saturation empirique des données?

2. Sous quelle forme exprime-t-on les données qualitatives?

3. Qu'entend-on par « codage des données »?

4. Qu'entend-on par la comparaison constante faite au cours de l'analyse qualitative des données? Dans quelle approche est-elle souvent utilisée?

5. Comment appelle-t-on la phase préliminaire à l'analyse des données qualitatives?

6. Associez les différentes caractéristiques au critère de rigueur dans l'analyse qualitative.

Critères

a) Crédibilité

b) Transférabilité

c) Fiabilité

d) Confirmabilité

Caractéristiques

1) Renvoie à l'exactitude de la description servant à juger de la similarité avec d'autres situations de telle sorte que les résultats peuvent être extrapolés.

2) Renvoie à l'objectivité entre les données, les résultats et l'interprétation.

3) Renvoie à l'accord entre les vues des participants et la représentation que le chercheur se fait d'eux.

4) Renvoie à la stabilité des données dans le temps et dans différentes conditions.

Liste des références

Les références citées dans la rubrique « Exemple » ou dans les citations peuvent ne pas figurer dans cette liste.

Banner, D.J. et Albarran, J.W. (2009). Examen de logiciels d'analyse de données qualitatives. *Canadian Journal of Cardiovascular Nursing, 19*(3), 28-31.

Beck, C.T. (1994). Reliability and validity issues in phenomenological research. *Western Journal of Nursing Research, 16*(3), 254-267.

Benner, P. (1994). The tradition and skill of interpretive phenomenology in studying health, illness, and caring practices. Dans P. Benner (dir.). *Interpretive phenomenology* (p. 99-127). Thousand Oaks, CA : Sage Publications.

Best, J.W. et Kahn, J.V. (2006). *Research in education* (10e éd.). Boston, MA : Pearson/Allyn & Bacon.

Bruce, C.D. (2007). Questions arising about emergence, data collection, and its interaction with analysis in a grounded theory study. *International Journal of Qualitative Methods, 6*(1), 1-12.

Bryant, A. et Charmaz, K. (2007). Grounded theory in historical perspective: An epistemological account. Dans A. Bryant et K. Charmaz (dir.). *The SAGE handbook of grounded theory* (p. 31-57). Londres, Angleterre : Sage Publications.

Cara, C. (1999). Relational caring inquiry: Nurses' perspectives on how management can promote a caring practice. *International Journal for Human Caring, 3*(1), 22-29.

Charmaz, K. (2006). *Constructing grounded theory: A practical guide through qualitative analysis.* Londres, Angleterre : Sage Publications.

Charmaz, K. (2014). *Constructing grounded theory* (2e éd.). Los Angeles, CA : Sage Publications.

Colaizzi, P.F. (1978). Psychological research as the phenomenologist views it. Dans R. Valle et M. King (dir.). *Existential phenomenological alternative for psychology.* New York, NY : Oxford University Press.

Cooney, A. (2010). Choosing between Glaser and Strauss: An example. *Nurse Researcher, 17*(4), 18-28.

Corbière, M. et Larivière, N. (dir.). (2014). *Méthodes qualitatives, quantitatives et mixtes : dans la recherche en sciences humaines, sociales et de la santé* (p. 29-50). Québec, Québec : Les Presses de l'Université du Québec.

Corbin, J. et Strauss, A. (2008). *Basics of qualitative research: Techniques and procedures for developing grounded theory* (3e éd.). Thousand Oaks, CA : Sage Publications.

Creswell, J. W. (2007). *Qualitative inquiry and research design: Choosing among five approaches* (2ᵉ éd.). Thousand Oaks, CA : Sage Publications.

Creswell, J.W. (2009). *Research design: Qualitative, quantitative, and mixed methods approaches,* (3ᵉ éd.). Los Angeles, CA : Sage Publications.

Dowling, M. (2007). From Husserl to van Manen: A review of different phenomenological approaches. *International Journal of Nursing Studies, 44*(1), 131-142.

Dubouloz, C.J. (1996). Méthodes d'analyse des données en recherche qualitative. Dans M.-F. Fortin. *Le processus de la recherche : de la conception à la réalisation* (p. 301-315). Montréal, Québec : Décarie éditeur.

Endacott, R. (2005). Clinical research 4: Qualitative data collection and analysis. *Intensive and Critical Care Nursing, 21*(2), 123-127.

Fain, J.A. (2004). *Reading, understanding, and applying nursing research: A text and workbook* (2ᵉ éd.). Philadelphie, PA : F.A. Davis Company.

Gibbs, G.R. (2007). *Analyzing qualitative data. The Sage qualitative research kit.* Thousand Oaks, CA : Sage Publications.

Giorgi, A. (1970). *Psychology as a human science: A phenomenologically based approach.* New York, NY : Harper & Row.

Glaser, B.G. (1978). *Theoretical sensitivity.* Mill Valley, CA : Sociology Press.

Glaser, B.G. et Strauss, A.L. (1967). *The discovery of grounded theory: Strategies for qualitative research.* Chicago, IL : Aldine.

Grove, S.K., Burns, N. et Gray, J.R. (2013). *The practice of nursing research: Appraisal, synthesis and generation of evidence* (7ᵉ éd.). Saint-Louis, MO : Saunders Elsevier.

Heidegger, M. (1962). *Being and time.* New York, NY : Harper Row.

Holloway, I. et Todres, L. (2006). Grounded theory. Dans K. Gerrish et A. Lacy (dir.). *The Research process in nursing* (p. 192-207). Oxford, R.-U. : Blackwell Publishing.

Holloway, I. et Wheeler, S. (2010). *Qualitative research in nursing and health care* (3ᵉ éd.) Oxford, R.-U. : Wiley-Blackwell.

Houser, J. (2008). *Nursing research: Reading, using, and creating evidence.* Sudbury, MA : Jones & Bartlett.

Huberman, A.M. et Miles, M.B. (1991). *Analyse des données qualitatives : recueil de nouvelles méthodes.* Bruxelles, Belgique : De Boeck Université.

Husserl, E. (1962). *Ideas: General Introduction to pure phenomenology.* New York, NY : Macmillan.

Johnson, B. et Christensen, L. (2004). *Educational research: Quantitative, qualitative, and mixed approaches* (2ᵉ éd.). Boston, MA : Pearson/Allyn & Bacon.

Laperrière, A. (1997). La théorisation ancrée : démarche analytique et comparaison avec d'autres approches. Dans J. Poupart et collab. (dir.). *La recherche qualitative : enjeux épistémologiques et méthodologiques* (p. 309-333). Montréal, Québec : Gaëtan Morin Éditeur.

Laperrière, A. (2003). *Recherche sociale : de la problématique à la collecte des données* (4ᵉ éd.). Québec, Québec : Les Presses de l'Université du Québec.

Leininger, M.M. (2006). Ethnonursing research method and enablers. Dans M.M. Leininger et M.R. McFarland (dir.). *Culture care diversity and universality: A worldwide nursing theory* (2ᵉ éd.) (p. 1-41). Sudbury, MA : Jones & Bartlett.

Lincoln, Y.S. et Guba, E.G. (1985). *Naturalistic Inquiry.* Newbury Park, CA : Sage Publications.

Lodico, M.G., Spaulding, D.T. et Voegtle, K.H. (2010). *Methods in educational research: From theory to practice* (2ᵉ éd.). San Francisco, CA : Jossey-Bass.

Mackey, S. (2005). Phenomenological nursing research: methodological insights derived from Heidegger's interpretive phenomenology. *International Journal of Nursing Studies, 42,* 179-186.

Marshall, C. et Rossman, G.B. (2006). *Designing qualitative research* (4ᵉ éd.). Thousand Oaks, CA : Sage Publications.

McFarland, M.R. et Wehbe-Alamah, H. (2014*). Leininger's culture care diversity and universality: A worldwide nursing theory* (3ᵉ éd.). Burlington, MA : Jones & Bartlett Learning.

McFarland, M.R., Mixer, S.J., Wehbe-Alamah, H. et Burk, R. (2012). Ethnonursing: A qualitative research method for studying culturally competent care across disciplines. *International Journal of Qualitative Methods, 11*(3), 259-279.

McMillan, J.H. et Schumacher, S. (2006). *Research in education: Evidence-based inquiry* (6ᵉ éd.). Boston, MA : Pearson/Allyn & Bacon.

Miles, M.B. et Huberman, A.M. (2003). *Analyse des données qualitatives : recueil de nouvelles méthodes* (2ᵉ éd.). Paris, France : De Boeck Université.

Munhall, P.L. (2007). *Nursing research: A qualitative perspective* (4ᵉ éd.). Sudbury, MA : Jones & Bartlett.

Noiseux, S. (2004). *Élaboration d'une théorie du rétablissement de personnes vivant avec la schizophrénie* (Thèse de doctorat inédite). Université de Montréal, Montréal, Canada.

O'Brien, J., Finlayson, K., Kerr, G. et Edwards, H. (2014). The perspectives of adults with venous leg ulcers on exercise: An exploratory study. *Journal of Wound Care, 33*(10), 496-508.

Paillé, P. et Mucchelli, A. (2008). *L'analyse qualitative en sciences humaines et sociales* (2ᵉ éd.). Paris, France : Armand Colin.

Parse, R.R. (1990). Health: A personal commitment. *Nursing Science Quaterly, 3*(3), 136-140.

Patton, M.Q. (2002). *Qualitative research and evaluation methods* (3ᵉ éd.). Thousand Oaks, CA : Sage Publications.

Polit, D.F. et Beck., C.T. (2012). *Nursing research: Generating and assessing evidence for nursing practice* (9ᵉ éd.). Philadelphie, PA : Wolters Kluwer/Lippincott Williams & Walkins.

Probst, S., Arber, A. et Faithfull, S. (2013). Coping with an exulcerated breast carcinoma: An interpretative phenomenological study. *Journal of Wound Care, 22*(7), 352-360.

Punch, K. (2005). *Introduction to social research: Quantitative and qualitative approaches* (2ᵉ éd.). Thousand Oaks, CA : Sage Publications.

Roy, N. et Garon, R. (2013). Étude comparative des logiciels d'aide à l'analyse de données qualitatives : de l'approche automatique à l'approche manuelle. *Recherches qualitatives, 32*(1), p. 154-180.

Salami, B., Nelson, S., Hawthorne, L., Muntaner, C. et McGillis Hall, L. (2014). Motivations of nurses who migrate to Canada as domestic workers. *International Nursing Review, 61,* 479-486.

Schutt, R.K. (2012). *Investigation the social world: The process and practice of research.* Los Angeles, CA : Sage Publications.

Speziale, H.J.S. et Carpenter, D.R. (2007). *Qualitative research in nursing* (4ᵉ éd.). Philadelphie, PA : Lippincott Williams & Wilkins.

Spradley, J.P. (1979). *The ethnographic interview.* New York, NY : Holt, Rinehart & Winston.

Stake, R. (1995). *The art of case study research.* Thousand Oaks, CA : Sage Publications.

Stommel, M. et Wills, C.E. (2004). *Clinical research: Concepts and principles for advanced practice nurses.* Philadelphie, PA : Lippincott Williams & Wilkins.

Strauss, A.L. (1987). *Qualitative analysis for social scientists.* New York, NY : Cambridge University Press.

Strauss, A.L. et Corbin, J. (1990). *Basics of qualitative research.* Thousand Oaks, CA : Sage Publications.

Strauss, A.L. et Corbin, J. (1998). *Basics of qualitative research: Techniques and procedures for developing grounded theory* (2e éd.). Thousand Oaks, CA : Sage Publications.

Todres, L. et Holloway, I. (2006). Phenomenological research. Dans K. Gerrish et A. Lacey (dir.). *The research process in nursing* (p. 224-238). Oxford, R.-U. : Blackwell Publishing.

van Kaam, A.L. (1966). *Existential foundations of psychology.* Pittsburg, PA : Duquesne University Press.

van Manen, M. (1990). *Researching lived experience: Human science for an action sensitive pedagogy.* Buffalo, NY : State of University of New York Press.

van Manen, M. (1997). From meaning to method. *Qualitative Health Research, 7*(3), 345-369.

Vierra, A., Pollock, J. et Golez, F. (1998). *Reading educational research* (3e éd.). Upper Saddle, NJ : Pearson/Prentice Hall.

Walker, D. et Myrick, F. (2006). Grounded theory: An exploration of process and procedure. *Qualitative Health Research, 16*(4), 547-559.

Wanchai, A., Armer, J.M. et Stewart, B.R. (2012). Performance care practices in complementary and alternative medicine by Thai breast cancer survivors: An ethnonursing study. *Nursing and Health Sciences, 14,* 339-344.

Waring, M. (2012). Grounded theory. Dans J. Arthur, M. Waring, R. Cole et L.V. Hedges (dir.). *Research methods & methodologies in education* (p. 292-308). Los Angeles, CA : Sage Publications.

Witsø, A.E., Ytterhus, B. et Vik, K. (2015). Taking home-based services into everyday life; older adults' participation with service providers in the context of receiving home-based services. *Scandinavian Journal of Disability Research, 17*(1), 46-61.

Wolcott, H.F. (1994). *Transforming qualitative data: Description, analysis, and interpretation.* Thousand Oaks, CA : Sage Publications.

Wolcott, H.F. (1999). *Ethnography: A way of seeing.* Walnut Creek, CA : AltaMira.

Wood, M.J. et Ross-Kerr, J.C. (2006). *Basic steps in planning nursing research: From question to proposal* (6e éd.). Boston, MA : Jones & Bartlett.

Woodby, L.L., Williams, B.R., Wittich, A.R. et Burgio, K.L. (2011). Expanding the notion of researcher distress: The cumulative effects of coding. *Qualitative Health Research, 21*(6), 830-838.

Yin, R. (2014). *Case study research: Design and method* (5e éd.). Thousand Oaks, CA : Sage Publications.

CHAPITRE 19

L'analyse statistique descriptive

Objectifs d'apprentissage

Après avoir étudié ce chapitre, vous serez
en mesure :

- de déterminer à quoi servent les tableaux de
  fréquences et les graphiques ;
- de calculer les distributions de fréquences
  et de les reproduire dans un graphique ;
- de définir les mesures de tendance centrale :
  mode, médiane et moyenne ;
- de préciser à quoi servent les mesures de
  dispersion : étendue, variance, écart type ;
- de sélectionner la mesure de dispersion
  convenant au niveau de mesure des données ;
- d'indiquer des façons de résumer des
  associations entre deux variables.

Plan du chapitre

L'analyse statistique permet de traiter les données brutes. On distingue deux classes de statistiques: descriptives et inférentielles. L'analyse statistique descriptive sert à décrire les caractéristiques de l'échantillon et à trouver des réponses aux questions de recherche, alors que l'analyse statistique inférentielle permet de vérifier des hypothèses. Ensemble, ces deux types d'analyses permettent l'atteinte des objectifs de l'étude, soit de répondre aux questions de recherche ou de vérifier des hypothèses. L'analyse des données empiriques exige, dans un premier temps, d'organiser et de traiter les données de façon à décrire l'échantillon et, dans un deuxième temps, à tirer des conclusions sur la population cible à partir de cet échantillon, ce qui est une fonction de la statistique inférentielle. Le présent chapitre discute des éléments de base des analyses statistiques qui s'attardent aux données descriptives. Les analyses statistiques descriptives consistent à résumer les données numériques à l'aide des caractéristiques se rapportant aux distributions de fréquences, aux mesures de tendance centrale et aux mesures de dispersion, ainsi qu'à l'aide de l'analyse statistique descriptive d'association. Les analyses statistiques inférentielles, dont les principaux buts sont l'estimation des paramètres et la vérification des hypothèses, font l'objet du chapitre suivant.

19.1 Les variables et les niveaux de mesure

La recherche empirique, rappelons-le, sert différents buts: la description, l'explication, la prédiction et le contrôle d'un évènement ou d'un phénomène. De façon générale, les études emploient deux catégories différentes de statistiques pour analyser les données recueillies: descriptives et inférentielles. Les statistiques descriptives, qui font l'objet de ce chapitre, sont des résumés numériques ou graphiques des données. Les statistiques inférentielles, traitées dans le chapitre suivant, utilisent des techniques qui permettent de tirer des conclusions sur la relation qui existe entre différentes variables dans une population.

Dans la recherche descriptive, le chercheur tente de répondre aux questions de recherche en examinant les données portant sur les caractéristiques à l'étude. En recherche, les caractéristiques sont communément appelées «variables». Une variable est toute caractéristique qui peut prendre différentes valeurs selon les participants à une étude ou les évènements qui en font l'objet. Par exemple, les variables sociodémographiques décrivent les caractéristiques de base des échantillons à l'étude: âge, sexe, ethnie, état matrimonial, revenu. Chaque observation associée à ces variables reçoit un nombre utilisant différentes règles. Ainsi, on mesure l'âge en nombre d'années, le sexe est reconnu comme étant masculin ou féminin et codé 0 ou 1, le revenu est évalué en dollars gagnés par année et ainsi de suite. La valeur de chaque variable est mesurée pour chacun des participants et enregistrée sur une feuille de calcul ou dans une base de données de manière à constituer un ensemble de données qui serviront à décrire les variables (Kellar et Kelvin, 2013).

19.1.1 Les types de variables

Pour analyser les données recueillies dans le cadre d'une étude, il convient de comprendre les différents types de données, ou variables, et de les situer selon les niveaux de mesure auxquels ils sont associés. Les données sont dites «catégorielles» ou «quantitatives». La **variable catégorielle**, ou qualitative, est celle dont les valeurs

Variable catégorielle
Variable dont les modalités sont des catégories sans ordre de grandeur, comme «masculin» et «féminin» pour la variable sexe.

(qualités) correspondent à des catégories. Elle peut être nominale si elle ne présente pas de hiérarchie, ou ordinale s'il est possible d'établir un ordre de grandeur entre les catégories. La variable quantitative est celle dont les valeurs possibles sont des nombres (quantités). Elle peut être discrète ou continue : il s'agit d'une **variable quantitative discrète** si les valeurs qu'elle peut prendre sont isolées les unes des autres, c'est-à-dire lorsqu'elle ne peut couvrir, en théorie, toutes les valeurs d'un intervalle (Amyotte, 2011) (p. ex. le nombre d'étudiants dans une classe, le nombre de frères et de sœurs) ; il est question d'une **variable quantitative continue** si elle peut prendre n'importe laquelle des valeurs sur un continuum (p. ex. l'âge, la taille et le revenu). La figure 19.1 montre ces différents types de variables (données).

Variable quantitative discrète
Variable qui ne peut prendre que certaines valeurs.

Variable quantitative continue
Variable dont les modalités ont des valeurs numériques pouvant prendre n'importe quelle valeur sur un continuum.

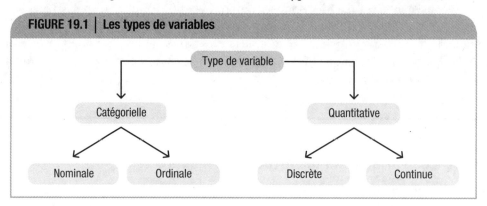

FIGURE 19.1 | Les types de variables

19.1.2 Les niveaux de mesure

Comme le niveau de mesure des variables détermine le choix des techniques statistiques à utiliser pour l'analyse des données, rappelons qu'il en existe quatre : nominal, ordinal, d'intervalle et de proportion (*voir le chapitre 15*). Il est important de pouvoir reconnaitre celui que l'on s'apprête à analyser. Plus le niveau de mesure est élevé, plus grande est la flexibilité dont dispose le chercheur pour choisir parmi les tests statistiques. Les niveaux de mesure peuvent être classés dans un ordre progressif de la façon suivante :

- L'échelle nominale, ou mesure nominale, sert à différencier les éléments les uns des autres et à les classer en catégories mutuellement exclusives. Les nombres assignés aux catégories sont simplement des symboles ou des codes numériques, puisqu'ils n'ont aucune valeur quantitative et n'indiquent que la similitude ou la différence. Par exemple, on désignera le sexe des participants en assignant le code 1 à la catégorie « féminin » et le code 2 à la catégorie « masculin ». Certaines variables nominales, comme la religion, peuvent comporter plus de deux codes pour distinguer les différentes dénominations. Lorsque les données d'une variable correspondent à ce niveau de mesure, on dira que la variable relève d'une échelle nominale ou qu'elle est de niveau nominal.

- Concernant l'échelle ordinale, les éléments d'un ensemble sont classés selon leur position relative par rapport à un attribut donné. Par exemple, si l'on classe par ordre croissant le degré de scolarité de personnes, l'ordre de grandeur sera désigné par l'attribution du code 1 à la catégorie « primaire » et du code 4 à la catégorie « universitaire », c'est-à-dire le degré le plus élevé après « secondaire » (2) et « collégial » (3). Les nombres assignés à chaque catégorie indiquent l'ordre de grandeur (direction) et non la quantité ou l'étendue de la différence. De ce fait, une échelle ordinale est employée pour coder les catégories ; il s'agit alors d'une variable de niveau ordinal.

- Pour assurer des valeurs continues, l'échelle d'intervalle fait intervenir des variables dont les nombres sont séparés par des distances égales. Cette échelle se caractérise du fait que le zéro et la gradation sont établis par convention et qu'ainsi, le point de référence est un zéro arbitraire. Cette échelle permet de comparer deux valeurs par soustraction, mais pas par multiplication ni par division. Par exemple, on dira que la différence de température entre 25° et 28° représente un écart de 3°, mais on ne pourra pas affirmer qu'il fait deux ou trois fois plus chaud à un moment comparativement à un autre.

- L'échelle de proportion, ou de rapport, occupe le rang supérieur de l'ordre hiérarchique des niveaux de mesure. Les nombres assignés aux variables quantitatives sont séparés par des distances égales, et le point zéro est réel, c'est-à-dire qu'on ne l'a pas établi par convention. Le point zéro existe surtout pour les variables physiques (p. ex. la taille d'une personne) et dans une moindre mesure pour les variables psychosociales. Cette échelle permet de différencier les valeurs d'une variable et peut utiliser toutes les opérations mathématiques.

Les analyses statistiques pour les données à échelle nominale sont le mode, la distribution de fréquences, le pourcentage et la corrélation de contingence. Pour les données à échelle ordinale, on ajoute la médiane, l'étendue et le centile (ou percentile). Pour les données à échelle d'intervalle et de proportion, le mode, la médiane et la moyenne peuvent être utilisés. Ces données sont désignées par des variables continues qui donnent accès à divers tests statistiques.

19.2 L'analyse statistique descriptive

L'analyse statistique descriptive des données permet au chercheur de décrire et de résumer un ensemble de données brutes à l'aide de tests statistiques. Elle vise essentiellement à présenter les caractéristiques de l'échantillon et à répondre aux questions de recherche. Comme toute question de recherche comporte des concepts, ceux-ci doivent être définis de façon opérationnelle en tant que variables, puis mesurés par des instruments appropriés. Les données brutes qui résultent de cette opération de mesure sont organisées selon les divers niveaux de mesure (échelles nominale, ordinale, d'intervalle et de proportion), puis soumises à un traitement statistique. Celui-ci renvoie à l'analyse des données numériques au moyen de techniques statistiques. Le choix des tests statistiques dépend en grande partie de la fonction des variables dans une recherche, qui peut consister à décrire un phénomène (étude descriptive), à examiner des relations d'associations (étude corrélationnelle) ou à vérifier des relations causales (étude expérimentale). Quel que soit le type d'étude, la statistique descriptive est utilisée pour présenter les caractéristiques de l'échantillon auprès duquel les données ont été recueillies. La statistique, qu'elle soit descriptive ou inférentielle (*voir le chapitre 20*), est toujours liée au niveau de mesure des variables à l'étude.

> L'analyse statistique descriptive des données permet au chercheur de décrire et de résumer un ensemble de données brutes à l'aide de tests statistiques.

La statistique descriptive a pour but de mettre en valeur l'ensemble des données brutes tirées d'un échantillon pour les rendre compréhensibles au chercheur et au lecteur. Ainsi, les données numériques sont présentées sous forme de tableaux et de graphiques, et l'on calcule le centre de l'éparpillement, c'est-à-dire la valeur la plus représentative à l'intérieur d'un ensemble de données. Pour dégager l'information pertinente, on doit organiser et présenter les données dans une forme simple. Elles peuvent être classées de la façon suivante, ces formes faisant l'objet des quatre prochaines sections de ce chapitre :

- les distributions de fréquences ;
- les mesures de tendance centrale ;
- les mesures de dispersion et de position ;
- les mesures d'association entre deux variables (analyses bivariées).

19.3 Les distributions de fréquences

Distribution de fréquences
Classement systématique de données, de la plus petite valeur à la plus grande, qui indique la fréquence obtenue pour chaque valeur.

Une façon courante de représenter les variables à l'étude est de créer une distribution de fréquences. La **distribution de fréquences** permet d'organiser et de classer une masse de données qui, à première vue, peut paraitre dépourvue de sens. Elle consiste à disposer en tableau ou en graphique les valeurs numériques par ordre croissant et à calculer le nombre d'apparitions de chaque valeur. Toutes les données, qu'elles soient de niveau nominal, ordinal, d'intervalle ou de proportion, peuvent faire l'objet d'une distribution de fréquences. Les distributions de fréquences peuvent être groupées ou non groupées.

19.3.1 Le tableau de distribution de fréquences non groupées

Tableau de fréquences non groupées
Tableau servant à grouper des données selon leur fréquence d'apparition dans un ensemble de valeurs.

Pour construire un **tableau de fréquences non groupées**, on part d'une liste de valeurs numériques, comme celle présentée dans le tableau 19.1. Cette liste fictive contient un ensemble de données brutes représentant les scores d'attitude des proches aidants lorsqu'ils prennent soin de personnes en perte d'autonomie. Les scores sont considérés à l'échelle d'intervalle. Il est difficile de dégager une signification quelconque des données brutes et de distinguer les valeurs élevées des valeurs basses ou de la valeur la plus fréquente, à moins de les ordonner méthodiquement. Dans ce tableau, le score maximum de 20 indique une attitude positive en général. L'ensemble des scores pour une variable donnée est appelé « distribution », et n correspond au nombre total de scores (dans le tableau 19.1, $n = 30$).

TABLEAU 19.1	La distribution des scores d'attitude ($n = 30$)								
16	13	12	17	16	15	14	15	16	17
15	17	16	19	18	15	16	20	17	12
14	18	11	14	19	18	16	17	14	13

Distribution de fréquences non groupées
Répartition des données selon leur fréquence d'apparition dans un ensemble de données.

La **distribution de fréquences non groupées** présentée dans le tableau 19.2 montre des scores d'attitude obtenus à partir d'un échantillon composé de 30 proches aidants. Une fois que les données ont été classées systématiquement par ordre croissant des valeurs, comme on le voit dans la première colonne du tableau, il est facile de déceler la valeur inférieure (11) et la valeur supérieure (20). Dans la deuxième colonne, on trouve inscrite la fréquence absolue (f), qui correspond au nombre de scores d'attitude ayant le même pointage. La fréquence relative d'apparition de la variable est exprimée en pourcentage dans la troisième colonne. La fréquence relative se calcule en divisant la fréquence absolue par le nombre total de données (l'effectif) et en multipliant le résultat obtenu par 100. Enfin, dans la quatrième colonne, on trouve la fréquence relative cumulée. Elle s'obtient en additionnant successivement les valeurs de la colonne des fréquences relatives. Dans ce tableau, cela signifie que 63,3 % des proches aidants faisant partie de l'échantillon affichent un score de 16 ou moins. Enfin, la fréquence relative cumulée ressemble à la fréquence cumulée, à cette différence près que les nombres représentés sont des pourcentages.

TABLEAU 19.2	La distribution de fréquences non groupées des scores d'attitude		
Score	Fréquence absolue (*f*)	Fréquence relative (%)	Fréquence relative cumulée (%)
11	/	3,3	3,3
12	//	6,7	10,0
13	//	6,7	16,7
14	////	13,3	30,0
15	////	13,3	43,3
16	ЖЖ /	20,0	63,3
17	ЖЖ	16,7	80,0
18	///	10,0	90,0
19	//	6,7	96,7
20	/	3,3	100,0
Total	30	100,0	

Quand le chercheur fait une distribution de fréquences, il doit s'assurer que tous les scores (x) s'excluent mutuellement et que la liste est exhaustive. De plus, la somme des fréquences doit être égale au nombre de personnes ou de cas dans l'échantillon. Dans les textes méthodologiques, on utilise fréquemment la formule suivante pour le calcul des fréquences :

$$\sum f_i = x_i,$$

où $\sum$ = la somme des fréquences de la valeur des scores ;

   f_i = la fréquence à laquelle un score apparait ;

   x_i = le nombre total de scores.

L'information fournie dans le tableau 19.2 correspond à une distribution de fréquences non groupées. Cependant, une présentation simplifiée en améliorerait la lisibilité. Quand une variable continue comporte un vaste éventail de valeurs, l'interprétation peut en effet être facilitée si les valeurs sont groupées par **amplitudes de classe** dans un tableau de fréquences. Cela permet à chaque classe de représenter une étendue de valeurs à l'intérieur de la distribution et aux fréquences d'être assignées à chaque intervalle.

Amplitude de classe
Largeur de l'intervalle délimitée par une classe fermée. Elle correspond à la différence entre la borne supérieure et la borne inférieure de la classe.

19.3.2 Le tableau de distribution de fréquences groupées

Distribution de fréquences groupées
Lien entre les valeurs d'une caractéristique et leurs fréquences lorsque ces valeurs sont groupées en amplitudes de classe.

Les valeurs groupées par amplitudes de classe dans une distribution de fréquences permettent à chaque classe de représenter une étendue de valeurs au sein de la distribution de fréquences. La **distribution de fréquences groupées**, représentée dans le tableau 19.3, a été créée à partir des données brutes se rapportant au temps de récupération en secondes d'un échantillon hypothétique composé de 40 participants à la suite d'une période d'activité physique. L'étendue des valeurs en secondes est de 28 à 82 ; les classes ont une amplitude de 6 secondes, elles sont exhaustives et s'excluent mutuellement. Le tableau de distribution de fréquences montre les valeurs possibles de la variable groupée en amplitudes de classe, la fréquence relative des intervalles et la fréquence cumulée.

TABLEAU 19.3	Une distribution de fréquences groupées		
Classe (temps en secondes)	**Fréquence absolue (f)**	**Fréquence relative (%)**	**Fréquence relative cumulée (%)**
[28 ; 34[	1	2,5	2,5
[34 ; 40[	3	7,5	10,0
[40 ; 46[	6	15,0	25,0
[46 ; 52[	7	17,5	42,5
[52 ; 58[	12	30,0	72,5
[58 ; 64[	5	12,5	85,0
[64 ; 70[	3	7,5	92,5
[70 ; 76[	1	2,5	95,0
[76 ; 82[	2	5,0	100,0
Total	**40**	**100,0**	

La distribution en pourcentage est utile pour comparer les données d'une étude avec les résultats d'autres études. Les distributions de fréquences sont couramment présentées dans des graphiques, des figures, des histogrammes ou des polygones, comme le montrent les sous-sections suivantes.

19.3.3 La représentation graphique des fréquences

La distribution de fréquences peut aussi être représentée sous la forme d'un graphique, ce qui met en évidence le mode de distribution des données et en facilite la compréhension. On utilise différents graphiques pour montrer les données quantitatives continues (à échelle d'intervalle et de proportion) et les données qualitatives, ou catégorielles, (à échelle nominales et ordinales). Pour les variables continues, les représentations graphiques qui conviennent le mieux sont l'histogramme des fréquences et le polygone des fréquences.

Histogramme
Façon de représenter graphiquement les données à échelle d'intervalle ou de proportion. Montre la forme de la distribution.

L'**histogramme** est une représentation graphique utilisée pour illustrer la forme d'une distribution de variables à échelle d'intervalle ou de proportion. Les données peuvent représenter un score ou une amplitude de classe (Portney et Watkins, 2009). Il ressemble au diagramme à bandes, à cela près que les rectangles ne sont pas espacés. Ils sont accolés les uns aux autres sur l'axe horizontal pour bien montrer que les données quantitatives ont une échelle continue. L'histogramme des fréquences est associé au tableau de fréquences. Il permet de voir la distribution de la variable sur l'axe des abscisses et de distinguer les fréquences sur l'axe des ordonnées. La hauteur du rectangle (axe vertical) correspond à la fréquence absolue ou à la fréquence relative de la classe. L'exemple de la distribution de fréquences des scores présenté dans le tableau 19.2, à la page 389, a servi à constituer l'histogramme de la figure 19.2.

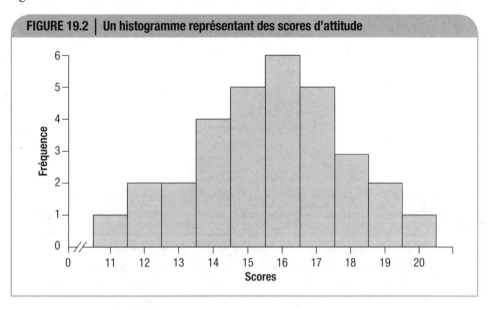

FIGURE 19.2 | Un histogramme représentant des scores d'attitude

Le **polygone des fréquences** est utilisé s'il y a plus d'une distribution à faire ; dans ce cas, il est préférable à l'histogramme. Comme le montre la figure 19.3, à la page suivante, il constitue une autre façon de représenter graphiquement des variables quantitatives continues à échelle d'intervalle ou de proportion. Il s'obtient en joignant par des droites chaque point central du sommet de tous les rectangles d'un histogramme des fréquences. Ce type de graphique s'avère très utile lorsqu'on veut illustrer plusieurs distributions ou groupes d'une même variable. La figure 19.3 présente le polygone des fréquences des données décrites dans l'histogramme des fréquences illustré ci-dessus.

Polygone des fréquences
Représentation graphique des variables quantitatives à échelle d'intervalle ou de proportion. Le polygone est formé en joignant par une droite chaque point situé au milieu du sommet de chaque rectangle d'un histogramme.

Lorsqu'il s'agit d'une variable quantitative discrète, le graphique le plus souvent utilisé est le **diagramme en bâtons**. Un petit nombre de valeurs justifie leur regroupement dans une distribution de fréquences et la réalisation d'un diagramme. Cette représentation graphique est semblable au diagramme à bandes verticales, sauf qu'un bâton est tracé pour chaque modalité. La longueur de ce bâton est proportionnelle à la fréquence relative de la valeur en cause (Amyotte, 2011).

Diagramme en bâtons
Représentation graphique d'une distribution pour les données groupées par valeurs et utilisée dans le cas d'une variable quantitative discrète.

19.3.4 La représentation des données qualitatives

Les représentations graphiques qui conviennent le mieux aux données à échelle nominale ou ordinale sont le diagramme à secteurs, ou diagramme circulaire, et le diagramme à bandes rectangulaires verticales ou horizontales.

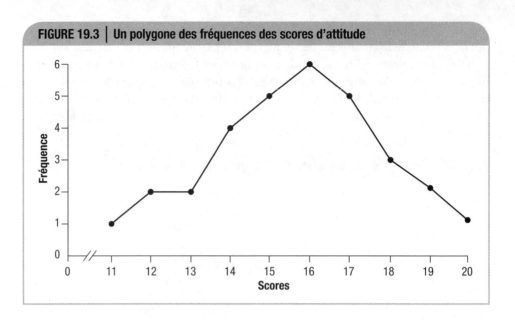

FIGURE 19.3 | Un polygone des fréquences des scores d'attitude

Diagramme à secteurs
Représentation graphique constituée d'une surface circulaire divisée en secteurs et utilisée pour des données qui relèvent d'une échelle nominale.

Le **diagramme à secteurs** permet de symboliser graphiquement une variable nominale. Il consiste en un disque qui rend compte de l'échantillon total et qui est divisé en autant de secteurs que la variable présente de modalités. La taille de chaque secteur correspond au pourcentage ou à la fréquence relative de la modalité. Par exemple, si l'on voulait représenter la répartition d'un groupe de finissants du collégial en fonction de leur choix de carrière parmi quatre disciplines (administration, chimie, droit et psychologie), le diagramme à secteurs pourrait ressembler à la figure 19.4. On peut y voir la fréquence relative de chaque modalité et constater que la majorité des étudiants a opté, à peu de différences près, pour l'administration et la psychologie.

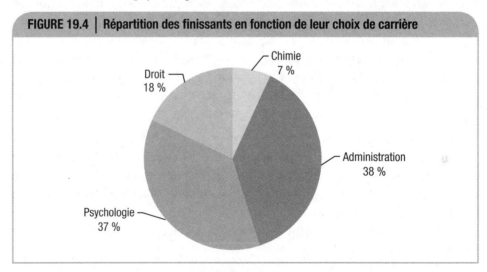

FIGURE 19.4 | Répartition des finissants en fonction de leur choix de carrière

Diagramme à bandes rectangulaires
Représentation graphique utilisée pour des données qualitatives groupées par ordre.

Le **diagramme à bandes rectangulaires** peut se composer de bandes verticales ou horizontales. Il sert à représenter les modalités d'une variable qualitative. Les modalités de la variable sont les différentes réponses ou les divers choix de réponses que l'on trouve dans l'ensemble des données. Dans le diagramme à bandes verticales, utilisé surtout avec une variable qualitative ordinale, les différentes modalités de la variable sont placées par ordre croissant sur l'axe des abscisses (axe des x ou horizontal) et les fréquences absolues ou relatives sont placées sur l'axe des ordonnées (axe des y ou vertical). Les bandes sont espacées les unes des autres pour bien faire ressortir chacune des modalités, et elles doivent être de même largeur. Le diagramme à bandes peut présenter une seule variable ou comparer certains groupes selon une même variable. La figure 19.5 présente la répartition des résidents d'un centre d'hébergement et de soins de longue durée (CHSLD) en fonction du taux de mobilité. On peut voir dans ce diagramme que le pourcentage (fréquence relative) des résidents complètement indépendants est très bas (7 %) par rapport à l'ensemble, et que la majorité des répondants a besoin d'une assistance partielle pour se déplacer (75 %).

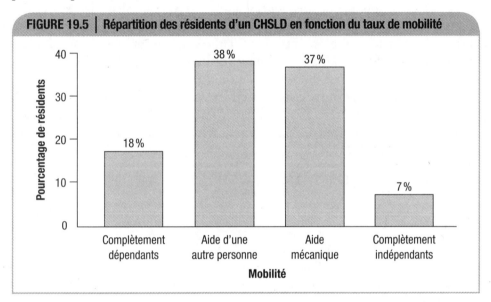

FIGURE 19.5 | Répartition des résidents d'un CHSLD en fonction du taux de mobilité

19.4 Les mesures de tendance centrale

En plus de la distribution de fréquences, l'analyse statistique descriptive comporte des **mesures de tendance centrale**. Une mesure de tendance centrale est un indice de regroupement des observations autour d'une valeur centrale. Ce procédé statistique, situé au centre d'une distribution, résume l'information fournie par un ensemble de données. Les indices de tendance centrale comprennent le mode, la médiane et la moyenne.

Mesures de tendance centrale
Procédés statistiques (mode, médiane et moyenne) servant à déterminer le centre d'une distribution d'observations.

19.4.1 Le mode

Le **mode (Mo)** correspond au score ou à la valeur la plus fréquente dans une distribution de fréquences. Le mode est déterminé par l'analyse visuelle des données. Dans la distribution des valeurs 18, 17, 15, 12, 12, 9, 5, 3, le mode est 12, parce qu'il apparait deux fois comparativement aux autres valeurs. Lorsque les valeurs renvoient à des catégories plutôt qu'à des valeurs numériques, comme c'est le cas pour les variables nominales, la catégorie présentant la plus forte fréquence est appelée « catégorie modale ». Si la distribution montre deux valeurs de même fréquence, la distribution est appelée « bimodale » ; elle est multimodale s'il existe plus de deux valeurs. Les données d'une distribution peuvent aussi être groupées et réparties

Mode (Mo)
Mesure de tendance centrale qui correspond à la valeur qui apparait le plus souvent dans une distribution de fréquences.

par classe dans un tableau de fréquences. On parlera alors de classe modale plutôt que de mode. La classe modale est celle qui contient la plus grande densité de données. Le mode s'utilise la plupart du temps pour des données catégorielles, mais il s'emploie aussi pour les données continues. En se reportant à la distribution de fréquences du tableau 19.2, à la page 389, on peut déterminer que le mode pour les scores d'attitude est 16, parce que ce nombre apparait 6 fois, c'est-à-dire le plus souvent dans la distribution.

19.4.2 La médiane

Médiane (Md)

Mesure de tendance centrale qui divise une distribution de fréquences ordonnée en deux parties égales, comprenant chacune 50 % des données.

La **médiane (Md)** est la valeur qui se situe au milieu d'une distribution. Elle divise une distribution de fréquences d'une variable en deux parties égales contenant chacune 50 % des données. En présence de données continues, elle correspond exactement au point milieu d'une distribution des fréquences; on devrait ainsi dénombrer autant de données de part et d'autre de la médiane. Afin de déterminer la médiane d'une distribution de fréquences, le chercheur peut classer les données par ordre croissant ou les grouper par classes si la distribution de fréquences s'y prête. Par exemple, si une distribution compte cinq données, donc un nombre impair, la médiane correspond à la valeur de la donnée centrale (rang 3), soit Md = 12.

Lorsque le nombre de données est pair, la médiane se situe sur le point entre les deux scores du milieu. Ainsi, dans la distribution suivante, elle est déterminée par la demi-somme des données de rang 3 et de rang 4, soit la demi-somme de 12 et de 13. Ainsi, Md = 12,5, car (12 + 13)/2 = 12,5.

Le tableau 19.2, à la page 389, montre la distribution de fréquences non groupées des scores d'attitude où $n = 30$. Comme le nombre de données est pair, la médiane correspond à la demi-somme des données de rang 15 et de rang 16; ainsi Md = 16. On peut conclure que près de la moitié des proches aidants a une attitude positive envers les soins aux personnes en perte d'autonomie et que l'autre moitié manifeste plutôt une attitude négative. La médiane est l'indice qui occupe la position centrale dans une distribution. La médiane est surtout utilisée avec des variables ordinales, mais elle peut s'employer aussi avec des variables continues. La médiane n'est pas sensible aux valeurs extrêmes d'une distribution de fréquences, ce qui lui confère un grand avantage.

19.4.3 La moyenne

Moyenne

Mesure de tendance centrale qui correspond à la somme d'un ensemble de valeurs divisée par le nombre total de valeurs. Elle est symbolisée par $\bar{x}$ ou μ, selon qu'il s'agit de représenter la moyenne de l'échantillon ou la moyenne de la population.

La **moyenne** correspond à la somme des valeurs des données, divisée par le nombre total de celles-ci (n). La moyenne, ou moyenne arithmétique, est la mesure de tendance centrale la plus usuelle en statistique. On désigne la moyenne d'une population par le symbole μ (mu) et la moyenne d'un échantillon par $\bar{x}$ ou M. La barre au-dessus du x indique que la valeur est un score moyen. Le calcul de la moyenne requiert une distribution de fréquences continues (à échelle d'intervalle ou de proportion). On calcule la moyenne d'un échantillon selon la formule ci-après, où $\sum$ signifie « la somme de » :

$$\bar{x} = \frac{\sum x_i}{n}$$

Cette formule se lit comme suit : la moyenne est égale à la somme de x divisée par n, où x représente chaque score individuel dans une distribution. Si l'on applique cette formule aux scores d'attitude des proches aidants à prendre soin des personnes en perte d'autonomie présentés dans le tableau 19.1, à la page 388, on obtient la distribution de 30 scores dont la somme est 470 :

$$\sum x_i = 16 + 13 + \cdots + 14 + 13 = 470.$$

Ainsi, $\bar{x} = \dfrac{470}{30} = 15{,}67$.

La moyenne présente des particularités, comme le fait de prendre en compte toutes les données d'un échantillon et de se prêter aux transformations mathématiques. C'est une mesure stable de tendance centrale. Une autre de ses propriétés importantes est que la somme des déviations par rapport à la moyenne donne toujours zéro (Kellar et Kelvin, 2013). En effet, si l'on soustrait la moyenne de toutes les données d'une distribution, la somme de ces différences égale toujours zéro.

La moyenne est très sensible aux valeurs extrêmes d'une distribution, particulièrement quand l'échantillon est de taille réduite. Les valeurs très petites ou très grandes font diminuer ou augmenter la moyenne. C'est ce qui se produit dans la distribution 2, 38, 39, 40, 41, 42, 43, où $\bar{x} = 35$: la valeur 2 étant beaucoup plus petite que les autres valeurs, elle a un impact à la baisse sur la moyenne de la distribution, qui serait plus élevée sans sa présence. Dans une distribution asymétrique, la moyenne ne caractérise pas le centre de la distribution ; il est alors préférable de la remplacer par la médiane.

19.4.4 Les formes des courbes de distribution

Les distributions de fréquences peuvent être caractérisées par leurs formes, symétriques ou asymétriques, et positives ou négatives (Amyotte, 2011). Si on la « plie » en deux, la **distribution symétrique** donne deux moitiés identiques, parfaitement superposables, comme dans la courbe de distribution normale présentée dans la figure 19.6a, à la page suivante. Le sommet central de cette courbe normale en forme de cloche définit le milieu de la distribution où se concentre la majorité des valeurs.

La distribution est asymétrique quand le sommet, ou pic, se situe à l'extérieur du centre. Si la forme de la distribution a une queue plus étendue à droite, cela signifie que la plupart des données sont concentrées à l'extrémité droite (distribution positive). On parle alors d'**asymétrie positive**, comme l'illustre la figure 19.6b. Si la queue est plus longue à gauche, on dit que la distribution est étalée à gauche (distribution négative), et il est alors question d'**asymétrie négative**, comme le montre la figure 19.6c. Le revenu personnel est un bon exemple de variable qui

Distribution symétrique
Distribution des données dans laquelle le mode, la médiane et la moyenne coïncident.

Asymétrie positive
Distribution de données dans laquelle des valeurs supérieures aux autres déplacent la moyenne vers la droite de la médiane.

Asymétrie négative
Distribution de données dans laquelle des valeurs inférieures aux autres déplacent la moyenne vers la gauche de la médiane.

tend vers l'asymétrie positive, car il peut y avoir de grands écarts de revenus d'une personne à une autre. Ainsi, peu de personnes bénéficient d'un niveau de revenu élevé alors que la majorité a un revenu moyen. On pourrait donner comme exemple d'une variable tendant vers l'asymétrie négative le poids des nouveau-nés à la naissance. En effet, la majorité des nouveau-nés à terme ont un poids normal et se situent à l'extrémité droite de la courbe de distribution, car les enfants prématurés de faible poids sont moins nombreux que les bébés nés à terme.

Lorsqu'on compare la distribution normale d'une variable continue, on constate que le mode, la médiane et la moyenne ont la même valeur (*voir la figure 19.6a*).

> La distribution normale est basée sur des données d'observations qui montrent que des mesures répétées de données continues tendent à se regrouper vers le point du milieu.

C'est une situation théorique qui n'existe pas dans la réalité. Le sommet central désigne le milieu de la distribution où se situe la majorité des valeurs. La distribution normale est basée sur des données d'observations qui montrent que des mesures répétées de données continues tendent à se regrouper vers le point du milieu. La courbe normale représente ainsi un modèle théorique de plusieurs variables.

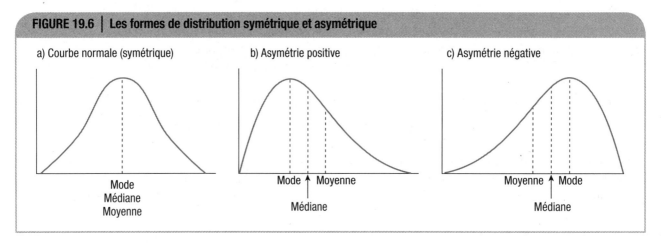

FIGURE 19.6 | Les formes de distribution symétrique et asymétrique

a) Courbe normale (symétrique)
Mode
Médiane
Moyenne

b) Asymétrie positive
Mode ↑ Moyenne
Médiane

c) Asymétrie négative
Moyenne ↑ Mode
Médiane

Comme les données d'un échantillon constituent rarement une courbe normale parfaite, il arrive que le chercheur doive choisir une mesure de tendance centrale qui reflète davantage les valeurs de son échantillon. Quand l'échantillon renferme des valeurs extrêmes et que la courbe comporte une asymétrie positive ou négative, les valeurs des mesures de tendance centrale se présentent comme le montre la figure 19.6 (b et c). La moyenne demeure la mesure de tendance centrale la plus utile pour établir des statistiques inférentielles. Quand le chercheur caractérise son échantillon au moyen de données descriptives, il doit rendre compte des tendances qu'il observe, et le mode ou la médiane reflète souvent mieux les données recueillies sur le terrain que ne le fait la moyenne.

19.4.5 La comparaison des mesures de tendance centrale

Le choix d'une mesure pour décrire la tendance centrale des données dépend en grande partie du niveau de mesure des variables. Si les données sont à échelle nominale, seul le mode peut être employé. Si les données sont à échelle ordinale, la médiane ou le mode peuvent être utilisés. Cependant, dans le cas où le chercheur voudrait traiter les données à échelle ordinale comme si elles étaient d'intervalle (p. ex. les scores sur une échelle de Likert), la moyenne pourrait alors être utilisée pour décrire le centre des données. Quand les données représentent le niveau de mesure d'intervalle ou de proportion, toutes les mesures de tendance centrale conviennent (Kellar et Kelvin, 2013). Du point de vue statistique, la moyenne est considérée comme la mesure de tendance centrale la plus sensible, car elle est la seule à tenir compte de tous les scores d'une distribution. Il est toutefois préférable d'utiliser la médiane que de recourir à la moyenne quand la distribution présente des scores extrêmes ou que les données ne sont pas distribuées normalement et se concentrent à l'une ou l'autre des extrémités de la courbe. Quant au mode, il est surtout utilisé pour décrire des variables nominales. Dans les autres cas, il se présente comme une mesure instable. Le tableau 19.4 rend compte des particularités des trois mesures de tendance centrale.

TABLEAU 19.4	Les points de comparaison des mesures de tendance centrale		
Mesure	**Type de données**	**Particularités**	**Utilité**
Mode (Mo)	Tous les niveaux de mesure, mais surtout nominal.	• N'est pas influencé par les valeurs extrêmes. • Ne permet pas d'opération mathématique.	• Décrit des variables catégorielles.
Médiane (Md)	Niveaux d'intervalle et de proportion, mais surtout ordinal.	• Ne tient pas compte de la valeur numérique des scores individuels. • Sépare une distribution ordonnée en deux groupes de même taille.	• Décrit le point milieu d'une distribution. • Décrit la valeur moyenne d'une distribution asymétrique.
Moyenne ($\bar{x}$ ou μ)	Niveaux de mesure d'intervalle et de proportion.	• Représente la plus stable des mesures de tendance centrale. • Considère chaque score dans un ensemble de données. • Est influencée par les valeurs extrêmes.	• Fournit la meilleure estimation de la tendance centrale de la population.

19.5 Les mesures de dispersion et de position

Une **mesure de dispersion**, ou de variabilité, est l'indice du degré d'étalement des données qui rend compte de leur variation, le plus souvent par rapport à la moyenne. Les mesures de dispersion permettent de déterminer des différences individuelles entre les membres d'un échantillon et fournissent des indications sur la façon dont les scores se distribuent autour de la moyenne. L'échantillon est qualifié d'homogène lorsque les scores fluctuent peu entre eux et d'hétérogène s'ils varient fortement et s'éloignent de la moyenne. Les principales mesures de dispersion sont l'étendue, la variance, l'écart type et le coefficient de variation.

Mesure de dispersion
Mesure qui renseigne sur la variabilité des données ou des observations.

19.5.1 L'étendue

L'**étendue (*E*)** exprime la différence entre la valeur la plus élevée (maximum, ou V_{max}) et la valeur la moins élevée (minimum, ou V_{min}) d'une distribution. C'est la mesure de dispersion la plus simple à calculer. L'étendue est une mesure qui peut

Étendue (*E*)
Mesure de dispersion qui consiste à évaluer l'écart entre la plus grande valeur et la plus petite valeur d'un ensemble de données ou d'observations.

être utilisée pour obtenir une vue rapide de la dispersion des données. L'étendue s'exprime par $E = V_{max} - V_{min}$. Dans le tableau 19.2, à la page 389, les valeurs associées à la mesure des attitudes des proches aidants sont ordonnées de 11 (score minimum) à 20 (score maximum). Ainsi, l'étendue des scores est : $E = 20 - 11 = 9$.

L'étendue ne donne aucun renseignement sur la distribution de la fréquence des valeurs ni sur la concentration de la plupart d'entre elles. Cette information est plutôt fournie par la variance et l'écart type.

19.5.2 La variance

Variance (s^2)
Mesure de dispersion évaluée à partir d'un échantillon et correspondant à la moyenne des carrés des écarts.

La **variance** (s^2) représente la valeur globale de dispersion des scores par rapport à la moyenne. En un sens, ces mesures sont comparables à celles qui résultent du calcul de la moyenne, car elles prennent en compte toutes les données de l'échantillon. Le calcul de la variance se fait avec des données continues, comme c'est le cas pour l'étendue. L'examen de la formule ci-après révèle que la variance d'un échantillon de taille n présente une mesure au carré, symbolisée par s^2 :

$$s^2 = \frac{\sum(x - \overline{x})^2}{n - 1}.$$

Ainsi, l'écart de chaque score par rapport à la moyenne s'obtient en soustrayant la moyenne de chacun des scores de la distribution. Comme la somme des écarts des valeurs par rapport à la moyenne est toujours égale à zéro, les statisticiens ont simplement mis ces écarts au carré par rapport à la moyenne avant d'en faire la somme. Ainsi, la variance représente la moyenne des carrés des écarts des données par rapport à la moyenne de la distribution (Amyotte, 2011). Plus la variance est grande, plus les scores s'écartent de la moyenne. Inversement, plus la variance est petite, plus les données se concentrent autour de la moyenne.

19.5.3 L'écart type

Écart type (s)
Mesure de dispersion évaluée à partir d'un échantillon et correspondant à la racine carrée de la variance. Il tient compte de la distance de chacun des scores d'une distribution par rapport à la moyenne du groupe.

L'**écart type** (s) est la mesure la plus usuelle pour représenter une variable continue. Il s'agit d'une mesure de la dispersion des scores d'une distribution, qui tient compte de la distance de chaque score par rapport à la moyenne du groupe. L'écart type se calcule en extrayant la racine carrée de la variance, ce qui permet de respecter l'unité de mesure de la variable. Les symboles utilisés pour représenter l'écart type sont respectivement σ (sigma) pour une population et s pour l'échantillon. Le tableau 19.5 présente la distribution hypothétique de 10 scores (observations) de récupération des participants à la suite d'une activité physique.

Puisque la variance correspond à 122,67, l'écart type du temps de récupération est de 11,08 secondes. L'écart type renseigne le chercheur sur la dispersion des données autour de la moyenne : plus il est élevé, plus la dispersion est grande ; plus il est faible, plus les données se concentrent autour de la moyenne. Dans les résultats de recherche, l'écart type d'un échantillon de données est souvent rapporté avec la moyenne ; ainsi, les données se trouvent caractérisées à la fois par une mesure de tendance centrale et par une mesure de dispersion (Portney et Watkins, 2009). Selon les données présentées ci-dessus, la moyenne pourrait être exprimée par $\overline{x} = 48 \pm 11,08$, ce qui signifie que la moyenne des écarts de chaque côté de la moyenne est de 11,08.

TABLEAU 19.5	Les scores utilisés pour le calcul de l'écart type	
x	$(x - \bar{x})$	$(x - \bar{x})^2$
28	− 20	400
37	− 11	121
41	− 7	49
44	− 4	16
47	− 1	1
50	+ 2	4
52	+ 4	16
56	+ 8	64
60	+ 12	144
65	+ 17	289
$\sum x = 480$ $\bar{x} = 48$	$\sum (x - \bar{x}) = 0$	$\sum (x - \bar{x})^2 = 1104$
$$s = \sqrt{\frac{\sum (x - \bar{x})^2}{n - 1}} = \sqrt{\frac{1104}{10 - 1}} = \sqrt{122,67} = 11,08$$		

L'écart type peut être utilisé comme base de comparaison entre les échantillons. La figure 19.7 montre deux distributions de fréquences différentes, mais dont la moyenne est identique. Leur écart type respectif diffère : il est plus grand dans la courbe inférieure (A) que dans la courbe supérieure (B). Par conséquent, les données de la distribution B sont moins éloignées de la moyenne que celles de la distribution A. En d'autres termes, les données de la distribution B sont plus homogènes que celles de la distribution A.

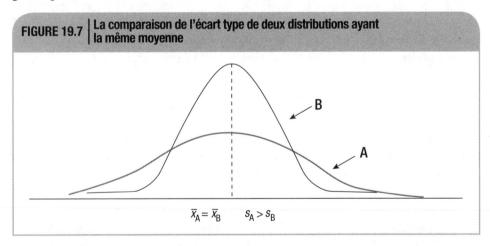

FIGURE 19.7 | La comparaison de l'écart type de deux distributions ayant la même moyenne

$\bar{x}_A = \bar{x}_B \qquad s_A > s_B$

Il est souvent difficile de comparer deux écarts types ou même deux moyennes de deux distributions de fréquences qui ont des données similaires, mais issues de populations différentes. Ainsi, si l'on compare les distributions de fréquences du poids d'adultes obèses avec celles du poids de bébés prématurés, un écart type de 5 kg chez les adultes est considéré comme minime, tandis qu'un écart type de 500 g chez les bébés est considéré comme important.

19.5.4 Le coefficient de variation

Coefficient de variation (CV)
Mesure de dispersion qui représente le rapport de l'écart type à la moyenne.

Le **coefficient de variation (CV)** est une autre mesure indépendante de l'écart type qui sert à comparer deux distributions de fréquences. Il s'agit d'une mesure relative de dispersion qui permet d'évaluer l'homogénéité des données d'une distribution. Plus le coefficient de variation est faible, plus les données sont homogènes, et plus il est élevé, moins elles le sont. Le coefficient de variation exprime l'écart type en pourcentage de la moyenne, comme dans le calcul ci-après, où CV désigne le coefficient de variation, s, l'écart type de l'échantillon, $\overline{x}$, la moyenne de l'échantillon et ×, le multiplicateur (le ratio est multiplié par 100 %) :

$$CV = \frac{s}{\overline{x}} \times 100\,\%.$$

Supposons que des personnes obèses fréquentant un centre hospitalier ont été pesées : la masse moyenne s'élève à 110 kg et l'écart type, à 10 kg. Le coefficient de variation est de 9,1 % (soit 10/110 × 100 %). Ainsi, la valeur de l'écart type correspond à 9,1 % de la valeur de la moyenne.

19.5.5 La comparaison des mesures de dispersion

Dans la comparaison des mesures de dispersion, il faut retenir que l'étendue représente l'écart entre la valeur la plus grande et la valeur la plus petite d'une distribution et qu'elle ne se rapporte qu'aux deux valeurs extrêmes d'une distribution. L'écart type correspond à la dispersion des scores d'une distribution, définie comme étant la distance des différents scores comparativement à la moyenne du groupe. L'écart type équivaut à la racine carrée de la variance et prend en compte toutes les valeurs d'une distribution. Plus il est faible, plus les données se concentrent autour de la moyenne. C'est la mesure de dispersion la plus courante. Quant au coefficient de variation, il exprime l'écart type en pourcentage de la moyenne. Il renvoie au quotient de l'écart type par la moyenne, multiplié par 100 %. Le coefficient de variation tient compte de toutes les valeurs d'une distribution ; plus il est petit, plus les données de la distribution sont homogènes. Les mesures de dispersion sont obtenues à partir de variables calculées à l'aide d'échelles d'intervalle et de proportion.

> L'écart type équivaut à la racine carrée de la variance et prend en compte toutes les valeurs d'une distribution.

19.5.6 Les mesures de position

Alors que les mesures de tendance centrale et de dispersion servent à caractériser un ensemble de données, les mesures de position permettent de situer une donnée par rapport aux autres dans un ensemble (Parent, 2003). Les principales mesures de position sont le centile et le score standardisé (score z ou cote z), décrits ci-après.

Le centile

Centile (C)
Mesure de position qui indique le rang d'un score en précisant le pourcentage de cas dont le score est inférieur.

Le rang **centile (C)** est utilisé pour décrire la position relative d'un score donné par rapport aux autres scores d'une distribution. Il permet de comparer les résultats dont les moyennes et les écarts types diffèrent (Kellar et Kelvin, 2013). Un centile est un point de référence en dessous duquel se situe un certain pourcentage des valeurs dans une distribution. La médiane est le 50e centile. Les scores d'examens normalisés sont souvent rapportés en centiles. Si le résultat d'un étudiant à un test se situe dans le 85e centile (C_{85}), cela signifie que 85 % des étudiants ont obtenu des scores en dessous de ce pourcentage.

Les centiles sont utiles pour convertir des scores bruts en scores comparatifs ou pour fournir un point de référence pour l'interprétation d'un score particulier (Portney et Watkins, 2009). L'échelle d'anxiété de Spielberger (1983) est un test normalisé fréquemment utilisé en recherche. Un manuel d'accompagnement fournit l'information sur le test et donne les rangs centiles des groupes pour lesquels le test a été normalisé.

Le score standardisé

Afin de faciliter la comparaison et l'interprétation de données brutes provenant de plusieurs distributions dont les moyennes et les écarts types diffèrent, il est utile de convertir ces données en scores standardisés, appelés « scores z » ou « cotes z ». Les **scores standardisés** sont plus significatifs que les scores bruts : ils constituent une façon d'exprimer des scores par rapport à leur distance relative de la moyenne et à les décrire selon des unités d'écart type. Un score z indique le nombre d'écarts types auquel un score brut se situe par rapport à la moyenne. Le score est positif s'il se trouve au-dessus de la moyenne, négatif s'il est placé en dessous de la moyenne et égal à zéro s'il équivaut à la moyenne (*voir la figure 19.7, à la page 399*). Le score z est une statistique utile pour interpréter une donnée, en particulier par rapport aux autres scores d'une distribution. Il permet également de comparer les résultats issus de tests non équivalents (Simard, 2008).

Score standardisé
Mesure de position qui indique à combien d'écarts types au-dessus ou en dessous de la moyenne se situe un score.

19.5.7 La courbe normale de distribution

L'écart type d'une variable fournit une mesure de dispersion qui prend en compte toutes les valeurs d'une distribution. Une distribution de fréquence d'une variable est normalement distribuée et est représentée par une courbe normale dans la figure 19.8, à la page suivante. Cependant, la plupart des données d'un échantillon reproduisent rarement une courbe normale typique, et le chercheur doit jauger les données sans s'attendre à ce qu'elles épousent exactement la forme de cette courbe. Quand l'échantillon renferme des valeurs extrêmes et que la courbe présente une asymétrie positive ou négative, les valeurs des mesures de tendance centrale se présentent comme l'illustre la figure 19.6 (b et c), à la page 396.

La courbe normale présente certaines caractéristiques constantes : 1) la courbe prend la forme d'une cloche et adopte une distribution symétrique et unimodale représentant un polygone des fréquences, où la plupart des valeurs sont concentrées au sommet autour de la moyenne ; 2) la moyenne, la médiane et le mode ont les mêmes valeurs, étant donné la symétrie de la distribution ; 3) la proportion des données décroit progressivement à mesure que l'on s'écarte de la moyenne, que ce soit vers la direction négative ou vers la direction positive, et chaque extrémité comporte relativement peu de données ; 4) la courbe se situe au-dessus de l'axe horizontal, et les queues s'en approchent, sans toutefois lui toucher ; 5) l'aire sous la courbe totalise un pourcentage de 100 %.

Comme on peut le voir dans l'équation de la courbe normale illustrée par la figure 19.8, 50 % des valeurs se situent à gauche de la distribution, et 50 % se trouvent à droite. Il est possible de déterminer les pourcentages des aires sous la courbe représentés par les écarts types dans une distribution normale (Portney et Watkins, 2009). Par exemple, 34,13 % de l'aire sous la courbe normale est limitée par la moyenne et par un écart type au-dessus ou en dessous de la moyenne. Ainsi, on peut dire que 68,26 % de la distribution totale des valeurs sont étalées entre +1 écart type et −1 écart type (±1s) de la moyenne, ce nombre étant obtenu en additionnant 34,13 + 34,13 ; on peut dire aussi que 95,44 % des valeurs moyennes de l'échantillon sont situées entre +2 écarts types et −2 écarts types (±2s) de la moyenne de la population ; et que 99,74 % de l'aire totale est comprise entre +3 écarts types et −3 écarts types (±3s) de la surface de la courbe normale. Parce que la courbe ne touche pas la base, presque 100 % des valeurs sont réparties entre +3s et −3s. Seulement 0,13 % des valeurs sont situées au-dessus de +3s et 0,13 % de celles-ci, en dessous de −3s.

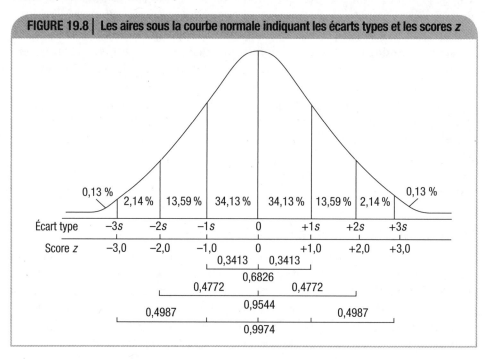

FIGURE 19.8 | Les aires sous la courbe normale indiquant les écarts types et les scores *z*

En ce qui a trait à la position qu'occupe le rang centile dans une courbe normale, il a été établi qu'un écart type correspond environ au 84e centile dans la distribution des données. La raison en est que la médiane se trouve au 50e centile et que 1s renferme 34 % des scores, c'est-à-dire 50 + 34 = 84 (McMillan et Schumacher, 2006). La courbe normale peut aussi être décrite relativement aux scores standardisés (scores z) au lieu de l'écart type. Une unité de valeur z de 1,0 représente 1 écart type au-dessus de la moyenne, et une unité de valeur z de −1,0 représente 1 écart type en dessous de la moyenne. La connaissance des caractéristiques de la courbe normale devrait en faciliter la compréhension et l'utilisation dans l'établissement du processus d'estimation des paramètres détaillé dans le chapitre suivant.

19.6 Les mesures d'association entre deux variables

Il a été question jusqu'à présent des caractéristiques d'une distribution de fréquences pour une variable. Cependant, le calcul de la statistique descriptive suppose la description d'une variable à la fois. Les chercheurs veulent aussi examiner les associations entre deux variables simultanément. Cette démarche suppose de mettre en parallèle, d'une part, les analyses descriptives univariées qui résument les données d'une variable à l'aide de la médiane, la moyenne ou l'écart type et, d'autre part, les analyses descriptives bivariées qui servent à caractériser des relations entre deux variables simultanément. Le chercheur souhaite comprendre la manière dont les scores ou les variables d'une distribution covarient. Le coefficient de contingence et le coefficient de corrélation sont les moyens le plus souvent utilisés pour résumer des associations entre deux variables.

19.6.1 Le tableau de contingence : application à deux variables nominales

Le **tableau de contingence**, aussi appelé «tableau croisé» ou «à double entrée», est une distribution de fréquences à deux dimensions dans lequel les fréquences de deux variables nominales sont croisées. Le tableau de contingence est surtout utilisé pour décrire des relations entre deux variables nominales, ou variables catégorielles (p. ex. le sexe et l'ethnie), entre une variable nominale et une variable continue (p. ex. le sexe et le poids) ou entre deux variables continues (p. ex. l'âge et le revenu).

Tableau de contingence
Tableau de fréquences dans lequel la répartition des données est présentée dans des cellules en fonction d'au moins une variable nominale.

Le tableau de contingence à deux dimensions se présente comme suit : la première variable est placée dans une rangée, et la seconde, dans une colonne. Le nombre de cellules correspond au nombre de catégories de la première variable, multiplié par le nombre de catégories de la seconde variable. Le tableau 19.6 présente des données fictives sous forme de tableau croisé, disposé en quatre colonnes, en fonction de deux variables nominales (niveau d'activité physique et sexe), dont chacune comporte deux catégories (Élevé/Faible et Hommes/Femmes).

TABLEAU 19.6	La répartition de 140 participants selon l'intensité de l'activité physique et le sexe		
Niveau d'activité physique	**Sexe**		**Total**
	Hommes	**Femmes**	
Élevé	32 (45,7 %)	18 (25,7 %)	50 (35,7 %)
Faible	38 (54,3 %)	52 (74,3 %)	90 (64,3 %)
Total	**70 (100 %)**	**70 (100 %)**	**140 (100 %)**

Le tableau 19.6 symbolise l'outil mis au point par un chercheur qui voudrait savoir s'il existe une relation entre le sexe et l'activité physique. Dans ce tableau croisé, la variable «Niveau de l'activité physique» se trouve à l'horizontale (rangée), et la variable «Sexe», à la verticale (colonne). Les nombres dans les cellules se rapportent aux fréquences observées, c'est-à-dire au nombre d'hommes ou de femmes concernés. Les pourcentages représentent des taux et sont indiqués pour faciliter les comparaisons. Les données hypothétiques recueillies auprès de 140 participants (70 hommes et 70 femmes) permettent de conclure que le niveau d'activité physique élevé se situe à 45,7 % chez les hommes, comparativement à 25,7 % chez les femmes. En résumé, la comparaison entre les cellules d'un tableau de contingence permet de déterminer s'il existe un lien possible entre deux variables catégorielles.

Coefficient de contingence (C)
Mesure du degré d'association utilisée pour exprimer la relation entre deux variables nominales ou catégorielles.

Pour obtenir une mesure relative de la force du lien qui peut exister entre deux variables nominales ou plus, on utilise des mesures d'association, dont le **coefficient de contingence (C)**. Avant d'appliquer cette mesure, il faut d'abord calculer la statistique du khi-deux (χ^2) pour déterminer s'il existe bel et bien un lien entre les deux variables nominales. Le coefficient de contingence est une mesure d'intensité d'une relation fondée sur le khi-deux. Un coefficient de contingence égal à zéro signifie l'absence de lien entre les variables. La force du lien entre deux variables s'établit selon la valeur du coefficient de contingence : plus la valeur du coefficient s'approche de 1, plus l'association est forte. Ainsi, un coefficient de 0,25 indique un lien statistique faible entre les deux variables, tandis qu'un coefficient de 0,75 caractérise un lien statistique fort (Parent, 2003). Les tableaux de contingence sont faciles à construire, et ils communiquent des renseignements utiles au chercheur pour l'exploration des relations entre deux variables qualitatives.

19.6.2 Les coefficients de corrélation

Coefficient de corrélation
Indice du degré de relation linéaire entre deux variables dont la valeur se situe entre −1,00 et +1,00.

Un **coefficient de corrélation** est un indice numérique qui fournit une mesure de la force et de la direction d'une relation entre deux variables. Cela est représenté dans un diagramme de dispersion, appelé « nuage de points ». Le **coefficient de corrélation de Pearson (r)** est un test paramétrique qui permet aux chercheurs de déterminer s'il existe une association linéaire entre deux variables continues. Le **coefficient de corrélation de Spearman (r)** est un test non paramétrique utilisé surtout avec des données à échelle ordinale, mais il peut aussi servir à des données continues. Les coefficients de corrélation de Pearson et de Spearman, tous deux représentés par r, produisent une valeur numérique résumant la force et la direction de la relation entre les deux valeurs.

Coefficient de corrélation de Pearson (r)
Indice numérique qui exprime le degré de corrélation entre deux variables mesurées à l'échelle d'intervalle.

Coefficient de corrélation de Spearman (r)
Indice numérique qui résume le degré de corrélation entre deux variables mesurées à l'échelle ordinale.

L'application à deux variables quantitatives

Après avoir vu la relation entre deux variables qualitatives nominales, il y a lieu de s'intéresser à la relation entre deux variables quantitatives, lesquelles proviennent d'une échelle d'intervalle ou de proportion. On peut ainsi se demander s'il existe une corrélation entre le temps de récupération en secondes et l'âge des athlètes après un entrainement intensif. La mesure de cette corrélation s'établit grâce au coefficient de corrélation. Il peut être calculé par la mesure de deux variables continues (p. ex. le poids, la taille) prise chez une même personne ou par la mesure d'une variable auprès de personnes appariées. Comme il en a été question lors de la description des études corrélationnelles (*voir le chapitre 12, section 12.2, à la page 212*), la force et la direction d'une corrélation linéaire entre deux variables sont représentées par le coefficient de corrélation. Ce dernier peut varier entre −1,00 et +1,00 : plus sa valeur est élevée ou se rapproche de ±1,00, plus la relation entre les variables est forte. Le signe d'addition (+) ou de soustraction (−) devant le coefficient indique la direction de la relation. Si le signe est positif, les scores s'orientent vers la même direction ; s'il est négatif, les scores suivent une direction inverse. Un coefficient de corrélation situé entre ±0,70 et ±0,90 peut être considéré comme élevé, et un coefficient de ±0,50 à ±0,70 traduit une valeur moyenne.

Le **diagramme de dispersion** sert à représenter la relation entre deux variables; il fournit des renseignements préliminaires avant d'effectuer les analyses de corrélation. Il s'agit d'un graphique où l'une des variables (x) est disposée sur l'axe horizontal, et l'autre variable (y), sur l'axe vertical. Le point correspondant à chaque paire de scores se trouve à l'intersection des deux axes. Il existe une relation linéaire entre les deux variables lorsque la forme du nuage de points dessine une droite. Ainsi, à partir des données sur le taux de récupération en secondes de sept athlètes après un exercice intense en fonction de l'âge (*voir le tableau 19.7*), il est possible de construire un diagramme en nuage de points, comme le montre la figure 19.9. Lorsque ces données sont reproduites dans un diagramme de dispersion, les points tendent à former une droite ascendante. Cela suggère l'existence d'une relation linéaire positive entre les deux variables concernées.

Diagramme de dispersion
Graphique qui fournit des renseignements préliminaires sur la nature de la relation entre deux variables.

TABLEAU 19.7	Les données obtenues sur la mesure du temps de récupération et l'âge de chaque athlète						
x : âge (en années)	18	19	20	22	24	29	30
y : temps de récupération (en secondes)	28	32	27	36	42	48	45

FIGURE 19.9 | Répartition du taux de récupération des athlètes en fonction de l'âge

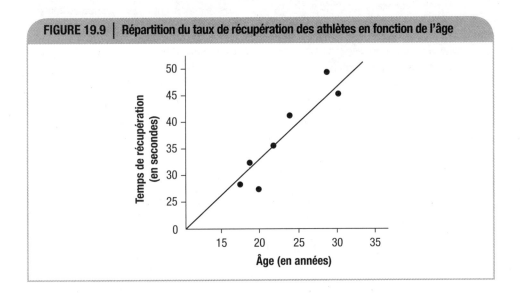

Pour résumer, les corrélations les plus souvent utilisées pour déterminer l'existence de relations entre deux variables sont les suivantes: la corrélation r de Pearson, pour les variables à échelle d'intervalle et de proportion; la corrélation r de Spearman, pour les données à échelle ordinale; le coefficient de contingence (C), pour les données à échelle nominale. Le calcul du khi-deux (χ^2) est indispensable pour obtenir le coefficient de contingence.

19.7 L'examen critique de l'analyse statistique descriptive

L'apprenti chercheur croit souvent à tort qu'il est exigeant d'évaluer, dans les articles de recherche, l'utilisation de la statistique descriptive. Cependant, l'acquisition de notions élémentaires en statistique permet de comprendre les analyses des données qui y sont présentées, en particulier les analyses descriptives. La plupart des études comportent des statistiques qui décrivent les caractéristiques de l'échantillon (p. ex. l'âge, le sexe, le revenu, le niveau de scolarité). Il est utile de déterminer si les mesures de tendance centrale ont été judicieusement choisies et si les niveaux de mesure s'accordent avec le type de statistique employé. De plus, il importe de savoir si les données descriptives sont précisées dans le texte et présentées sous forme de tableaux ou de figures, ce qui donne la possibilité de mesurer la portée des résultats et d'évaluer leur utilité dans la pratique. L'encadré 19.1 propose une série de questions portant sur différents éléments à prendre en considération pour effectuer l'examen critique des analyses descriptives contenues dans les articles de recherche.

ENCADRÉ 19.1 | **Quelques questions guidant l'examen critique de l'analyse descriptive des données**

1. L'article indique-t-il la technique statistique descriptive utilisée ?

2. La technique statistique descriptive s'accorde-t-elle avec les échelles de mesure (nominale, ordinale, d'intervalle et de proportion) ?

3. Les mesures de tendance centrale et de dispersion sont-elles bien décrites ?

4. Les caractéristiques de l'échantillon sont-elles présentées clairement ?

5. Les tableaux sont-ils intelligibles et précis ?

6. L'information présentée dans les tableaux coïncide-t-elle avec celle que fournit le texte ?

7. Les relations entre deux variables font-elles l'objet d'une description ? Si oui, à quel type de données se rapportent-elles ?

Points saillants

19.1 Les variables et les niveaux de mesure

- Les données sont soit catégorielles, soit quantitatives. Une variable catégorielle peut être nominale ou ordinale; une variable quantitative peut être discrète ou continue. Les niveaux de mesure correspondent aux échelles nominale, ordinale, d'intervalle et de proportion.

19.2 L'analyse statistique descriptive

- La statistique descriptive sert à résumer un ensemble de données, ce qui permet de caractériser l'échantillon et de répondre aux questions de recherche. La statistique descriptive est aussi employée pour caractériser des associations entre deux variables.
- Les données numériques peuvent être traitées au moyen des distributions de fréquences, des mesures de tendance centrale, des mesures de dispersion et des mesures de position.

19.3 Les distributions de fréquences

- La distribution de fréquences suppose la disposition systématique des valeurs numériques par ordre croissant. Elle peut être discrète ou continue.
- Les distributions de fréquences peuvent être illustrées en tableaux non groupés et groupés ou de façon graphique. Les données continues peuvent être représentées à l'aide de l'histogramme des fréquences et du polygone des fréquences.
- Le diagramme à bandes verticales sert à représenter graphiquement des données qualitatives; le diagramme à secteurs adopte la forme d'un disque divisé en autant de secteurs que la variable a de modalités.

19.4 Les mesures de tendance centrale

- Les mesures de tendance centrale servent à décrire un ensemble de valeurs: le mode, utilisé la plupart du temps avec des données à échelle nominale, est la mesure de tendance centrale qui correspond à la valeur la plus fréquente dans une distribution de fréquences; la médiane divise la distribution de fréquences d'une variable en deux parties égales; la moyenne correspond à la somme d'un ensemble de valeurs, divisée par le nombre total de celles-ci.
- Les distributions de fréquences sont symétriques ou asymétriques. Les deux parties d'une distribution symétrique se superposent exactement, comme dans la courbe normale de distribution. Le sommet d'une distribution asymétrique se situe en dehors du centre de la distribution, et la forme résultante s'éloigne de la courbe normale.

19.5 Les mesures de dispersion et de position

- Les mesures de dispersion sont l'étendue, la variance, l'écart type et le coefficient de variation. Elles permettent d'établir des différences individuelles entre les membres d'un échantillon. L'étendue exprime la différence entre la valeur la plus grande et la valeur la plus petite d'une distribution. La variance représente la valeur globale de dispersion des scores par rapport à la moyenne. L'écart type indique la variabilité de toutes les valeurs par rapport à la moyenne d'un ensemble de valeurs. Le coefficient de variation exprime l'écart type en pourcentage de la moyenne.
- Les mesures de position situent une donnée par rapport aux autres dans un ensemble de données. Les principales mesures de position sont le centile et le score standardisé z.
- Les principales caractéristiques de la courbe normale de distribution sont les suivantes: une forme de cloche, une distribution symétrique et unimodale et les mêmes valeurs que le mode et la médiane.

19.6 Les mesures d'association entre deux variables

- Les mesures d'association concernent la corrélation entre deux variables.
- Les tableaux de contingence et les coefficients de corrélation servent à présenter les corrélations. Le tableau de contingence est une distribution de fréquences à deux dimensions dans laquelle les fréquences de deux variables nominales sont croisées. Le coefficient de corrélation est une valeur numérique qui indique le degré de corrélation entre deux variables continues.
- Les procédés de corrélation les plus courants sont la corrélation r de Pearson pour les données continues, la corrélation r de Spearman pour les relations entre les données à échelle ordinale et le coefficient de contingence pour les données à échelle nominale.

Mots clés

Centile	Diagramme à bandes rectangulaires	Histogramme des fréquences	Polygone des fréquences
Coefficient de contingence	Diagramme à secteurs	Médiane	Score z
Coefficient de corrélation linéaire	Diagramme en bâtons	Mesure de dispersion	Statistique descriptive
Coefficient de variation	Distribution bimodale	Mesure de position	Tableau de contingence
Courbe asymétrique négative	Distribution de fréquences	Mesure de tendance centrale	Tableau de fréquences
Courbe asymétrique positive	Écart type	Mode	Variable continue
Courbe normale	Échelle	Moyenne	Variable discrète
	Étendue		Variance

Exercices de révision

1. Nommez les quatre niveaux de mesure qui déterminent le choix des types de statistiques descriptives à utiliser.

2. À quoi servent les tableaux de fréquences et les graphiques?

3. Quelles sont les quatre techniques d'analyse statistique descriptive qui servent à décrire l'échantillon?

4. À quoi correspond chacune des trois mesures de tendance centrale?

5. Que représente chacune des mesures de dispersion?

6. Quelle est la mesure de tendance centrale la plus appropriée pour décrire le rythme cardiaque des personnes d'un groupe?

7. L'écart type est une mesure :
   a) de symétrie;
   b) de tendance centrale;
   c) de dispersion;
   d) de corrélation.

8. Associez chacun des termes suivants à sa définition.
   a) Échelle nominale
   b) Échelle ordinale
   c) Mesure de dispersion
   d) Étendue
   e) Médiane
   f) Tableau de contingence
   g) Variance
   h) Écart type
   i) Variable dichotomique
   j) Variable continue
   k) Coefficient de corrélation
   l) Moyenne
   m) Variable catégorielle
   n) Mode

Définitions

1) Échelle dont les nombres sont utilisés pour classer les sujets dans une catégorie.

2) Variable mesurée d'après une échelle nominale ne comportant que deux possibilités.

3) Mesure qui fournit des indications sur la manière dont les scores se répartissent autour de la moyenne.

4) Différence entre la plus grande valeur et la plus petite.

5) Moyen de mesure dans lequel les catégories sont placées selon un ordre de grandeur.

6) Variable mesurée d'après une échelle d'intervalle ou de proportion.

7) Variable mesurée d'après une échelle nominale ou ordinale (avec ou sans ordre de grandeur).

8) Indice de tendance centrale basé sur la fréquence des réponses obtenues à un test. Divise la distribution de fréquences en deux parties égales.

9) Représentation graphique servant à décrire une relation entre deux variables nominales.

10) Somme des valeurs numériques des observations divisée par le nombre total d'observations.

11) Correspond à la valeur la plus souvent observée dans une distribution de fréquences.

12) Sert à décrire une relation entre deux variables continues.

13) Dispersion des valeurs d'une distribution qui prend en compte l'écart de chaque valeur par rapport à la moyenne du groupe.

14) Valeur globale de variabilité des scores par rapport à la moyenne.

9. Lisez le texte de la mise en situation et répondez aux questions suivantes.

   a) Quelle est la variable étudiée?

   b) Quel est le type de variable étudié?

   c) Quelle est l'échelle de mesure utilisée?

   d) Combien y a-t-il de catégories?

   e) Présentez ces données dans un tableau de fréquences. Utilisez des fréquences relatives selon les pourcentages.

   f) Commentez les résultats en un court paragraphe.

Mise en situation

On a interrogé 22 élèves inscrits à un cours d'introduction à la statistique sur leur degré de satisfaction à l'égard de l'enseignement reçu. Les catégories suivantes ont été utilisées pour représenter les données:

0 = Très insatisfait   2 = Satisfait

1 = Insatisfait   3 = Très satisfait

Voici les résultats obtenus:

1	1	0	2	2	3	0	0	3	2	2
0	1	3	2	1	1	0	2	2	2	1

Liste des références

Les références citées dans la rubrique « Exemple » ou dans les citations peuvent ne pas figurer dans cette liste.

Amyotte, L. (2011). *Méthodes quantitatives : applications à la recherche en sciences humaines* (3ᵉ éd.). Montréal, Québec : Éditions du Renouveau Pédagogique Inc.

Kellar, S.P. et Kelvin, E.A. (2013). *Munro's statistical methods for health care research* (6ᵉ éd.). Philadelphie, PA : Wolters Kluwer/Lippincott Williams & Wilkins.

McMillan, J.H. et Schumacher, S. (2006). *Research in education: Evidence-based inquiry* (6ᵉ éd.). Boston, MA : Pearson/Allyn & Bacon.

Parent, G. (2003). *Méthodes quantitatives en sciences humaines.* Montréal, Québec : Les Éditions CEC inc.

Portney, L.G. et Watkins, M.P. (2009). *Foundations of clinical research: Applications to practice* (3ᵉ éd.). Upper Saddle River, NJ : Pearson/Prentice-Hall.

Simard, C. (2008). *Méthodes quantitatives : approche progressive pour les sciences humaines* (4ᵉ éd.). Montréal, Québec : Groupe Modulo.

Spielberger, C. (1983). *Research methods in education* (8ᵉ éd.). Palo Alto, CA : Consulting Psychological Press.

CHAPITRE 20

L'analyse statistique inférentielle

Objectifs d'apprentissage

Après avoir étudié ce chapitre, vous serez
en mesure :

- d'énoncer les deux principaux buts de l'inférence
  statistique ;
- de comprendre les concepts de probabilité
  et de distribution d'échantillonnage ;
- de différencier un paramètre d'une statistique ;
- de discuter des étapes dans la vérification des
  hypothèses ;
- de commenter les erreurs de type I et de type II ;
- de déterminer le test le plus approprié pour
  vérifier les relations entre des variables ;
- de décrire les tests statistiques utilisés pour
  déceler les différences entre les groupes.

Plan du chapitre

Les statistiques descriptives, traitées dans le chapitre précédent, servent à présenter les caractéristiques d'échantillons ou de populations et à répondre aux questions de recherche. Les statistiques inférentielles vont plus loin que les statistiques descriptives en ce qu'elles permettent aux chercheurs de vérifier des hypothèses auprès d'une population en utilisant des données d'échantillons probabilistes. L'inférence statistique sert à déterminer dans quelle mesure l'information provenant d'un échantillon peut s'étendre à l'ensemble d'une population. Elle repose sur deux concepts importants : la probabilité et les distributions d'échantillonnage. Ce chapitre aborde ces concepts, qui sont à la base de l'inférence statistique, et les deux principaux buts de celle-ci : l'estimation des paramètres et la vérification des hypothèses. Il traite également des principaux tests statistiques inférentiels, paramétriques et non paramétriques, utilisés pour examiner des relations proposées entre des variables, pour prédire la valeur d'une variable dépendante à partir de variables indépendantes et pour déterminer des différences entre les groupes.

20.1   L'inférence statistique

Les statistiques descriptives, discutées dans le chapitre précédent, sont utiles pour résumer et décrire des données, mais insuffisantes pour vérifier des hypothèses sur les relations entre des variables (études explicatives) et sur les effets d'interventions (études expérimentales). C'est pourquoi les chercheurs se tournent vers l'**inférence statistique** ; celle-ci utilise la probabilité, qui permet d'évaluer la signification des résultats de leurs études. Quand un traitement particulier ou une intervention produit des effets bénéfiques chez la personne soignée, le chercheur peut décider, en se fondant sur ce résultat, d'utiliser la même approche auprès d'autres personnes ayant des conditions similaires. L'inférence statistique s'appuie sur des critères objectifs pour prendre de telles décisions (Portney et Watkins, 2009). Les statistiques inférentielles supposent un processus de prise de décision qui permet aux chercheurs d'estimer les caractéristiques d'une population en se fondant sur des données d'un échantillon provenant de cette population.

Inférence statistique
Champ de la statistique qui a pour objet la vérification d'hypothèses et l'utilisation de données d'échantillonnage pour faire des généralisations à l'ensemble d'une population.

20.1.1 Le concept de probabilité

La **probabilité** est un concept complexe incluant différentes règles selon les situations, mais essentiel à la compréhension des statistiques inférentielles. C'est une façon d'évaluer le niveau de confiance envers la prédiction d'un évènement quelconque. La probabilité est symbolisée par p, et les valeurs sont exprimées en pourcentage ou en décimales, contenues entre 0 et 1. Plus ce nombre se rapproche de 1, plus la chance que l'évènement se produise est grande. Ce terme est utilisé dans la vie courante ; ainsi, on dira qu'il y a 40 % de probabilité d'averses ou qu'une intervention chirurgicale a autant de chances de réussir que d'échouer. La même logique s'applique en recherche, mais dans des situations plus complexes. Lorsqu'un chercheur applique un traitement ou une intervention auprès d'un groupe de sujets, il prédit avec un certain pourcentage de probabilité statistique que le comportement anticipé se produira.

Probabilité
Description quantitative de l'apparition possible d'un évènement, exprimée de façon conventionnelle sur une échelle de 0 à 1.

Les statistiques inférentielles reposent sur les lois de la probabilité. Tous les tests statistiques inférentiels sont fondés sur le principe que le hasard peut à lui seul expliquer l'existence de relations entre des variables ou de différences entre les groupes dans une recherche (Nieswiadomy, 2008). Si un groupe de participants à une recherche obtient de meilleurs résultats à un test qu'un autre groupe, on dira que la différence résulte de la chance. Toutefois, le chercheur souhaite avant tout démontrer que la chance n'est pas la raison pour laquelle il obtient des relations entre des variables ou des différences entre les groupes. Plus la différence entre les groupes est grande, plus la probabilité que la différence survienne par chance est faible. En d'autres termes, les groupes diffèrent réellement à l'égard des variables mesurées. La même formule s'applique quand on examine la signification des corrélations : plus la corrélation entre les variables mesurées auprès d'un échantillon est forte, plus la vraisemblance que les variables soient corrélées dans la population s'avère grande. La probabilité est prédictive, puisqu'elle reflète ce qui adviendra sur une longue période, et non pas nécessairement à la suite d'un évènement particulier.

La probabilité sert de guide à la prise de décision en recherche, car elle permet de déterminer si les valeurs d'un échantillon constituent de réelles estimations des caractéristiques d'une population. Les probabilités sont utiles également pour déterminer si les différences observées à la suite d'une intervention représentent vraiment les dissemblances de la population ou si elles résultent du hasard.

20.1.2 Les distributions d'échantillonnage

L'estimation des caractéristiques d'une population en se fondant sur des valeurs d'un échantillon s'appuie sur le principe que l'échantillon sélectionné aléatoirement constitue une approximation des valeurs réelles de la population. Même si l'échantillon est prélevé de façon aléatoire, où tous les membres ont une chance égale d'être choisis, ses caractéristiques peuvent différer de celles de la population. Ainsi, si l'on retient plusieurs échantillons de taille identique auprès de la même population, les particularités ne seront pas nécessairement identiques d'un échantillon à l'autre. Les fluctuations observées entre les échantillons constituent l'erreur d'échantillonnage. Celle-ci résulte du fait que les valeurs de l'échantillon ne reflètent pas fidèlement les valeurs (moyennes) de la population. Elle correspond à un écart entre la valeur de la statistique de l'échantillon et la valeur réelle du paramètre de la population. L'erreur d'échantillonnage de la moyenne est égale à la différence entre la moyenne de l'échantillon et la moyenne de la population $\bar{x} - \mu$. Plus l'erreur d'échantillonnage est grande, plus $\bar{x}$ est une estimation imprécise de μ. La statistique inférentielle vise précisément à estimer l'écart entre la valeur de la population et celle de l'échantillon.

Statistique
Mesure effectuée auprès d'un échantillon issu d'une population.

Paramètre
Mesure effectuée auprès d'une population.

Précisons qu'une **statistique** est une caractéristique ou une valeur mesurée dans un échantillon. Cette valeur peut être la moyenne ($\bar{x}$) la variance (s^2) ou l'écart type (s), alors que le **paramètre** est une caractéristique de la population, dont la moyenne est représentée par μ et l'écart type représenté par σ. Le concept de distribution d'échantillonnage est à la base du calcul de l'estimation de l'erreur d'échantillonnage. Il s'agit de déterminer dans quelle mesure les valeurs de l'échantillon constituent de bonnes estimations des paramètres de la population. L'inférence statistique est donc l'opération par laquelle on estime les paramètres de la population à partir des mesures statistiques de l'échantillon en vue de pouvoir généraliser les résultats à cette population.

Comme il est rarement possible d'avoir accès à toute la population pour estimer la valeur moyenne d'une variable (p. ex. la fréquence de l'asthme chez les jeunes), on se réfère à la valeur moyenne de l'échantillon. Théoriquement, si l'on prélevait aléatoirement un échantillon de taille $n = 40$ en vue d'établir la moyenne de la fréquence de l'asthme chez les jeunes et que l'on constituait tous les échantillons possibles de taille identique en transposant chaque fois les données dans la population et en répétant l'opération à l'infini, on obtiendrait une nouvelle moyenne pour chaque échantillon. Si l'on représentait dans un graphique cette série de moyennes des échantillons probabilistes, on trouverait qu'elle prend la forme d'une cloche. De plus, la moyenne de toutes les moyennes d'échantillonnage serait égale à la moyenne de la population. Ce type de distribution des moyennes d'échantillonnage est appelée « **distribution d'échantillonnage** ». Il est reconnu qu'une distribution des moyennes d'échantillonnage tend à former une courbe normale : c'est le phénomène du **théorème de la limite centrale**. Celui-ci démontre que même en présence de distributions obliques, la distribution de moyennes d'échantillonnage présentera les caractéristiques de la courbe normale pour autant que la taille d'échantillon soit égale ou supérieure à 30. Ainsi, on peut utiliser les distributions d'échantillonnage et les probabilités associées à la courbe normale pour prédire les caractéristiques d'une population (Portney et Watkins, 2009). Étant donné que les valeurs entre deux points d'une distribution normale sont connues, il est possible de déterminer les unités d'écart type entre la moyenne de l'échantillon et celle de la population.

Distribution d'échantillonnage
Distribution théorique d'une statistique (p. ex. la moyenne) dont les valeurs sont calculées à partir d'un nombre infini d'échantillons qui serviront d'éléments de données dans une distribution.

Théorème de la limite centrale
Tendance des valeurs d'échantillonnage à se distribuer normalement autour de la moyenne de la population.

Puisqu'une distribution d'échantillonnage présente une courbe normale, il est possible d'établir sa variation. L'écart type d'une distribution de moyennes d'échantillonnage est appelé « **erreur type de la moyenne (ETM ou $s_{\bar{x}}$)** ». Le terme « erreur » indique que si une distribution d'une moyenne d'échantillonnage est utilisée pour estimer une moyenne de population, un certain degré d'erreur peut se produire au cours de cette estimation. L'erreur type de la moyenne est un indice théorique de l'erreur moyenne de tous les échantillons possibles d'une distribution de la moyenne d'échantillonnage. Plus l'erreur type de la moyenne est faible, plus on peut être sûr que la moyenne d'échantillonnage correspond à la moyenne de la population (Nieswiadomy, 2008 ; Polit, 2009). L'erreur type de la moyenne ($s_{\bar{x}}$) est estimée à l'aide de la formule

Erreur type de la moyenne (ETM ou $s_{\bar{x}}$)
Écart type de la distribution d'échantillonnage de la moyenne.

$$s_{\bar{x}} = \frac{s}{\sqrt{n}},$$

où $s_{\bar{x}}$ exprime l'erreur type de la moyenne, s, l'écart type de l'échantillon et n, la taille de l'échantillon. À mesure que n s'accroit, l'erreur type de la moyenne décroit. Avec des échantillons de plus grande taille, la distribution d'échantillonnage présente moins de variations. Par conséquent, une statistique basée sur un large échantillon est considérée comme une meilleure estimation du paramètre de la population.

Bien que ces notions soient abstraites, il importe d'en tenir compte puisqu'elles permettent d'évaluer la précision des résultats de recherche rapportés dans les articles issus de recherches empiriques, de même que de déterminer si les résultats obtenus à partir d'un échantillon sont généralisables à la population dont il provient et s'ils peuvent être appliqués dans la pratique professionnelle.

20.2 L'estimation des paramètres

L'inférence statistique permet de répondre à deux types de questions : des questions liées à l'estimation des paramètres (p. ex. décrire les caractéristiques d'un échantillon ou d'une population) et des questions sur la vérification des hypothèses (p. ex. vérifier des énoncés de relations entre deux variables ou plus). L'estimation des paramètres se présente selon deux formes : l'estimation ponctuelle et l'estimation par intervalle de confiance ; elles constituent des estimations statistiques qui permettent d'inférer la vraie valeur d'un paramètre inconnu d'une population en utilisant l'information provenant d'un échantillon prélevé aléatoirement auprès de celle-ci.

20.2.1 L'estimation ponctuelle

L'**estimation ponctuelle** consiste à utiliser un paramètre de la population à partir de la statistique de l'échantillon prélevé auprès de la même population. Elle s'exprime par une simple valeur numérique ; ainsi, la moyenne, la médiane, la variance et l'écart type de l'échantillon sont considérés comme des estimations ponctuelles (Kellar et Kelvin, 2013). Toutefois, une valeur d'échantillon contient vraisemblablement un certain degré d'erreurs dans l'estimation d'une population. C'est pourquoi il est préférable d'utiliser l'estimation par intervalle pour préciser l'intervalle à l'intérieur duquel le paramètre de la population est susceptible de se situer.

20.2.2 L'estimation par intervalle de confiance

Contrairement à l'estimation ponctuelle, l'estimation par intervalle suppose plus d'un point d'estimation. Elle s'effectue à partir de la distribution théorique de la courbe normale et du théorème de la limite centrale. Un **intervalle de confiance (IC)** est une gamme de valeurs dans laquelle devrait se trouver le paramètre de la population ; la valeur du paramètre se situe entre les bornes inférieure et supérieure de l'intervalle de confiance, aussi appelées « limites de confiance ». Les bornes de l'intervalle de confiance sont établies à partir de la moyenne d'échantillonnage et de son écart type. Plus l'intervalle proposé est grand, plus on peut avoir la conviction que la vraie moyenne de la population se trouve à l'intérieur de l'intervalle. Ce niveau de confiance, qui est un pourcentage de probabilité, s'exprime par des intervalles de confiance à 90, à 95 ou à 99 %.

Quand les moyennes (les estimations ponctuelles) sont distribuées normalement, on peut utiliser l'erreur type de la moyenne pour calculer les estimations par intervalle. Il faut se rappeler qu'environ 68 % des observations se situent à moins d'un écart type de la moyenne dans toute courbe normale, que 95 % de la surface de la courbe correspond à au plus 1,96 écart type de part et d'autre de la moyenne (*voir la figure 20.1*). Cela signifie qu'il y a 95 % de chances que la moyenne d'un échantillon donné se situe dans l'intervalle défini par 1,96 écart type au-dessous et par 1,96 écart type au-dessus de la moyenne de la population. Selon le théorème de la limite centrale, la moyenne d'échantillonnage se comporte comme une courbe normale de moyenne $\mu_{\bar{x}} = \mu$ et d'écart type $\sigma_{\bar{x}} = \sigma/\sqrt{n}$.

Prenons l'exemple d'un échantillon hypothétique prélevé aléatoirement auprès de 100 nouveau-nés prématurés chez qui l'on veut étudier la fréquence des battements cardiaques. La moyenne d'échantillonnage est évaluée à 153,7 battements à la minute, ce qui constitue une estimation de la moyenne des battements cardiaques de toute la population des nouveau-nés prématurés. Comme l'échantillon comprend 100 participants, on peut présumer que la distribution des moyennes d'échantillonnage du rythme cardiaque de la population des nouveau-nés prématurés décrit une courbe normale. Supposons également que l'échantillon de nouveau-nés prématurés $n = 100$ est constitué aléatoirement, où $\bar{x} = 153{,}7$ battements cardiaques par minute, $s = 20{,}01$ et $s_{\bar{x}} = 20{,}01/\sqrt{100} = 2{,}0$. À l'aide de ces paramètres $\bar{x}$ et s, il est possible de construire des intervalles de confiance. Même si la valeur moyenne de 153,7 battements par minute correspond à l'estimation ponctuelle d'une valeur inconnue (paramètre) de la population des nouveau-nés prématurés, elle ne procure pas de renseignements sur l'erreur d'échantillonnage. Cependant, le calcul des intervalles de confiance d'échantillons constitués aléatoirement permet de mesurer l'erreur d'échantillonnage et d'obtenir ainsi une valeur. La distribution d'échantillonnage estimée pour cet échantillon est présentée dans la figure 20.1.

FIGURE 20.1 | Un intervalle de confiance à 95 % pour la distribution d'échantillonnage de la fréquence des battements cardiaques

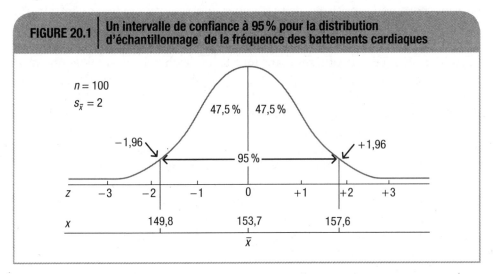

Dans une courbe normale, 95,45 % de la distribution totale se situe à l'intérieur de $\pm 2\, s_{\bar{x}}$ de la moyenne ou entre les bornes $z = \pm 2$. Pour déterminer la proportion de la courbe à l'intérieur de 95 %, il faut cibler des points légèrement inférieurs à $z = \pm 2$. Il est possible d'établir qu'une portion de 95 % de la courbe totale (47,5 % de part et d'autre de la courbe) est bornée par un score de 1,96, c'est-à-dire à moins de 1,96 écart type au-dessous ou au-dessus de la moyenne, comme l'illustre la figure 20.1. Cela signifie qu'il y a 95 % de probabilité que la moyenne de la population se situe dans cet intervalle. C'est l'intervalle de confiance à 95 %. La formule suivante est utilisée pour le calcul des IC pour les moyennes de population quand la taille de l'échantillon est égale ou supérieure à 30 : $IC = \bar{x} \pm z \times s_{\bar{x}}$. Ainsi, pour un intervalle de confiance à 95 %, $z = \pm 1{,}96$. Selon les données de la figure 20.1, on obtient :

$$IC_{0,95} = 153{,}7 \pm (1{,}96)(2{,}0)$$
$$= 153{,}7 \pm 3{,}92$$
$$= 149{,}8 \text{ et } 157{,}6.$$

Cela signifie qu'il existe 95 % de chances que la moyenne des battements cardiaques se situe entre 149,8 et 157,6.

20.3 La vérification empirique des hypothèses: les étapes

En général, l'inférence statistique sert à vérifier des hypothèses au sujet des relations entre les variables ou des différences entre les groupes. Le chercheur formule des hypothèses de recherche au cours de la phase conceptuelle, puis il les met à l'épreuve au moyen de tests statistiques inférentiels. Pour formuler ces hypothèses, le chercheur s'appuie sur un cadre théorique qui tient compte de l'état actuel des connaissances sur le sujet d'étude, et il postule l'existence de relations entre des variables (études corrélationnelles) ou de différences entre les groupes (études expérimentales). Les tests statistiques permettent de déterminer si les résultats obtenus confirment ou infirment les hypothèses statistiques. La vérification des hypothèses se base sur la loi des probabilités et sur les distributions d'échantillonnage. Ainsi, le chercheur peut déterminer, à l'aide d'un test d'hypothèse, si les résultats obtenus sont vrais ou, au contraire, s'ils procèdent du hasard.

Test d'hypothèse
Procédure d'inférence statistique qui permet de choisir, non sans risque de se tromper, entre deux hypothèses, l'hypothèse nulle (H_0) et l'hypothèse de recherche (H_1), à partir d'échantillons aléatoires.

Un **test d'hypothèse** est une méthode d'inférence statistique qui permet de faire un choix, non sans risque de se tromper, entre deux hypothèses contraires, à partir de renseignements obtenus auprès d'échantillons. Il s'agit, d'une part, de l'hypothèse nulle (H_0) et, d'autre part, de l'hypothèse de recherche, ou contre-hypothèse (H_1). Les hypothèses étant formulées, le chercheur emploie une procédure d'inférence statistique qui vise, par la réfutation de l'hypothèse nulle, à rendre l'hypothèse de recherche vraisemblable. Il suppose d'abord que l'hypothèse nulle est vraie, puis qu'elle sera à rejeter au profit de l'hypothèse de recherche (Amyotte, 2011; Simpson, Beaucage et Bonnier-Viger, 2009). Le rejet de l'hypothèse nulle signifie que le chercheur croit que les variables sont associées de façon significative entre elles. L'acceptation de l'hypothèse nulle signifie que le chercheur croit que les variables ne sont pas associées de façon significative. Les critères utilisés pour rejeter ou non l'hypothèse nulle sont fondés sur le seuil de signification α prédéfini et la valeur de p de la statistique calculée. Les tests d'hypothèses s'effectuent selon une démarche qui comprend un certain nombre d'étapes décrites dans les sous-sections suivantes:

1) la formulation des hypothèses;
2) le choix d'un seuil de signification: l'erreur de type I;
3) la puissance d'un test statistique: l'erreur de type II;
4) le calcul du test statistique approprié;
5) la détermination de la valeur critique;
6) la définition de la règle de décision;
7) l'application de la règle de décision et la conclusion.

20.3.1 La formulation des hypothèses

La formulation des hypothèses s'inscrit dans le contexte du problème de recherche et en fonction du test d'hypothèse. L'hypothèse de recherche (H_1) s'accompagne d'une hypothèse nulle (H_0). L'hypothèse nulle est formulée à propos de la valeur connue du paramètre de la population: elle postule qu'il n'y a pas de relation entre les variables ou qu'il n'y a pas de différence entre les moyennes des groupes. Seule l'hypothèse nulle fait l'objet d'une vérification statistique. L'hypothèse de recherche, énoncée par le chercheur, indique les résultats attendus et contredit l'hypothèse nulle. Elle postule qu'il y a une relation entre les variables ou une différence entre les groupes et que l'intervention ou le traitement est efficace.

L'hypothèse nulle repose sur un processus de rejet. Alors que l'hypothèse de recherche reflète le raisonnement du chercheur concernant les relations entre les variables ou les différences prédites entre les groupes, l'hypothèse nulle présume l'absence de relations ou de différences, en statuant que les échantillons proviennent de la même population. Si les analyses statistiques permettent d'établir qu'il n'y a en effet aucune relation entre les variables ni différence entre les groupes, l'hypothèse nulle n'est pas rejetée; elle l'est si, au contraire, les analyses démontrent l'existence d'une relation entre les variables ou d'une différence entre les groupes. Le chercheur est amené à prendre des décisions, tout en sachant que l'erreur demeure toujours possible et que ses conséquences peuvent s'avérer fâcheuses (Harel, 1996). Il doit se demander au préalable si deux variables sont reliées ou non, ou si la variable A peut influer sur la variable B. L'exemple 20.1, adapté de Harel (1996), présente une application de certaines étapes du processus décisionnel au cours de la vérification des hypothèses.

EXEMPLE 20.1

Un exemple d'application pour la vérification des hypothèses

Un chercheur s'intéresse au poids des nouveau-nés de mères non fumeuses (mnf) et de mères fumeuses (mf). Sachant que le poids moyen des nouveau-nés est de 3,2 kg, il se demande si celui des nouveau-nés de mnf est identique. Pour répondre à cette question de recherche, il compare le poids moyen d'un échantillon de nouveau-nés de mf à celui de la population de nouveau-nés de mnf. Si la différence entre le poids moyen de l'échantillon et celui que l'on connait par les écrits est suffisamment grande, il pourra conclure que la différence est significative.

À l'aide d'un échantillon de 25 nouveau-nés de mf, il calcule la moyenne d'échantillonnage ($\bar{x} = 2,8$) et l'écart type d'échantillonnage ($s = 2$). Il se demande ensuite si la différence entre la moyenne d'échantillonnage (2,8 kg) et la moyenne de la population de nouveau-nés de mnf est suffisamment grande pour conclure qu'elle est significative. Si tous les nouveau-nés de l'échantillon avaient un poids de 2,8 kg, il pourrait conclure que leur poids est inférieur au poids moyen, mais les observations sont réparties autour de la moyenne ($s = 2$). Ainsi, il doit trouver une façon de comparer la moyenne d'échantillonnage avec la valeur moyenne hypothétique (3,2 kg), en tenant compte de la distribution des observations autour de la moyenne.

À partir de cet exemple, deux hypothèses sont formulées relativement au paramètre de la population (μ): il s'agit de se demander si le poids moyen des nouveau-nés de mères fumeuses (3,2 kg) est identique ou non à celui des nouveau-nés de mères non fumeuses. Les hypothèses sont confrontées selon les deux formules suivantes, où μ_{mf} représente le poids moyen des nouveau-nés de mères fumeuses: $\mu_{mf} = 3,2$ pour H_0 et $\mu_{mf} \neq 3,2$ pour H_1. Le but de la vérification statistique est de décider si H_0 est fausse ou non. La façon d'exprimer l'issue d'une décision statistique est de dire que H_0 est rejetée ou n'est pas rejetée. Quand H_0 n'est pas rejetée, cela signifie qu'elle coïncide avec les résultats (Portney et Watkins, 2009).

L'hypothèse de recherche postule qu'il existe une différence entre la population des nouveau-nés de mères fumeuses et celle des nouveau-nés de mères non fumeuses. Il s'agit dans ce cas d'une hypothèse non directionnelle pour laquelle un test bilatéral serait utilisé (*voir la figure 20.2*), parce que le groupe dans lequel la moyenne est censée être la plus grande ne se trouve pas précisé. Un test est bilatéral lorsqu'aucune direction n'est indiquée dans l'hypothèse de recherche, c'est-à-dire que l'hypothèse nulle sera rejetée si l'on observe une grande différence, qu'elle soit positive ou négative. Par ailleurs, il est possible de formuler l'hypothèse de recherche de manière à prédire la direction anticipée de la différence entre les moyennes des échantillons. Un test est unilatéral lorsque l'hypothèse de recherche suppose une direction à la relation entre les variables ou à la différence entre les groupes. L'hypothèse d'un test unilatéral prédit que la moyenne de la population des nouveau-nés de mères fumeuses est soit plus grande, soit plus petite que celle de la population des nouveau-nés de mères non fumeuses.

| FIGURE 20.2 | Une courbe normale de distribution de valeurs critiques d'un test bilatéral ($\alpha/2 = 0{,}05$) |

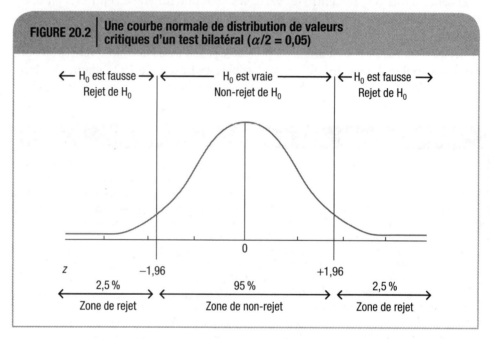

À partir de l'exemple 20.1, à la page précédente, supposons que l'hypothèse de recherche ait été formulée comme suit : « Le poids moyen des nouveau-nés de mères fumeuses est supérieur à celui des nouveau-nés de mères non fumeuses. » On utiliserait alors un test unilatéral à droite (*voir la figure 20.3, à la page 422*). Celui-ci aurait permis d'opposer H_0 ($\mu = 3{,}2$) à H_1 ($\mu > 3{,}2$) et de rejeter H_0, en présence d'une moyenne significativement supérieure à 3,2 kg. Par contre, prenons l'hypothèse de recherche formulée de la façon suivante : « Le poids moyen des nouveau-nés de mères fumeuses est inférieur à celui des nouveau-nés de mères non fumeuses. » On aurait utilisé ici un test unilatéral à gauche, par lequel on aurait confronté H_0 ($\mu = 3{,}2$) à H_1 ($\mu < 3{,}2$) et rejeté H_0, à cause de la moyenne significativement inférieure à 3,2 kg (Harel, 1996).

De façon générale, un test unilatéral est utilisé dans le contexte d'une hypothèse directionnelle, alors qu'un test bilatéral est employé dans les autres situations. Le test unilatéral est plus puissant que le test bilatéral, puisque la valeur de *p* produite par le test statistique n'a pas besoin d'être trop grande pour être significative (Kellar et Kelvin, 2013).

Les types d'erreurs dans la vérification des hypothèses

La vérification des hypothèses aboutit toujours à une décision : rejeter ou ne pas rejeter l'hypothèse nulle. Le chercheur prend la décision de ne pas rejeter l'hypothèse nulle en l'absence de résultats significatifs ou de la rejeter si des relations entre les variables ou des différences entre les groupes ont été observées. La décision de rejeter ou non l'hypothèse nulle est fondée sur les résultats des procédures statistiques objectives, bien que celles-ci ne garantissent pas que la décision prise soit la bonne. Deux types d'erreurs peuvent survenir au moment de la prise de décision : l'**erreur de type I** se produit lorsqu'on rejette l'hypothèse nulle alors qu'elle est vraie. L'**erreur de type II** survient lorsqu'on ne rejette pas l'hypothèse nulle alors qu'elle est fausse. Ainsi, on peut envisager quatre situations, selon la table de vérité du tableau 20.1, qui représente des entrées et qui donne toutes les possibilités.

Erreur de type I
Erreur commise quand on rejette l'hypothèse nulle alors qu'elle est vraie. Le risque de commettre cette erreur est appelé « alpha (α) ».

Erreur de type II
Erreur commise quand on ne rejette pas l'hypothèse nulle alors qu'elle est fausse. Le risque de commettre cette erreur est appelé « bêta (β) ».

TABLEAU 20.1	Les erreurs potentielles au cours de la vérification des hypothèses	
Décision	**H_0 est vraie**	**H_0 est fausse**
On rejette H_0	Erreur de type I (α)	Bonne décision
On ne rejette pas H_0	Bonne décision	Erreur de type II (β)

Si l'on ne rejette pas H_0 quand elle est vraie (les différences observées sont dues au hasard), on a pris la bonne décision. Si l'on rejette H_0 quand elle est fausse (différences réelles), on a également fait le bon choix. Toutefois, si l'on décide de rejeter H_0 alors qu'elle est vraie, on commet une erreur de type I, car on conclut à tort qu'il existe une vraie différence, alors que celle-ci résulte du hasard. À l'opposé, si l'on ne rejette pas H_0 lorsqu'elle est fausse, on commet une erreur de type II induisant que les différences sont fortuites, alors qu'en réalité les échantillons représentent des populations différentes.

Supposons maintenant que l'hypothèse nulle de l'exemple 20.1, à la page 417, soit vraie, c'est-à-dire que le poids moyen des nouveau-nés de mères fumeuses est le même que celui des nouveau-nés de mères non fumeuses, et que l'on veuille éviter de rejeter à tort l'hypothèse nulle au cours du processus décisionnel. Si l'on affirme erronément que le poids moyen des nouveau-nés de mères fumeuses est différent de celui des nouveau-nés de mères non fumeuses, cette affirmation pourrait avoir des conséquences regrettables dans la réalité. Par contre, on peut supposer que l'hypothèse nulle soit fausse, c'est-à-dire que le poids moyen des nouveau-nés de mères fumeuses est différent de celui des nouveau-nés de mères non fumeuses, pour être en mesure de rejeter H_0 pendant le processus décisionnel. Le fait de ne pas pouvoir révéler à la communauté scientifique que le poids moyen des nouveau-nés de mères fumeuses est différent de celui des nouveau-nés de mères non fumeuses pourrait aussi avoir des conséquences fâcheuses.

20.3.2 Le choix d'un seuil de signification : l'erreur de type I

Comment peut-on prendre une décision s'il est impossible de savoir si l'hypothèse nulle est vraie ou fausse ? Avant de rejeter ou d'accepter l'hypothèse nulle, il faut choisir le niveau de risque que l'on est prêt à courir en rejetant à tort l'hypothèse nulle quand elle est vraie. L'inférence statistique permet au chercheur de déterminer ce risque grâce à un critère susceptible de tolérer une faible probabilité de commettre une erreur de type I : il s'agit du **seuil de signification (α)**. Les seuils de signification sont des valeurs numériques qui renvoient à des niveaux (p. ex. 0,05 ou 0,01) ou à la valeur de p, correspondant au risque maximal de rejeter H_0 alors qu'elle est vraie, c'est-à-dire à la probabilité de commettre une erreur de type I. La probabilité (p) qu'une différence soit due au hasard est déterminée par les tests statistiques.

Seuil de signification (α)
Probabilité de rejeter l'hypothèse nulle alors qu'elle est vraie et dont les seuils les plus courants sont 0,05 et 0,01.

Le choix d'un seuil de signification détermine le niveau de risque que l'on est prêt à tolérer en rejetant erronément l'hypothèse nulle. Habituellement, les chercheurs fixent ce critère à 5 % ($\alpha = 0,05$), considéré comme un risque faible. Ce seuil signifie que l'on est prêt à accepter un risque maximal de 5 % de rejeter incorrectement H_0. Ainsi, si la valeur de p est égale ou inférieure à 0,05, l'hypothèse nulle sera rejetée, et la différence sera considérée comme significative. Si la valeur de p est supérieure à 0,05, l'hypothèse nulle ne sera pas rejetée. Le chercheur peut fixer le seuil de signification à d'autres niveaux, soit à 2 % ou à 1 %, selon le but recherché. Les résultats rapportés dans les articles de recherche expriment souvent une signification statistique inférieure à 0,05 ou 0,01. À l'aide de programmes informatiques, il est possible d'obtenir la probabilité exacte qu'une différence soit statistiquement significative à un niveau p donné (p. ex. une valeur de $p = 0,31$ signifie un risque de se tromper 3,1 fois sur 100) (Morton et Hebel, 1983).

20.3.3 La puissance du test statistique : l'erreur de type II

Il vient d'être question de la probabilité associée au rejet de l'hypothèse nulle, ou de l'erreur de type I, mais que se passe-t-il quand il n'y a pas de différence significative et que l'hypothèse nulle n'est pas rejetée ? Le fait de ne pas rejeter l'hypothèse nulle lorsqu'elle est fausse entraine une erreur de type II : aucune différence significative n'a été trouvée, alors qu'en réalité il en existe une. La probabilité de commettre une erreur de type II, désignée par bêta (β), est celle de ne pas rejeter l'hypothèse nulle alors qu'elle est fausse, ou de conclure qu'il n'y a pas de différence significative alors qu'il y en a une en réalité. Si $\beta = 0,20$, le risque de commettre une erreur de type II ou de ne pas rejeter H_0 quand elle est fausse est de 20 %. La valeur de β représente la vraisemblance de ne pas obtenir statistiquement de réelles différences (Portney et Watkins, 2009).

Puissance statistique
Capacité d'un test à détecter une différence significative ou une relation existante entre des variables, ce qui revient à la probabilité de rejeter correctement une hypothèse nulle.

La puissance statistique ($1 - \beta$) peut aussi être envisagée comme le complément à la probabilité de l'erreur de type II (Bourque, Blais et Larose, 2009). La puissance statistique est la probabilité qu'un test conduise au rejet de l'hypothèse nulle ou à celle d'obtenir une signification statistique. Ainsi, un test statistique d'une puissance de 80 % (p. ex. quand $\beta = 0,20$, la puissance = 0,80) indique que la probabilité d'obtenir correctement une différence statistique et d'être en mesure de rejeter H_0, si une telle différence existe, est de 80 % (Portney et Watkins, 2009). Si les résultats de l'étude ne sont pas considérés comme statistiquement significatifs, on doit remettre en cause la puissance statistique du test. Plus la puissance d'un test est élevée, moins il y a de risque de commettre une erreur de type II. Tout comme $\alpha = 0,05$ constitue une norme établie concernant l'erreur de type I, l'équation $\beta = 0,20$, avec une puissance correspondante de 80 %, représente une protection raisonnable contre l'erreur de type II (Cohen, 1988). La puissance d'un test statistique dépend des quatre facteurs suivants : le seuil de signification (α), la variance des données (s^2), la taille de l'échantillon (n) et la taille de l'effet, un facteur qui exprime l'ampleur des différences observées. Si les trois premiers facteurs sont connus, il est possible de calculer la taille de l'effet à l'aide d'une analyse de puissance. La taille de l'effet représente le degré de présence du phénomène dans la population ou elle exprime dans quelle mesure l'hypothèse nulle est fausse (Cohen, 1988).

20.3.4 Le calcul du test statistique approprié

Les procédures statistiques sont utilisées pour vérifier les hypothèses par le calcul d'un test statistique. Le calcul d'un test statistique regroupe plusieurs techniques statistiques, selon qu'il s'agit d'observer les différences entre les moyennes, les corrélations ou les proportions. Le test statistique sert à déterminer si une relation ou un effet significatif a été obtenu en établissant la probabilité qu'une telle différence puisse se produire si l'hypothèse nulle était vraie.

20.3.5 La détermination de la valeur critique

La **valeur critique** se rapporte à la valeur qui sépare les zones de rejet et de non-rejet de l'hypothèse nulle. Les extrémités de la courbe de la figure 20.2, à la page 418, représentent les aires au-dessus et au-dessous de $z = \pm 1,96$, c'est-à-dire les zones de rejet (région critique). La valeur de z qui définit ces aires est la valeur critique, laquelle dépend du seuil de signification qui détermine les zones de rejet et du nombre de degrés de liberté. En bref, les **degrés de liberté** ont rapport au nombre de scores (valeurs) dans un ensemble de données et supposent que les scores sont susceptibles de varier. La valeur critique correspond à une mesure précise, attribuée par une table de distribution associée au test statistique. Quand on calcule la valeur z d'un échantillon et si H_0 doit être rejetée, la valeur critique doit être égale à la valeur calculée ou plus grande que celle-ci. Le rapport z est significatif lorsqu'il se situe dans les limites de la région critique ($|z| > 1,96$) ; il représente au contraire une différence non significative s'il est inférieur à la valeur critique ($|z| < 1,96$). Le même phénomène se produit quand on applique la distribution t à des échantillons de petite taille, où les valeurs t remplacent les valeurs z et, pour les degrés de liberté (dl), où la valeur $n - 1$ se substitue à n.

Le type d'hypothèse de recherche (directionnelle ou non directionnelle) influe sur le seuil de signification nécessaire pour rejeter l'hypothèse nulle. Si un **test bilatéral** est utilisé, comme le montre la figure 20.2, et si le chercheur fixe le seuil de signification à 0,05, ce dernier doit être divisé par deux ($\alpha/2$), ce qui donne 2,5 % à chaque extrémité de la courbe de distribution, dans les zones de rejet. Chaque région critique comporte une aire de $\pm 1,96$, ce qui permet de calculer la valeur de z, laquelle détermine une zone d'acceptation et deux zones de rejet pour un même seuil de signification ($p \leq 0,05$). Dans un **test unilatéral**, la zone de rejet se situe à une seule extrémité où se concentre tout le seuil de signification ($\alpha = 0,05$). Lorsque le chercheur formule une hypothèse directionnelle, il se sert d'un test de signification unilatéral. Dans le test unilatéral qu'illustre la figure 20.3, à la page suivante, le score z est significatif à 1,645, ce qui établit le seuil de signification de la zone de rejet à $p \leq 0,05$.

Valeur critique
Valeur issue d'une table statistique qui détermine les zones de rejet et de non-rejet de l'hypothèse nulle.

Degrés de liberté
Concept statistique indiquant le nombre de valeurs dans une distribution qui est susceptible de varier de façon indépendante dans un ensemble de données.

Test bilatéral
Test d'hypothèse qui présente deux zones de rejet de l'hypothèse nulle.

Test unilatéral
Test d'hypothèse qui présente une seule zone de rejet de l'hypothèse nulle.

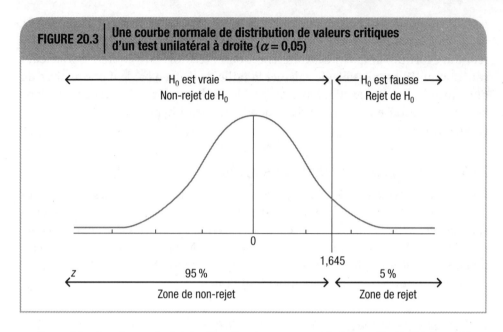

FIGURE 20.3 | **Une courbe normale de distribution de valeurs critiques d'un test unilatéral à droite ($\alpha = 0{,}05$)**

H_0 est vraie
Non-rejet de H_0

H_0 est fausse
Rejet de H_0

0

1,645

z

95 %

5 %

Zone de non-rejet

Zone de rejet

Quand le chercheur choisit la distribution appropriée à la taille de l'échantillon, une distribution normale ou une distribution t, il utilise des tables de valeurs critiques établies pour différents tests statistiques. La plupart des ouvrages traitant de statistiques et de recherche comportent de telles tables, qui mettent les valeurs critiques en relation avec le seuil de signification et les degrés de liberté. De plus, on trouve facilement ces tables sur Internet.

20.3.6 La définition de la règle de décision

Une distribution théorique est associée à chaque test d'hypothèse. Dans la table de distribution appropriée au test statistique, on compare la statistique calculée avec la valeur critique. Il s'agit de faire un choix entre deux hypothèses opposées, selon une **règle de décision** (*voir le tableau 20.1, à la page 419*) concernant le rejet de l'hypothèse nulle. Une valeur ou une statistique calculée qui se situe au-delà de la région critique sur la courbe normale de distribution théorique entraine la décision de rejeter l'hypothèse nulle. Lorsque la valeur se trouve en deçà de la région critique, l'hypothèse nulle n'est pas rejetée.

Règle de décision
Décision de rejeter ou de ne pas rejeter H_0 sur la base d'un seuil de signification α.

20.3.7 L'application de la règle de décision et la conclusion

La dernière étape de la vérification des hypothèses consiste à interpréter les résultats et à conclure au rejet ou au non-rejet de l'hypothèse nulle. Pour y parvenir, le chercheur se fonde sur la taille de l'échantillon, le seuil de signification et la règle de décision. S'il rejette l'hypothèse nulle, le chercheur conserve l'hypothèse de recherche et conclut qu'un résultat statistiquement significatif a été obtenu au seuil de signification α, ce qui confirme son hypothèse.

20.4 Une introduction aux statistiques inférentielles

Les statistiques inférentielles sont des procédures utilisées par les chercheurs pour tirer des conclusions sur les caractéristiques d'une population en se fondant sur des données recueillies auprès d'échantillons. Ces procédures statistiques peuvent varier en complexité selon le nombre de variables impliquées et leur capacité à déceler des différences ou des associations entre des variables. Les statistiques bivariées examinent deux variables simultanément (p. ex. comparer la fréquence de battements cardiaques chez les femmes et les hommes). Quand plus de deux variables sont incluses dans une analyse, on a recours à des statistiques multivariées (p. ex. prendre en compte le sexe, le poids et l'exercice pour expliquer les variations dans la fréquence des battements cardiaques).

20.4.1 Les statistiques paramétriques et non paramétriques

Les statistiques utilisées pour déterminer les associations et les différences sont réparties en deux grandes classes : les statistiques paramétriques et les statistiques non paramétriques. L'utilisation des **tests statistiques paramétriques** est associée à un certain nombre de postulats concernant les données ou les variables : celles-ci sont normalement distribuées dans la population, l'échantillon est issu d'une population dont il est possible de calculer la variance, et les variables sont à échelle d'intervalle ou de proportion. Généralement, les statistiques paramétriques permettent plus facilement de déceler des différences ou des relations que ne le font les statistiques non paramétriques. Cependant, la statistique paramétrique peut s'appliquer aux variables ordinales quand celles-ci peuvent être considérées comme des données à échelle d'intervalle, comme le sont les scores sur une échelle de Likert. Dans les autres situations, par exemple quand la distribution d'une variable s'avère très asymétrique ou que l'échantillon est de petite taille, on a recours aux statistiques non paramétriques. Les **tests statistiques non paramétriques** sont généralement utilisés dans les études qui n'exigent pas que les données satisfassent aux postulats de normalité. Les tests statistiques non paramétriques se révèlent utiles auprès d'échantillons de petite taille et conviennent aux données nominales et ordinales.

Comme le détaillent les sections suivantes, les statistiques inférentielles sont utilisées pour :

1) examiner les relations proposées entre des variables (les mesures d'association) ;

2) explorer les statistiques pour prédire l'issue d'une variable dépendante (les mesures de prédiction) ;

3) déterminer des différences entre les groupes expérimental et témoin (les mesures de différences de moyennes).

20.5 Les mesures d'association : les coefficients de corrélation

La corrélation est un type de relation qui, mesurée statistiquement, produit une valeur numérique, le coefficient de corrélation. Les coefficients de corrélation peuvent servir à décrire des relations entre des variables (volet descriptif), comme il a été discuté dans le chapitre 19, sous-section 19.6.2. Ils servent aussi à vérifier des relations entre des variables (volet inférentiel). Les deux types de coefficients de corrélation utilisés sont le coefficient de corrélation de Pearson et le coefficient de corrélation de Spearman.

Le coefficient de corrélation de Pearson (r) est un test paramétrique qui permet de déterminer s'il existe une association entre deux variables continues (échelles d'intervalle ou de ratio). Dans la corrélation de Pearson, la relation est linéaire, c'est-à-dire que lorsque les scores de chaque participant sont distribués dans un

Tests statistiques paramétriques
Procédures statistiques servant à faire l'estimation des paramètres de la population et à vérifier des hypothèses en tenant compte des postulats sur la distribution des variables.

Tests statistiques non paramétriques
Procédures statistiques inférentielles utilisées pour des données nominales et ordinales, et dont la distribution normale ne repose pas sur des postulats rigoureux.

graphique, ils tendent à former une ligne droite (*voir la figure 20.4, à la page 426*). En pratique, les points ne tomberont pas tous sur la ligne, mais ils devraient se retrouver près de celle-ci. Le coefficient de corrélation de Spearman (*r*) est un test non paramétrique similaire au coefficient de corrélation de Pearson. Il est utilisé quand les deux variables ne satisfont pas aux postulats de la corrélation de Pearson, ou si les données sont à échelle ordinale, ou encore si les variables sont continues, mais ne se trouvent pas distribuées normalement. Afin de déterminer si les deux variables sont corrélées, celles-ci doivent être mises en ordre de rangs, et une statistique est calculée sur la base des différences entre les scores des rangs. La relation n'est pas linéaire comme dans la corrélation de Pearson, mais monotone, c'est-à-dire que la relation va toujours dans la même direction.

Les coefficients de corrélation de Pearson et de Spearman fournissent tous deux un indice numérique de la force et de la direction de la relation entre deux variables. Pour savoir si un coefficient est significatif, on vérifie l'hypothèse nulle, selon laquelle il n'existe pas de différence entre les variables *x* et *y*, puis on détermine le sens de la relation (positif ou négatif) ainsi que la force de celle-ci (faible, moyenne, forte). Plus le coefficient se rapproche de ±1,00, plus la relation entre les deux variables est forte. La taille du coefficient de corrélation fournit certaines indications sur le degré de relation entre deux variables, alors que le test de corrélation détermine si le coefficient est le résultat du hasard (erreur d'échantillonnage) ou s'il existe une vraie relation entre les deux variables dans la population étudiée.

Supposons qu'un chercheur veuille connaitre la relation entre l'âge des sujets au moment d'une chirurgie cardiaque et le temps écoulé jusqu'à la reprise de leurs occupations normales. L'âge et la durée de la convalescence étant considérés comme des variables continues, le chercheur utilise le test de coefficient de corrélation *r* de Pearson. Une fois la valeur du test calculée, le chercheur consulte la table de distribution de ce coefficient pour déterminer si la valeur obtenue résulte du hasard. Si le chercheur trouve une corrélation plus près de zéro, c'est qu'il n'existe aucune relation entre l'âge et la durée de la convalescence à la suite de la chirurgie. Toutefois, si la corrélation se rapproche de +1,00, il conclura que les sujets plus âgés ont eu une durée de convalescence plus longue. Un coefficient de corrélation négatif signifierait que moins les sujets sont âgés, plus ils se rétablissent rapidement. Comme les relations sont rarement parfaites, la force de la relation est indiquée par son rapprochement avec la valeur absolue, positive ou négative, de ±1,00. Par exemple, une corrélation de +0,78 est aussi forte qu'une corrélation de −0,78, mais la direction de la relation suit le sens opposé. Cohen (1988) a proposé une étendue de valeurs des corrélations qui s'énoncent comme suit : une corrélation supérieure à 0,50 est considérée forte, une corrélation de 0,50 à 0,30 est jugée modérée, tandis qu'une corrélation de 0,30 à 0,00 est classée faible.

Afin d'établir la signification statistique de *r*, ou l'ampleur de la relation, une statistique appelée « coefficient de détermination », symbolisé par r^2 est calculée. Le coefficient de détermination est le résultat de la mise au carré du *r* de Pearson ; il rend compte de la variance partagée par la variable dépendante et la variable indépendante (Grove, Burns et Gray, 2013 ; Kellar et Kelvin, 2013).

Il existe aussi d'autres types de corrélation tels que le tau de Kendall (*τ*), le coefficient phi (*Φ*) pour les variables dichotomiques. Le test tau de Kendall est une procédure optionnelle à la corrélation de Spearman. Il est surtout utilisé pour mesurer la relation entre deux variables ordinales. Quant au coefficient phi, on l'utilise quand les deux variables sont dichotomiques (p. ex. le sexe) ou pour des questions qui demandent le choix de réponses oui ou non. Le tableau 20.2 résume les coefficients de corrélation souvent utilisés pour mesurer des associations entre des variables.

TABLEAU 20.2	Tests paramétriques et non paramétriques servant à mesurer l'association entre deux variables	
But	**Tests paramétriques**	**Tests non paramétriques**
Mesurer l'association entre deux variables (scores)	Coefficient de corrélation de Pearson (r)	Coefficient de corrélation de Spearman (r) ou test tau de Kendall (τ)
Mesurer l'association entre deux variables dichotomiques (deux valeurs)		Coefficient phi (Φ)

20.6 Les mesures de prédiction : l'analyse de régression

Les statistiques de corrélation présentées plus tôt ont servi à décrire la force relative d'une relation entre deux variables. Quand il s'agit d'établir une prédiction en se fondant sur une corrélation, on fait appel à une procédure de régression. Le but de l'**analyse de régression** consiste à déterminer quel(s) facteur(s) prédisent ou expliquent la valeur d'une variable dépendante (variable prédite) en se fondant sur celle d'une variable indépendante (variable explicative). Les chercheurs qui désirent étudier plus de deux variables, et en présence de situations plus complexes, peuvent utiliser des tests statistiques plus avancés. Les analyses de régression comprennent plusieurs types de tests statistiques qui permettent de traiter simultanément plusieurs variables. Le tableau 20.3 présente les types de tests statistiques de régression discutés dans ce chapitre.

Analyse de régression
Technique statistique servant à caractériser le modèle de relation entre la ou les variables indépendantes et la variable dépendante, toutes deux quantitatives.

TABLEAU 20.3	Les types de tests statistiques de régression	
Test	**But**	**Type de la variable[1]**
Régression linéaire simple	Prédit la valeur d'une variable dépendante en se fondant sur la valeur d'une variable indépendant.	VI : continues VD : continue
Régression multiple	Prédit la valeur d'une variable dépendante d'après les valeurs de plusieurs variables indépendantes. Est une extension de l'analyse de la régression linéaire.	VI : nominales ou continues VD : continue
Régression logistique	Détermine quelles sont les variables qui ont un impact sur la probabilité de survenue d'un évènement et estime les risques relatifs.	VI : nominales ou continues VD : nominale (dichotomique)

1. VI = variable indépendante ; VD = variable dépendante.

La régression fait usage de la corrélation entre les variables et de la notion d'une ligne droite pour formuler une équation de prédiction. Quand une relation a été établie entre deux variables, on peut établir une équation qui permettra de prédire la valeur d'une des variables en reconnaissant les valeurs d'autres variables. La régression est une technique utile pour prédire des résultats et expliquer les interrelations entre des variables. Les types d'analyses de régression traités brièvement dans ce chapitre sont : 1) la régression linéaire simple ; 2) la régression multiple ; et 3) la régression logistique.

20.6.1 La régression linéaire simple

La **régression linéaire simple** permet de prédire la valeur d'une variable dépendante en se fondant sur la valeur d'une variable indépendante. Dans la régression linéaire simple, la variable dépendante (Y) est une variable continue, et la variable indépendante (X) peut être de n'importe quel niveau de mesure. Si l'on projette en points sur un graphique les valeurs de chaque unité d'observation, on obtient une représentation de la corrélation entre les deux variables. L'équation de régression simple est la ligne droite qui passe dans le nuage de points de manière à obtenir la meilleure prédiction des valeurs prises par la variable Y à partir des valeurs de la variable X. L'équation de régression s'écrit comme suit :

$$Y' = a + bX,$$

où Y' = la variable dépendante (valeur prédite) ;
X = la variable indépendante ;
a = le point d'intersection de la droite avec l'axe des Y ;
b = la pente de la droite, appelée « coefficient de régression bêta (b) ».

Si l'on connait les valeurs des variables X et Y, il est possible de calculer a et b. La figure 20.4 fournit un exemple de la droite de régression entre les variables. Chaque point dans le graphique représente des valeurs. On peut voir que le point d'intersection, a, est égal à 2 ; c'est le point où la ligne de régression croise l'axe des Y.

La régression linéaire définit une droite qui minimise les différences entre les valeurs observées et les valeurs prédites $(Y - Y')$. Supposons que l'on veuille prédire

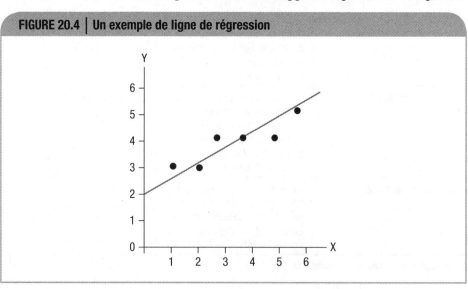

FIGURE 20.4 | Un exemple de ligne de régression

le poids d'un nouveau-né à la naissance au moyen d'une mesure extra-utérine. Quand on anticipe une relation linéaire entre deux variables, la connaissance de la valeur d'une variable permet de prédire la valeur de l'autre. En connaissant la circonférence abdominale de la mère (X), il est possible de prédire le poids à la naissance (Y) : poids à la naissance = $a + b$ (circonférence abdominale). Pour résoudre l'équation, le chercheur doit d'abord procéder au calcul de a et b à l'aide de la formule d'équation et poursuivre d'autres étapes pour déterminer la valeur prédite ($Y' = a + bX$), d'où résulte le coefficient de corrélation r. Celui-ci peut varier entre −1,00 et +1,00, et il est possible de déterminer s'il est statistiquement significatif. L'analyse de régression se fait à l'aide de programmes informatiques dans la plupart des études.

20.6.2 La régression multiple

La **régression multiple** est une extension de la régression linéaire simple en ce qu'elle inclut plus d'une variable indépendante. En effet, la régression simple permet d'étudier les relations entre une variable indépendante et une variable dépendante, tandis que la régression multiple permet l'étude de relations entre plusieurs variables indépendantes et une variable dépendante. Il s'agit d'une procédure complexe dans laquelle les relations entre les variables indépendantes, ou prédictives, et la variable dépendante sont vérifiées simultanément (Kellar et Kelvin, 2013). La régression multiple fournit une équation de régression qui permet de prédire la valeur de la variable dépendante quand les valeurs des variables indépendantes sont connues. L'interprétation des résultats est sensiblement la même que pour la régression linéaire. Le **coefficient de régression multiple au carré (R^2)** résume l'ampleur de la corrélation entre toutes les variables indépendantes et la variable dépendante ; il représente la quantité de variation dans la variable dépendante qui est expliquée par les variables prédictives.

La régression multiple est souvent utilisée dans la recherche en soins de santé dans le but d'examiner l'effet de divers facteurs sur un résultat anticipé. Par exemple, Bonellie (2012) a mené une étude ayant pour but de développer un modèle prédictif du changement dans le temps du poids des nouveau-nés en relation avec la carence sociale, l'âge de la mère et l'usage de la cigarette. La carence sociale et l'usage de la cigarette par la mère se sont avérés des facteurs contribuant aux différences observées dans les moyennes du poids des nouveau-nés à la naissance et la proportion des nouveau-nés ayant un poids inférieur à 2 500 g pour des groupes d'âge différents. Ces différences sont expliquées par le degré de carence sociale et le nombre de mères fumeuses.

20.6.3 La régression logistique

La **régression logistique** est un modèle d'analyse varié fréquemment utilisé dans le domaine de la santé pour caractériser un groupe de personnes présentant telle condition par rapport à des personnes saines. Le but de la régression logistique est de caractériser les relations entre une variable dépendante (variable à expliquer) et une ou plusieurs variables indépendantes (variables explicatives). À la différence de la régression linéaire, où la variable dépendante est quantitative, la régression logistique s'applique lorsque la variable dépendante est dichotomique ; par exemple, la présence ou l'absence d'une maladie, la réponse ou la non-réponse à un traitement.

Régression multiple
Analyse statistique multivariée servant à établir la relation prédictive entre une variable dépendante (Y) et un ensemble de variables indépendantes (X_1, X_2, ...).

Coefficient de corrélation multiple au carré (R^2)
Proportion de variance de la variable dépendante expliquée par un groupe de variables indépendantes.

Régression logistique
Procédure de régression qui permet d'analyser des relations entre plusieurs variables indépendantes catégorielles et une variable dépendante catégorielle et qui remplace la régression linéaire en présence d'une variable dépendante dichotomique.

Ainsi, un code de 0 ou 1 est attribué selon la présence ou l'absence de la maladie. De leur côté, les variables indépendantes peuvent être catégorielles ou continues. Ces variables sont susceptibles d'influer sur la survenue ou non de l'évènement.

Un modèle de régression logistique permet de prédire la probabilité qu'un évènement survienne. Par exemple, si un étudiant a 3 chances sur 4 d'être admis à l'université, contre 1 chance sur 4 d'être refusé, sa cote est de 3 contre 1. La cote, ou la chance, peut se définir par la probabilité qu'un évènement survienne divisée par la probabilité qu'il ne se produise pas. Une probabilité est toujours comprise entre 0 et 1. Une des propriétés de la régression logistique est de pouvoir estimer un rapport de cotes (*odds ratio*) qui renseigne le chercheur sur la force et la direction de l'association entre la variable explicative et la variable à expliquer. Le rapport de cotes est une mesure statistique qui exprime le degré de dépendance entre deux variables et qui fournit une approximation du risque relatif (El Sanharawi et Naudet, 2013). Il existe plusieurs modèles de régression logistique, souvent complexes, dont le calcul se fait à l'aide des logiciels.

20.7 Les mesures de différences : la comparaison de moyennes

Les tests paramétriques (P) et non paramétriques (NP) utilisés pour vérifier des différences entre les groupes sont :

1) le test t pour groupes indépendants, qui compare la moyenne de chaque groupe (P) ;
2) le test U de Mann-Whitney, qui compare la distribution des valeurs pour chaque groupe (NP) ;
3) le test t pour groupes appariés (P) ou le test de Wilcoxon par rangs (NP) ;
4) l'analyse de la variance (P) ou le test de Kruskal-Wallis par rangs (NP).

20.7.1 Le test t

Le **test *t***, ou test t de Student, est un test paramétrique qui sert à déterminer la différence entre les moyennes de deux populations (μ_a et μ_b) relativement à une variable aléatoire continue. Le nom du test, Student, désigne le pseudonyme de son inventeur, William Gosset (1876-1937). Il est spécialement conçu pour comparer la moyenne des groupes et convient aux échantillons de toutes tailles. Étant donné qu'il sert à comparer des moyennes, les données doivent être du niveau d'intervalle ou de proportion et comporter des variables présumées être normalement distribuées dans la population. Il existe deux variantes du test t, selon le type des échantillons concernés : échantillons indépendants ou échantillons appariés.

Le test *t* pour échantillons indépendants

Le test t pour échantillons indépendants sert à comparer les manières d'évoluer d'une variable continue dans deux groupes indépendants. Autrement dit, on veut vérifier si le fait d'appartenir au groupe expérimental plutôt qu'au groupe de contrôle a une influence sur la variable continue, c'est-à-dire sur la variable dépendante. Ces groupes sont généralement constitués de façon aléatoire, bien qu'un échantillonnage accidentel (*voir le chapitre 14*) puisse être possible. On utilisera un test unilatéral ou bilatéral pour comparer les moyennes des deux groupes clairement définis. L'utilisation du test *t* pour échantillons indépendants repose sur les postulats suivants :

- la variable dépendante doit présenter une distribution normale ;
- les deux groupes doivent avoir la même variance ;
- la variable dépendante est mesurée à l'aide d'une mesure continue ;
- les échantillons de la variable dépendante sont indépendants.

Dans le cas d'utilisation du test *t* pour échantillons indépendants, quand un ou plusieurs de ces postulats ne sont pas satisfaits, la validité interne de l'étude peut être menacée. Cependant, le test *t* est assez robuste pour être utilisé avec confiance même s'il manque un postulat ou plus (Kellar et Kelvin, 2013).

Supposons qu'un chercheur utilise un devis expérimental avec groupe témoin pour démontrer que l'introduction d'une variable indépendante a entraîné un changement dans les deux groupes. L'hypothèse de recherche (H_1) serait la suivante : le programme de relaxation diminue la douleur en période postopératoire immédiate chez les personnes âgées ayant subi une chirurgie de la hanche et ayant bénéficié du programme. Pour analyser les données, le chercheur choisira le test *t* pour deux groupes indépendants en présence de variables continues. Si la distribution *t* produit des valeurs se situant au-dessus du seuil d'acceptation, le chercheur pourra rejeter l'hypothèse nulle (H_0), selon laquelle il n'y a pas de différence entre les groupes, et conclure que les deux groupes diffèrent entre eux. Le chercheur pourra avancer que le programme de relaxation (variable indépendante) a diminué la douleur chez le groupe de personnes âgées qui en ont bénéficié.

Dans une étude descriptive corrélationnelle, si l'échantillonnage permet de cibler deux groupes suffisamment bien représentés, on utilisera un test bilatéral. Le nombre de degrés de liberté associé au test *t* pour échantillons indépendants est le total des degrés de liberté pour deux groupes, selon la formule suivante : $dl = (n_1 - 1) + (n_2 - 1) = (n_1 + n_2 - 2)$ (Portney et Watkins, 2009).

Le test non paramétrique U de Mann-Whitney pour échantillons indépendants

Le test U de Mann-Whitney est un test non paramétrique utilisé pour déterminer s'il existe une relation entre deux groupes quand une variable est dichotomique et que l'autre variable est à échelle ordinale. C'est le test de rechange au test *t* quand les données ne satisfont pas aux postulats de normalité (p. ex. en présence de petits échantillons, d'une distribution non normale ou de données ordinales). Le test U de Mann-Whitney vérifie l'hypothèse nulle selon laquelle la distribution des deux groupes est égale. Il est presque aussi puissant que le test *t* pour déterminer des différences entre les groupes (Kellar et Kelvin, 2013).

Le test *t* pour échantillons appariés

Le test *t* peut aussi être utilisé pour des échantillons dépendants ou appariés (*paired t-test*) lorsqu'on veut étudier le comportement d'une variable continue qui a été évaluée à deux occasions auprès d'un même groupe de personnes. Supposons qu'un chercheur utilise un devis avant-après à groupe unique (*voir le chapitre 12*), dans lequel une variable continue, le temps de récupération en secondes, est mesurée avant et après une activité physique intense auprès d'un groupe de sujets. En se fondant sur le fait que ce sont les mêmes personnes qui ont été évaluées à deux reprises, avant et après l'intervention (T_1 et T_2), le chercheur entend établir que la variable continue diffère au T_2. Pour déterminer, dans le même groupe de participants, s'il existe une différence significative entre les valeurs observées avant l'exercice physique et celles qui ont été enregistrées après celui-ci, on effectuera un test t pour échantillons appariés. Ce test analyse les différents scores (d) à l'intérieur de chaque paire, afin de comparer les sujets avec eux-mêmes. D'un point de vue statistique, cela diminue l'erreur de variance dans les données, car l'influence de facteurs externes sera la même au cours des deux situations expérimentales (Portney et Watkins, 2009).

Dans l'exemple des données hypothétiques sur le temps de récupération en secondes à la suite d'une activité physique intense, un score différent (d) est calculé pour chaque paire de scores (avant et après). La valeur absolue issue de l'équation est comparée avec la valeur critique de la table de la distribution t pour un test unilatéral, avec $n - 1$ degrés de liberté. Si la valeur de t calculée est plus grande que la valeur critique, l'hypothèse nulle est rejetée, et la différence entre les moyennes des valeurs de chacun des deux groupes est considérée comme significative du point de vue statistique.

Le test non paramétrique de Wilcoxon par rangs pour échantillons appariés

Le test de Wilcoxon par rangs est un test non paramétrique servant à déterminer s'il existe une relation entre deux mesures corrélées de la même variable dans laquelle l'échelle de mesure est au moins à l'échelle ordinale. Ce test, similaire au test t apparié, est utilisé dans les situations où les postulats du test t pour échantillons appariés ne sont pas satisfaits (p. ex. de petits échantillons, les données ne sont pas normalement distribuées et le niveau de mesure est à l'échelle ordinale). Le test de Wilcoxon par rangs vérifie l'hypothèse que les médianes des deux groupes corrélées sont égales (Kellar et Kelvin, 2013).

20.7.2 L'analyse de la variance ANOVA

Analyse de la variance (ANOVA)
Test statistique paramétrique destiné à déterminer les différences entre trois groupes ou plus en comparant la variation intragroupe avec la variation intergroupes.

Alors que la distribution t (de Student) sert à comparer des différences entre les moyennes de deux populations relativement à une variable continue, l'analyse de la variance bivariée est plus flexible et permet d'examiner des données provenant de plus de deux groupes. L'**analyse de la variance (ANOVA)** consiste à comparer la variance au sein de chaque groupe (intragroupe) avec celle qui existe entre les groupes (intergroupes). L'ANOVA peut comporter un facteur ou plus. Un facteur est une variable dont on cherche à connaitre les effets sur une variable donnée. L'analyse de la variance à deux facteurs (deux variables indépendantes) ou plus permet de vérifier les effets des facteurs individuels et les interactions entre deux facteurs ou plus et de déterminer le facteur le plus important.

La statistique calculée dans une ANOVA est la valeur F. Celle-ci exprime le rapport entre la variance intergroupes et la variance intragroupe. À l'aide de l'ANOVA, on décompose la variation totale d'un ensemble de données en deux composantes : la variation résultant de la variable indépendante et les autres variations, comme les différences individuelles. La variation des interventions ou des traitements au sein du groupe (intragroupe) est comparée à celle qui existe entre les groupes (intergroupes) pour produire la statistique (Harel, 1996). Pour déterminer si la valeur de F est significative, on compare le résultat obtenu avec les valeurs critiques de la distribution théorique F, que l'on trouve dans les tables de distribution désignées à cette fin dans la plupart des ouvrages sur la statistique.

Par exemple, l'ANOVA à un facteur permet de comparer quatre modalités d'une intervention (variable indépendante) dans la situation hypothétique suivante inspirée de Portney et Watkins (2009). Supposons que l'on veuille vérifier, auprès de personnes atteintes d'une tendinite à l'épaule, l'étendue du mouvement sans douleur à l'aide de quatre modalités d'intervention. Quatre groupes sont ainsi constitués : le premier groupe bénéficie de l'ultrason (groupe A), le deuxième se voit appliquer de la glace (groupe B), le troisième reçoit un massage (groupe C), et le quatrième sert de groupe témoin (groupe D). Le nombre de sujets (n) dans chaque groupe est de 11 pour un total (N) de 44 participants. La variable indépendante (type de modalité) a quatre niveaux. La variable dépendante est la portée du mouvement mesurée en degrés. Les données hypothétiques sont rapportées pour les quatre groupes dans le tableau 20.4. On utilisera l'ANOVA pour distinguer les quatre groupes.

TABLEAU 20.4	L'analyse de la variance : changement en degrés dans la portée du mouvement		
Groupe A (Ultrason)	**Groupe B (Glace)**	**Groupe C (Massage)**	**Groupe D (Témoin)**
23	44	47	19
54	52	49	14
52	53	29	23
33	52	33	14
48	33	45	36
52	46	29	29
58	56	43	37
31	42	19	22
43	43	34	19
47	29	27	18
45	48	33	35
$\sum X_A = 486$ $n = 11$ $\overline{X}_A = 48{,}18$	$\sum X_B = 498$ $n = 11$ $\overline{X}_B = 45{,}27$	$\sum X_C = 388$ $n = 11$ $\overline{X}_C = 35{,}27$	$\sum X_D = 266$ $n = 11$ $\overline{X}_D = 24{,}18$
Test d'hypothèse : pour $\alpha = 0{,}05$ et $dl = 3$; 40, F = 2,84 **Total :** $\sum X = 1638$; $N = 44$; $\overline{X}_T = 37{,}23$			

Les degrés moyens obtenus pour chacun des groupes sont de 48,18 pour le groupe A, de 45,27 pour le groupe B, de 35,27 pour le groupe C et de 24,18 pour le groupe D. Le ratio F de l'ANOVA est le rapport entre la variance qui existe entre les groupes et la variance au sein de chacun des groupes. Pour déterminer si ce ratio F est significatif, on peut comparer le résultat obtenu avec les valeurs critiques de la distribution théorique F que l'on peut trouver dans la plupart des manuels traitant de statistique. Le rapport de la variance calculée est de 11,89. Les degrés de liberté (*dl*) dans un ensemble de données seront toujours un de moins que le nombre total d'observations. Le nombre de degrés de liberté associé à la variabilité inter-groupes est un de moins que le nombre de groupes, soit $dl = 3$. Le calcul du nombre de degrés de liberté associé à la variabilité intragroupe s'établit comme suit : le nombre total de sujets moins le nombre de groupes. Dans cet exemple, $dl = 44 - 4 = 40$. Afin de vérifier l'hypothèse qu'il n'y a pas de différence entre les résultats chez les quatre groupes, on se réfère aux valeurs critiques de la table de distribution théorique F, pour $\alpha = 0,05$, $dl = 3$; 40, ce qui donne 2,84. Cette valeur critique est comparée à la valeur calculée ; comme la valeur de la variance obtenue de 11,89 est supérieure à la valeur critique 2,84, l'hypothèse nulle est rejetée. Les résultats confirment l'hypothèse qu'il y a une différence significative entre les groupes.

Si l'on veut savoir quel est le traitement le plus efficace, on pourra utiliser le test *t* pour déterminer dans quelle mesure ce qui est observé dans les groupes ayant fait l'objet d'une intervention diffère de ce que l'on note dans le groupe de contrôle.

Le test non paramétrique de Kruskal-Wallis

Quand les données ne satisfont pas aux postulats de normalité pour l'ANOVA, le test non paramétrique de rechange est le test de Kruskal-Wallis. Semblable à l'ANOVA, ce test sert à déterminer s'il y a une différence dans la distribution des valeurs entre trois groupes ou plus. Le test est approprié si les données d'une étude sont à échelle ordinale. Le calcul du test nécessite la conversion des données en rangs (Kellar et Kelvin, 2013).

Parmi d'autres procédures d'analyse de la variance, mentionnons l'analyse de la variance par mesures répétées. Cette analyse est un test paramétrique qui permet de déterminer si les moyennes de trois mesures ou plus prises auprès des mêmes personnes ou de témoins appariés sont semblables ou différentes. La différence entre les deux types d'analyse repose sur le fait que l'analyse de la variance par mesures répétées peut contrôler la variance entre les groupes en la mesurant séparément de l'erreur (Kellar et Kelvin, 2013). Quand les données ne sont pas normalement distribuées ou ne satisfont pas aux critères de normalité, on peut utiliser l'analyse de la variance de Friedman par rangs, qui est un test non paramétrique similaire à l'analyse de variance par mesures répétées.

20.7.3 Le test d'indépendance du khi-deux (χ^2)

Test du khi-deux (χ^2)
Test inférentiel non paramétrique qui exprime l'importance de l'écart entre les fréquences observées et les fréquences théoriques. On l'utilise entre autres pour effectuer un test d'hypothèse concernant le lien entre deux variables qualitatives.

Le test *t* et l'analyse de la variance servent à évaluer les différences entre les moyennes de groupes et les variables continues. Cependant, il est parfois nécessaire de comparer les distributions de deux variables catégorielles. Le **test du khi-deux (χ^2)** est une analyse statistique inférentielle non paramétrique utilisée pour comparer un ensemble de données qui représentent des fréquences, des pourcentages et des proportions (données nominales). Il sert aussi à déterminer si deux variables sont indépendantes ou réciproquement dépendantes. Le test du khi-deux s'avère utile aussi bien pour examiner les relations que les différences entre des données nominales.

Pour déterminer la distribution d'une variable catégorielle comparativement à celle d'une autre variable de même nature, on utilise un tableau croisé, aussi appelé « tableau de contingence ». Le tableau croisé est une distribution à deux dimensions où se croisent les fréquences de deux variables. Une variable est placée dans une rangée et l'autre, dans une colonne. Le nombre de cellules correspond au nombre de catégories de la première variable, multiplié par le nombre de catégories de la seconde variable. Le calcul du khi-deux s'effectue à l'aide de la formule ci-après, où f_0 est la fréquence observée et f_t, la fréquence théorique :

$$\chi^2 = \frac{\sum(f_0 - f_t)^2}{f_t}.$$

La fréquence théorique est celle à laquelle on s'attend théoriquement s'il n'existe pas de lien entre les variables considérées. Elle se calcule à partir des fréquences observées au cours d'une recherche (Parent, 2003).

À l'aide du tableau croisé qui accompagne le test du khi-deux, le chercheur compare les fréquences observées dans les cellules avec les fréquences théoriques soumises au hasard, si l'hypothèse nulle est vraie, c'est-à-dire s'il n'y a pas de différence entre les groupes ni de relation entre les variables. Si les fréquences observées diffèrent des fréquences théoriques à un seuil de signification déterminé (p. ex. $\alpha \le 0{,}05$), l'hypothèse nulle est rejetée. Pour comparer les valeurs obtenues au test avec celles qui figurent dans la table de distribution du test du khi-deux, il faut tenir compte du nombre de degrés de liberté, comme c'est le cas pour établir une comparaison avec les valeurs de la table de distribution t et celles de la table de distribution F. Par exemple, un chercheur qui se penche sur les accidents de la route veut savoir s'il existe une relation entre le nombre d'accidents et les conducteurs qui ont suivi ou non un cours de conduite préalable. Les données hypothétiques observées sont présentées dans le tableau 20.5.

TABLEAU 20.5	Les fréquences observées en rapport avec deux variables nominales		
	Accidents rapportés	**Pas d'accident**	**Total**
Cours de conduite	44	10	54
Pas de cours de conduite	81	35	116
Total	125	45	170
$\chi^2 = 2{,}57$; $dl = 1$			

Dans le test du khi-deux dont les données figurent dans le tableau ci-dessus, on a additionné, selon la formule du calcul présentée plus tôt, les fréquences hypothétiques observées dans chaque cellule et les fréquences espérées et l'on a conclu qu'il n'y avait pas de différence entre les deux variables. La valeur du khi-deux calculée est de 2,57, et elle est comparée aux valeurs de la table de distribution théorique du χ^2. Le nombre de degrés de liberté est égal au nombre de rangées moins 1 multiplié par le nombre de colonnes moins 1 : $dl = (2 - 1) \times (2 - 1) = 1 \times 1 = 1$. Avec un degré de liberté, la valeur espérée pour atteindre une signification statistique à 0,05 est 3,84. La valeur obtenue de 2,57 est moins grande que la valeur espérée selon la table de distribution. Par conséquent, on peut conclure qu'il n'y a pas de relation significative entre le fait d'avoir suivi un cours de conduite et le nombre d'accidents. Le tableau 20.6, à la page suivante, résume les tests paramétriques et non paramétriques servant à comparer des différences entre les groupes.

TABLEAU 20.6	Les tests paramétriques et non paramétriques servant à mesurer les comparaisons ou les différences entre les groupes		
But	**Tests paramétriques**	**Tests non paramétriques**	
Mesurer les différences entre les moyennes de deux groupes indépendants	Test t pour échantillons indépendants	Test U de Mann-Whitney	
Comparer les moyennes ou les médianes entre deux groupes appariés	Test t pour échantillons appariés	Test de Wilcoxon par rangs	
Comparer les moyennes entre trois groupes indépendants ou plus	Analyse de la variance (ANOVA)	Test de Kruskal-Wallis par rangs	
Comparer les moyennes entre trois groupes appariés ou plus	Analyse de la variance par mesures répétées (F)	Analyse de la variance de Friedman par rangs ($\chi^2 r$)[1]	
Comparer des différences de proportions entre deux variables catégorielles		Test d'indépendance du khi-deux (χ^2) ou test McNemar pour les groupes appariés[1]	

1. Ces tests ne sont pas traités dans cet ouvrage.

20.8 L'examen critique des analyses statistiques inférentielles

Une série de questions susceptibles d'aider le lecteur dans son examen critique des analyses inférentielles est présentée dans l'encadré 20.1. Il s'agit de déterminer, à la lecture d'un article de recherche, quelles sont les analyses inférentielles utilisées. Le niveau de mesure des variables, le nombre de groupes comparés et la taille de l'échantillon fournissent des indications précieuses à cet égard. Ensuite, il y a lieu de découvrir la valeur du test statistique obtenue, les degrés de liberté et le niveau de signification atteint pour chacune des hypothèses vérifiées.

ENCADRÉ 20.1	Quelques questions guidant l'examen critique de l'analyse inférentielle des données

1. Des analyses inférentielles sont-elles présentées dans l'article de recherche?

2. Si oui, y a-t-il suffisamment d'information pour déterminer si les tests utilisés sont appropriés?

3. Les tests statistiques paraissent-ils s'accorder au niveau de mesure, au nombre de groupes comparés, à la taille de l'échantillon, etc.?

4. L'étude met-elle en évidence les différences entre des groupes ou des relations entre des variables?

5. S'il s'agit de mettre en relief les différences entre des groupes, quel test statistique inférentiel a été utilisé?

6. S'il s'agit de souligner les relations entre des variables, quel test statistique inférentiel a été utilisé?

7. Les résultats des analyses inférentielles sont-ils convenablement commentés?

Points saillants

20.1 L'inférence statistique

- L'inférence statistique se fonde sur les lois de la probabilité ; elle s'intéresse aux résultats obtenus auprès d'un échantillon et détermine si l'on peut en déduire le comportement de la population cible.
- Le concept de probabilité est essentiel à la compréhension de l'inférence statistique.
- Une distribution de fréquences basée sur un nombre infini d'échantillons est appelée « distribution d'échantillonnage ».
- Les caractéristiques de l'échantillon peuvent différer de celles de la population. Le théorème de la limite centrale est le phénomène par lequel les valeurs de l'échantillon tendent à se distribuer normalement autour de la moyenne.
- L'écart type d'une distribution de moyennes d'échantillonnage porte le nom d'erreur type de la moyenne ($s_{\bar{x}}$).

20.2 L'estimation des paramètres

- Les deux méthodes utilisées pour estimer les paramètres sont l'estimation ponctuelle et l'estimation par intervalle de confiance.
- L'estimation ponctuelle est une valeur numérique attribuée à un paramètre de la population. La moyenne, la médiane, la variance et l'écart type sont considérés comme des paramètres de la population.
- Un intervalle de confiance est une gamme de valeurs qui, selon un degré défini de probabilité, est censé contenir le paramètre de la population. Le chercheur peut établir un intervalle de confiance à 90, à 95 ou à 99 %. L'erreur type de la moyenne ($s_{\bar{x}}$) sert de base à l'établissement des limites de confiance.

20.3 La vérification empirique des hypothèses : les étapes

- La vérification des hypothèses comporte un certain nombre d'étapes : 1) la formulation des hypothèses (H_0 et H_1) ; 2) le choix d'un seuil de signification ; 3) la puissance d'un test ; 4) le calcul du test statistique approprié ; 5) la détermination de la valeur critique ; 6) la définition de la règle de décision ; 7) l'application de la règle de décision et la conclusion.
- La vérification de H_0 est basée sur un processus de rejet ; H_1 reflète le raisonnement du chercheur concernant les relations entre les variables ou les différences entre les groupes. H_0 suppose l'absence de relation entre les variables ou de différence entre les groupes. Si l'analyse statistique ne permet pas de conclure qu'il y a relation ou différence, H_0 n'est pas rejetée. S'il existe une relation ou une différence, H_0 est rejetée.
- Le seuil de signification est une valeur numérique qui renvoie au niveau alpha (α) ou à la valeur de p. Ces valeurs se définissent par la probabilité de rejeter l'hypothèse nulle quand celle-ci est vraie. Dans la plupart des recherches, le seuil de signification est établi à 0,05. Cela veut dire que le chercheur accepte la probabilité de commettre une erreur 5 fois sur 100.
- Si le chercheur a formulé une hypothèse directionnelle, il convient d'utiliser un test de signification unilatéral. Dans ce cas, les valeurs seront situées dans une seule zone de la distribution théorique d'échantillonnage. Un test de signification bilatéral est utilisé pour déterminer les valeurs significatives dans les régions critiques lorsque l'hypothèse est non directionnelle.
- La valeur critique est la valeur qui sépare les zones de rejet et de non-rejet de l'hypothèse nulle ; elle est déterminée par le seuil de signification et les degrés de liberté.
- Quand un chercheur établit le seuil de signification statistique, il énonce une règle de décision quant au rejet de l'hypothèse nulle. Le chercheur peut prendre une mauvaise décision en rejetant ou non l'hypothèse nulle.
- Deux types d'erreurs peuvent se produire. Une hypothèse nulle qui est vraie, et rejetée, entraine une erreur de type I. Une hypothèse nulle qui est fausse, mais non rejetée, occasionne une erreur de type II. Un seuil de signification (α) fixé à l'avance détermine la probabilité de l'erreur de type I. La probabilité de commettre une erreur de type II est désignée par bêta (β). Le complément de l'erreur β $(1 - \beta)$ correspond à la puissance du test.

20.4	Une introduction aux statistiques inférentielles	• On distingue deux types de tests inférentiels : les tests paramétriques et les tests non paramétriques. On emploie les tests paramétriques dans les situations suivantes : 1) les variables doivent être normalement distribuées ; 2) l'estimation d'au moins un paramètre est possible ; 3) les variables sont continues.
		• On utilise généralement les tests non paramétriques, qui ne requièrent pas une distribution normale, pour l'analyse de variables nominales et ordinales ou si l'échantillon est de petite taille.
20.5	Les mesures d'association : les coefficients de corrélation	• Certains tests statistiques, comme la corrélation r de Pearson et la corrélation de Spearman, sont utiles pour vérifier si une corrélation est statistiquement significative.
20.6	Les mesures de prédiction : l'analyse de régression	• Le chercheur peut recourir à des analyses plus avancées pour étudier plus de deux variables. Les principaux types d'analyses sont la corrélation linéaire simple, la régression multiple et la régression logistique.
20.7	Les mesures de différences : la comparaison de moyennes	• Les principaux tests servant à comparer des moyennes sont le test t de Student et l'analyse de la variance. Le test t est un test paramétrique qui sert à examiner la différence entre les moyennes de deux groupes.
		• On applique le test t à des échantillons indépendants afin de comparer le comportement d'une variable continue dans deux groupes indépendants. Le test t est aussi utilisé auprès d'échantillons appariés lorsqu'on veut étudier comment une variable continue se comporte dans un même groupe à deux moments différents.
		• L'analyse de la variance (ANOVA) sert à vérifier les différences entre trois groupes ou plus en comparant la variabilité intergroupe à la variabilité intragroupe.
		• Le khi-deux (χ^2) est un test inférentiel non paramétrique permettant de comparer un ensemble de données représentant des fréquences ou des pourcentages. Les fréquences observées sont comparées aux fréquences théoriques.

Mots clés

Analyse de la variance	Erreur de type II	Puissance d'un test	Test non paramétrique
Coefficient de corrélation	Erreur type de la moyenne	Règle de décision	Test paramétrique
Corrélation r de Pearson	Estimation ponctuelle	Score z	Test unilatéral
Degré de liberté	Hypothèse directionnelle	Seuil de signification	Théorème de la limite centrale
Distribution d'échantillonnage	Hypothèse non directionnelle	Statistique	
Distribution t de Student	Intervalle de confiance	Test bilatéral	Valeur critique
Erreur d'échantillonnage	Paramètre	Test d'hypothèse	Vérification des hypothèses
Erreur de type I	Probabilité	Test du khi-deux	Zone de rejet

Exercices de révision

1. Quels sont les deux principaux buts de l'inférence statistique ?

2. Établissez une distinction entre l'erreur de type I et l'erreur de type II.

3. Associez chaque test suivant à l'énoncé qui s'y rapporte.
   a) Test paramétrique
   b) Test non paramétrique
   c) Distribution t (de Student)
   d) Test d'hypothèse

e) Coefficient de corrélation *r* de Pearson

f) Analyse de la variance

g) Test unilatéral

h) Distribution *t* pour groupes appariés

i) Distribution du khi-deux

Énoncés

1) Suppose la comparaison des scores de la même variable continue obtenus auprès de deux groupes indépendants.

2) Test statistique le plus souvent utilisé à l'occasion d'analyses non paramétriques. Il permet d'étudier la relation entre deux variables discrètes.

3) Catégorie de test statistique utilisée : I) quand la distribution des variables dans la population est normale ; II) quand il y a au moins un paramètre à étudier ; III) quand on effectue des mesures selon des échelles continues (d'intervalle ou de proportion).

4) Test statistique pouvant être utilisé avec des variables à échelle nominale ou ordinale et auprès d'échantillons de petite taille.

5) Type de tests statistiques inférentiels qui permet de déceler des différences entre les moyennes de trois groupes ou plus. L'élément calculé dans ce test est la valeur F.

6) Test statistique servant à vérifier la relation linéaire entre deux variables continues (à échelle d'intervalle ou de proportion).

7) Sert à étudier le comportement d'une variable continue évaluée à deux moments différents dans un même groupe de sujets.

8) Procédé d'inférence statistique utilisé pour choisir entre deux hypothèses (H_0 ou H_1) à partir de renseignements obtenus auprès d'échantillons.

9) Test de signification statistique servant à prédire la direction d'une relation au cours de la vérification d'une hypothèse.

Liste des références

Les références citées dans la rubrique « Exemple » ou dans les citations peuvent ne pas figurer dans cette liste.

Amyotte, L. (2011). *Méthodes quantitatives : applications à la recherche en sciences humaines* (3e éd.). Saint-Laurent, Québec : Éditions du Renouveau Pédagogique Inc.

Bonellie, S.R. (2012). Use of multiple linear regression and logistic regression models to investigate changes in birthweight for term singleton infants in Scotland. *Journal of Clinical Nursing, 21,* 2780-2788.

Bourque, J., Blais, J.-F. et Larose, F. (2009). L'interprétation des tests d'hypothèses : la taille de l'effet et la puissance. *Revue des sciences de l'éducation, 35*(1), 211-226.

Cohen, J. (1988). *Statistical power analysis for behavioral sciences* (2e éd.). New York, NY : Academy Press.

El Sanharawi, M. et Naudet, F. (2013). Comprendre la régression logistique. *Journal français d'ophtalmologie, 20*(36), 710-715.

Grove, S.K., Burns, N. et Gray, J.R. (2013). *The practice of nursing research: Appraisal, synthesis, and generation of evidence* (7e éd.). Saint-Louis, MO : Elsevier.

Harel, F. (1996). Analyse statistique des données. Dans M.-F. Fortin. *Le processus de la recherche : de la conception à la réalisation* (p. 267-300). Montréal, Québec : Décarie.

Kellar, S.P. et Kelvin, E.A. (2013). *Munro's statistical methods for health care research* (6e éd.). Philadelphie, PA : Wolters Kluwer/Lippincott Williams & Wilkins.

Morton, R.F. et Hebel J.R. (1983). *Épidémiologie et biostatistique : une introduction programmée.* Paris, France : Doin Éditeurs.

Nieswiadomy, R.M. (2008). *Foundations of nursing research* (5e éd.). Upper Saddle River, NJ : Pearson/ Prentice Hall.

Parent, G. (2003). *Méthodes quantitatives en sciences humaines.* Montréal, Québec : Les Éditions CEC.

Polit, D.F. (2009). *Data analysis and statistics for nursing research* (2e éd.). Upper Saddle River, NJ : Pearson/Prentice Hall.

Portney, L.G. et Watkins, M.P. (2009). *Foundations of clinical research: Applications to practice* (3e éd) Upper Saddle River, NJ : Pearson/ Prentice Hall.

Simpson, A., Beaucage, C. et Bonnier-Viger, Y. (2009). *Épidémiologie appliquée : une initiation à la lecture critique de la littérature en sciences de la santé* (2e éd.). Montréal , Québec : Gaëtan Morin éditeur.

CHAPITRE 21

La présentation et l'interprétation des résultats

Objectifs d'apprentissage

Après avoir étudié ce chapitre, vous serez en mesure :

- de présenter les résultats de recherches qualitatives et quantitatives ;
- de discuter des résultats ;
- de relier les résultats aux questions de recherche ou aux hypothèses ;
- d'établir les implications qui découlent des résultats ;
- de reconnaitre les limites de l'étude ;
- de discuter des recommandations qui font suite à l'exposé des résultats ;
- de dégager une conclusion de l'interprétation des résultats.

Les données recueillies auprès des participants ayant été soumises aux analyses qualitative, descriptive ou inférentielle décrites dans les trois derniers chapitres, l'étape suivante consiste à présenter les résultats de ces différentes analyses et à les interpréter. Présenter les résultats obtenus, c'est accompagner le texte narratif de tableaux et de figures afin de les illustrer. Les résultats d'analyses qualitatives doivent refléter l'orientation philosophique du chercheur et les données recueillies. Ils sont généralement présentés sous forme de thématique découlant de la démarche d'analyse de contenu. Les résultats des analyses statistiques descriptives et inférentielles doivent être exposés de manière synthétique. Par la suite, il convient d'en faire l'analyse dans le contexte des questions de recherche ou des hypothèses. Il s'agit alors d'intégrer les informations retenues, de les expliquer et de les confronter à celles qui ont déjà été publiées dans d'autres travaux de recherche. L'interprétation ou la discussion est suivie des principales implications de l'étude et des limites découlant de l'exposé qui précède ainsi que des recommandations concernant la recherche et la pratique. Enfin, la conclusion exprime l'essentiel des résultats.

21.1 La présentation des résultats de recherche

Dans la présentation des résultats de recherche, le chercheur rend compte de l'analyse des données réalisée au moyen de différentes techniques d'analyses et de tests statistiques. Les résultats découlent des analyses qualitatives ou quantitatives des données recueillies auprès des participants et sont présentés de manière à fournir un lien logique avec le problème de recherche proposé. La présentation des résultats est une stricte description, illustrée au moyen de tableaux et de figures ou de verbatim d'entrevues.

À l'étape de la présentation des résultats, le chercheur résume, dans une description narrative accompagnée de représentations graphiques, le déroulement de l'étude selon l'ordre d'importance des questions de recherche ou des hypothèses formulées dans celle-ci. La diversité des études et des résultats ne peut conduire à une méthode unique de présentation. Selon le type de recherche ou l'approche utilisée, la présentation des résultats inclut soit une synthèse des catégories significatives ou des thèmes servant à clarifier le phénomène à l'étude, soit une description des variables et de leurs relations, soit la confirmation ou non des hypothèses mises à l'épreuve au moyen de tests statistiques. La présentation des résultats qualitatifs varie en fonction du type d'étude, mais, de façon générale, elle devrait inclure une description détaillée des participants, ainsi que du milieu et de l'environnement dans lesquels les données ont été recueillies. Dans les études quantitatives, les résultats obtenus au moyen des analyses descriptives permettent de tracer un portrait des caractéristiques de la population étudiée. Ces résultats sont habituellement présentés en premier, dans un rapport de recherche, suivis des résultats obtenus à l'aide des analyses inférentielles. Les procédures statistiques utilisées pour tester les hypothèses ou analyser les données liées au but de l'étude doivent être décrites, puis les résultats sont présentés (Fawcett et Garity, 2009).

21.1.1 La présentation visuelle des résultats

La visualisation est un élément important dans la présentation et la communication des résultats de recherche du fait qu'elle permet de synthétiser de grandes quantités de données dans des tableaux et des figures (Kelleher et Wagener, 2011 ; Saver, 2006). Les graphiques bien construits facilitent la compréhension des données en exposant de façon explicite les tendances et les points saillants qui se dégagent des résultats. Ces supports visuels, mis en rapport avec un texte écrit, sont destinés à rehausser la compréhension des lecteurs et à améliorer la précision de leurs interprétations (Franzblau et Chung, 2012). Les tableaux et les figures revêtent une grande importance dans la synthèse des résultats, car ils permettent au lecteur une consultation rapide et globale. Toutefois, ils ne remplacent pas l'exposé, mais agissent comme un complément au texte tout en fournissant l'information pertinente. Ils se révèlent utiles dans la mesure où ils éclairent le texte. En outre, la figure ou le tableau est précédé d'un intitulé qui en précise le contenu ; à cet égard, il convient d'éviter de répéter des éléments déjà mentionnés dans le texte. Les tableaux sont généralement simples d'aspect, tandis que les figures revêtent diverses formes : diagrammes, schémas, photographies, etc.

> Les tableaux et les figures revêtent une grande importance dans la synthèse des résultats, car ils permettent au lecteur une consultation rapide et globale.

Les tableaux

Les tableaux constituent un moyen de disposer les données en lignes et en colonnes de manière à rendre l'information facilement compréhensible et interprétative. Ils sont les plus fréquemment utilisés quand il s'agit de présenter des valeurs exactes. Les tableaux comportent généralement les composantes suivantes : le titre, les rangées et les colonnes, les entêtes des colonnes et les préentêtes des rangées et, souvent, des notes explicatives sous le tableau.

- Le titre, aussi bref et concis que possible, permet de discerner au premier coup d'œil les variables ou les éléments dont il est question ; il est précédé de l'indication « Tableau » et numéroté de façon à permettre la référence du tableau dans le texte.

- Les rangées et les colonnes doivent être divisées par des lignes ou des espaces, particulièrement dans le cas de grands tableaux.

- L'ordre des entêtes des colonnes devrait progresser logiquement de gauche à droite selon les données ou les valeurs obtenues. Le contenu de la première colonne de gauche précise généralement la provenance des données.

- Des notes explicatives sous le tableau peuvent être utilisées pour présenter les différentes valeurs de p obtenues ou pour expliquer les abréviations ou les symboles. La présentation doit être soignée, permettant de départager clairement les différents groupes ou les séries de données.

Les figures

Les figures sont utilisées pour indiquer toute forme de présentation visuelle autre qu'un tableau. Les tendances, les relations et les comparaisons peuvent être présentées de façon plus efficace et concise par la construction d'une figure que par l'écriture détaillée d'un texte. Pour illustrer les variables descriptives, il est possible de choisir entre diverses formes de représentations graphiques telles que les distributions de fréquences exprimées à l'aide d'un diagramme à bandes rectangulaires, d'un diagramme à secteurs ou d'un histogramme. En ce qui a trait aux variables d'intervalle et de proportion, on se sert de la courbe normale pour représenter les variations d'un phénomène donné et de nuages de points (diagramme de dispersion) pour illustrer la corrélation ou la régression. Les graphiques s'accompagnent d'une échelle, dont les divisions ou les degrés sont clairement indiqués. Les figures portent aussi un titre précédé de l'indication « Figure » et sont numérotées.

Pour en savoir plus sur la conception des tableaux et des figures, le lecteur peut consulter des ouvrages spécialisés pour des guides de présentation, comme celui de l'American Psychological Association (2010). Bon nombre de revues scientifiques recommandent aux auteurs de se référer à cet ouvrage pour la présentation de leurs manuscrits.

21.2 La présentation des résultats d'analyses qualitatives

Dans les études qualitatives, à la différence des études quantitatives, l'interprétation des résultats se construit au cours du processus d'analyse de sorte que les résultats sont entremêlés avec la discussion. Les **rapports d'études qualitatives** sont en général riches en détails et en descriptions et adoptent la forme narrative pour illustrer les principaux thèmes et les interprétations. Le processus qui consiste à développer des codes et des catégories est commun aux différentes approches. Les schèmes interprétatifs sont souvent présentés sous la forme d'histoires dans lesquelles les thèmes se déploient à mesure qu'elles sont racontées. Il est tout aussi important de rapporter le système de codes en recherche qualitative que de donner les significations statistiques dans la recherche quantitative (Endacott, 2005). La présentation des résultats étant faite de façon narrative, le texte peut comporter plusieurs sous-titres correspondant aux différents thèmes traités, lesquels peuvent être représentés graphiquement par des cartes conceptuelles ou sémantiques.

Rapport d'étude qualitative
Rapport généralement riche en détail et en description, qui adopte la forme narrative pour illustrer les principaux thèmes et les interprétations.

Les résultats d'études qualitatives et les types de données recueillies reflètent l'orientation philosophique du chercheur et déterminent, de façon générale, les différentes façons de présenter les résultats. Dans les études portant sur la phénoménologie, les résultats sont généralement décrits de façon exhaustive. Moustakas (1994) suggère, entre autres modalités, d'inclure des éléments tels que des thèmes accompagnés d'exemples de verbatim, une synthèse de l'analyse des données, des unités de sens, des descriptions textuelles et structurelles et un aperçu global des significations et de l'essence des expériences. En ce qui a trait aux implications, on devrait trouver des énoncés sur la comparaison des résultats avec ceux d'autres études, des recommandations pour des recherches futures et des aspects relatifs aux limites de l'étude.

Les résultats d'une étude ethnographique comportent généralement de l'information concernant le terrain et l'environnement où les données ont été recueillies. Les résultats d'analyses peuvent être disposés dans un tableau dans lequel les thèmes sont placés dans une colonne, accompagnés d'exemples cités dans une autre colonne. D'autres auteurs proposent une description plus détaillée de la culture en présentant un évènement critique, des groupes en interaction, un cadre analytique ou une histoire racontée selon plusieurs perspectives. Ensuite sont présentées les procédures de terrain, la mise en contexte de l'information à l'intérieur d'un cadre analytique, etc. Enfin, les résultats sont interprétés dans le contexte d'expériences à l'intérieur d'un vaste ensemble de recherches portant sur le même sujet (Creswell, 2007 ; Wolcott, 1994).

Dans les études de théorisation enracinée, les résultats se rapportent au développement d'une théorisation ou d'un schème théorique, c'est-à-dire à un ensemble de concepts et de propositions (Marshall et Rossman, 2011). Des références provenant des écrits sont incluses pour appuyer le modèle théorique. Des vignettes et des citations fournissent des exemples explicatifs visant à démontrer l'enracinement de la théorie dans les données. On y discute également de la relation de la théorie avec les connaissances actuelles et des implications de celle-ci pour la recherche et la pratique (Creswell, 2007).

Pour ce qui est de l'étude de cas, les résultats peuvent être rapportés de diverses façons, selon qu'il s'agit de rendre compte du développement d'une théorie, d'une simple description d'un cas ou encore de multiples comparaisons. Creswell (2007) résume l'approche utilisée par Stake (1995), dans laquelle il expose un certain nombre d'idées, entre autres celle de fournir une description extensive du cas dans son contexte et de présenter les résultats clés de manière à ce que le lecteur puisse comprendre la complexité du cas. Comme dans les autres études, l'interprétation inclut une conclusion ainsi que des implications ou des recommandations.

Dans les études descriptives qualitatives qui ne sont pas associées à un type de méthodologie qualitative particulière pour explorer et décrire un phénomène, l'analyse de contenu est généralement utilisée pour en traiter les données qualitatives. Les résultats sont rapportés en verbatim et interprétés en tenant compte de l'analyse des thèmes et des modèles (*patterns*) qui émergent du contenu narratif.

21.3 La présentation des résultats d'analyses quantitatives

La présentation des résultats d'analyses quantitatives porte sur la description des faits qui ont eu lieu à l'étape de l'analyse statistique des données. De façon générale, l'analyse descriptive permet de répondre aux questions de recherche et de mettre en évidence le phénomène à l'étude ou les variables qui ont servi à caractériser l'échantillon et celles qui sont reliées entre elles, ainsi que de déterminer si les hypothèses mises à l'épreuve au moyen de tests statistiques sont confirmées ou infirmées. On distingue les résultats descriptifs et les résultats inférentiels.

21.3.1 Les résultats d'analyses descriptives

La présentation des résultats provenant de l'analyse descriptive quantitative des données a pour but de fournir un aperçu de l'ensemble des caractéristiques des participants et d'examiner la distribution des valeurs des principales variables déterminées à l'aide de tests statistiques. Ainsi, les analyses statistiques descriptives telles que le mode, la moyenne et l'écart type sont les principaux indicateurs permettant de résumer les données. Comme la moyenne est souvent assortie d'une mesure de dispersion, on utilise l'écart type pour connaitre l'étalement des scores par rapport à la moyenne. Dans certains types d'études descriptives comme les études descriptives corrélationnelles, on explore des relations entre des variables, mais sans nécessairement formuler d'hypothèses. On considère alors les variables et leurs relations en fonction des questions de recherche. Habituellement, le chercheur expose succinctement les résultats obtenus pour chaque question de recherche et en présente la synthèse dans des tableaux et des figures.

Les données résultant des mesures qui ont servi à caractériser l'échantillon peuvent être de nature diverse. Pour les données relevant de l'échelle nominale, on établit les fréquences ou les pourcentages des réponses affirmatives fournies par les répondants dans un questionnaire. Les données relevant de l'échelle ordinale se classent par ordre de grandeur ou d'importance. En ce qui concerne les données correspondant aux niveaux d'intervalle et de proportion, les indices de tendance centrale, comme la moyenne, donnent une idée des résultats une fois qu'ils sont regroupés. L'écart type en tant que mesure de dispersion indique comment les résultats individuels se situent par rapport à la moyenne. Ces différents indicateurs sont intégrés dans les tableaux et les figures.

Le tableau 21.1 offre un exemple de la présentation d'analyses statistiques descriptives provenant d'une étude corrélationnelle menée par Ahn, Stechmiller, Fillingim, Lyon et Garvan (2015). Cette étude avait pour but d'examiner la relation entre le stade de lésion de pression et l'intensité de la douleur corporelle chez les résidentes en centre d'hébergement. Les données sont issues d'une étude nationale étatsunienne qui a porté sur l'évaluation des soins de longue durée. Dans une analyse secondaire, les auteurs ont utilisé des statistiques descriptives pour caractériser leur échantillon. L'intensité de la douleur et la gravité des lésions de pression ont été mesurées à l'aide d'une échelle numérique ou d'une échelle descriptive verbale. Les scores ont par la suite été catégorisés dans une échelle ordinale selon quatre stades : I = peu ou pas de douleur ; II = douleur modérée ; III = douleur vive ; et IV = douleur insupportable.

TABLEAU 21.1	La distribution des caractéristiques des résidentes en centres d'hébergement				
Caractéristiques	***n***	**%**	**Moyenne**	**Écart type**	**Étendue**
Âge, années			81,15	8,30	65-112
État mental (BIMS)			13,55	11,82	0-15
Activités de la vie quotidienne			19,10	3,72	0-28
Femmes	26 857	64,4			
Blanches	34 882	83,7			
État matrimonial					
Célibataire	3 423	8,4			
Mariée	13 884	33,9			
Veuve	19 377	47,3			
Séparée	344	0,8			
Divorcée	3 931	9,6			
Présence de comorbidités	24 584	59,0			
Médication	16 542	39,7			
Lésion de pression					
Stade I	12 234	29,4			
Stade II	18 523	44,4			
Stade II	3 289	7,9			
Stade IV	5 981	14,3			
Douleur					
Douleur légère ou nulle	9 498	22,8			
Douleur modérée	20 718	49,7			
Douleur vive	8 703	20,9			
Douleur insupportable	2 761	6,6			

Source : Traduit de Ahn et collab. (2015, p. 209).

Parmi les autres variables incluses dans l'analyse et présentées dans le tableau, mentionnons la capacité à effectuer les activités de la vie quotidienne, la comorbidité, l'état mental mesuré à l'aide du test BIMS (ou brève entrevue pour l'état mental), la prise de médicaments, les variables sociodémographiques (âge, sexe, ethnie, état matrimonial). La moyenne et l'écart type ont été calculés pour les variables continues, et une distribution de fréquences a été établie pour les données catégorielles.

Dans la présentation narrative des résultats de l'étude, les auteurs rapportent que l'échantillon se composait de femmes blanches en majorité, dont l'âge moyen était de 81 ans. La majorité d'entre elles (74 %) présentait des lésions de pression aux stades I et II. La catégorie d'intensité de la douleur la plus fréquente était modérée (50 %), et les fréquences d'intensité légère et vive étaient semblables, à savoir de 23 % et de 21 % respectivement.

21.3.2 Les résultats d'analyses inférentielles

L'analyse inférentielle s'appuie sur des hypothèses de recherche formulées à partir d'un cadre théorique. Les hypothèses précisent les relations entre des variables ou les différences entre les groupes et permettent de prédire la force des relations ou l'ampleur des effets attendus. Elles sont ensuite mises à l'épreuve au moyen de tests d'hypothèses.

L'utilisation de techniques statistiques inférentielles dans le traitement des données recueillies auprès des participants permet au chercheur de déterminer si les relations d'associations observées entre les variables ou les différences notées entre les groupes sont réelles ou si elles sont le fruit du hasard. Les tests statistiques explicités dans le chapitre 20 (p. ex. la corrélation r, le test t, l'analyse de la variance F, l'analyse de régression β) sont utilisés pour la vérification des hypothèses et doivent être pris en compte dans la partie du texte qui traite des résultats. On indique ainsi la valeur numérique des résultats et le seuil de signification qui a été fixé. Par exemple, dans le cas où il s'agirait de rapporter les résultats à un test t effectué auprès de deux groupes dont la différence de moyennes serait de 2,85 avec 3 degrés de liberté (dl) et significatif au seuil observé de $p = 0,01$, les résultats inférentiels pourraient être présentés comme suit : la différence observée entre les deux groupes est statistiquement significative puisque $t(3) = 2,85$ et $p = 0,01$, ou tout simplement, $p = 0,01$. Il est à noter que le test t est un test paramétrique qui renseigne le chercheur sur la signification de la différence entre deux moyennes. C'est au cours de l'interprétation que celui-ci est appelé à donner un sens à ces résultats.

Au cours de la mise à l'épreuve des hypothèses causales, l'application de tests statistiques permet de déterminer si les changements observés dans les comportements des sujets (variables dépendantes) sont dus à l'intervention ou au traitement (variable indépendante) et non pas au hasard. La décision de confirmer l'hypothèse ou de l'infirmer dépend des résultats des tests statistiques pour lesquels a été fixé un degré de probabilité déterminé. Le chercheur rapporte les résultats obtenus au cours des vérifications statistiques des hypothèses et indique le seuil de signification qui a été établi. Il doit apporter autant d'attention aux données qui n'appuient pas les hypothèses qu'à celles qui les corroborent pour pouvoir en traiter objectivement au moment de l'interprétation, alors qu'il discutera des résultats positifs ou négatifs obtenus.

21.4   L'interprétation des résultats d'analyses

L'**interprétation des résultats** d'une étude exige de la part du chercheur qu'il fasse la synthèse de l'ensemble des résultats décrits et qu'il mette en évidence les éléments nouveaux que l'étude a permis de découvrir. Le chercheur réexamine le problème de recherche à la lumière des résultats obtenus, détermine si le but préalablement fixé est atteint et explique en quoi les résultats confirment ou infirment les hypothèses et appuient le cadre théorique. Les méthodes utilisées pour obtenir les résultats sont aussi examinées à cette étape.

Dans leur étude, dont les caractéristiques de l'échantillon sont présentées dans le tableau 21.1, à la page 443, Ahn et ses collaborateurs (2015) ont fait plus que rapporter les résultats d'analyses descriptives. Des analyses multivariées de régression logistique ont été menées pour vérifier la relation entre le stade des lésions de pression et l'intensité de la douleur en tenant compte d'autres prédicteurs (p. ex. la comorbidité, la capacité de réaliser les activités de la vie quotidienne, l'état mental et les variables sociodémographiques). Dans leur interprétation des résultats, les auteurs soutiennent que l'intensité de la douleur la plus forte était associée aux stades plus avancés des lésions de pression. Ces résultats sont considérés comme cohérents avec ceux d'autres études récentes ayant utilisé des approches qualitatives pour étudier le même phénomène. Des explications sont avancées sur l'issue des résultats, et les limites de l'étude sont reconnues et explicitées.

L'interprétation des résultats de recherche d'analyses quantitatives aussi bien que qualitatives constitue souvent l'étape la plus difficile du rapport de recherche parce qu'elle exige une réflexion intense et un examen approfondi de l'ensemble du processus de recherche. L'interprétation consiste à intégrer l'information factuelle, à la coordonner au raisonnement qui a conduit à la formulation des questions ou des hypothèses. Cette section d'un rapport de recherche peut inclure des explications méthodologiques ou théoriques sur l'issue des résultats (Fawcett et Garity, 2009). Les résultats de la recherche enrichissent les connaissances sur le sujet étudié, et il est nécessaire de les situer par rapport à ceux qui ont déjà été communiqués dans les périodiques scientifiques. Dans cette dernière partie du rapport de recherche, le chercheur dégage la signification des résultats, soulève les limites de l'étude, tire des conclusions, évalue les implications et formule des recommandations concernant la pratique et les recherches futures. L'interprétation des résultats regroupe les aspects suivants : 1) la crédibilité des résultats ; 2) la signification des résultats ; 3) la généralisabilité ou la transférabilité des résultats ; 4) les implications pour la pratique ; et 5) les conclusions.

21.4.1   La crédibilité des résultats

La première opération à entreprendre dans l'interprétation des résultats de recherche consiste à examiner leur exactitude dans leur ensemble. Cela nécessite une analyse approfondie des limites conceptuelles et méthodologiques de l'étude. Il faut réexaminer avec soin chacune des opérations qu'a entraînées la recherche. Parce qu'elles influent sur la signification des résultats, les forces et les faiblesses de celle-ci doivent être décelées.

Afin d'évaluer la crédibilité des résultats, le chercheur doit faire preuve de sens critique et d'objectivité dans les décisions à prendre et dans leur implantation. Il doit examiner les rapports logiques entre le problème, le cadre théorique ou conceptuel,

Interprétation des résultats
Démarche qui consiste à examiner les résultats d'analyses, à tirer des conclusions, à considérer les implications cliniques, à explorer la signification des résultats, à les généraliser et à suggérer des recherches futures.

Le chercheur vérifie que les résultats obtenus s'accordent avec les questions de recherche ou les hypothèses formulées de manière à pouvoir faire des inférences.

les questions de recherche ou les hypothèses, les instruments de mesure et les techniques statistiques. Il vérifie que les résultats obtenus s'accordent avec les questions de recherche ou les hypothèses formulées de manière à pouvoir faire des inférences. Les études empiriques conduisent nécessairement à des déductions ou à des inférences à partir des résultats. Par exemple, les données d'un échantillon peuvent informer le chercheur sur les caractéristiques d'une population.

Le chercheur s'assure que les résultats qu'il obtient constituent une réponse valable aux questions de recherche ou à la vérification des hypothèses. Il établit des comparaisons avec d'autres études traitant du même phénomène et confronte les résultats obtenus avec ceux de ces recherches et avec les théories qui appuient l'explication du phénomène étudié. Si les résultats diffèrent sur certains points, le chercheur s'efforce d'en expliquer les raisons. En outre, il doit considérer soigneusement la qualité des données recueillies en ce qui a trait à la fidélité et à la validité des instruments de mesure. Si un instrument n'a pas les qualités métrologiques requises, les résultats perdront toute signification précise, puisqu'il sera impossible de savoir si l'instrument utilisé mesure bien les variables qu'il est censé mesurer et s'il donne constamment la même indication quand la mesure est répétée.

Plusieurs facteurs ont pu influer sur les résultats au cours du processus de la collecte et de l'analyse des données. Une fois décelés, ces facteurs doivent être pris en considération au moment de l'interprétation des résultats. Le chercheur doit en toute honnêteté relever les faiblesses de son étude et tenter de déterminer en quoi elles ont pu nuire à la crédibilité des résultats. Dans la recherche de l'exactitude des données probantes, il évalue dans quelle mesure il y a présence d'indices de validité interne, de conclusion statistique et de construit de l'étude, particulièrement dans les études expérimentales.

21.4.2 La signification des résultats

Dans l'interprétation des résultats, le chercheur considère le type d'étude qui a été menée. Dans les recherches ayant pour objet de vérifier des hypothèses, les résultats se présentent sous la forme de valeurs statistiques descriptives et inférentielles et de degrés de probabilité. Se référant à un degré de signification déterminé d'avance, le chercheur conserve ou rejette l'hypothèse nulle. Il discute des résultats de la vérification des hypothèses, que celles-ci soient confirmées ou non. En ce qui concerne la description des phénomènes, il se rapporte plutôt à la définition des concepts et au cadre conceptuel.

Dans les études qualitatives, il s'avère difficile de guider l'orientation du processus de recherche qualitative puisque celui-ci repose sur l'habileté du chercheur à donner un sens aux données selon l'appropriation qu'il en fait. Le chercheur peut faire appel à la réflexivité puisqu'il représente une figure centrale dans le processus de recherche et est susceptible d'influer sur la collecte et l'interprétation des données. La créativité joue un rôle important dans la découverte des significations émanant des données (Polit et Beck, 2012). Pour sonder la crédibilité de la signification que le chercheur attribue aux données, il peut penser à d'autres explications possibles ou recourir au débreffage par les pairs.

Dans les études descriptives quantitatives, le but n'est pas de vérifier une théorie, mais plutôt de savoir comment se répartit une population donnée par rapport aux variables ou aux concepts établis ou de mesurer la fréquence des différentes valeurs d'une caractéristique dans une population. Le chercheur interprète les résultats en se référant au cadre conceptuel et aux réponses obtenues aux questions de recherche. Il discute des caractéristiques qui se dégagent du contexte de l'étude, établit des comparaisons et cherche des associations possibles entre les variables. Comme l'étude descriptive a pour but de tracer le portrait des caractéristiques d'un échantillon donné, les mêmes caractéristiques devraient se retrouver dans la population totale, si les participants ont été choisis aléatoirement (Markovits, 2000). Il est aussi important de considérer les instruments de mesure utilisés, car leur degré de précision peut avoir une influence sur les résultats. Les recherches descriptives préparent la voie à des études plus avancées.

Dans les études descriptives corrélationnelles, dont le but consiste à explorer des relations entre des variables, l'interprétation des résultats est liée au cadre conceptuel ou théorique. Le chercheur rend compte des relations qui ont été explorées entre les variables et explique la manière dont ces relations se rattachent au cadre conceptuel. Il s'agit, dans ce type d'étude, non pas de vérifier des hypothèses, mais bien d'examiner des relations pour trouver des réponses aux questions de recherche et d'interpréter les résultats en fonction du contexte de l'étude et des travaux de recherche déjà publiés. Dans l'interprétation des résultats, le chercheur se contente de décrire les relations entre les variables sans se préoccuper de faire des prédictions ni d'établir des rapports de causalité.

Dans les études corrélationnelles, le but est de vérifier des hypothèses d'associations et de modèles théoriques. Le chercheur doit établir la nature des relations entre les variables et envisager que d'autres variables puissent expliquer ces relations. La présence d'une signification statistique implique que l'hypothèse nulle a été rejetée et que les corrélations observées entre les variables ne sont pas dues au hasard. Comme l'étude corrélationnelle s'inscrit dans un cadre théorique, il est important d'expliquer les résultats en fonction de ce dernier.

> La présence d'une signification statistique implique que l'hypothèse nulle a été rejetée et que les corrélations observées entre les variables ne sont pas dues au hasard.

Dans les études expérimentales et quasi expérimentales, le but est d'examiner des hypothèses portant sur les différences entre les groupes. Les différences ou l'absence de différences ainsi que la quantité de la variance expliquée doivent être rapportées et discutées dans les résultats. L'interprétation de ceux-ci dans les études de type expérimental se rapporte à la confirmation ou à l'infirmation des hypothèses sur la base de la signification statistique. Quatre types de résultats sont possibles au cours de la vérification des hypothèses : 1) les résultats prédits sont significatifs ; 2) les résultats prédits ne sont pas significatifs ; 3) les résultats sont mixtes ou contradictoires ; 4) les résultats sont significatifs, mais non prédits.

Les résultats prédits sont significatifs

Les résultats prédits sont significatifs si les prédictions du chercheur se réalisent et qu'elles sont confirmées par les tests statistiques. Ce type de résultat est le plus facile à interpréter, car il confirme les prévisions du chercheur fondées sur le cadre théorique. Il implique que l'hypothèse nulle a été rejetée en faveur de la contre-hypothèse (hypothèse de recherche). Il faut se rappeler que la vérification des hypothèses repose sur des probabilités et qu'il est toujours possible que les résultats soient dus au hasard ou faussés à cause d'une erreur méthodologique. Il peut paraître évident, à première vue, que l'hypothèse nulle est fausse, mais le chercheur doit se garder d'émettre hâtivement une conclusion, car il existe toujours une possibilité de commettre une erreur de type I, laquelle consiste à rejeter comme fausse une hypothèse nulle qui est vraie. L'interprétation des résultats significatifs doit être accompagnée de l'examen d'autres hypothèses.

Il importe d'examiner si d'autres facteurs que ceux qui ont été retenus peuvent expliquer les résultats. Le chercheur doit s'assurer que les résultats consignés sont dus à la variable indépendante et non pas à des facteurs non contrôlés. Il considère alors la validité interne de l'étude ainsi que les divers éléments qui peuvent influer sur celle-ci. Les limites à la généralisation des résultats sont également à prendre en compte. Le chercheur doit être en mesure de comparer les résultats de son étude avec ceux d'autres recherches conduites dans le même domaine et auprès de populations similaires. Des résultats significatifs ne sont pas automatiquement valables. Aussi convient-il de demeurer prudent dans l'interprétation des résultats.

> Le chercheur doit être en mesure de comparer les résultats de son étude avec ceux d'autres recherches conduites dans le même domaine et auprès de populations similaires.

Les résultats prédits ne sont pas significatifs

Les résultats prédits ne sont pas significatifs lorsqu'ils ne se révèlent pas conformes aux prédictions du chercheur. Ce type de résultat est souvent difficile à expliquer. Les propositions théoriques ou le raisonnement qui a suivi sont alors faux ou les aspects théoriques de l'étude n'ont pas été suffisamment scrutés. Si le chercheur n'a pas soigneusement choisi et défini les variables clés de son étude au cours de la phase conceptuelle, le manque de précision peut expliquer ce résultat. On peut aussi attribuer un résultat non significatif au caractère inapproprié de la méthode ou à la faible taille de l'échantillon. Celle-ci doit être suffisamment grande pour qu'il soit possible de déceler une différence ténue entre deux groupes ou un rapport subtil entre des variables. Il faut aussi, évidemment, que les tests statistiques soient assez puissants pour détecter les différences.

D'autres facteurs peuvent expliquer le défaut de validité interne, comme des instruments de mesure mal adaptés et des biais d'échantillonnage. Lorsque les résultats sont non significatifs, le chercheur doit déterminer si la puissance du test à 0,8 ou plus a été atteinte lors de l'analyse des données. Il doit effectuer une analyse de puissance pour déterminer si la taille de l'échantillon était adéquate pour prévenir l'erreur de type II, ce qui signifie qu'en raison de l'inefficacité de la méthode, il n'aurait pu dégager la signification des résultats. D'autres stratégies peuvent être employées pour fournir des preuves d'appui telles que la taille de l'effet et les intervalles de confiance comme moyens d'illustrer que le risque de commettre une erreur de type II était faible. Il est possible d'aller au-delà des hypothèses et de voir s'il existe des tendances dans les résultats pouvant suggérer d'autres pistes. Des résultats négatifs ne signifient pas nécessairement qu'il y a absence de relations entre les variables ; ils indiquent plutôt que l'étude n'est pas parvenue à les déceler.

Les résultats sont mixtes ou contradictoires

Les résultats mixtes ou contradictoires proviennent du fait que certaines hypothèses se trouvent confirmées par des tests statistiques alors que d'autres sont infirmées. Dans les études où sont examinées plusieurs hypothèses, certaines d'entre elles sont parfois conservées à la suite de la mesure d'une variable dépendante, puis rejetées après l'utilisation d'une mesure différente (Polit et Beck, 2012). L'interprétation doit tenir compte de la possibilité que des résultats qui confirment une hypothèse soient dus au hasard ou à des erreurs de mesure et qu'ils ne soient « d'aucune façon un indice de la confirmation des hypothèses » (Markovits, 2000, p. 449). De plus, le manque de fidélité et de validité des instruments de mesure peut être à l'origine des résultats mixtes, que le chercheur doit pouvoir expliquer en examinant de nouveau les bases théoriques ou méthodologiques.

Les résultats sont significatifs, mais non prédits

Des résultats significatifs, mais non prédits peuvent être embarrassants à rapporter, puisque les hypothèses donnent des renseignements sur la capacité du chercheur à mener un raisonnement logique. Si les résultats sont exacts, ils peuvent contribuer au développement des connaissances. Le chercheur doit considérer la possibilité que d'autres facteurs puissent expliquer ces résultats.

Une autre possibilité est d'obtenir des résultats inattendus. Ils proviennent habituellement des relations qui se vérifient entre des variables ou des différences qui sont observées entre les groupes alors que le chercheur n'a pas formulé d'hypothèses précises ou prédit de relations à partir du cadre théorique. Ces résultats sont considérés comme fortuits. Il faut souligner que certains chercheurs examinent toutes les données possibles, outre celles qui servent dans les hypothèses ou les questions de recherche (Grove, Burns et Gray, 2013). Il leur faut alors s'attendre à obtenir des résultats significatifs, mais non prévus. Ces résultats peuvent toutefois être utiles dans l'élaboration de nouvelles études.

La signification statistique et la signification clinique des résultats

Une fois que le chercheur a établi que les résultats sont validés par la rigueur de la méthodologie, il doit aussi considérer leur signification d'un point de vue clinique ou pratique, distincte de leur signification statistique. La **signification statistique** comporte le rejet de l'hypothèse nulle; elle suppose que les relations observées entre les variables d'associations ou les différences entre les groupes ne sont probablement pas dues au hasard et qu'il se peut qu'elles soient réelles. Au-delà de la signification statistique, ces relations ou ces différences peuvent n'avoir aucune importance clinique (LeFort, 1993). La **signification clinique**, quant à elle, sous-tend qu'un résultat peut s'avérer utile dans la pratique professionnelle et contribuer au corps de connaissances d'une discipline donnée.

Signification statistique
Expression qui indique que les résultats d'une analyse ne découlent vraisemblablement pas de la chance à un seuil de signification déterminé.

Signification clinique
Expression qui indique que le résultat d'une étude peut avoir des retombées sur le plan clinique.

Le chercheur peut se demander si les résultats qu'il a obtenus sont assez importants pour être considérés comme applicables. Des résultats significatifs ne sont pas nécessairement d'un grand intérêt pour la pratique clinique ou pour les participants eux-mêmes. Par exemple, dans l'intensité de la douleur mesurée chez un groupe de personnes, des changements significatifs de moins de 13 mm observés sur une échelle visuelle analogique de 100 mm n'ont pas d'importance clinique même s'ils sont statistiquement significatifs (Todd, Funk, Funk et Bonacci, 1996). Ainsi, un coefficient de corrélation de 0,15 entre deux variables peut être significatif sur le plan statistique si le seuil de signification est de 0,05, mais n'être d'aucune utilité dans la pratique. À l'inverse, des résultats non significatifs ne sont pas nécessairement inintéressants d'un point de vue clinique. Ils peuvent être sans signification statistique, mais avoir une signification sur le plan clinique et contribuer ainsi à divers degrés au progrès des connaissances et de la pratique. Par ailleurs, des résultats significatifs qui ont une validité externe peuvent être généralisés à d'autres populations ou à d'autres contextes.

21.4.3 La généralisabilité et la transférabilité des résultats

L'étape suivante consiste à examiner la possibilité de généraliser les résultats à d'autres populations ou à d'autres contextes. Le concept de **généralisabilité** est une qualité de la recherche quantitative qui permet d'inférer les résultats obtenus auprès d'un échantillon représentatif de la population à d'autres groupes ou contextes que ceux impliqués dans la recherche. Les résultats obtenus ne présentent de véritable intérêt que s'ils peuvent être étendus à d'autres groupes que ceux qui ont été étudiés. S'il apparait qu'une intervention a réellement amélioré la condition d'un groupe de personnes, elle pourrait sans aucun doute aider d'autres groupes du même genre. Les résultats qui ne peuvent être généralisables contribuent peu à l'avancement de la science. La généralisabilité des résultats dépend de la validité externe de l'étude (*voir le chapitre 10*) et d'autres facteurs comme la sélection aléatoire des participants et la représentativité de l'échantillon. Habituellement, les résultats d'études provenant d'échantillons non probabilistes se prêtent peu à la généralisation. Mais jusqu'à quel point est-il possible de généraliser les résultats? Le fait que la population à l'étude est restreinte ne diminue en rien la portée des résultats. Le chercheur doit clairement préciser la population à laquelle les résultats peuvent être étendus de façon certaine. La connaissance des caractéristiques des participants prévient le chercheur d'appliquer les résultats à des populations pour lesquelles l'étude n'a pas été conçue. Dans l'examen des résultats, il doit tenir compte des caractéristiques de la population cible avant de conclure que les résultats de son étude sont généralisables à d'autres populations.

Dans les études qualitatives, les chercheurs considèrent plutôt le critère de transférabilité des résultats. La question à la base de ce critère consiste à se demander s'il existe d'autres milieux et d'autres contextes dans lesquels on pourrait trouver les mêmes phénomènes que ceux rapportés dans l'étude. Le chercheur doit démontrer que les résultats valent pour d'autres situations.

21.4.4 Les implications pour la pratique

Les implications ou les conséquences découlent des conclusions et ont trait aux connaissances acquises, à la théorie et à la pratique professionnelle. Le chercheur a tiré des conclusions touchant l'exactitude des résultats, leurs significations statistique et clinique, ainsi que les possibilités de généralisation, et il doit maintenant évaluer les conséquences des résultats de sa recherche. En général, le chercheur recommande de mener de nouvelles études sur le sujet ou il propose d'autres voies possibles à l'avancement des connaissances. Il peut aussi suggérer de répéter l'étude dans d'autres contextes. Dans la formulation des conséquences, le chercheur détermine dans quelle mesure les résultats appuient ou contredisent les bases théoriques sur lesquelles repose l'étude. Sont également considérées les possibilités d'appliquer

Généralisabilité
Degré selon lequel les conclusions d'une étude quantitative dont les éléments ont été sélectionnés aléatoirement dans une population de référence peuvent être généralisées à l'ensemble de cette population.

Dans la formulation des conséquences, le chercheur détermine dans quelle mesure les résultats appuient ou contredisent les bases théoriques sur lesquelles repose l'étude.

les résultats de la recherche dans la pratique. Le chercheur tente d'anticiper les effets de la mise en application des données probantes sur la personne, la famille, la communauté et les milieux de pratique.

L'examen des implications des résultats d'une étude conduit souvent à des recommandations pour des études futures à la lumière de celles qui ont été réalisées sur le même sujet. Ces recommandations peuvent inclure la réplique de l'étude ou l'utilisation du même devis avec une population différente ou un échantillon de plus grande taille. Formuler des recommandations pour des recherches futures peut stimuler les chercheurs à redéfinir la méthodologie, revoir les instruments de mesure ou changer les critères d'échantillonnage.

21.4.5 La conclusion

La conclusion doit faire ressortir les points forts et les points faibles de l'étude. Elle contient des réflexions sur l'ensemble des résultats et sur leurs liens avec les aspects conceptuels et méthodologiques de la recherche. Alors que la présentation des résultats est concrète et liée directement aux données de l'étude, la conclusion est plus abstraite et s'exprime en des termes plus généraux. Le chercheur réexamine le problème de recherche à la lumière des résultats obtenus, détermine si le but qu'il s'est fixé est atteint et explique en quoi les résultats confirment ou infirment les hypothèses et appuient le cadre théorique. Dans la recherche qualitative, la conclusion inclut généralement un nouvel énoncé qui clarifie la nature du problème et décrit comment les résultats et les analyses ont contribué à le reformuler.

21.5 L'examen critique du rapport de recherche

Dans la section des résultats d'un article de recherche, la présentation et l'interprétation se rapportent aux questions de recherche ou aux hypothèses, au cadre théorique et aux méthodes de collecte et d'analyse des données utilisées. Des tableaux et des figures accompagnent le texte narratif. Dans l'interprétation, l'auteur cherche à dégager la signification des résultats et à prévoir leurs conséquences. L'encadré 21.1 contient un certain nombre de questions qui peuvent guider l'examen critique de la présentation et de l'interprétation des résultats.

ENCADRÉ 21.1	Quelques questions guidant l'examen critique de la présentation et de l'interprétation des résultats

1. Les résultats sont-ils mis en relation avec les questions de recherche ou les hypothèses ?

2. L'exposé des résultats s'accompagne-t-il de tableaux ou de figures ?

3. Dans l'interprétation des résultats, prend-on en compte les hypothèses et le cadre théorique ?

4. Fournit-on des explications concernant les résultats significatifs et non significatifs ?

5. Si les résultats démentent les hypothèses, fournit-on des explications eu égard au cadre théorique ?

6. A-t-on discuté des significations statistique et clinique ?

7. Compte tenu du contexte de l'étude, les conclusions paraissent-elles plausibles ?

8. Dans les généralisations, tient-on compte des contraintes méthodologiques ?

9. A-t-on envisagé les conséquences de la recherche pour la théorie et la pratique ?

Points saillants

21.1 **La présentation des résultats de recherche**

- La présentation des résultats comporte une description narrative accompagnée de tableaux et de figures illustrant les divers résultats obtenus au moyen de tests statistiques.
- Habituellement, le chercheur communique les résultats ayant directement rapport aux questions de recherche ou aux hypothèses.

21.2 **La présentation des résultats d'analyses qualitatives**

- Les études qualitatives sont riches en détails et en descriptions et adoptent la forme narrative pour illustrer les principaux thèmes et les interprétations.
- La présentation et l'interprétation des résultats des divers types d'études qualitatives partagent des points communs. Des pistes sont évoquées pour la phénoménologie, l'ethnographie, la théorisation enracinée, l'étude de cas et l'étude descriptive qualitative.

21.3 **La présentation des résultats d'analyses quantitatives**

- Selon le type d'étude quantitative, les résultats concernent soit la description des variables et de leurs relations, soit la confirmation ou l'infirmation des hypothèses mises à l'épreuve à l'aide d'analyses statistiques.
- Dans l'analyse descriptive des données, le chercheur indique les caractéristiques communes des participants constituant l'échantillon.
- Dans l'analyse inférentielle, le chercheur vérifie des hypothèses d'association ou de causalité à l'aide de tests statistiques afin de déterminer la nature des relations entre des variables ou la signification des différences observées entre les groupes dans des situations contrôlées.

21.4 **L'interprétation des résultats d'analyses**

- L'interprétation des résultats est souvent perçue comme une étape difficile du fait qu'elle exige un grand effort de réflexion et qu'elle suppose un examen critique de l'ensemble du processus de recherche.
- Le chercheur analyse et interprète les résultats en les situant dans le contexte de l'étude et en les confrontant avec ceux d'autres travaux déjà publiés. Il fait ressortir les liens entre les résultats obtenus et les questions de recherche ou les hypothèses formulées.
- La signification des résultats varie en fonction du type d'étude, selon qu'il s'agit de décrire des phénomènes, d'examiner des relations entre les variables ou de vérifier des relations d'association ou de causalité.
- Dans les analyses inférentielles, il y a quatre types de résultats possibles : des résultats prédits significatifs, des résultats prédits non significatifs, des résultats mixtes ou contradictoires et des résultats significatifs, mais non prédits.
- Outre une signification statistique, les résultats peuvent avoir une signification clinique, qui peut revêtir une grande importance pour le développement des connaissances d'une discipline donnée et générer des possibilités d'application pratique.
- La généralisabilité des résultats est un autre aspect à considérer dans l'interprétation. Il faut établir si les résultats de l'étude peuvent être généralisés et déceler les facteurs externes qui ont eu pour effet de limiter la portée des résultats de l'étude.
- Le critère de transférabilité des résultats convient mieux à la recherche qualitative et s'apparente à la généralisabilité.
- Il y a lieu de formuler une conclusion basée sur les résultats et d'évaluer les conséquences que ces derniers peuvent avoir pour la recherche, la théorie et la pratique.

Mots clés

Conclusion	Implication	Résultats d'analyses inférentielles	Résultats significatifs
Crédibilité des résultats	Interprétation		Signification clinique
Généralisabilité	Résultats d'analyses descriptives	Résultats mixtes	Signification statistique
		Résultats non significatifs	

Exercices de révision

1. Indiquez si les énoncés suivants sont vrais ou faux.

   a) Les résultats obtenus à l'aide d'analyses descriptives sont présentés en premier dans la section du rapport de recherche.

   b) Le texte où se trouvent exposés les résultats doit être accompagné de tableaux et de figures.

   c) Si les résultats de l'étude sont négatifs, le chercheur doit interrompre son travail de recherche.

   d) Des résultats non significatifs du point de vue statistique doivent être considérés comme peu importants.

   e) Le succès d'une étude dépend de la confirmation des hypothèses.

   f) La généralisabilité dépend de la validité externe de l'étude.

   g) Généraliser les résultats d'une étude, c'est les étendre à une population restreinte.

   h) Quand les résultats sont significatifs du point de vue statistique, cela signifie que l'hypothèse nulle n'a pas été rejetée.

   i) Les conclusions d'une étude sont basées sur les résultats de la recherche.

2. Dans quels types d'études les résultats portent-ils sur la confirmation ou non des hypothèses mises à l'épreuve au moyen de tests statistiques?

3. Quelle est la façon habituelle de présenter les résultats de recherche?

4. En quoi l'interprétation des résultats consiste-t-elle?

5. Sur quoi porte principalement l'interprétation des résultats dans les études ayant pour but de vérifier des hypothèses?

6. Que signifie l'expression «signification statistique»?

7. Quels sont les principaux types de résultats que le chercheur peut avoir à interpréter avec la vérification d'hypothèses?

8. Quels sont les résultats les plus difficiles à interpréter dans une étude visant à vérifier des hypothèses?

9. Qu'entend-on par généralisabilité des résultats?

10. Que doit aborder la conclusion d'une étude?

Liste des références

Les références citées dans les rubriques «Exemple» ou dans les citations de ce chapitre peuvent ne pas figurer dans cette liste.

Ahn, H., Stechmiller, J., Fillingim, R., Lyon, D. et Garvan, C. (2015). Bodily pain intensity in nursing home residents with pressure ulcers: Analysis of national minimum data set 3.0. *Research in Nursing & Health, 38*(3), 207-212.

American Psychological Association (2010). *Publication manual of the American Psychological Association* (6e éd.). Washington, DC : American Psychological Association.

Creswell, J.W. (2007). *Qualitative inquiry & research design: Choosing among five approaches* (2e éd.). Thousand Oaks, CA : Sage Publications.

Endacott, R. (2005). Clinical research 4: Qualitative data collection and analysis. *Intensive and Critical Care, 21*(2), 123-127.

Fawcett, J. et Garity, J. (2009). *Evaluating research for evidence-based nursing practice.* Philadelphie, PA : F.A. Davis Company.

Franzblau, L.E. et Chung, K.C. (2012). Graphs, tables, and figures in scientific publications: The good, the bad, and how not to be the latter. *Journal of Hand Surgery, 37A,* 591-596.

Grove, S.K., Burns, N. et Gray, J.R. (2013). *The practice of nursing research: Appraisal, synthesis, and generation of evidence* (7e éd.). Saint-Louis, MO : Saunders Elsevier.

Kelleher, C. et Wagener, T. (2011). Ten guidelines for effective data visualization in scientific publications. *Environmental Modeling & Software, 26,* 822-827.

LeFort, S.M. (1993). The statistical versus clinical significance debate. *Image: The Journal of Nursing Scholarship, 25*(1), 57-62.

Markovits, H. (2000). L'interprétation et la généralisation des résultats. Dans R.J. Vallerand et U. Hess (dir.). *Méthodes de recherche en psychologie* (p. 435-456). Boucherville, Québec: Gaëtan Morin Éditeur.

Marshall, C. et Rossman, G.B. (2011). *Designing qualitative research* (5e éd.). Los Angeles, CA: Sage Publications.

Moustakas, C.E. (1994). *Phenomenological research methods.* Thousand Oaks, CA: Sage Publications.

Polit, D.F. et Beck, C.T. (2012). *Nursing research: Generating and assessing evidence for nursing practice* (9e éd.). Philadelphie, PA: Wolters Kluwer Health/Lippincott Williams & Wilkins.

Saver, C. (2006). Tables and figures: Adding vitality to your article. *AORN Journal, 84*(6), 945-950.

Stake, R.E. (1995). *The art of case study research.* Thousand Oaks, CA: Sage Publications.

Todd, K.H., Funk, K.G., Funk, J.P. et Bonacci, R. (1996). Clinical significance of reported changes in pain severity. *Annals of Emergency Medicine, 27*(4), 485-489.

Wolcott, H.F. (1994). *Transforming qualitative data: Description, analysis, and interpretation.* Thousand Oaks, CA: Sage Publications.

La phase de diffusion : la publication et la communication

Les données ayant été analysées et les résultats étant interprétés, il s'agit maintenant de passer à la phase de diffusion. Les résultats de recherche ne sont utiles que s'ils sont communiqués à d'autres par le truchement de rapports de recherche et de présentations à des congrès scientifiques à l'échelle nationale ou internationale. La communication des résultats de recherche ouvre la voie à leur intégration dans la pratique professionnelle.

1	2	3	4	5
PHASE CONCEPTUELLE	**PHASE MÉTHODOLOGIQUE**	**PHASE EMPIRIQUE**	**PHASE ANALYTIQUE**	**PHASE DE DIFFUSION**
• Choisir le sujet d'étude • Recenser les écrits et en faire la lecture critique • Élaborer le cadre de recherche • Formuler le problème • Énoncer le but, les questions et les hypothèses	• Prendre en compte les enjeux éthiques • Choisir un devis de recherche • Sélectionner les participants • Apprécier la qualité de la mesure des concepts • Préciser les méthodes de collecte des données	• Recueillir les données sur le terrain et les organiser pour l'analyse	• Analyser les données • Présenter et interpréter les résultats	• Communiquer les résultats • Intégrer les données probantes dans la pratique professionnelle

CHAPITRE 22

La diffusion des résultats

Objectifs d'apprentissage

Après avoir étudié ce chapitre, vous serez
en mesure :

- d'exposer les moyens de diffuser les résultats
  de recherche ;
- de décrire les étapes de préparation d'un
  article de recherche ;
- de discuter du mémoire et de la thèse comme
  moyens de présenter les résultats ;
- de présenter les formes de communication
  orale et par affiche.

Le processus de recherche trouve son aboutissement dans la diffusion des résultats par la publication et la communication. Cette étape permet au chercheur d'informer la communauté scientifique des travaux et des progrès qu'il a pu réaliser dans son domaine. En l'absence de diffusion, les résultats de recherche sont de peu d'utilité, et ils ne trouvent pas d'écho dans la communauté scientifique et la société en général. C'est lorsque les connaissances issues de la recherche sont publiées et communiquées qu'elles deviennent disponibles et peuvent atteindre un auditoire élargi. Les différents rapports de recherche permettent de rendre publique l'information. Ainsi, l'article écrit en vue d'une publication dans un périodique scientifique ou professionnel fournit un registre permanent accessible à un vaste public. Le mémoire et la thèse rendent compte des travaux des étudiants au terme de leur formation. De même, les formes de communication orale et par affiche présentées à l'occasion de congrès scientifiques ou professionnels servent à répandre l'information de recherche. Bien que la diffusion des résultats constitue la dernière étape du processus de recherche, elle s'inscrit dans la continuité, soit vers l'utilisation de données probantes dans la pratique professionnelle. Ce chapitre présente donc les diverses avenues empruntées pour diffuser les résultats : la publication d'articles de périodiques, de mémoires et de thèses ainsi que les formes de communication orale et par affiche.

22.1   Le rapport de recherche : structure et contenu

Quelle que soit la forme que prend le rapport de recherche, celui-ci demeure un compte rendu écrit de travaux scientifiques. Il comporte un contenu réparti dans quatre sections principales : l'introduction, la méthode, les résultats et la discussion, ces sections étant précédées par le résumé. Le rapport de recherche s'adresse à différents publics et sert à diverses fins. Que le rapport soit de nature quantitative ou qualitative, il conserve généralement les mêmes divisions, mais la façon de présenter le contenu peut varier d'une approche de recherche à l'autre. Par exemple, les sections de la méthode, des résultats et de la discussion dans les études qualitatives sont généralement plus détaillées que les sections correspondantes en recherche quantitative. Le type d'information que comportent les sections des études quantitatives témoigne du but de l'étude selon qu'il s'agit de décrire des concepts ou les caractéristiques d'une population, d'explorer ou de vérifier des relations entre des variables ou des différences entre les groupes.

22.1.1 Le rapport de recherche quantitative

Dans le rapport de recherche, les quatre principales sections sont toujours précédées par le titre et le résumé. Le titre doit refléter le contenu du rapport et devrait comporter une quinzaine de mots. C'est souvent en se fondant sur le titre que le lecteur prend la décision de retenir le rapport pour documenter son sujet. Voici quelques exemples représentatifs du contenu d'un rapport selon son titre : lorsque celui-ci indique « description de... », l'étude est vraisemblablement de type descriptif ; lorsqu'il énonce « relations entre... » ou « influence sur... », l'étude explore ou vérifie des relations entre des variables ; s'il mentionne « effets de... » ou « efficacité de... », il s'agit sans aucun doute d'une étude de type expérimental. Le **résumé** consiste en une brève description du rapport de recherche et indique les points saillants des quatre principales sections. Il s'ouvre sur l'énoncé du problème à l'étude, renvoie aux travaux théoriques et empiriques qui ont été pris en considération,

Résumé
Brève description d'une étude qui relate le contenu de ses principales sections et dont la longueur est habituellement de 150 à 300 mots.

décrit les principales caractéristiques de l'échantillon et les modalités de réalisation de l'étude, présente les principaux résultats obtenus, évalue les conséquences
de la recherche et dégage des conclusions. La longueur du résumé ne semble pas
faire l'unanimité ; certains le rédigent en 150 à 250 mots, d'autres suggèrent plutôt
un contenu de 200 à 300 mots (Pyrczak et Bruce, 2015).

L'introduction

L'introduction a pour but d'informer le lecteur sur la nature du problème de recherche,
sur la signification qu'il revêt dans un domaine particulier et sur le contexte dans
lequel il s'inscrit. L'introduction fait état du problème, des connaissances actuelles
relatives à celui-ci, elle résume les écrits déjà publiés sur le sujet, donne une courte
description du cadre conceptuel ou théorique dans lequel s'insère l'étude, énonce le
problème proprement dit et formule des questions ou des hypothèses.

Une recension exhaustive des écrits caractérise le mémoire de maitrise et la
thèse de doctorat, tandis que les articles de périodiques et les présentations orales
en présentent une version condensée. La recension des écrits permet de mieux
asseoir les fondements théoriques et empiriques du problème de recherche. Le chercheur précise le cadre de recherche dans lequel s'inscrit l'étude, définit les
concepts utilisés, décrit, s'il y a lieu, les relations entre les variables et énonce
les propositions théoriques. Le lecteur doit avoir une idée claire de la signification
des concepts et des rapports logiques qui les lient entre eux. Enfin, dans la plupart des études, l'introduction se termine par la formulation des principales questions de recherche ou des hypothèses.

La méthode

Cette section est réservée à la description des méthodes employées pour la mise en
œuvre de l'étude. Elle précise la manière dont les données ont été collectées et traitées. La description des méthodes doit être suffisamment précise pour qu'il soit
possible de voir les liens logiques existant entre les divers éléments de l'étude. Des
éléments tels que le devis, l'échantillon, les méthodes de collecte des données et la
conduite de l'étude sont examinés dans cette section du rapport.

Le devis de recherche précise d'abord le type de devis qui sera utilisé. L'explication du devis est généralement plus élaborée dans les recherches expérimentales
que dans les études descriptives et corrélationnelles. Le chercheur y décrit la nature
de l'intervention ou du traitement et indique comment les participants ont été
choisis et répartis dans les groupes expérimental et témoin. Il fixe le degré de signification statistique et prédit les effets de ses interventions. Le milieu où s'est
déroulée l'étude se trouve généralement spécifié. Suivent des précisions sur la technique d'échantillonnage et sur la population d'où est tiré l'échantillon, en particulier sur la méthode suivie pour en déterminer la taille appropriée.

Les méthodes de collecte des données incluent les variables étudiées qui ont été
définies de façon opérationnelle ainsi que les instruments de mesure servant à évaluer chacune des variables clés. Le chercheur indique si les échelles de mesure
employées sont normalisées et traduites d'une autre langue et si le questionnaire a
été conçu spécialement pour répondre aux besoins de l'étude. Dans ce dernier cas,
il décrit la démarche qu'il a suivie dans l'élaboration et la vérification du questionnaire ainsi que la technique utilisée pour assurer la validité du contenu. En outre,

s'il a dû traduire les instruments de mesure, le chercheur indique comment la traduction a été faite et quels sont les tests de fidélité et de validité dont il s'est servi pour s'assurer de la qualité de ceux-ci. La section des méthodes se termine par une description des procédures utilisées pour résumer et analyser les données, dont les techniques statistiques particulières.

Les résultats

Cette section contient une synthèse des résultats découlant des analyses. Le chercheur décrit d'abord l'échantillon : nombre de participants et caractéristiques sociodémographiques (p. ex. l'âge, le sexe, l'état civil, le groupe ethnique, la profession, le niveau de scolarité). Cette description des caractéristiques est généralement accompagnée d'un tableau. Les résultats des analyses descriptives sont suivis de ceux des analyses statistiques inférentielles qui rendent compte de la relation entre les variables ou de la différence entre les groupes. Le chercheur précise le type d'analyses statistiques qui a été utilisé pour répondre aux questions de recherche ou pour vérifier les hypothèses.

Il convient d'accompagner le texte narratif de tableaux et de figures, car ces derniers permettent de résumer l'information. Divers résultats d'analyses descriptives et inférentielles peuvent ainsi être présentés dans des tableaux, comme les mesures de tendance centrale (mode, médiane, moyenne), les mesures de dispersion (écart type, étendue), les valeurs du rapport de variation F, les valeurs de t, les coefficients de corrélation r, la valeur du khi-deux (χ^2), etc. Les figures (graphiques et diagrammes) donnent une représentation matérielle d'un ensemble de résultats. Les figures et les tableaux sont habituellement numérotés pour en faciliter le renvoi dans le texte.

La discussion

La simple présentation des résultats ne suffit pas ; il faut encore les apprécier et les interpréter. Le chercheur tient compte du contexte de l'étude et des travaux déjà publiés dans son interprétation des résultats. Il doit également préciser les limites de l'étude, évaluer les conséquences des résultats sur les plans théorique et pratique et, éventuellement, formuler des recommandations.

Dans la discussion, le chercheur examine les principaux résultats de la recherche en les reliant au problème, aux questions ou aux hypothèses. Il confronte les résultats obtenus avec ceux d'autres travaux de recherche. Il justifie son interprétation des résultats ainsi que les conclusions auxquelles l'ont conduit les comparaisons établies avec d'autres études scientifiques. Il détermine également s'il est important de généraliser les résultats à d'autres contextes et dans quelle mesure il est possible de le faire. Dans l'énoncé sur les limites de son étude, le chercheur indique les erreurs d'échantillonnage, les contraintes subies dans l'application du devis ou les difficultés éprouvées dans la manipulation de la variable indépendante ou dans la prise de mesures. Il arrive d'ailleurs qu'il doive réaliser des analyses statistiques complémentaires pour expliquer certains résultats obtenus à la suite d'une intervention.

Les implications découlant de l'étude sont souvent énoncées comme des suppositions, étant donné que la recherche ne fournit pas de résultats définitifs. Comme les conséquences se fondent sur les résultats obtenus, elles équivalent en quelque sorte à des hypothèses non encore vérifiées. Le rapport de recherche se termine par des recommandations sur la conduite de nouvelles études dans le domaine en question ou sur la reprise de la même étude dans d'autres contextes ou avec d'autres populations. Les recommandations peuvent également porter sur l'application des résultats dans la pratique ou la formation.

L'étude se termine par la conclusion, qui est un bref énoncé dans lequel des déductions sont souvent faites à partir des résultats, par exemple : « Les résultats de cette étude démontrent... » ou « Cette étude démontre... » Ces déductions servent à lier le sommaire des résultats à la signification de ceux-ci.

Les références

La façon de rapporter les références dans le texte et dans la liste des références à la fin du manuscrit doit être conforme au guide de présentation à l'intention des auteurs. Plusieurs périodiques suggèrent de suivre les recommandations de l'American Psychological Association (APA) (2010).

Le tableau 22.1 fournit un aperçu des différents éléments pouvant faire partie d'un rapport de recherche. Le contenu peut varier en fonction du type de recherche, selon qu'il s'agit de rendre compte de résultats empiriques ou de considérations plus théoriques.

TABLEAU 22.1	Le contenu d'un rapport de recherche
Section	**Contenu**
Résumé	• Grandes lignes du problème documenté et but de l'étude • Description générale des méthodes • Indication des principaux résultats • Énoncé sur la signification des résultats • Principales conclusions
Introduction	• Énoncé général du problème de recherche • État actuel des connaissances sur le sujet • Contexte théorique ou conceptuel • Énoncé des questions de recherche ou des hypothèses
Méthode	• Devis de recherche • Définition du milieu • Critères définissant le choix des participants • Taille de l'échantillon • Méthodes de collecte des données • Description des procédures d'analyses
Résultats	• Description narrative des résultats • Caractéristiques des participants • Résumé des résultats dans des tableaux et des figures • Réponses aux questions de recherche • Confirmation ou non de la vérification des hypothèses
Discussion	• Interprétation des résultats d'analyses descriptives et inférentielles • Signification des résultats • Comparaison des résultats avec ceux d'autres travaux de recherche • Liens avec le cadre théorique ou conceptuel • Limites et conséquences de l'étude • Conclusions et recommandations pour des recherches futures
Références	• Liste des références citées dans le rapport.

22.1.2 Le rapport de recherche qualitative

Le rapport de recherche qualitative renferme les mêmes sections que celui de la recherche quantitative, incluant le titre, le résumé et les références, mais la présentation du contenu est plus flexible et peut varier d'une approche qualitative à l'autre. Creswell (2007) discute des différentes structures narratives, générales ou enracinées, pouvant être utilisées pour la présentation des rapports de type qualitatif. Il s'inspire d'autres auteurs pour mieux illustrer les différentes approches de la recherche qualitative selon qu'il s'agit de la phénoménologie (Moustakas, 1994), de la théorisation enracinée (May, 1986 ; Strauss et Corbin, 1990), de l'ethnographie (Wolcott, 1994) ou de l'étude de cas (Stake, 1995). Une structure narrative générale proposée par ces auteurs est présentée ci-dessous.

L'introduction

La plupart des recherches qualitatives énoncent d'abord les grandes lignes du problème ou du phénomène. Il peut s'agir des expériences de l'auteur qui l'on conduit à traiter de ce sujet, de la pertinence et des implications sociales, de même que des nouvelles connaissances qui pourraient découler de cette étude relativement à la question de recherche. L'introduction renferme aussi une recension des écrits dans laquelle on explique la façon dont ces études ont été menées, les thèmes qui ont émergé, les principaux résultats obtenus et comment ceux-ci diffèrent de ceux de l'étude actuelle. En théorisation enracinée, les écrits servent à montrer les écarts ou les biais existants dans les connaissances actuelles de manière à justifier l'entreprise de l'étude. Une description de la culture sert d'introduction à l'étude ethnographique. Le cadre conceptuel est généralement présenté, quelle que soit l'approche, tandis que le but varie d'une méthode qualitative à l'autre.

La méthode

Sont incluses dans cette section les méthodes et les procédures utilisées dans la préparation de la conduite de l'étude. Elle comporte une description de la collecte des données, de leur organisation, de leur analyse ainsi que de la synthèse de l'étude. Il s'agit souvent d'une description préliminaire, puisque l'étude évolue au fil de l'analyse de nouvelles données. Le contexte où se déroule la recherche est décrit en détail, particulièrement avec l'ethnographie. Dans l'étude de cas, des questions importantes sont soulevées et débattues de manière à mettre en évidence la complexité du cas.

Les résultats

Les résultats incluent des exemples de verbatim découlant de la collecte, de l'analyse et de la synthèse des données. Y sont rapportés des unités de signification, des liens entre les catégories, des groupes thématiques, des descriptions textuelles et structurelles, ainsi qu'une synthèse des significations et de l'essence de l'expérience. Dans l'étude phénoménologique, il s'agit souvent de rapporter une description claire et précise d'une expérience. L'étude de théorisation enracinée présente le schème théorique, qui sert à démontrer l'enracinement de la théorie dans les données. La détermination des modèles (*patterns*) ou des thèmes demeure le foyer central du rapport ethnographique. Les figures et les diagrammes servent souvent à illustrer un ensemble de concepts visant à conceptualiser le phénomène.

La discussion

Cette section comprend un résumé de l'étude, des énoncés sur les résultats et la façon dont ces derniers diffèrent de ceux d'autres travaux. Elle inclut des recommandations pour des recherches futures, une mention des limites de l'étude, de ses implications et, pour terminer, un rappel de son essence. La relation de la théorie avec d'autres connaissances est discutée dans la théorisation enracinée. Dans l'ethnographie, le contexte est souvent interprété par rapport à l'expérience personnelle du chercheur. Dans l'étude de cas, le rapport découle d'une description détaillée d'un cas complexe.

22.2   L'article de périodique

L'article de périodique est un écrit destiné à la publication dans des revues ou des périodiques scientifiques et professionnels. Ces revues publient des articles empiriques qui présentent des résultats de recherche et des écrits qui exposent des théories ou des modèles ou qui les confrontent avec d'autres théories ou d'autres modèles. Elles peuvent également contenir des textes qui recensent des écrits traitant de sujets précis ainsi que des articles d'opinions. Cependant, la plupart des articles scientifiques sont de nature empirique; ils rendent compte du contexte théorique dans lequel s'inscrivent les méthodes, les résultats et l'interprétation. De fait, l'article empirique s'apparente au mémoire ou à la thèse, bien qu'il soit plus court, le manuscrit n'excédant pas 15 pages en général. Au terme de son étude, le chercheur doit déterminer, parmi l'éventail de périodiques, celui qui est le plus approprié à son domaine pour publier ses résultats de recherche. Un autre facteur à considérer dans le choix du périodique est le lectorat. Le chercheur désire atteindre le plus grand nombre de lecteurs qui pourraient bénéficier de l'information pertinente transmise.

Un certain nombre d'étapes précèdent la publication d'un manuscrit. Il faut d'abord choisir le périodique convenant à son contenu, rédiger le manuscrit selon les normes de la revue et le soumettre à la direction du périodique, qui le fera évaluer par des pairs. Le chercheur choisit le périodique en fonction du domaine d'études et de la nature du contenu. Avant de rédiger son texte, l'auteur doit consulter des numéros récents du périodique en vue de connaitre son orientation ainsi que ses exigences concernant la présentation et le style de l'article.

Certains périodiques définissent clairement leurs priorités en matière de contenu et les énoncent dans leur politique éditoriale. Par exemple, le *Journal of Advanced Nursing* ajoute ce texte à la fin de chaque article publié :

> Le périodique *Journal of Advanced Nursing* (*JAN*) est une revue internationale scientifique pourvue d'un comité de lecture. *JAN* contribue à l'avancement de la pratique infirmière fondée sur des résultats probants, la profession de sagefemme et les soins de santé par la dissémination de la recherche pertinente de qualité et pouvant contribuer à l'avancement de la pratique, de l'éducation et de la gestion. *JAN* publie des résumés, des rapports de recherche originale et des textes méthodologiques et théoriques. Pour plus d'information, consulter le site Web : http://onlinelibrary.wiley.com/journal/10.1111/(ISSN)1365-2648. (Traduction libre)

22.2.1 La soumission d'un article de périodique

Les revues scientifiques fournissent des guides de présentation à la disposition des chercheurs. Ceux-ci indiquent les règles d'écriture qui sont suivies dans la revue. Chaque périodique établit ses propres règles sur l'organisation et la longueur du manuscrit, la configuration des tableaux et des figures et la façon de citer les références. La soumission du manuscrit s'accompagne d'une lettre de présentation avec le nombre d'exemplaires fixé par le périodique. En général, un accusé de réception est transmis au chercheur. Cependant, il peut s'écouler plusieurs semaines avant qu'il sache si son manuscrit est accepté, recommandé avec des corrections ou simplement refusé. Les politiques des périodiques scientifiques statuent qu'un manuscrit ne doit être soumis qu'à un seul périodique à la fois. Ce dernier détient des droits sur le texte qui est publié. Si le manuscrit a été rejeté, l'auteur peut alors le soumettre à un autre périodique.

Les périodiques sont en général pourvus d'un comité de lecture ou dotés de procédés d'arbitrage, un mécanisme qui fait appel à des réviseurs pour déterminer la valeur scientifique et l'intérêt du manuscrit. Lorsqu'il n'y a pas de comité de lecture, la décision d'accepter ou de rejeter le manuscrit est prise, la plupart du temps, par l'éditeur, après une forme quelconque de consultation. La direction des périodiques qui font appel à un comité de lecture confie généralement le manuscrit à deux ou trois arbitres indépendants ou à une équipe de réviseurs familiarisés avec la méthode de recherche employée dans le manuscrit. Les critiques, anonymes dans tous les cas, sont transmises à l'auteur.

Les ouvrages suivants peuvent être consultés afin de se familiariser avec les règles communément admises à ce sujet: *Publication manual of the American Psychological Association* (APA, 2010), *Normes de présentation d'un travail de recherche* (Provost, Alain, Leroux et Lussier, 2010), *Writing empirical research reports: A basic guide for students of the social and behavioural sciences* (Pyrczak et Bruce, 2015).

22.2.2 Le style d'écriture

L'écriture scientifique est un exercice d'organisation et de clarté d'expression (Portney et Watkins, 2009). Un article scientifique a pour but de présenter des résultats de recherche d'une manière logique et objective, de les interpréter et d'évaluer les conséquences qui en découlent. Il importe donc d'en faciliter la compréhension par l'adoption d'un style caractérisé par la concision, la précision et la justesse des termes, selon le domaine. Des phrases courtes et des idées bien ordonnées les unes par rapport aux autres favorisent une lecture fluide. La rédaction est conforme aux règles de l'orthographe, de la syntaxe et de la grammaire. Selon Giroux et Forgette-Giroux (1989), « [l]es erreurs lexicales et syntaxiques, parce qu'elles sont sources de confusion, ne doivent pas figurer dans un texte dont l'objet est de transmettre de l'information et d'inviter à la réflexion » (p. 60).

Dans un texte de recherche, il est d'usage d'utiliser un ton impersonnel. Ainsi, on évite autant que possible l'emploi de la première personne du singulier pour favoriser la troisième personne du singulier ou la première personne du pluriel. Pour ce faire, l'usage du « on » et du « nous » convient, tout comme les tournures impersonnelles telles que : « Dans cet article, il sera question de... », « L'objet de cette étude était de... », «Il ressort des écrits que... » Cependant, la première personne du singulier est parfois employée dans certaines études qualitatives.

Portney et Watkins (2009) recommandent d'être sensible au respect de la personne quand on rapporte des résultats concernant des gens atteints de handicaps. La règle est de se référer à la personne d'abord et non au handicap. Par exemple, il est suggéré de remplacer «les handicapés » par «les personnes ayant un handicap » et «les diabétiques » par «les personnes atteintes de diabète ». Les termes «invalide », «souffrant » et «victime » devraient être évités, selon ces auteurs.

22.3 Le mémoire et la thèse

Le mémoire de maitrise et la thèse de doctorat sont aussi des rapports de recherche, mais ils sont rédigés en vue d'obtenir un grade universitaire. Ils ont pour but non seulement de communiquer des résultats, mais aussi de démontrer que les diverses notions étudiées sont parfaitement assimilées. La plupart des mémoires et des thèses comportent six chapitres: la formulation du problème de recherche, la recension des écrits et le contexte théorique, la méthode, les résultats, la discussion et les conclusions. Ces éléments sont précédés des pages liminaires, qui comprennent la page de titre, les remerciements, le résumé, la table des matières ainsi que la liste des tableaux et des figures. La page de titre porte le titre de l'étude, le nom de l'auteur, sa fonction, le nom de l'université qui dirige l'étude et les signatures des membres du comité d'évaluation. La page de remerciements est réservée aux témoignages de reconnaissance à l'égard des personnes qui ont aidé à la réalisation du projet. La table des matières consiste en une énumération des éléments traités dans le rapport avec leur pagination. La liste des tableaux et des figures indique la page où figurent ces derniers.

La publication des résultats est une modalité de diffusion qui fournit une information détaillée de l'ensemble d'une recherche. Parmi les rapports de recherche, mentionnons l'article de périodique, le mémoire et la thèse.

22.4 La communication des résultats

La communication est une forme interactive de diffusion des résultats de recherche. À l'occasion de congrès scientifiques ou professionnels, les chercheurs sont invités à présenter, à un auditoire ciblé, une mouture abrégée de leur recherche. La communication orale ou par affiche précède généralement la publication de l'article de recherche. Les autres types de rencontres donnant lieu à une communication orale sont généralement des colloques, des symposiums ou des ateliers.

22.4.1 La communication orale

La communication orale des résultats de recherche s'inscrit généralement dans le contexte des congrès scientifiques ou professionnels à la suite d'une invitation faite aux chercheurs de présenter leurs résultats de recherche. Ceux-ci doivent en soumettre un résumé, et l'acceptation relève de sa qualité. Le résumé, qui doit être clair et concis, doit s'harmoniser avec le thème de la conférence et les critères de révision. Si le résumé soumis est accepté, le chercheur rédige un texte de présentation accompagné de supports visuels à l'intention des auditeurs qu'il rencontrera à la date et au lieu convenus. La communication orale est généralement suivie d'une période de questions.

Sur le plan du contenu, la communication orale ressemble à l'article de périodique, à cette différence près que le texte en est plus court en raison du temps alloué pour l'exposé oral (de 10 à 15 minutes). Le résumé d'article scientifique sert à synthétiser l'information contenue dans l'article pour appuyer les points saillants. En introduction, le chercheur expose brièvement le problème étudié, puis explique ses bases théoriques et empiriques, présente les méthodes utilisées, les résultats obtenus et leur signification. L'appel de résumés s'accompagne généralement de grandes lignes qui précisent les éléments suivants :

- les thèmes de la conférence ;
- la date limite pour soumettre le résumé ;
- le format et le contenu du résumé, incluant le nombre de mots à considérer ;
- l'option possible pour une présentation sur le podium ou par affiche ;
- les critères sur lesquels le résumé sera évalué.

Le résumé soumis au comité d'évaluation par le chercheur à la suite d'un appel d'offres est la seule information disponible au comité de révision afin de juger de la pertinence et de la qualité de la recherche pour une présentation orale. Les résumés qui excèdent la longueur prescrite sont généralement rejetés. Il est donc essentiel de présenter l'information d'une manière concise et suffisamment attrayante pour capter l'intérêt des réviseurs et ultérieurement les délégués à la conférence (Gerrish et Lacey, 2006).

22.4.2 La présentation visuelle

Du matériel visuel et des outils multimédias sont généralement utilisés pour renforcer un exposé. En effet, les aides visuelles sont essentielles au succès de la présentation orale. Les diapositives constituent des supports efficaces pour illustrer le contenu de la présentation en mettant l'accent sur les aspects importants. Chaque section de la présentation doit être accompagnée de diapositives de manière à guider l'auditeur tout au long de l'exposé. De plus, le contenu de chaque diapositive et le commentaire verbal qui l'accompagne devraient être synchronisés. Les diapositives peuvent inclure des mots ou des phrases, des photos, des graphiques et des tableaux. Le type et le nombre de diapositives à utiliser doivent être déterminés par les points saillants du texte écrit. Il faut éviter que leur contenu soit trop chargé. Un exposé oral peut manquer son objectif s'il est mal présenté et perdre ainsi une partie de son intérêt.

Il existe des guides de présentation scientifique orale auxquels il est possible de se référer pour la planification et la préparation d'un exposé tel celui de Grenier et Bérard (2002).

22.4.3 La communication par affiche

Le résumé soumis peut être accepté à un congrès pour une présentation par affiche au lieu d'une présentation sur le podium. Une communication par affiche est une présentation visuelle des points saillants d'une étude. Le contenu est moins dense que celui d'une présentation orale, mais plus étoffé qu'un résumé. Il s'agit d'un rapport de recherche schématisé et présenté à grande échelle de manière à ce qu'il soit lu et vu par des groupes de personnes qui participent à des colloques ou à des congrès. Les participants circulent dans la salle, examinent les affiches et posent des questions s'ils le désirent. Les présentateurs, quant à eux, répondent aux questions concernant le contenu de leur affiche. Un des avantages de la présentation par affiche est qu'elle permet aux participants d'examiner le contenu d'une étude et d'en analyser les implications à leur aise. Le chercheur a le loisir de clarifier ou de renforcer les détails de l'étude. De plus, les réactions ou les questions des participants peuvent être utiles pour guider de futurs travaux.

L'apparence de l'affiche doit faire l'objet d'une attention particulière. Celle-ci est généralement disposée sur un panneau aux dimensions établies d'avance. De façon générale, la taille de l'affiche est de 1,2 m sur 2,4 m. Le chercheur peut produire lui-même sa propre affiche ou faire appel à un graphiste. L'important est de pouvoir capter le regard des participants et de communiquer un message clair et lisible. Le contenu de l'affiche devrait inclure, dans une série d'énoncés clairs et brefs, les principaux éléments d'une étude, à savoir : le titre, une introduction au problème de recherche, le but, les questions de recherche ou les hypothèses, une description de la méthode et des mesures utilisées, un résumé des résultats et les principales conclusions. Des tableaux et des graphiques devraient résumer et illustrer les résultats importants ou des aspects particuliers de l'étude. Il est suggéré d'utiliser des couleurs attrayantes pour les diagrammes et les photos afin d'attirer l'attention des participants au congrès sur des points jugés importants. L'encadré 22.1 fait état des principaux points à développer dans une présentation par affiche.

ENCADRÉ 22.1 | Le contenu d'une affiche

Titre : Le titre se place dans la partie supérieure de l'affiche et est accompagné du nom des auteurs et de celui de l'établissement auquel ceux-ci sont rattachés.

Introduction : L'introduction fait le point sur le problème de recherche dans le contexte empirique et théorique. Des hypothèses ou des questions de recherche sont formulées.

Méthode : La méthode sert à décrire l'échantillon et les instruments de mesure, et à expliquer la manière dont l'étude a été conduite.

Résultats : Les résultats sont présentés dans des tableaux et des figures.

Discussion : La discussion englobe les implications et les conclusions. Elle situe les principaux résultats dans le cadre des questions de recherche ou des hypothèses.

Il existe plusieurs écrits concernant la conception des affiches, dont ceux des auteurs suivants : Hardicre, Devitt et Coad (2007) ; Lawson (2005) ; Moore, Augspurger, King et Proffitt (2001). Le site Web *Poster Software* peut aussi être utile (www.postersw.com). Les universités publient également des guides et peuvent fournir des conseils à cet effet.

22.5   L'évaluation critique des rapports de recherche

Pour faire suite à la critique d'articles de périodiques empiriques, particulièrement de leur contenu, il convient d'inclure quelques questions relatives à la diffusion des résultats de recherche. L'encadré 22.2 fournit des pistes pouvant servir à évaluer de façon critique la présentation des rapports de recherche.

ENCADRÉ 22.2 | **Quelques questions guidant l'examen critique d'un rapport de recherche**

La section de l'introduction

1. Le rapport inclut-il les grandes lignes du problème de recherche?

2. La recension des écrits est-elle pertinente?

3. La question de recherche s'inscrit-elle dans un cadre théorique ou conceptuel?

La section des méthodes

1. Les méthodes font-elles état d'une recherche quantitative ou qualitative?

2. L'information fournie dans le rapport est-elle suffisante pour permettre de comprendre la manière dont l'échantillon a été choisi et pourquoi?

3. Mentionne-t-on dans cette section comment les droits de la personne ont été protégés à l'égard des participants?

La section des résultats

1. Les résultats semblent-ils appropriés compte tenu de l'information recueillie? Sont-ils présentés avec clarté et précision?

2. S'il s'agit d'une étude quantitative, peut-on dégager clairement les résultats d'analyses descriptives et inférentielles?

3. S'il s'agit d'une étude qualitative, les thèmes, la structure et les significations sont-ils rapportés?

La section de la discussion

1. L'interprétation (ou discussion) s'appuie-t-elle sur les résultats de l'étude?

2. La discussion inclut-elle les limites de l'étude ainsi que les conséquences qui en découlent pour la recherche et la pratique?

3. Trouve-t-on dans la discussion les conclusions et des recommandations pour des recherches futures?

Points saillants

22.1 Le rapport de recherche : structure et contenu

- Les résultats de recherche qui ne sont pas communiqués à la communauté scientifique ont peu de retombées. Pour les communiquer, le chercheur dispose de diverses formes de rapports de recherche.

- Le rapport de recherche comprend quatre parties principales, précédées d'un résumé : 1) l'introduction, qui décrit le problème et fait le point sur l'état actuel des connaissances théoriques et empiriques, les questions de recherche ou les hypothèses ; 2) la méthode, qui met en évidence les éléments de base servant à la recherche (type de devis, population cible, taille de l'échantillon, instruments de mesure des variables de l'étude, analyses statistiques) ; 3) les résultats, résumés dans des tableaux et des figures ; 4) la discussion, qui consiste à interpréter les résultats obtenus en relation avec le problème, les questions de recherche ou les hypothèses et à confronter les résultats avec ceux d'autres travaux traitant du même phénomène.

- Le rapport de recherche qualitative présente les mêmes divisions que celui d'une recherche quantitative, mais la présentation du contenu est plus flexible et varie avec les différentes approches d'étude qualitative.

22.2 L'article de périodique

- L'article de périodique est un texte publié dans des revues scientifiques. Les travaux présentés sont généralement confiés par la direction de la revue à un comité de lecture formé de pairs et chargé de l'évaluation des manuscrits. Avant de rédiger son texte, l'auteur doit s'informer des règles rédactionnelles suivies par le périodique auquel il a l'intention de soumettre son manuscrit.

- La rédaction du manuscrit doit être soignée : il importe d'observer la propriété des mots, d'être clair et concis dans l'expression.

22.3 Le mémoire et la thèse

- Le mémoire de maitrise et la thèse de doctorat sont des rapports de recherche produits dans le cadre d'études universitaires.

22.4 La communication des résultats

- La communication orale des résultats de recherche offre l'occasion de rendre accessible à un auditoire ciblé de l'information nouvelle presque immédiatement après la réalisation du projet.

- Les communications orales ont lieu dans le cadre de congrès scientifiques et professionnels. Sur le plan du contenu, la communication orale ressemble à l'article de périodique, à cette différence près que le texte en est plus condensé.

- Dans la communication par affiche, le chercheur présente de façon succincte les principaux résultats de sa recherche. Les participants au colloque ou à la conférence circulent dans la salle où sont exposées les affiches, les lisent attentivement et en discutent avec les auteurs.

Mots clés

Arbitrage

Article de périodique

Comité de lecture

Communication orale

Communication par affiche

Congrès scientifique

Diffusion des résultats

Évaluation par les pairs

Manuscrit

Mémoire de maitrise

Rapport de recherche

Style d'écriture

Thèse de doctorat

Exercices de révision

1. Quel est le type de communication susceptible de joindre le plus de lecteurs ?
   a) Mémoire ou thèse
   b) Article de périodique
   c) Communication orale
   d) Communication par affiche

2. Quel est le type de communication le plus indiqué pour le chercheur débutant qui veut communiquer ses résultats de recherche ?
   a) Article de recherche
   b) Communication orale
   c) Communication par affiche
   d) Mémoire ou thèse

3. Associez chacune des parties du rapport de recherche aux énoncés qui conviennent.
   a) Introduction
   b) Méthodes
   c) Résultats
   d) Interprétation

Énoncés

1) L'échantillon était composé de 50 hommes âgés de 65 à 75 ans, choisis au hasard dans un établissement de santé.

2) Les résultats montrent que les femmes acceptent moins les stéréotypes sur les rôles liés au sexe.

3) Les 100 participants de l'étude ont été répartis de façon aléatoire dans les groupes expérimental et de contrôle à l'aide d'une table de nombres aléatoires.

4) Le diabète, une des maladies les plus répandues en Amérique du Nord, touche plus de 12 millions de personnes.

5) Les femmes qui allaitent leur enfant considèrent plus favorablement leur rôle de mère que celles qui n'allaitent pas ($t = 3,22$; $dl = 98$; $p \leq 0,01$).

6) Le faible degré de fidélité des instruments de mesure est un défaut souvent présent dans les études.

7) La découverte d'une maladie chronique chez un enfant entraine un des pires stress qu'une famille puisse subir.

8) Les résultats révèlent que certains facteurs prédisposent à l'exercice d'une activité physique. Le programme a aidé au maintien d'une activité physique régulière.

9) Le profil sexuel des deux groupes d'adolescents présenté dans le tableau 5 indique que 41,3 % des garçons et 38,2 % des filles sont actifs sexuellement.

Liste des références

Les références citées dans la rubrique « Exemple » ou dans les citations peuvent ne pas figurer dans cette liste.

American Psychological Association (2010). *Publication manual of the American Psychological Association* (6e éd.). Washington, DC : American Psychological Association.

Creswell, J.W. (2007). *Qualitative inquiry & research design: Choosing among five approaches* (2e éd.). Thousand Oaks, CA : Sage Publications.

Gerrish, K. et Lacey, A. (2006). *The research process in nursing* (5e éd.). Oxford, R.-U.: Blackwell Publishing.

Giroux, A. et Forgette-Giroux, R. (1989). *Penser, lire, écrire : introduction au travail intellectuel.* Ottawa, Ontario : Presses de l'Université d'Ottawa.

Grenier, S. et Bérard, S. (2002). *Guide pratique de communication scientifique : comment captiver son auditoire.* Montréal, Québec : Association française pour le savoir.

Hardicre, J., Devitt, P. et Coad, J. (2007). Ten steps to successful poster presentation. *British Journal of Nursing, 16*(7), 398-401.

Lawson, G. (2005). The poster presentation: An exercise in effective communication. *Journal of Vascular Nursing, 23*(4), 157-158.

May, K.A. (1986). Writing and evaluating the grounded theory research report. Dans W.C. Chenitz et J.M. Swanson (dir.). *From practice to grounded theory* (p. 146-154). Menlo Park, CA : Addison-Wesley.

Moore, L.W., Augspurger, P., King, M.O. et Proffitt, C. (2001). Insights on the poster presentation and presentation process. *Applied Nursing Research, 14*(2), 100-104.

Moustakas, C. (1994). *Phenomenological research methods.* Thousand Oaks, CA : Sage Publication.

Portney, L.G. et Watkins, M.P. (2009). *Foundations of clinical research: Application to practice* (3e éd.). Upper Saddle River, NJ : Pearson/Prentice Hall.

Provost, M.A., Alain, M., Leroux, Y. et Lussier, Y. (2010). *Normes de présentation d'un travail de recherche* (4e éd.). Trois-Rivières, Québec : Les Éditions SMG.

Pyrczak, F. et Bruce, R.R. (2015). *Writing empirical research reports: A basic guide for students of the social and behavioural sciences* (8e éd.). Los Angeles, CA : Pyrczak Publishing.

Stake, R.E. (1995). *The art of case study research.* Thousand Oaks, CA : Sage Publications.

Strauss, A. et Corbin, J. (1990). *Basics of qualitative research: Grounded theory procedures and techniques.* Newsbury Park, CA : Sage Publications.

Wolcott, H.F. (1994). *Transforming qualitative data: Description, analysis, and interpretation.* Thousand Oaks, CA : Sage Publications.

CHAPITRE 23

L'intégration de données probantes dans la pratique professionnelle

Objectifs d'apprentissage

Après avoir étudié ce chapitre, vous serez en mesure :

- de comprendre le concept de la pratique fondée sur des données probantes ;
- de recourir aux étapes de la démarche fondée sur des données probantes pour trouver des sources d'accès appropriées ;
- de définir une revue systématique, une méta-analyse et une métasynthèse ;
- de reconnaitre les facteurs contraignants et facilitants relatifs à la pratique professionnelle fondée sur des données probantes ;
- de commenter certains modèles servant à l'application de la recherche dans la pratique.

Au cours des deux dernières décennies, la pratique fondée sur des données probantes est devenue une préoccupation majeure pour les responsables des politiques de santé, les fournisseurs de soins et les groupes professionnels. Les infirmières, comme d'autres professionnels de la santé, reconnaissent que, pour réaliser des interventions cliniques de qualité, il est nécessaire de s'appuyer sur des résultats de recherche qui ont démontré leur efficacité. Pour atteindre cet objectif, une démarche s'avère utile afin de trouver les sources d'accès aux preuves scientifiques, d'évaluer et d'interpréter les résultats avant de décider de leur pertinence clinique auprès des personnes concernées. Le concept de la pratique fondée sur des données probantes va plus loin que la simple utilisation des travaux de recherche en ce qu'il intègre, en plus d'études de grande qualité, d'autres sources d'information telles que les caractéristiques et les préférences des patients, l'expertise des professionnels de santé et les ressources disponibles. Ce chapitre examine le concept de la pratique fondée sur des données probantes, souligne les niveaux d'interprétation des preuves, détermine la démarche à suivre pour trouver des données probantes et propose des modèles pour promouvoir l'application des connaissances à la pratique.

23.1 Le concept de la pratique fondée sur des données probantes

S'appuyant sur des méthodes rigoureuses, la recherche en sciences infirmières s'inscrit progressivement dans une démarche significative amorcée au cours des deux ou trois dernières décennies, celui de la **pratique fondée sur des données probantes**, communément appelée en anglais *evidence-based practice* (EBP). Cette démarche, qui vise à intégrer les meilleurs résultats de recherche à l'appui des prises de décisions cliniques, se caractérise par un intérêt marqué pour le transfert des savoirs scientifiques vers la pratique professionnelle. L'émergence de ce concept et son affirmation dans le domaine des soins de santé ont contribué à engendrer des retombées bénéfiques non seulement pour le patient et sa famille, mais aussi pour les fournisseurs de soins et les milieux cliniques (Gerrish et collab., 2011 ; Melnyk et Fineout-Overholt, 2015 ; Sackett, Straus, Richardson, Rosenberg et Haynes, 2000).

Pratique fondée sur des données probantes
Approche qui consiste en la prise de décision concernant l'utilisation des meilleures données probantes pour la prise en charge personnalisée de patients.

Ainsi, un grand nombre d'écrits relevant des sciences infirmières accordent maintenant une large place non seulement à l'utilisation des travaux de recherche, mais aussi à la pratique fondée sur des données probantes. L'utilisation de la recherche consiste à introduire des résultats d'études individuelles dans les aspects du travail de l'infirmière, tandis que la pratique fondée sur des données probantes est un concept plus large qui intègre, en plus de la synthèse des meilleurs résultats, d'autres sources d'information, comme les caractéristiques et les préférences des patients, l'expertise des professionnels et les ressources disponibles (Estabrooks, 1998 ; Melnyk et Fineout-Overholt, 2015). Quelles que soient les approches ontologiques ou méthodologiques véhiculées, les infirmières sont amenées à produire un savoir scientifique déterminant susceptible de contribuer au développement des connaissances et à la santé des populations.

Le mouvement précurseur à la pratique fondée sur des données probantes a été institué en 1972 par le médecin britannique Archibald Cochrane. Son objectif était de contrer l'importance accordée par les cliniciens aux opinions plutôt qu'aux faits démontrés. Il voulait ainsi favoriser l'accès aux écrits scientifiques pour les professionnels ainsi que leur utilisation en matière de santé, et faire en sorte que les répercussions se fassent sentir sur le plan des services offerts (Casimiro et Brosseau, 2002). La pratique fondée sur des données probantes a été définie dans le premier chapitre comme étant l'utilisation consciencieuse, explicite et judicieuse des meilleures données disponibles pour la prise de décision concernant les soins à prodiguer à chaque patient. Le concept de processus de prise de décision clinique dans le contexte d'un patient ou d'une action clinique s'imbrique dans cette définition. Celle-ci accentue le fait que les écrits de recherche ne fournissent qu'une source d'information parmi d'autres en ce qui concerne la prise de décision. Les principes de ce mouvement sur les données probantes ont été adoptés par plusieurs disciplines et dans différents contextes, d'où le terme générique courant de « pratique fondée sur des données probantes ».

23.1.1 Les meilleures données probantes pour la pratique clinique

Les meilleures données probantes en soins de santé proviennent de la conduite et de la synthèse de nombreuses études de grande qualité relevées dans ce domaine. Le concept de données probantes renvoie aux processus utilisés pour synthétiser les écrits de recherche (p. ex. les revues systématiques et les recensions méthodiques). Constituées d'un ensemble de faits (preuves), les données probantes sont reconnues comme étant crédibles. On distingue deux sources de données probantes : les données externes et les données internes (Melnyk et Fineout-Overholt, 2015). Les données probantes externes proviennent de la recherche rigoureuse (p. ex. les essais contrôlés ou les études de cohorte) ; elles peuvent être généralisées et utilisées dans d'autres contextes. À l'opposé, les données probantes internes sont générées par des initiatives du milieu dans le but d'améliorer la qualité des soins et l'évaluation du patient. L'intégration des deux sources de données probantes dans la pratique contribue à l'amélioration de la qualité des soins de santé et à des résultats bénéfiques pour le patient.

La pratique fondée sur des données probantes signifie que la prise de décision est continuellement informée au moyen d'une utilisation critique et consciencieuse des plus récents résultats de recherche démontrés par la conduite répétée d'études rigoureuses (Goulet, Lampron, Morin et Héon, 2004). Sont considérés dans la prise de décision éclairée, en plus d'études rigoureuses, les connaissances des clientèles, les savoirs provenant de l'expertise professionnelle et les ressources disponibles (Brown, 2009 ; Spenceley, O'Leary, Chizawsky, Ross et Estabrooks, 2008). Ces quatre composantes de la pratique fondée sur des données probantes constituent ainsi les piliers d'une pratique exemplaire, à savoir une pratique éclairée par des données probantes en vue d'atteindre de meilleurs résultats cliniques chez le patient. L'un des défis majeurs dans le domaine des soins infirmiers réside dans l'efficacité accrue des pratiques. Ainsi, en s'appuyant sur des données probantes, les infirmières sont appelées à actualiser leur pratique et, par voie de conséquence, à affiner leurs prises de décision en regard de la qualité des soins offerts. De plus, le nombre d'études qui ont exploré le lien entre les interventions infirmières et les retombées bénéfiques pour les patients a augmenté considérablement depuis les dernières années (Bolton, Donaldson, Rutledge, Bennett et Brown, 2007). Ces données, tirées des revues systématiques, révèlent selon les auteurs un volume de preuves suffisant pour confirmer la contribution infirmière au bienêtre des patients.

> En s'appuyant sur des données probantes, les infirmières sont appelées à actualiser leur pratique et, par voie de conséquence, à affiner leurs prises de décision en regard de la qualité des soins offerts.

Les données probantes doivent s'appuyer sur des résultats valides et applicables à la pratique courante. De manière générale, les études sont classées en fonction de leur niveau de preuves selon une gradation.

23.1.2 Les niveaux d'interprétation des preuves

Afin de dégager les données probantes ou les preuves scientifiques de plusieurs études et de les classer selon la force qu'elles représentent, une **hiérarchie de preuves** a été conçue. Une hiérarchie de preuves, aussi appelée «niveaux d'interprétation des preuves», permet de classer ces dernières d'après leur robustesse pour répondre à la question clinique à l'étude. Une preuve est d'autant plus fondée qu'elle est produite au terme d'une recension méthodique d'écrits pertinents de grande qualité sur un même sujet (Debout, 2012). Des auteures en sciences infirmières (Stetler et collab., 1998) ont élaboré une hiérarchie de preuves à six niveaux présentés par ordre décroissant : 1) les métaanalyses fondées sur des essais cliniques randomisés ; 2) les études expérimentales isolées ; 3) les études quasi expérimentales ou les études cas-témoins ; 4) les études non expérimentales (p. ex. les études corrélationnelles et les études qualitatives) ; 5) les études portant sur l'utilisation des travaux de recherche, les projets d'amélioration de la qualité et les rapports de cas ; 6) les recommandations émises par des figures d'autorité respectées et des comités de spécialistes. Bien que ces auteures placent la métaanalyse et l'étude expérimentale dans les deux premiers niveaux de preuves, elles reconnaissent d'autres types d'études, dont la recherche qualitative et des publications ou des recommandations provenant d'autres sources. Plus récemment, Melnyk et Fineout-Overholt (2015) ont également créé une pyramide à six niveaux, comme en fait foi la figure 23.1. Le niveau 1 présente le niveau le plus élevé dans la hiérarchie des preuves sur lequel on peut s'appuyer pour prendre des décisions concernant l'application dans la pratique, particulièrement s'il s'agit d'interventions.

Hiérarchie de preuves
Mécanisme servant à déterminer les études qui présentent les meilleurs devis pour répondre à une question clinique. Le niveau de preuve le plus élevé correspond aux revues systématiques d'essais randomisés contrôlés, et le niveau le plus faible correspond aux opinions d'experts.

Une preuve est d'autant plus fondée qu'elle est produite au terme d'une recension méthodique d'écrits pertinents de grande qualité sur un même sujet.

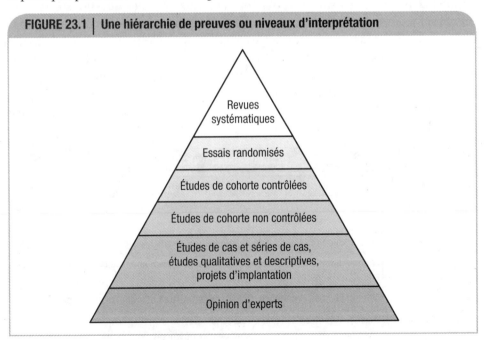

FIGURE 23.1 | Une hiérarchie de preuves ou niveaux d'interprétation

Revues systématiques

Essais randomisés

Études de cohorte contrôlées

Études de cohorte non contrôlées

Études de cas et séries de cas, études qualitatives et descriptives, projets d'implantation

Opinion d'experts

Source : Inspirée de Melnyk et Fineout-Overholt (2015, p. 92).

Une hiérarchie de preuves sert de guide concernant les types d'études à privilégier pour apporter vraisemblablement des réponses valables à des questions cliniques précises. Le niveau de preuve à considérer dépend du type de questions posées. Des questions ayant pour objet des interventions conduiront à choisir les preuves les plus probantes telles que des revues systématiques d'études randomisées. L'attribution d'un niveau de preuve repose sur des critères méthodologiques rigoureux. Par exemple, l'étude randomisée contrôlée représente le devis le plus solide pour obtenir de l'information sur les relations de cause à effet. Une revue systématique constitue une synthèse de ces études. D'autres types de questions obtiendront des réponses à d'autres niveaux. Par exemple, les études descriptives et qualitatives représentent les sources potentielles pour obtenir de l'information sur la compréhension d'une expérience vécue. Finalement, le niveau inférieur de cette pyramide est associé à l'opinion d'experts ou à l'expérience professionnelle qui devient utile en l'absence de données scientifiques pour appuyer certaines prises de décisions cliniques. Afin de s'assurer que les décisions cliniques sont fondées le plus possible sur des preuves, certaines démarches rigoureuses ont été proposées. Il faut reconnaitre que pour utiliser les données probantes dans le cadre de la pratique décisionnelle, il importe d'abord de procéder à une évaluation critique des meilleurs résultats de recherche disponibles.

23.2 Les étapes de la pratique fondée sur des données probantes

La plupart des écrits s'entendent pour reconnaitre que la pratique fondée sur des données probantes constitue une démarche ou un processus qui comporte un certain nombre d'étapes à réaliser pour intégrer les meilleurs résultats dans la pratique. Sackett et ses collaborateurs (2000) ont proposé cinq étapes de cette démarche, résumées dans le tableau 23.1. Ces étapes consistent à traduire les besoins d'informations sur les problèmes cliniques par des questions claires et précises. La question clinique constitue le point d'ancrage de chacune des étapes de la démarche. Plus la question est explicitée, plus elle permet d'élaborer une stratégie de recherche documentaire adéquate pour interroger les bases de données. La stratégie de recherche peut mener à un nombre raisonnable d'études pertinentes. Une fois la question bien formulée en relation directe avec un problème clinique précis, le type de devis d'étude ou le niveau de preuves apparaitra évident pour répondre à la question.

TABLEAU 23.1	Les étapes de la pratique fondée sur des données probantes
Étape	**Description**
1. Définir	Énoncé clair et précis d'une question de recherche clinique ayant rapport à un problème en particulier
2. Chercher	Localisation des sources de données probantes et recensions systématiques
3. Apprécier	Appréciation critique de la validité, de la pertinence et de l'applicabilité des résultats de recherche
4. Intégrer	Intégration de l'expérience clinique et des valeurs et préférences des patients à l'application des changements
5. Évaluer	Évaluation de l'efficacité clinique des changements dans la pratique

23.2.1 L'énoncé d'une question

La première étape consiste à transposer le problème en une question clinique claire. Pour faciliter la formulation limpide et précise d'une question clinique, les chercheurs ont souvent recours à la **formule PICO**, dont l'acronyme fait référence à population, intervention, comparaison et résultats (*outcomes*). Cette formule permet de décomposer la question en ses éléments ou concepts principaux de manière à orienter la recherche bibliographique vers les sources pertinentes pour recueillir les meilleures données probantes disponibles :

P = la population visée ;
I = l'intervention à considérer ;
C = la comparaison avec d'autres études ou interventions ;
O = les résultats bénéfiques pour la santé du patient (*outcomes*).

Le premier concept (P) sert à décrire les caractéristiques du patient telles que l'âge, le sexe, le problème de santé ; le deuxième (I) a trait à l'intervention envisagée en matière de prévention, de traitement ou de service de santé ; le troisième (C) examine la comparaison avec les soins habituels ou d'autres types d'interventions appropriées ; le quatrième (O) s'intéresse aux résultats cliniques les plus significatifs pour la santé du patient. La précision de ces concepts conduit aux différents outils ou aux diverses ressources pour trouver des données probantes.

Une fois que les concepts associés à la formule PICO ont été précisés, le chercheur est en mesure de déterminer le niveau de preuve qui convient le mieux pour répondre à la question clinique avec le plus d'exactitude possible et basé sur des résultats fiables. Par exemple, pour répondre à une question incluant une intervention, une revue systématique d'essais randomisés contrôlés ou une métaanalyse serait la meilleure preuve sur laquelle le chercheur pourrait s'appuyer pour prendre une décision éclairée (Stillwell, Fineout-Overholt, Melnyk et Williamson, 2010).

23.2.2 La recherche des sources de données probantes

Cette étape comporte une démarche de conversion de la question clinique en une recension des écrits qui renvoie aux mots clés sur lesquels s'appuie la recherche documentaire. Les termes indexés incluent ceux utilisés dans les bases de données électroniques. Il est important de cerner tous les synonymes liés à la question et de les combiner à des opérateurs logiques (*voir le chapitre 5*). En se basant sur la formulation de la question posée selon la formule PICO, il sera plus facile de concevoir une stratégie de recherche documentaire permettant d'interroger les bases de données électroniques contenant des publications en santé (p. ex. CINHAL, MEDLINE/PubMed et Embase ou les bases de données de la Cochrane Library). Ces bases de données sont des sources utiles pour chercher des études pertinentes. On trouve également des sources secondaires dont l'évaluation des résultats a déjà été faite. Ces sources sont les revues systématiques, les métaanalyses, les métasynthèses, les revues systématiques de méthodes mixtes. On trouve ces synthèses dans divers sites d'organismes EBM (p. ex. National Guidance Clearinghouse, Cochrane Nursing Care Field, National Institute for Health and Care Excellence).

De plus, certains modèles ont été mis de l'avant afin de faciliter le processus de prise de décision par les professionnels de la santé. Par exemple, le modèle conceptuel du Johanna Briggs Institute (JBI) sur les soins de santé fondés sur des données

Formule PICO
Processus par lequel des questions cliniques sont formulées de manière à orienter la recherche d'information vers les sources les plus appropriées : P = population ; I = intervention ; C = comparaison ; O = résultat (*outcomes*).

probantes est axé sur le processus de prise de décision clinique (Pearson, Wiechula, Court et Lockwood, 2005). Le modèle s'opérationnalise par une démarche comportant quatre composantes ou étapes par lesquelles sont mis en évidence les obstacles potentiels de transfert des connaissances vers la pratique. Les composantes sont la production de données probantes en soins de santé, la synthèse de ces données, leur transfert et leur utilisation dans la pratique. Le modèle JBI est représenté par une démarche cyclique qui découle des questions que se posent les professionnels de la santé ou les patients, incluant les préoccupations en matière de santé globale. Le tableau 23.2 présente quelques exemples de ressources pour la pratique fondée sur des données probantes.

TABLEAU 23.2	Les ressources pour la pratique fondée sur des données probantes
Ressource	**Description**
Association des infirmières et infirmiers autorisés de l'Ontario (RNAO) rnao.ca	Fournit une trousse pour la mise en œuvre des lignes directrices pour les pratiques exemplaires. Cette association regroupe les infirmières et les infirmiers de l'Ontario.
National Guideline Clearinghouse (NGC) www.guidelines.gov	Fournit plusieurs guides développés pour la pratique clinique. Il s'agit d'une agence pour la recherche et la qualité des soins de santé.
National Institute for Health and Care Excellence (NICE) www.nice.org.uk	Donne accès à des guides pour la pratique fondée sur des données probantes. Cette organisation du Royaume-Uni a développé des guides de pratique pour les données probantes.
Joanna Briggs Institute (JBI) joannabriggslibrary.org	Publie des revues systématiques sur les soins de santé, des recommandations pour la pratique, de l'information sur les pratiques exemplaires. Le JBI est un centre de développement des ressources sur les soins infirmiers fondés sur des données probantes.
Cochrane Library www.cochranelibrary.com	Fournit des données probantes aux personnes qui prodiguent des soins et à ceux qui les reçoivent ainsi qu'aux responsables de la recherche, de l'enseignement et de l'administration. La bibliothèque en ligne du Centre de collaboration Cochrane est constituée de plusieurs bases de données : revues systématiques, revues d'essais cliniques.
Cochrane Nursing Care Field (CNCF) cncf.cochrane.org	Appuie la conduite, la dissémination et l'utilisation de revues systématiques en sciences infirmières. La collaboration Cochrane inclut 12 domaines, dont celui des soins infirmiers.
Trip Database www.tripdatabase.com	Permet de trouver des réponses à des questions cliniques basées sur les meilleures preuves disponibles.

La revue systématique

Revue systématique

Sommaire des preuves sur un sujet précis effectué par des experts qui utilisent un processus rigoureux et méthodique pour évaluer et synthétiser les études ayant examiné une même question et pour tirer des conclusions.

Une **revue systématique** est une synthèse des écrits de recherche (publiés et non publiés) recensés de façon méthodique, standardisée et objective afin de répondre à une question précise selon des étapes prédéterminées (Craig et Smyth, 2012 ; Melnyk et Fineout-Overholt, 2015). Elle comporte l'identification, la sélection, l'évaluation et la synthèse de tous les écrits de recherche de grande qualité susceptible de répondre à une question qui concerne, par exemple, les soins de santé (Bettany-Saltikov, 2010a). Des conclusions sont tirées à partir des données recueillies au cours de ce processus afin de guider la prise de décision clinique. La synthèse des résultats peut être axée sur un problème clinique particulier ou sur une intervention précise. Une revue systématique est l'une de nombreuses approches utilisées pour résumer des résultats de recherche disponibles sur un sujet particulier. Certaines revues systématiques incorporent des méthodes quantitatives pour résumer statistiquement des résultats à partir de plusieurs études. On donne le nom de métaanalyse à ces revues. Les revues systématiques et les métaanalyses jouent un rôle prédominant au sein des écrits sur la pratique fondée sur des preuves.

Il existe des outils permettant de guider le chercheur dans la conduite et l'évaluation critique des revues systématiques et des métaanalyses. Par exemple, Rew (2011) décrit une démarche en 13 étapes servant à guider la conduite d'une revue systématique. Comme le montre le tableau 23.3, le processus commence par une question précise et se termine par la publication et l'application des résultats dans la pratique, comme dans toute démarche de recherche. Dans ses modules d'apprentissage, le Centre de collaboration nationale des méthodes et outils (CCNMO) (2012) a proposé une démarche en six étapes pour guider l'évaluation des revues systématiques. Les étapes comportent la formulation de la question, la recension des écrits, l'établissement de la pertinence et de la validité, l'extraction des données, la rédaction du rapport et la diffusion des résultats. D'autres auteurs ont mis l'accent sur la formulation de la question, la détermination des objectifs et des critères d'inclusion et d'exclusion ainsi que sur la stratégie de recherche et l'évaluation critique (Bettany-Saltikov, 2010a, 2010b). On trouve dans la Cochrane Library (2011) une démarche rigoureuse en quatre étapes de revue critique des écrits scientifiques : 1) la recherche de toutes les études (publiées ou non) qui répondent à la même question clinique ; 2) l'évaluation de la qualité méthodologique des études ; 3) la synthèse des résultats obtenus à partir des études sélectionnées ; et 4) la réalisation d'une analyse statistique globale (métaanalyse) portant sur les résultats quantifiés des différentes études.

TABLEAU 23.3	Les étapes d'une revue systématique
Étape	**Description**
1	Cerner une question de recherche précise
2	Formuler le but de la revue systématique et les objectifs
3	Préciser les critères d'inclusion et d'exclusion des écrits
4	Trouver les termes de recherche à utiliser
5	Localiser les bases de données appropriées pour la recherche
6	Effectuer la recherche électronique
7	Réviser les résultats de recherche et s'assurer qu'ils coïncident avec les critères d'inclusion et d'exclusion
8	Extraire les données de chaque article inclus
9	Déterminer la qualité des études recensées
10	Résumer les résultats dans un tableau
11	Interpréter la signification de chaque preuve extraite
12	Reconnaitre les limites et les bases inhérentes au processus
13	Publier les résultats et les appliquer dans la pratique

D'autres guides plus complexes ont aussi été mis sur pied tel que l'énoncé PRISMA (Liberati et collab., 2009)[1]. Cet énoncé sur la conduite de revues systématiques et de métaanalyses comporte une liste de 27 lignes directrices ou étapes destinées à apprécier de façon critique les étapes de réalisation de ces études.

....
1. On peut y accéder en ligne à prisma-statement.org.

La métaanalyse

Une **métaanalyse** regroupe les résultats d'études semblables publiées sur un même sujet dans le but d'utiliser des méthodes statistiques pour résumer et combiner les résultats d'études indépendantes. Elle a pour but de générer des lignes directrices. Celles-ci sont des énoncés servant à aider les professionnels de la santé et les patients à prendre des décisions concernant les soins de santé appropriés à des situations cliniques particulières. Considérant que la métaanalyse crée une étude plus étendue en combinant les échantillons de chaque étude incluse dans la recension, le résultat statistique produit une estimation plus précise sur les effets de soins de santé que les résultats provenant d'études individuelles (Ciliska, Cullum et Marks, 2001 ; Liberati et collab., 2009). Les revues systématiques et les métaanalyses sont en soi des études complètes rigoureuses qui produisent les niveaux de données probantes les plus élevées sur lesquelles le chercheur peut s'appuyer pour prendre des décisions cliniques.

La métaanalyse a pour but de déterminer si une intervention a un effet positif sur la santé des patients, un effet minimal, aucun effet ou si elle produit une augmentation des risques d'effets négatifs. Le résultat final informe le chercheur sur les avantages et les inconvénients de l'intervention ; il peut accepter ou rejeter les résultats avec plus de confiance que s'il s'agissait des résultats d'une seule étude. Un des avantages de la métaanalyse est de pouvoir détecter les faibles effets potentiels que les études indépendantes ne pourraient déceler. La démarche proposée pour la conduite d'une revue systématique s'applique également pour la métaanalyse.

La métasynthèse d'études qualitatives

Une **métasynthèse** est un processus rigoureux d'analyse et de synthèse des résultats d'études qualitatives qui permet aux chercheurs de trouver des significations plus élaborées à partir de l'interprétation des données d'études qualitatives. L'accent porte sur l'interprétation plutôt que sur la combinaison d'études, comme c'est le cas dans la synthèse des recherches quantitatives. La métasynthèse implique l'analyse des résultats de différentes études pour en extraire les caractéristiques essentielles et les conjuguer pour faire ressortir un tout transformé (Sandelowski et Barroso, 2007). La synthèse de la recherche qualitative a émergé en réponse à la sous-utilisation des résultats provenant de nombreuses études. Le besoin de synthétiser les résultats de recherche découle de la volonté de reconnaitre la place de la recherche qualitative comme source de preuve valable dans le processus de la pratique fondée sur des données probantes (Sandelowski et Barroso, 2007).

Une métasynthèse est en soi une étude complète rigoureuse qui consiste à examiner et à interpréter les résultats d'études qualitatives en vue d'en faire une analyse compréhensive du point de vue étudié. Sa conduite est soumise à la même rigueur que pour les autres synthèses. Certains textes fournissent des lignes directrices conceptuelles et pratiques pour la synthèse de la recherche qualitative. Par exemple, Sandelowski et Barroso (2007) proposent les étapes suivantes : la précision de la question de recherche, la collecte des données qualitatives pertinentes, l'appréciation critique des études et une discussion des résultats de la métasynthèse.

C'est à partir d'un problème bien défini que s'amorce une métasynthèse. Au problème s'ajoutent des stratégies pour la collecte des données, les critères d'inclusion et d'exclusion et la synthèse des résultats. À la différence de la revue systématique, qui tente de fournir une réponse à une question précise, la métasynthèse cherche à extraire toutes les données qualitatives pertinentes incluant une variété d'approches méthodologiques dans le but de produire une synthèse des nouvelles connaissances par l'interprétation et la redéfinition des concepts et des théories (Norman et Griffiths, 2014).

23.2.3 L'appréciation critique

Cette étape de la démarche consiste à évaluer de façon systématique la validité, la pertinence et l'applicabilité des résultats des différents articles sélectionnés et d'extraire les données probantes ou les preuves pouvant servir à la prise de décision clinique. Afin de faciliter l'appréciation critique des écrits, différentes grilles d'évaluation sont publiées dans des articles. Elles décrivent la manière de vérifier la validité d'une étude, de cerner les résultats et de décider de l'applicabilité ou non des conclusions en regard de la question posée (Delevenne et Pasleau, 2000).

Le processus d'appréciation critique des revues systématiques peut s'effectuer en tentant de répondre à trois questions se rapportant 1) à la validité, 2) à la fidélité et 3) à l'applicabilité (Mathúna, 2010 ; Melnyk et Fineout-Overholt, 2015).

1) La recherche est-elle valable, bien fondée et applicable dans la pratique ?
   Pour être considérés comme valides et exacts, les résultats doivent provenir d'études ayant été menées selon une méthodologie rigoureuse et absente de biais, et les participants à l'étude doivent avoir été assignés de façon aléatoire dans les groupes expérimental et témoin.

2) À quels résultats le chercheur doit-il s'attendre s'il met en œuvre ceux de cette recherche ?
   Cette question est pertinente pourvu que la réponse obtenue à la première question soit affirmative. Les résultats sont souvent présentés selon l'ampleur de l'effet attendu et des bénéfices pour la santé du patient.

3) La population cible pourra-t-elle bénéficier des résultats ?
   En d'autres termes, on veut s'assurer que les résultats sont applicables à tous égards aux patients pour lesquels le chercheur clinicien a entrepris une démarche de solution.

23.2.4 L'intégration et l'application

Cette quatrième étape consiste en l'intégration des preuves issues de l'appréciation critique des études sélectionnées. Ces données d'études sont applicables dans la pratique à un patient en particulier dans la mesure où elles sont semblables aux données recueillies pour celui-ci. Une fois les conclusions transmises dans la pratique, il convient d'évaluer les bénéfices et les risques potentiels de l'intervention dans chaque cas particulier. La pratique fondée sur des données probantes est une approche qui ne se limite pas aux données démontrées scientifiquement, puisqu'elle incorpore les ressources disponibles dans le milieu et l'expérience clinique du professionnel ; ces deux éléments détermineront la mise en application ou non des résultats dans la pratique clinique courante. De plus, même si la preuve issue des écrits et l'appréciation critique qui en a été faite appuient la décision du chercheur d'appliquer le changement ou l'intervention, une discussion avec le patient peut se solder par une hésitation ou une crainte de celui-ci quant aux risques potentiels (Melnyk et Fineout-Overholt, 2015).

22.2.5 L'évaluation

La dernière étape de la démarche consiste à évaluer l'efficacité de la mise en application des résultats de soins auprès des patients concernés. Cette évaluation est essentielle afin de déterminer si la mise en œuvre des changements dans la pratique clinique procure les résultats bénéfiques escomptés (p. ex. une amélioration dans la qualité des soins offerts, une durée moindre d'hospitalisation, un taux réduit de réadmission, peu ou pas de complications). Si le changement appliqué n'a pas produit chez le patient les mêmes résultats que ceux démontrés dans les écrits, le chercheur se posera des questions : les caractéristiques des patients étaient-elles vraiment similaires ou l'intervention a-t-elle été menée de la même façon que celle décrite dans les études ?

23.3 Les obstacles et les atouts à l'utilisation des résultats de recherche

L'écart entre la production de savoirs scientifiques et leur utilisation dans l'exercice clinique courant a donné lieu à de nombreux écrits qui reconnaissent la présence de facteurs contraignants et facilitants quant à leur utilisation dans la pratique.

23.3.1 Les facteurs contraignants

Les infirmières sont appelées au quotidien à prendre des décisions cliniques susceptibles d'avoir une influence sur les patients et leur famille. Il convient de s'interroger sur les raisons qui caractérisent une utilisation encore faible de données probantes dans le domaine des soins infirmiers (Tagney et Haines, 2009). Une étude menée auprès d'infirmières canadiennes conclut que les connaissances acquises par celles-ci proviennent plus de l'expérience personnelle et des échanges entre elles et le patient que des recherches scientifiques (Estabrooks, Chong, Brigidear et Profetto-McGrath, 2005). Diverses tentatives mises de l'avant ont conduit à cerner certaines barrières parmi lesquelles on note le peu de recherches solides concernant l'efficacité d'interventions infirmières. Entre les années 2000 et 2006, Mantzoukas (2009) a recensé des études publiées et basées sur des preuves parmi 10 périodiques influents en sciences infirmières. Les résultats de sa recension ont montré que, durant cette période, 7 % des études rapportées étaient expérimentales, 6 %, quasi expérimentales et 39 %, non expérimentales. Il en est de même des revues systématiques et des métaanalyses qui demeurent limitées dans le domaine des soins infirmiers. Toutefois, le nombre d'études expérimentales randomisées contrôlées ainsi que la quantité d'études quasi expérimentales visant à déterminer l'efficacité d'interventions infirmières tendent à progresser (Grove, Burns et Gray, 2013).

D'autres types de barrières ont été soulevées dans les écrits, entre autres le manque de connaissances et d'habiletés, l'incertitude quant à savoir si les données probantes donneront de meilleurs résultats que les soins traditionnels, les contraintes organisationnelles (p. ex. le manque de soutien administratif des professionnels, la surcharge de travail), la résistance au changement, les lacunes dans les programmes de formation au baccalauréat et à la maitrise quant à l'enseignement de la pratique fondée sur des données probantes et l'évaluation critique (Gagnon et collab., 2009 ; Hannes et collab., 2007 ; McGinty et Anderson, 2008 ; Melnyk, Fineout-Overholt, Gallagher-Ford et Kaplan, 2012).

23.3.2 Les facteurs facilitants

Parmi les facteurs qui facilitent les conditions d'application des résultats de recherche dans la pratique, on note l'appui et l'encouragement dans l'organisation des soins, le temps alloué aux intervenants pour évaluer les études et implanter des changements, des outils adéquats pour faciliter la recherche de meilleurs résultats (p. ex. les programmes assistés par ordinateur sur le sujet [Hart et collab., 2008]), les clubs de lecture, les politiques et les procédures d'aide à la pratique fondée sur des données probantes (Oman, Duran et Fink, 2008). Par ailleurs, plusieurs stratégies ont été mises de l'avant pour promouvoir l'application des connaissances dans les milieux de pratique, et certains modèles ont été élaborés à cet effet, comme le décrit la section suivante.

23.4 Les modèles de pratique fondée sur des données probantes

Des modèles d'application des connaissances dans les soins de santé sont couramment utilisés dans la pratique. Mentionnons le modèle du cycle des connaissances (Graham et collab., 2006 ; Instituts de recherche en santé du Canada [IRSC], 2014), le modèle de Stetler (2001), ainsi que le modèle de l'Iowa (Titler et collab., 2001).

23.4.1 Le modèle du cycle des connaissances

Le **modèle du cycle des connaissances à la pratique** est un guide d'introduction sur l'application des connaissances dans les soins de santé. Intitulé *The knowledge-to-action process framework,* ce guide a été conçu par Straus, Tetroe et Graham (2009) dans le but de faciliter la mise en œuvre des activités d'application des connaissances à la pratique. Ce modèle, ou cadre d'action, prend appui sur le cycle des connaissances conceptualisé par Graham et ses collaborateurs (2006) et regroupe un ensemble d'activités interreliées. En 2015, les IRSC ont rassemblé et mis à jour, dans leur site Internet, une série de modules d'apprentissage sur PowerPoint à partir du guide d'introduction sur l'application des connaissances[2].

Modèle du cycle des connaissances à la pratique Guide facilitant la mise en œuvre des activités entourant l'application des connaissances à la pratique.

Le modèle du cycle des connaissances à la pratique comporte deux composantes : la création des connaissances et le cycle d'action. Comme l'illustre la figure 23.2, à la page suivante, le cycle d'action est symbolisé par un entonnoir menant progressivement de la création des connaissances au cycle de mise en pratique. L'entonnoir des connaissances se situe au centre du cycle de mise en pratique et représente un processus dynamique et itératif par lequel les connaissances sont conçues, synthétisées et adaptées au besoin de la pratique. L'entonnoir des connaissances comporte trois niveaux différents : la création des connaissances issues de la recherche et d'autres données probantes, la synthèse des connaissances et les outils ou produits engendrés par les connaissances. L'expression « adapter les connaissances » apparait à gauche de l'entonnoir ; des flèches gravitent autour de l'entonnoir pour illustrer que les phases de création des connaissances peuvent influer sur les phases de mise en pratique à plusieurs points le long du cercle.

....
2. Ces modules sont accessibles à www.cihr-irsc.gc.ca/f/40618.html.

FIGURE 23.2 | Le processus des connaissances à la pratique

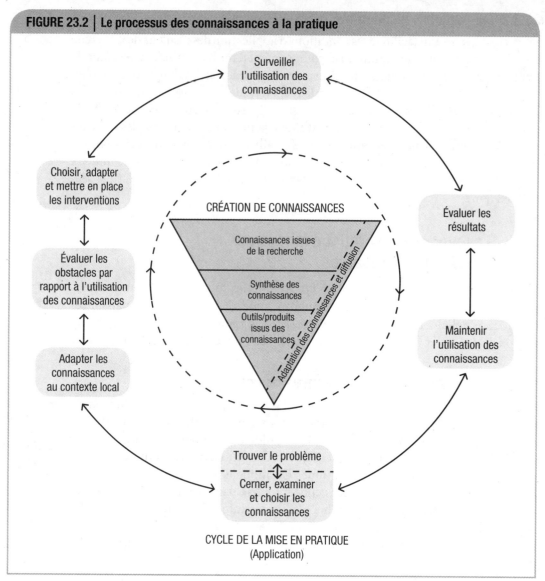

Source : Graham et collab. (2006, p. 19) ; IRSC (2014).

Le cycle de la mise en pratique entourant l'entonnoir regroupe sept phases d'activités qui soutiennent le processus de transfert des connaissances vers les utilisateurs ; elles sont reliées par des flèches bidirectionnelles. Ce modèle reconnait le caractère non linéaire du processus d'application des connaissances. Les auteurs soutiennent que chaque phase de la mise en pratique peut être influencée par les précédentes, ainsi que par la rétroaction obtenue entre les phases. Les phases sont les suivantes :

1. Déterminer les lacunes dans la transition des connaissances à la pratique ;
2. Adapter les connaissances au contexte actuel (cibler les acteurs et les ressources nécessaires) ;
3. Évaluer les facteurs facilitants et les obstacles à l'utilisation des connaissances dans la pratique ;
4. Choisir, adapter et mettre en place les interventions ;

5. Surveiller l'application des connaissances ;

6. Évaluer les résultats (déterminer si les interventions ont permis d'atteindre l'objectif fixé) ;

7. Maintenir l'utilisation des connaissances à long terme (s'assurer de la pérennité du projet).

L'Association des infirmières et infirmiers autorisés de l'Ontario (RNAO) (2012) s'est inspirée du modèle du cycle des connaissances pour la mise en pratique révisé par Straus, Tetroe et Graham (2009) en adaptant les phases de ce modèle pour développer et soutenir les pratiques exemplaires. Il en est résulté un document volumineux intitulé *Trousse : Mise en œuvre des lignes directrices sur les pratiques exemplaires*. Composé de six chapitres représentant sept phases accompagnées d'exemples, le texte constitue une ressource clinique importante à consulter. Le cycle d'action sur lequel s'appuient les chapitres de la *Trousse* suit le processus par lequel les connaissances créées sont mises de l'avant, évaluées et maintenues dans la pratique[3].

23.4.2 Le modèle de Stetler

Le **modèle de Stetler** d'utilisation de la recherche pour faciliter une pratique fondée sur des données probantes (Stetler, 2001) est sans aucun doute l'un des modèles le plus cité dans le domaine de l'utilisation des travaux de recherche en sciences infirmières. Élaboré par Stetler et Marram (1976) et raffiné par Stetler (1994, 2001), ce modèle vise à favoriser la réflexion critique des infirmières sur l'application à la pratique des connaissances issues de la recherche. Il propose un cadre opérationnel global permettant une application des données probantes dans le contexte des soins infirmiers. Son but est de guider l'infirmière, de lui permettre d'évaluer dans quelle mesure les résultats des recherches publiées peuvent être utilisés dans la pratique. Selon ce modèle, les établissements ainsi que les cliniciens et les gestionnaires peuvent et devraient s'engager activement dans le processus d'utilisation des travaux de recherche pour promouvoir une pratique infirmière fondée sur des données probantes.

> **Modèle de Stetler**
> Cadre compréhensible visant à promouvoir chez les infirmières l'utilisation de résultats de recherche en vue de faciliter la pratique fondée sur des données probantes.

Le modèle se définit selon cinq phases séquentielles qui exposent des moyens de mettre en œuvre l'utilisation de la recherche pour promouvoir la pratique fondée sur des données probantes (*voir la figure 23.3, à la page suivante*).

1. La phase de préparation

Elle permet de déterminer le but, l'axe et les résultats potentiels d'un projet de changement fondé sur des données probantes dans un milieu clinique. Au cours de la phase de préparation, l'infirmière clarifie la raison d'être et la finalité du projet. Cette phase sert en effet à préciser le but de l'utilisateur qui désire entreprendre une démarche de recherche à partir d'idées novatrices ainsi qu'à expliciter le motif du changement qu'il veut apporter. Pour ce faire, l'infirmière cherche, trie et sélectionne des sources de données probantes. Elle tient compte des facteurs externes, qui peuvent influencer la mise en application du projet, et des facteurs internes, qui risquent d'en réduire l'objectivité. Enfin, elle énonce les priorités et indique la signification clinique de la résolution du problème perçu.

....
3. La *Trousse* est accessible en ligne à rnao.ca/sites/rnao-ca/files/Toolkit_2ed_French_with_App.E.pdf.

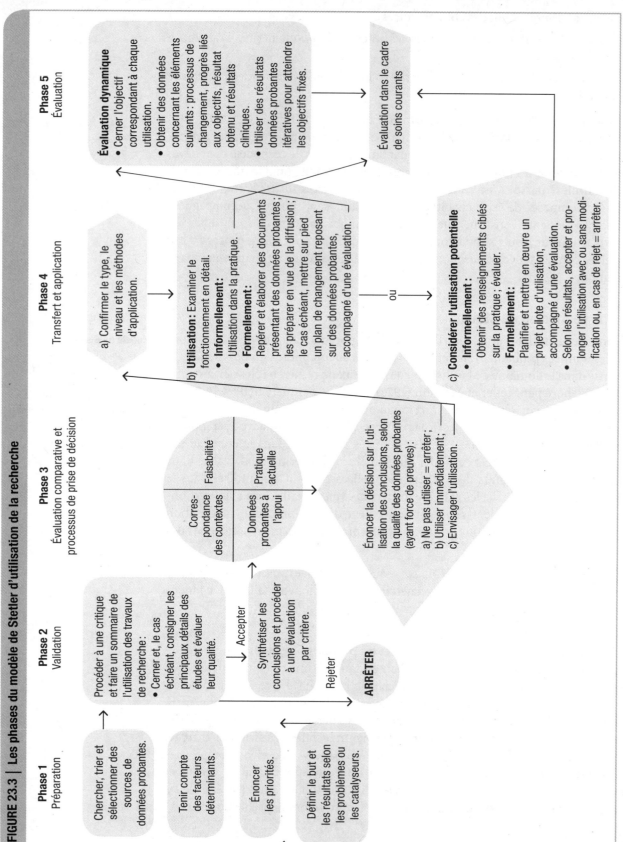

Source : Stetler (2001, p. 276. Traduction libre).

2. La phase de validation

Elle comporte une évaluation critique axée sur l'utilisation de chaque source de données probantes. Cette deuxième phase consiste à évaluer les forces et les faiblesses des études et à déterminer si les limites en invalident les résultats et les conclusions. Il s'agit ainsi de vérifier si chaque source s'avère suffisamment crédible pour être utilisée dans la pratique. Si les sources sont rejetées, le processus s'arrête.

3. La phase d'évaluation comparative ou de processus de prise de décision

Elle comporte quatre parties : la confirmation des preuves, la correspondance avec les milieux cliniques, la faisabilité d'utilisation des données probantes et les préoccupations concernant les pratiques courantes. La confirmation des preuves s'établit sur la base des résultats crédibles obtenus de plusieurs études dans les mêmes milieux de pratique. Les études randomisées et la métaanalyse fournissent des preuves les plus solides de leur efficacité. La correspondance avec les milieux cliniques se détermine à partir des caractéristiques de ces milieux quant à la possibilité ou non d'introduire le changement envisagé. La faisabilité se fonde sur les bénéfices et les risques potentiels d'utilisation des résultats de recherche dans les milieux concernés. Une fois l'évaluation comparative terminée, il est souhaitable au cours de cette phase de bien appliquer les trois types de décisions possibles d'après la force des données probantes, c'est-à-dire utiliser les résultats de recherche, envisager de les utiliser ou non, retarder ou rejeter leur utilisation.

4. La phase de transfert et l'application

Elle vise à préciser les connaissances qui seront utilisées dans la pratique et la manière dont celles-ci seront appliquées pour la mise en œuvre du plan de transfert. La façon d'appliquer les résultats peut servir à améliorer la compréhension de l'infirmière par l'analyse d'une situation ou par la résolution de problèmes cliniques. Elle peut aussi signifier que l'utilisation des meilleures preuves appuie le besoin de changement dans les interventions infirmières ou dans l'organisation. Il s'agit donc, au cours de cette phase, de planifier l'implantation du changement dans la pratique.

5. La phase d'évaluation

Elle permet d'évaluer les effets du changement sur le milieu clinique, le personnel et les personnes soumises à la nouvelle intervention. Le processus d'évaluation peut inclure des activités formelles ou informelles d'évaluation des innovations.

23.4.3 Le modèle de l'Iowa

Le **modèle de l'Iowa** pour une pratique fondée sur des données probantes (Titler et collab., 2001) consiste en un projet structuré d'utilisation des travaux de recherche et de pratique fondée sur des données probantes en vue de promouvoir des soins de qualité. Les infirmières sont souvent interpelées pour mener des recherches, synthétiser des résultats concluants ou élaborer des guides permettant d'appliquer ces résultats à la pratique. Le modèle de l'Iowa fournit des orientations qui mettent en place une pratique fondée sur des données probantes. Le modèle a été conçu initialement par Titler et ses collaborateurs en 1994, puis révisé en 2001. Comme le montre la figure 23.4, à la page suivante, le modèle débute en déterminant des déclencheurs qui visent à explorer le besoin de changements possibles en matière de pratique. Les déclencheurs de départ peuvent être axés sur un problème issu de la pratique clinique ou organisationnelle. Ils peuvent aussi être axés sur le savoir

Modèle de l'Iowa
Modèle visant à promouvoir la pratique fondée sur des données probantes et des soins de qualité dans les milieux cliniques.

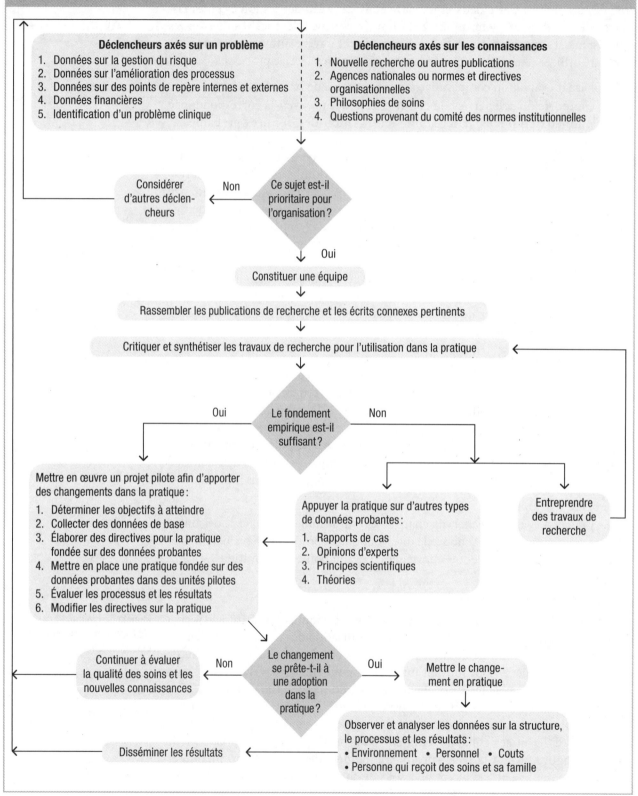

Source : Titler et collab. (2001, p. 462. Traduction libre).

qui émerge de la connaissance d'innovations (p. ex. de nouvelles études, des changements dans les directives organisationnelles ou dans la philosophie des soins).

Le modèle comporte plusieurs étapes, selon l'axe privilégié (accent mis sur le problème ou sur le savoir). Trois étapes, représentées par les losanges dans la figure 23.4, se ramifient en points de décision.

1. Ce sujet est-il prioritaire pour l'organisation ?

Il faut d'abord déterminer l'importance du problème avant de considérer les possibilités de changements dans le milieu de pratique ; si le problème clinique se révèle prioritaire, une équipe est constituée pour mettre en place le projet et l'évaluer.

2. Le fondement empirique est-il suffisant ?

Il s'agit ici d'apprécier l'apport des bases de recherche pour guider la pratique ; si les critères d'appréciation sont satisfaits, l'innovation peut être implantée dans le milieu de pratique avec ou sans modification ; sinon, l'équipe peut mener sa propre recherche et combiner les résultats avec d'autres sources de données.

3. Le changement se prête-t-il à une adoption dans la pratique ?

Il faut maintenant juger de la pertinence d'adopter le changement dans la pratique ; si le changement proposé est faisable et porteur de résultats évidents, il est adopté et intégré dans la pratique auprès de populations concernées ou d'organisations.

Dans certaines situations, les données probantes sont inappropriées pour amorcer un changement dans la pratique, et des études additionnelles s'imposent afin de solidifier les connaissances de base. Les données probantes peuvent être combinées à d'autres sources de connaissances (p. ex. des théories, des principes scientifiques, des opinions d'experts, des rapports de cas) de manière à fournir des preuves plus évidentes. Les preuves les plus solides proviennent des métaanalyses constituées de plusieurs études randomisées contrôlées, de revues systématiques qui incluent aussi les métaanalyses et d'autres études. Les guides de pratique ou lignes directrices peuvent être élaborés en s'inspirant des revues systématiques et vérifiés à l'aide d'études pilotes. Leurs effets sur les soins infirmiers devraient ensuite faire l'objet d'une évaluation (*voir la figure 23.4*). Si les retombées des études pilotes s'avèrent favorables, un changement de pratique est instauré ; il s'accompagne d'une évaluation continue afin d'évaluer les répercussions sur l'environnement, le personnel, les couts et sur la personne qui bénéficie des soins ainsi que sa famille (Titler et collab., 2001).

Pour conclure, il convient de souligner l'importance que revêt pour la profession infirmière l'intégration des données probantes de recherche à la prise de décision clinique, afin d'établir une pratique mieux informée et assurer ainsi un niveau de qualité optimal dans la dispensation des soins. Un collectif d'auteures soutient que « [...] pour développer une pratique fondée sur des résultats probants de recherche, l'infirmière doit bénéficier d'une formation continue incluant le processus de recherche, avoir la possibilité de s'engager dans un processus de recherche, pouvoir accéder aux résultats de la recherche et disposer de temps pour le faire » (Bélanger et collab., 2009, p. 24). Bien qu'elle soit essentielle à l'utilisation des connaissances, la formation seule n'est pas suffisante. Elle doit en outre être accompagnée de la mise en place d'un soutien par les leaders et par des activités de collaboration dans les milieux cliniques (Gagnon et collab., 2011). Ces personnes peuvent traduire, synthétiser, diffuser et intégrer les résultats de recherche dans l'actualisation des pratiques professionnelles.

Points saillants

23.1 Le concept de la pratique fondée sur des données probantes

- L'émergence de ce concept et son affirmation en soins de santé ont contribué à engendrer des retombées bénéfiques pour le patient, sa famille, les fournisseurs de soins et les milieux cliniques.

- Dans le domaine des soins de santé, les meilleures données probantes sont issues de la conduite et de la synthèse d'études de grande qualité.

- La pratique infirmière fondée sur des données probantes signifie que la prise de décision est continuellement informée par une utilisation critique des meilleurs résultats de recherche tout en considérant l'expertise de l'infirmière, les valeurs et préférences des patients et des familles et les ressources disponibles.

- Afin de déterminer les données probantes ou les preuves scientifiques, des hiérarchies comportant divers niveaux de preuve ont été introduites.

23.2 Les étapes de la pratique fondée sur des données probantes

- Pour mettre en œuvre une pratique fondée sur des données probantes, on a recours à une démarche en cinq étapes : 1) formuler une question claire ; 2) chercher dans les écrits les sources probantes ; 3) apprécier de façon critique la pertinence, la validité et l'applicabilité ; 4) intégrer l'expérience clinique et les besoins du patient aux résultats ; et 5) évaluer l'efficacité du changement dans la pratique.

- La question peut être formulée en utilisant la formule PICO : population, intervention, comparaison et résultats (*outcomes*).

- Les études quantitatives qui se classent au niveau de preuve le plus élevé sont des synthèses d'études, comme les revues systématiques et les métaanalyses.

- La synthèse de la recherche qualitative se fait à l'aide de la métasynthèse, qui combine des études qualitatives en vue d'en tirer des interprétations plus étayées.

23.3 Les obstacles et les atouts à l'utilisation des résultats de recherche

- Des obstacles à l'utilisation des résultats de recherche dans la pratique ont été discutés par plusieurs auteurs en sciences infirmières. On note entre autres le peu d'études solides sur l'efficacité des interventions, les contraintes organisationnelles, etc.

- Des études ont également rapporté des facteurs susceptibles de faciliter la mise en œuvre de résultats dans la pratique, comme l'appui du milieu, des programmes de formation, etc.

23.4 Les modèles de pratique fondée sur des données probantes

- Le modèle du cycle des connaissances à la pratique est un guide d'introduction sur l'application des connaissances dans les soins de santé. Les deux composantes du modèle sont la création des connaissances et le cycle d'action. Ce dernier comporte sept phases d'activités sur le processus de transfert des connaissances vers les utilisateurs.

- Le modèle de Stetler d'utilisation de la recherche pour faciliter une pratique fondée sur des données probantes a été conçu pour guider l'infirmière afin qu'elle puisse évaluer dans quelle mesure les résultats solides issus des études sur un sujet donné peuvent être intégrés à la pratique des soins.

- Selon le modèle de l'Iowa pour une pratique fondée sur des données probantes, le déclencheur est l'élément initial d'un projet structuré d'utilisation des travaux de recherche et de pratique fondée sur des données probantes en vue de promouvoir des soins de qualité.

Mots clés

Cycle des connaissances	Hiérarchie des preuves	Niveaux d'interprétation	Prise de décision clinique
Dissémination des connaissances	Métaanalyse	PICO : population, intervention, comparaison, résultats (*outcomes*)	Revue systématique
Données probantes	Métasynthèse		
Facteurs contraignants et facilitants	Modèle de l'Iowa	Pratique fondée sur des données probantes	
	Modèle de Stetler		

Liste des références

Les références citées dans la rubrique « Exemple » ou dans les citations peuvent ne pas figurer dans la liste des références.

Association des infirmières et des infirmiers autorisés de l'Ontario (RNAO) (2012). *Trousse : Mise en œuvre des lignes directrices sur les pratiques exemplaires* (2e éd.). Repéré à rnao.ca/sites/rnao-ca/files/Toolkit_2ed_French_with_App.E.pdf

Bélanger, L. et collab. (2009). De la recherche à la pratique : l'utilisation des résultats probants de recherche en pratique. *Perspective infirmière, 6*(3), 24-27.

Bettany-Saltikov, J. (2010a). Learning how to undertake a systematic review: Part 1. *Nursing Standard, 24*(50), 47-55.

Bettany-Saltikov, J. (2010b). Learning how to undertake a systematic review: Part 2. *Nursing Standard, 24*(51), 47-56.

Bolton, L.B., Donaldson, N.E., Rutledge, D.N., Bennett, C. et Brown, D.S. (2007). The impact of nursing interventions: Overview of effective interventions, outcomes, measures, and priorities for future research. *Medical Care Research and Review, 64*(suppl. 2), 123S-143S.

Brown, S.J. (2009). *Evidence-based nursing: The research practice connection.* Sudbury, MA : Jones & Bartlett.

Casimiro, L. et Brosseau, L. (2002). La collaboration Cochrane : un outil de travail et de recherche pour les spécialistes de la réadaptation. *Reflets, 8*(1), 151-155.

Centre de collaboration nationale des méthodes et outils (CCNMO) (2012). *Modèle de prise de décision en santé publique fondée sur des données probantes* [modules d'apprentissage]. Repéré à www.nccmt.ca/learningcentre/index.php?lang=fr#main3.html

Ciliska, D., Cullum, N. et Marks, S. (2001). Evaluation of systematic reviews of treatment or prevention interventions. *Evidence-based nursing, 4*(4), 100-104.

Cochrane Library (2011). Qu'est-ce qu'une revue systématique ? Dans *Séminaire : Introduction à la recherche bibliographique.* Repéré à www.cochrane.fr/images/PDF/livret_seminaire_cochrane_library_2011.pdf

Craig, J.V. et Smyth, R.L. (dir.) (2012). *The evidence-based practice manual for nurses* (3e éd.). Édimbourg, R.-U. : Churchill Levingston Elsevier.

Debout, C. (2012). La pratique infirmière fondée sur les preuves. *Soins, 57*(771), 14-18.

Delevenne, C. et Pasleau, F. (2000). Comment résoudre en pratique un problème diagnostique ou thérapeutique en suivant une démarche EBM ? *Revue médicale de Liège, 55*(4), 226-232.

Estabrooks, C.A. (1998). Will evidence-based nursing practice make practice perfect? *Canadian Journal of Nursing Research, 30,* 15-36.

Estabrooks, C.A., Chong, H., Brigidear, K. et Profetto-McGrath, J. (2005). Profiling Canadian nurses'preferred knowledge sources for clinical practice/Profil des sources de connaissance préférées par le personnel infirmier canadien dans le domaine de la pratique clinique. *The Canadian Journal of Nursing Research, 37*(2), 118-140.

Gagnon, J. et collab. (2009). Barrières et facteurs facilitant l'intégration de résultats probants aux soins infirmiers en contexte québécois : étude exploratoire-descriptive. *L'infirmière clinicienne, 6*(1), 19-28.

Gagnon, J. et collab. (2011). La pratique infirmière informée par des résultats de recherche : la formation de leaders dans les organisations de santé, une avenue prometteuse. *Recherche en soins infirmiers, 105,* 76-82.

Gerrish, K. et collab. (2011). Factors influencing the contribution of advanced practice nurses to promoting evidence-based practice among front-line nurses: Findings from a cross-sectional survey. *Journal of Advanced Nursing, 67*(5), 1079-1090.

Goulet, C., Lampron, L., Morin, D. et Héon, M. (2004). La pratique basée sur les résultats probants, partie 1 : origine, définitions, critiques, obstacles, avantages et impact. *Recherche en soins infirmiers, 76,* 12-18.

Graham, I.D. et collab. (2006). Lost in knowledge translation: Time for a map? *The Journal of Continuing Education in the Health Profession, 26*(1), 13-24.

Grove, S.K., Burns, N. et Gray, J.R. (2013). *The practice of nursing research: Appraisal, synthesis, and generation of evidence* (7e éd.). Saint-Louis, MO : Elsevier.

Hannes, K. et collab. (2007). Barriers to evidence-based nursing: A focus group study. *Journal of Advanced Nursing, 60*(2), 162-171.

Hart, P. et collab. (2008). Effectiveness of a computer-based educational program on nurses' knowledge, attitude, and skill level related to evidence-based practice. *Worldviews on Evidence-Based Nursing, 5*(2), 78-84.

Instituts de recherche en santé du Canada (IRSC) (2014). *Le processus des connaissances à la pratique.* Repéré à www.cihr-irsc.gc.ca/f/39033.html#Processus

Instituts de recherche en santé du Canada (IRSC) (2015). *L'application des connaissances dans les soins de santé : transition des données probantes à la pratique* [modules d'apprentissage]. Repéré à www.cihr-irsc.gc.ca/f/40618.html

Liberati, A. et collab. (2009). The PRISMA statement reviews and meta-analysis of studies that evaluate health care interventions: Explanation and elaboration. *Annals of Internal Medicine, 151*(4), w-65-W-94.

Mantzoukas, S. (2009). The research evidence published in high impact nursing journals between 2000 and 2006: A quantitative content analysis. *International Journal of Nursing Studies, 46*(4), 479-489.

Mathúna, D.P. (2010). Critical appraisal of systematic reviews. *International Journal of Nursing Practice, 16*(4), 414-418.

McGinty, J. et Anderson, G. (2008). Predictors of physician compliance with American Heart Association Guidelines for acute myocardial infarction. *Critical Care Nursing Quaterly, 31*(2), 161-172.

Melnyk, B.M. et Fineout-Overholt, E. (2015). *Evidence-based practice in nursing & healthcare: A guide to best practice* (3e éd.). Philadelphie, PA : Wolters Kluwer.

Melnyk, B.M., Fineout-Overholt, E., Gallagher-Ford, L. et Kaplan, L. (2012). The state of evidence-based practice in US nurses: Critical implications for nurse leaders and educators. *Journal of Nursing Administration, 42*(9), 410-417.

Norman, I. et Griffiths, P. (2014). The rise and rise of the systematic review. *International Journal of Nursing Studies, 51,* 1-3.

Oman, K.S., Duran, C. et Fink, R. (2008). Evidence-based policy and procedures: An algorithm for success. *Journal of Nursing Administration, 38*(1), 47-58.

Pearson, A., Wiechula, R., Court, A. et Lockwood, C. (2005). The JBI model of evidence-based healthcare. *International Journal of Evidence-based Healthcare, 8*(3), 207-215.

Rew, L. (2011). The systematic review of literature: Synthesizing evidence for practice. *Journal for Specialists in Pediatric Nursing, 16*(1), 64-69.

Sackett, D.L., Straus, S.E., Richardson, W.S., Rosenberg, W. et Haynes, B. (2000). *Evidence-based medicine: How to practice and teach EBM.* Londres, Angleterre : Churchill Livingstone.

Sandelowski, M. et Barroso, J. (2007). *Handbook of synthesising qualitative research.* New York, NY : Springer.

Spenceley, S.M., O'Leary, K.A., Chizawsky, L.L.K., Ross, A.J. et Estabrooks, C.A. (2008). Sources of information used by nurses to inform practice: An integrative review. *International Journal of Nursing Studies, 45*(6), 954-970.

Stetler, C.B. (1994). Refinement of the Stetler/Marram model for application of research findings into practice. *Nursing Outlook, 42,* 15-25.

Stetler, C.B. (2001). Updating the Stetler model of research utilization to facilitate evidence-based practice. *Nursing Outlook, 49*(6), 272-279.

Stetler, C.B. et collab. (1998). Utilization-focused integrative reviews in a nursing service. *Applied Nursing Research, 11,* 195-206.

Stetler, C.B. et Marram, G. (1976). Evaluating research findings for applicability in practice. *Nursing Outlook, 24,* 559-563.

Stillwell, S.B., Fineout-Overholt, E., Melnyk, B.M. et Williamson, K.M. (2010). Evidence-based practice. Searching for the evidence. *American Journal of Nursing, 110*(5), 41-47.

Straus, S., Tetroe, J. et Graham, I.A. (2009). *Knowledge translation in health care: Moving from evidence to practice.* Oxford, R.-U. : Wiley-Blackwell.

Tagney, J. et Haines, C. (2009). Using evidence-based practice to address gaps in nursing knowledge. *British Journal of Nursing, 18*(8), 484-489.

Titler, M.G. et collab. (1994). Infusing research into practice to promote quality care. *Nursing Research, 43*(5), 307-313.

Titler, M.G. et collab. (2001). The Iowa model of evidence-based practice to promote quality care. *Critical Care Nursing Clinics of North America, 13*(4), 497-509.

Corrigé des exercices de révision

Chapitre 1

Une introduction à la recherche : démarche et fondements

1. La recherche scientifique se différencie des autres méthodes d'acquisition de connaissances de deux façons principales : c'est la méthode la plus rigoureuse et la plus acceptable, puisqu'il s'agit d'une démarche rationnelle ; de plus, son orientation peut être modifiée en cours de route.

2.
   a) 3   c) 2   e) 5   g) 6
   b) 4   d) 1   f) 8   h) 7

3. La théorie s'inscrit dans la recherche en suggérant des questions à examiner ou en proposant des réponses à des questions. La recherche génère ou vérifie des théories dans la réalité. Ainsi, l'étroite connexion entre la recherche et la théorie est telle que l'élaboration de la théorie repose sur la recherche et que celle-ci, en retour, repose sur la théorie. La pratique est à la fois l'objet de la recherche et le lieu d'accomplissement des activités de terrain.

4.
   a) La découverte permet de générer des idées sur des phénomènes ou de comprendre un phénomène vécu selon le point de vue des personnes.
   b) La description consiste à déterminer la nature et les caractéristiques des phénomènes et parfois à reconnaitre certains types d'interrelations.
   c) L'explication consiste à rendre compte des relations entre des phénomènes et à déterminer pourquoi un fait donné se produit.
   d) La prédiction et le contrôle consistent à évaluer la probabilité qu'un résultat anticipé se produise dans une situation contrôlée.

Chapitre 2

Les paradigmes sous-jacents aux méthodes quantitatives et qualitatives

1. Les deux paradigmes ou courants de pensée qui jouent un rôle prédominant dans le développement des connaissances sont le postpositivisme et l'interprétatif.

   Ces deux paradigmes correspondent respectivement à la méthode d'investigation quantitative et à la méthode d'investigation qualitative.

2. Voici les principales caractéristiques qui distinguent le paradigme postpositiviste du paradigme interprétatif.

   - Le paradigme postpositiviste : la vérité est absolue, et elle consiste en une seule réalité ; les faits existent indépendamment des contextes ; l'étude des parties est plus importante que celle du tout ; ce paradigme est orienté vers les résultats et leur généralisation.

   - Le paradigme interprétatif : les faits et les principes s'inscrivent dans des contextes historiques et culturels ; il existe plusieurs réalités ; le processus est à la base de la démarche ; la découverte est un des buts essentiels de ce paradigme.

Chapitre 3

Les concepts clés et les étapes du processus de recherche

1. La définition de ces termes se trouve dans le glossaire : cadre de recherche, concept, construit, définition opérationnelle, phénomène, théorie, variable, variable dépendante, variable indépendante.

2. La phase conceptuelle comprend cinq étapes : 1) le choix du sujet de recherche et l'énoncé de la question préliminaire ; 2) la recension des écrits et la lecture critique ; 3) l'élaboration du cadre de recherche ; 4) la formulation du problème de recherche ; 5) l'énoncé du but, des questions de recherche et des hypothèses. Cette phase sert à documenter le sujet d'étude, à formuler le problème de recherche ainsi qu'à préciser le but, les questions de recherche ou les hypothèses.

3. Le processus de recherche qualitative se caractérise par une démarche plus souple où les activités se déroulent de façon itérative. Ses principales caractéristiques sont les suivantes : la recension des écrits se fait souvent avant, pendant et après la collecte des données ; la taille de l'échantillon n'est jamais fixée d'avance ; la collecte et l'analyse des données se font simultanément.

Chapitre 4

Le choix du sujet de recherche et l'énoncé de la question

1. Les principales sources de sujets d'étude sont les suivantes : l'expérience professionnelle, l'observation, les écrits sur la recherche, les enjeux sociaux, les théories existantes et les priorités des organismes de recherche ou des organismes professionnels.

2. Une question de recherche est un énoncé clair et non équivoque qui précise les concepts clés et la population cible et qui suggère une investigation empirique.

3. a) 8   b) 2   c) 3, 7   d) 4   e) 1, 5, 6

Chapitre 5

La recension des écrits : de la recherche documentaire à la lecture critique

1. Il est important de faire une recension des écrits avant de formuler un problème de recherche parce que la recension des écrits dans une recherche quantitative vise à répertorier ce qui a déjà été écrit sur un sujet donné, et elle permet ainsi d'apprécier le degré d'avancement des connaissances.

2. Les sources primaires se caractérisent par leur contenu original. Les sources secondaires sont des textes interprétés et écrits par d'autres personnes que l'auteur.

3. Le catalogue de bibliothèque contient la liste ordonnée de la collection des documents ainsi qu'une cote pour leur repérage.

4. Voici quelques index et répertoires analytiques d'articles : *Index Medicus* (IM), *Cumulative Index to Nursing and Allied Health Literature* (CINAHL) et *Educational Resources Information Center* (ERIC).

5. Les étapes à suivre dans la conduite de la recherche documentaire sont les suivantes : 1) cerner le sujet de recherche par une question précise ; 2) choisir la base de données et élaborer un plan de concepts ; 3) repérer les sources primaires appropriées ; 4) lire et évaluer la qualité et la pertinence des sources ; 5) apprécier les sources de façon critique ; 6) analyser et synthétiser l'information en vue de la rédaction d'une recension.

6. a) La recherche automatisée permet de trouver les sources plus rapidement, comparativement aux index imprimés.

7. L'article de recherche comporte les quatre grandes sections suivantes : 1) l'introduction expose le problème, détermine le cadre de recherche, le but et les questions ou hypothèses ; 2) la méthode détermine le devis, l'échantillon, le mode de collecte des données et la conduite de la recherche ; 3) les résultats résument les données d'analyses narratives ou statistiques issues de l'application des méthodes ; 4) la discussion interprète les résultats relatifs au problème, le cadre de recherche et les aspects de la méthode. Ces sections sont précédées du titre et du résumé tandis que les références terminent l'article. Le titre reflète le contenu et renvoie aux concepts ou aux phénomènes traités dans l'article. Le résumé indique les points saillants des quatre sections principales. Les références font état d'une liste exhaustive des sources citées.

8. La lecture critique permet d'approfondir les connaissances dans une discipline donnée et de juger de la valeur scientifique des études et des possibilités d'application des résultats dans la pratique.

Chapitre 6
Le cadre de recherche

1. Le cadre théorique est une brève explication des relations entre les concepts à l'aide d'une théorie particulière ou de portions de théories. Il sert de référence aux observations, aux définitions des variables, au devis de recherche, à l'interprétation des résultats et à leur généralisation.

2. Le cadre conceptuel est une brève explication d'un phénomène à l'aide de concepts tirés d'études déjà publiées ou de modèles conceptuels. Il sert à agencer les concepts et à situer le problème à l'intérieur d'un contexte qui lui donne une signification particulière.

3. c) L'idée générale provenant de la description de phénomènes correspond à la définition d'un concept.

4. a) L'ensemble de concepts multidimensionnels liés entre eux qui permettent d'expliquer globalement des phénomènes correspond à la définition d'une théorie.

Chapitre 7
La formulation du problème de recherche

1. Les cinq éléments suivants entrent dans la formulation d'un problème de recherche : 1) l'exposé du sujet d'étude ; 2) la présentation des données du problème ; 3) la justification du point de vue empirique ; 4) la justification du point de vue théorique ; 5) la solution de recherche proposée et la prévision des résultats.

2. Formuler un problème de recherche, c'est définir le sujet à l'étude au moyen d'une progression logique d'éléments, de relations, d'arguments et de faits.

Chapitre 8
L'énoncé du but de la recherche, des questions et des hypothèses

1. La question de recherche est un énoncé qui précise les variables et la population étudiée. L'hypothèse est un énoncé portant sur des relations prévues entre deux variables ou plus.

2. Le but de l'étude s'énonce de la façon suivante : décrire les relations entre la dépression, le désespoir, la douleur et la spiritualité chez des adultes atteints de cancer à un stade avancé.

3. Les principaux verbes d'action utilisés pour exprimer le but de l'étude dans une recherche quantitative sont les suivants : décrire, explorer, déterminer, vérifier et évaluer.

4. Les principaux verbes d'action utilisés pour exprimer le but de l'étude dans une recherche qualitative sont les suivants : explorer, décrire, analyser, comprendre.

5. a) 1 c) 2 e) 4
   b) 3 d) 5

Chapitre 9
Les enjeux en éthique de la recherche

1. Les trois principes directeurs énoncés par l'EPTC2 sont : le respect des personnes, la préoccupation pour le bienêtre et la justice.

2. a) 2 c) 5 e) 3
   b) 6 d) 1 f) 4

3. Le formulaire de consentement doit contenir les rubriques ou les éléments suivants : description du projet ; nature, durée et conditions de participation ; risques et inconvénients ; avantages et bénéfices ; compensation ; conservation et protection des données ; retour des résultats, droit de retrait et de participation volontaire ; indemnisation ; responsabilité de l'équipe de recherche ; personnes-ressources, énoncé de consentement, engagement du chercheur.

4. a) Il y a manquement aux principes éthiques suivants :
   - le respect du consentement libre et éclairé, car les étudiants ont été des sujets de recherche à leur insu ;
   - le respect de la justice et de l'équité, car il y a eu préjudice moral ;
   - le respect de la vie privée et de la confidentialité des renseignements personnels.

   b) Voici quelques exemples de suggestions : ne pas répondre à des questions personnelles sans connaitre le but de la démarche et les conditions qui prévalent ; exiger des explications par écrit.

5. Les principes éthiques suivants n'ont pas été respectés :

- le respect de la personne et du choix éclairé, car Sophie a été un sujet de recherche à son insu ;
- le respect de la justice et de l'équité, car elle n'a pas été informée de la nature de l'étude.

Chapitre 10

L'introduction au devis de recherche

1. Le chercheur doit s'appliquer à contrôler les variables étrangères pour empêcher que celles-ci influent sur les résultats de la recherche.

2. Voici quelques stratégies servant à contrôler les facteurs intrinsèques : la randomisation, l'homogénéité, l'appariement et l'analyse de la covariance.

3. Les types de validités recherchés dans les études expérimentales sont les suivants : la validité de conclusion statistique, la validité interne, la validité de construit et la validité externe.

Chapitre 11

Les devis de recherche qualitative

1. a) Faux c) Vrai e) Vrai
    b) Faux d) Faux f) Vrai

2. L'échantillonnage théorique est surtout utilisé pour choisir les participants à une étude de théorisation enracinée. Cela signifie que les participants ou les situations caractéristiques sont sélectionnés pour apporter toute l'information nécessaire à la compréhension d'un phénomène en particulier. L'échantillon doit être représentatif de chaque expérience ou situation à l'étude, et ce, sans souci de représentativité statistique.

3. 1) b   3) b   5) a
    2) a   4) c   6) c

Chapitre 12

Les devis de recherche quantitative

1. L'étude descriptive décrit un phénomène ou un concept relatif à une population en vue de dégager les caractéristiques de celle-ci.

L'enquête est une activité de recherche qui consiste à recueillir des données auprès d'une population ou d'une partie de celle-ci en vue d'examiner ses attitudes, ses opinions, ses croyances et ses comportements. Elle peut être transversale ou longitudinale.

L'étude de cas est une recherche approfondie portant sur une personne, une famille, un groupe ou une organisation.

L'étude descriptive corrélationnelle consiste à explorer et à décrire des relations entre des variables.

L'étude corrélationnelle prédictive vérifie la nature (force et direction) de la relation qui existe entre au moins deux variables.

2. a) Le devis à utiliser est l'étude de cohorte prospective, selon laquelle le chercheur suit une cohorte dans le temps.

   b) Le devis approprié est l'étude transversale, où le chercheur examine une cohorte à un moment donné au cours de l'enquête.

   c) Le devis pertinent est l'étude cas-témoins.

3. b) L'étude descriptive corrélationnelle sert à explorer et à décrire des relations entre des variables.

4. Les devis expérimentaux véritables possèdent les caractéristiques suivantes : la manipulation de la variable indépendante par le chercheur ; la répartition aléatoire des sujets dans les groupes ; l'utilisation d'un groupe de contrôle.

5. Les devis expérimentaux ont pour but de vérifier des relations de cause à effet entre une variable indépendante et des variables dépendantes.

6. L'expression graphique correspond au devis avant-après avec groupe témoin non équivalent.

7. b) Les participants ne sont pas répartis de façon aléatoire dans les groupes expérimental et témoin.

Chapitre 13

Les méthodes mixtes de recherche et les devis

1. Les méthodes mixtes de recherche consistent à combiner, dans une même étude, des éléments issus des recherches qualitatives et quantitatives, tout en donnant la priorité à l'une ou l'autre de ces méthodes. Elles servent à répondre à des questions plus complexes à l'aide d'un paradigme (interprétatif ou postpositiviste).

2. a) Le devis mixte qui utilise la stratégie de collecte séquentielle des données qualitatives avant les données quantitatives est le suivant : le devis séquentiel exploratoire (QUAL → quan). Ce devis vise la compréhension approfondie d'un phénomène et accorde la priorité aux données qualitatives.

   b) Le devis mixte qui utilise la stratégie de collecte concomitante des données quantitatives et qualitatives ayant une prépondérance égale est le devis triangulé (QUAN + QUAL ou QUAL + QUAN). Ce devis permet de comparer les données obtenues des deux méthodes, quantitative et qualitative, et de déterminer s'il s'en dégage des convergences, des différences ou autre. Théoriquement, la priorité peut être d'égale importance, mais l'une des approches est privilégiée.

3. Dans le cas du devis mixte séquentiel explicatif, la stratégie utilisée pour la collecte initiale (première phase) porte sur la collecte et l'analyse de données quantitatives (QUAN) et, pour la collecte secondaire (deuxième phase), sur la collecte et l'analyse de données qualitatives (qual). Il devient alors possible de clarifier la collecte des données quantitatives obtenues lors de la phase initiale. Ce devis accorde la priorité à la recherche quantitative.

Chapitre 14

L'échantillonnage

1. a) La population cible est constituée d'éléments qui satisfont à des critères de sélection préalablement définis et pour lesquels le chercheur désire faire des généralisations.

   b) La population accessible est la fraction de la population cible à laquelle le chercheur a accès.

   c) L'échantillon est l'ensemble des personnes issues d'une population cible et qui possèdent des caractéristiques communes.

   d) La représentativité est la qualité d'un échantillon qui est constitué de façon à correspondre à la population cible.

2. La principale caractéristique des échantillons probabilistes, par rapport aux échantillons non probabilistes, est que tous les éléments de la population ont une chance égale de faire partie de l'échantillon.

3. a) La population cible est formée de femmes blanches âgées de 45 à 75 ans.

b) La population accessible comprend des femmes qui se présentent dans un des trois CLSC et qui satisfont aux critères d'inclusion.

c) La taille de l'échantillon est de 60 femmes.

d) La technique d'échantillonnage utilisée est l'échantillonnage accidentel.

Chapitre 15

Les principes sous-jacents à la mesure des concepts

1. a) Le concept est une abstraction formée par la généralisation de situations particulières, d'énoncés, d'observations ou de comportements.

b) La mesure est un processus consistant à assigner des nombres à des objets ou à des évènements, selon des règles définies.

c) L'erreur de mesure est la différence entre la mesure réelle et celle qui est prise par un instrument.

d) L'échelle de mesure est un ensemble de niveaux se suivant progressivement et établissant une hiérarchie.

e) La définition conceptuelle provient de travaux théoriques et empiriques et sert de base à la mesure des concepts ou des construits.

f) L'indicateur empirique est un phénomène observable qui correspond à la mesure d'un concept (série d'énoncés sur une échelle de mesure).

2. Les nombres assignés aux objets, aux évènements ou aux personnes peuvent avoir une valeur numérique ou une valeur discrète.

3. La mesure discrète est un processus de classification qui consiste à assigner des nombres sans valeur numérique à des catégories pour rendre compte des variations du concept. Il s'agit d'une mesure qualitative.

La mesure continue est le processus consistant à attribuer une valeur numérique à des objets ou à des évènements en vue d'apprécier quantitativement une caractéristique.

4. Les trois éléments du score obtenu à l'aide d'un instrument de mesure sont les suivants: le score observé, le score vrai et l'erreur de mesure.

5. a) 2, 5, 10   c) 1, 7

b) 3, 9   d) 4, 6, 8

6. a) 2. L'échelle ordinale

b) 4. L'échelle de proportion

7. a) La fidélité renvoie à la précision et à la constance des différents résultats obtenus par un même instrument de mesure.

b) La validité est la capacité d'un instrument à mesurer ce qu'il est censé mesurer.

8. a) Cet énoncé correspond à la fidélité de stabilité (test-retest).

b) Cet énoncé se rapporte à la validité prédictive.

9. Pour être acceptable, le coefficient de fidélité devrait être d'environ 0,70 pour de nouvelles échelles et de 0,80 pour des échelles bien rodées.

Chapitre 16

Les méthodes de collecte des données

1. Les mesures physiologiques sont reconnues pour leur objectivité et leur précision.

2. La méthode d'observation est indiquée pour évaluer les communications non verbales.

3. L'échelle de mesure offre la possibilité d'additionner des scores.

4. L'échelle de Likert permet d'exprimer un point de vue sur un sujet.

5. a) 9   d) 3   g) 8   i) 6

b) 5   e) 1   h) 7   j) 4

c) 10   f) 2

Chapitre 17

La collecte et l'organisation des données

1. Un cahier de codes est un document écrit qui détermine les règles à suivre pour coder les variables. Il fournit le nom des variables, l'étendue de leurs valeurs et les ordonne dans un ensemble de données.

2. a) 6   c) 4   e) 3   g) 7

b) 1   d) 5   f) 2

Chapitre 18

L'analyse des données qualitatives

1. Dans la recherche qualitative, la saturation empirique des données se produit au stade de la collecte, lorsque le chercheur conclut que les renseignements supplémentaires n'apportent rien de nouveau à la compréhension du phénomène à l'étude ou qu'ils présentent une redondance.

2. Les données qualitatives sont exprimées sous forme narrative dans un texte.

3. Dans la recherche qualitative, le processus de codage des données consiste à dégager des mots, des thèmes ou des concepts récurrents.

4. Au cours de l'analyse des données qualitatives, la comparaison constante consiste à comparer de façon continue les nouvelles données aux données recueillies antérieurement, afin d'améliorer les catégories pertinentes sur le plan théorique. La théorisation enracinée utilise surtout cette méthode qui sert à établir des liens entre tous les faits accumulés en vue de construire une théorisation.

5. La phase préliminaire à l'analyse des données qualitative est l'organisation des données.

6. 1) b   2) d   3) a   4) c

Chapitre 19

L'analyse statistique descriptive

1. Les quatre niveaux de mesure qui déterminent le choix des types de statistiques descriptives à utiliser sont les échelles de mesure nominale, ordinale, d'intervalle et de proportion.

2. Les tableaux de fréquences et les graphiques servent à organiser un ensemble de données, à les traiter et à les présenter afin d'en faire ressortir les principales caractéristiques.

3. Les quatre techniques d'analyse statistique descriptive qui servent à décrire l'échantillon sont les distributions de fréquences, les mesures de tendance centrale, les mesures de dispersion et celles de position.

4. Les trois mesures de tendance centrale, à savoir le mode, la médiane et la moyenne, se définissent ainsi : le mode détermine la valeur la plus fréquente dans une distribution ; la médiane divise une distribution des fréquences en deux parties égales ; la moyenne correspond à la somme d'un ensemble de valeurs divisée par le nombre total de celles-ci.

5. L'étendue exprime la différence entre la valeur la plus élevée et la valeur la moins élevée d'une distribution ; la variance représente la valeur globale de dispersion des scores par rapport à la moyenne ; l'écart type correspond à la racine carrée de la variance (dans une distribution, il tient compte de la distance de chacun des scores comparativement à la moyenne du groupe) ; le coefficient de variation symbolise l'écart type en pourcentage de la moyenne.

6. La moyenne est la mesure de tendance centrale la plus appropriée pour décrire le rythme cardiaque des personnes d'un groupe, car les données sont continues.

7. c) L'écart type est une mesure de dispersion.

8.
   a) 1
   b) 5
   c) 3
   d) 4
   e) 8
   f) 9
   g) 14
   h) 13
   i) 2
   j) 6
   k) 12
   l) 10
   m) 7
   n) 11

9.
   a) La variable étudiée est le degré de satisfaction à l'égard de l'enseignement reçu.
   b) Le type de variable étudiée est la variable ordinale.
   c) L'échelle de mesure utilisée est l'échelle ordinale.
   d) Il y a quatre catégories.
   e) **La répartition des élèves selon leur degré de satisfaction**

Catégorie	Nombre d'élèves	Pourcentage d'élèves
0 Très insatisfait	5	22,7 %
1 Insatisfait	6	27,3 %
2 Satisfait	8	36,4 %
3 Très satisfait	3	13,6 %
Total	22	100,0 %

f) Le tableau de fréquences montre que les élèves sont partagés relativement à l'enseignement reçu : 50 % des élèves (22,7 % + 27,3 %) se disent très insatisfaits ou insatisfaits, alors que 50 % d'entre eux (36,4 % + 13,6 %) sont satisfaits ou très satisfaits. Il serait intéressant de poursuivre l'analyse pour connaitre les facteurs d'insatisfaction et de satisfaction.

Chapitre 20

L'analyse statistique inférentielle

1. Les deux principaux buts de l'inférence statistique sont l'estimation des paramètres et la vérification des hypothèses.

2. L'erreur de type I consiste à rejeter l'hypothèse nulle comme fausse alors qu'elle devrait être conservée. L'erreur de type II consiste à conserver l'hypothèse nulle alors qu'elle devrait être rejetée.

3.
   a) 3
   b) 4
   c) 1
   d) 8
   e) 6
   f) 5
   g) 9
   h) 7
   i) 2

Chapitre 21

La présentation et l'interprétation des résultats

1.
   a) Vrai
   b) Vrai
   c) Faux
   d) Faux
   e) Faux
   f) Vrai
   g) Faux
   h) Faux
   i) Vrai

2. Les résultats portent sur la confirmation ou non des hypothèses soumises à des tests statistiques dans les études corrélationnelles et expérimentales.

3. Les résultats de recherche sont habituellement présentés de la façon suivante : énoncer d'abord la question de recherche ou l'hypothèse, puis exposer les résultats en indiquant les analyses qui y ont conduit.

4. L'interprétation des résultats consiste à les analyser dans leur ensemble et à les interpréter relativement au type d'étude et au cadre théorique ou conceptuel. Il faut chercher la signification des résultats en se basant sur le but de l'étude, selon qu'il s'agit de décrire un phénomène, d'examiner les relations d'associations ou les différences entre les groupes.

5. L'interprétation des résultats porte sur la confirmation ou l'infirmation des hypothèses en se fondant sur la signification statistique. Elle suppose l'examen de la validité interne et de la validité externe de l'étude.

6. L'expression « signification statistique » signifie que les résultats ne sont pas seulement dus au hasard.

7. Les principaux types de résultats que le chercheur peut avoir à interpréter avec la vérification d'hypothèses sont les suivants :
   - des résultats prédits significatifs ;
   - des résultats prédits non significatifs ;
   - des résultats sont mixtes ou contradictoires ;
   - des résultats inattendus ou différents de ceux qui ont été prédits.

8. Les résultats non significatifs sont les plus difficiles à interpréter dans une étude visant à vérifier des hypothèses. Plusieurs explications sont à envisager : la théorie sur laquelle reposent les hypothèses est erronée ; les aspects théoriques de l'étude n'ont pas été bien conceptualisés ; la taille réduite de l'échantillon rend impossible la détection de différences ; les instruments de mesure ne convenaient pas ; les biais d'échantillonnage n'ont pas été contrôlés.

9. La généralisabilité des résultats suppose la possibilité d'étendre les résultats à d'autres populations ou à d'autres contextes. Elle dépend de la validité externe de l'étude.

10. La conclusion d'une étude est la partie d'un rapport de recherche qui fait état des principaux résultats de la recherche, de ses conséquences et de ses limites.

Chapitre 22
La diffusion des résultats

1. b) L'article de périodique est le type de communication susceptible de joindre le plus de lecteurs.

2. c) La communication par affiche est le type de communication le plus indiqué pour le chercheur débutant qui veut diffuser ses résultats de recherche.

3. a) 4, 7   b) 1, 3   c) 5, 9   d) 2, 6, 8

Glossaire

Ampleur de l'effet : Expression statistique qui indique l'amplitude de la relation entre deux variables ou l'amplitude de la différence entre deux groupes par rapport à un attribut donné.

Amplitude de classe : Largeur de l'intervalle délimitée par une classe fermée. Elle correspond à la différence entre la borne supérieure et la borne inférieure de la classe.

Analyse de contenu : Technique d'analyse qualitative utilisée pour traiter les données textuelles.

Analyse de la variance (ANOVA) : Test statistique paramétrique destiné à déterminer les différences entre trois groupes ou plus en comparant la variation intragroupe avec la variation intergroupes.

Analyse de régression : Technique statistique servant à caractériser le modèle de relation entre la ou les variables indépendantes et la variable dépendante, toutes deux quantitatives.

Analyse des données qualitatives : Processus qui consiste à organiser et à interpréter les données narratives en vue de découvrir des thèmes, des catégories et des modèles de référence.

Analyse secondaire : Type d'étude utilisant les données recueillies par un chercheur et réanalysées par un autre chercheur afin de vérifier des hypothèses inédites ou d'explorer de nouvelles relations.

Approche multitrait-multiméthode : Méthode qui examine la corrélation entre des instruments censés mesurer le même construit (validité convergente) et entre des instruments devant mesurer différents construits (validité divergente).

Asymétrie négative : Distribution de données dans laquelle des valeurs inférieures aux autres déplacent la moyenne vers la gauche de la médiane.

Asymétrie positive : Distribution de données dans laquelle des valeurs supérieures aux autres déplacent la moyenne vers la droite de la médiane.

Autorité : Moyen d'acquisition de connaissances qui fait appel à des personnes ayant une compétence reconnue dans un domaine en particulier.

Base de données : Système organisé permettant de repérer des références à des documents, le plus souvent des articles de périodiques.

Biais : Toute influence ou action pouvant fausser les résultats d'une étude.

Biais d'échantillonnage : Situation dans laquelle l'échantillon ne reflète pas adéquatement la population.

Cadre conceptuel : Brève explication fondée sur l'agencement logique d'un ensemble de concepts et de sous-concepts liés entre eux et réunis en raison de leur affinité avec le problème de recherche.

Cadre de recherche : Brève explication des principaux concepts en jeu et de leurs relations présumées ou existantes dans une étude. Le cadre de recherche peut être conceptuel ou théorique.

Cadre théorique : Brève explication fondée sur une ou plusieurs théories existantes se rapportant au problème de recherche.

Cahier de codes : Document qui définit chaque variable d'une étude et qui inclut une abréviation du nom de celle-ci ainsi que l'étendue des valeurs numériques possibles pour chacune.

Catalogue de bibliothèque : Liste descriptive de tous les documents que contient une bibliothèque.

Catégorie : Regroupement de codes apparentés.

Catégorie centrale : Phénomène central qui intègre toutes les catégories dans l'étude de théorisation enracinée.

Causalité : Relation de cause à effet entre des variables indépendantes et des variables dépendantes.

Centile (C) : Mesure de position qui indique le rang d'un score en précisant le pourcentage de cas dont le score est inférieur.

CINAHL : Base de données qui répertorie des périodiques traitant des sciences infirmières et des sciences connexes de la santé.

Classification Q : Technique analytique utilisée pour catégoriser des attitudes ou des jugements personnels à l'aide d'un processus de comparaison par classement.

Codage : Procédé qui consiste à convertir en nombre ou en symboles l'information incluse dans un instrument de collecte des données afin d'en faciliter le traitement.

Codage axial : Deuxième niveau de codification qui consiste à hausser le niveau conceptuel des relations entre les catégories déterminées dans la grille de codification ouverte de l'étape précédente.

Codage ouvert : Type de codage utilisé au début de l'analyse et visant à faire ressortir le plus grand nombre de concepts et de catégories possible, tout en précisant leurs propriétés et leurs dimensions.

Codage qualitatif : Processus par lequel des symboles ou des mots clés sont attribués à des segments de phrases de manière à en dégager des thèmes et des modèles.

Codage sélectif : Intégration des relations entre la catégorie principale et les autres catégories et vérification de ces relations.

Code : Symbole ou abréviation utilisé pour désigner des mots ou des phrases dans les données.

Code de Nuremberg : Code d'éthique constitué d'articles définissant les règles et les principes à observer dans la conduite de la recherche.

Coefficient alpha de Cronbach (α) : Indice de fidélité qui évalue la cohérence interne d'une échelle composée de plusieurs énoncés.

Coefficient de contingence (C) : Mesure du degré d'association utilisée pour exprimer la relation entre deux variables nominales ou catégorielles.

Coefficient de corrélation : Indice du degré de relation linéaire entre deux variables dont la valeur se situe entre −1,00 et +1,00.

Coefficient de corrélation de Pearson (r) : Indice numérique qui exprime le degré de corrélation entre deux variables mesurées à l'échelle d'intervalle.

Coefficient de corrélation de Spearman (r) : Indice numérique qui résume le degré de corrélation entre deux variables mesurées à l'échelle ordinale.

Coefficient de corrélation multiple au carré (R^2) : Proportion de variance de la variable dépendante expliquée par un groupe de variables indépendantes.

Coefficient de variation (CV): Mesure de dispersion qui représente le rapport de l'écart type à la moyenne.

Cohérence interne: Degré d'homogénéité de tous les énoncés d'un instrument de mesure.

Collecte des données: Processus qui consiste à recueillir des données auprès des participants choisis pour faire partie de l'étude.

Comité d'éthique de la recherche: Groupe de professionnels mandatés pour réviser les propositions de recherche soumises au regard des considérations éthiques.

Comparaison constante: Comparaison continue entre les données qualitatives et celles provenant d'autres sources, afin de caractériser les catégories et d'en dégager les tendances.

Concept: Abstraction, image mentale que l'on se fait de la réalité.

Confidentialité: Maintien du secret des renseignements personnels fournis par le participant à la recherche.

Confirmabilité: Critère servant à évaluer l'intégrité d'une étude qualitative en se reportant à l'objectivité ou à la neutralité des données et de leur interprétation.

Consentement: Acquiescement donné volontairement par une personne pour participer à une étude. Pour être valable, le consentement doit être libre, éclairé et continu.

Construit: Abstraction élaborée (construite) par le chercheur dans un but précis, pour répondre à une réalité empirique.

Contrôle: Procédé utilisé pour supprimer ou réduire l'effet de variables étrangères susceptibles de nuire à la validité des résultats.

Corrélation négative: Tendance des valeurs élevées d'une variable à s'associer aux valeurs faibles de l'autre variable.

Corrélation positive: Tendance des valeurs élevées d'une variable à s'associer aux valeurs élevées de l'autre variable.

Crédibilité: Critère servant à évaluer dans quelle mesure la description du phénomène vécu par les participants reflète la réalité interprétée.

Critères de sélection: Liste des caractéristiques essentielles pour faire partie de la population cible. Les critères de sélection incluent les critères d'inclusion et les critères d'exclusion.

Déclaration d'Helsinki: Déclaration qui mentionne pour la première fois le recours à l'évaluation des protocoles de recherche par un comité d'experts indépendants.

Découverte: Moyen de générer des idées sur le phénomène vécu ou de comprendre celui-ci à partir de la signification donnée par les personnes.

Décrire: Action de rassembler une documentation et des données sur un phénomène ou sur une population.

Définition conceptuelle: Définition qui fait référence à la signification abstraite et théorique d'un concept.

Définition opérationnelle: Définition qui fait référence à la manière dont les variables sont mesurées.

Degrés de liberté: Concept statistique indiquant le nombre de valeurs dans une distribution qui est susceptible de varier de façon indépendante dans un ensemble de données.

Démarche hypothéticodéductive: Vérification des hypothèses pour en déduire des conséquences observables (résultats attendus) permettant d'en déterminer la véracité.

Descripteur: Terme retenu dans le thésaurus d'une base de données pour exprimer un sujet.

Description: Détermination de la nature des phénomènes et des caractéristiques liées aux concepts et aux populations.

Devis: Plan logique tracé par le chercheur en vue d'établir une manière de procéder susceptible de mener à la réalisation des objectifs.

Devis à séries temporelles: Devis comportant des prises de mesures répétées auprès d'un groupe ou plus avec l'insertion d'un traitement expérimental entre les deux séries de mesures.

Devis après seulement avec groupe témoin: Devis dans lequel des mesures sont prises auprès d'un groupe expérimental et d'un groupe témoin seulement après l'intervention.

Devis après seulement avec groupe témoin non équivalent: Devis quasi expérimental comportant un groupe de comparaison qui n'a pas été créé dans un ordre aléatoire.

Devis avant-après à groupe unique: Devis comportant un seul groupe de sujets qui est évalué avant et après l'intervention.

Devis avant-après avec groupe témoin: Devis soumis à un contrôle rigoureux dans lequel des mesures sont prises auprès des sujets avant et après l'intervention et où un seul groupe fait l'objet de celle-ci.

Devis avant-après avec groupe témoin non équivalent: Devis quasi expérimental dans lequel des mesures sont prises auprès d'un groupe expérimental et d'un groupe de comparaison non équivalent avant et après l'intervention.

Devis concomitant imbriqué (qual/QUAN ou quan/QUAL): Devis avec prise de données quantitatives et qualitatives dont la méthode de moindre priorité est imbriquée dans l'autre.

Devis concomitant transformatif (QUAN + QUAL ou qual/QUAN): Devis avec prise concomitante de données quantitatives et qualitatives incluant une perspective théorique particulière.

Devis concomitant triangulé (QUAN + QUAL ou QUAL + QUAN): Devis avec prise de données quantitatives et qualitatives concourantes et comparaison des deux bases de données visant à déterminer s'il y a une convergence, une différence ou une combinaison possible des résultats.

Devis croisé ou contrebalancé: Devis à mesures répétées où un groupe de sujets est exposé dans un ordre aléatoire à plus d'une condition expérimentale.

Devis d'étude corrélationnelle confirmative: Vérification de la validité d'un modèle causal hypothétique.

Devis d'étude corrélationnelle prédictive: Prédiction de la valeur d'une variable fondée sur les valeurs obtenues d'autres variables.

Devis d'étude de cas: Description en profondeur d'une simple entité, tels une personne, une famille, un groupe, une communauté, un établissement ou un nombre restreint de sujets.

Devis d'étude descriptive corrélationnelle: Type d'étude servant à explorer des relations entre des variables en vue de les décrire.

Devis d'étude longitudinale: Étude dans laquelle les données sont recueillies à divers moments dans le temps afin de suivre l'évolution des phénomènes étudiés.

Devis d'étude transversale: Étude dans laquelle les données sont recueillies à un moment précis dans le temps en vue de décrire la fréquence d'apparition d'un évènement et de ses facteurs associés.

Devis d'études à visée temporelle: Examen de la séquence et des modes de changements, de la croissance ou des tendances dans le temps.

Devis d'études corrélationnelles: Devis basés sur la corrélation, une statistique qui renseigne le chercheur sur le degré d'association entre des variables.

Devis d'études descriptives: Variété de devis ayant pour but d'obtenir des informations précises sur les caractéristiques à l'intérieur d'un domaine particulier et de dresser un portrait de la situation.

Devis de recherche: Plan d'ensemble qui permet de répondre aux questions de recherche ou de vérifier des hypothèses et qui, dans certains cas, définit des mécanismes de contrôle ayant pour objet de minimiser les risques d'erreur.

Devis de recherche qualitative: Arrangement des conditions entourant la collecte et l'analyse des données au regard du but de l'étude.

Devis descriptif comparatif: Type d'étude qui rend compte des différences dans les variables dans deux groupes ou plus de sujets.

Devis descriptif simple: Type d'étude qui examine les caractéristiques d'un échantillon.

Devis émergent: Devis qui se déploie au cours du déroulement d'une étude qualitative de manière à représenter la réalité du terrain.

Devis expérimentaux: Devis qui fournissent le plus grand contrôle possible permettant d'examiner des relations de causalité entre des variables.

Devis factoriel: Devis expérimental dans lequel plus d'une variable indépendante comportant chacune au moins deux niveaux sert à vérifier l'action conjointe des variables indépendantes sur les variables dépendantes.

Devis quasi expérimentaux: Devis qui ne répondent pas à toutes les exigences du devis expérimental du fait qu'il manque le groupe témoin ou la répartition aléatoire ou les deux.

Devis séquentiel explicatif (QUAN → qual): Devis avec prise de données quantitatives préalable à la collecte qualitative dans le but d'approfondir les résultats quantitatifs et d'expliquer des phénomènes.

Devis séquentiel exploratoire (QUAL → quan): Devis avec prise de données qualitatives préalable à la collecte quantitative visant à explorer un phénomène.

Devis séquentiel transformatif (QUAL → quan ou QUAN → qual): Devis en deux phases comportant une prise de données quantitatives ou qualitatives suivie d'une prise de données qualitatives ou quantitatives, incluant une perspective théorique ou de soutien chevauchant les procédures séquentielles.

Diagramme à bandes rectangulaires: Représentation graphique utilisée pour des données qualitatives groupées par ordre.

Diagramme à secteurs: Représentation graphique constituée d'une surface circulaire divisée en secteurs et utilisée pour des données qui relèvent d'une échelle nominale.

Diagramme de dispersion: Graphique qui fournit des renseignements préliminaires sur la nature de la relation entre deux variables.

Diagramme en bâtons: Représentation graphique d'une distribution pour les données groupées par valeurs et utilisée dans le cas d'une variable quantitative discrète.

Distribution d'échantillonnage: Distribution théorique d'une statistique (p. ex. la moyenne) dont les valeurs sont calculées à partir d'un nombre infini d'échantillons qui serviront d'éléments de données dans une distribution.

Distribution de fréquences: Classement systématique de données, de la plus petite valeur à la plus grande, qui indique la fréquence obtenue pour chaque valeur.

Distribution de fréquences groupées: Lien entre les valeurs d'une caractéristique et leurs fréquences lorsque ces valeurs sont groupées en amplitudes de classe.

Distribution de fréquences non groupées: Répartition des données selon leur fréquence d'apparition dans un ensemble de données.

Distribution symétrique: Distribution des données dans laquelle le mode, la médiane et la moyenne coïncident.

Écart type (s): Mesure de dispersion évaluée à partir d'un échantillon et correspondant à la racine carrée de la variance. Il tient compte de la distance de chacun des scores d'une distribution par rapport à la moyenne du groupe.

Échantillon: Sous-groupe d'une population choisie pour participer à une étude.

Échantillon représentatif: Échantillon qui, en raison de ses caractéristiques, peut se substituer à l'ensemble de la population cible.

Échantillonnage: Processus au cours duquel on sélectionne un groupe de personnes ou une portion de la population pour représenter la population cible.

Échantillonnage accidentel: Méthode d'échantillonnage non probabiliste qui consiste à choisir des personnes selon leur accessibilité dans un lieu déterminé et à un moment précis.

Échantillonnage aléatoire simple: Méthode d'échantillonnage probabiliste qui donne à chaque élément de la population une probabilité égale d'être inclus dans l'échantillon.

Échantillonnage aléatoire stratifié: Méthode d'échantillonnage probabiliste selon laquelle la population est répartie en fonction de certaines caractéristiques afin de constituer des strates qui seront représentées dans l'échantillon.

Échantillonnage aléatoire systématique: Méthode d'échantillonnage probabiliste qui consiste à déterminer de façon aléatoire le premier élément d'une liste, puis à choisir chaque nom suivant sur la liste d'après un intervalle fixe.

Échantillonnage en grappes: Méthode d'échantillonnage probabiliste qui consiste à choisir les éléments de la population en grappes plutôt qu'un élément à la fois.

Échantillonnage intentionnel: Méthode d'échantillonnage qui consiste à sélectionner certaines personnes en fonction de caractéristiques typiques de la population à l'étude.

Échantillonnage non probabiliste: Choix d'un échantillon sans recourir à une sélection aléatoire.

Échantillonnage par quotas: Méthode d'échantillonnage non probabiliste qui consiste à choisir des sous-groupes proportionnellement égaux de sujets en se fondant sur des caractéristiques déterminées.

Échantillonnage par réseaux : Méthode d'échantillonnage qui consiste à demander à des personnes recrutées initialement selon des critères de sélection précis de suggérer le nom d'autres personnes qui leur paraissent répondre aux mêmes critères.

Échantillonnage probabiliste : Choix d'un échantillon à l'aide de techniques aléatoires afin que chaque élément de la population ait une chance égale d'être choisi pour faire partie de l'échantillon.

Échantillonnage stratifié non proportionnel : Méthode d'échantillonnage dans lequel certaines strates sont surreprésentées, étant donné leur proportion réelle dans la population.

Échantillonnage stratifié proportionnel : Méthode d'échantillonnage permettant de choisir la même proportion d'unités dans chaque strate de population étudiée.

Échantillonnage théorique : Processus qui consiste à choisir de nouveaux sites de recherche ou de nouvelles données afin de concevoir et de raffiner les catégories qui constituent la théorie émergente.

Échelle : Forme d'évaluation composite d'une caractéristique combinant plusieurs énoncés, qui donne lieu à l'attribution de valeurs ou de scores.

Échelle d'intervalle : Niveau de mesure dont les intervalles entre les nombres sont à égale distance, mais dont les nombres ne sont pas absolus en raison du zéro arbitraire.

Échelle de Likert : Échelle d'attitude constituée d'une série d'énoncés déclaratifs pour lesquels le répondant exprime son degré d'accord ou de désaccord.

Échelle de proportion : Niveau de mesure le plus élevé représenté par des intervalles égaux entre les unités et un zéro absolu.

Échelle différentielle sémantique : Évaluation, sur une échelle bipolaire à sept points, de la signification qu'accorde un sujet à une attitude ou à un objet donné.

Échelle nominale : Niveau de mesure le plus élémentaire servant à classer des objets ou des personnes dans des catégories exhaustives et qui s'excluent mutuellement.

Échelle ordinale : Niveau de mesure qui requiert le classement des catégories par rang ou selon un ordre de grandeur.

Échelle visuelle analogique : Instrument d'évaluation servant à mesurer certains concepts (p. ex. la fatigue, la douleur, la dyspnée) en demandant aux répondants d'indiquer l'intensité de leurs symptômes sur une ligne mesurant 100 mm.

Élaboration d'une théorie : Processus qui repose sur l'emploi de la méthode inductive et qui conduit à des conclusions générales à partir observations empiriques.

Énoncé de relations : Proposition qui met en relation au moins deux variables ou deux phénomènes.

Énoncé du but : Énoncé qui précise les concepts clés, la population cible et le verbe d'action approprié à l'orientation de l'étude.

Entrevue dirigée : Interaction verbale au cours de laquelle l'intervieweur contrôle le contenu et le déroulement des échanges, ainsi que l'analyse et l'interprétation des mesures.

Entrevue non dirigée : Interaction verbale au cours de laquelle le chercheur propose un ou plusieurs thèmes au répondant et à propos desquels il l'invite à s'exprimer librement et de façon personnelle.

Entrevue semi-dirigée : Interaction verbale animée par le chercheur à partir d'une liste de thèmes qu'il souhaite aborder avec le participant.

Équivalence : Mesure de fidélité servant à comparer les résultats de deux observateurs mesurant le même évènement ou deux versions parallèles d'un même instrument.

Erreur aléatoire : Erreur non prédictible provenant de facteurs subjectifs, de facteurs extérieurs ou de facteurs liés aux instruments de mesure.

Erreur de mesure : Différence entre la mesure réelle (score vrai) et celle qui est prise à l'aide d'un instrument de mesure (score observé).

Erreur de type I : Erreur commise quand on rejette l'hypothèse nulle alors qu'elle est vraie. Le risque de commettre cette erreur est appelé « alpha (α) ».

Erreur de type II : Erreur commise quand on ne rejette pas l'hypothèse nulle alors qu'elle est fausse. Le risque de commettre cette erreur est appelé « bêta (β) ».

Erreur systématique : Erreur prédictible survenant de façon constante chaque fois qu'il y a prise de mesure et attribuable à des facteurs permanents.

Erreur type de la moyenne (ETM ou $s_{\bar{x}}$) : Écart type de la distribution d'échantillonnage de la moyenne.

Estimation par intervalle de confiance (IC) : Niveau de confiance selon lequel une gamme de valeurs comprises entre deux bornes contient la valeur du paramètre à estimer.

Estimation ponctuelle : Estimation de la valeur d'un paramètre d'une population faite à partir de la statistique correspondante mesurée auprès d'un échantillon.

Étendue (E) : Mesure de dispersion qui consiste à évaluer l'écart entre la plus grande valeur et la plus petite valeur d'un ensemble de données ou d'observations.

Éthique de la recherche : Ensemble de principes qui guident et assistent le chercheur dans la conduite de la recherche.

Ethnographie : Méthodologie visant à comprendre les modes de vie de groupes appartenant à des cultures différentes.

Étude cas-témoins : Étude d'observation rétrospective dans laquelle sont mis en relation un phénomène présent au moment de l'enquête et un phénomène antérieur chez deux groupes de sujets : un groupe atteint de la maladie considérée (les cas) et un groupe indemne (les témoins).

Étude de cas : Examen détaillé et approfondi d'un phénomène lié à une entité sociale (personne, famille, communauté, organisation).

Étude de cohorte prospective : Étude qui implique un groupe de personnes exposées à des facteurs de risque d'un phénomène et suivi pendant une période déterminée.

Étude de cohorte rétrospective : Étude qui implique un groupe de personnes dont les facteurs de risque et les effets sont déjà observables au moment de commencer l'étude.

Étude descriptive qualitative : Type de recherche servant à décrire des phénomènes sans faire appel à une méthodologie qualitative particulière.

Études analytiques en épidémiologie : Type d'études en épidémiologie qui cherche à comprendre le lien entre un facteur de risque et la survenue d'une maladie.

Expérience professionnelle : Forme de connaissance ou pratique acquise au contact de la réalité ou d'une longue pratique professionnelle.

Explication : Moyen de déterminer les raisons pour lesquelles certaines variables sont associées entre elles.

Explication de relations : Type d'étude qui détermine la raison d'être des relations entre des concepts ou la raison pour laquelle un phénomène évolue d'une certaine façon.

Explorer (des relations) : Action d'examiner la présence de relations entre des variables.

Facteurs historiques : Obstacles à la validité interne où des évènements extérieurs ou des faits survenant au cours de l'expérimentation influent sur les résultats.

Fiabilité : Critère servant à évaluer l'intégrité des données d'études qualitatives en ce qui a trait à leur stabilité dans le temps et dans différentes conditions.

Fidélité : Constance des valeurs obtenues à l'aide d'un instrument de mesure.

Fidélité des formes parallèles : Fidélité entre deux versions équivalentes d'un instrument de mesure.

Fidélité intercodeurs : Degré auquel deux observateurs ou plus obtiennent les mêmes résultats sur le même évènement observé.

Fidélité moitié-moitié : Mesure de fidélité de la cohérence interne qui consiste à diviser les énoncés d'une échelle en deux moitiés et à corréler les résultats de celles-ci.

Fluctuation des instruments de mesure : Facteur d'invalidité interne découlant de l'utilisation inconstante des instruments de mesure ou du mauvais calibrage d'un instrument mécanique ou électronique.

Formulaire d'information et de consentement : Entente écrite signée par le chercheur et le participant à l'étude concernant les modalités de sa participation volontaire.

Formulation du problème : Démarche qui s'appuie sur un ensemble d'éléments servant à exposer le problème, à en déterminer les causes et les conséquences et à proposer une solution empirique à partir de ce qui est connu à ce sujet.

Formule PICO : Processus par lequel des questions cliniques sont formulées de manière à orienter la recherche d'information vers les sources les plus appropriées : P = population ; I = intervention ; C = comparaison ; O = résultat (*outcomes*).

Généralisabilité : Degré selon lequel les conclusions d'une étude quantitative dont les éléments ont été sélectionnés aléatoirement dans une population de référence peuvent être généralisées à l'ensemble de cette population.

Grille d'observation : Outil d'observation permettant de classer des comportements dans des catégories prédéterminées.

Groupe de discussion focalisée : Technique d'entrevue qui réunit un petit groupe de participants et un modérateur dans le cadre d'une discussion orientée sur un sujet particulier.

Guide d'entrevue : Document utilisé par l'intervieweur au cours d'un entretien en guise de rappel des différents thèmes ou des questions devant être abordés.

Hiérarchie de preuves : Mécanisme servant à déterminer les études qui présentent les meilleurs devis pour répondre à une question clinique. Le niveau de preuve le plus élevé correspond aux revues systématiques d'essais randomisés contrôlés, et le niveau le plus faible correspond aux opinions d'experts.

Histogramme : Façon de représenter graphiquement les données à l'échelle d'intervalle ou de proportion. Montre la forme de la distribution.

Hypothèse de recherche (H_1) : Affirmation d'une relation anticipée entre deux variables et qui doit être démontrée par des résultats.

Hypothèse directionnelle : Hypothèse qui exprime la direction et la force d'une relation entre des variables.

Hypothèse non directionnelle : Hypothèse neutre qui n'énonce pas de direction de la relation entre des variables.

Hypothèse nulle (H_0) : Affirmation qu'il n'y a pas de différence ni de relations statistiques entre des variables.

Hypothèse simple : Hypothèse qui prédit une relation associative ou causale entre deux variables.

Incident critique : Évènement inattendu susceptible de provoquer une forte réaction émotive ou comportementale chez la personne qui le vit.

Index de périodiques : Liste disponible dans des bases de données et qui constitue un guide efficace pour répertorier des revues scientifiques ou professionnelles.

Indicateur empirique : Expression quantifiable et mesurable des différentes dimensions d'un construit ou d'un concept abstrait.

Inférence statistique : Champ de la statistique qui a pour objet la vérification d'hypothèses et l'utilisation de données d'échantillonnage pour faire des généralisations à l'ensemble d'une population.

Information empirique : Information qui provient de publications se rapportant à des résultats de recherche.

Information théorique : Information qui provient de publications traitant de concepts, de modèles, de théories et de cadres conceptuels.

Interprétation des résultats : Démarche qui consiste à examiner les résultats d'analyses, à tirer des conclusions, à considérer les implications cliniques, à explorer la signification des résultats, à les généraliser et à suggérer des recherches futures

Intuition : Mode de connaissance immédiate qui permet d'acquérir une certitude sans recourir au raisonnement.

Macrothéorie : Théorie générale composée de concepts abstraits visant à expliquer ou à décrire de vastes aspects de l'expérience humaine ; elle peut incorporer d'autres théories.

Manipulation : Application par le chercheur d'un ensemble de conditions expérimentales prédéfinies (variable indépendante) afin d'en évaluer les effets sur l'étude de la variable dépendante.

Manipulation d'une variable indépendante : Opération délibérée du chercheur qui introduit un ensemble de conditions expérimentales prédéterminées auprès d'au moins un groupe de sujets afin d'en évaluer les effets sur la variable dépendante.

Maturation : Obstacles à la validité interne se rapportant aux processus de changement qui se produisent au fil du temps et qui ne dépendent pas d'évènements extérieurs (p. ex. le vieillissement, la fatigue, le développement cognitif).

Médiane (Md) : Mesure de tendance centrale qui divise une distribution de fréquences ordonnée en deux parties égales, comprenant chacune 50 % des données.

MEDLINE : Base de données internationales en science de la santé.

Mémo : Note réflexive rédigée en cours d'analyse sur les idées que les données font naitre dans l'esprit du chercheur.

Mémo analytique : Note réflexive rédigée par le chercheur en cours d'analyse sur les idées que les données font naitre dans son esprit.

Mesure : Opération qui consiste à assigner des nombres à des objets, à des évènements ou à des situations selon certaines règles.

Mesure de dispersion : Mesure qui renseigne sur la variabilité des données ou des observations.

Mesures de tendance centrale : Procédés statistiques (mode, médiane et moyenne) servant à déterminer le centre d'une distribution d'observations.

Mesures physiologiques : Techniques utilisées pour mesurer des variables physiologiques directement ou indirectement, telles que la pulsation, la pression artérielle et la douleur.

Métaanalyse : Démarche statistique qui consiste à combiner les résultats d'une série d'études sur le même sujet dans le but de tirer des conclusions sur l'efficacité d'interventions.

Métarecherche : Recherche qui permet de trouver des documents dans plusieurs bases de données en une seule requête.

Métasynthèse : Démarche rigoureuse qui englobe les résultats d'une série d'études qualitatives afin d'accroitre la transférabilité des résultats vers la pratique.

Méthode de recherche *ethnonursing* : Étude des cultures dont l'accent porte sur les croyances et les pratiques de groupes relatives aux soins infirmiers et aux comportements en matière de santé.

Méthodes mixtes de recherche : Méthodologie combinant ou associant des méthodes qualitatives et quantitatives dans une même étude afin de répondre de façon optimale à une question de recherche.

Mode (Mo) : Mesure de tendance centrale qui correspond à la valeur qui apparait le plus souvent dans une distribution de fréquences.

Modèle : Ensemble organisé d'idées et de concepts se rapportant à un phénomène particulier.

Modèle conceptuel : Ensemble de concepts liés entre eux qui représentent et transmettent symboliquement une image mentale d'un phénomène.

Modèle de l'Iowa : Modèle visant à promouvoir la pratique fondée sur des données probantes et des soins de qualité dans les milieux cliniques.

Modèle de Stetler : Cadre compréhensible visant à promouvoir chez les infirmières l'utilisation de résultats de recherche en vue de faciliter la pratique fondée sur des données probantes.

Modèle du cycle des connaissances à la pratique : Guide facilitant la mise en œuvre des activités entourant l'application des connaissances à la pratique.

Monographies : Livres ou traités qui présentent des études exhaustives sur un sujet précis.

Mortalité expérimentale : Incidence sur la validité interne à la suite du désistement de sujets pouvant survenir dans un groupe plus que dans un autre.

Moteur de recherche : Logiciel qui permet de consulter d'immenses bases de données constituées de robots qui balaient automatiquement le Web et qui saisissent l'information de chaque page visitée.

Moyenne : Mesure de tendance centrale qui correspond à la somme d'un ensemble de valeurs divisée par le nombre total de valeurs. Elle est symbolisée par $\bar{x}$ ou μ, selon qu'il s'agit de représenter la moyenne de l'échantillon ou la moyenne de la population.

Observation non participante : Méthode de collecte des données qui consiste à observer un groupe sans en faire partie afin de décrire une situation sociale donnée.

Observation participante : Méthode de collecte des données qui consiste en l'immersion totale du chercheur au même titre que les participants, en vue d'observer directement comment ceux-ci réagissent dans des situations sociales données.

Observation structurée : Forme d'observation propre à la recherche quantitative où des évènements sont observés et enregistrés dans des catégories prédéfinies et mutuellement exclusives.

Opérateurs logiques : Termes (ET, OU, SAUF ; AND, OR, NOT) qui servent à unir des mots clés dans un repérage documentaire.

Optimisation des avantages : Principe qui correspond à celui de bienfaisance et qui consiste à vouloir du bien aux personnes et à leur procurer le plus d'avantages possible.

Paradigme : Conception du monde, système de représentation de valeurs et de normes qui impriment une direction particulière à la pensée et à l'action.

Paradigme interprétatif : Paradigme qui se fonde sur le postulat que la réalité est socialement construite à partir de perceptions individuelles susceptibles de changer avec le temps.

Paramètre : Mesure effectuée auprès d'une population.

Périodiques scientifiques : Revues dans lesquelles sont publiés des articles ayant fait l'objet d'une évaluation par les pairs.

Phénomène : Évènement, situation particulière ou processus quelconque susceptibles de faire l'objet d'une recherche.

Phénoménologie descriptive : Méthodologie servant à décrire la signification d'une expérience particulière telle qu'elle est vécue par des personnes à travers un phénomène.

Phénoménologie herméneutique : Méthodologie qui met l'accent sur l'interprétation des expériences vécues plutôt que sur leur simple description.

Philosophie : Réflexion visant une interprétation globale du monde et de l'existence humaine.

Polygone des fréquences : Représentation graphique des variables quantitatives à échelle d'intervalle ou de proportion. Le polygone est formé en joignant par une droite chaque point situé au milieu du sommet de chaque rectangle d'un histogramme.

Population : Ensemble des éléments (personnes, objets, spécimens) qui présentent des caractéristiques communes.

Population accessible : Portion de la population cible que l'on peut atteindre.

Population cible : Population que le chercheur veut étudier et pour laquelle il désire faire des généralisations ou des transferts.

Postpositivisme : Vision de la science qui, contrairement au positivisme, reconnait que toutes les observations sont faillibles et susceptibles d'erreurs.

Postulat : Énoncé considéré comme vrai, bien qu'il ne soit pas démontré scientifiquement.

Pratique : Milieu où s'effectuent les soins et l'objet de la recherche.

Pratique fondée sur des données probantes : Approche qui consiste en la prise de décision concernant l'utilisation des meilleures données probantes pour la prise en charge personnalisée de patients.

Prédiction et contrôle (prédire et contrôler) : Entité surtout liée à l'expérimentation dont le but est de vérifier des relations de causalité entre les variables dépendantes et indépendantes. Action de vérifier ces relations.

Préoccupation pour le bienêtre : Principe éthique qui fait appel à la qualité de vie d'une personne et au respect de sa vie privée.

Principe de justice : Devoir d'agir auprès des personnes de manière juste et équitable.

Probabilité : Description quantitative de l'apparition possible d'un évènement exprimée de façon conventionnelle sur une échelle de 0 à 1.

Processus de la pensée abstraite : Processus ordonné de faits ou de phénomènes répondant à un certain schème à partir duquel les idées se forment dans l'esprit.

Puissance statistique : Capacité d'un test à détecter une différence significative ou une relation existante entre des variables, ce qui revient à la probabilité de rejeter correctement une hypothèse nulle.

Question de recherche : Énoncé particulier qui demande une réponse pour résoudre un problème de recherche.

Question de recherche qualitative : Énoncé interrogatif explorant une expérience, un phénomène ou un processus qui fera l'objet d'une investigation empirique auprès d'un groupe de participants.

Question de recherche quantitative : Énoncé interrogatif déterminant les concepts clés et la population cible qui feront l'objet d'une investigation empirique.

Questionnaire : Instrument de collecte des données qui exige du participant des réponses écrites à un ensemble de questions.

Raisonnement déductif : Raisonnement qui consiste à aller du général au particulier.

Raisonnement inductif : Raisonnement qui consiste à aller du particulier au général.

Rapport d'étude qualitative : Rapport généralement riche en détail et en description, qui adopte la forme narrative pour illustrer les principaux thèmes et les interprétations.

Recension des écrits : Liste des principales sources théoriques et empiriques des publications de recherche qui rendent compte de ce qui est connu et inconnu sur un sujet de recherche en particulier.

Recherche corrélationnelle prédictive : Recherche qui vise à vérifier, à l'aide d'hypothèses d'associations, des relations précises entre des variables sélectionnées.

Recherche de théorisation enracinée : Recherche qui a pour objet l'élaboration de théories enracinées dans des problèmes sociaux particuliers pour lesquels il existe peu d'études approfondies.

Recherche descriptive corrélationnelle : Recherche qui vise à explorer des relations entre des variables.

Recherche descriptive qualitative : Type de recherche servant à décrire des phénomènes sans se référer à une méthodologie qualitative particulière.

Recherche descriptive quantitative : Recherche qui vise à fournir un portrait détaillé des caractéristiques de personnes, d'évènements ou de populations.

Recherche documentaire : Ensemble des étapes menant à l'obtention d'informations sur un sujet donné.

Recherche ethnographique : Recherche qui vise à comprendre les modes de vie de populations appartenant à des cultures différentes.

Recherche expérimentale : Étude dans laquelle le chercheur vise à vérifier des relations de cause à effet entre des variables indépendantes et dépendantes.

Recherche fondamentale et recherche appliquée : Recherches qui se différencient par leur but : celui de la recherche fondamentale est l'élargissement du savoir et celui de la recherche appliquée, la découverte de la solution à un problème pratique immédiat.

Recherche méthodologique : Recherche conçue pour élaborer ou raffiner les instruments servant à mesurer des variables ; l'accent porte sur la fidélité et la validité.

Recherche non expérimentale : Étude dans laquelle le chercheur décrit des évènements, explore et vérifie des relations associatives.

Recherche phénoménologique : Recherche qui étudie la signification d'expériences telles qu'elles sont vécues par les personnes.

Recherche qualitative : Recherche qui met l'accent sur la compréhension et qui repose sur l'interprétation des phénomènes à partir des significations fournies par les participants.

Recherche quantitative : Recherche qui met l'accent sur la description, l'explication, la prédiction et le contrôle et qui repose sur la mesure de phénomènes et l'analyse de données numériques.

Recherche quasi expérimentale : Recherche qui ne répond pas à toutes les exigences du devis expérimental du fait qu'il manque le groupe témoin, ou la répartition aléatoire, ou les deux.

Recherche scientifique : Démarche systématique d'acquisition de connaissances qui repose sur la collecte de données empiriques en vue de décrire, d'expliquer, de prédire ou de contrôler des phénomènes.

Recrutement : Démarche entreprise auprès de participants potentiels en vue de constituer un échantillon répondant à des critères de sélection pour prendre part à un projet de recherche.

Réduction des inconvénients : Moyen de mise en œuvre en vue de supprimer ou de limiter les inconvénients que la recherche peut présenter pour les participants.

Référence critériée : Interprétation d'un score basée sur sa valeur actuelle.

Référence normative : Interprétation d'un score basée sur sa valeur relative à un score normal ou standard.

Réflexivité : Introspection et examen critique de l'interaction entre le soi et les données durant la collecte et l'analyse de données qualitatives. Peut amener le chercheur à explorer ses propres sentiments et ses expériences.

Règle de décision : Décision de rejeter ou de ne pas rejeter H_0 sur la base d'un seuil de signification α.

Régression linéaire simple : Procédure statistique qui permet d'estimer la valeur d'une variable dépendante en se fondant sur la valeur d'une variable indépendante.

Régression logistique : Procédure de régression qui permet d'analyser des relations entre plusieurs variables indépendantes catégorielles et une variable dépendante catégorielle et qui remplace la régression linéaire en présence d'une variable dépendante dichotomique.

Régression multiple : Analyse statistique multivariée servant à établir la relation prédictive entre une variable dépendante (Y) et un ensemble de variables indépendantes (X_1, X_2, …).

Régression statistique : Tendance des scores extrêmes à régresser vers la moyenne dans les études utilisant un devis avant-après.

Relation associative : Relation dans laquelle les variables se produisent ou se modifient simultanément.

Répartition aléatoire : Mode de distribution des participants dans les groupes au moyen de méthodes probabilistes, donnant à chaque sujet une chance égale de faire partie de l'un ou l'autre groupe.

Respect de la vie privée : Principe qui permet à une personne de décider de l'information de nature personnelle à rendre publique dans le cadre d'une recherche.

Résumé : Brève description d'une étude qui relate le contenu de ses principales sections et dont la longueur est habituellement de 150 à 300 mots.

Revue systématique : Sommaire des preuves sur un sujet précis effectué par des experts qui utilisent un processus rigoureux et méthodique pour évaluer et synthétiser les études ayant examiné une même question et pour tirer des conclusions.

Saturation des données : Moment dans la collecte des données où le chercheur conclut qu'une nouvelle information n'ajoutera rien de plus à la compréhension du phénomène à l'étude.

Science : Ensemble de connaissances établies de manière critique et organisées de façon systématique tendant à l'explication de phénomènes étudiés.

Score standardisé : Mesure de position qui indique à combien d'écarts types au-dessus ou en dessous de la moyenne se situe un score.

Segmentation : Opération consistant à diviser les données en unités analytiques significatives appelées « segments ».

Sélection des participants : Facteur d'invalidité interne associé à des différences préexistantes entre les groupes de sujets en l'absence de répartition aléatoire entre ceux-ci.

Sensibilité : Capacité d'un instrument de mesure à déceler correctement la présence d'un état (maladie).

Seuil de signification (α) : Probabilité de rejeter l'hypothèse nulle alors qu'elle est vraie et dont les seuils les plus courants sont 0,05 et 0,01.

Signification clinique : Expression qui indique que le résultat d'une étude peut avoir des retombées sur le plan clinique.

Signification statistique : Expression qui indique que les résultats d'une analyse ne découlent vraisemblablement pas de la chance à un seuil de signification déterminé.

Situation de mesure : Facteur d'invalidité interne qui peut induire une accoutumance au test à la suite de l'application de mesures répétées.

Source primaire : Description d'une recherche originale rédigée par l'auteur lui-même.

Source secondaire : Texte interprété et rédigé par un autre chercheur que l'auteur d'un document original. Ce type de source synthétise, résume et commente ce dernier.

Spécificité : Capacité d'un instrument de mesure à reconnaitre correctement l'absence d'un état (maladie).

Stabilité temporelle : Qualité d'un instrument de mesure lorsqu'il procure des résultats similaires obtenus par des prises de mesure répétées, effectuées dans des conditions identiques et auprès des mêmes personnes.

Statistique : Mesure effectuée auprès d'un échantillon issu d'une population.

Statistique kappa (κ) : Indice de correction pour les mesures de pourcentage d'accord de la fidélité en tenant compte de l'effet potentiel des accords obtenus par chance.

Sujet de recherche : Aspect particulier d'un domaine de connaissances que l'on se propose d'examiner. Il peut provenir de diverses sources et concerner des attitudes, des comportements, des croyances, des incidences, des problèmes cliniques, des observations, des concepts, etc.

Tableau de contingence : Tableau de fréquences dans lequel la répartition des données est présentée dans des cellules en fonction d'au moins une variable nominale.

Tableau de fréquences non groupées : Tableau servant à grouper des données selon leur fréquence d'apparition dans un ensemble de valeurs.

Tâtonnement : Action de réaliser une tâche avec hésitation et au moyen d'essais renouvelés.

Technique Delphi : Méthode qui permet de connaitre l'opinion d'experts sur des situations ou des problèmes prévalent sans que les participants aient à se déplacer.

Test bilatéral : Test d'hypothèse qui présente deux zones de rejet de l'hypothèse nulle.

Test d'hypothèse : Procédure d'inférence statistique qui permet de choisir, non sans risque de se tromper, entre deux hypothèses, l'hypothèse nulle (H_0) et l'hypothèse de recherche (H_1), à partir d'échantillons aléatoires.

Test du khi-deux (χ^2) : Test inférentiel non paramétrique qui exprime l'importance de l'écart entre les fréquences observées et les fréquences théoriques. On l'utilise entre autres pour effectuer un test d'hypothèse concernant le lien entre deux variables qualitatives.

Test t : Test paramétrique servant à déterminer la différence entre les moyennes de deux populations.

Test unilatéral : Test d'hypothèse qui présente une seule zone de rejet de l'hypothèse nulle.

Tests statistiques non paramétriques : Procédures statistiques inférentielles utilisées pour des données nominales et ordinales, et dont la distribution normale ne repose pas sur des postulats rigoureux.

Tests statistiques paramétriques : Procédures statistiques servant à faire l'estimation des paramètres de la population et à vérifier des hypothèses en tenant compte des postulats sur la distribution des variables.

Thème : Entité significative qui se manifeste de façon récurrente au cours de l'analyse des données qualitatives.

Théorème de la limite centrale : Tendance des valeurs d'échantillonnage à se distribuer normalement autour de la moyenne de la population.

Théorie : Généralisation abstraite qui présente une explication systématique d'un phénomène et de ses interrelations.

Théorie à moyenne portée : Théorie se situant à mi-chemin entre les théories abstraites et concrètes ; elle est plus limitée en étendue et traite de phénomènes particuliers.

Théorie descriptive : Théorie empiriquement enracinée qui sert à décrire ou à classifier un phénomène, un évènement, une situation ou une relation en résumant les caractéristiques communes observées.

Théorisation enracinée : Méthodologie visant à décrire des problèmes présents dans des contextes sociaux particuliers et la manière dont les personnes y font face dans le but de générer une proposition théorique des phénomènes sociaux.

Thésaurus : Répertoire des mots et des expressions utilisés pour indexer des documents.

Tradition : Ensemble de coutumes basées sur les croyances et les tendances passées.

Transférabilité : Critère servant à évaluer l'application éventuelle des conclusions issues d'études qualitatives à d'autres contextes ou groupes. Elle s'apparente à la généralisation.

Triangulation : Stratégie de mise en comparaison de plusieurs méthodes de collecte et d'interprétation de données permettant de tirer des conclusions valables à propos d'un même phénomène.

Unité analytique : Segments du texte qui possèdent un sens exhaustif en eux-mêmes.

Valeur critique : Valeur issue d'une table statistique qui détermine les zones de rejet et de non-rejet de l'hypothèse nulle.

Validation transculturelle : Opération par laquelle on cherche à obtenir l'équivalence culturelle d'un instrument de mesure traduit d'une langue à une autre.

Validité : Capacité d'un instrument à mesurer ce qu'il est censé mesurer.

Validité concomitante : Degré de corrélation entre deux tests mesurant le même construit et appliqués à des sujets à peu près en même temps.

Validité de conclusion statistique : Degré de certitude des conclusions tirées des tests statistiques sur les relations entre les variables ou sur les différences entre les groupes.

Validité de construit : 1. Dans un devis, degré de précision auquel les définitions opérationnelles représentent les construits théoriques. 2. Justesse avec laquelle un instrument de mesure permet d'obtenir des résultats conformes au construit défini dans son contexte théorique.

Validité de contenu : Représentativité des énoncés d'un instrument afin de mesurer un concept ou un champ de contenu particulier.

Validité externe : Caractère d'une étude qui permet de généraliser les résultats à d'autres populations et contextes que ceux étudiés.

Validité interne : Caractère d'une étude expérimentale dans laquelle la variable indépendante est la seule cause du changement touchant la variable dépendante.

Validité liée au critère : Type de validité qui permet d'estimer le degré de corrélation entre un instrument de mesure et un autre instrument servant de critère mesurant le même phénomène.

Validité nominale : Apparence des énoncés d'un instrument de mesure à représenter adéquatement le contenu du domaine à l'étude.

Validité par analyse factorielle : Technique statistique multivariée qui permet de regrouper en facteurs des variables fortement liées entre elles et d'indiquer si une échelle est unidimensionnelle ou multidimensionnelle.

Validité par convergence : Évaluation du degré de similitude des résultats ou d'élévation des corrélations issues de deux instruments censés mesurer le même phénomène.

Validité par divergence : Évaluation du degré de différence des résultats ou de faiblesse des corrélations issues des instruments censés mesurer des caractéristiques différentes.

Validité par groupes connus : Technique servant à estimer la validité de construit par laquelle on évalue la capacité d'un instrument à distinguer les personnes possédant une caractéristique particulière connue de celles qui ne la possèdent pas.

Validité par vérification d'hypothèses : Formulation d'hypothèses visant à vérifier la théorie sous-jacente à l'instrument de mesure.

Validité prédictive : Validité qui tente d'établir qu'une mesure actuelle sera un prédicteur valide d'un résultat futur.

Variable : Caractéristique ou propriété qui peut prendre diverses valeurs.

Variable attribut : Variable qui est une caractéristique propre aux participants à une recherche.

Variable catégorielle : Variable dont les modalités sont des catégories sans ordre de grandeur, comme « masculin » et « féminin » pour la variable sexe.

Variable dépendante : Variable censée dépendre d'une autre variable (variable indépendante) ou être causée par celle-ci.

Variable étrangère : Variable qui confond la relation entre la variable indépendante et la variable dépendante et qui risque d'influer sur les résultats d'une étude.

Variable indépendante : Variable qui peut expliquer la variable dépendante ; elle peut aussi influer sur cette dernière.

Variable quantitative continue : Variable dont les modalités ont des valeurs numériques pouvant prendre n'importe quelle valeur sur un continuum.

Variable quantitative discrète : Variable qui ne peut prendre que certaines valeurs.

Variance (s^2) : Mesure de dispersion évaluée à partir d'un échantillon et correspondant à la moyenne des carrés des écarts.

Vérification des hypothèses : Démarche statistique qui permet de faire un choix entre deux hypothèses statistiques, l'hypothèse nulle et l'hypothèse de recherche.

Vérification empirique de la théorie : Opération consistant à confronter aux faits une hypothèse déduite d'une théorie.

Vérifier : Action d'expliquer les relations d'associations entre des variables.

Vignette : Bref scénario qui peut être présenté à des participants en vue d'obtenir leurs réactions à un évènement ou à une situation.

Index